ENCICLOPEDIA MEDICA MODERNA

TOMO TERCERO

Spanish — Modern Medical Encyclopedia

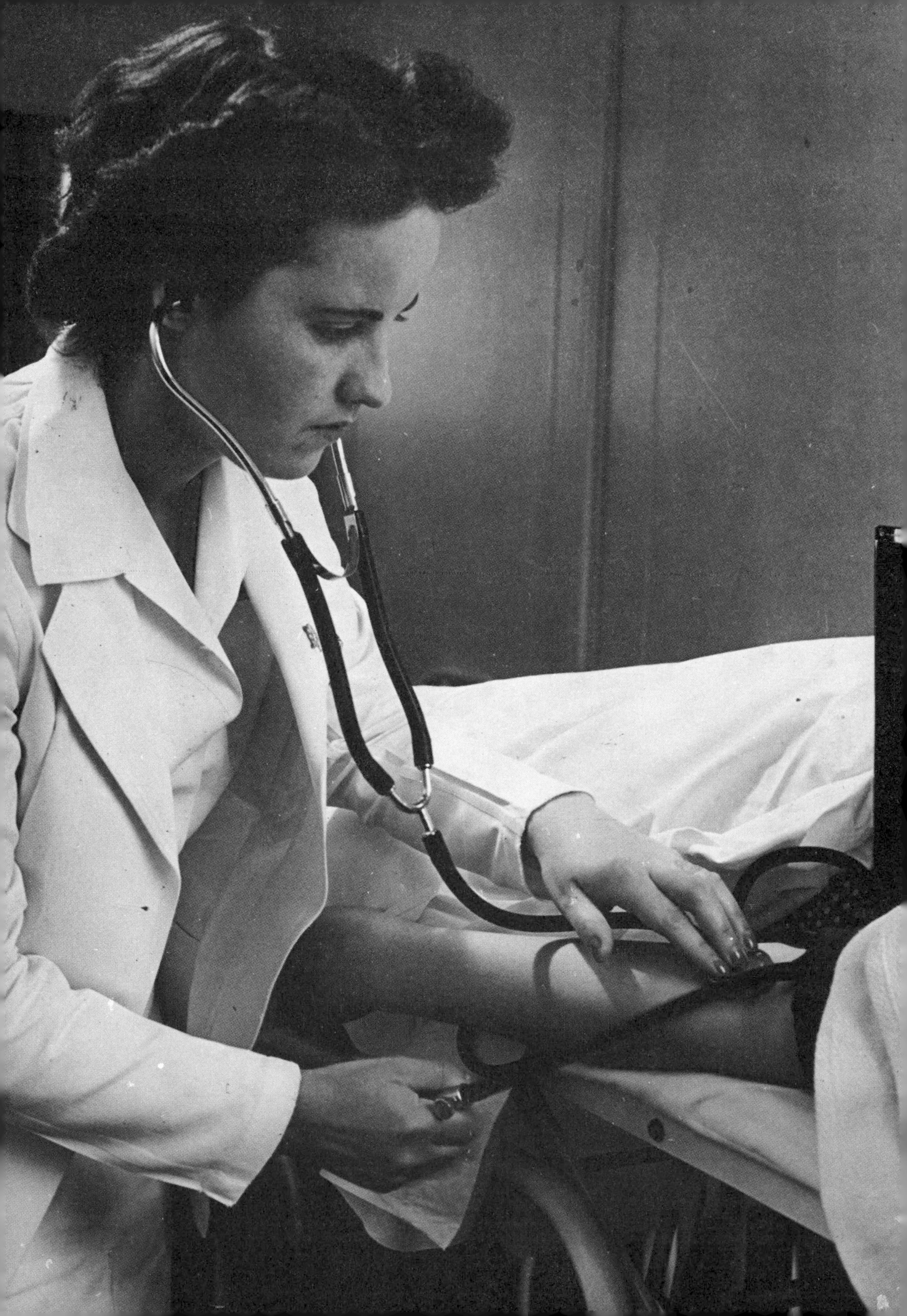

Dr. MARCELO A. HAMMERLY

Doctor en Medicina y Cirugía,
ex director del Sanatorio A. del Plata,
profesor de Primeros Auxilios de la Cruz Roja Argentina,
miembro de diversas sociedades médicas y científicas.

ENCICLOPEDIA MEDICA MODERNA

Con la colaboración de varios otros profesionales de prestigio

Conceptos de anatomía, fisiología e higiene; normas higiénico-dietéticas; la prevención de las enfermedades; primeros auxilios; puericultura; técnica del cuidado del enfermo; material para enfermeros y auxiliares médicos.

TOMO TERCERO

Edición Actualizada

PUBLICACIONES INTERAMERICANAS

1350 Villa St. — Mountain View, California 94042
EE. UU. de N. A.

ASOCIACION CASA EDITORA SUDAMERICANA

Avda. San Martín 4555 — 1602 Florida
Buenos Aires, Argentina

EDITORIAL SAFELIZ

Aravaca, 8 — Madrid 3, España

Editado e impreso por
PUBLICACIONES INTERAMERICANAS
División Hispana de la Pacific Press Publishing Association:
- 1350 Villa Street, Mountain View, California 94042, EE. UU. de N. A.
- Apartado 86, Montemorelos, Nuevo León, México

Segunda edición: 4.ª reimpresión, 1981
225.000 ejemplares en circulación

Offset in U.S.A.
ISBN 0-8163-9968-9

Colaboradores Especiales

Han prestado su valiosa colaboración en la preparación de esta obra del Dr. Marcelo A. Hammerly, leyendo todo el manuscrito o parte de él y haciendo útiles sugestiones, los siguientes profesionales:

Dr. Galdino Nunes Vieira

Ex director del Hospital Silvestre, Río de Janeiro, y del Hospital y Casa de Salud Libertad, San Pablo — Ex catedrático de Química Orgánica y Biológica de la Universidad de Río Grande del Sur y de Química Fisiológica de la Escuela de Medicina de Río Grande del Sur, Brasil.

Dr. Volney V. A. Vilá

Médico cirujano — Médico del Hospital Fernández, de la ciudad de Buenos Aires, a cargo del Servicio de Hemoterapia.

Dr. C. R. Potts

Médico cirujano — Ex director de la Clínica "Good Hope", de Miraflores, Lima, Perú.

Dr. Carlos E. Westphal

Médico cirujano — Ex director del Sanatorio A. del Plata, Villa Libertador San Martín, Entre Ríos, Argentina.

Cómo Usar con Mayor Provecho este Libro

SE HAN tomado en esta obra todas las providencias para hacer fácil su manejo y comprensible su contenido. Aun cuando no siempre se ha omitido el uso de palabras técnicas, sobre todo cuando éstas son más generalmente conocidas, se ha tratado casi siempre de explicar entre paréntesis en forma sintética su significado o de añadir un sinónimo común.

Las palabras que se hallen fuera del uso corriente y que no aparezcan explicadas en el texto mismo, podrá hallárselas en el "Léxico médico", que se halla al final del tercer tomo, y que puede ser manejado como un diccionario.

Para facilitar al lector la búsqueda de los asuntos relacionados con el tema que está estudiando, se cita, siempre que sea posible, el capítulo donde hallará la información, y en muchos casos hasta la página precisa.

La obra tiene tres valiosos índices.

El Indice General o tabla de contenido presenta los libros y capítulos de la obra en el orden y con la estructura en que aparecen en la misma, respondiendo a un criterio de ordenación lógica y científica.

El Indice General Alfabético ordena todos estos temas alfabéticamente con el rigor de un diccionario, y no sólo incluye los grandes temas y las palabras más importantes, sino aun los detalles menores, siempre que sean de valor práctico.

Cada vez que en el texto se indica consultar un asunto bajo una palabra determinada, búsquese en el Indice General Alfabético esa palabra (como si fuera en un diccionario), y se hallará frente a la misma la página del libro en que se trata ese tema.

Así por ejemplo, si estamos estudiando la gripe, y allí se nos indica que como parte del tratamiento son útiles los fomentos a la espalda, los baños de pies calientes y las inhalaciones, podrán buscarse en seguida las palabras "fomentos", "baños de pies", e "inhalaciones", para estudiar la manera científica de hacer estos tratamientos.

El Indice Alfabético de Síntomas tendrá la virtud de mostrarnos la inseguridad de un diagnóstico hecho por el propio enfermo o sus familiares, y la necesidad que existe de valerse de los servicios profesionales para no incurrir en graves errores.

PLAN GENERAL

(Tabla de Contenido)

Indice abreviado del

TOMO PRIMERO

Cómo usar con mayor provecho este libro 6

LIBRO PRIMERO

La conservación de la salud

Parte primera: **Factores que contribuyen a conservar o a proporcionar la salud**

CAPITULO 1. Qué es la salud 45
CAPITULO 2. Beneficios del aire puro y de la luz solar 49
CAPITULO 3. El agua pura y sus bondades 55
CAPITULO 4. ¿Cuál es la alimentación correcta? 63
CAPITULO 5. El ejercicio físico contribuye a la salud 70
CAPITULO 6. El descanso y la recreación necesarios 83
CAPITULO 7. Higiene mental y medicina psicosomática 97

Parte segunda: **Enemigos declarados de la salud**

CAPITULO 8. Los hábitos antihigiénicos y cómo vencerlos 107
CAPITULO 9. El alcohol y sus efectos 112
CAPITULO 10. Los peligros del tabaco. El plan de cinco días para dejar de fumar 125
CAPITULO 11. El tremendo problema de las drogas 158

LIBRO SEGUNDO

La alimentación

Parte primera: **Constitución de los alimentos**

CAPITULO 12. Alimentos reparadores, energéticos y reguladores. Necesidades calóricas 167
CAPITULO 13. Las proteínas: puntales de la salud 190
CAPITULO 14. Los hidratos de carbono 196
CAPITULO 15. Las grasas o lípidos 200
CAPITULO 16. Los minerales 206
CAPITULO 17. Las vitaminas 211
CAPITULO 18. Otros elementos que han de tomarse en cuenta en la alimentación. Las bebidas 230

Parte segunda: **Características de los principales alimentos**

CAPITULO 19. Los alimentos ricos en proteínas 237
CAPITULO 20. Los cereales 249
CAPITULO 21. Las verduras u hortalizas 253
CAPITULO 22. Las frutas. Los alimentos ricos en grasas 256

LIBRO TERCERO

La mujer

Parte primera: **Las enfermedades de la mujer. El embarazo y el parto**

CAPITULO 23. Anatomía y fisiología del aparato genital femenino . 261
CAPITULO 24. Enfermedades propias de la mujer 269

Parte segunda: **El embarazo y el parto**

CAPITULO 25. El embarazo 286
CAPITULO 26. El parto 309

LIBRO CUARTO

El niño

Parte primera: **El niño sano. Nociones de puericultura**

CAPITULO 27. Generalidades sobre el recién nacido 331
CAPITULO 28. El lactante. Desarrollo del niño 339

CAPITULO 29. La alimentación del lactante y del niño en la segunda infancia 349
CAPITULO 30. Higiene de la primera infancia 379

Parte segunda: **El niño enfermo**

CAPITULO 31. ¿Por qué enferman y por qué mueren los niños? . . 391
CAPITULO 32. Niños prematuros y débiles congénitos 406
CAPITULO 33. Afecciones del recién nacido 409
CAPITULO 34. Trastornos nutritivos y digestivos del lactante . . . 415
CAPITULO 35. Otras enfermedades del niño 421

LIBRO QUINTO

El anciano. Gerontología y geriatría

Parte primera: **El anciano**

CAPITULO 36. Gerontología y geriatría 437

Parte segunda: **Cómo prepararse para la ancianidad**

CAPITULO 37. Balance periódico de la salud 443

LIBRO SEXTO

La historia de la medicina

LIBRO SEPTIMO

Primeros auxilios. Emergencias y prevención de accidentes

Parte primera: **Cómo actuar en casos de emergencia**

CAPITULO 38. Principios generales sobre primeros auxilios . . . 475
CAPITULO 39. Traumatismos 481
CAPITULO 40. Tratamiento de las heridas 488
CAPITULO 41. Traumatismos de cráneo, cara, cuello, tórax y abdomen 497
CAPITULO 42. Complicaciones de los traumatismos 506
CAPITULO 43. Hemorragias 510
CAPITULO 44. Infecciones locales y generales que pueden complicar las heridas 523

CAPITULO 45. Complicaciones generales de las heridas infectadas . . 530
CAPITULO 46. Mordeduras y picaduras de animales 539
CAPITULO 47. Traumatismos de los huesos y las articulaciones . . . 550
CAPITULO 48. Quemaduras 570
CAPITULO 49. Lesiones producidas por el frío 578
CAPITULO 50. Afecciones debidas a la exposición del cuerpo al sol y al calor excesivo 581
CAPITULO 51. Pérdida del conocimiento 584
CAPITULO 52. Asfixia 593
CAPITULO 53. Prevención de accidentes provocados por electricidad . 603
CAPITULO 54. Qué hacer en caso de convulsiones 606
CAPITULO 55. Las peligrosas intoxicaciones o envenenamientos . . 610
CAPITULO 56. Aprenda a hacer vendajes 633
CAPITULO 57. Cómo transportar a los heridos 652

Parte segunda: Primeros auxilios en algunas afecciones o emergencias

CAPITULO 58. Cuerpos extraños y otras emergencias 663
CAPITULO 59. Precauciones y primeros auxilios en caso de ataque atómico 674

Parte tercera: Cómo evitar los accidentes

CAPITULO 60. Maneras de prevenir los accidentes 678

FIN DEL PRIMER TOMO

Tabla de Contenido Abreviada del
TOMO SEGUNDO

Cómo usar con mayor provecho este libro 694

LIBRO OCTAVO
El cuidado del enfermo

Parte primera: **El paciente que guarda cama**

CAPITULO 61. La mejor higiene del paciente 711
CAPITULO 62. Cómo comprobar la temperatura, el pulso y el número de respiraciones 726
CAPITULO 63. La forma de proporcionar comodidad al paciente . 735
CAPITULO 64. Cómo alimentar al enfermo 737

Parte segunda: **Manera correcta de hacer algunos tratamientos indicados por el médico**

CAPITULO 65. Enemas, irrigaciones, lavados de estómago 741
CAPITULO 66. Importancia de la bolsa de hielo, maneras de aplicar calor, ventosas 746
CAPITULO 67. La forma de administrar medicamentos — Las inyecciones 755

LIBRO NOVENO
Métodos de tratamiento

Parte primera: **Los medicamentos**

CAPITULO 68. Conceptos generales sobre el tratamiento de las enfermedades 765
CAPITULO 69. Algunos medicamentos mcdernos 771

Parte segunda: **La fisicoterapia**

CAPITULO 70. Generalidades. Electroterapia 791
CAPITULO 71. Tratamientos con luz y otras radiaciones 797
CAPITULO 72. Masaje, movilización, reeducación y rehabilitación . 810
CAPITULO 73. Cómo aplicar hidroterapia con provecho 814
CAPITULO 74. El necesario botiquín familiar. Algunas recetas . . 843

LIBRO DECIMO

Las enfermedades

Parte primera: **Conceptos básicos acerca de las enfermedades**

CAPITULO 75. ¿Qué es una enfermedad? ¿Cómo se produce? . . . 853
CAPITULO 76. Medidas a tomar frente a las enfermedades infecciosas 859

Parte segunda: **¿Qué hacer en las enfermedades producidas por bacterias?**

CAPITULO 77. Fiebre tifoidea y paratifoideas 868
CAPITULO 78. Cómo combatir la erisipela, la difteria y el crup diftérico 877
CAPITULO 79. Tos convulsa (tos ferina, tos convulsiva o coqueluche). Fiebre reumática 888
CAPITULO 80. Causas y tratamiento de las disenterías 896
CAPITULO 81. Cómo se contrae la brucelosis. Su tratamiento . . . 899
CAPITULO 82. Cómo evitar y tratar el cólera y la peste bubónica . 906
CAPITULO 83. Qué hacer frente al carbunclo y la lepra 911
CAPITULO 84. Cómo prevenir la tuberculosis. Cómo vencerla . . . 918
CAPITULO 85. La escarlatina 930

Parte tercera: **Enfermedades producidas por virus**

CAPITULO 86. Fiebre amarilla. Viruela. Vacuna antivariólica. Varicela 937
CAPITULO 87. Sarampión. Rubéola. Cuarta enfermedad 948
CAPITULO 88. Gripe y catarros estacionales. Parotiditis epidémica. Dengue 955
CAPITULO 89. Enfermedad de Carrión o bartonelosis. Tifus exantemático y otras enfermedades producidas por Rickettsias 965

Parte cuarta: **Enfermedades producidas por parásitos**

CAPITULO 90. Enfermedades producidas por treponemas 970
CAPITULO 91. El paludismo. Enfermedad de Chagas. Leishmaniosis 973
CAPITULO 92. Qué hacer en el caso de enfermedades producidas por parásitos intestinales unicelulares 983
CAPITULO 93. Cómo eliminar los gusanos parásitos del intestino humano 991
CAPITULO 94. Cómo evitar y cómo vencer los gusanos parásitos que se localizan fuera del intestino 1002
CAPITULO 95. El tratamiento de las enfermedades no cutáneas producidas por hongos 1012

Parte quinta: **Modo de curar las enfermedades producidas por carencia de vitaminas y otros elementos esenciales**

CAPITULO 96. Escorbuto. Raquitismo. Osteomalacia. Pelagra. Beriberi. Arriboflavinosis. Sindrome de malabsorción 1015

Parte sexta: **Tratamientos de las enfermedades de la nutrición**

CAPITULO 97. Gota. Diabetes 1027
CAPITULO 98. La obesidad, sus causas y tratamiento. La delgadez y cómo superarla 1047

Parte séptima: **Enfermedades del aparato digestivo**

CAPITULO 99. Resumen de la anatomía y fisiología del aparato digestivo 1060
CAPITULO 100. Síntomas principales de las enfermedades del aparato digestivo y su tratamiento 1073
CAPITULO 101. Enfermedades de la boca 1088
CAPITULO 102. Enfermedades del esófago 1098
CAPITULO 103. Enfermedades del estómago 1102
CAPITULO 104. Enfermedades del intestino 1124
CAPITULO 105. Enfermedades del hígado y de las vías biliares . . . 1137
CAPITULO 106. Enfermedades del páncreas 1162

Parte octava: **Afecciones del peritoneo**

CAPITULO 107. Ascitis. Peritonitis tuberculosa. Peritonitis aguda . . 1165

Parte novena: **Enfermedades del aparato respiratorio**

CAPITULO 108. Resumen de la anatomía y fisiología del aparato respiratorio 1171
CAPITULO 109. Principales fenómenos del aparato respiratorio . . . 1181
CAPITULO 110. Afecciones bronquiales y su tratamiento 1188
CAPITULO 111. Algunas enfermedades del pulmón y cómo tratarlas . 1199
CAPITULO 112. La pleura y sus posibles afecciones 1216

Parte décima: **Enfermedades del aparato circulatorio**

CAPITULO 113. Anatomía y fisiología del aparato circulatorio . . . 1221
CAPITULO 114. Síntomas y causas de algunas enfermedades del aparato circulatorio 1233
CAPITULO 115. Síntomas y tratamiento de las afecciones del pericardio 1237

CAPITULO 116. Afecciones del miocardio y de las arterias coronarias y su tratamiento 1240
CAPITULO 117. Principales afecciones del endocardio y su tratamiento 1246
CAPITULO 118. Las contracciones cardíacas y sus posibles irregularidades 1253
CAPITULO 119. Diferentes clases de insuficiencia cardíaca y sus causas 1261
CAPITULO 120. Afecciones de las arterias 1268
CAPITULO 121. Otras afecciones de los vasos sanguíneos 1288

FIN DEL SEGUNDO TOMO

Indice completo del

TOMO TERCERO

Cómo usar con mayor provecho este libro 1302

Parte undécima: **Enfermedades de la sangre**

CAPITULO 122. Anatomía y fisiología de la sangre y sus órganos productores 1317
CAPITULO 123. Enfermedades de la sangre 1321

Anemias — Anemias hipocrómicas o microcíticas — Anemias hipercrómicas o macrocíticas — Anemia perniciosa — Poliglobulias — Eritremia — Leucemias — Leucemia mieloidea — Leucemia linfoidea — Leucemia aguda — Disminución de los glóbulos blancos — Agranulocitosis — Linfogranulomatosis maligna

CAPITULO 124. Hemofilia y púrpura, dos enfermedades que tienden a producir hemorragias 1330

Hemofilia — Púrpura — Púrpura hemorrágica o trombocitopénica — Púrpura idiopática o anafilactoide — Púrpuras secundarias

Parte duodécima: **Enfermedades y trastornos del aparato urinario**

CAPITULO 125. Anatomía y fisiología del aparato urinario 1333
CAPITULO 126. Síntomas principales de las enfermedades del aparato urinario y su tratamiento 1341

Anurias — Retención de orina — Incontinencia de orina — Micción frecuente — Micción difícil y dolorosa — Hematuria — Piuria — Proteinuria (Albuminuria) — Cólico renal o nefrítico

CAPITULO 127. Principales enfermedades del riñón y su tratamiento 1347

Nefritis — Glomerulonefritis difusa isquémica — Nefrosis — Nefrosis lipoidea — Uremia — Uremia verdadera — Pseudo uremia — Nefroptosis — Hidronefrosis

CAPITULO 128. Principales infecciones del aparato urinario y su tratamiento 1359

Infecciones urinarias producidas por gérmenes comunes — Flemón perinefrítico o perinefritis — Pielitis, pielonefritis y pionefrosis — Cistitis — Tuberculosis del aparato urinario

CAPITULO 129. Cálculos y tumores del aparato urinario. Sus síntomas y tratamientos 1362

Cálculos (litiasis urinaria o nefrolitiasis) — Cáncer del riñón — Tumores de la vejiga — Cáncer de la vejiga

Parte decimotercera: **Enfermedades de las glándulas de secreción interna. Cómo advertirlas. Su tratamiento**

CAPITULO 130. Las maravillosas glándulas de secreción interna. Las suprarrenales 1365

Anatomía y fisiología — La temible enfermedad de Addison — Enfermedad y síndrome de Cushing

CAPITULO 131. Principales enfermedades de la glándula tiroides; síntomas y tratamiento 1370

Hipotiroidismo — Mixedema — Cretinismo — Hipertiroidismo — Bocio exoftálmico — Adenoma tóxico

CAPITULO 132. Enfermedades de la hipófisis o pituitaria. Su tratamiento 1378

Anatomía y fisiología — Resumen de los trastornos de la hipófisis y de las diversas afecciones que éstos causan — Acromegalia — Diabetes insípida

CAPITULO 133. Enfermedades de las glándulas paratiroides 1384

Hipoparatiroidismo — Tetania — Hiperparatiroidismo

Parte decimocuarta: **Reumatismos crónicos. Enfermedades del colágeno. Alergia**

CAPITULO 134. Reumatismos crónicos. Articulares y no articulares . . 1387

Artritis reumatoide — Osteoartrosis — Fibrositis — Tortícolis agudo por fibrositis — Lumbago — Lumbago propiamente dicho

CAPITULO 135. Enfermedades del colágeno o colagenosis 1397

Lupus eritematoso diseminado — Periarteritis nudosa — Esclerodermia — Dermatomiositis

CAPITULO 136. Generalidades sobre alergia; causas predisponentes de la misma; su tratamiento 1399

Parte decimoquinta: **Enfermedades del sistema nervioso**

CAPITULO 137. Resumen de la anatomía y fisiología del sistema nervioso 1408

Sistema nervioso cerebroespinal o de la vida de relación — Sistema nervioso autónomo (vegetativo)

CAPITULO 138. Enfermedades de los nervios periféricos; tratamiento de las mismas 1432

Neuritis — Neuritis de causa local — Polineuritis — Neuralgias — Formas clínicas — Parálisis facial

CAPITULO 139. Formas principales de enfermedades de la médula espinal 1441

Mielitis difusas — Esclerosis múltiple — Siringomielia — Mielitis sistematizadas — Tabes dorsal o ataxia locomotriz — Poliomielitis anterior aguda — Enfermedades de Little y encefalopatías crónicas del niño

CAPITULO 140. Principales afecciones del cerebro; síntomas y tratamiento 1455

Hemiplejía — Hemorragia cerebral — Embolia cerebral — Trombosis cerebral — Afasia — Enfermedad de Parkinson — Encefalitis — Encefalitis letárgica — Tumores del encéfalo — Epilepsia — Epilepsia convulsiva — Epilepsia Jacksoniana — Epilepsia no convulsiva — Equivalentes epilépticos — Corea — Hemicránea

CAPITULO 141. Enfermedades de las meninges 1471

Meningitis — Meningitis cerebroespinal epidémica — Meningitis tuberculosa — Reacciones meníngeas — Hemorragias meníngeas

CAPITULO 142. Neurosis o psiconeurosis; síntomas, causas y métodos de tratamiento 1474

Neurosis de ansiedad o de angustia — El histerismo — Psicastenia — Neurastenia — Organoneurosis — Calambres profesionales o neurosis ocupacionales — Tic o espasmo habitual

CAPITULO 143. Insuficiencia mental. Demencias 1481

Insuficiencia mental (oligofrenia) — Demencia

CAPITULO 144. Las psicosis y su tratamiento 1484

Locura — Parálisis general progresiva — Esquizofrenia o demencia precoz — Psicosis afectivas — Manía — Depresión melancólica — Psicosis maníaco-depresiva

CAPITULO 145. Atrofias y distrofias musculares 1493

Miopatías primitivas progresivas — Esclerosis lateral amiotrófica

Parte decimosexta: **Algunas enfermedades llamadas quirúrgicas**

CAPITULO 146. Ulceras. Quistes. Afecciones de las sinoviales y bolsas serosas; su tratamiento 1495

Ulceras — Quistes — Quiste sebáceo — Quistes dermoides — Quistes y fístulas sacrococcígeos — Gangliones de la muñeca — Tenosinovitis — Bursitis

CAPITULO 147. Tumores benignos y malignos. El cáncer 1501

Tumores — El cáncer — Los cistostáticos — Tumores del seno

CAPITULO 148. Tortícolis congénito. Luxación congénita de cadera. Desviaciones de la columna vertebral 1512

Tortícolis congénito — Luxación congénita de la cadera — Cifosis — Lordosis — Escoliosis

CAPITULO 149. Algunas afecciones en los huesos y articulaciones . . 1518

Coxalgia — Mal de Pott — Artritis tuberculosas — Inflamaciones de las articulaciones — Artritis gonocócica — Artritis supuradas — Osteomielitis aguda

CAPITULO 150. Afecciones en los pies; tratamientos y correcciones . . 1525

Pie zambo (pie bot) — Pie plano — Hallux valgus ("juanetes") — Uña encarnada

CAPITULO 151. Hernias de la pared abdominal 1534

Hernia inguinal — Hernia umbilical — Hernia crural o femoral — Hernia epigástrica — Hernia diafragmática — Hernia estrangulada

CAPITULO 152. Afecciones comunes del ano y del recto 1538

Rectitis (proctitis) — Absceso isquiorrectal — Fístula anal y anorrectal — Fisura anal — Hemorroides — Hemorroides poco acentuadas — Cáncer del recto — Prolapso del recto — Prurito anal

Parte decimoséptima: **Enfermedades del aparato genital masculino**

CAPITULO 153. Breves nociones de anatomía y fisiología de dicho aparato 1550

CAPITULO 154. Síntomas y tratamientos de algunas enfermedades de la próstata 1555

Prostatitis agudas y crónicas — Aumento de tamaño de la próstata — Cáncer de la próstata

CAPITULO 155. Otras enfermedades del aparato genital masculino . . 1559

Estrechez de la uretra — Fimosis — Parafimosis — Balanopostitis — Varicocele — Hidrocele — Ectopía testicular y criptorquidia — Inflamaciones del testículo y del epidídimo — Epididimitis — Orquitis — Cáncer del testículo — Tuberculosis del aparato genital masculino — La impotencia — Pérdidas o emisiones seminales

CAPITULO 156. Las enfermedades venéreas, terrible azote de la sociedad 1568

La blenorragia — Chancro blando — Sífilis — Linfogranuloma venéreo

CAPITULO 157. La higiene sexual 1579

No debe ser tema prohibido — Educación sexual del niño — El delicado problema sexual del adolescente y del joven — Cómo influye el factor sexual en el matrimonio — Higiene de los organos genitales

Parte decimoctava: **Enfermedades de la piel**

CAPITULO 158. Resumen de la anatomía y fisiología de la piel. La comezón y su tratamiento 1585

Constitución — Funciones — Comezón (prurito)

CAPITULO 159. Enfermedades de la piel producidas por gérmenes microbianos 1591

Acné — Comedones ("espinillas") — Forúnculos, ántrax e hidrosadenitis — Impétigo contagioso — Sicosis de la barba

CAPITULO 160. Enfermedades de la piel causadas por hongos 1601

Sicosis tricofítica — Epidermofitosis de los pies ("pie de atleta") — Pitiriasis versicolor — Micosis de la parte superior de los muslos — Tricofitia de la piel lampiña — Moniliasis o candidiasis cutánea

CAPITULO 161. Otras afecciones de la piel 1606

Herpes simple — Herpes zóster — Eritemas — Eritrodermias — Eritema polimorfo o multiforme — Eritema nudoso — Eritema pernio (sabañones) — Intertrigo — Eccema — Dermatitis por contacto — Urticaria — Edema angioneurótico — Psoriasis — Pénfigo

CAPITULO 162. Enfermedades comunes del cuero cabelludo. Parásitos de la piel y del cuero cabelludo. Algunas otras afecciones de la piel 1620

Enfermedades comunes del cuero cabelludo — Alopecía — Tiñas — Parásitos de la piel y del cuero cabelludo — Sarna — Pediculosis — Miasis — Miasis cavitaria — Miasis forunculosa — Pique (nigua, chique) — Verrugas — Lunares — Callos— Manchas en la cara — Vitíligo

Parte decimonovena: Enfermedades comunes del oído, la nariz y la garganta

CAPITULO 163. Enfermedades del oído 1632

Generalidades — Enfermedades del oído externo — Tapón de cerumen — Forúnculo del conducto auditivo — Eccema del conducto auditivo externo — Enfermedades del oído medio — Otitis agudas y sus complicaciones — Otitis medias crónicas — Otoesponjosis u otoesclerosis — Sordera — Zumbidos de oído — Salida de líquido por el oído — Dolor de oídos

CAPITULO 164. Enfermedades de la nariz y las fosas nasales 1649

Generalidades — Foliculitis y forúnculos de la nariz — Obstrucción nasal (nariz tapada) — Coriza aguda o resfrío nasal (resfrío común) — Rinitis crónicas — Ocena — Rinitis espasmódica — Desviaciones y crestas del tabique nasal — Pólipos nasales — Sinusitis agudas y crónicas

CAPITULO 165. Enfermedades de la garganta (amígdalas, faringe y laringe) 1670

Generalidades — Amigdalitis agudas — Anginas y faringitis agudas — Amigdalitis crónicas — Hipertrofia de las amígdalas — Flemón de amígdalas — Vegetaciones adenoideas — Adenoiditis o rinofaringitis aguda — Rinofaringitis crónica — Faringitis crónicas — Absceso o flemón retrofaríngeo — Laringitis aguda simple — Laringitis crónica simple — Falso crup o laringitis estridulosa — Cáncer de laringe

Parte vigésima: Enfermedades de los ojos

CAPITULO 166. Resumen de la anatomía y fisiología del ojo. Presbicia. Algunos tratamientos oculares 1684

Organos anexos de la visión — Globo ocular — Cómo funciona el ojo — Presbicia — Algunos tratamientos oculares

CAPITULO 167. Vicios de refracción. Enfermedades de los párpados . . 1693

Hipermetropía — Miopía — Astigmatismo — Blefaritis — Orzuelo — Chalazión y orzuelo interno — Entropión, ectropión, triquiasis

CAPITULO 168. Enfermedades del aparato lagrimal y de la conjuntiva 1698

Lagrimeo o epifora — Dacriocistitis — Conjuntivitis — Conjuntivitis catarral o simple — Conjuntivitis aguda contagiosa — Conjuntivitis blenorrágica o purulenta — Conjuntivitis blenorrágica del recién nacido — Conjuntivitis blenorrágica del adulto — Conjuntivitis crónica simple o catarral — Conjuntivitis granulosa o tracoma — Otros tipos de conjuntivitis

CAPITULO 169. Enfermedades de la córnea, del iris, del cristalino y otras partes del ojo. Higiene ocular 1703

Ulceras de la córnea — Opacidades de la córnea — Cuerpos extraños en la córnea —Iritis — Catarata — Catarata senil — Glaucoma — Estrabismo — Astenopía (vista cansada, cansancio visual) — La correcta higiene visual

El cuerpo humano (cuadros anatómicos) 1713

Estudio ilustrado de tejidos celulares

Registro médico familiar

Indice general alfabético 1748

Léxico médico 1774

Indice alfabético de síntomas 1794

FIN DEL TERCER TOMO

Procedencia de las fotografías e ilustraciones

Monkmeyer, págs. 1298, 1446.
Kelly Solis-Novarro, págs. 1318, 1335, 1367, 1368 (Fig. 508), 1388, 1389, 1423, 1504, 1523, 1535, 1536, 1539, 1540, 1541 (Fig. 618), 1553, 1560.
Clay Adams, págs. 1322, 1576, 1577.
James Converse, págs. 1326, 1340, 1380, 1395, 1457, 1513 (Fig. 586), 1514, 1526, 1527, 1528, 1529, 1531, 1551, 1556, 1561, 1563, 1637, 1638, 1655, 1656, 1685, 1711.
Dr. Hammerly, Sanatorio del Plata, págs. 1331, 1604.
Lederle Laboratories, págs. 1334, 1415, 1428, 1429, 1461, 1515, 1516, 1552, 1634.
Lucille Innes, págs. 1336, 1385, 1411, 1588, 1597, 1633, 1651, 1671, 1675, 1704.
Burroughs Wellcome, págs. 1338, 1586.
Veterans Administration, págs. 1350, 1459, 1460, 1462.
Lester Quade, págs. 1351, 1390, 1401.
Robert Eldridge, págs. 1355, 1364, 1366, 1371, 1413, 1418, 1419, 1421, 1439, 1443, 1497, 1499 (Fig. 577), 1503, 1513 (Fig. 587), 1519, 1521, 1530, 1542, 1548, 1657, 1664, 1672, 1690, 1691.
Loma Linda University, Stilson, pág. 1357.
Harold Munson, págs. 1368 (Fig. 507), 1654 (Fig. 670).
H. Armstrong Roberts, pág. 1372.
Loma Linda University, Chinnock, pág. 1374.
Public Health Service Audiovisual Facility, págs. 1375, 1377, 1433, 1438, 1496, 1506 (Fig. 583), 1592, 1596, 1599, 1607.
F. Netter, M.D., © CIBA, págs. 1382, 1502.
D. Tank, pág. 1391.
Harold M. Lambert, pág. 1403.
Elías Papazián, págs. 1407, 1549, 1648.
Margery Gardephe, págs. 1416, 1422, 1424, 1425, 1426, 1427, 1442, 1458, 1650, 1654 (Fig. 669), 1665, 1687, 1688.
United Press International, pág. 1417 (lower).
Wilkinson, pág. 1435.
Three Lions, Inc., pág. 1445.
National Medical Audiovisual Center, págs. 1447, 1448, 1482, 1498 (Fig. 575), 1506 (Fig. 582), 1520, 1532 (Fig. 610), 1571, 1612, 1613, 1674.
Elwyn Spaulding, pág. 1449.
Howard Larkin, págs. 1463, 1499 (Fig. 576).
Chas. Pfizer & Company, Inc., pág. 1505.
Dolores C. Sither, pág. 1522.
Elston Rothermel, D.P.M., pág. 1532 (Fig. 611).
The Upjohn Company, págs. 1541 (Fig. 619), 1642, 1643, 1653, 1678, 1686.
Loma Linda University School of Medicine, págs. 1546, 1547, 1605.
Review & Herald Publishing Association, pág. 1666.

PARTE UNDECIMA

Enfermedades de la Sangre

CAPITULO 122

Anatomía y Fisiología de la Sangre y sus Organos Productores

LA SANGRE

LA SANGRE es el líquido que se halla contenido en el aparato circulatorio. Cumple con muchas importantes funciones, algunas de las cuales mencionaremos a continuación: a) Lleva a las células del organismo el oxígeno que necesitan y recibe de ellas el dióxido de carbono que deben eliminar. b) Lleva a las células los elementos nutritivos y las hormonas, y recibe los productos de desecho que elimimará por el riñón. c) Ayuda a regular la temperatura del organismo. d) Protege al organismo contra las infecciones.

Hay unos 90 cc de sangre por kilo de peso, es decir, de 5 a 6,5 litros de sangre, aproximadamente, en una persona adulta. La sangre es de color rojo vivo cuando está oxigenada y de color rojo negruzco cuando no lo está.

COMPOSICION DE LA SANGRE.—La sangre está formada por glóbulos que están suspendidos en un líquido llamado plasma. Ambos elementos existen aproximadamente en partes iguales.

a) *Plasma.* Contiene 91% de agua y 9% de sólidos disueltos, de los cuales el 7% son proteínas (seroalbúmina, seroglobulina y fibrinógeno). Hay 1% de glucosa y una cantidad aproximadamente igual de sales (principalmente sal común o cloruro de sodio, pero también calcio, potasio, magnesio y fósforo). Hay además compuestos nitrogenados no proteicos (urea, ácido úrico, aminoácidos, creatina, etc.), gases respiratorios, hormonas (secreciones internas), enzimas y sustancias de defensa contra gérmenes e infecciones. La reacción del plasma es ligeramente alcalina y contiene sales que le permiten regular su reacción cuando le llegan sustancias

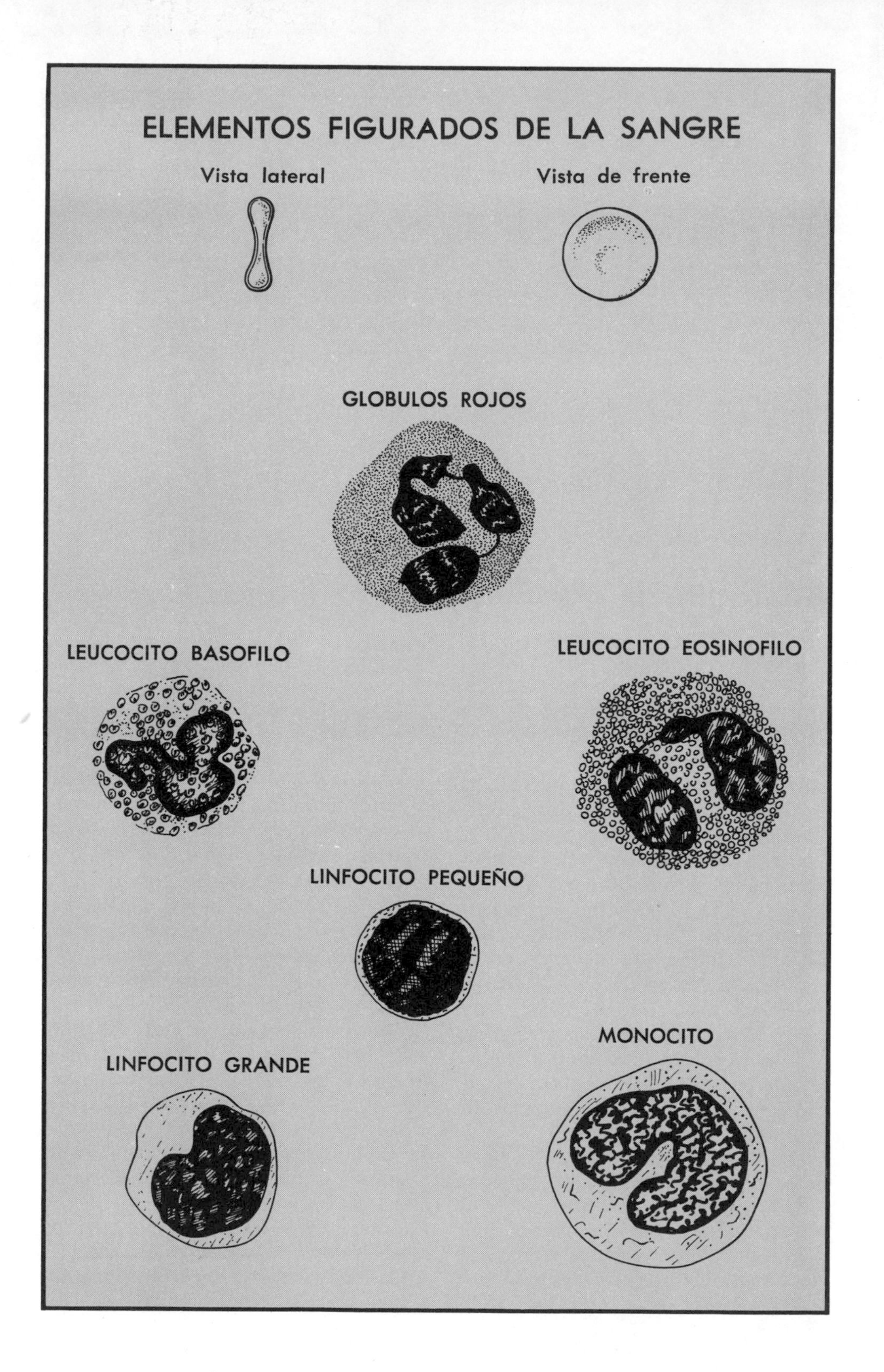
ELEMENTOS FIGURADOS DE LA SANGRE
Vista lateral
Vista de frente
GLOBULOS ROJOS
LEUCOCITO BASOFILO
LEUCOCITO EOSINOFILO
LINFOCITO PEQUEÑO
MONOCITO
LINFOCITO GRANDE

ácidas o alcalinas. Estas sales han recibido el nombre de amortiguadoras, por impedir variaciones bruscas de la reacción de la sangre.

b) *Glóbulos.* Los glóbulos son de tres clases principales: los *glóbulos rojos o hematíes,* los *glóbulos blancos* o *leucocitos* y las *plaquetas.* (Véanse las figuras de las págs. 1318 y 1322.)

1) *Glóbulos rojos o hematíes.* Son células que han perdido su núcleo y tienen la forma de discos con ambas caras cóncavas o excavadas. Contienen una sustancia llamada hemoglobina, rica en hierro, que es la que da a la sangre su color y que se combina con el oxígeno en los pulmones llevándolo a las demás partes del organismo. Su número es de 4½ millones por milímetro cúbico de sangre en la mujer y de 5 millones en el hombre. Pueden observarse en mayor cantidad. El tamaño del glóbulo rojo es de 7 milésimos de milímetro o micrones de diámetro y de unos 2 micrones en su parte de mayor espesor. Viven habitualmente hasta 120 días y se destruye diariamente del 2 al 3% del total de hematíes. Un número igual es formado por la médula ósea. Buena parte del material es vuelto a aprovechar.

2) *Glóbulos blancos o leucocitos.* Son glóbulos esféricos provistos de núcleo que existen en un número aproximado de 7.800 (varía entre 5.000 y 10.000) por milímetro cúbico de sangre. Según que su núcleo forme una sola masa o que presente lobulaciones que los hagan parecer múltiples, reciben el nombre de *mononucleares* y *polinucleares.*

Los mononucleares son de tres tipos, el *pequeño linfocito,* el *gran linfocito* y el *monocito.* El pequeño linfocito es el más abundante de los tres: existe en número de 2.500 por mm^3 de sangre. Tiene un diámetro aproximadamente igual al de un glóbulo rojo y un núcleo que lo ocupa en su mayor parte. Los polinucleares, llamados también granulocitos, tienen un núcleo formado por la reunión de varios abultamientos y un protoplasma con granulaciones. Según que estas granulaciones se tiñan con colorantes ácidos, básicos o neutros, reciben el nombre de *polinucleares eosinófilos, basófilos* o *neutrófilos.*

El total de polinucleares es de aproximadamente 5.000 por mm^3, la mayor parte de los cuales son neutrófilos, habiendo unos pocos eosinófilos y un número menor aún de basófilos. Tienen un diámetro de 10 a 12 micrones.

Los polinucleares y los monocitos tienen la propiedad de poder englobar en su cuerpo a gérmenes microbianos y destruirlos. Esta facultad recibe el nombre de *fagocitosis.* Tienen además la propiedad de poder atravesar las paredes de los capilares para ir a defender los tejidos atacados por los gérmenes. Esta propiedad de pasar fuera de los capilares recibe el nombre de *diapedesis.*

La fagocitosis y la diapedesis son mecanismos de defensa del organismo contra la invasión de gérmenes. Cuando hay una infección, aumenta el número de polinucleares neutrófilos, para poder defender mejor al organismo.

El pus contiene los cuerpos de los polinucleares muertos en su lucha contra la infección.

3) *Las plaquetas.* Son pequeños corpúsculos derivados por fraccionamiento de una gran célula llamada *megacariocito.* Tienen solamente 2 a 3 micrones de diámetro y existen en número de 200.000 a 300.000 por mm^3. Contienen una sustancia llamada *tromboquinasa,* que interviene en la coagulación de la sangre.

LA COAGULACION DE LA SANGRE.—Todavía no están del todo dilucidados todos los factores que intervienen en la coagulación de la sangre. Se acepta que el mecanismo es el siguiente: el coágulo está formado por una red de *fibrina* que encierra los glóbulos. La fibrina se forma por la acción de una enzima llamada *trombina* sobre una proteína de la sangre llamada fibrinógeno. La trombina, a su vez, está formada por una sustancia inactiva llamada *protrombina,* por la acción que sobre ella ejerce el calcio de la sangre y la *tromboquinasa,* sustancia que liberan las plaquetas y los tejidos heridos, cuando se produce una hemorragia.

Es interesante notar que para que el hígado pueda formar la protrombina, es necesaria la vitamina K. Formado el coágulo, éste se retrae por acción de las plaquetas, saliendo suero sanguíneo.

Formación de la sangre o hematopoyesis

Organos hematopoyéticos son aquellos que forman los glóbulos de la sangre. Los principales órganos hematopoyéticos son:

a) *La médula ósea roja* (que se halla en los huesos planos: tronco, pelvis y cráneo) que forma los glóbulos rojos, los polinucleares y las plaquetas.

b) *El tejido linfoide* (que forma los linfocitos), presente en los ganglios linfáticos, las amígdalas, el apéndice, el intestino, el bazo y otros órganos.

c) *El bazo.* Es un órgano del tamaño de un puño que se encuentra situado en la parte alta e izquierda del abdomen. Sus funciones principales son: 1) La formación de linfocitos y de monocitos. 2) La formación de sustancias protectoras contra los gérmenes que invaden el organismo. 3) La destrucción de los elementos envejecidos de la sangre, glóbulos rojos, plaquetas, etc., conservando el hierro de los primeros para ser nuevamente utilizado. 4) Es un importante depósito de sangre al cual recurre el organismo cuando hay hemorragia.

CAPITULO 123

Enfermedades de la Sangre

ANEMIAS

Definición

SE DICE que hay anemia cuando hay disminución del número de glóbulos rojos, o de la hemoglobina, o de ambas cosas a la vez.

Causas y clasificación

Aunque todavía se usan esos términos, es deficiente la división de las anemias en *primitivas* y *secundarias.* Por secundarias se entendían las anemias que son consecuencia de alguna causa o enfermedad conocida. Las primitivas son aquellas cuya causa aún se ignora, número que afortunadamente disminuye en forma gradual. Desde el punto de vista de sus causas, pueden dividirse las anemias en tres grupos principales, según que se deban a la pérdida de sangre (hemorragias), a la destrucción excesiva de los glóbulos rojos (anemias hemolíticas, ictericia hemolítica), o a disminución en la formación o maduración de los glóbulos rojos, (falta de hierro suficiente o defecto en su absorción o utilización, falta del factor que hace madurar los glóbulos, carencia de proteína y ciertas vitaminas, etc.).

Desde el punto de vista del diagnóstico y del tratamiento, las anemias pueden dividirse en 3 grupos: a) *Anemias normocrómicas* o *normocíticas,* vale decir, con glóbulos rojos de tamaño normal y que contienen cada uno una cantidad normal de hemoglobina (sustancia que contiene hierro, que da su color a la sangre y que sirve para transportar el oxígeno a los tejidos).

b) *Anemias hipercrómicas* o *macrocíticas,* es decir, anemias en las cuales hay glóbulos rojos de tamaño mayor que el habitual, y que además contienen mayor cantidad de hemoglobina que lo normal.

c) *Anemias hipocrómicas* o *microcíticas.* Son aquellas en que los glóbulos rojos tienen tamaño menor que el habitual y que contienen menor cantidad de hemoglobina que lo normal.

Las anemias del grupo *a* (normocíticas o normocrómicas) son relativamente poco frecuentes y se deben mayormente a una gran hemorragia o a una brusca destrucción de glóbulos rojos.

Se estudiarán a continuación los otros dos tipos de anemia.

ANEMIAS HIPOCROMICAS O MICROCITICAS

Hay muchas formas y son de diversa intensidad y gravedad: anemia *aplástica,* anemias *por hemorragias repetidas,* anemias *por cáncer,* anemias *por intoxicaciones* o infecciones crónicas, por alimentación deficiente, etc. Describiremos los síntomas que permiten sos-

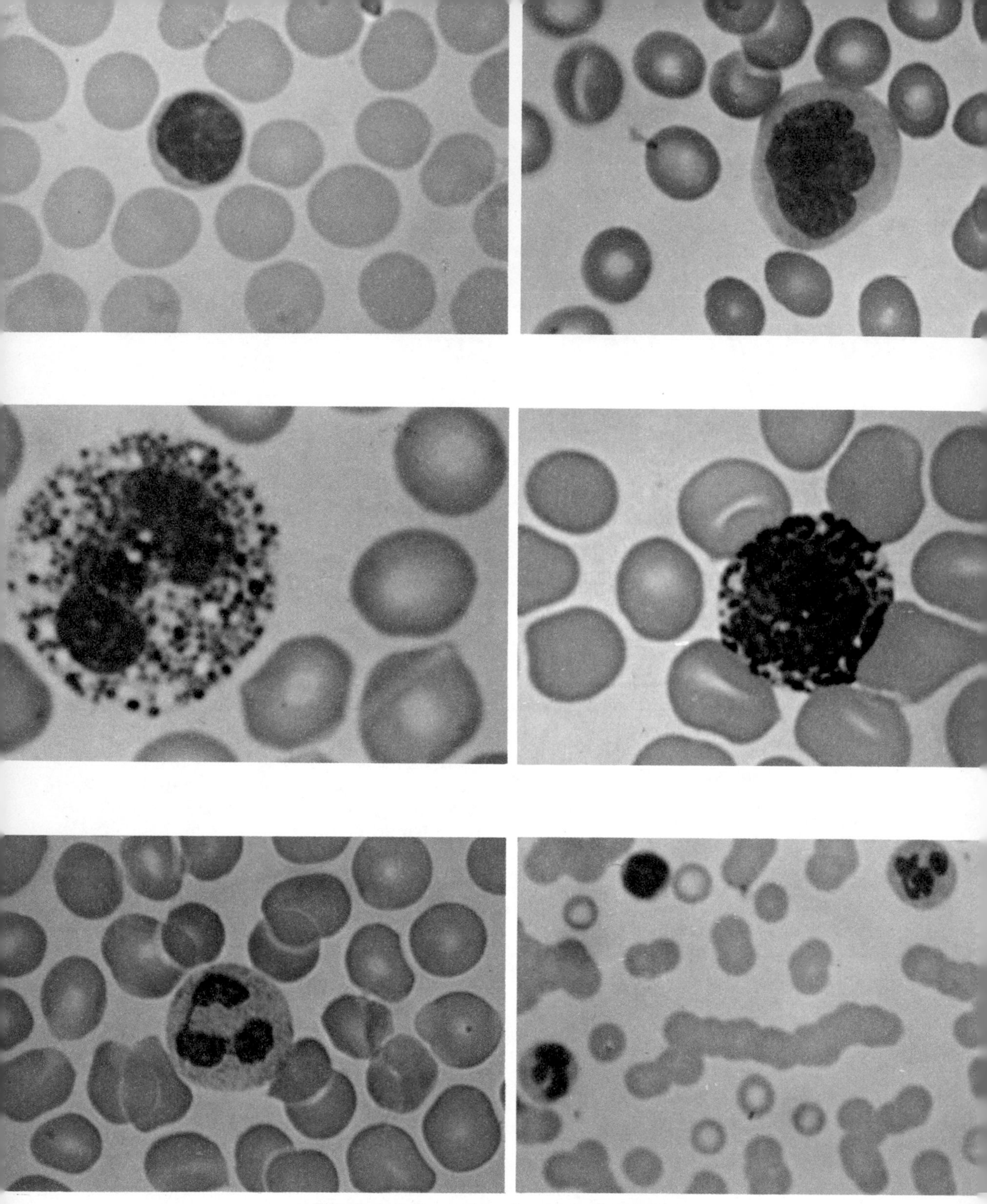

Aspecto de la sangre normal y en caso de enfermedad.

pechar o diagnosticar anemia hipocrómica y luego los exámenes de laboratorio que permiten completar el diagnóstico del caso.

Hasta 4.000.000 de hematíes por mm^3 se dice que la anemia es *ligera*. Hasta 3.000.000 se llama *moderada*. *Grave* cuando baja hasta 2.000.000 y *extrema* cuando es aún mayor la disminución.

Bajo el nombre de *clorosis* se describe una anemia de este tipo que aparecía en niñas adolescentes y que se caracterizaba por un color verdoso de la piel y una marcadísima disminución de la hemoglobina. Es menos frecuente que antes.

Síntomas

ANEMIAS LIGERAS Y MODERADAS.—Se observa ligera palidez de la piel y las mucosas y cansancio fácil. También aceleración del pulso.

ANEMIAS GRAVES.—La palidez de la piel es muy acentuada, y las mucosas están muy decoloradas. El pulso es pequeño y suele ser rápido. El médico comprueba que, a veces, la tensión arterial es baja y los ruidos cardíacos sordos. Con frecuencia ausculta los llamados soplos anémicos. Al menor esfuerzo sobreviene fatiga o agitación. Son frecuentes dolores de cabeza, zumbidos de oídos, mareos y lipotimias o desmayos.

En las formas muy graves pueden aparecer hemorragias de las mucosas o púrpura (véase la página 1331), edema o hinchazón de la piel, y trastornos renales y hepáticos.

Signos revelados por los exámenes de laboratorio

La gota de sangre que se obtiene al puncionar el dedo es pálida. Los glóbulos rojos están en número menor que el normal. Su tamaño está disminuido. Ocasionalmente se observa que los hematíes son de tamaños diversos (anisocitosis) o deformados (poiquilocitosis). La cantidad total de hemoglobina que corresponde a cada glóbulo (el llamado valor globular, que se obtiene dividiendo la cantidad de hemoglobina por el número de glóbulos) es menor que lo normal. Por ello se llaman estas anemias *hipocrómicas*.

Véase el tratamiento más adelante.

ANEMIAS HIPERCROMICAS O MACROCITICAS

Describiremos la forma llamada perniciosa. Hay anemias hipercrómicas en otras afecciones: sprue, en algunos casos de embarazo, etc.

ANEMIA PERNICIOSA (de Biermer o de Addison)

Definición

Es una anemia debida a la ausencia del llamado factor intrínseco de Castle, segregado habitualmente en la persona sana por la mucosa gástrica y que permite el aprovechamiento de la vitamina B_{12}.

Iniciación

Es más frecuente entre los 35 y 45 años.

Síntomas

El comienzo es insidioso. Además de los síntomas de anemia mencionados anteriormente, se observan los siguientes: la *lengua* está inflamada e irritada, a veces completamente lisa. Son frecuentes las pequeñas ulceraciones en la misma. Hay trastornos dispépticos y sobre todo ausencia de *ácido clorhídrico* en el jugo gástrico. A veces hay diarrea. Son también frecuentes los síntomas nerviosos, especialmente a nivel de la médula y los nervios periféricos. Ocurren adormecimientos de los miembros, a veces falta de coordinación en los movimientos. En algunos casos hay parálisis. Hay moderado aumento de tamaño del bazo.

El examen de la sangre revela lo siguiente:

El número de los glóbulos rojos está marcadamente disminuido. Hay *megalocitosis* o *macrocitosis,* es decir, que muchos glóbulos rojos son de tamaño mayor que lo normal. Como también los hay normales y pequeños se observa la llamada *anisocitosis,* es decir, desigualdad de tamaño de los glóbulos. Hay también deformaciones globulares (poiquilocitosis). Hay además glóbulos rojos nucleados (normoblastos y megaloblastos).

La hemoglobina suele estar disminuida, pero no tanto como el número de glóbulos. Esto hace que el valor globular, o cantidad de hemoglobina que corresponde a cada glóbulo, sea igual o superior a la unidad.

Hay disminución del número de los glóbulos blancos (leucopenia). También están disminuidas las plaquetas sanguíneas.

Tratamiento de las anemias

Frente a una anemia o sospecha de anemia, no bastará hacer cualquier tratamiento que haya hecho bien a otro anémico. Es indispensable hacer previamente el diagnóstico del tipo de anemia y de su causa, por lo que habrá que recurrir al médico.

ANEMIAS HIPOCROMICAS.— Hay que considerar tres puntos:

1) *Tratamiento causal.* Suprimir la causa después de haberla determinado por un cuidadoso examen, es la parte más importante.

Hay casos, sin embargo, en que la causa no puede hallarse o en que, hallada, no puede suprimirse.

2) *Tratamiento higienicodietético.* Vida al aire libre y al sol. Cuando la anemia es pronunciada, también reposo. Alimentación rica en *hierro* y vitaminas y adaptada al tubo digestivo del paciente. No debe faltar una cantidad suficiente de proteína completa. (Véase la página 192.)

3) *Combatir la anemia.* (a) Transfusión de sangre cuando la anemia es grave. (b) Dar hierro en diversas formas: sulfato ferroso, gluconato de hierro, citrato de hierro amoniacal, fumarato o sacarato ferroso, etc., en la forma y dosis que el médico dirá. (c) El cobre en pequeña cantidad favorece la asimilación del hierro. No es indispensable darlo, pues la alimentación lo contiene siempre en cantidad suficiente. En los raros casos en que el tubo digestivo no pueda tolerar o absorber los compuestos de hierro, pueden darse ciertos compuestos inyectables de dicho elemento. El cobalto puede también resultar útil.

ANEMIAS HIPERCROMICAS (especialmente la perniciosa).—Hay que tener en cuenta lo siguiente:

1) El tratamiento general es semejante al de las anemias hipocrómicas.

2) El tratamiento específico que fue descubierto por Minot y Murphy ha salvado miles de vidas desde 1926, en que fue aplicado por primera vez. Al principio se empleaba el hígado crudo en grandes cantidades. Después se emplearon las inyecciones intramusculares de extracto de hígado. Puede darse extracto hepático por boca, asociado, si se quiere, con extracto de mucosa gástrica. Se ha aislado en forma pura el factor antianémico del higado bajo el nombre de vitamina B_{12}. (Véase la página 222.) Es muy activo, y la experimentación demuestra que en estos casos puede sustituir por completo al extracto hepático, actuando no solamente contra la anemia, sino también contra las lesiones que se producen por ella en el sistema nervioso. Una vez normalizada la sangre habrá que seguir un tratamiento menos intenso con vitamina B_{12} para evitar recaídas.

3) Dar una solución de ácido clorhídrico durante las comidas, si falta en el jugo gástrico.

4) Tratar todo foco de infección.

5) Se ha descubierto hace unos años que uno de los constituyentes del complejo B, llamado ácido fólico (véase la página 221), que se produce también sintéticamente, tiene una acción muy favorable contra ciertas formas de anemia hipercrómica. No puede sustituir por completo a la vitamina B_{12}, por no impedir, por ejemplo, las lesiones del sistema nervioso que se producen en la anemia perniciosa. El ácido fólico es muy beneficioso en la anemia hipercrómica del embarazo y en algunas otras formas de anemia hipercrómica. Es útil el uso del complejo vitamínico B con muchas de estas anemias.

6) Se ha aislado el factor antianémico producido por el estómago, que se da a veces con la vitamina B_{12}.

POLIGLOBULIAS (exceso de glóbulos rojos)

Se dice que hay *poliglobulia* cuando el número de glóbulos rojos en la sangre es mayor de 5.500.000 por mm^3 en la mujer, y a los 6.000.000 en el hombre.

Se halla poliglobulia en las siguientes afecciones: a) Cardiopatías congénitas (enfermedades del corazón presentes ya al nacimiento) con cianosis, o sea, color azulado de la piel.

b) Cardíacos negros de Ayerza (esclerosis de la arteria pulmonar).

c) Dificultades respiratorias crónicas: estenosis (o estrechez) laríngea, compresiones del mediastino (espacio que se halla entre ambos pulmones).

También puede verse en las personas que viven en zonas altas.

ERITREMIA

Hay una enfermedad llamada *Enfermedad de Váquez* o *de Osler* o *poliglobulia primitiva esencial* o *eritremia,* cuyos síntomas principales mencionamos a continuación: a) *Color purpúreo* de la cara, que fácilmente pasa a cianosis. b) *Esplenomegalia,* es decir, aumento de tamaño del bazo. Esto existe casi siempre. c) *Poliglobulia.* Hay de 7 a 12 millones de glóbulos rojos por mm^3. Hay además aumento del número de glóbulos blancos (de 15 a 20.000 por mm^3, predominando los polinucleares y mielocitos).

Es una enfermedad que ataca a los adultos. Suele sufrir remisiones.

Tratamiento

Consiste en diversos medios de disminuir los glóbulos rojos, medios que deben ser decididos en cada caso por el médico. La tendencia en el momento de actualizar el tratamiento es a extraer sangre por un tiempo y después utilizar el clorambucil u otra sustancia semejante, como el busulfan, tiotepa, melfalan, pipobroman, etc. Dentro de las radiaciones, la tendencia actual es a usar el radiofósforo (Ph 32). Se les suele dar una alimentación pobre en hierro.

LEUCEMIAS

Definición

Las leucemias son enfermedades caracterizadas por un desarrollo y funcionamiento exagerado de los órganos productores de leucocitos o glóbulos blancos, y por un aumento marcado del número de estos últimos en la corriente sanguínea.

Clasificación

Las leucemias se dividen en *crónicas,* que son las más frecuentes, y *agudas.* Las crónicas a su vez se dividen en *leucemia mieloidea* y *leucemia linfoidea.* Hay ciertas leucemias que dan poco o ningún aumento del número de glóbulos blancos.

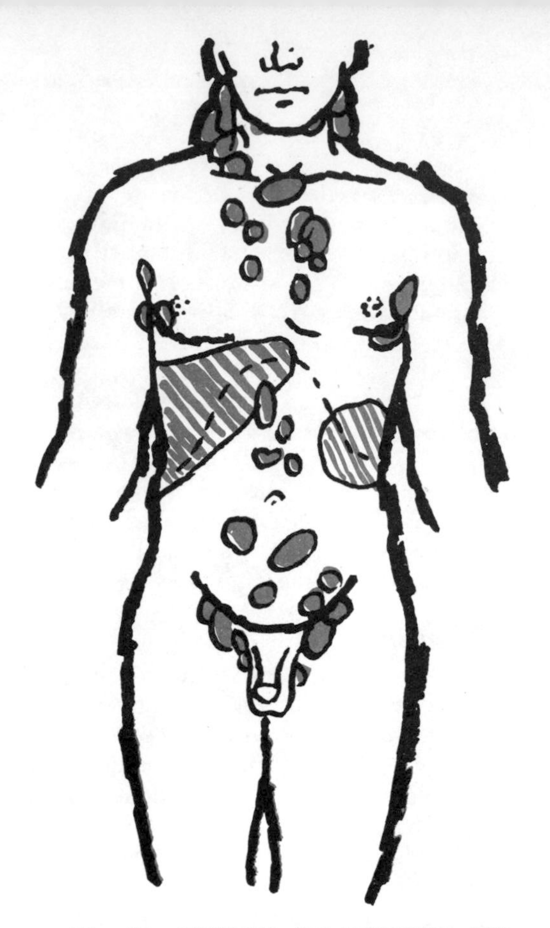

Fig. 492. **ESQUEMA DE LEUCEMIA LINFOIDEA, en el que se ven adenopatías generalizadas, tanto superficiales como profundas. También se observa aumento de tamaño del bazo (esplenomegalia), y del hígado (hepatomegalia).**

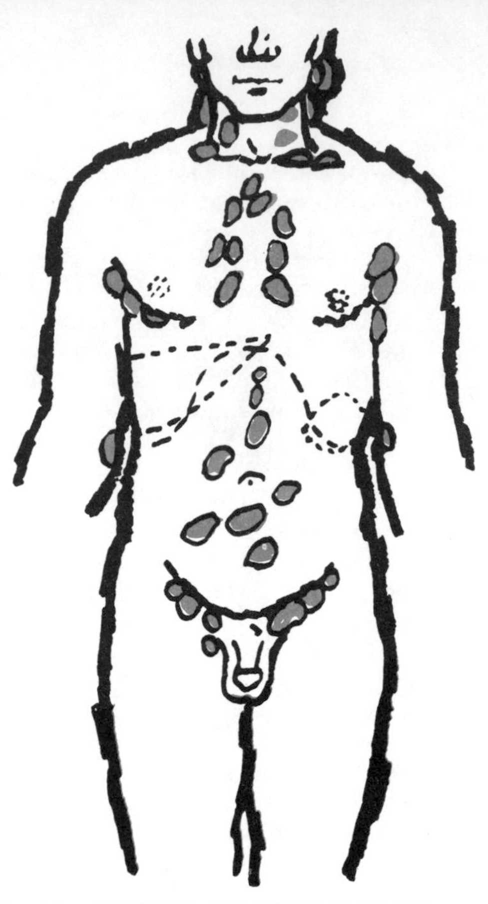

Fig. 493. **ESQUEMA DE LINFOADENOMA (forma generalizada), afección que también se llama enfermedad de Hodgkin. Aquí se advierte la topografía de las lesiones respectivas.**

LEUCEMIA MIELOIDEA

Se la ha llamado también *espleno-medular,* por afectar principalmente el bazo y la médula de los huesos. Es una enfermedad de evolución desfavorable caracterizada por modificaciones de la médula ósea, del bazo y del número y clase de leucocitos o glóbulos blancos de la sangre.

Causas

Su causa es desconocida aún, pero se sospecha que la produce un virus filtrable. Ataca más al hombre que a la mujer. Es más común entre 25 y 40 años.

Lesiones

La médula de los huesos no contiene grasa, sino que se halla toda transformada en un órgano productor de glóbulos. Es de color rojizo. El bazo se halla siempre agrandado, alcanzando a veces un tamaño enorme.

Síntomas

Hay *esplenomegalia,* vale decir, aumento de tamaño del bazo, que está muy grande. El hígado está algo aumentado de tamaño. Existe *anemia,* poco acentuada al principio de la enfermedad y pronunciada después. Se nota *adelgazamiento.* Los *ganglios linfáticos* suelen ser respetados. Puede haber *fiebre ligera,* trombosis (formación de coágulos en los vasos), síntomas nerviosos, hemorragia, etc. En la sangre se observa:

a) Aumento grande del número de leucocitos por milímetro cúbico: 200.000 a 300.000, y a veces hasta un millón, en lugar del número normal.

b) Gran número de mielocitos, es decir, formas no maduras de los polinucleares.

c) Anemia hipocrómica.

Evolución y pronóstico

Aunque habitualmente la persona afectada no suele vivir más de tres a cuatro años, hay casos en que la vida se prolonga mucho más. Con el tratamiento los síntomas disminuyen marcadamente, permitiendo con frecuencia una vida normal.

Tratamiento

Hay que llevar una vida higiénica y tomar una alimentación correcta, para mantener las fuerzas. También corresponden tratamientos destinados a reducir la esplenomegalia y el número de leucocitos: radioterapia (tratamiento con rayos X), o como prefieren actualmente muchos hematólogos (especialistas en enfermedades de la sangre), el busulfan. Hay otras sustancias que actúan disminuyendo el número de leucocitos.

LEUCEMIA LINFOIDEA

Es menos frecuente que la mieloidea. Se observa:

a) Hipertrofia o aumento de tamaño de los ganglios linfáticos del cuello y la axila, los inguinales y los de otras partes del cuerpo.

b) Hay moderado aumento de tamaño del bazo y del hígado.

c) Debilidad, delgadez y anemia.

d) Con cierta frecuencia, tumores cutáneos.

En la sangre se observa: aumento del número de leucocitos, por encima de 60.000 por mm³, con predominio de los linfocitos (más del 90%). Disminución del número de glóbulos rojos y las plaquetas. Puede durar su evolución 10 años o más. Con frecuencia el médico no indica tratamiento muy enérgico de primera intención, ni en forma continuada, dada la larga duración de la enfermedad y sus remisiones. Cuando los síntomas de la enfermedad se acentúan es frecuente que el médico indique una sustancia llamada clorambucil. También se obtienen buenos resultados con la prednisona.

LEUCEMIA AGUDA

Puede aparecer a cualquier edad, pero es más frecuente en niños y adultos jóvenes. Tiene casi siempre una evolución fatal en pocas semanas o meses. Se acompaña de síntomas de aspecto infeccioso y de hemorragias. Su comienzo suele caracterizarse por dolores de cabeza y dolores en el cuerpo, cansancio pronunciado, *angina,* es decir inflamación de la garganta y fiebre que suele oscilar entre 39° y 40° C (102,2° y 104° F).

Son frecuentes los vómitos, la respiración acelerada y las hemorragias en distintos órganos: nariz (epistaxis), aparato urinario (hematuria), tubo digestivo, útero (metrorragia), etc.

El examen de la sangre revela aumento del número de leucocitos. Este aumento es a veces moderado al comienzo de la enfermedad. El elemento que predomina en la sangre es una célula que simula ser un mediano mononuclear o gran linfocito. Se trata en realidad de una célula indiferenciada.

El tratamiento de las leucemias agudas debe ser dirigido por un médico especializado. Como difiere el que se aplica a los niños del que se aplica a los adultos, los mencionaremos separadamente.

Tratamiento en el adulto. En los adultos, las células que predominan son del grupo de los granulocitos. Con frecuencia los síntomas son menos alarmantes que en el niño. El hematólogo diferencia entre los diversos subtipos de leucemia aguda del adulto, y se basa en esto y en la evolución de la enfermedad para indicar el tratamiento. A veces lo trata como la leucemia mieloidea crónica; otras con vincristina y prednisona. Otros medicamentos que se utilizan combinados son el metrotrexate, la 6-mercaptopurina. O la daunorubicina y el arabinósido de cytosina.

Tratamiento en el niño. Como mencionamos anteriormente, si se hace tratamiento especializado, la sobrevida es mucho más larga y pueden observarse remisiones prolongadas de la enfermedad. Es frecuente que el tratamiento inicial sea la administración de vincristina y prednisona. En algunos casos rebeldes se le asocian otros medicamentos.

DISMINUCION DE LOS GLOBULOS BLANCOS

Hay ciertas enfermedades en las cuales uno de los síntomas es la disminución de los glóbulos blancos, especialmente de los polinucleares o granulocitos. Así por ejemplo, se halla leucopenia, o sea disminución de los glóbulos blancos, en la fiebre tifoidea, la gripe, el sarampión, el paludismo, ciertos tipos de anemia, etc.

Se estudiará brevemente a continuación una enfermedad caracterizada por la marcada disminución del número de polinucleares en la sangre, llamada *agranulocitosis* o *angina agranulocítica.* Hay formas menos intensas, a las que se ha llamado *granulocitopenia,* que pueden tener las mismas causas.

AGRANULOCITOSIS (Angina agranulocítica, granulocitopenia)

Esta grave enfermedad se caracteriza por lesiones en la garganta (a veces también en otras mucosas y en la piel), y además por una disminución muy intensa o aun la desaparición de los glóbulos blancos polinucleares. Su causa más común es el uso de ciertos medicamentos. Esta es una de las razones por las cuales nadie debería usar medicamentos sin que sean prescritos por el médico y su acción vigilada por el mismo. En algunos casos, la causa de la agranulocitosis no puede hallarse, o es una infección. Es una enfermedad mayormente del adulto y ataca más frecuentemente a la mujer.

El tipo más grave se caracteriza por un comienzo brusco con fiebre, malestar y dolor de garganta. Se observan ulceraciones y falsas membranas en la garganta. El examen de la sangre revela ausencia o disminución marcada de granulocitos (polinucleares). Los glóbulos rojos suelen no presentar cambios. Hay formas curables.

El tratamiento consiste en la supresión de la causa, transfusiones sanguíneas (se están ensayando transfusiones de glóbulos blancos), inyecciones de extracto hepático (de hígado) y de penicilina u otros antibióticos, gamma globulina y componentes del complejo B, como la vitamina B_{12}, el ácido fólico y la piridoxina.

Se ha utilizado también, al parecer con buen resultado, el extracto de médula ósea o injertos de médula ósea de un dador compatible. Solamente en centros especializados se hacen dichos injertos. En ciertos casos se ha utilizado con buenos resultados el ACTH o la cortisona. El médico indica además los otros tratamientos locales y generales que requiera el caso. Si la enfermedad ha sido provocada por un arsenical o una sal de oro o mercurio, se utiliza el BAL (véase intoxicación mercurial en la página 622). En estos casos la alimentación debiera ser considerablemente más rica en calorías y vitaminas que en estado normal.

LINFOGRANULOMATOSIS MALIGNA (Linfoadenoma o enfermedad de Hodgkin)

Definición

Es una enfermedad crónica, caracterizada por tumefacciones ganglionares, anemia y habitualmente aumento de tamaño del bazo.

Causas

Su causa es aún desconocida, pero se cree que es producida por un virus filtrable. Es más frecuente en el hombre y en las personas jóvenes.

Síntomas

Comienza con tumefacción ganglionar indolora en el cuello, aunque puede comenzar en otras partes.

a) *Adenopatía* o *tumefacción ganglionar del cuello.* (Hay muchas otras causas del aumento de tamaño de los ganglios.) Al principio toma un lado, pero pronto se hace bilateral. Son ganglios indoloros y móviles. Suelen ser duros, salvo que crezcan rápidamente.

b) Otros grupos ganglionares pueden hincharse después: ganglios supraclaviculares, axilares, mediastinales, mesentéricos, inguinales, etc.

c) *Esplenomegalia,* o sea bazo aumentado de tamaño. Se encuentra en más de la mitad de los casos.

d) *Fiebre.* Suele ser moderada e irregular.

e) *Prurito,* es decir comezón de la piel.

f) *Anemia* y debilidad.

g) *Síntomas de la compresión producida por los ganglios,* que varían con la localización de éstos.

El examen de la sangre revela que no hay aumento del número de leucocitos. Esto habitualmente la distingue de la leucemia linfoidea. Hay, además, anemia hipocrómica.

El diagnóstico se confirmará con el examen al microscopio de uno de los ganglios hipertrofiados, o del material que se obtiene cuando se lo punciona.

Evolución y pronóstico

Puede haber remisiones prolongadas (hasta de 10, 15, 20 o más años), y aun curaciones. Para obtener tan buenos resultados, el tratamiento debe ser instituido antes que la enfermedad avance mucho y dirigido por un médico hematólogo. Si la enfermedad no es tratada, el fallecimiento se produce dentro de los 5 años de su iniciación.

Tratamiento

Se han dividido los casos de esta enfermedad en cuatro grados según la extensión de la misma. También se los divide en varios grupos según el tipo de células que se hallan en los mismos. Ambas clasificaciones se toman en cuenta al elegir el tratamiento. Los pacientes que tienen la enfermedad poco extendida son tratados con radioterapia. Para los casos más avanzados se recurre en este momento al tratamiento combinado de cuatro medicamentos que son la mecloretamina (mostaza nitrogenada), el sulfato de vincristina, el cloruro de procarbacina y la prednisona.

CAPITULO 124

Hemofilia y Púrpura, Dos Enfermedades que Tienden a Producir Hemorragias

HEMOFILIA

Definición

LA HEMOFILIA es una enfermedad hereditaria que ataca casi exclusivamente al sexo masculino, pero es transmitida por la mujer y se caracteriza por una tendencia a hemorragias prolongadas en cualquier herida y por retardo del tiempo de coagulación de la sangre. En el hemofílico falta una proteína del suero sanguíneo, llamada globulina antihemofílica.

Síntomas

El más importante es la hemorragia. Esta se produce siempre con motivo de un traumatismo, aun cuando éste sea ligerísimo. Así, el más mínimo corte, por ejemplo el que puede resultar al afeitarse, sangra por horas.

Hemorragias. Pueden ser: a) Externas: heridas, epistaxis, extracción de diente, etc. b) Internas: hematomas o acumulación de sangre en el tejido celular o músculos por el menor traumatismo. c) Articulares: es frecuente en las rodillas. d) En el sistema nervioso, el estómago, el riñón, el pulmón, etc.

El examen de la sangre revela que el *tiempo de coagulación* es muy prolongado. A veces hasta una hora o más. El número de plaquetas es habitualmente normal. La retracción del coágulo es normal. La resistencia de los capilares sanguíneos es también normal. La descrita es la hemofilia A, o clásica, debida a deficiencia del factor VIII (hay 13 factores de coagulación de la sangre).

Tratamiento

Se hará la profilaxis de la hemorragia evitando golpes y heridas. Cuando sangra, se puede colocar suero de bovino o equino en algodón o mejor aún esponja de gelatina o espuma de fibrina empapadas en solución de trombina o tromboplastina, sobre el lugar de la hemorragia. Lo mismo puede hacerse con sangre humana. Lo mejor de todo es la transfusión sanguínea (aun pequeña), que tiene la propiedad de devolver la coagulabilidad normal a la sangre durante unas horas y a veces días. Toda operación en un hemofílico será precedida, pues, por una transfusión sanguínea o de plasma (deben ser frescos).

Ultimamente se están usando con buen resultado dos globulinas obtenidas de la sangre humana: la globulina antihemofílica, para aplicar por inyecciones, y la globulina hemostática, que se puede obtener también de sangre de animales y que se aplica localmente, espolvoreando el lugar que sangra o bien aplicando una esponja de fibrina o polvo de trombina. Comercialmente se puede obtener el factor VIII puro que ha sido precipitado por congelación u otros medios. La alimentación será rica en vitaminas C y P, debiendo contener suficiente proteína completa. También se ha utilizado a veces vitamina K.

PURPURA

La púrpura es un síntoma caracterizado por la extravasación (salida de los vasos) de sangre en la piel o en las mucosas, que puede aparecer en el curso de enfermedades diversas, o bien constituir el síntoma principal de afecciones hemorrágicas.

La causa de la púrpura puede ser la disminución de las plaquetas sanguíneas (púrpura por trombocitopenia), o por lesiones en los capilares (púrpuras vasculares).

El síntoma púrpura (manchas purpúricas)

Suelen aparecer bruscamente. Son de color rojo vivo al principio, se hacen luego verdosas, más tarde amarillas y por último desaparecen. Al presionar sobre los elementos purpúricos la mancha no desaparece.

PURPURA HEMORRAGICA O TROMBOCITOPENICA (enfermedad de Werlhof)

a) Hay *hemorragias* en la piel (púrpura), pudiendo aparecer en las mucosas (nariz, encías, pulmones, tubo gastrointestinal, aparato urinario, útero) y en los órganos (cerebro, suprarrenales, etc.).

b) Hay *trombocitopenia,* es decir, disminución del número de plaquetas en la sangre. En lugar de 250.000 por mm^3, hay 100.000 o menos aún. Cuando bajan a 60.000 o menos, pueden producirse hemorragias.

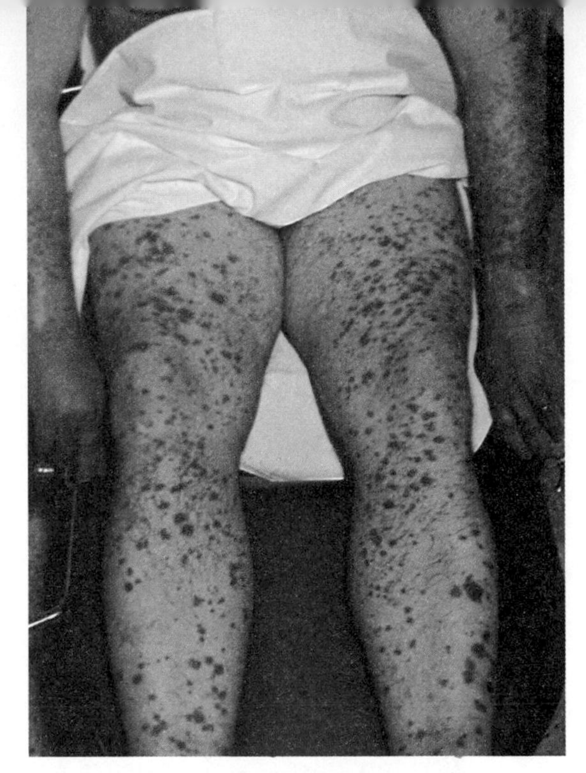

Fig. 493. Púrpura en miembros inferiores y superiores.

c) El tiempo de coagulación de la sangre es normal, pero el *coágulo no se retrae.*

d) El *tiempo de sangría,* es decir, de pérdida de sangre en una pequeña herida provocada en el lóbulo de la oreja, *es prolongado.*

e) Si se comprime con un lazo elástico en el pliegue del codo durante unos 10 minutos aparecen *petequias* (pequeñas manchitas provocadas por ruptura de vasos capilares). Suele aparecer esta enfermedad en pacientes debilitados. Su comienzo es brusco, con fiebre moderada, malestar, dolor de cabeza y vómitos. Puede a veces ser grave o pasar a la cronicidad.

PURPURA IDIOPATICA O ANAFILACTOIDE

Se ve especialmente en niños y adultos jóvenes, pero puede afectar a cualquier edad. Hay algunos casos que parecen de origen alérgico. En ciertas familias hay tendencia a esta enfermedad. Las plaquetas se hallan en número normal y el tiempo de coagulación de la sangre es habitualmente normal.

Los síntomas que produce son muy variables, habiéndose descrito con el nombre de *púrpura simple* cuando hay solamente púrpura, con el nombre de *púrpura reumatoide* o de Schönlein la que se acompaña de dolores en las articulaciones, y de *púrpura visceral* o de Henoch la que afecta el intestino u otras vísceras. Se describirán dichas formas muy brevemente.

Púrpura simple

Es una forma benigna, que se ve especialmente en los niños. Las manchas aparecen preferentemente en los miembros inferiores, y aparecen por empujes. Suele haber al mismo tiempo inapetencia, malestar y anemia ligera.

Púrpura reumatoide

Suele afectar principalmente a hombres jóvenes. Comienza bruscamente con angina (inflamación de garganta) y artritis múltiple. Hay fiebre moderada. Disminuida la inflamación, aparecen las erupciones purpúreas.

Púrpura visceral

Ataca principalmente a niños. Hay síntomas en el estómago e intestino: cólicos, diarrea o constipación y vómitos. Puede acompañarse también de nefritis y artritis. Por supuesto aparecen también elementos purpúricos y a veces otras lesiones cutáneas (eritemas o erupciones diversas, urticarias, etc.).

El número de plaquetas es normal. A veces hay hemorragias de las mucosas (intestinal, por ejemplo).

PURPURAS SECUNDARIAS

Esta clase de púrpura es un síntoma solamente. Aparece en los siguientes casos:

a) *En enfermedades infecciosas.* Su aparición en el curso de las mismas suele indicar una forma grave. Se la ha visto en escarlatina, viruela, sarampión, meningitis, etc.

b) *En intoxicaciones:* veneno de serpientes, fósforo, arsénico, etc.

c) *En caquexias:* cáncer, tuberculosis, leucemias, anemias, etc.

d) *En afecciones nerviosas:* tabes, neuritis, etc.

e) *En afecciones hepáticas graves:* atrofia amarilla aguda, intoxicación fosforada, etc.

f) *Origen mecánico:* en epilepsia, tos convulsa, insuficiencia cardíaca (intervienen también otros factores en esta última).

Tratamiento

Según el caso, el médico elegirá entre los siguientes medios: dar corticoides, ciertos coagulantes o vitaminas C y P o citrina (bioflavonoides o citroflavonoides), y la vitamina K. En lugar de citrina se utiliza actualmente con buen resultado, rutina. También benefician, en casos de hemorragias, las transfusiones y el calcio. En la púrpura hemorrágica está a veces indicada la esplenectomía, vale decir, la extirpación del bazo. En algunos casos el médico indica algunas de las medidas utilizadas en la hemofilia. Evitar esfuerzos. Si la causa es una intoxicación o infección, ésta debe ser tratada. Cuando parece de origen alérgico, se tratará esa causa (véase alergia en el capítulo 136). En algunos casos se ha obtenido beneficio con el uso de los corticoides o el ACTH.

PARTE DUODECIMA

Enfermedades y Trastornos del Aparato Urinario

CAPITULO **125**

Anatomía y Fisiología del Aparato Urinario

EL APARATO urinario es el encargado de eliminar del organismo las sustancias nocivas que se forman en las células y de contribuir a mantener la reacción alcalina de la sangre. Está formado esencialmente por dos riñones que vuelcan cada uno su contenido en un receptáculo llamado vejiga, por medio de un delgado tubo llamado uréter. La vejiga, a su vez evacua su contenido al exterior por medio de un conducto llamado uretra. Se estudiarán brevemente estos órganos.

Los riñones

Los riñones son dos órganos que afectan la forma de un poroto (habichuela), colocados en el abdomen a ambos lados de la columna vertebral. Se hallan aproximadamente a la altura de la última vértebra dorsal y de las dos primeras lumbares. Las últimas dos costillas cubren su mitad superior. Tienen unos 10 a 12 cm de largo, unos 5 ó 6 cm de ancho y unos 2,5 a 3,5 cm de espesor. Pesan unos 150 g cada uno. Su color es rojo castaño. Están separados de la piel del dorso por varios músculos, y de los órganos del abdomen por el peritoneo parietal. Hay una capa de grasa que los rodea y los fija, permitiendo, sin embargo, que se deslicen hacia abajo en cada inspiración. El riñón derecho es un poco más bajo que el izquierdo. Sobre su polo superior se hallan las cápsulas suprarrenales. Su borde interno es cóncavo y recibe el nombre de *hilio,* pues llegan y salen por ese lugar la arteria renal y la vena renal. Se halla también allí la llamada *pelvis renal,* que tiene forma de embudo y en la cual desembocan los llamados *cálices,* que reciben cada uno la orina de una de las pirámides renales.

Si se corta el riñón paralelamente a

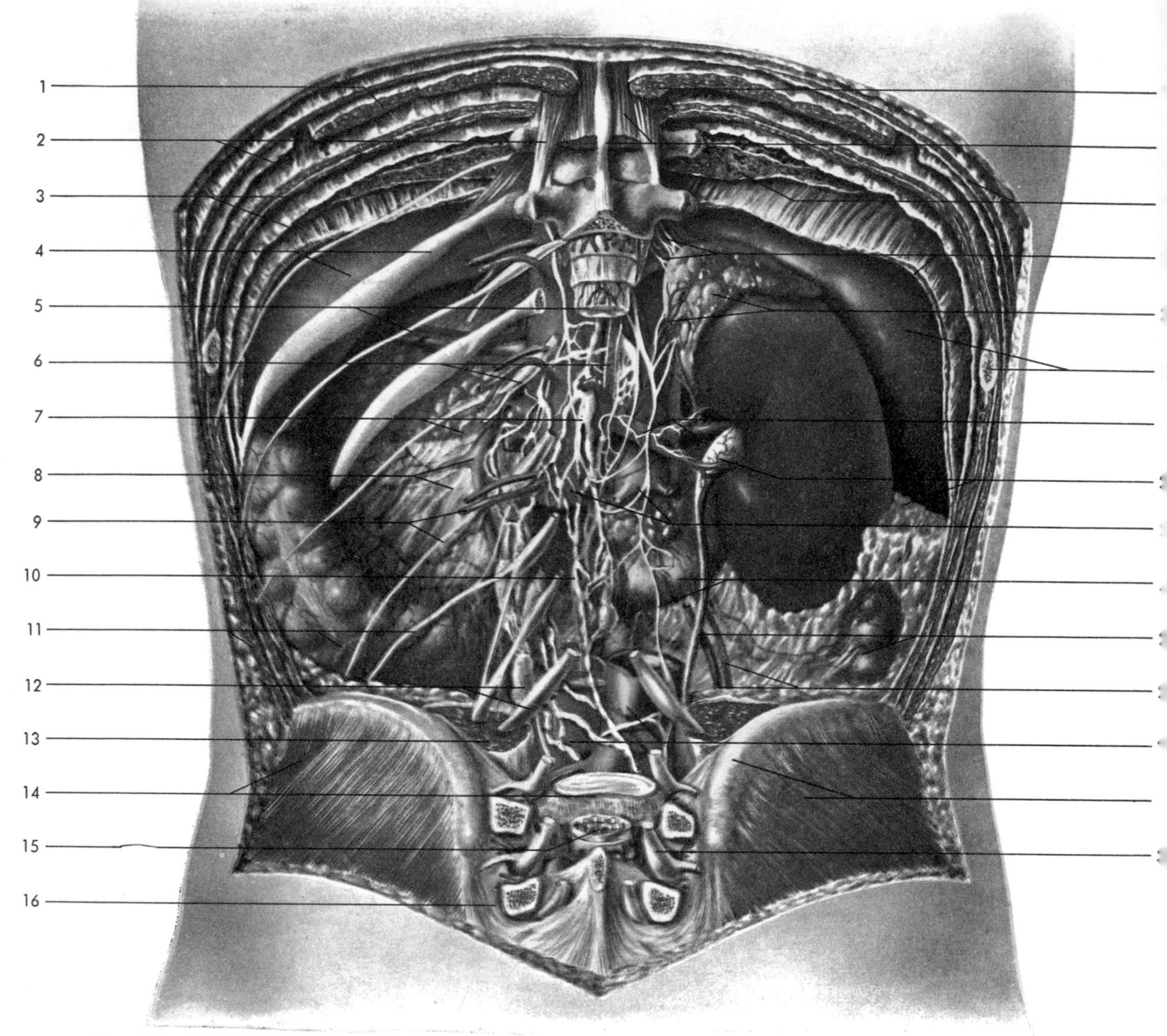

Fig. 494. **ANATOMIA DE LA REGION LUMBAR Y RIÑON OBSERVADOS DESDE SU PARTE POSTERIOR.**

1) Músculo iliocostal lumbar y fascial lumbodorsal
2) Músculo intertransversal
3) Músculos intercostales internos y externos y pleura
4) Bazo y undécima costilla
5) Médula espinal y undécimo nervio intercostal
6) Pilar del diafragma y duodécimo ganglio torácico
7) Cisterna linfática y páncreas
8) Mesocolon y vena mesentérica inferior
9) Ramas dorsales de la primera arteria y vena lumbares y nervio iliohipogástrico
10) Tronco linfático lumbar derecho
11) Músculo oblicuo externo del abdomen, colon descendente y nervio ilioinguinal
12) Ganglio linfático lumbar y cuarto ganglio lumbar
13) Músculo psoas ilíaco
14) Fibrocartílago intervertebral y músculo glúteo mediano
15) Cola de caballo
16) Ligamento interóseo sacroilíaco
17) Músculo dorsal ancho
18) Ligamento supraespinoso y músculo adyacente
19) Pulmón y músculo dorsal ancho
20) Diafragma y arterias, venas y nervios suprarrenales superiores
21) Glándula suprarrenal derecha y a teria y vena suprarrenales inferi res
22) Hígado y décima costilla
23) Arteria y vena renales
24) Pelvis renal y grasa perirrenal
25) Aorta abdominal y vena cava i ferior
26) Duodeno y tronco del nervio si pático
27) Uréter y colon ascendente
28) Arteria y vena espermáticas int nas
29) Cresta ilíaca y músculo glúteo
30) Primer ganglio sacro

sus dos caras, se puede observar que su sustancia propia se halla formada por dos zonas de color distinto, a las que se ha llamado *medular,* o *interna,* y *cortical,* o *externa.* La sustancia medular, de color más rojizo, forma unas 9 a 10 masas triangulares (se ven solamente 5 ó 6 en el corte), llamadas *pirámides renales* o *de Malpighi.* Su base está en contacto con la sustancia cortical y su vértice, que presenta de 15 a 20 pequeños orificios, se halla en comunicación con un cáliz renal, que lleva la orina a la pelvis renal.

La cortical, de color más amarillento, presenta en su parte más externa pequeños puntitos rojos que corresponden a los corpúsculos de Malpighi. La sustancia cortical cubre a la medular y rellena también los espacios que dejan entre sí las pirámides de Malpighi.

EL NEFRON.—Lo más importante del riñón es el llamado *nefrón,* cuyo funcionamiento, una vez comprendido, nos explica el trabajo del riñón. Hay aproximadamente un millón de nefrones en cada riñón. Cada nefrón se halla constituido por el llamado *corpúsculo renal,* o *de Malpighi,* y del llamado *túbulo urinífero,* que tiene diversas partes, cuya descripción no cabe presentar aquí. Estos desembocan en canales colectores, que llevan la orina a los cálices y a la pelvis renal.

El corpúsculo renal o de Malpighi contiene un vaso capilar ramificado, que forma un ovillo que recibe el nombre de *glomérulo.* El glomérulo recibe la sangre de un pequeño vaso llamado *aferente,* que le trae sangre arterial procedente de la arteria renal. La sangre sale del glomérulo por otro pequeño vaso llamado *eferente.* La sangre proveniente del vaso eferente, en su mayor parte irriga a los túbulos renales y va a dar después a la vena renal, perdido ya su oxígeno, pero eliminadas también las sustancias nocivas. Rodeando el glomérulo se halla la llamada cápsula de Bowman, que tiene dos capas que dejan entre sí un espacio, espacio que comunica con el comienzo del túbulo renal. En realidad, la cápsula de Bowman es la extremidad ensanchada del túbulo renal que hunde o invagina el glomérulo.

La cantidad de sangre que pasa por los riñones es de aproximadamente 1 litro por minuto, vale decir, que más o menos cada 5 minutos pasa toda la sangre por el riñón. Esa sangre, proveniente de la arteria renal, tiene una presión en el glomérulo de 75 mm de mercurio, la cual tiende a filtrar la sangre. Y aunque hay elementos que tratan de contrarrestar dicha filtración (presión osmótica de la sangre, presión del tejido renal y dentro del tubo renal), filtran los glomérulos más de 100 g de líquido por minuto. Ese líquido contiene todos los elementos solubles del plasma sanguíneo, salvo las proteínas.

Fig. 495. CORTE DE RIÑON PARA MOSTRAR SU CONSTITUCION INTERNA.
1. Porción externa, o cortical.
2. Sustancia medular (pirámide).
3. Pelvis renal.
4. Uréter.

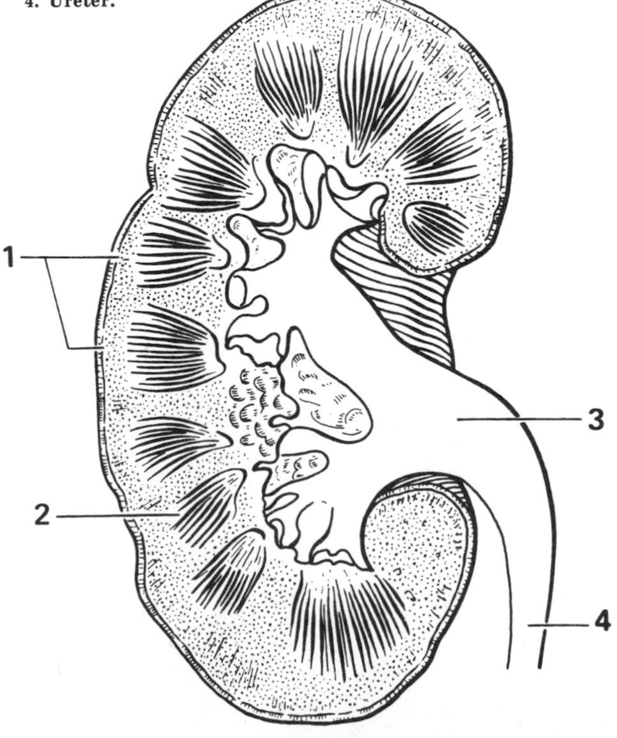

1
2
3
4

Fig. 496. ESQUEMA DEL APARATO URINARIO.

Derecha: Los riñones y la vejiga forman parte del sistema eliminatorio del cuerpo humano.
Abajo: Corte de un riñón, que muestra el uréter, conducto que desemboca en la vejiga.

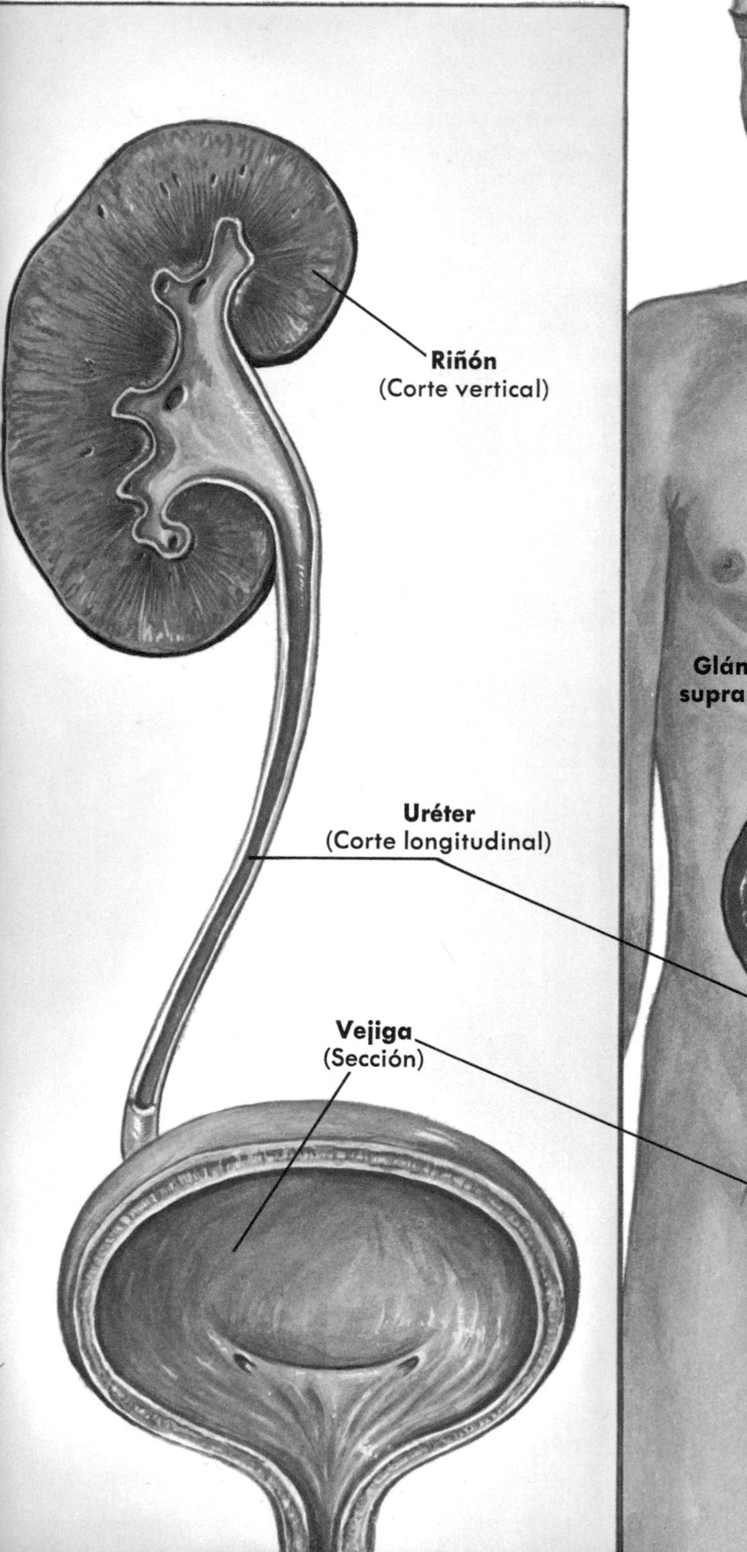

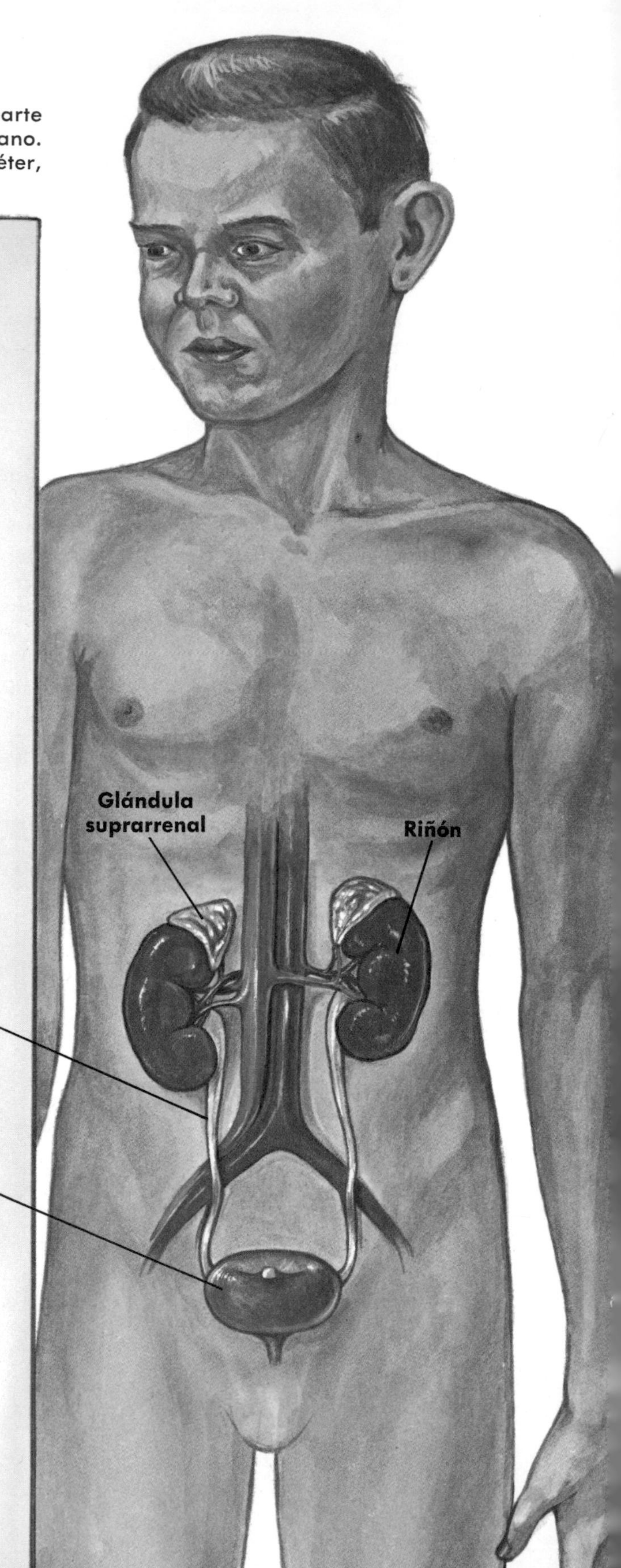

Eso daría una enorme cantidad de orina que si se eliminara así haría que el organismo perdiese junto con las sustancias que debe eliminar, otras que necesita. Para evitar esto, los túbulos renales reabsorben aproximadamente el 99% del agua que filtran los glomérulos y seleccionan las sustancias que esa agua contiene disueltas, reabsorbiendo por completo algunas, como la glucosa, y dejando pasar parte de otras, como la sal. Otras no vuelven a pasar a la sangre, como la *creatina*. La reabsorción de parte de lo filtrado a través del glomérulo por los túbulos renales, es regulada por una secreción interna del lóbulo posterior de la hipófisis.

Los uréteres

Los uréteres son dos conductos de unos 25 a 30 cm de largo, bastante delgados, aunque de calibre irregular, que llevan la orina desde la pelvis renal a la vejiga, en cuya base desembocan formando los llamados *meatos ureterales,* cuya disposición en válvula permite a la orina pasar gota a gota del uréter a la vejiga, pero no viceversa. Su interior está revestido de un epitelio y su pared contiene músculo liso.

La vejiga

La vejiga es un depósito membranoso situado en la parte inferior del abdomen y superior de la pelvis, destinada a contener la orina que llega de los riñones a través de los uréteres. Cuando está vacía, sus paredes superior e inferior se ponen en contacto, tomando una forma ovoidea cuando está llena. Su capacidad es de unos 300 a 350 g, aunque puede variar de una persona a otra y en ciertas afecciones. Su interior está revestido de una mucosa con un epitelio poliestratificado pavimentoso, impermeable a la orina. Su pared contiene un músculo liso, que contrayéndose y con la ayuda de la contracción de los músculos abdominales, produce la evacuación de la vejiga a través de la uretra. A esto se llama micción. La parte de la vejiga que comunica con la uretra está provista de un músculo circular o esfínter, que impide normalmente la salida involuntaria de la orina. Además de estas fibras lisas hay otras estriadas que ayudan a retener voluntariamente la orina.

La uretra

La uretra es el conducto que permite la salida al exterior de la orina contenida en la vejiga. Difiere considerablemente en ambos sexos. En la mujer es un simple canal de 3 a 4 cm de largo, algo más estrecho en ambas extremidades que en el resto de su trayecto. Es casi vertical y se halla por delante de la vagina, abriéndose en la vulva por delante del orificio vaginal.

En el hombre la uretra mide de 18 a 20 cm de longitud, y es de calibre irregular, presentando partes ensanchadas y otras estrechadas. Además no es recta sino que presenta ciertos ángulos. Tiene muchos segmentos: uretra prostática (parte que pasa por la próstata), uretra membranosa y uretra esponjosa, es decir, la rodeada por el cuerpo esponjoso (la descripción de la próstata y el cuerpo esponjoso la hallará el lector en el capítulo 153), la que a su vez puede subdividirse en varios segmentos.

Desde el punto de vista de sus enfermedades la uretra puede dividirse en dos segmentos: la uretra anterior y la uretra posterior, separados por un esfínter de músculo estriado, situado a unos 3,5 cm de la vejiga.

Las hemorragias o secreciones que se producen en la primera, salen al exterior y las que se producen en la segunda, pueden volcarse en la vejiga. La inflamación de cada uno de estos sectores produce también síntomas dis-

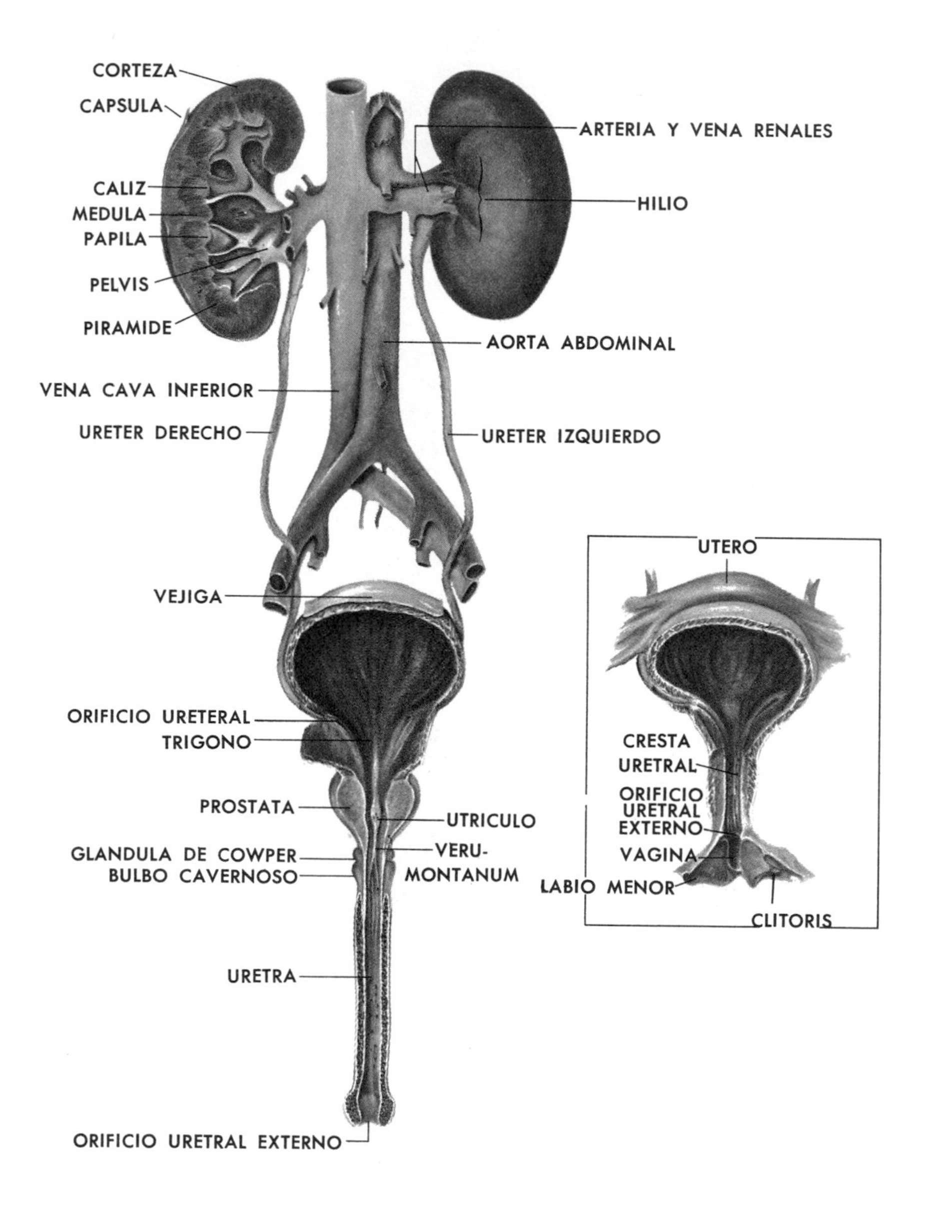

Fig. 497. **ARBOL URINARIO COMPLETO CON SU PARTE TERMINAL EN AMBOS SEXOS.**

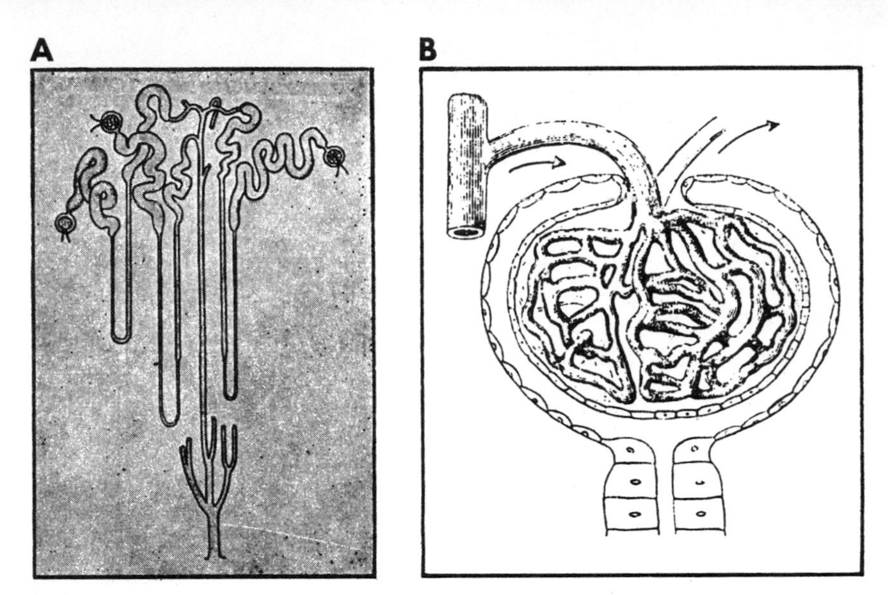

Fig. 498. A) Glomérulos renales con los tubos uriníferos que les siguen. (Testut: Anatomía Humana.) B) Un glomérulo renal, muy aumentado, que muestra el vaso que le trae sangre (vaso aferente), el que lleva sangre de él (vaso eferente), el ovillo que forman los capilares entre ambos, y la cápsula de Bowman.

tintos. En la uretra desembocan diversas glándulas, en las que puede acantonarse una infección de la uretra.

La orina

El producto del trabajo depurativo de los riñones es la orina. Se ha podido decir con razón que "la orina es una solución salada de urea", por ser la urea y la sal las sustancias que en mayor cantidad están disueltas en ella.

CANTIDAD.—La orina se produce habitualmente en una cantidad que oscila entre 1.250 y 1.500 g diarios. Este volumen puede variar, aumentando cuando se ingieren muchos líquidos, si hace frío, por emociones, etc. Puede disminuir cuando se beben pocos líquidos o cuando se pierde mucho líquido por otras vías: transpiración abundante, diarrea, vómitos, etc. Ciertas enfermedades pueden aumentar la cantidad de orina: diabetes sacarina, diabetes insípida, incapacidad del riñón para producir una orina concentrada, etc. Puede disminuir la orina en los momentos en que se retienen líquidos en el organismo en la nefrosis, las glomerulonefritis agudas, ciertas nefritis crónicas y también las enfermedades infecciosas cuando no se da al paciente suficiente cantidad de líquidos.

COLOR.—Habitualmente la orina tiene un color amarillo ámbar. Cuando su cantidad es abundante tiende a ser de color más claro. En cambio, se hace más oscura cuando es escasa, por hallarse en mayor concentración las sustancias eliminadas. Además del cambio que pueden provocar en el color de la orina numerosos medicamentos, se puede señalar el tinte castaño, a veces muy oscuro que le dan los pigmentos de la bilis cuando hay ictericia. La sangre le da un color rojo oscuro.

OLOR.—La orina recién emitida tiene un olor particular no fétido. Cuando pasa cierto tiempo toma un olor fuerte, que más tarde se hace amoniacal. Las personas que han ingerido espárragos tienen orina fétida. Los que tienen mucha acetona (por acidosis) pueden tener orina con el olor propio de dicha sustancia. Cuando la orina es fétida o amoniacal en el momento de su emisión, es probable que haya una antigua infección urinaria.

DENSIDAD.—Normalmente la densidad de la orina varía entre 1.015 y 1.025. Generalmente la función renal es bastante buena cuando es capaz de segregar una orina concentrada. Por supuesto, casi siempre las orinas de poca densidad son abundantes, y las de elevada densidad, escasas. Una excep-

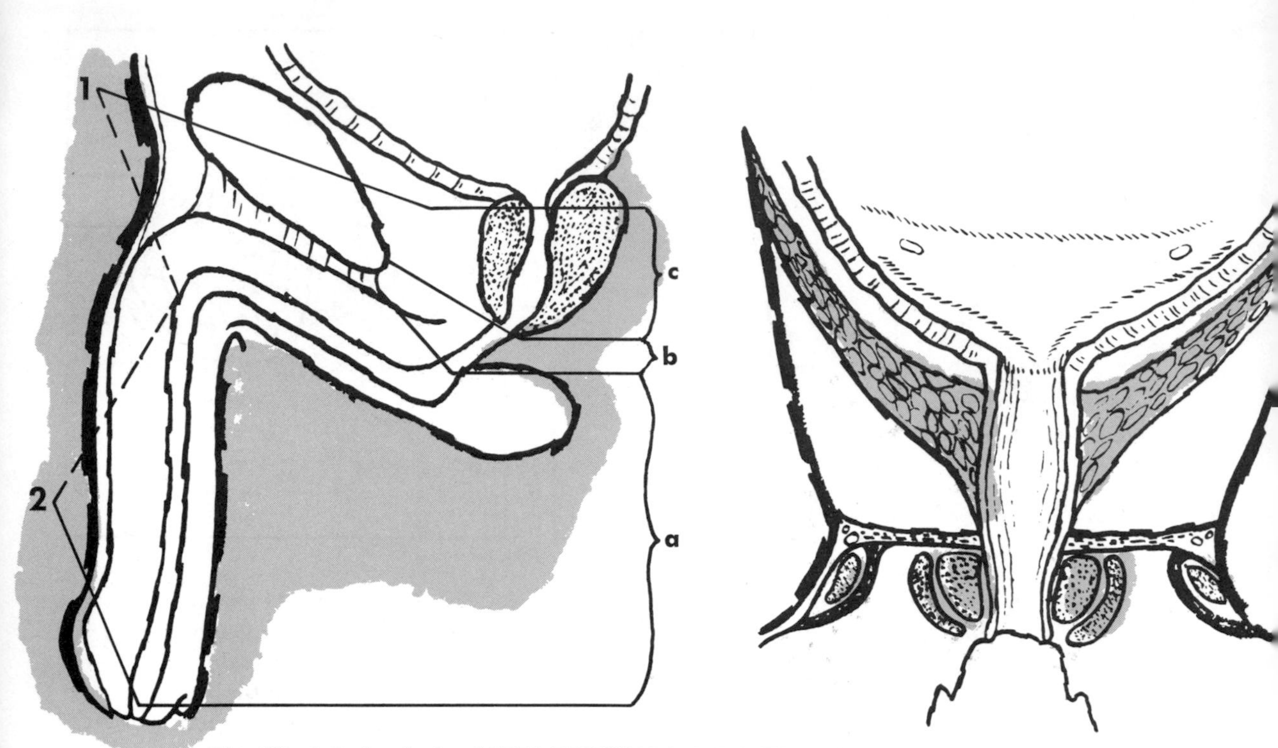

Fig. 499. A la izquierda: **CORTE DESTINADO A MOSTRAR LA URETRA MASCULINA. 1) Parte de la uretra que queda fija. 2) Parte móvil de la uretra. a) Uretra esponjosa. b) Uretra membranosa. c) Uretra prostática.** A la derecha: **Esquema que muestra la parte inferior de la vejiga y la uretra en la mujer (corte frontal).**

ción notable es la diabetes sacarina, en la que hay poliuria (orina abundante), con densidad elevada.

REACCION DE LA ORINA.—La reacción habitual de la orina humana es ácida. Si por una alimentación excesivamente rica en residuos alcalinos, o por tomar medicamentos alcalinos, la orina se hace alcalina o neutra, ésta se pone turbia por hallarse precipitados los fosfatos que contiene.

COMPOSICION QUIMICA.—Puede variar mucho según el tipo de alimentación y la cantidad de la orina. El término medio habitual es el siguiente: en cada litro de orina hay: urea: 24 g; cloruro de sodio (sal común): 10 g; sulfatos: 3 g; fosfatos: 2,3 g; creatinina: 0,9 g; sales de amonio: 0,7 g; ácido hipúrico: 0,6 g; ácido úrico: 0,5 g. Otros compuestos: 4 g.

Los principales elementos anormales que puede hallar el examen químico de la orina son proteína y glucosa.

¿QUE REVELA EL EXAMEN MICROSCOPICO DEL SEDIMENTO DE LA ORINA?—La orina normal tiene un sedimento escaso compuesto por células epiteliales planas descamadas de las vías urinarias, escasos glóbulos blancos, filamentos de mucus y, a veces, cristales de uratos y oxalatos. Después de un ejercicio violento, pueden aparecer también algunos glóbulos rojos. En las orinas anormales pueden aparecer glóbulos de pus, glóbulos rojos y cilindros. Estos últimos se forman en los túbulos renales, recibiendo el nombre de cilindros hialinos, céreos, granulosos, epiteliales, etc., según su composición.

Otros elementos anormales que pueden hallarse son diversas sales cristalizadas, gérmenes microbianos y parásitos.

CAPITULO 126

Síntomas Principales de las Enfermedades del Aparato Urinario y su Tratamiento

ANURIA
(Falta de secreción de orina)

SE DICE que hay anuria cuando no llega la orina a la vejiga. Puede distinguirse una *verdadera anuria,* en que hay ausencia de secreción renal, de una *falsa anuria,* en que la falta de llegada de orina a la vejiga se debe a una obstrucción del uréter. No hay que confundir anuria con retención de orina.

ANURIA POR OBSTRUCCION
(Falsa anuria)

Puede ser causada por cálculos del uréter, tumores de vejiga o uréter, cristales de sulfas, etc. Los cristales de sulfas pueden obstruir también los túbulos renales dando una verdadera anuria.

ANURIA VERDADERA

Causas

Sus causas son variadas:

a) *Nefritis.* Se ve en algunos casos de nefritis o nefrosis sobreaguda, o en el período terminal de las mismas.

b) *Enfermedades infecciosas.* Suele ser pasajera.

c) *Traumatismos del aparato urinario* o cualquier maniobra sobre el mismo (sondaje, operación).

d) *Colapso y shock:* en caso de cólera, hipoglucemia, etc.

e) *Histerismo.*

Síntomas

Durante algunos días, puede o no haberlos. Más tarde aparecen síntomas de uremia.

Si no cesa la anuria, la muerte se produce entre los 7 y los 12 días. Cuando se hace sondaje de la vejiga, no sale orina o ésta es muy escasa.

Tratamiento

El médico indica tratamientos distintos según la causa de la anuria. Así por ejemplo, si se debe a shock, se tratará el mismo (véase la página 506). Si se debe a una obstrucción mecánica, puede requerir en ciertos casos una operación; etc. Algunas medidas útiles en numerosos casos son las siguientes:

a) Dar 500 g de líquido por día, más la cantidad orinada.

b) Aplicación de fomentos calientes a ambos riñones, e irrigaciones del colon con agua a 40° C (104° F).

c) Inyección endovenosa de suero glucosado hipertónico o mejor aún de solución de manitol.

d) Alimentación rica en carbohidratos, pero que sea sin sal y sin proteína.

e) Vigilancia del llamado medio interno del paciente y de su urea en suero.

f) A menudo es necesario recurrir a la diálisis peritoneal o al llamado "riñón artificial".

TRASTORNOS DE LA MICCION

RETENCION DE ORINA

Definición

Se dice que hay retención de orina cuando una persona no puede evacuar su vejiga voluntariamente. La retención es completa o total, cuando no sale orina alguna, e incompleta o parcial cuando puede orinar, pero su vejiga no se vacía por completo. La completa es generalmente de aparición brusca y muy dolorosa. La incompleta se instala lentamente y se hace crónica.

Causas

Se mencionarán aquí las causas de la retención aguda de orina. Puede ser una obstrucción de la uretra, o deberse a una lesión o parálisis de la vejiga. Las causas que pueden obstruir la uretra son: espasmo del esfínter, próstata aumentada de tamaño por infección, congestión (en este último caso habitualmente ya presenta un adenoma; véase la página 1557), etc., un cálculo u otro cuerpo extraño, estrechez de la uretra (véase el cap. 129), lesión de la uretra por traumatismo (fracturas de pelvis, etc.), compresión de la uretra, tumores de la vejiga benignos o malignos que tapen el orificio superior de la uretra.

Las causas vesicales son: retención de orina que puede presentarse en cualquier enfermedad infecciosa, en hemorragia cerebral, peritonitis o inflamación de los órganos pelvianos, en caso de operaciones, en ciertas intoxicaciones agudas, ciertas lesiones, enfermedades o compresiones de la médula espinal que paralizan la vejiga. En la práctica, la causa más frecuente en un hombre joven es una prostatitis, a menudo de origen blenorrágico. En un hombre de edad mediana la causa más común suele ser una estrechez uretral, mientras que en una persona de más edad generalmente se tratará de una hipertrofia o adenoma de la próstata.

Síntomas

Los síntomas de retención aguda de orina son, al principio, deseo de orinar e imposibilidad para hacerlo. El paciente se esfuerza marcadamente para orinar sin lograr hacerlo en ninguna posición. Sobreviene angustia y agitación creciente a medida que se hace más imperioso el deseo de orinar y pasa más tiempo sin poder hacerlo. El dolor sube de la vejiga hacia los riñones. Se palpa en la vejiga como una saliente ovalada, que en casos extremos puede llegar hasta el ombligo.

No hay que confundir la retención de orina con la anuria. En esta última no hay mayor deseo de orinar pues no llega orina a la vejiga mientras que en los casos que estamos considerando, es decir, de retención de orina, ésta llega a la vejiga, pero le es difícil salir.

Tratamiento

Mientras viene el médico, que diagnosticará la causa de la retención e instituirá el tratamiento apropiado, se puede hacer tomar al paciente un baño de asiento caliente, que en ciertos casos permite la salida de la orina y que casi siempre produce alivio, por lo menos momentáneo. Véase en la página 839 la manera de dar el baño de asiento caliente. También puede ayudar a evacuar la orina el hacer una enema evacuadora con agua a unos 40° C (104° F). Al evacuar el intestino puede a veces también pasar orina por la uretra. En lugar de baño de asiento caliente se pueden aplicar fomentos calientes a la vejiga y el periné.

Para la retención de orina después del parto véase la página 325.

Los sondajes de la vejiga que necesitan ciertos casos de retención de orina, solamente deben ser practicados por el médico o por una persona perfectamente adiestrada.

INCONTINENCIA DE ORINA

En la página 430 se ha estudiado la incontinencia de orina en el niño.

Definición

Cuando se emite orina involuntariamente, ya sea por gotas, o por micción, se dice que hay incontinencia de orina.

Hay una falsa incontinencia que se produce en casos de retención crónica de orina, en la cual la vejiga queda distendida por la orina, aunque pueda salir ésta gota a gota en forma casi continua.

Causas

La orina puede salir gota a gota en ciertas mujeres que por algún parto difícil tienen una fístula que comunica la vejiga con la vagina. También puede verse en ciertas cistitis muy intensas. Es frecuente observar que los descensos de las paredes vaginales o del útero, o el debilitamiento del esfínter vesical en mujeres de cierta edad, permite a veces la salida de pequeñas cantidades de orina cuando tosen, ríen o hacen algún esfuerzo. Ciertas enfermedades de la médula y de otras partes del sistema nervioso pueden también producir la incontinencia de orina. En el ataque de epilepsia se produce la evacuación vesical.

Tratamiento

Lo único efectivo es que el médico descubra la causa y la trate.

MICCION FRECUENTE (Polaquiuria)

Lo habitual en una persona que produzca la cantidad común de orina (1.250 a 1.500 g), es que orine unas 5 ó 6 veces en las 24 horas. La mayor parte de las micciones se producen mientras la persona está levantada.

Causas

Pueden éstas radicar en el aparato urinario o fuera de él. Las causas no urinarias pueden ser el aumento de la cantidad de orina (véase este tema en el capítulo 128), ciertas afecciones o enfermedades de los órganos genitales femeninos (cambios de posición del útero, afecciones de este último o de los ovarios o trompas), alguna afección medular, o las emociones en los que tienen un temperamento nervioso. Ciertas enfermedades del corazón pueden hacer que se orine con frecuencia de noche. Las causas urinarias de micción frecuente varían según cuándo aparece esta última. Cuando hay polaquiuria diurna y nocturna, es con frecuencia una inflamación de la vejiga (cistitis) o de todo el aparato urinario, o un cálculo vesical el causante, o bien una acentuada hipertrofia o adenoma de la próstata. Cuando se produce de noche, puede deberse a un aumento de tamaño de la próstata.

Hay, especialmente en la mujer, casos llamados de vejiga irritable, en los cuales la micción es frecuente y dolorosa, sin haber una verdadera inflamación de la vejiga.

Tratamiento

Es el de la causa. Como primer auxilio se pueden hacer tratamientos semejantes a los descritos en la página

1360 para las cistitis. Lo importante es descubrir la causa y eliminarla.

MICCION DIFICIL Y MICCION DOLOROSA

Es frecuente que se combinen ambos síntomas en las inflamaciones de la vejiga y la uretra. En otros casos no hay dolor, pero le cuesta al paciente comenzar a orinar, lo que puede deberse simplemente a nerviosidad, pero que con frecuencia puede corresponder a una estrechez de la uretra, o a una hipertrofia o aumento de tamaño de la próstata. En estos casos el paciente puede necesitar hacer un esfuerzo muy grande para orinar. Se puede observar, en casos de aumento de tamaño de la próstata, que el chorro de orina tiene poca fuerza, cayendo casi verticalmente.

HEMATURIA
(Orina con sangre)

Definición

Cuando hay en la orina sangre proveniente del aparato urinario, se dice que hay hematuria.

No hay que confundir con hematuria la sangre que provenga de la menstruación, o una hemorragia genital que se mezcle con la orina, o el color rojizo que pueden dar a la orina ciertos medicamentos o el ingerir remolachas.

SU IMPORTANCIA.—Cuando se emite sangre con la orina, es de suma importancia que por medio de un examen médico completo se determine la causa de dicha hemorragia. Es un síntoma útil que puede poner sobre aviso de cualquier alteración a tiempo para un tratamiento efectivo. El tratar simplemente el síntoma es ilógico y peligroso.

ALGUNOS DATOS UTILES QUE PUEDEN LLEVARSE AL MEDICO.—Conviene notar si la orina con sangre apareció después de un viaje o ejercicio violento, o si vino espontáneamente. Si se acompaña o no de molestias en la vejiga, o de hemorragias en otras partes del cuerpo, o de fiebre o malestar generales. Si hay dolor en el riñón, si hay o no coágulos y su forma, etc.

Un dato útil se obtiene con la llamada prueba de los 3 vasos. Consiste en orinar en 3 recipientes, recogiendo en uno, la orina del comienzo de la micción; en el segundo, la mayor parte de la orina, y en el tercero, el resto de la orina. Pueden observarse tres casos distintos: que toda la orina esté uniformemente teñida de sangre (hematuria total) ; que esté mayormente teñida la del primer recipiente (hematuria inicial) ; o que la cantidad de sangre parezca mayor en el tercer recipiente (hematuria terminal) .

Causas

En el caso de ser la hematuria total, es probable que la hemorragia provenga del riñón. Si es inicial puede provenir de la próstata o de la porción posterior de la uretra. Cuando la sangre es más abundante al terminar de orinar, es probable que provenga de la vejiga. En cuanto a las causas propiamente dichas de la hemorragia, los grupos más importantes son los siguientes: traumatismos del riñón o la vejiga, cálculos en cualquiera de los puntos del aparato urinario, tumores benignos o malignos del riñón, la vejiga o la próstata, enfermedades que se caracterizan por hemorragias (hemofilia, púrpura, etc.) , o enfermedades infecciosas graves que dan hemorragias también en otras partes del cuerpo, inflamaciones del riñón (nefritis aguda, tuberculosis renal) o de la vejiga (cistitis, tuberculosis vesical, congestión del aparato urinario, extracción demasiado rápida de la orina retenida, parásitos que llegan al aparato urinario, etc.).

El médico puede con frecuencia llegar al diagnóstico exacto en cuanto al lugar que sangra y a descubrir su causa. En otros casos es necesario que un especialista en vías urinarias haga un examen completo de las mismas para aclarar el caso.

Tratamiento

Ante todo no hay que alarmarse, pues una pequeña cantidad de sangre al mezclarse con la orina puede dar una falsa impresión de ser una hemorragia abundante. Como primer auxilio y mientras llega el médico, hacer guardar reposo en cama al enfermo y aplicar una inyección de coagulante (véase la página 512 para el tratamiento general de una hemorragia). El médico tratará la causa además del síntoma.

PIURIA
(Pus en la orina)

Definición y generalidades

Piuria es la presencia de pus en la orina. Cuando su cantidad es apreciable, las orinas se ponen turbias. Hay que recordar, sin embargo, que no todas las orinas turbias tienen pus, y que no todas las orinas con pus son turbias. Una orina puede ser turbia, simplemente por no ser fresca, o si es turbia siendo recién emitida, puede serlo por tener reacción alcalina o neutra, en cuyo caso están precipitados los fosfatos bajo forma de cristales, o bien su turbidez se debe a la presencia de cristales de ácido úrico o sus sales. Esto último es más frecuente cuando hay fiebre, o se ha hecho un ejercicio violento. La manera de descartar esos dos factores, si no hay manera de hacer examinar la orina en un laboratorio, es la siguiente:

En un tubo de vidrio u otro recipiente transparente se añade vinagre a la orina. Si son fosfatos la orina se aclara. Si son uratos, desaparecen al añadir a la orina otro tanto de agua caliente. En el caso de ser pus la causa de la turbidez de la orina, ésta no se aclara. Hay raros casos que pueden simular también una piuria: es cuando hay una gran cantidad de gérmenes microbianos en la orina (bacteriuria), y cuando penetra en el aparato urinario linfa blanquecina o quilo por la ruptura de un vaso linfático.

Causas

Cualquier infección del aparato urinario puede hacer aparecer pus en la orina.

Tratamiento

Es indispensable que el médico diagnostique, si es posible, la localización de la infección, el microbio causal, los agentes que actúan sobre el mismo y las causas predisponentes, para que indique con precisión el tratamiento que mejor corresponda a cada caso en particular.

PROTEINURIA
(ALBUMINURIA)

Proteinuria quiere decir presencia de proteína en la orina. Se creyó antes que cuando había proteinuria había siempre nefritis. Años después se descubrió que también hay nefritis sin proteinuria y proteinuria sin nefritis. Así por ejemplo, puede haber proteinuria en enfermedades infecciosas, en intoxicaciones agudas y crónicas, en enfermedades del corazón, en ciertas enfermedades del sistema nervioso y, por supuesto, también en las enfermedades del riñón. Hay casos de proteinurias llamadas funcionales, de las cuales la más típica es la proteinuria ortostática, que se produce al estar de pie el paciente, al parecer por congestionarse el riñón en estos casos en esa posición.

COLICO RENAL O NEFRITICO

El cólico renal o nefrítico es un intenso dolor causado por la contracción intensa de la pelvis del riñón. Aunque con mayor frecuencia es causado por un cálculo pequeño o mediano de la pelvis renal que penetra en el uréter, puede producirse por cualquier circunstancia en que se obstaculice bruscamente el paso de la orina en la parte alta del uréter (riñón móvil con acodamiento de uréter, obstrucción de uréter por pus, un coágulo, membrana de quiste hidatídico, etc.).

Sus caracteres más llamativos son los siguientes: es bastante frecuente que comience después de movimientos que han provocado el enclavamiento del obstáculo. Sin embargo, es también frecuente que comience en una persona que dormía tranquilamente. El dolor es de iniciación brusca, intenso, continuo, pero con momentos de aumento de dolor y otros en los que disminuye. Nace en la cintura a nivel del punto donde la última costilla es cruzada por los músculos que se hallan a los lados de la columna vertebral. De allí irradia hacia abajo y adelante, siguiendo el trayecto del uréter y llegando a la vejiga, a veces también al testículo o labio mayor del lado afectado y al ano, la raíz del muslo, etc. Se acompaña habitualmente de micción frecuente, a veces de orina escasa, o ausente, o bien teñida con un poco de sangre. Otros síntomas muy frecuentes son: vómitos, distensión del intestino con gases, al punto que puede simular una oclusión intestinal, palidez, sudor, etc.

Cuando hay un cálculo más abajo en el uréter, puede sobrevenir el llamado cólico ureteral, en el cual el dolor máximo está situado más abajo. La terminación del cólico renal ocurre bruscamente, después de un período variable (de minutos a horas), trayendo una gran sensación de alivio y una descarga de orina clara o con algo de sangre.

Tratamiento

El tratamiento de primer auxilio consiste en aplicar calor en las zonas de dolor: baño de asiento caliente o baño en bañera a 38° C (100,4° F) o más, o fomentos calientes, cataplasmas, bolsa de agua caliente, etc. Recoger por unos días la orina del paciente por si despide un cálculo, el conocimiento de cuya composición ayudará al médico a indicar el tratamiento ulterior del paciente. El médico aplicará, si lo ve necesario, una inyección de sustancias que combatan el espasmo de la pelvis renal o del uréter o el dolor: extracto de páncreas (depropanex o equivalentes), papaverina, dolantina o demerol, atropina, espasmalgina, supositorios o inyecciones con antiespasmódicos asociados a antidolorosos.

CAPITULO 127

Principales Enfermedades del Riñón y su Tratamiento

NEFRITIS (enfermedad de Bright)

Definición

NEFRITIS es la inflamación o degeneración del riñón.

Clasificación

La más aceptada es la de Volhard y Fahr. Divide las nefritis en tres grupos principales: uno de origen inflamatorio: *glomerulonefritis,* otro de origen degenerativo, llamado *nefrosis,* y el último de origen vascular que recibe el nombre de *nefrosclerosis.*

Con frecuencia el paciente presenta una combinación de estos distintos tipos de nefritis. Se resumirán a continuación las características principales de cada uno de estos grupos.

GLOMERULONEFRITIS.—El síntoma principal es la hematuria, es decir, la presencia de sangre en la orina. Su causa suele ser una infección y la lesión primitiva la inflamación de los glomérulos.

Secundariamente pueden degenerar los túbulos renales, dando proteinuria y edemas. El resultado puede ser la insuficiencia renal.

NEFROSIS.—Los síntomas principales son: gran proteinuria, cilindros en la orina y edema o hinchazón. Su origen suele ser tóxico, y la lesión principal es la degeneración del epitelio de los túbulos renales.

NEFROSCLEROSIS.—Sus principales síntomas son cardiovasculares (del corazón y los vasos). Su causa es aún muy discutida. La lesión inicial es la degeneración de las arteriolas. Más tarde aparecen atrofia, fibrosis y retracción renales. La evolución suele ser cardiovascular.

Otra clasificación es la de Widal, muy utilizada en Francia. Divide las nefritis en azoémicas, clorurémicas e hipertensivas, según que predomine la retención de urea en el suero sanguíneo, o la retención clorurada con los edemas (o hinchazones) correspondientes o la hipertensión arterial.

A continuación se estudiarán brevemente las formas principales de nefritis y nefrosis.

GLOMERULONEFRITIS DIFUSA ISQUEMICA

Causas

Cualquier estado infeccioso es capaz de provocarla, pero lo más común es que se trate de una infección por estreptococos: angina, escarlatina, impétigo, otitis media, etc. Algunos autores creen que la alergia puede contribuir a dar los síntomas de la nefritis aguda.

Un factor que predispone a la lesión renal es el frío. Es más frecuente en el sexo masculino, y en el niño, adolescente o adulto joven. Las formas crónicas pueden ser consecuencias de la forma aguda, pero en muchos casos no puede hallarse la causa. En esos casos puede haber una tendencia familiar a las enfermedades del riñón.

Evolución

Puede pasar por 3 fases: *aguda, crónica con insuficiencia renal latente,* y *crónica con insuficiencia renal grave.* Se acompaña casi siempre de aumento de la tensión arterial.

Fase I. Aguda

SINTOMAS.—Estos aparecen algunos días después de la afección causal. En el caso de la escarlatina se ve aparecer la nefritis generalmente al final de la tercera semana. Al comienzo el enfermo se siente decaído, inapetente y con trastornos gastrointestinales (náuseas y vómitos). Puede haber dolor a nivel de los riñones, dolor de cabeza y fiebre.

Signos importantes son la hematuria (orina con sangre), el edema (o hinchazón), las epistaxis o hemorragias nasales y la hipertensión arterial, o sea aumento de la tensión arterial.

El edema asienta con preferencia en los párpados inferiores, los tobillos y la cara interna de la pierna. Es blando, blanco y depresible.

Suele haber palidez de la piel. La orina es a menudo escasa y oscura, encontrándose en ella glóbulos rojos y albúmina. La urea en el suero suele también estar aumentada.

EVOLUCION.—En los casos favorables, después de unos días o semanas, la orina aumenta, la excreción de cloruros (sal) y urea mejora, desaparecen los edemas y la tensión arterial disminuye. Un buen porcentaje de estos casos cura definitivamente después de un período de pocas semanas hasta seis meses. Otras veces pasa por un período de latencia, en el cual el nefrítico se siente bien, pero persiste la albuminuria o la hematuria.

En casos desfavorables puede producirse la muerte por uremia convulsiva aguda, lo que es poco frecuente.

Fase II. Crónica con insuficiencia renal latente

Entran en esta fase crónica muchos de los casos agudos de evolución aparentemente benigna. Puede haber edemas, pero en general el enfermo se siente bien y solamente el examen médico y de la orina revela signos anormales: presencia en la orina de albúmina y a veces cilindros y glóbulos rojos e hipertensión arterial. De esos casos un 10% cura completamente después de un período más o menos largo.

Fase III. Crónica con insuficiencia renal grave

En este período los glomérulos se hallan en gran parte destruidos. Hay en esta fase un período de compensación durante el cual el riñón compensa su trabajo deficiente aumentando la cantidad de orina. Este período de compensación puede ser muy prolongado.

Por último sobreviene el período de descompensación, en el que la cantidad de orina se hace aparentemente normal y se acumulan como consecuencia en el organismo las sustancias tóxicas que van a causar la uremia.

a) Los síntomas de la *fase III* son: *Poliuria,* o sea *cantidad excesiva de orina.* Durante el período de compensación el enfermo orina 2 ó 3 litros en las 24 horas. Como el riñón trabaja continuamente, el paciente orina mucho y, a veces, más en la noche que durante el día. La densidad de la orina está disminuida.

Albuminuria. En la orina es frecuente hallar albúmina y cilindros.

Uremia. La urea en el suero está aumentada.

Hay edemas o hinchazón de los párpados y a veces de los tobillos; palidez de la piel, y alteraciones de la retina que puede comprobar el oculista.

Hipertensión arterial e hipertrofia cardíaca.

b) *La evolución* es hacia la uremia crónica.

Tratamiento

GLOMERULONEFRITIS EN SU FASE AGUDA.—Un tratamiento precoz y cuidadoso en este período puede significar la diferencia entre la curación completa y la nefritis crónica. Se trata la infección causal con penicilina u otros antibióticos.

Los fines del tratamiento son: mejorar la circulación renal y disminuir el trabajo del riñón. Debe ser indicado y vigilado por el médico. Esto se obtendrá con las siguientes medidas (que el médico puede variar):

1) *Reposo absoluto en cama.* El enfermo no se levantará para nada. El reposo será prolongado hasta que desaparezcan los síntomas de nefritis, o ésta haya entrado en su forma latente o crónica. Sólo el médico podrá determinar cuándo el enfermo llega a ese estado. Se evitará cuidadosamente que el enfermo tome frío.

2) *Calor.* Hay que mantener la piel caliente y con buena circulación, pues se observa que la circulación en el riñón y en la piel son paralelas. Si se produce vasoconstricción de la piel debido al frío, también se produce vasoconstricción en el riñón. El paciente vestirá ropa de cama de franela y tendrá el número suficiente de frazadas como para mantenerse bien abrigado.

Son beneficiosos los tratamientos calientes: fomentos, envoltura en frazada caliente, etc., pero no hay que abusar de ellos ni hacer transpirar mucho. Habrá que evitar, en el curso de los mismos, los enfriamientos.

Son también aconsejables los tratamientos calientes en la región lumbar (a la altura del riñón): fomentos, bolsa de agua caliente, etc.

3) *Dieta.* Esta será escasa en proteínas (esto es discutido por algunos), en líquidos y sin sal. La cantidad de líquido permitida será de unos 500 g al principio, aumentando luego gradualmente hasta un litro, a menos que por diarrea, vómitos o sudores profusos se produzca gran pérdida de agua. En todo caso, no dar mucha más agua que la eliminada. Algunos especialistas permiten la ingestión de 2 a 3 litros diarios de líquidos, con tal de que la alimentación no tenga sal.

Deben darse los alimentos tibios o calientes, o dejarlos entibiar en la boca antes de tragarlos. Al principio se darán principalmente hidratos de carbono, que no dan mayor trabajo al riñón. Los primeros días pueden darse ensaladas de frutas frescas con azúcar, glucosa o miel, añadiéndose luego cereales cocidos, manteca o crema y verduras diversas. Más tarde añadir leche y alguna yema de huevo.

4) *Otras medidas.* Es importante mantener el intestino bien libre. Cuando el enfermo esté mejorado debe eliminarse cualquier foco de infección que pueda presentar (algunos piensan que esto es prudente sólo después de 4 a 6 semanas). Algunos han aconsejado tratar la nefritis aguda como la alergia, atribuyéndola a esa causa. Se han obtenido buenos resultados administrando prednisona o bien antihistina u otro antihistamínico semejante.

GLOMERULONEFRITIS CRONICA.—Sabiendo que las infecciones

y una dieta inapropiada agravan las nefritis crónicas, es importantísimo un tratamiento profiláctico tendiente a evitar el exceso de trabajo renal, y a evitar o combatir las infecciones.

1) *Dieta.* Si hay edemas (o hinchazón), suprimir la sal y disminuir la ingestión de líquidos (esto último está en discusión). En los demás casos permitir tanto líquido como elimina espontáneamente el riñón. La sal será reducida.

La cantidad de proteínas para un adulto no será mayor que un gramo por kilogramo de peso teórico y por día, salvo excepciones. Se puede dar en forma de leche.

Cuando la urea en el suero está aumentada, debe disminuirse esa cantidad, a 0,75 ó 0,50 g por kilo y por día.

Los hidratos de carbono y las grasas se pueden dar en mayor cantidad: cereales, tubérculos, verduras, frutas, crema, manteca (mantequilla), aceite, etc. Las verduras y frutas, no solamente son bien toleradas, sino muy beneficiosas.

2) *Medidas higiénicas.* Eliminar en el momento oportuno los focos sépticos y evitar en lo posible las infecciones y enfriamientos. Reposo suficiente. Si se puede elegir, es preferible un clima seco y templado. Evitar los esfuerzos intensos debido a la propen-

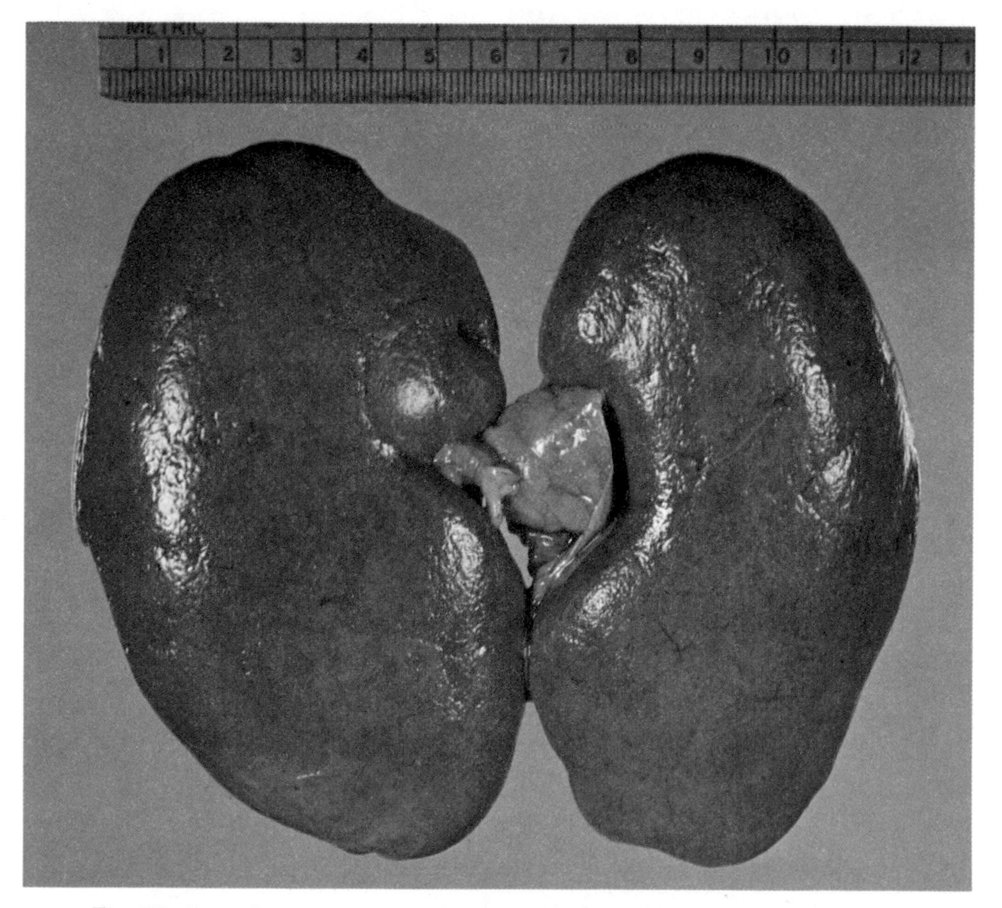

Fig. 500. La regla que aparece en la parte superior ayuda a apreciar el tamaño de los riñones.

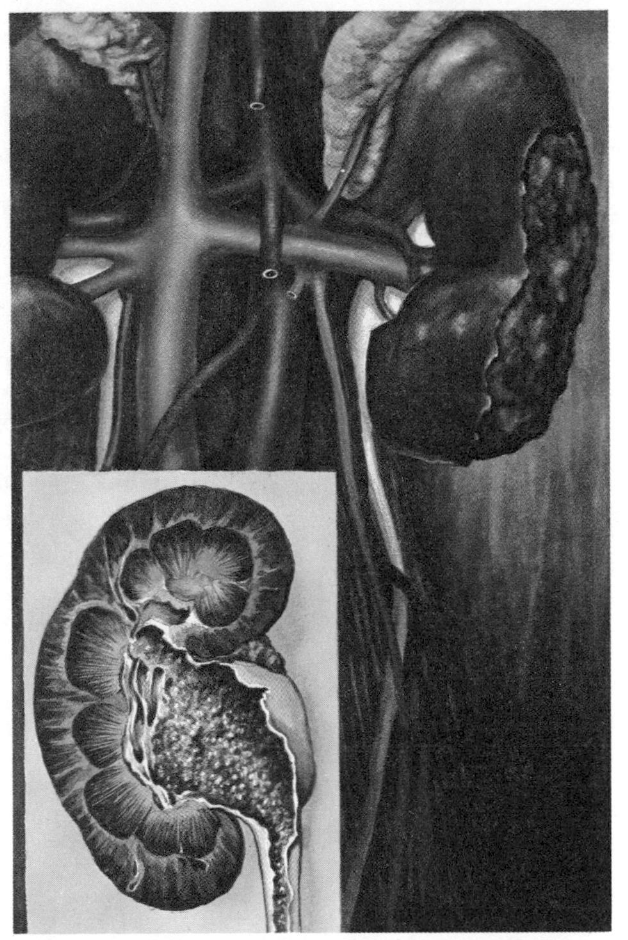

Fig. 501. Tuberculosis del aparato urinario. El corte de la izquierda muestra una congestión dentro del riñón.

sión a la insuficiencia cardíaca. Hacerse examinar con frecuencia por el médico.

3) *Medicamentos.* Variarán según el caso.

4) *Físicoterapia.* Pueden ser útiles los tratamientos que producen transpiración o congestión activa de la piel: baños de luz eléctrica, baños calientes, etc.

NEFROSIS

La más típica es la nefrosis lipoidea. Otros tipos de nefrosis son la que se encuentra a veces en el embarazo, la amiloidea y la necrotizante. Esta última se observa principalmente después de intoxicación con bicloruro de mercurio.

Las lesiones producidas por la nefrosis asientan en los tubos renales y son de naturaleza degenerativa. Se caracterizan por edema o hinchazón, gran albuminuria, o sea albúmina en la orina, y aumento del colesterol en la sangre.

Se describirá brevemente la *nefrosis lipoidea.*

NEFROSIS LIPOIDEA

Se observa principalmente en niños y adultos jóvenes. Ataca ambos sexos por igual.

Síntomas

El comienzo suele ser insidioso, con malestar, náuseas y edema o hinchazón. Los síntomas más característicos son:

Edema generalizado y derrames en las serosas. La piel es muy pálida. La orina es escasa y contiene mucha albúmina. El examen del sedimento urinario con microscopio polarizador revela lipoides (sustancias semejantes a grasas) birrefringentes.

Hay disminución de las proteínas del suero sanguíneo, con inversión de la relación normal entre albúminas y globulinas. Se observa aumento del colesterol sanguíneo. Hay ausencia de algunos caracteres de nefritis, como por ejemplo: no se hallan glóbulos rojos en la orina. No hay aumento de la urea en la sangre. La capacidad funcional renal está conservada. No hay elevación de la tensión arterial.

Evolución

Suele ser una enfermedad crónica, pero puede curar. A veces la muerte puede producirse por infecciones intercurrentes (es decir, aparecidas en el curso de esta enfermedad), por insuficiencia cardíaca o por uremia convulsiva aguda (falsa uremia). Hay nefrosis bastante benignas.

Tratamiento

TRATAMIENTO HIGIENICO.—Reposo en cama durante los períodos de edema. Evitar infecciones.

DIETA.—Suprimir la sal y disminuir los líquidos. Dar en cambio abundante proteína para reponer la pérdida de albúmina.

Estos enfermos pueden eliminar fácilmente los residuos que resultan del metabolismo de las proteínas. Se darán unos dos gramos de proteína por kilo de peso teórico por día, o mejor aún se añadirán a la cantidad normal de proteína el número de gramos perdidos en la orina. Dar leche, requesón y aun carne si no se tolera bien la leche, lo que es poco frecuente. Dar pocos huevos, por su riqueza en colesterol. Los hidratos de carbono y grasas se darán como en el caso de las nefritis. También se tomará en cuenta la necesidad imperiosa de que en el régimen alimenticio no falte una cantidad óptima de vitaminas.

MEDICAMENTOS.—Es habitual que el médico indique prednisona o alguno de los tan efectivos diuréticos actuales. A veces también medicamentos antagonistas de la aldosterona.

OTRAS MEDIDAS.—Hay que tratar también la anemia, que es frecuente en estos casos. Deben evitarse los esfuerzos pues el corazón puede estar afectado. En algunos casos el médico indica plasma sanguíneo o sus equivalentes.

UREMIA

Definición

La uremia es una intoxicación de la sangre resultante de la incapacidad del riñón para eliminar ciertas sustancias tóxicas que se forman en el organismo.

División del tema

La definición anterior se aplica exclusivamente a la llamada *uremia verdadera* o *uremia por retención* o *uremia azoémica* en la cual hay retención de compuestos nitrogenados debido a la insuficiencia del trabajo renal.

Esta uremia verdadera debe diferenciarse claramente de la pseudouremia o falsa uremia, que puede sobrevenir sin insuficiencia renal.

UREMIA VERDADERA (crónica por retención o azoémica)

Causas

Es casi siempre consecuencia de una nefritis crónica. A veces la descompensación se produce por un trastorno cardíaco, obrando sobre el riñón ya enfermo. Ocasionalmente la uremia se produce por algún obstáculo en los uréteres, la vejiga o la uretra, o por anuria (véase la página 1341).

Síntomas

Casi siempre el comienzo de la uremia es insidioso, apareciendo dolor de cabeza, vómitos, intranquilidad, astenia (pérdida de fuerza), insomnio, etc.

Hay tres grupos principales de síntomas: gastrointestinales, respiratorios y cerebrales. Estos últimos no suelen faltar al final de la uremia.

SINTOMAS GASTROINTESTINALES.—Inapetencia, lengua seca y saburral, vómitos, aliento con olor a orina, diarrea (a veces constipación). Como a veces los vómitos siguen a las comidas, se puede creer que es una simple dispepsia.

SINTOMAS RESPIRATORIOS.—Disnea o respiración anormal: ésta puede ser continua o nocturna. Es común que revista la forma llamada de Cheyne-Stokes.

SINTOMAS CEREBRALES.—Dolor de cabeza intenso, hormigueo y adormecimiento de los dedos, calambres musculares, fibrilaciones o sea pequeñas contracciones involuntarias musculares, reflejos exagerados de los tendones. A veces también parálisis transitorias.

Otros síntomas que pueden observarse son: palidez, comezón de la piel, temperatura más baja que la normal, pupilas contraídas, disminución marcada de la visión, pericarditis (inflamación del pericardio) y hemorragias en la piel (púrpura) o en las encías, la nariz, etc. A veces la piel se pone blanquecina, debido a la urea depositada por la transpiración rica en ella.

Pueden sumarse a los síntomas mencionados anteriormente, síntomas de uremia convulsiva, tales como convulsiones semejantes a las epilépticas.

SIGNOS DE LABORATORIOS.—El examen de la sangre revela aumento de la urea muy por encima del nivel normal, que no debe ser superior a 0,50 g por mil (ó 0,40 con algunos métodos de análisis).

Hay también aumento de otros compuestos nitrogenados de la sangre, como ser la creatinina. Se observa además acidosis en el período terminal (es decir, disminución de la alcalinidad de la sangre).

Se han observado casos en que la urea del suero se halla muy aumentada por causas hepáticas o por disminución de los cloruros de la sangre (cloropenia). Esto último se observa en casos con vómitos intensos o rebeldes.

En la orina hay habitualmente densidad baja, albúmina, cilindros y glóbulos rojos.

Evolución y pronóstico

Aunque hay formas leves que ceden con el régimen, generalmente el urémico termina por caer en coma, caracterizado en la uremia por pupilas muy pequeñas, lengua seca y saburral, respiración estertorosa, exaltación de los reflejos rotulianos e hipotermia (temperatura baja). El médico suele diferenciarlo de otros comas: por diabetes, hemiplejía, intoxicaciones, etc. Otras veces aparecen al final trastornos mentales. La muerte se produce casi siempre en coma.

Tratamiento

El médico además de eliminar la causa de la uremia, si fuera posible, indica generalmente según el caso algunas de las medidas siguientes:

a) Reposo en cama. b) No dar alimentos por un día o dos y luego dieta vegetariana, con reducida cantidad de proteína (30 a 40 g diarios). La cantidad de líquidos se decide en cada caso. No dar sal, especialmente si hay edemas. c) Sangría, especialmente si hay falla en el funcionamiento del corazón. d) Purgantes con prudencia. El intestino debe mantenerse libre. e) Suero glucosado hipertónico por vía endovenosa e inyecciones de extracto de alcachofa. f) Tónicos cardíacos, si fueran necesarios. g) Oxígeno, si hay mucha disnea. A veces la aminofilina endovenosa hace cesar la respiración de Cheyne-Stokes, normalizándola. h) Puede ser necesario dar sedantes para contrarrestar el insomnio y la intranquilidad. i) Están empleándose las llamadas diálisis, que consisten en hacer pasar las sustancias de desecho a un líquido que circula, los lavados del peritoneo o de la sangre (riñón artificial) para eliminar la urea. En ciertos centros especializados y en casos muy bien elegidos se hace a veces un trasplante de riñón. El transpirar elimina relativamente poca urea, por lo que no habrá que cansar al paciente haciéndolo transpirar profusamente.

PSEUDO UREMIA

Pseudo uremia aguda o convulsiva

Ha sido llamada también uremia eclámptica. Se debe a edema cerebral y su síntoma más característico es el acceso convulsivo.

CAUSAS.—Puede manifestarse sin insuficiencia renal, como por ejemplo en la eclampsia gravídica (véase la página 304). Con frecuencia, sin embargo, complica a una afección renal: glomerulonefritis difusa aguda con edemas y orinas escasas y, a veces, nefritis crónicas con edemas.

SINTOMAS.—El síntoma primordial es el gran acceso convulsivo que tiene todos los caracteres de un ataque epiléptico.

Antes del ataque es frecuente que haya excitabilidad exagerada, tanto mental, como en los músculos y nervios (exaltación de reflejos). También puede observarse elevación de la tensión arterial, náuseas o vómitos. Otras veces pueden observarse parálisis, ceguera momentánea, etc.

TRATAMIENTO.—En el momento del ataque convulsivo éste será como el de la epilepsia. El médico indica a veces, además del reposo, sustancias anticonvulsivas que tiendan a evitar nuevos ataques. También trata de disminuir la tensión arterial y en el cráneo, con diversos medios. Al principio no se da alimento ni líquido alguno. Luego alimentación sin sal y con pocos líquidos.

Pseudo uremia crónica (encefalopatía angioespástica de los hipertensos)

Se atribuye a espasmos vasculares cerebrales, espasmos que muchos autores ponen en duda.

CAUSAS.—La pseudo uremia crónica suele ser una complicación de la hipertensión arterial, independiente de la suficiencia o insuficiencia renal. Hay generalmente arteriosclerosis de los vasos cerebrales en estos enfermos. Suelen quejarse de hemicránea (dolor de un lado de la cabeza) y vértigos.

SINTOMAS.—Son muy variables, dependiendo de la zona cerebral irrigada por el vaso a cuyo nivel se produce el espasmo. Pueden estar afectados los movimientos, produciéndose parálisis de un miembro, de la mitad del cuerpo (hemiplejía), disminución de la fuerza en alguna parte del cuerpo (paresia), sensibilidad alterada, a veces ceguera pasajera, pérdida de la memoria completa y brusca (amnesia),

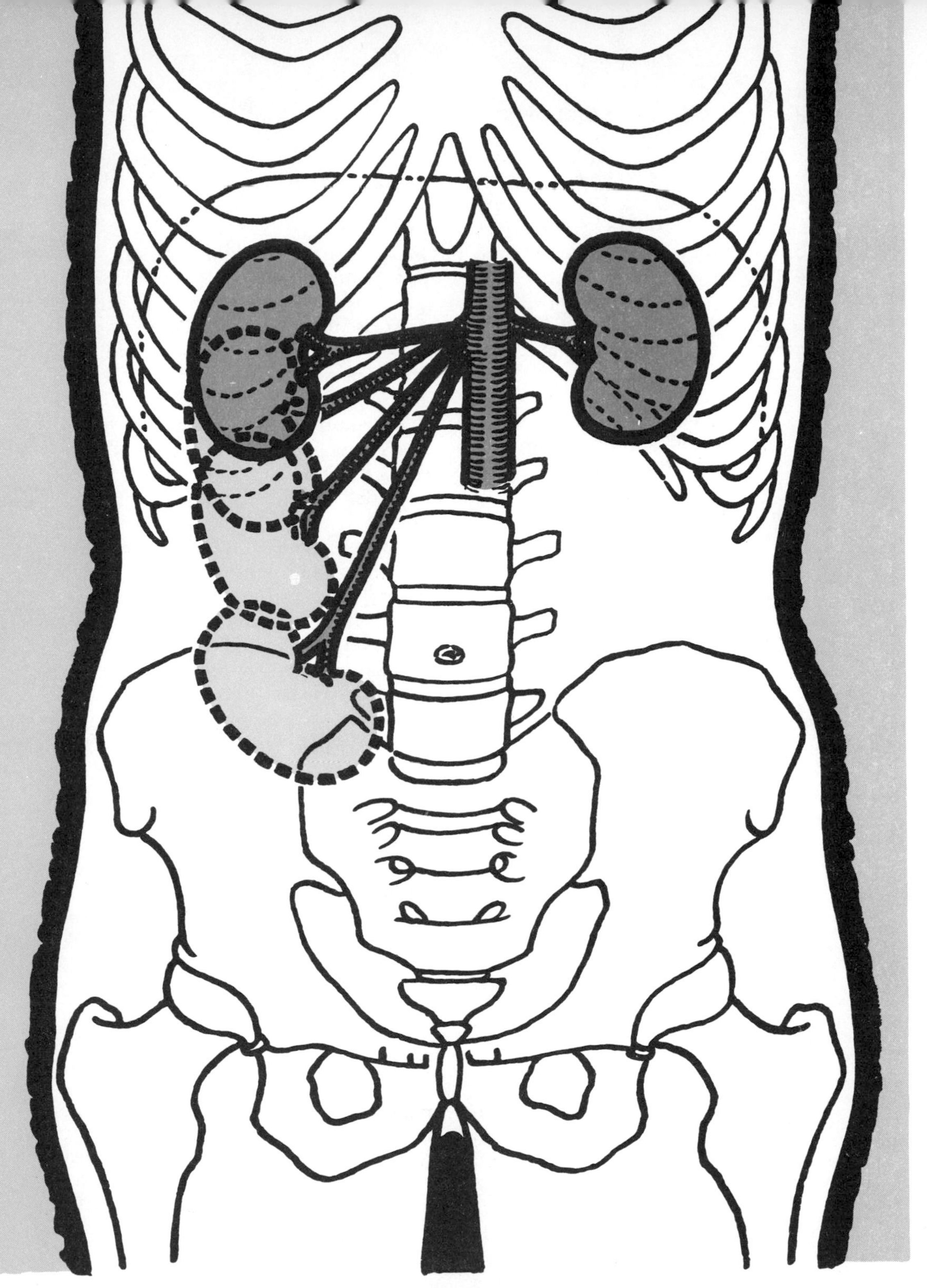

Fig. 502. **DESCENSO DEL RIÑON.** Arriba: **Ambos riñones ocupando su posición normal.** Más abajo, y en línea punteada: **tres distintas posiciones que puede ocupar el riñón derecho en los casos de nefroptosis o "riñón caído".**

pérdida de la facultad de hablar (afasia).

TRATAMIENTO.—Debe llamarse al médico de inmediato ante la aparición de cualquiera de estos síntomas. Este indica a veces sustancias que combaten los espasmos de las arteriolas del cerebro, además de otras medidas (alimentación como en la tensión arterial elevada, etc.).

NEFROPTOSIS (ptosis del riñón, "riñón caído", riñón móvil, riñón flotante)

Definición

Hay nefroptosis cuando el riñón está más bajo que lo normal. No debe considerarse siempre como una enfermedad, y su presencia es compatible con un buen estado de salud.

A menudo el médico puede palpar durante la inspiración, en las personas delgadas, el polo inferior del riñón derecho, y esto (riñón palpable) no puede considerarse anormal. *Riñón móvil* se llama a aquél que, por hallarse más bajo que lo normal, es palpable siempre en toda su extensión o la mayor parte de ella. Cuando el desplazamiento del riñón es muy acentuado y su dirección es hacia la parte lateral e inferior del abdomen o hacia la parte media del cuerpo, recibe el nombre de *riñón flotante.*

Causas

Causas predisponentes. Es mucho más frecuente en la mujer, en el lado derecho y en las personas delgadas, en las cuales puede asociarse a un descenso de todas las vísceras del abdomen: estómago, colon, etc. (visceroptosis o enfermedad de Glenard). Predisponen también el enflaquecimiento y la debilidad de los músculos abdominales, como la que aparece por ejemplo en ciertos casos después del parto. Si el riñón está por cualquier razón más grande y pesado que lo normal, desciende más fácilmente.

Síntomas

La mayor parte de las veces no produce síntoma alguno ni tendrá ninguna consecuencia para la paciente. Además, no siempre los síntomas nerviosos o de estómago e intestino que puede presentar la paciente, se deben a su riñón móvil.

En algunos casos, el riñón móvil causa una sensación de dolor y tironeo a nivel de la cintura o en la parte baja del abdomen, que cesa al acostarse. Otras veces, un marcado descenso del riñón, acoda el uréter y provoca dificultad para el paso de la orina, en cuyo caso pueden aparecer crisis de dolor intenso, verdaderos cólicos del riñón (véase "Cólico renal" en la página 1346), o bien se dilata la pelvis del riñón (hidronefrosis).

Tratamiento

Por no ser enfermedad, no requieren tratamiento aquellos casos que no producen malestar alguno. Si hay malestar, el médico indica habitualmente un régimen alimentario rico en calorías (véanse las páginas 1057-1059) para que, aumentando el paciente su peso, aumente también la grasa que fija el riñón en su lugar normal. Además suele indicarse algún tipo de faja, a veces con una almohadilla para el riñón. Es útil que el pie de la cama esté levantado unos 10 cm.

El fortalecer los músculos abdominales por medio de gimnasia de dichos músculos es muy beneficioso (véase la página 76).

El médico indica además el tratamiento que pueda necesitar la paciente para sus otros malestares, causados por el descenso de otras vísceras o por un sistema nervioso muy sensible. En algunos casos en que está claramente demostrado que el descenso del riñón causa acodadura marcada del uréter u otros inconvenientes semejantes, y que no responden favorablemente al tratamiento mencionado más arriba, puede estar indicada la fijación del riñón en su lugar normal por medio de una operación.

HIDRONEFROSIS (uronefrosis)

Definición

Hidronefrosis es la dilatación de la pelvis renal y de sus cálices. Cuando hay pus en un riñón con hidronefrosis, se dice que hay pionefrosis.

Causas

La distensión o dilatación se produce por haber algún obstáculo al libre paso de la orina en alguna parte del aparato urinario. Con frecuencia el obstáculo se halla en el uréter, por un cálculo en su luz o por una estrechez o acodadura o compresión del mismo. Con menor frecuencia la causa es un tumor en la vejiga o una próstata aumentada de tamaño, o una estrechez

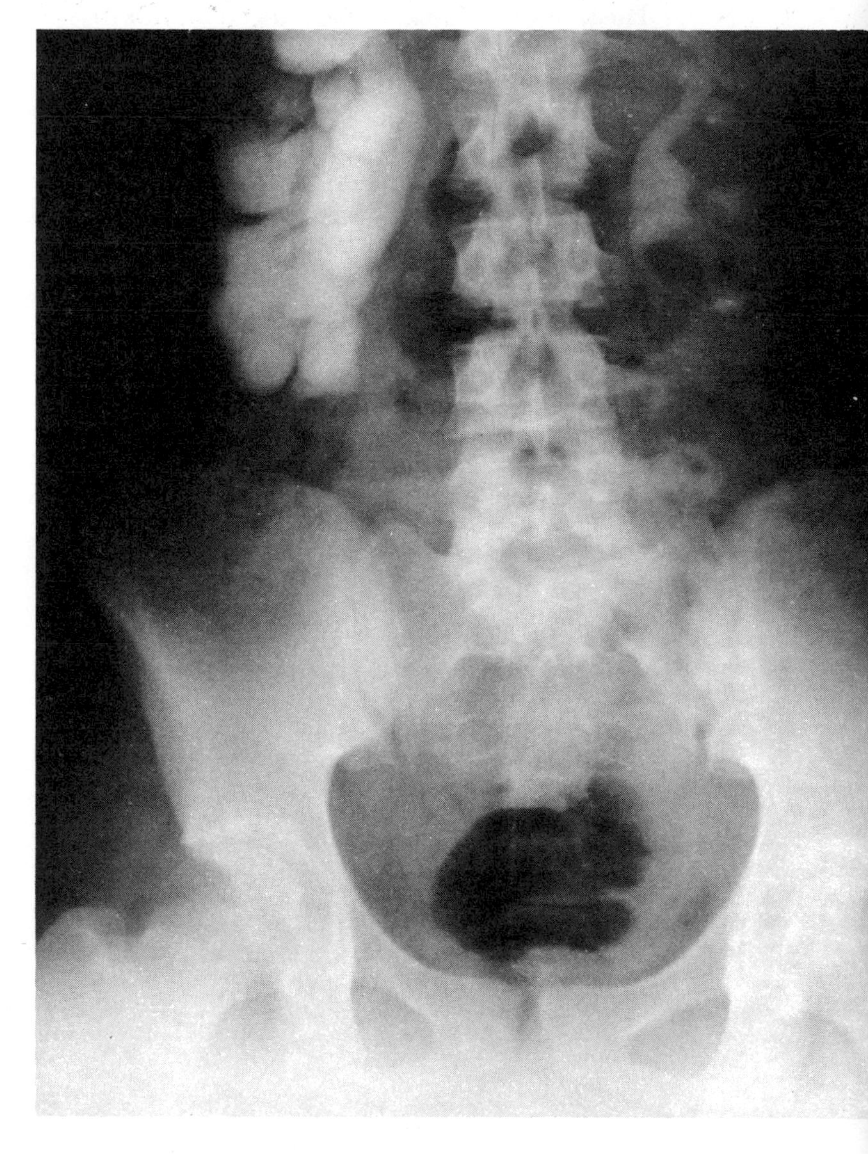

Fig. 503. HIDRONEFROSIS. Por haberse inyectado una sustancia que se elimina por la orina y que es opaca a los rayos X, se han hecho visibles los cálices, y pelvis renales de ambos riñones.

Mientras que en el lado izquierdo los cálices y la pelvis renal presentan poca alteración, en el lado derecho hay una marcada dilatación de los mismos, lo que recibe el nombre de hidronefrosis.

Se debe habitualmente a un obstáculo crónico al pasaje de la orina.

de la uretra o del prepucio. Cuando el obstáculo se halla por debajo de la vejiga, la dilatación afecta la vejiga, ambos uréteres, las pelvis y los cálices renales.

Síntomas

La dilatación puede variar desde una muy ligera, que solamente puede comprobarse con los rayos X, hasta casos extremos en que el riñón se transforma en un enorme saco, de paredes delgadas, y que contiene varios litros de orina.

Puede no observarse síntoma alguno. Otras veces, cuando el obstáculo es intermitente, por ejemplo en el caso de riñón móvil, pueden aparecer crisis de dolor, con aumento de tamaño del riñón afectado, seguidas de alivio y emisión abundante de orina clara cuando el uréter la deja pasar. En algunos casos el paciente se queja de dolor en el riñón o en los lados del abdomen. El médico puede comprobar a menudo un aumento de tamaño del riñón afectado. Por medio de los rayos X pueden obtenerse datos útiles acerca del grado de la hidronefrosis y de su causa.

Tratamiento

El especialista en vías urinarias trata la causa una vez descubierta. A veces el riñón muy dilatado y con pérdida de su función, es extirpado.

CAPITULO 128

Principales Infecciones del Aparato Urinario y su Tratamiento

SE ESTUDIARAN aquí brevemente las infecciones del riñón y la vejiga, producidas por gérmenes comunes, y por la tuberculosis. Ya se mencionó en la página 429 la pielitis en el niño.

Causa eficiente

Gérmenes productores de infección. Son, por orden de frecuencia: el bacilo coli, el estafilococo y el estreptococo. Hay otros, pero mucho menos frecuentes.

Vías por las cuales llegan los gérmenes al aparato urinario

Pueden estos gérmenes llegar por la sangre (vía descendente) o desde el exterior penetrar por la uretra a la vejiga y de allí a los uréteres y las pelvis renales (vía ascendente). En otros casos, el germen puede llegar por los vasos linfáticos desde el intestino u otra víscera vecina. El bacilo coli, presente siempre en el intestino, cuando hay constipación o cualquier otra causa que aumenta su número y virulencia, puede llegar al riñón (y también al hígado), por medio de la sangre y a veces por los linfáticos.

Causas predisponentes

Cualquier dificultad al libre paso de la orina es un factor que predispone marcadamente a la infección del aparato urinario (véanse las causas de hidronefrosis en la página 1357). También predisponen la irritación que producen los cálculos urinarios, los cuerpos extraños, los tumores o las exploraciones y sondajes, el embarazo, los enfriamientos, el debilitamiento por cualquier causa, los alimentos irritantes, las intoxicaciones, la constipación, las inflamaciones de órganos vecinos, etc. Se ha comprobado en algunos casos que la infección iniciada en la infancia como una pielitis se ha mantenido crónica, produciendo síntomas solamente ocasionales, tales como en algunas mujeres la "cistitis de la luna de miel", la pielonefritis del embarazo, etc., mientras la cronicidad de la infección va dañando poco a poco los riñones.

INFECCIONES URINARIAS PRODUCIDAS POR GERMENES COMUNES

FLEMON PERINEFRITICO O PERINEFRITIS

Es la infección de la grasa que rodea el riñón, producida habitualmente por el estafilococo. Este germen, proveniente de otra infección causada por él mismo en otra parte del organismo, habitualmente un forúnculo, llega a la corteza del riñón o directamente a la grasa que lo rodea. Produce dolor a nivel del riñón y a veces en la parte correspondiente del abdomen, fiebre pronunciada con sudores, a veces escalofríos y debilitamiento pregresivo. El médico puede sentir una masa inmóvil en la zona afectada. Cuando esta infección apenas se inicia, pueden bastar para curarla los antibióticos. Cuando hay mucho pus, es necesario además hacerlo salir por medio de una incisión.

El absceso del riñón y el "forúnculo del riñón" tienen síntomas y tratamiento semejantes y son, a menudo, la causa de la perinefritis.

PIELITIS, PIELONEFRITIS Y PIONEFROSIS

En la pielitis la infección toma la pelvis renal y los cálices. En la pielonefritis, la infección afecta también el riñón. Cuando hay orina infectada en una pelvis renal dilatada, se dice que hay pionefrosis. En algunos casos la pielitis no produce síntoma alguno, encontrándose, sin embargo, en la orina abundantes bacilos coli u otros gérmenes y también pus. Otras veces se añade ardor y deseo frecuente de orinar. Cuando la pielitis o la pielonefritis es aguda e intensa, aparece fiebre, a veces escalofríos, sudores, dolor en el riñón y síntomas de cistitis (véase más adelante).

En las formas crónicas puede haber o no fiebre. Cuando la hay es intermitente, pudiendo causar escalofríos y hacerse muy alta. Cuando la infección no disminuye se producen anemia, debilidad y adelgazamiento graduales. La orina es turbia. Puede producir lesiones crónicas del riñón.

CISTITIS (inflamación de la vejiga)

Esta afección, sumamente molesta, cuyas causas hallará el lector al comienzo de este capítulo, con las de las demás infecciones urinarias y cuyo tratamiento encontrará más adelante, puede ser, en raros casos, producida también por la tuberculosis. La irritación de la vejiga por frío, los alimentos irritantes y la congestión de los órganos genitales, pueden favorecer o despertar una cistitis. En algunos casos, la inflamación de un órgano vecino es la causa de los síntomas. La intensidad de los síntomas es muy variable de un caso a otro. Se observa deseo frecuente de orinar (polaquiuria), con ardor, y a veces dificultad en el momento de hacerlo (disuria) y dolor en la vejiga y zonas vecinas. Es frecuente el llamado tenesmo vesical, especie de pujos o deseo imperioso y doloroso de orinar. En algunos casos el tenesmo se extiende al recto. La orina es casi siempre turbia y contiene pus y el germen causal.

Tratamiento de las infecciones urinarias

El médico, a veces con la ayuda del especialista, determina la causa o causas de la infección, las que deben ser lógicamente eliminadas o tratadas. Además por el llamado urocultivo se puede determinar cuál es el agente causal y a qué sustancia es sensible.

TRATAMIENTO ESPECIFICO.— Conocido el germen o gérmenes que causan la infección, el médico elige el medicamento más apropiado al caso, ya sea ciertas sulfas o mejor aún antibióticos o sustancias que acidifiquen la orina (mandelato de calcio o ácido mandélico o la metionina). Con buenos resultados se ha utilizado en las infecciones urinarias la nitrofurantoína y el wintomilón. Con frecuencia es útil en casos crónicos o rebeldes cambiar la reacción de la orina a alcalina, después a ácida, para debilitar al germen causal.

Los especialistas prescriben con frecuencia instilaciones de soluciones de nitrato de plata en distintas concentraciones. Si la invasión de bacilos coli ha partido del intestino, se dan medicamentos que lo ataquen en esa localización. En algunos casos se dan antiespasmódicos.

MEDIDAS HIGIENICODIETETICAS.—Si hay fiebre o síntomas molestos, es conveniente el reposo en cama. Deben evitarse el frío y la constipación. La alimentación será no irritante y con líquidos abundantes, leche, cereales, puré de verduras, frutas, limonada o naranjada, agua de lino, infusiones diuréticas (de estigmas de maíz o "barba de choclo", u otras). Los baños de asiento calientes y las aplicaciones de calor en las zonas de dolor, tienen un efecto muy favorable.

En caso de inflamación rebelde de la vejiga, es indispensable un examen de la misma por un especialista, para ver si no hay una causa local que la mantiene inflamada, como por ejemplo un cálculo, un pólipo, etc.

TUBERCULOSIS DEL APARATO URINARIO

La infección llega habitualmente al riñón a través de la sangre, en una persona ya afectada de tuberculosis en algún otro órgano. Rara vez sigue a una tuberculosis del aparato genital. Hay varias formas. Comienza habitualmente en uno de los riñones y de allí se extiende a la vejiga, al otro riñón y a veces al aparato genital. Los síntomas más frecuentes son: dolor en el órgano afectado, presencia de sangre en la orina o hematuria, orinas turbias por pus, de reacción ácida, abundantes y en las que no se hallan gérmenes comunes, pero en la que una persona experimentada puede hallar a veces el bacilo de Koch. Muy a menudo el enfermo consulta por síntomas semejantes a los de cistitis (véase la página 1360). Un estudio completo del aparato urinario, efectuado por un especialista, permite descubrir en qué grado se hallan afectados los distintos órganos urinarios. El tratamiento varía según lo descubierto por el examen. Se ha utilizado con buen resultado la estreptomicina, la isoniazida y otros compuestos, además del tratamiento general de la tuberculosis y el de sus otras localizaciones en el mismo organismo. A veces es necesario recurrir también a la cirugía para corregir este mal.

CAPITULO 129

Cálculos y Tumores del Aparato Urinario. Sus Síntomas y Tratamiento

CALCULOS (litiasis urinaria o nefrolitiasis)

LOS cálculos urinarios o "piedras" se forman por precipitarse y aglomerarse ciertas sustancias que se eliminan por la orina.

Causas

Pueden formarse cálculos en el aparato urinario a cualquier edad. Predisponen a la formación de cálculos el beber pocos líquidos, los climas cálidos (orina escasa debido a la transpiración abundante), los obstáculos al libre paso de la orina, las infecciones del aparato urinario, los cuerpos extraños que por accidente o perversión llegan al aparato urinario, la falta de suficiente vitamina A, etc.

A menudo el paciente forma cálculos con sustancias anormales, o que, siendo normales, aparecen en la orina en cantidad excesiva. Dichas sustancias pueden aparecer por ingerir ciertos alimentos en exceso o por estar afectada su transformación en el organismo, en cuyo caso puede haber una tendencia familiar a los cálculos. Cuando por alguna afección de las glándulas paratiroides o por cualquier otra causa se elimina mucho calcio, pueden también aparecer cálculos urinarios.

Tipos más frecuentes de cálculos

Cuando la orina es ácida (que es lo habitual), pueden ser de ácido úrico o sus sales y de oxalato de calcio. Más rara vez son de cistina u otras sustancias.

Si las orinas son alcalinas, los cálculos pueden ser de fosfato de calcio, carbonato de calcio o de fosfato de amonio y magnesio. Su número puede oscilar entre uno y varias decenas, y su tamaño, desde la llamada arenilla urinaria hasta el tamaño de un huevo de gallina o aún más. Su forma es también variable: ovalado, redondo, coraliforme (tomando la forma de la pelvis y los cálices del riñón), etc. La superficie puede ser lisa o rugosa.

Síntomas

Hay cálculos que no dan síntoma alguno. Otras veces pueden observarse síntomas diversos: dolor sordo a nivel del riñón, en el trayecto del uréter o en la vejiga; dolores intensos de tipo cólico renal o ureteral (véase la página 1346).

Estos dolores pueden aparecer o aumentar después de movimientos que sacuden el cálculo. Puede observarse, después de las mismas circunstancias, la aparición de sangre en la orina (hematuria). A veces se observa también pus en la orina. La radiografía revela casi siempre la presencia de los cálculos. Cuando un cálculo pequeño pasa al uréter, produce un dolor intenso (cólico nefrítico, si es en la parte alta, y cólico ureteral en el resto del uréter) y, a menudo, hay presencia de sangre en la orina. En algunos casos la sangre es escasa pero se la descubre por el examen microscópico. Si el cálculo queda en el uréter, puede ocasionalmente hacer cesar la producción de orina en ambos riñones (anuria), o se puede producir una dilatación del uréter por encima de la obstrucción de la pelvis y los cálices renales.

Si el cálculo se halla en la vejiga, el dolor irradia de la vejiga al glande o extremidad del miembro viril. Aumenta al terminar de orinar. A veces hay detención brusca del chorro de orina. En algunos casos el cálculo se introduce en la parte alta de la uretra produciendo retención de la orina, o sea, imposibilidad de evacuar la vejiga llena. En el niño puede provocar incontinencia o pérdida de orina. Uno de los síntomas más molestos es el ardor que produce la micción y el deseo muy frecuente de orinar. Las orinas pueden hacerse turbias y son a veces sanguinolentas.

Tratamiento

El médico busca la causa o causas del cálculo (infección, obstáculo al pasaje de la orina, etc.) e indica el tratamiento de la misma. El cálculo, cuando es pequeño, puede a veces expulsarse espontáneamente. Según el material de que esté formado el cálculo, el régimen alimentario difiere. Así por ejemplo, si está formado de ácido úrico o uratos se seguirá un régimen alimentario semejante al que se indica en la página 1029, para la gota. Además se tratará de disminuir la acidez de la orina.

Si el cálculo es de oxalatos, habrá que evitar los alimentos ricos en ácido oxálico: acedera, espinaca, remolacha, acelga, achicoria, espárragos, legumbres (porotos, lentejas, etc.), frutillas, grosellas, chocolate, cacao, té. Además se puede dar diariamente 1,5 g de alguna sal de magnesio (citrato, carbonato o sulfato), que forma con el ácido oxálico un compuesto soluble. Si los cálculos son de fosfato, hay que acidificar la orina y a veces disminuir la cantidad de los alimentos ricos en fósforo. Si hay infección se trata también.

HIGIENE GENERAL.—Deben beberse líquidos en abundancia en estos casos para evitar el aumento de tamaño del cálculo, o si ya ha sido expulsado o extirpado, para evitar su repetición. La alimentación será bien equilibrada y rica en vitamina A y en complejo B. Mientras hay cálculos, evitar los viajes en vehículos sin buenos elásticos o por caminos no bien pavimentados. El ejercicio al aire libre (marcha, por ejemplo) también es saludable en estos casos. El beber suficiente cantidad de líquidos puede ayudar a evitar la precipitación de cristales y la formación de cálculos.

TRATAMIENTO DEL CALCULO EN SI.—Si no puede eliminarse espontáneamente, y especialmente si produce molestias o complicaciones, el especialista en vías urinarias tratará de sacarlo en diversas formas: operación, dilataciones de uréter, a veces lavados con soluciones especiales que lo disuelvan, etc. Cuando está el cálculo en la vejiga, puede a veces sacarse con un aparato especial a través de la uretra, después de romperlo en pequeños trozos.

CANCER DEL RIÑON

Puede aparecer en niños y también en personas de más de 40 años. El síntoma principal en el adulto es la emisión de sangre en la orina, aunque este síntoma puede con mayor frecuencia producirse por otras causas. En ciertos casos, la sangre aparece tardíamente. El cáncer produce adelgazamiento, debilidad y anemia. A veces hay dolor en el riñón y aumento de tamaño del mismo. El examen completo del riñón, practicado por el médico especializado, puede permitir el diagnóstico precoz. El tratamiento es la extirpación del riñón afectado.

TUMORES DE LA VEJIGA

Los hay benignos y malignos. El más frecuente de los tumores benignos es el *papiloma,* tumoración saliente y llena de vellosidades.

Se manifiesta mayormente por la expulsión de sangre (hematuria), especialmente con la última parte de la orina. Puede aparecer inflamación de la vejiga o cistitis con todos sus síntomas (véase la página 1360). Una vez infectada la vejiga, pueden formarse secundariamente cálculos de fosfatos en la misma. El tratamiento es practicado habitualmente a través de la uretra con un aparato especial, que permite destruir el tumor con electricidad (electrofulguración). Generalmente se hace analizar un trozo para asegurarse de su naturaleza benigna.

CANCER DE LA VEJIGA

Hay también hemorragias y síntomas de cistitis. El examen por medio de un aparato que permite ver el interior de la vejiga o cistoscopia, permite ver la lesión y tomar un trozo para analizarlo. Cuando es pequeño, puede a veces destruirse con electricidad. A veces se extirpa total o parcialmente la vejiga.

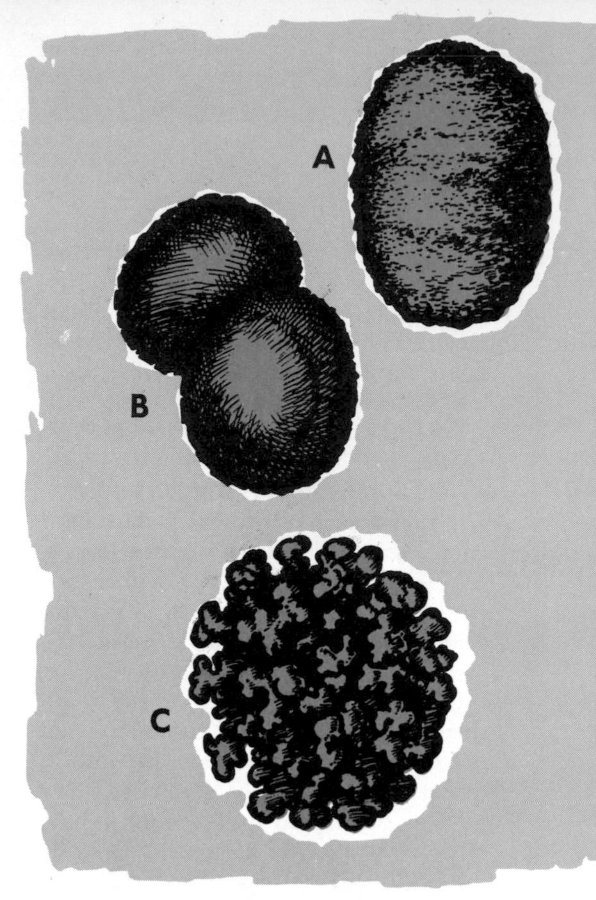

Fig. 504. **DIVERSOS TIPOS DE CALCULO QUE PUEDEN HALLARSE EN LA VEJIGA. A) Cálculo fosfático de superficie granulosa y color blanco; B) cálculos de uratos, de color amarillo o leonado, liso; C) cálculo de oxalatos, con aspecto de mora y de color castaño oscuro o negro.**

PARTE DECIMOTERCERA

Enfermedades de las Glándulas de Secreción Interna – Cómo Advertirlas – Su Tratamiento

CAPITULO 130

Las Maravillosas Glándulas de Secreción Interna – Las Suprarrenales

EL ORGANISMO necesita para su desarrollo armónico y el mantenimiento de su salud, la coordinación y regulación de sus funciones. Esa regulación se hace de muy diversas maneras, siendo las principales: el sistema nervioso vegetativo y las glándulas de secreción interna.

Las glándulas de secreción interna o endocrinas son las que vuelcan en la sangre su secreción. Esas secreciones reciben el nombre de *hormonas,* y son las que regulan, excitando o deprimiendo, numerosas funciones del organismo.

La falta o el exceso de producción de alguna hormona, puede afectar marcadamente el crecimiento de un niño o un adolescente, haciéndole un gigante o un enano, o influir sobre su desarrollo sexual o intelectual, o sobre la cantidad de calcio en la sangre, o sobre el aprovechamiento del azúcar, etc. Las principales glándulas de secreción interna son la hipófisis, la glándula tiroides, las paratiroides, el timo, las suprarrenales, los islotes de Langerhans en el páncreas y los testículos en el hombre y los ovarios en la mujer. La insulina, principal secreción interna del páncreas, se estudia en la página 1044. Las secreciones internas del ovario y del testículo se mencionan en los capítulos correspondientes. Todavía se discuten las funciones de la epífisis o glándula pineal.

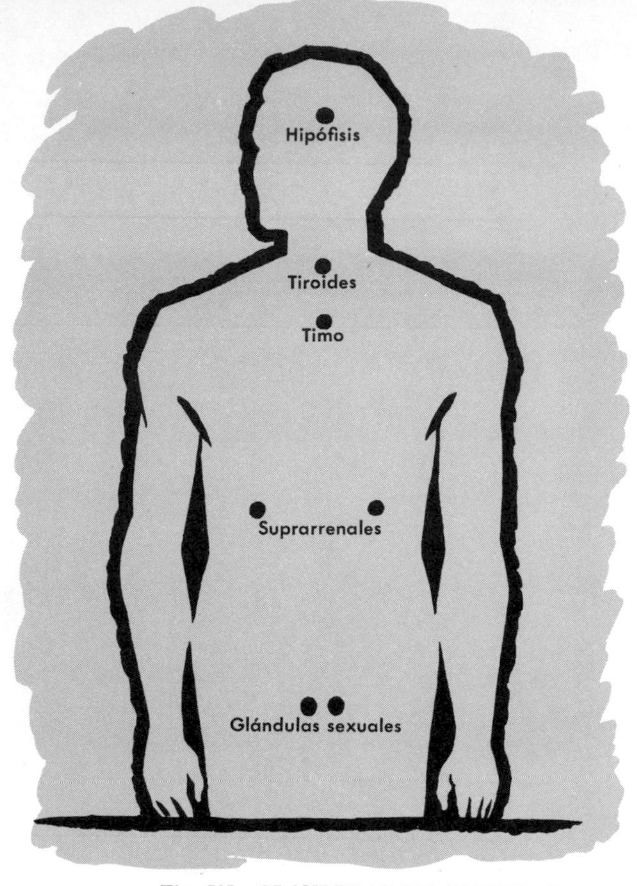

Fig. 505. GLANDULAS DE SECRECION INTERNA. Esquema que muestra la ubicación de las principales glándulas de secreción interna.

LAS SUPRARRENALES: su anatomía y fisiología

Son dos glándulas de secreción interna de forma triangular y situadas sobre los riñones. Pesan de 5 a 7 g. Rodeadas por una capa fibrosa, se encuentran en ellas dos zonas: la cortical y la medular, de origen y funciones muy diferentes.

CORTEZA.—Es de color amarillo, con una zona más oscura en su límite con la zona medular.

MEDULA.—Es blanduja y de color rojizo. Tiene células simpáticas y otras llamadas cromafines. Es uno de los llamados paraganglios o "cuerpos cromafines", que se hallan distribuidos en pequeñas masas en diversas partes del cuerpo.

FUNCIONES DE LA CORTEZA SUPRARRENAL.—La integridad de la corteza suprarrenal es esencial para la vida. Produce varias hormonas. Las dos más importantes son la hidrocortisona y la aldosterona. La primera es segregada por acción de una hormona hipofisiaria llamada ACTH y aumenta durante las enfermedades, o después de accidentes, operaciones, infecciones, etc. Favorece las funciones de casi todos los tejidos del organismo.

La aldosterona (se supone) es producida independientemente de la hipófisis. La aldosterona es necesaria para el funcionamiento renal (regula la eliminación del sodio, de otros elementos minerales y del agua). Algunas hormonas suprarrenales tienen relación con la regulación de los caracteres sexuales secundarios, con la regulación de la tensión arterial y, al parecer, intervienen también en el metabolismo del colesterol y de los hidratos de carbono, y aun en la defensa general del organismo (véase "Los corticoides y el ACTH" en la página 788).

El exceso de la actividad de la corteza suprarrenal se manifiesta en general por virilismo que, por supuesto, se hará más manifiesto en el caso de presentarse en una mujer (barba, voz masculina, amenorrea o sea falta de menstruación, etc.), o en un niño de poca edad (desarrollo sexual precoz, gran desarrollo muscular, precocidad mental, etc.).

Bajo el nombre de cortina y de cortisol se han aislado algunas de las sustancias activas de la corteza suprarrenal. Posteriormente se pudo producir estas hormonas sintéticamente, que son las utilizadas actualmente (propionato de desoxicorticosterona y cortisol o hidrocortisona).

FUNCIONES DE LA MEDULA SUPRARRENAL.—De ella se obtiene la adrenalina. Esta no es al parecer, como se creyó antes, una secreción indispensable para la vida, y aparece sólo ocasionalmente en la sangre cuando se presenta una emergencia (ira, miedo, etc.). Tiene relación con el gran simpático y parece tenerla también con el cuerpo tiroides y el corazón.

LA TEMIBLE ENFERMEDAD DE ADDISON

Definición

Es una enfermedad caracterizada por debilidad progresiva, trastornos gastrointestinales (del tubo digestivo) y pigmentación de la piel, producida por lesiones en las glándulas suprarrenales.

Causas

Puede aparecer a cualquier edad, pero es más frecuente entre los 20 y los 40 años. Ataca más a los hombres que a las mujeres.

Por mucho tiempo fue atribuida a una lesión de la parte medular de las suprarrenales. Desde hace ya muchos años se sabe que es producida por una lesión de la cortical. Muy a menudo es un proceso tuberculoso el que lesiona las suprarrenales, aunque cualquier otra lesión o atrofia de las mismas puede causarla.

Síntomas

El comienzo es en general insidioso, manifestándose principalmente por debilidad progresiva, tanto muscular como general. Los síntomas característicos son:

ASTENIA O DEBILIDAD.—Es progresiva, y llega a ser extrema. Hay no solamente astenia muscular, sino también cardiovascular (del corazón y los vasos).

PIGMENTACION DE LA PIEL.—Es de intensidad variable. También suele presentarse pigmentación de las mucosas. En la piel toma con preferencia las zonas descubiertas, las ya normalmente pigmentadas y las zonas sometidas a roces (cara, manos, órganos genitales, lugares donde rozan el cinturón, las ligas, etc.).

HIPOTENSION ARTERIAL (tensión arterial baja).—La tensión arterial máxima es de solamente 7 a 9 cm

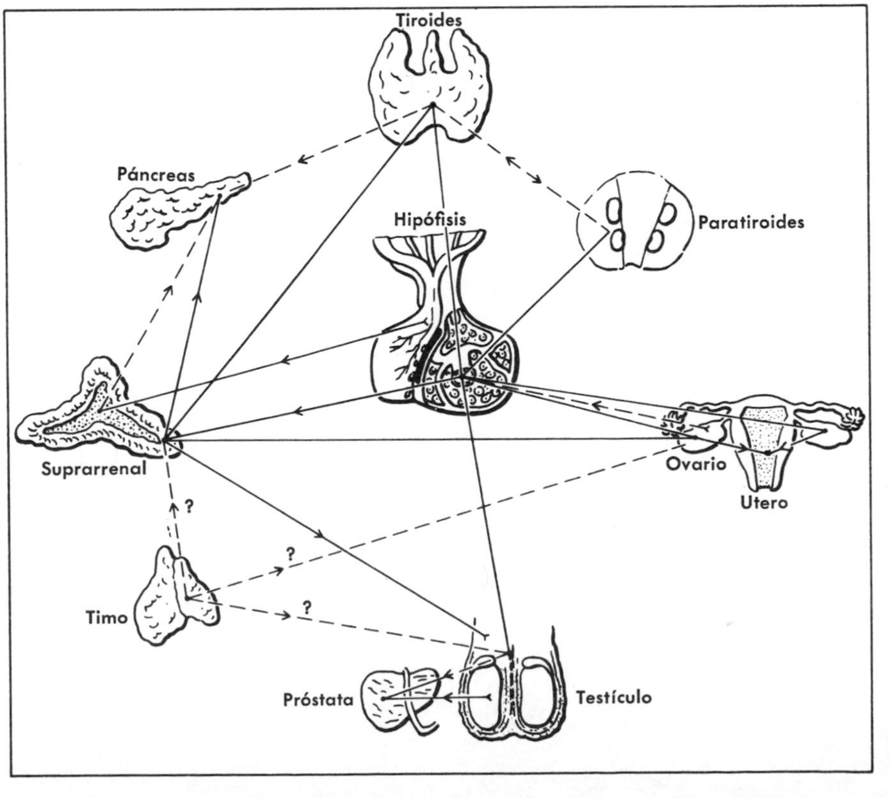

Fig. 506. RELACION ENTRE LAS DIVERSAS GLANDULAS DE SECRECION INTERNA. Las líneas punteadas señalan antagonismo o inhibición. Las otras líneas señalan estimulación o acción semejante. Las flechas señalan la dirección de esas relaciones interglandulares. Con signos de interrogación se señalan las relaciones que aún no son seguras.

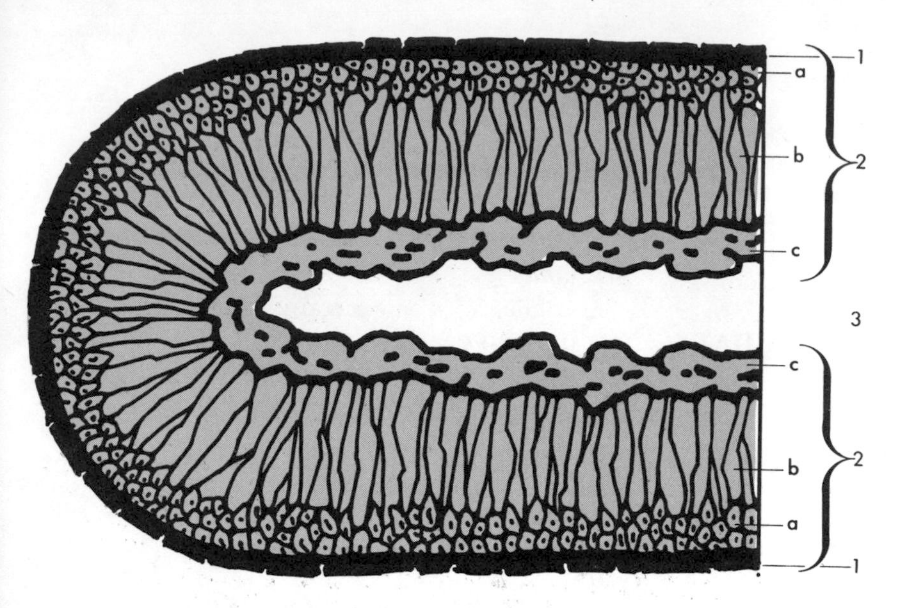

Fig. 507. CORTE HORIZONTAL DE LA MITAD DE UNA GLANDULA SUPRARRENAL, destinada a mostrar su constitución interna. 1) Envoltura fibrosa que rodea la glándula. 2) Sustancia cortical con: a) zona glomerulada; b) zona fasciculada; c) zona reticulada. 3) Parte medular.

de mercurio. El pulso es débil. Los mareos y los desmayos son frecuentes.

TRASTORNOS GASTROINTESTINALES.—Pueden faltar hasta el final de la enfermedad. Hay inapetencia, crisis de vómitos, a veces constipación y con frecuencia diarrea.

DOLORES EN EL DORSO Y ABDOMINALES.—Se ven con frecuencia.

Evolución

Con los actuales tratamientos el afectado puede llevar una vida normal. Si no es tratado muere en 1 a 3 años.

Tratamiento

En los casos en que se sospecha origen tuberculoso hacer el régimen higienicodietético y medicamentoso propio de esa enfermedad. Régimen alimentario rico en hidratos de carbono y en cloruro de sodio (sal común), y pobre en potasio. Cuando la astenia es marcada, reposo. La sal se da también en tabletas con capa entérica,

Fig. 508. Las glándulas suprarrenales tienen forma triangular y se encuentran situadas sobre los riñones. El funcionamiento deficiente de la corteza de estas glándulas provoca la grave enfermedad de Addison.

vale decir que no se disuelven en el estómago.

TRATAMIENTO ENDOCRINO. —Hoy se prepara sintéticamente la hormona, que recibe el nombre de propionato o acetato de desoxicorticosterona (DOCA) que se puede administrar por inyección o se injerta debajo de la piel. El resultado de este tratamiento es muy bueno, aunque parece mejor aún añadir cortisona o hidrocortisona. Se informan muy buenos resultados con el uso de la aldosterona. A veces es útil añadir extracto total de corteza suprarrenal.

ENFERMEDAD Y SINDROME DE CUSHING

Son afecciones caracterizadas por obesidad, modificaciones en el manejo normal de glúcidos, sal y agua en el organismo afectado, hipertensión arterial y descalcificación de los huesos.

Ataca principalmente a adultos jóvenes, con mayor frecuencia a mujeres que a hombres. Se debe al exceso del funcionamiento de la corteza de las glándulas suprarrenales, secundaria a un adenoma basófilo de la hipófisis (enfermedad de Cushing propiamente dicha) o por otras modificaciones de la hipófisis, o por tumores benignos o malignos de la corteza suprarrenal o por hiperplasia de una o de las dos glándulas suprarrenales (parte cortical). Estos casos, cuyo origen no parece ser directamente hipofisiario, reciben el nombre de síndrome de Cushing.

Los síntomas más característicos son: a) Obesidad, llamada de "tipo búfalo" pues toma cabeza, cuello y tronco, con cara de luna llena y una acumulación de grasa en la nuca. Los miembros son delgados. b) Hipertensión arterial. c) Modificaciones sexuales: Virilismo en la mujer, con marcado vello en la cara, disminución o falta de menstruación; en el hombre con frecuencia falta del deseo sexual o impotencia. d) Manifestaciones en la piel: estrías violáceas, sobre todo en los flancos, piel del abdomen, las caderas y la parte superior de los muslos. e) Osteoporosis: hay descalcificación del esqueleto, especialmente de la columna vertebral, lo que puede manifestarse mediante cifosis (véase la página 1513) o dolores en la parte baja de la columna. f) Modificaciones del metabolismo: se observa con frecuencia aumento de la cantidad de glucosa en la sangre o, por lo menos, modificaciones en la prueba de tolerancia a la glucosa. Hay además, a menudo, tendencia a retención de sal y agua en el organismo, con edemas.

El tratamiento consiste en actuar sobre la causa, la que será determinada en cada caso en un centro de endocrinología.

CAPITULO 131

Principales Enfermedades de la Glándula Tiroides; Síntomas y Tratamiento

Anatomía y fisiología de la glándula tiroides

LA GLANDULA tiroides está situada en el cuello, por delante de la laringe y la tráquea. Tiene una forma que se ha comparado a la de una H, estando formada por dos lóbulos laterales cuyo tamaño y forma son semejantes a los de una almendra grande, y que se hallan unidos por un istmo. Pesa de 25 a 30 g.

Metabolismo basal

Se ha comparado a la glándula tiroides con un fuelle que estimula la combustión en una hornalla. Cuando la glándula tiroides funciona más de lo normal, aumentan las combustiones en el organismo, y lo inverso sucede cuando funciona en forma insuficiente. El funcionamiento de esta glándula puede deducirse de la cantidad de oxígeno que consume el organismo cuando está en reposo. Se utiliza, para hallar este llamado *metabolismo basal,* un aparato especial. (Véase la figura 510.)

Funciones principales

La principal función de la glándula tiroides es la regulación del metabolismo. Mientras que la hipófisis regula el crecimiento en masa o volumen del organismo, la glándula tiroides influye sobre la rapidez de la diferenciación y especialización de los tejidos.

La acción del cuerpo tiroides se debe a una hormona llamada tiroxina (T4), de la cual deriva otro compuesto, la triyodotironina o T3, que es la sustancia activa a nivel de los tejidos, la cual tiene un 60% de su molécula constituida por yodo.

Las enfermedades del cuerpo tiroideo pueden provocar:

a) Déficit funcional (funcionamiento insuficiente de la glándula).

b) Exceso de actividad de la glándula.

c) Puede haber modificación de su tamaño, sin influir sobre la función de la glándula. El aumento del tamaño de la glándula tiroides recibe el nombre de bocio ("coto").

El déficit funcional de la glándula tiroides se conoce bajo el nombre de *hipotiroidismo,* que se llamará *mixedema* si es adquirido, y *cretinismo* si es congénito (es decir, que existe ya al nacer).

Su exceso de actividad recibe el nombre de *hipertiroidismo,* del cual hay dos variedades: el *bocio exoftálmico* y el *adenoma tóxico.*

No influyen, en cambio, sobre la función de la glándula los llamados bocios indiferentes. Estos son principalmente el bocio *simple,* que se observa sobre todo en las adolescentes, el bocio *adenomatoso simple,* que es un tumor glandular que puede adquirir secundariamente caracteres de hipertiroidismo, y el bocio *quístico.*

El bocio simple se debe generalmente a la falta de suficiente cantidad de yodo en los alimentos. Sucede esto especialmente en ciertas zonas montañosas. Puede evitarse, y a veces también curarse, añadiendo pequeñas cantidades de yodo a la sal común que se expende en esas regiones.

HIPOTIROIDISMO

Se debe a la disminución o ausencia de la secreción de la glándula tiroides. Puede ser adquirido (mixedema), o congénito, vale decir, ya presente al nacer.

MIXEDEMA

Definición

El mixedema está caracterizado por disminución del metabolismo basal (véase más arriba), infiltración o espesamiento de la piel, y trastornos psíquicos, causados por atrofia de la glándula tiroides, o aparición de tejido fibroso en la misma.

Causas predisponentes

Edad. Es más frecuente entre los 30 y los 50 años. *Sexo.* Es mucho más frecuente en mujeres que en hombres.

Causas eficientes

Hay tres grupos principales de causas: las tóxicas e infecciosas, las quirúrgicas y las endocrinas (de glándulas de secreción interna).

CAUSAS TOXICAS E INFECCIOSAS.—Se encuentran entre ellas enfermedades infecciosas agudas, como neumonía, tifoidea, gripe, escarlatina, difteria y ciertas toxiinfecciones crónicas, como reumatismo, gota, amigdalitis y sinusitis crónicas, colecistitis (inflamación de la vesícula biliar) crónica, nefrosis, anemia, etc.

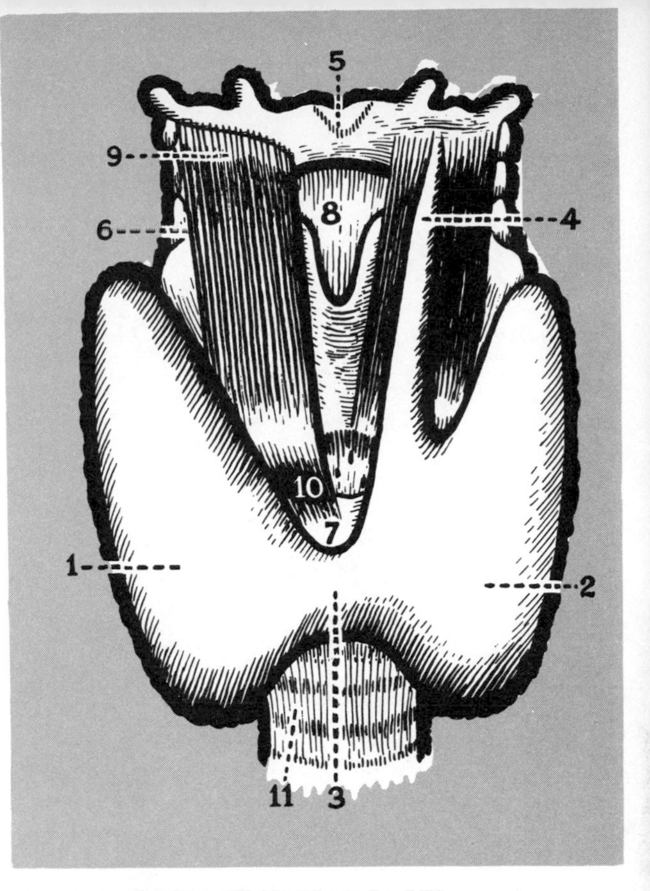

Fig. 509. **GLANDULA TIROIDES VISTA DESDE SU CARA ANTERIOR. 1 y 2) Lóbulo derecho y lóbulo izquierdo del cuerpo tiroideo. 3) Istmo que une ambos lóbulos. 4) Pirámide de Lalouette, que se halla a veces en la tiroides. 5) Hueso hioides. 6) Cartílago tiroides. 7) Cartílago cricoides. 8) Membrana tirohioidea. 9) Músculo tirohioideo. 10) Músculo cricotiroideo. 11) Tráquea.**

CAUSAS QUIRURGICAS.—La extirpación completa del cuerpo tiroides o su extirpación excesiva producen la *caquexia estrumipriva,* o mixedema postoperatorio.

CAUSAS ENDOCRINAS.—Las enfermedades de la glándula pituitaria o hipófisis, así como las de las suprarrenales, pueden en ciertos casos producir mixedema. Esta última afección puede ocasionalmente seguir tardíamente a un bocio exoftálmico.

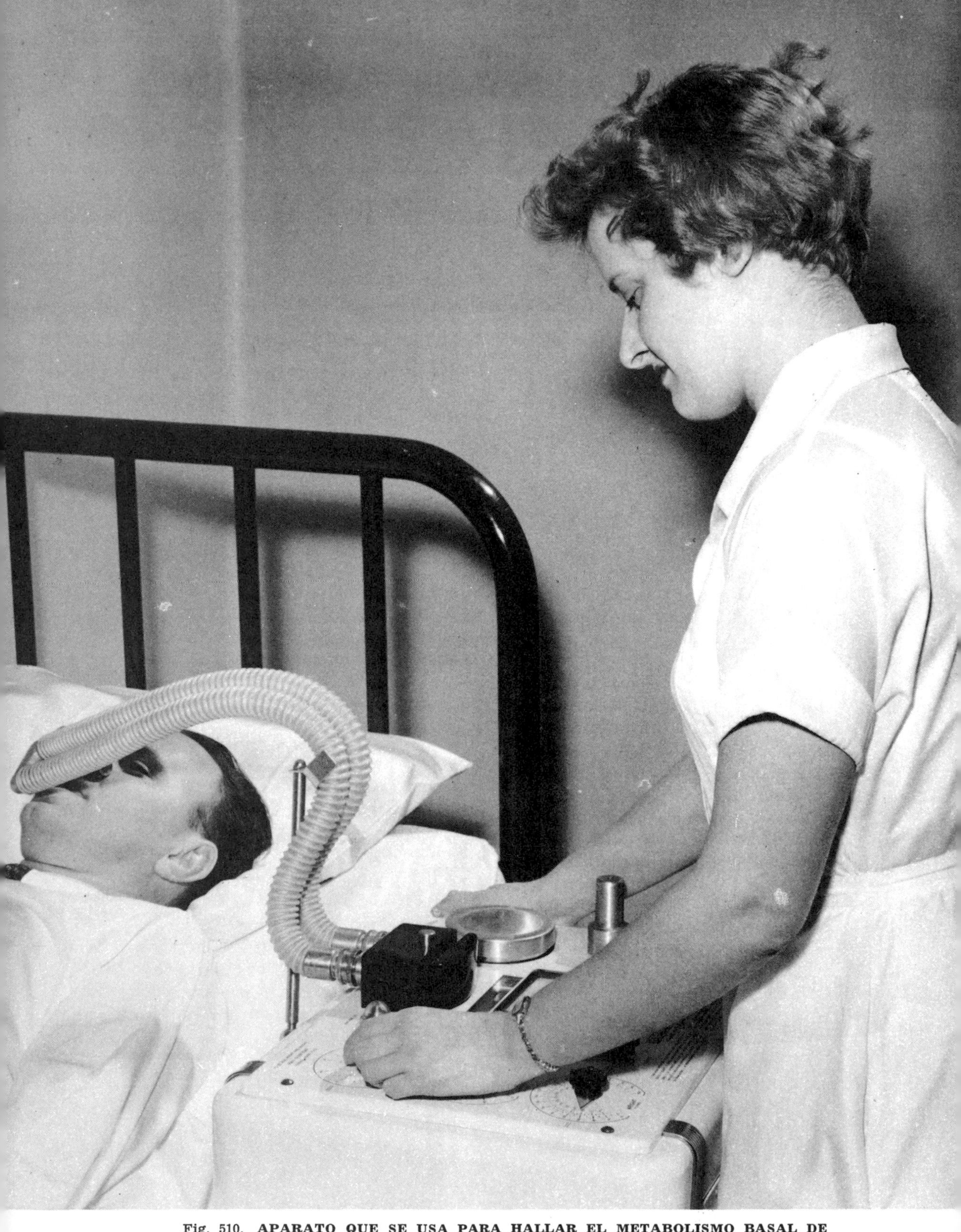

Fig. 510. **APARATO QUE SE USA PARA HALLAR EL METABOLISMO BASAL DE UN PACIENTE** haciéndole respirar exclusivamente oxígeno. El aparato registra sobre un papel cuadriculado una curva que permite deducir el consumo de oxígeno y el metabolismo basal.

Lesiones

La glándula tiroides está atrofiada y pesa solamente 3 a 5 g, en lugar de 30 como es lo normal. Rara vez se halla la glándula aumentada de tamaño. El tejido noble de la glándula está mayormente sustituido por tejido fibroso. Hay además edema (o hinchazón) subcutáneo y lesiones del miocardio o músculo del corazón. Cuando el hipotiroidismo aparece en un niño, se observa retardo en la osificación, vale decir, en la aparición de los puntos donde se inicia, en los huesos del niño, la transformación del cartílago en hueso.

Síntomas

Se caracteriza esta enfermedad por una disminución de todas las funciones: metabólica, mental y muscular. El comienzo es lento, notándose pesadez mental y deseo exagerado de dormir. El paciente se queja de malestar general y, al despertar, no se siente reconfortado por el sueño. Luego aparecen los síntomas característicos que se mencionan a continuación:

La piel es seca, áspera y no transpira. El tejido celular subcutáneo está infiltrado, lo que da al enfermo una *facies o cara especial,* "cara de luna", con rasgos inexpresivos y ensanchados. Los labios están engrosados y los párpados hinchados.

El cuello, las muñecas, el dorso de las manos, etc., se hallan hinchados. El edema mencionado es duro, por lo que al presionar con el dedo no queda zona hundida.

El cabello es duro, seco y escaso. Escasean también los pelos en otras partes del cuerpo y es característica la falta o escasez de cejas en su tercio externo. La lengua está aumentada de tamaño.

La temperatura suele estar disminuida y los enfermos se quejan de sensación de frío. El pulso es lento y regular. Cuando hay miocarditis o degeneración del miocardio en casos avanzados, el pulso puede mostrar otras modificaciones.

Hay hipotonía o falta de tono muscular y los movimientos son lentos. Las menstruaciones son irregulares, pudiendo faltar. El metabolismo basal está disminuido entre el 20 y el 40%. Hay además modificaciones del yodo proteico y en la captación del yodo 131 (yodo radiactivo). La tolerancia a los hidratos de carbono suele estar aumentada. Mentalmente se observa cerebración lenta, memoria defectuosa e irritabilidad. Debido al edema y a la disminución del metabolismo, es frecuente observar obesidad en los así afectados.

Tratamiento

El tratamiento consiste en dar glándula tiroides desecada, tiroxina o triyodotironina en dosis que fijará el médico y que él mismo vigilará, para evitar inconvenientes. Suele observarse la desaparición gradual de los síntomas bajo la influencia del tratamiento.

CRETINISMO

El cretinismo está caracterizado por un desarrollo mental y corporal defectuoso, debido a la ausencia o enfermedad del cuerpo tiroides. Hay dos formas principales: el *cretinismo esporádico,* cuya causa no es bien conocida, y el *cretinismo endémico,* que aparece en ciertas zonas donde las aguas carecen de yodo. A menudo son hijos de personas que tienen bocio, es decir, aumento de tamaño de la glándula tiroides.

Lesiones

En el cretinismo esporádico se suele observar la ausencia de la glándula tiroides. Rara vez se observa atrofia y fibrosis de la misma, o bocio. Este último se encuentra en casi todos los casos de cretinismo endémico.

El esqueleto del cretino muestra huesos cortos y engrosados, y la osificación es tardía y deficiente. El timo suele persistir y la hipófisis está a veces hipertrofiada.

Síntomas

Generalmente no se descubren antes de los tres meses. A partir de esa edad se nota retardo en el crecimiento, lengua aumentada de tamaño, piel seca y retardo mental.

Cuando el niño tiene dos años los síntomas son bastante claros como para permitir el diagnóstico.

Los síntomas del cretinismo son:

DESARROLLO FISICO DEFICIENTE.—El cretino es bajo, con la cabeza grande, el cuello corto y el abdomen prominente, y a menudo presenta hernia del ombligo.

CAMBIOS EN LA FISONOMIA.—La cara es ancha y edematosa o hinchada, los ojos muy separados y los párpados hinchados. La nariz es chata, y la lengua sale de la boca entreabierta.

PIEL. CABELLO. UÑAS.—La piel es seca y falta la transpiración. El *cabello es escaso, seco y duro.* Las uñas son quebradizas. La dentición está retardada. Camina tarde. Hay falta de desarrollo de los órganos genitales. Hay debilidad muscular, sensación de frío y constipación.

SINTOMAS MENTALES.—Lenguaje rudimentario, a veces sordomudez. La capacidad mental es defectuosa en casi todos los casos.

Pronóstico

El cretino no tratado suele morir joven aún. Si se lo trata precozmente se observa primero la desaparición del retardo físico y mucho más tarde mejoría en el desarrollo mental.

Fig. 512. CRETINISMO (hipotiroidismo congénito). Niño de 5 meses con cretinismo. Pueden observarse el ensanchamiento de la nariz y los labios, la lengua grande que asoma por la boca entreabierta y la piel espesada.

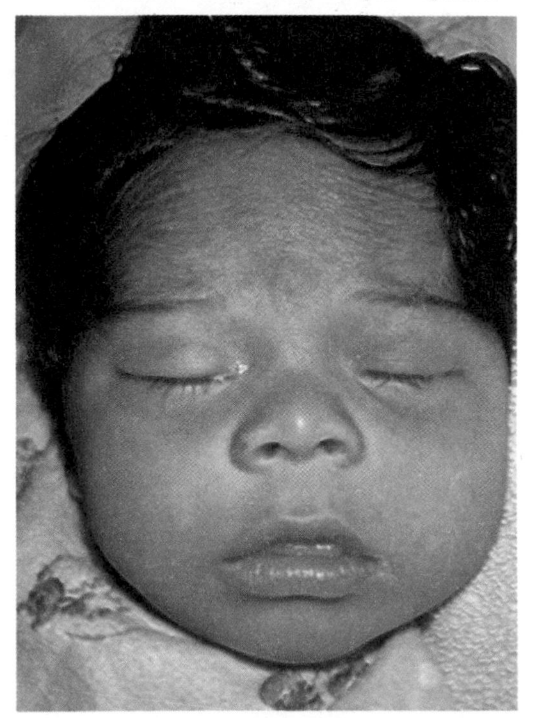

Fig. 513. El mismo niño al cumplir un año de edad, después de haber seguido un tratamiento adecuado. Se observa una marcada disminución de los síntomas.

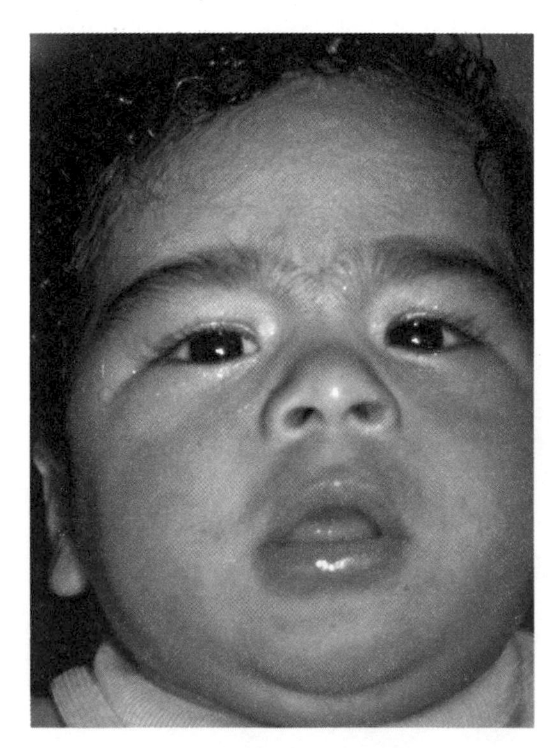

Tratamiento

Consiste en administrar por boca, glándula tiroides u hormonas de la misma. En algunos casos se han hecho injertos de glándula tiroides. Cuanto más precozmente se inicia el tratamiento tanto mejor es el resultado. Hay que tener constancia en su aplicación.

HIPERTIROIDISMO

Se discute si en los estados de hipertiroidismo hay solamente exceso de secreción tiroidea o también anormalidad de la misma.

Dos son las afecciones que se caracterizan por *hipertiroidismo:* el *bocio exoftálmico* o enfermedad de Basedow, y el *adenoma tóxico* o enfermedad de Plummer.

BOCIO EXOFTALMICO

Definición

El bocio exoftálmico es una enfermedad caracterizada por cinco síntomas fundamentales: bocio, o sea aumento de tamaño de la glándula tiroides; exoftalmia (ojos salientes); temblor; taquicardia (pulso rápido) y aumento del metabolismo basal (véase la página 169).

Causas

Es mucho más frecuente en la mujer que en el hombre. Suele aparecer entre la pubertad y la menopausia. Parece haber tendencia al bocio exoftálmico en algunas familias. Algunas veces se lo ve aparecer después de emociones o traumatismos. Se cree que influyen mucho las emociones en su aparición y agravación.

Síntomas

El comienzo es en general gradual, pero se han visto casos de iniciación brusca. Durante el período de estado se encuentran los siguientes síntomas:

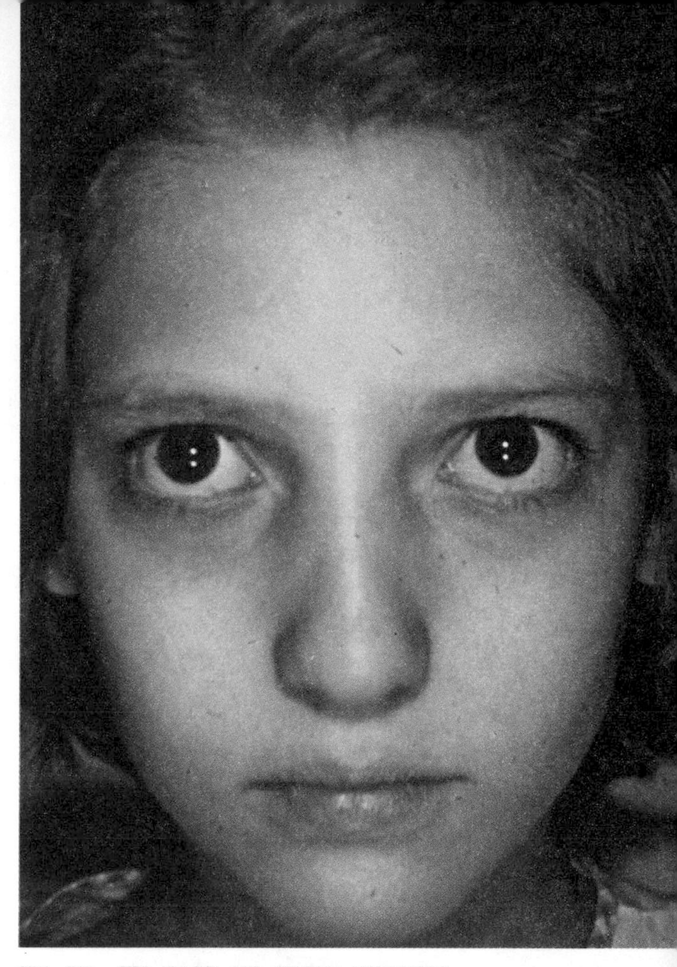

Fig. 514. **UN CASO DE BOCIO EXOFTALMICO. Puede observarse la exoftalmia (ojos salientes), que da a la cara una expresión muy característica.** (Gentileza del Servicio Científico Roche.)

BOCIO.—Este suele ser moderado y de forma regular; sin embargo, el lado derecho puede ser mayor que el izquierdo.

EXOFTALMIA.—Los ojos están salientes, brillantes y el parpadeo es poco frecuente. Hay varios signos oculares además de la exoftalmia, pero son de poca importancia práctica.

TEMBLOR.—Si se observan las manos extendidas con sus dedos separados, se puede ver en los mismos un temblor menudo, de poca amplitud y rápido (8 a 9 oscilaciones por segundo).

TAQUICARDIA.—El pulso oscila entre 100 y 160 pulsaciones por minuto. A veces hay también palpitaciones cardíacas.

AUMENTO DEL METABOLISMO BASAL.—Revela en el caso de bocio exoftálmico un aumento que oscila entre el 20 y el 80%. Está en relación con el grado de hipertiroidismo. Además se observan modificaciones en la cantidad de yodo proteico en la sangre y en la captación del yodo 131 (radiactivo) por parte de la glándula.

OTROS SINTOMAS.—Son muy numerosos. 1) Sensación de calor, oleadas de calor en la cara, sudores profusos. 2) Nerviosidad, irritabilidad y emotividad. Tendencia al insomnio. 3) El apetito está aumentado aunque el enfermo adelgaza. Pueden aparecer vómitos y diarrea. 4) Los trastornos menstruales son frecuentes: amenorrea o falta de menstruación; dismenorrea, o sea menstruación dolorosa, etc.

Evolución

Es muy variable. Es común que se produzcan crisis de hipertiroidismo, con agravación de todos los síntomas, y períodos de remisión, durante los cuales los síntomas disminuyen.

Pueden aparecer, si no se trata la enfermedad, trastornos cardíacos, debilitamiento marcado o tuberculosis pulmonar.

Tratamiento

Tratamiento médico: reposo prolongado físico y psíquico, es decir del cuerpo y del espíritu, evitando toda preocupación. En cada caso el médico decidirá cuál es la conducta más adecuada. Tratar todo foco de infección para eliminar cualquier posibilidad de nuevos contagios.

La alimentación será abundante en calorías, rica en vitaminas, en hidratos de carbono y grasas y sin exceso de proteínas.

Durante la crisis puede el médico ver necesario dar sedantes.

Se discute si se debe o no administrar yodo. Indudablemente su administración produce mejoría marcada de la afección, pero con frecuencia su efecto es transitorio. Por eso recomiendan algunos cirujanos que en los casos intensos se lo emplee solamente para preparar al enfermo para la operación.

Durante las crisis puede ser útil colocar una bolsa de hielo alternadamente sobre el bocio y sobre el corazón, aplicándose con frecuencia suero glucosado hipertónico.

En los últimos años se ha preconizado la administración de propiltiouracilo, o mejor aún de metimazol (tapazol) (mejor tolerado este último), que, se ha comprobado, disminuyen la actividad de la glándula tiroides. No siempre se toleran bien estas sustancias, y exigen vigilancia médica y recuento frecuente de glóbulos sanguíneos (especialmente los blancos) durante su administración. Otros casos son tratados con yodo radiactivo (I 131).

Tratamiento quirúrgico. La tiroidectomía está indicada cuando el tratamiento médico no alcanza a curar, o se esbozan trastornos cardíacos, o el bocio molesta mecánicamente. La operación es una extirpación no completa para dejar un poco de glándula con las paratiroides, y será practicada por un cirujano avezado en este tipo de operaciones. Será precedida por un preoperatorio (preparación para la operación) cuidadoso, pues la operación es menos seria si el enfermo mejora. Se indica habitualmente reposo, yodo en forma de lugol, tapazol y dieta rica en hidratos de carbono.

Después de la operación seguir en lo posible bajo cuidado médico para evitar las recidivas, que pueden producirse.

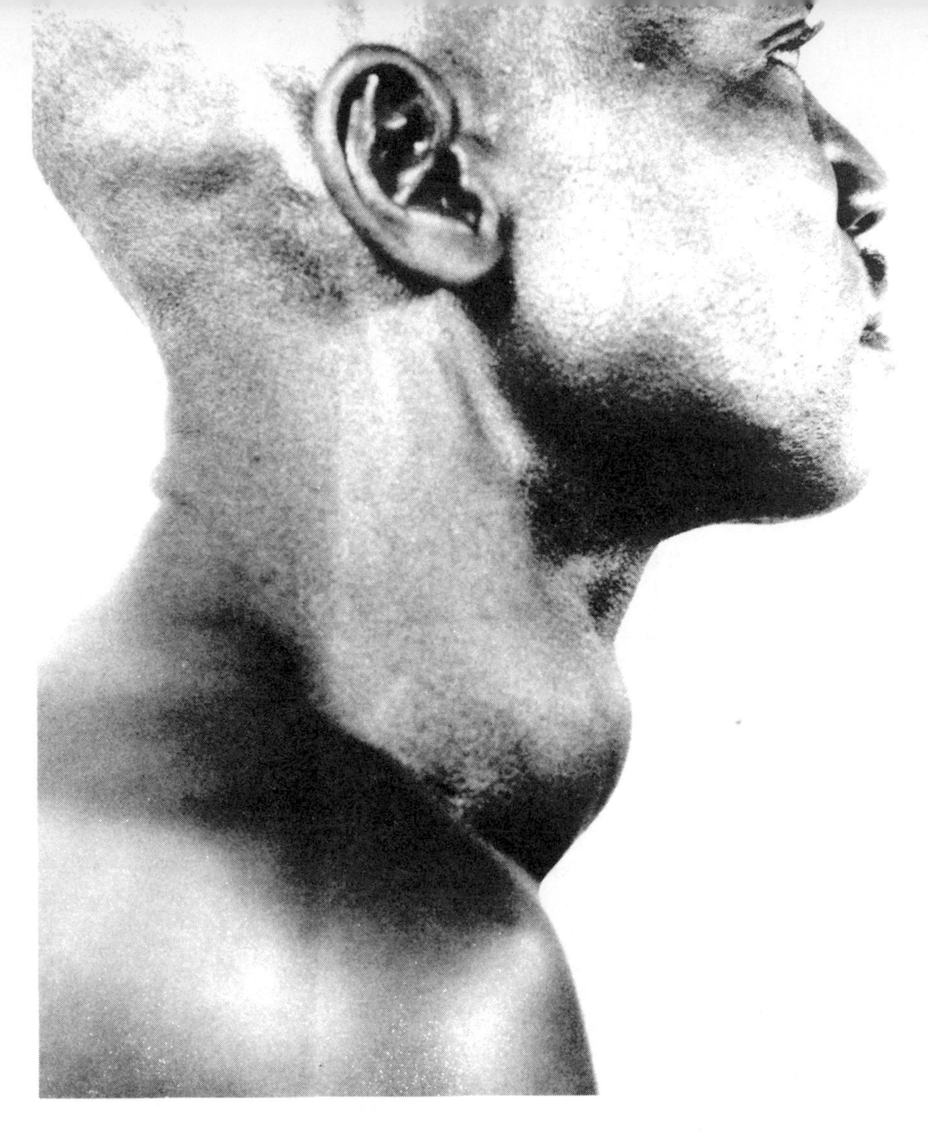

Fig. 515. NATIVO DEL AFRICA ECUATORIAL FRANCESA CON BOCIO DE TAMAÑO GRANDE. Por vivir en una región donde el agua y los alimentos contienen muy poco yodo, se ha producido un marcado aumento de tamaño de la glándula tiroides. No es lo corriente que el aumento sea tan grande. (Gentileza del Servicio Científico Roche.)

ADENOMA TOXICO

Se mencionarán las diferencias con el bocio exoftálmico.

Causas

Suele aparecer en personas maduras que tenían anteriormente un adenoma de la glándula tiroides. Este último se manifiesta generalmente por uno o más nódulos duros y redondeados. Los síntomas de hipertiroidismo aparecen a veces después de 10 ó 20 años de tener el adenoma simple.

Síntomas

El bocio es nodular. Suelen faltar la exoftalmia, o sea los ojos salientes, y la nerviosidad. Hay en cambio temblor, taquicardia (pulso rápido) y aumento del metabolismo basal.

Los síntomas cardíacos son marcados, siendo frecuentes la debilidad del miocardio y los trastornos en el pulso.

Tratamiento

Es habitualmente quirúrgico, con un preoperatorio semejante al del bocio exoftálmico. No hay recidivas.

CAPITULO 132

Enfermedades de la Hipófisis o Pituitaria - Su Tratamiento

ANATOMIA Y FISIOLOGIA DE LA HIPOFISIS

ESTA importantísima glándula, a la que se ha llamado, por su acción directriz sobre otras de secreción interna, "la directora de orquesta de las glándulas de secreción interna", es un órgano pequeño (pesa solamente medio gramo), localizado debajo del cerebro, dentro de la llamada silla turca del esfenoides. Está unida al encéfalo, que en ese lugar recibe el nombre de diencéfalo, por medio de un tallo llamado infundíbulo.

La hipófisis está dividida en un *lóbulo anterior* que es el de mayor tamaño y de funciones mejor conocidas, y el *lóbulo posterior,* de origen nervioso. Entre ambos se halla una porción poco visible llamada *lóbulo medio* o parte intermedia, que según algunos especializados en este tema, sería la que produce las secreciones internas que se atribuyen al lóbulo posterior, al cual pasarían. Más aceptada es actualmente la teoría de que el lóbulo posterior sirve de depósito de hormonas segregadas por porciones adyacentes del sistema nervioso.

El lóbulo anterior, que forma las dos terceras partes de la glándula, tiene tres grupos de células: *cromófilas* (que toman color), que son de 2 clases, las *basófilas* (que toman colores de reacción básica) y las *eosinófilas* que se tiñen con colorantes ácidos, y las *cromófobas* (que no toman color). Las células cromófobas no parecen producir secreción interna. Las células eosinófilas producen una hormona del crecimiento (somatotropina), y las células basófilas otras hormonas que causan la madurez sexual. Otras hormonas de la hipófisis estimulan respectivamente la corteza suprarrenal (ACTH) o la glándula tiroides.

El lóbulo posterior produce la llamada *hipofisina* o *pituitrina* en la cual han podido aislarse dos fracciones: la *oxitocina* (pitosin), que hace contraer el útero, y la *vasopresina* (pitresin), que hace subir la tensión arterial y contraer los músculos lisos (intestino, bronquios, etc.). Otras hormonas del lóbulo posterior de la hipófisis regulan el metabolismo del agua (hormona antidiurética), de los hidratos de carbono y de las grasas. Produce también una secreción galactagoga, es decir, que hace segregar leche a las glándulas mamarias.

Resumen de los trastornos de la hipófisis y de las diversas afecciones que éstos causan

AFECCIONES DEL LOBULO ANTERIOR

a) *Tumor de las células cromófobas.* Estas no producen hormona. La afección obra como simple tumor de hipófisis produciendo: dolor de cabeza; hemianopsia bitemporal, vale decir, pérdida de visión en la mitad externa de las retinas, y a veces síntomas de hipopituitarismo (secreción disminuida de la pituitaria), por compresión de las otras porciones de la glándula.

b) *Modificaciones de la secreción de las células eosinófilas.*

1) *Hipersecreción* (adenoma eosinófilo). Se manifestará por *gigantismo* cuando los cartílagos de conjugación o de crecimiento del hueso aún existen, y por *acromegalia* después de la unión de las epífisis.

2) *Hiposecreción* (suele ser por atrofia de todo el lóbulo anterior). En el niño produce *enanismo* (infantilismo de Lorain), y en el adulto la llamada enfermedad de Simmonds o *caquexia hipofisiaria,* caracterizada por caquexia (caquexia es un estado de profunda desnutrición y de mala salud), debilidad y adelgazamiento extremados, senilidad precoz e involución (cambio retrógrado) de los órganos y funciones sexuales. Muy probablemente en esta enfermedad también haya disminución de la secreción de las células basófilas. Se cree que la *pro-*

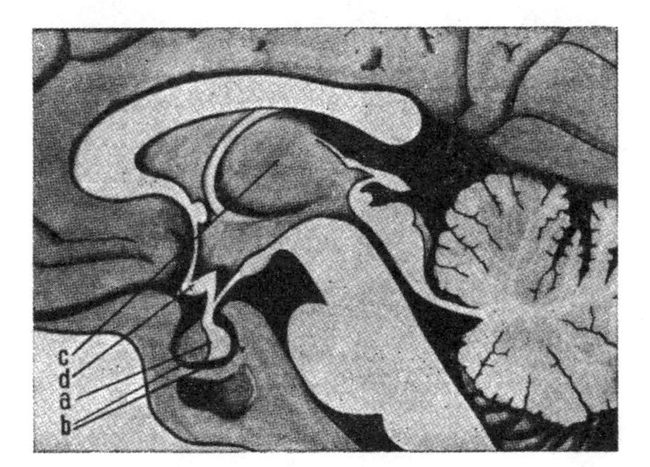

Fig. 516. ANATOMIA DE LA HIPOFISIS. Se observa aquí un corte sagital del cerebro humano destinado a mostrar la situación que ocupa la hipófisis: a) Hipófisis; b) silla turca (cavidad del hueso esfenoides que ocupa la hipófisis); c) tercer ventrículo; d) quiasma óptico (entrecruzamiento de los nervios ópticos). (Gentileza del Servicio Científico Roche.)

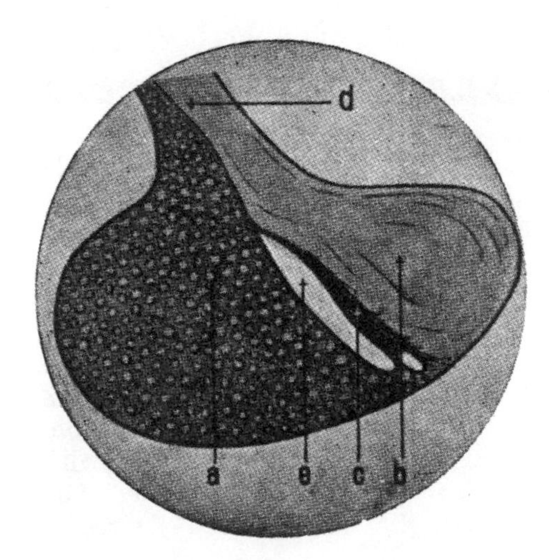

Fig. 517. CORTE SAGITAL (SEMIESQUEMATICO) DE UNA HIPOFISIS HUMANA. a) Lóbulo anterior de la hipófisis; b) lóbulo posterior; c) lóbulo intermediario o medio; d) tallo de la hipófisis; e) hendidura mediana de la hipófisis. (Gentileza del Servicio Científico Roche.)

Fig. 518. **ACROMEGALIA.** La ilustración de la izquierda se hizo de una fotografía obtenida nueve años después de la de menor tamaño, y revela el agrandamiento del maxilar inferior y el ensanchamiento de la nariz y demás rasgos de la cara.

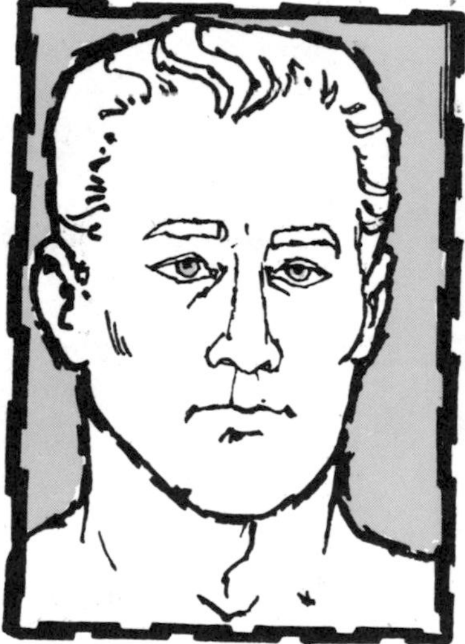

geria o senilidad en el niño puede deberse también a la hiposecreción de las células eosinófilas del lóbulo anterior de la hipófisis.

c) *Adenoma basófilo* (hipersecreción, o secreción aumentada). Produce el llamado *síndrome de Cushing,* que se caracteriza por detención del crecimiento, adiposidad u obesidad; madurez sexual precoz (en los niños), virilismo o masculinización y sequedad de la piel. La hiposecreción (secreción disminuida) de las células basófilas da los síntomas descritos más abajo como distrofia adiposogenital. Actualmente se acepta que el síndrome de Cushing de origen hipofisiario, se debe con mayor frecuencia a un exceso de secreción de ACTH.

AFECCIONES DEL LOBULO POSTERIOR

a) *Hiposecreción.* Diabetes insípida y algunas formas de obesidad.

b) *Hipersecreción.* Glucosuria (o sea, aparición de azúcar en la orina) de origen hipofisiario.

HIPOSECRECION DE TODA LA GLANDULA

Causa obesidad, distrofia o desarrollo anormal genital, infantilismo y detención del desarrollo.

Si se produce durante la pubertad toma el aspecto de *distrofia adiposogenital de Fröhlich,* que se caracteriza por obesidad, falta de desarrollo en los órganos genitales e infantilismo con disminución de la talla. A menudo, a simples retardos de la pubertad en niños de talla normal, se los confunde con casos de esta enfermedad.

Cuando se produce en un adulto, provoca eunuquismo (como si fuese castrado), a veces *adiposis dolorosa,* caracterizada por dolorosos bultos de grasa debajo de la piel. Cuando toda la glándula hipófisis funciona deficientemente, sea por atrofia de la glándula o compresión de la misma por una tumoración, se produce la llamada enfermedad de Simmonds, caracterizada por disminución marcada de las funciones de las glándulas suprarrenales, gónadas y tiroides, lo que provoca debilidad, envejecimiento prematuro, atrofia de los genitales, falta de la menstruación, pérdida del vello pubiano y axilar, etc.

Síntomas muy parecidos se pueden observar a veces en mujeres cuya hipófisis ha sufrido por hemorragia muy intensa y prolongada durante o después del parto (síndrome de Sheehan).

A continuación se hará una breve descripción de la *acromegalia* y de la *diabetes insípida.*

ACROMEGALIA

Suele comenzar entre los 20 y los 30 años, y se debe a un adenoma (o tumor glandular) de las células eosinófilas del lóbulo anterior de la hipófisis, con producción excesiva de la hormona correspondiente.

Síntomas

Lo primero que le llama la atención al enfermo es que necesita guantes, zapatos y sombreros más grandes que los que usaba anteriormente. Otras veces nota molestias visuales o dolores de cabeza.

Los síntomas característicos son los del esqueleto:

a) Hay alargamiento y ensanchamiento de la cara. Se observa que el maxilar inferior crece y que los pómulos se hacen salientes. La cara toma un aspecto brutal. La cabeza también aumenta de tamaño.

b) Las manos y los pies crecen.

c) Es frecuente observar *cifosis,* o sea curvatura hacia atrás de la columna vertebral, y tórax agrandado.

Además de estos cambios óseos se observa que la nariz, las orejas, la lengua y los párpados se hacen más grandes que anteriormente. La piel suele estar engrosada.

Es una enfermedad de evolución lenta y aún sin tratamiento completamente satisfactorio. En algunos casos la evolución de la enfermedad se detiene espontáneamente. Con frecuencia puede obtenerse la detención de la enfermedad con el uso de radiaciones (en este momento, la que prefieren los especialistas en estos casos es el cobalto-60) y otras sustancias que parecen inhibir la hormona del crecimiento. Se opera, cuando es necesario, para evitar la ceguera u otras complicaciones. Se están utilizando también ciertas hormonas sexuales.

DIABETES INSIPIDA

Definición

Es una enfermedad poco frecuente, caracterizada por la excreción de grandes cantidades de orina de poca densidad y sin azúcar.

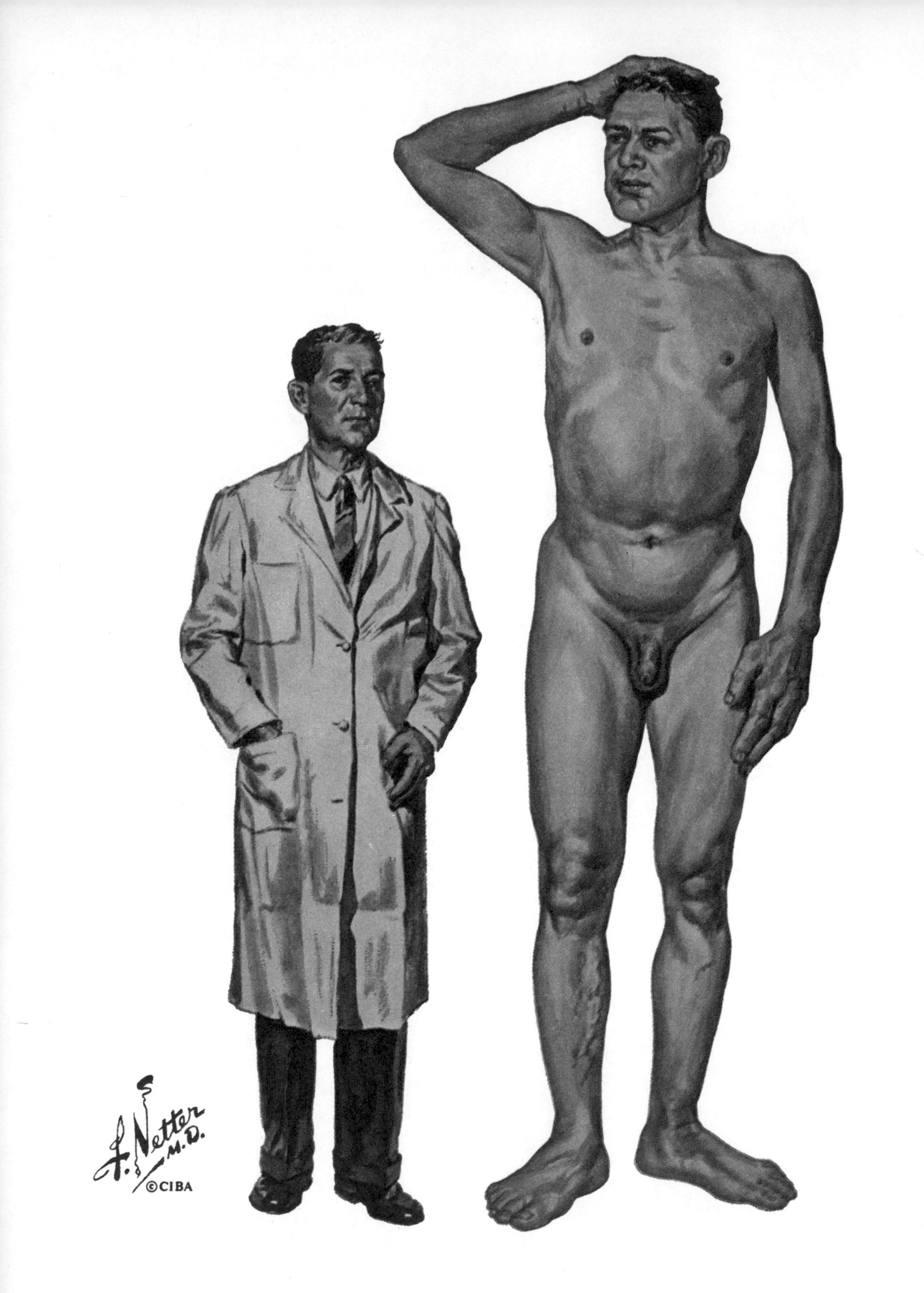
F. Netter M.D.
©CIBA

Causas

Ataca principalmente a jóvenes de menos de 20 años. En todos los casos bien estudiados se han encontrado lesiones, ya sea del *tuber cinereum* o prolongamiento de la parte intermedia del cerebro, o del lóbulo posterior de la hipófisis.

Cuando falta una cantidad suficiente de secreción de hormona antidiurética del lóbulo posterior de la hipófisis, o está lesionada la porción adyacente del encéfalo, el riñón es incapaz de producir orina concentrada, causando así la poliuria, o excesiva cantidad de orina.

La sífilis fue causa relativamente frecuente de diabetes insípida. A veces se debe a traumatismos cerebrales, o a tumoraciones o inflamaciones de la base del cráneo. Otras veces no se puede descubrir ninguna causa.

Síntomas

POLIURIA.—Hay de 5 a 20 litros de orina en las 24 horas. La orina tiene una densidad de 1.001 a 1.005, es casi incolora y sin azúcar.

POLIDIPSIA O INGESTION EXCESIVA DE AGUA.—Es debida a la poliuria.

INSOMNIO.—Cuando lo hay, es debido a que el enfermo debe orinar con frecuencia. (La excreción de orina es en estos enfermos más abundante de noche que de día.)

TUMOR CEREBRAL.—En ciertos casos se observan síntomas de *tumor cerebral,* por ser estos últimos a veces causa de diabetes insípida.

Entre los síntomas de tumor de hipófisis merecen mencionarse la hemianopsia bitemporal y el agrandamiento de la silla turca, que se pondrá de manifiesto por la radiografía del cráneo.

Debe hacerse siempre la reacción de Wassermann o equivalente (VDLR, Kahn u otras).

No suele haber polifagia (alimentación excesiva) ni desnutrición en la diabetes insípida.

Se han descrito casos de diabetes insípida primitiva o idiopática, en los cuales no ha sido posible hallar causa aparente. Son cada vez menos frecuentes debido al mejor estudio de los casos.

Pronóstico

Hay casos que curan y otros rebeldes. Pueden a veces vivir por muchos años con esta afección.

Tratamiento

Ante todo debe determinarse, si es posible, la causa y tratarla.

Dar dieta sin sal. Buena alimentación e higiene general. Si hay sífilis tratarla adecuadamente. Si hubiere hipertensión del líquido cefalorraquídeo, puede a veces obtenerse mejoría durante un tiempo y a veces aun curación, con una punción lumbar.

El tratamiento más lógico y también más eficaz consiste en inyectar extracto del lóbulo posterior de la hipófisis (por ejemplo, tanato de pitresin en solución aceitosa, por vía intramuscular). En ciertos casos se puede aplicar esta sustancia por vía nasal, como si fuera rapé o en pulverizaciones.

Aunque es paradójico, la administración de diuréticos (clorotiacida o sus derivados, etc.) puede disminuir la excreción de orina.

No se opera el tumor hipofisiario por la diabetes insípida. Se lo hace solamente en el caso de que el tumor haga peligrar la visión del enfermo. También se han utilizado un antidiabético llamado clorpropamida y el antiescleroso que recibe el nombre de clofibrate.

Fig. 520. Caso de gigante de origen hipofisiario contrastando su estatura con la de una persona de estatura normal (puede o no haber en estos casos signos de acromegalia, o de insuficiencia hipofisiaria secundaria).

CAPITULO 133

Enfermedades de las Glándulas Paratiroides

LAS glándulas paratiroides son pequeñas masas redondeadas, del tamaño de arvejas, en número habitual de 4, que se hallan situadas en la parte posterior de la glándula tiroides.

Resumen de las funciones de las paratiroides

En 1924 Collip aisló la secreción interna de dichas glándulas, a la que llamó *parathormona.* Dicha secreción controla la cantidad de calcio y fósforo de la sangre, extrayéndolos cuando es necesario de los huesos, verdaderos depósitos de dichos minerales. La inyección de parathormona provoca un aumento del calcio sanguíneo y una disminución del fósforo del plasma.

HIPOPARATIROIDISMO (Funcionamiento insuficiente de las glándulas paratiroides)

Este puede aparecer espontáneamente o ser el resultado de su extirpación accidental durante una tiroidectomía (extirpación de glándula tiroides). Sus consecuencias son: a) Hipocalcemia, vale decir, disminución de la cantidad de calcio en la sangre. b) Aumento del fósforo del plasma sanguíneo. Se manifiesta por tetania y a veces por otras lesiones: catarata, pérdida de cabello, uñas irregulares y frágiles, defectos en el esmalte de los dientes, etc.

TETANIA

Definición

Es una enfermedad caracterizada por excitabilidad excesiva del sistema nervioso y muscular, que causa espasmos o contracciones prolongadas de las extremidades.

Causas

Se ve especialmente en niños entre los 6 meses y los 2 años. En niños de más edad suele ser latente o inaparente, y está asociada con frecuencia al raquitismo. Recibe el nombre de *espasmofilia,* o de *diátesis espasmofílica* en los niños.

En los adultos la tetania suele ser consecutiva a la extirpación de las paratiroides, al embarazo, la lactancia o los trastornos gastrointestinales. Hay habitualmente una disminución de calcio en la sangre o elevación del llamado pH, o del potasio en la misma.

Síntomas

Puede haber convulsiones generalizadas, especialmente en la tetania infantil. Otras veces aparecen los espasmos tónicos (contracciones sin convulsión) simétricos de las extremidades superiores, típicos de la afección. Las manos se flexionan e inclinan hacia el lado del meñique, con el pulgar hacia la palma; se flexionan las articu-

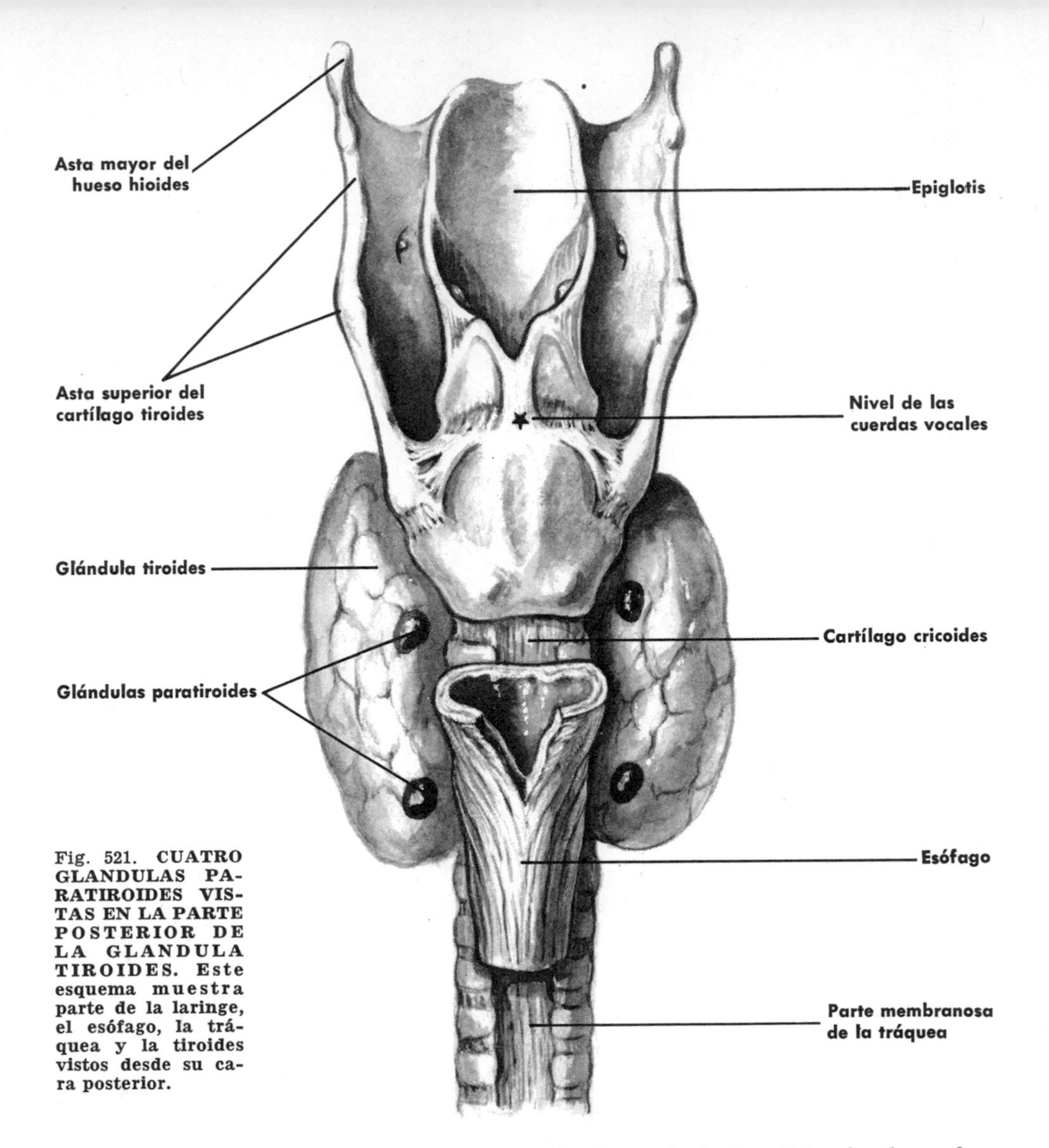

Fig. 521. CUATRO GLANDULAS PARATIROIDES VISTAS EN LA PARTE POSTERIOR DE LA GLANDULA TIROIDES. Este esquema muestra parte de la laringe, el esófago, la tráquea y la tiroides vistos desde su cara posterior.

laciones de los dedos con la mano, y se extienden otras, dando así el llamado aspecto de "mano de partero". A veces las manos se hacen edematosas (hinchadas) o cianóticas (azuladas).

El espasmo puede aparecer en los miembros inferiores, o lo que es peor, a nivel de la laringe, dando el llamado *laringoespasmo,* que hace dificultosas las inspiraciones, pudiendo el niño perder el conocimiento.

El examen suele revelar los signos llamados de Trousseau, de Chvostek y de Erb. Consiste el primero en la producción del espasmo al comprimir los nervios principales del miembro afectado. El segundo consiste en la contracción de los músculos de un lado de la cara, cuando con el dedo se percute el nervio facial correspondiente. El signo de Erb consiste en la excitabilidad exagerada de los nervios motores a la corriente galvánica.

Se confirmará el diagnóstico de tetania, dosificando el calcio que hay en la sangre.

Tratamiento

Durante el ataque, dar gluconato de calcio endovenoso o intramuscular o parathormona. Como profilaxis de los ataques, calcio y vitamina D, sintética o natural (mucho se recomienda actualmente el AT 10, o dihidrotaquisterol). También helioterapia (baños de sol) o rayos ultravioletas. Conviene disminuir el fósforo de la alimentación y aun dificultar su absorción con hidróxido de aluminio coloidal. Se administra también calcio por boca.

HIPERPARATIROIDISMO

Un tumor de una de las paratiroides puede producir exceso de la secreción de dicha glándula, lo que traerá como consecuencias: a) hipercalcemia (exceso de calcio en la sangre); b) disminución del fósforo en el plasma sanguíneo; c) excreción aumentada de calcio y fósforo por la orina; d) disminución del calcio de los huesos debido a su extracción exagerada; e) frecuencia de cálculos urinarios.

Lo descrito bajo d) podría producir la enfermedad llamada *osteitis fibrosa,* en que hay reblandecimiento de los huesos. Su tratamiento consiste en la extirpación del tumor.

PARTE DECIMOCUARTA

Reumatismos Crónicos Enfermedades del Colágeno Alergia

CAPITULO **134**

Reumatismos Crónicos, Articulares y no Articulares

ADEMAS de la gota (estudiada anteriormente con las enfermedades del metabolismo) y de las artritis infecciosas (gonocócica, etc.), hay dos grandes tipos de reumatismos crónicos articulares: la *artritis reumatoide* y la *osteoartrosis.*

ARTRITIS REUMATOIDE

Ha recibido también los nombres de artritis atrófica y de artritis proliferativa.

Causas

CAUSAS PREDISPONENTES.– Hay que considerar seis:

1) *Tipo de paciente.* Es frecuente observar la artritis reumatoide en los longilíneos (véase visceroptosis en la página 1118).

2) *Sexo.* Es mucho más frecuente en la mujer que en el hombre. La proporción es de 4 a 1. Sin embargo, los casos más graves pueden verse en hombres.

3) *Edad.* La artritis reumatoide es más frecuente en la tercera y cuarta década de la vida. Se observa principalmente entre los 25 y los 40 años. Cuando aparece en los niños recibe el nombre de enfermedad de Still, aunque esta enfermedad presenta ciertas diferencias con la artritis reumatoide.

4) *Clima.* Se hace tanto más frecuente la artritis reumatoide cuanto más húmedo es el clima y cuanto más nos alejamos de los trópicos y nos acercamos al polo.

5) *Ocupación.* Ataca preferentemente a personas que llevan una vida sedentaria, o a aquellas cuya ocupación no les permite hacer ejercicio o estar al aire libre. Con frecuencia hay como causa desencadenante factores de "stress" (tensión psíquica o esfuerzos físicos excesivos).

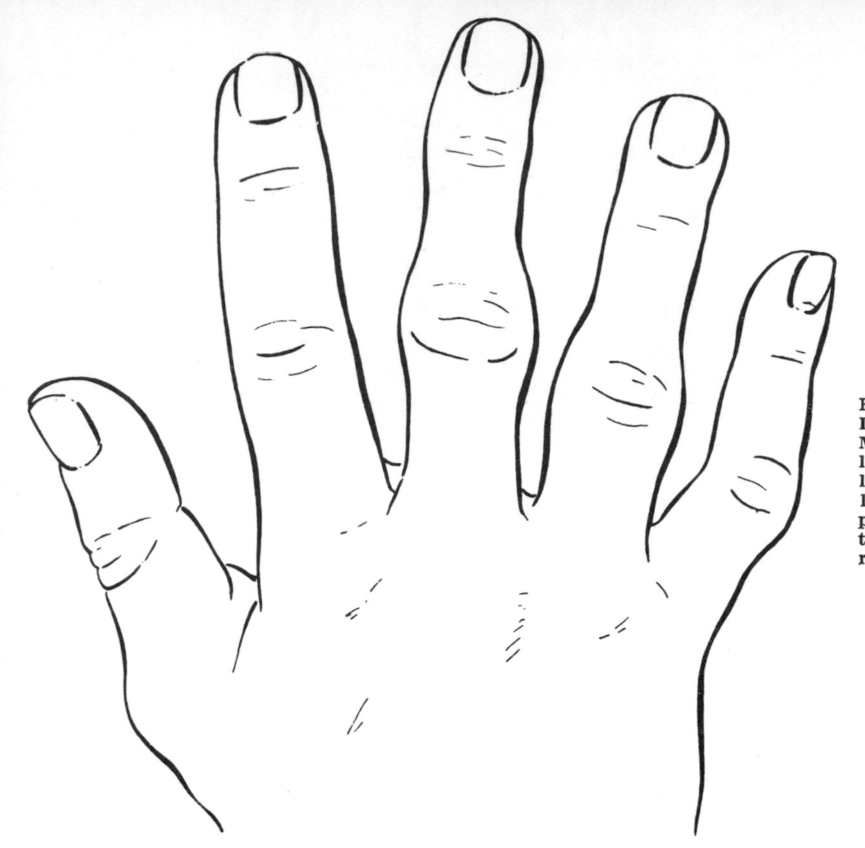

Fig. 522. MANO AFECTADA POR ARTRITIS REUMATOIDEA. En el anular y el mayor se observan las salientes fusiformes de las articulaciones de la parte media de los dedos, típicas de esta forma de reumatismo.

6) La herencia parece no influir.

CAUSAS DETERMINANTES Y CAUSA DE LOS SINTOMAS.—Las causas determinantes no se hallan por completo esclarecidas todavía, aunque estudios de los últimos decenios ponen de manifiesto una influencia de las suprarrenales. Indudablemente influye también la *infección*. Esta puede haberse originado en cualquier parte del organismo: dientes, amígdalas, senos de la cara, vesícula biliar, apéndice, próstata, cuello uterino, etc. (véase la página 110). En muchos casos se hallan también trastornos metabólicos, desequilibrios vagosimpáticos, trastornos endocrinos, factores emocionales, alergia, etc.

Lesiones

Se hallan afectadas principalmente las partes blandas fuera y dentro de la articulación. La proliferación de la sinovial (membrana serosa de la articulación), cubre los cartílagos articulares destruyéndolos y sustituyéndolos por tejido fibroso, lo que puede traer como consecuencia la anquilosis articular (imposibilidad de mover la articulación). A menudo el líquido sinovial o articular está aumentado en cantidad.

Síntomas anunciadores

El comienzo puede ser agudo o subagudo, aunque habitualmente es insidioso y precedido por un período de debilidad general y salud deficiente. Como *síntomas anunciadores* de la enfermedad, se han observado a veces ciertos cambios en la circulación y la sensibilidad de los miembros afectados.

Estos varían mucho en intensidad y carácter, según el enfermo. Consisten estas molestias en dolores vagos, sensación nocturna de miembro adormecido y hormigueos en los dedos. Son frecuentes los calambres, especialmente en los músculos flexores. A veces hay dolor de tipo neurálgico en la base del primer metacarpiano. Las manos pueden estar frías y cianóticas (de color azulado).

Síntomas de la artritis

La artritis reumatoide ataca con preferencia las articulaciones pequeñas y medianas, y tiene tendencia a afectar simétricamente los miembros y en forma ascendente o centrípeta (desde la extremidad del miembro hacia su raíz). Hay muchas excepciones, pues en lugar de comenzar la artritis reumatoide a nivel de un dedo del pie o de la mano, se la ve a veces atacar primeramente la muñeca, el tobillo o la rodilla. A veces la articulación más activamente utilizada por el paciente en su trabajo es la primeramente afectada.

CARACTERES DE LA ARTICULACION AFECTADA.—Su aspecto suele ser liso, redondeado y fusiforme (en forma de huso). Este aspecto se debe a que además de la distensión de la cápsula articular por el líquido, de la proliferación de la sinovial y del edema o hinchazón de las partes blandas que rodean la articulación, hay atrofia muscular por encima y por debajo de la articulación afectada.

A la palpación, la articulación es dolorosa, tensa y elástica. Se comprueba con frecuencia aumento del líquido sinovial. La piel es blanquecina y a veces ligeramente cianótica. Hay limitación de los movimientos. Los ganglios correspondientes a la articulación están aumentados de tamaño. Más tarde puede aparecer dificultad para mover la articulación.

Durante el período agudo o subagudo puede haber síntomas de infección como fiebre, aumento de tamaño del bazo, aceleración de la eritrosedimentación, aumento del número de glóbulos blancos, disminución de la hemoglobina, anemia, etc.

ASPECTO BAJO LOS RAYOS X.—Hay al principio descalcificación, luego pérdida de cartílago y más tarde puede observarse el contorno óseo carcomido y anquilosis ósea o fibrosa, es decir, unión ósea o por tejido fibroso. En resumen, los rayos X revelan que hay atrofia del hueso. A ello se debe el nombre de atrófica que se aplica a veces a la artritis reumatoide.

Tratamiento

Se trata de descubrir los factores causales más importantes en cada caso para combatirlos. Durante el período agudo, es decir, hasta que se haga normal la eritrosedimentación, o que el médico lo deduzca de otros síntomas, es conveniente el reposo en cama con los miembros en posición correcta (aunque en lo posible deben moverse cada día las articulaciones). Tratar los trastornos gastrointestinales (constipación, fermentaciones, putrefaccio-

Fig. 523. **MANO AFECTADA POR OSTEOARTRITIS. Con flechas se hallan señaladas las salientes llamadas nódulos (o nudosidades) de Heberden, típicas de esta afección.**

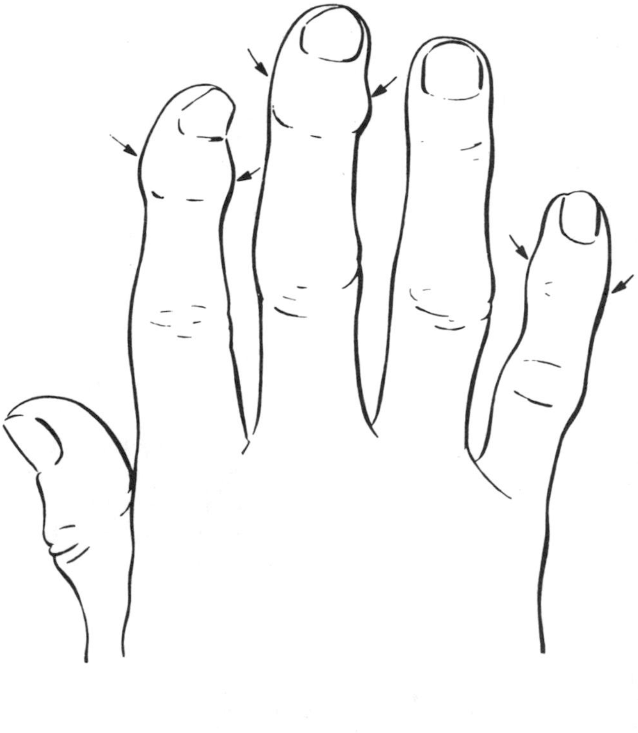

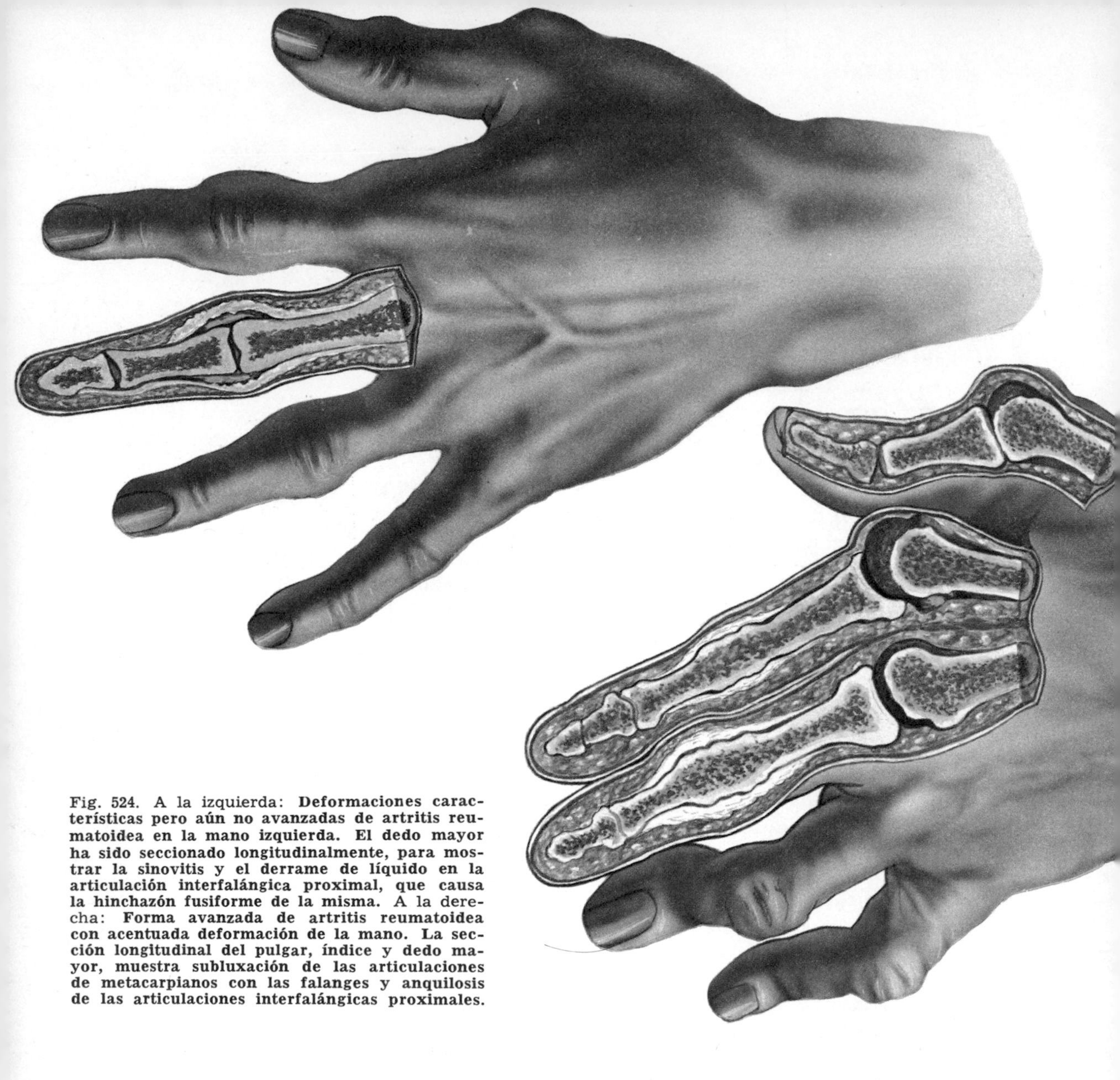

Fig. 524. A la izquierda: **Deformaciones características pero aún no avanzadas de artritis reumatoidea en la mano izquierda. El dedo mayor ha sido seccionado longitudinalmente, para mostrar la sinovitis y el derrame de líquido en la articulación interfalángica proximal, que causa la hinchazón fusiforme de la misma.** A la derecha: **Forma avanzada de artritis reumatoidea con acentuada deformación de la mano. La sección longitudinal del pulgar, índice y dedo mayor, muestra subluxación de las articulaciones de metacarpianos con las falanges y anquilosis de las articulaciones interfalángicas proximales.**

nes, etc.). Dieta nutritiva y completa. Eliminar los focos de infección (no hacerse demasiadas ilusiones sobre el resultado), y tratar la anemia (en algunos casos intensos, aun con transfusión de sangre). Cuando ha pasado el período agudo, masaje y ejercicio graduados (no deben hacer doler); helioterapia o sea baños de sol; hidroterapia (calor, calor y frío alternados); onda corta, rayos ultravioletas, rayos infrarrojos, etc. En lo posible el médico acompaña las medidas antes mencionadas con medicación lo más sencilla posible. Uno de los medicamentos que producen alivio con poco costo es la aspirina (ácido acetilsalicílico). En ciertos casos en que el estómago parece no tolerar dicho medicamento se puede darlo en forma tal que se libera en el duodeno (capa entérica). También pueden tener las tabletas un antiácido mezclado con la aspirina. Otras veces el médico ve conveniente prescribir otros medicamentos como ser la indometacina, o la fenilbutazona o la hidroxicloroquina. Algunos especialistas indican una cura de sales de oro (con especial cuidado de sus efectos secundarios). Cuando el paciente no responde ya a los tratamientos antes indicados y parece empeorar, recurre el médico a corticoides por ingestión dando la menor dosis que permita un alivio suficiente. Luego disminuye gradualmente la dosis en cuanto sea posible, suspendiéndola cuando se pueda. En muchos casos pueden obtenerse resultados satisfactorios inyectando el corticoide en las articulaciones más atacadas.

Rara vez se recurre a la extirpación de la sinovial de alguna de las articulaciones afectadas. Con mayor frecuencia si alguna de las articulaciones de los dedos ha quedado inmovilizada, puede aplicarse una articulación de prótesis.

OSTEOARTROSIS

Ha recibido también los nombres de artritis proliferante, degenerativa, senil o hipertrófica y de osteoartritis. El nombre que encabeza este párrafo es más lógico que el de osteoartritis, pues no hay al parecer factor infeccioso en esta afección.

Causas

La osteoartrosis es más frecuente

Fig. 525. Aun con artritis, la paciente puede ayudar en las tareas del hogar, impidiendo así que sus articulaciones se inmovilicen y permitiéndole al mismo tiempo sentirse útil.

después de los 40 años. Se ve por igual en ambos sexos, aunque en los hombres ataca mayormente la cadera y la columna vertebral; y en la mujer, las rodillas. Se trata, por lo común, de pacientes con buena salud general y de constitución robusta. A menudo tienen mayor peso que el normal.

Causas predisponentes son los traumatismos y trastornos endocrinos. Por traumatismos hay que entender no solamente los golpes más o menos fuertes que haya sufrido la articulación, sino también todo exceso de trabajo o factor que moleste el funcionamiento articular. Pueden citarse los cuerpos extraños articulares, las fracturas articulares, las anquilosis de articulaciones vecinas, luxaciones, etc.

Como causas endocrinas pueden mencionarse en la mujer el deficiente funcionamiento de los ovarios y la tiroides (frecuentes en el climaterio). La obesidad, se deba o no a insuficiencia tiroidea, es una causa frecuente del traumatismo articular.

Lesiones

Hay degeneración del cartílago, que toma a menudo un aspecto velloso, y que se gasta en los sitios de mayor presión y fricción. La corteza ósea en dichos sitios se hace ebúrnea (con aspecto de marfil) y muy delgada. Aparecen excrecencias óseas (osteófitos) alrededor de la articulación, transformándose a veces en cuerpos extraños o sueltos en la articulación. Esta proliferación ósea a nivel de las articulaciones de la falangina con la falangeta, forma nudosidades que reciben el nombre de nódulos de Heberden. A veces se forman, en el tejido esponjoso de los huesos afectados, degeneraciones con el aspecto de quistes. Hay además espesamiento de la cápsula, proliferación vellosa de la sinovial y aun desaparición de los ligamentos, los meniscos, etc.

Síntomas

El aspecto de la articulación afectada es de engrosamiento irregular, lo que contrasta con el aspecto de engrosamiento fusiforme y liso de la artritis reumatoide. La deformación y el engrosamiento son tanto mayores cuanto más avanzada la osteoartrosis. La piel que cubre la articulación es generalmente de aspecto normal.

No hay habitualmente anquilosis articular, conservándose la movilidad largo tiempo. Si desaparece, se debe a los osteófitos o a la desaparición del cartílago y otras estructuras articulares. Debido a la irregularidad de las superficies articulares hay crujidos cuando se las mueve. No hay habitualmente dolor intenso cuando se mueve la articulación.

La osteoartrosis puede ser monoarticular (de una articulación), o poliarticular (de muchas articulaciones).

La forma *poliarticular* no es común. Ataca principalmente a las mujeres. Comienza y tiene predilección por las grandes articulaciones.

La forma *monoarticular* es la más común. En realidad, hay siempre pequeñas manifestaciones de osteoartrosis en otras articulaciones, principalmente en las manos. El *morbus coxae senilis* es una forma que ataca a personas de edad avanzada, que se atribuye a una lesión congénita de la cadera o un traumatismo de la misma. Es más frecuente en el hombre.

Aspecto bajo los rayos X. Se observan osteófitos (especie de espinas de hueso) en los bordes de la articulación y, a veces, un aspecto quístico del hueso. Es casi constante la deformación de las extremidades óseas. No suele haber descalcificación ósea.

Tratamiento

Aunque no parece tener mucha influencia en estos casos, será conveniente tratar los focos de infección. La dieta será laxante y relativamente pobre en calorías, para hacer disminuir el peso, generalmente excesivo. Si hay factor ovárico, tiroideo o pituitario, el médico indicará el tratamiento correspondiente.

Distribuir juiciosamente, tomando en cuenta el caso, el reposo y el ejercicio.

Evitar el exceso de peso sobre la articulación. A menudo es conveniente comenzar el tratamiento con dos semanas de reposo en cama.

Con frecuencia se practica la inyección local de hidrocortisona en ciertas articulaciones. Cabe señalar que según trabajos recientes, si el paciente al dejar de tener dolor en la articulación abusa de la misma, se pueden producir lesiones de las extremidades óseas que la forman.

Fisicoterapia. Masaje de los músculos (no conviene en general sobre las articulaciones). Calor con hidroterapia, calor radiante, aire caliente, rayos infrarrojos, etc. Movilización prudente. A menudo es conveniente hacer el masaje y la movilización después de aplicar el calor, que hace desaparecer los espasmos musculares.

Sigue a continuación un cuadro en que se oponen los signos más característicos de ambos procesos.

Artritis reumatoide

Enfermo menor de 40 años.
Enfermo asténico y delgado.
Historia de infecciones previas.
Se hallan afectados los tejidos blandos intra y extraarticulares.
Habitualmente multiarticular.
Migratoria y progresiva.
Atrofia ósea.
Hinchazón fusiforme (forma de huso).
Derrames articulares frecuentes (líquido en la articulación).
Traumatismo poco frecuente.
Anquilosis frecuente.
Fiebre y pulso acelerado.
Disminución de glóbulos rojos y hemoglobina. Aumento de glóbulos blancos.
Eritrosedimentación acelerada.

Osteoartrosis

Más de 40 años.
Enfermo robusto y a veces obeso.
No hay habitualmente infección previa.
Exostosis ("sobrehuesos"). Tejido cartilaginoso afectado.
Habitualmente monoarticular.
Localizada.
Hipertrofia ósea.
Hinchazón irregular.
Derrames articulares poco frecuentes.
Traumatismo frecuente.
Anquilosis poco frecuente.
Temperatura y pulso normales.
Sangre normal.
Eritrosedimentación normal.

FIBROSITIS

Además de estos reumatismos crónicos articulares hay reumatismos crónicos no articulares que han recibido el nombre de fibrositis. Mientras que en el reumatismo articular crónico se observa dolor, limitación de movimiento y deformación, en la fibrositis suele faltar esta última. El dolor se halla a nivel del órgano o tejido afectado, y la limitación de movimientos se observa para todos aquellos movimientos que estiran dicho órgano o zona.

La fibrositis puede atacar tejidos muy diversos: el *tejido celular* (subcutáneo o el que asienta entre diversas estructuras), produciendo celulitis, adiposis dolorosa, edema (hinchazón) doloroso de los tobillos, etc.; el *tejido muscular,* determinando tortícolis agudo, ciertas formas de lumbago, miositis, etc.; las *bolsas serosas* (bursitis); las *vainas sinoviales* (tenosinovitis); la *envoltura de los nervios,* dando lugar a ciertas formas de neuritis; el *te-*

jido aponeurótico, el *periarticular,* etc.

Las lesiones que pueden observarse son: inflamación, induración y nódulos.

Tratamiento

Eliminar los focos de infección. Mientras hay dolor intenso, poner en descanso o inmovilizar la parte afectada. Evitar el cansancio, la tensión nerviosa, la exposición al frío, las corrientes de aire y la humedad. Descanso y ejercicio en dosificación adaptada a cada caso. Tonificación general con vitaminas y combatir la anemia, si la hay. El médico indica con frecuencia medicamentos analgésicos y antirreumáticos. En casos muy rebeldes se han utilizado aun los corticoides y el ACTH.

En algunos casos, inyecciones de soluciones anestésicas o de suero fisiológico (salino normal) o de corticoides o aire, en la zona afectada.

Fisicoterapia. Hidroterapia, especialmente fomentos calientes, masajes, tratando de hacer desaparecer los nódulos, si los hay; helioterapia (baños de sol), galvanización, ionización o iontoforesis, rayos infrarrojos, onda corta, diatermia, ultrasonidos, radioterapia, etc.

ALGUNAS FORMAS COMUNES DE FIBROSITIS

TORTICOLIS AGUDO POR FIBROSITIS

Definición

Hay tortícolis cuando existe una torsión del cuello con inclinación de la cabeza hacia un lado.

Hay muchos tipos de tortícolis, que aparecen, en ciertos casos, al nacimiento. (Véase la página 1512.) Otras formas son el tortícolis cutáneo, producido por retracción de la piel del cuello (quemaduras, cicatrices, etc.); lesiones de los canales semicirculares del oído interno; lesiones de la columna vertebral cervical (mal de Pott); luxaciones; fracturas; inflamaciones de los músculos; contractura de alguno de los músculos del cuello por inflamación supurada del mismo o por irritación del nervio que lo inerva o debido a ciertas neurosis (especie de tic nervioso).

El tortícolis que nos interesa aquí es el que ha recibido el nombre de reumático, o agudo, que es producido por fibrositis, y del cual a veces se han presentado verdaderas "epidemias". Aparece generalmente en forma brusca, especialmente cuando se ha estado expuesto al frío o a corrientes de aire. El paciente no puede dar vuelta la cabeza hacia el lado sano sin agudo sufrimiento. Se siente que el músculo trapecio o el esternocleidomastoideo u otros del cuello están contraídos y doloridos. El estado general del paciente no está afectado.

Tratamiento

Consiste en reposo de los músculos afectados, calor aplicado en distintas formas: fomentos, calor radiante, rayos infrarrojos, onda corta y masaje suave, aplicación de ciertos linimentos como el de la receta No. 4 de la página 846 y la ingestión de vitamina E. El médico ve a veces necesario prescribir ciertos medicamentos (por ejemplo relajantes del músculo como el norflex), o indicar inmovilización del cuello con una especie de collar de fieltro, o bien administrar medicamentos que calmen la contractura de los músculos. Esta afección cesa habitualmente en pocos días.

LUMBAGO
(dolores de cintura)

El verdadero lumbago es una fibrositis de los músculos de la parte baja del dorso.

Conviene mencionar aquí, sin embargo, algunas de las otras causas que

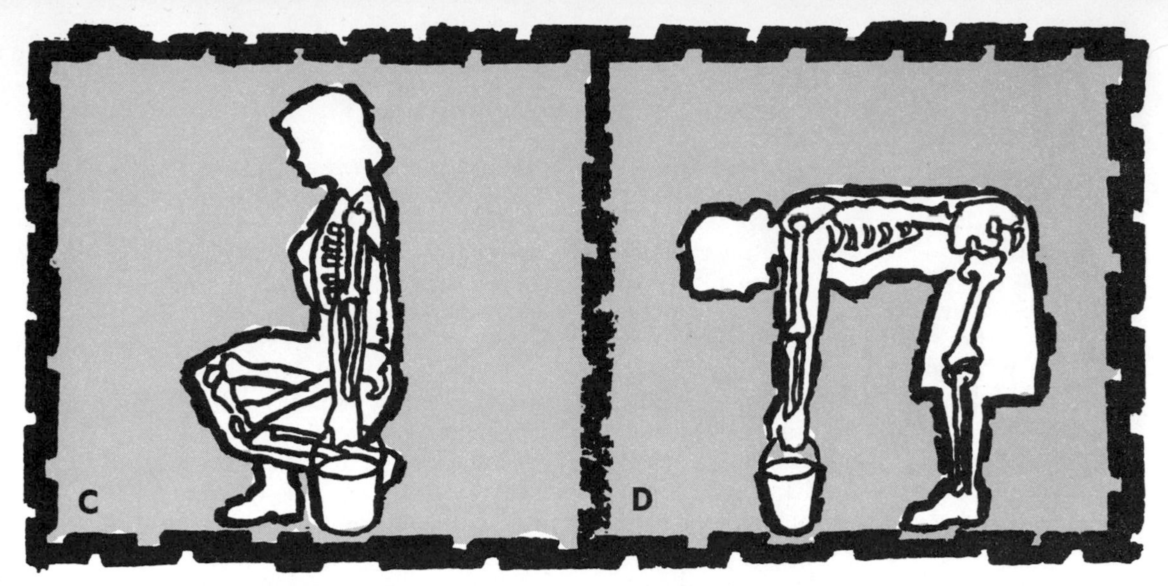

Fig. 526. ESQUEMAS QUE MUESTRAN LA MANERA CORRECTA (C) E INCORRECTA (D) DE LEVANTAR UN OBJETO PESADO.

pueden dar dolor en dicha región. Dos de las causas más frecuentes son: el adoptar una posición defectuosa cuando se está de pie o se trabaja, y el pie plano. Los traumatismos de la columna lumbar (fracturas, hernia del disco intervertebral, etc.), o de los músculos, ligamentos y articulaciones de la región, son otra importante causa. En ciertos casos, la persona ha nacido con un defecto en su columna lumbar. El reumatismo vertebral crónico en sus diversas formas (espondilitis, osteoartrosis de columna, etc.) es una causa frecuente de lumbago. También puede aparecer esta dolencia cuando las articulaciones sacroilíacas (unión de los huesos ilíacos con el sacro) están afectadas.

En ciertas enfermedades, como brucelosis, tifoidea, viruela, fiebre amarilla, gripe, etc., puede haber un intenso dolor en el dorso y la cintura.

En ciertos casos, la causa del dolor se halla en los órganos genitales femeninos (desviaciones del útero, inflamaciones o tumores del útero y los ovarios, menstruación dolorosa); en el tubo digestivo (afecciones del colon y el recto), o en el aparato urinario: cálculos, enfermedades de la próstata y las vesículas seminales. Por esta lista parcial de causas, habrá ya deducido el lector que el dolor de la parte baja del dorso es un síntoma y no una enfermedad en sí.

Por ello es conveniente un examen médico completo, ayudado en muchos casos por radiografías para llegar a descubrir la causa y para tratarla. El dolor bajo, a los lados de la columna vertebral es interpretado con frecuencia por el paciente como debido a los riñones, lo que es poco frecuente.

LUMBAGO PROPIAMENTE DICHO

El lumbago es frecuentemente una fibrositis de los músculos de la región lumbar (parte baja del dorso) o de la aponeurosis que los reviste. Favorecen su aparición el cansancio o el esfuerzo excesivo de dichos músculos, el exponerse al frío, cualquier factor que disminuya la resistencia del paciente y, probablemente, también las infecciones focales (de dientes, amígdalas, etc.). Otras veces se debe a una hernia en un disco intervertebral.

En su forma aguda se manifiesta como un agudísimo dolor que puede iniciarse en el momento en que se quiere levantar el tronco después de haberse agachado. En otros casos aparece el dolor de mañana al despertar. Hay casos en que comienza después de dormir con el dorso expuesto a una corriente de aire o al enfriarse después de haber transpirado. El dolor comienza generalmente a uno de los lados de la columna, y su intensidad aumenta con los movimientos, lo que inmoviliza al paciente. Aumenta con frecuencia también al toser o estornudar. Puede el dolor extenderse a otras partes. Si se observa al paciente, se nota que la parte baja de su columna vertebral queda inmóvil para evitar el aumento del dolor, y que su tronco está ligeramente inclinado hacia adelante y la cabeza echada hacia atrás. Hay formas crónicas que aparecen después de varios ataques agudos.

La persona que ha tenido lumbago está predispuesta a tenerlo otra vez. Hay otras causas de dolor en el dorso que pueden simular ser lumbago.

Prevención

Hay algunas precauciones que pueden ayudar a evitar la aparición del lumbago. Las mencionaremos a continuación:

a) Al levantar un objeto pesado, hacer el esfuerzo con los miembros inferiores y no con la cintura o la espalda (véase la figura 526).

b) Evitar el trabajar en una posición incómoda. Así por ejemplo, el lavar ropa o hacer otro trabajo estando muy agachado, puede causar daño.

c) Evitar también los movimientos muy bruscos o excesivo trabajo pesado, a los que no se esté acostumbrado.

d) Cuando sea necesario levantar, empujar o tirar de un objeto, evítese rotar el tronco al mismo tiempo.

e) Es conveniente adoptar una postura correcta cuando se está de pie, sentado o acostado (véanse las páginas 80-82). Si por ejemplo el estar mucho tiempo sentado guiando un automóvil produce dolor de cintura, puede ser necesario colocar un pequeño almohadón detrás de la misma.

f) Los ejercicios físicos que fortalecen los músculos del dorso, tales como la natación, u otros especiales para estos casos, son útiles para evitar dolores de espalda.

g) Los tacos muy altos en la mujer pueden causar rebeldes dolores de cintura.

Tratamiento

Es útil la aplicación de calor y masaje. El calor se aplicará 2 veces por día durante por lo menos 30 minutos (fomentos calientes, calor radiante, rayos infrarrojos, diatermia, onda corta, bolsa de agua caliente, etc.). Luego puede aplicarse masaje y, cuando ya hay cierta mejoría, movimiento gradual. El médico aplica a veces inyecciones de novocaína (procaína) o de corticoides en la zona afectada, o prescribe fricciones con algún linimento, o indica medicamentos por boca o inyección. A veces indica sustancias que hacen cesar las excesivas contracciones de los músculos afectados (por ejemplo el norflex). Hay ciertos casos de lumbago que son acompañados o seguidos de ciática.

CAPITULO 135

Enfermedades del Colágeno o Colagenosis

EN EL año 1942, Klemperer, en magnífica síntesis, reunió bajo el nombre de enfermedades del colágeno a distintas afecciones que tenían como elemento común cambios degenerativos en las fibras colágenas del tejido conjuntivo, ya fuera en piel, arterias, músculos, endotelios, tejidos articulares, etc.

Las colagenosis abarcan afecciones ya descritas desde hace muchos años, como por ejemplo el lupus eritematoso difuso, la periarteritis nudosa, la esclerodermia, la dermatomiositis y la artritis reumatoide. Esta última enfermedad ya fue descrita en el capítulo 134.

Se describirán brevemente las características principales de estas afecciones.

Lupus eritematoso diseminado

No debe confundirse con el *Lupus vulgaris,* que es una forma de tuberculosis de la piel.

El lupus eritematoso diseminado ataca con mayor frecuencia a la mujer, y entre los 20 y los 40 años de edad. Los síntomas y localizaciones son muy variables. Con frecuencia se inicia con fiebre y dolores en diversas articulaciones. Aparecen después diversas lesiones en la piel, la más típica de las cuales es la presencia de manchas de color lila, descamantes, que se extienden desde la raíz de la nariz a mejillas, párpados, frente, mentón, etc., tomando con frecuencia la forma de mariposa.

Es muy frecuente que se produzcan en esta enfermedad lesiones del corazón (pericarditis, miocarditis, endocarditis) o de otras serosas, como por ejemplo, pleura, peritoneo, articulaciones.

El riñón está frecuentemente afectado. El bazo y el hígado suelen estar aumentados de tamaño. Los exámenes de laboratorio revelan con frecuencia anemia y disminución de los glóbulos blancos y, como elemento sanguíneo típico, células llamadas L. E. En la orina es común comprobar elementos anormales durante el curso de esta afección.

Es prudente evitar la exposición de la piel al sol fuerte, el cansancio excesivo, y alimentarse correctamente. Es frecuente que el médico prescriba antimaláricos (como la cloroquina), vitamina B_{12} y otras y, cuando resulta indispensable, corticoides o ACTH, transfusiones, antibióticos cuando hay tendencia a infecciones, evitar fatigas, (necesitan mucho reposo). A veces el médico indica citotóxicos. Las infecciones intercurrentes deben tratarse precozmente.

Periarteritis nudosa

Esta enfermedad, más frecuente en el sexo masculino y en la edad madura, se caracteriza por lesiones degenerativas e inflamatorias localizadas de las arterias pequeñas y medianas, lo que lleva al déficit en la función de los órganos afectados. Con frecuencia hay en los antecedentes de estos enfermos alergia o una infección.

Esta enfermedad puede manifestarse insidiosamente como una enfermedad crónica debilitante, pero lo más frecuente es que se inicie con fiebre, síntoma que puede persistir en el curso de la enfermedad. Son frecuentes manifestaciones en la piel, por ejemplo diversas erupciones y nódulos en el tejido celular subcutáneo del tamaño de una arveja.

Es frecuente que haya dolores en diversas partes del cuerpo, a veces parálisis de algún nervio, alteraciones del corazón o de los vasos, lesiones renales. Puede simular diversos cuadros agudos de abdomen (apendicitis, colecistitis, pancreatitis aguda, etc.).

Los exámenes de laboratorio revelan un moderado aumento de los polinucleares eosinófilos y modificaciones en las proteínas de la sangre.

El tratamiento es semejante al que indicamos más arriba para el lupus eritematoso diseminado.

Esclerodermia

Esta enfermedad del colágeno es más frecuente en la mujer y entre los 30 y los 50 años. Se caracteriza por el endurecimiento y espesamiento de la piel y del tejido celular con pérdida de su elasticidad, que afecta en forma localizada o más extensa al paciente, acompañándose a veces por trastornos en las vísceras, como por ejemplo el esófago. Además de los tratamientos recomendados para el lupus eritematoso diseminado, se indican la fisioterapia y ciertas hormonas.

Dermatomiositis

Esta enfermedad del colágeno es poco frecuente, y algunos autores creen que es una forma de esclerodermia.

Comienza ya sea en forma gradual, con cansancio y debilidad creciente de los músculos afectados y pigmentación de la piel con leve descamación de la misma; o en forma brusca, con fiebre, músculos hinchados, dolorosos y erupciones de diversos aspectos en la piel. El tratamiento es semejante al de la esclerodermia.

CAPITULO 136

Generalidades sobre Alergia; Causas Predisponentes de la Misma; su Tratamiento

Definición

PUEDE definirse la alergia como una sensibilidad anormal a sustancias o factores generalmente bien tolerados por las demás personas.

Generalidades

Reina aún bastante confusión acerca de algunas particularidades de ciertas reacciones alérgicas, lo que se debe en parte a que hay todavía hechos que aclarar. Las mismas palabras tienen para diversos autores especializados distintas acepciones.

Trataremos sin embargo de dar al lector un breve concepto general sobre alergia, aunque nos referiremos en particular a las distintas manifestaciones alérgicas en otras partes de esta obra (véase Asma, en la página 1352; Rinitis espasmódica en el capítulo 164; Urticaria y Edema angioneurótico en el capítulo 161; Prurigo en la página 427 y Eccema en las páginas 1611-1614).

Se cree que los *alergenos,* es decir las sustancias capaces de producir síntomas alérgicos, originan en los tejidos de la persona predispuesta unos productos llamados *reaginas* o *precipitinas.* Cuando el alergeno se pone nuevamente en contacto con el organismo ya sensibilizado, se produce una reacción semejante a la del "antígeno" sobre el "anticuerpo", que se puede desarrollar en el organismo cuando éste se inmuniza contra una enfermedad por vacunación, pero que en lugar de ser útil o favorable como en el caso de la inmunidad, es desfavorable y produce síntomas anormales.

Las reaginas y precipitinas son, pues, anticuerpos provocados en ciertos tejidos del organismo y aun en la sangre por los alergenos. Cuando la sustancia a la cual está sensibilizado el organismo, o sea el alergeno, se pone en contacto con aquél, se liberarían ciertas sustancias semejantes a la histamina, y serían éstas las que producirían las reacciones alérgicas.

Cuando hay anticuerpos en la sangre, la reacción alérgica se produce rápidamente después del contacto con el antígeno (5 a 30 minutos). Como ejemplos de esta reacción precoz o alergia humoral, señalaremos la urticaria, el edema angioneurótico, la rinitis espasmódica, el asma bronquial y el peligroso shock anafiláctico.

Cuando los anticuerpos se hallan en los tejidos y no en la sangre (alergia tisular), la reacción es tardía, sobreviniendo de 24 a 48 horas después del contacto con el alergeno. Como ejemplos pueden citarse ciertos eccemas de origen alérgico y las reacciones a la melitina (fiebre ondulante) o a la tuberculina.

Factores que predisponen a la alergia

HERENCIA.—Se ha observado que los padres no alérgicos tienen hijos no alérgicos, salvo un porcentaje pequeño, que varía de una estadística a otra entre un 3 y un 8%. Cuando uno de los padres es alérgico, un término medio del 55% de los hijos presenta también alergia. Esta tendencia es más acentuada cuando es la madre la afectada de alergia. Cuando ambos padres son alérgicos, aproximadamente el 85% de los hijos presentarán alergia en una u otra forma.

DISPOSICION O DIATESIS.—El alérgico presenta con frecuencia una predisposición a esas manifestaciones. Tiene esta disposición especial mucho de parecido con la llamada diátesis exudativa (véase la pág. 422).

OTRAS CAUSAS PREDISPONENTES.—La dispepsia hepatobiliar crónica se encuentra con mucha frecuencia en los alérgicos. Se ha observado que a menudo aparecen las manifestaciones alérgicas cuando hay un debilitamiento general, como el que sigue por ejemplo a una enfermedad infecciosa. También predisponen, el embarazo, la menopausia y la menstruación, las emociones y las operaciones sobre la nariz y la garganta en las épocas cuando hay polen de ciertas plantas que con frecuencia producen alergia.

EDAD.—Antes de la pubertad, la alergia se manifiesta con doble frecuencia en los varones que en las niñas, mientras que desde la pubertad hasta los 40 años comparado con los hombres, es doble el número de mujeres que desarrollan alergia. Es muy frecuente que la alergia se manifieste por primera vez en la infancia y la adolescencia.

Factores capaces de producir alergia

Además del polen de plantas, de hongos, pelos, plumas, emanaciones de animales, polvo de habitación, proteínas alimenticias, medicamentos, productos de tocador y sustancias microbianas, pueden provocar alergia, o facilitarla, ciertos factores, como el calor, el frío y el sol.

Principales sustancias que pueden producir alergia

INHALANTES (sustancias que se ponen en contacto con las mucosas respiratorias por medio del aire que se inspira).—Producen principalmente rinitis espasmódica, asma bronquial y alergia ocular.

a) *Polen de malezas, plantas cultivadas y árboles.* En el hemisferio norte encontramos como frecuentes causantes: en primavera, el polen de ciertos árboles como el abedul, el álamo, el roble, el arce, el olmo, etc.

En verano, con frecuencia se debe al polen de plantas o malezas (alfalfa, albahaca, pastos Johnson y Bermuda) o a esporos de ciertos hongos. En otoño, causa frecuente son el polen de las plantas de la familia de la ambrosía o de las quenopodiáceas.

Dentro de las malezas que con frecuencia producen alergia en Sudamérica pueden citarse la altamisa, la cebadilla, el cardo, la quinoa, el "ray-

MANERA EN QUE ACTUA LA FIEBRE DEL HENO

La fiebre del heno es causada usualmente por la acción progresiva del polen inhalado en la respiración: (A) El polen entra en contacto con la mucosa nasal provocando una reacción formadora de anticuerpos, con liberación de histamina. (B) Como resultado, los capilares y las vénulas se dilatan, los ojos y las vías de la nariz se enrojecen, y finalmente (C) aparecen hinchazón y exudación de suero.

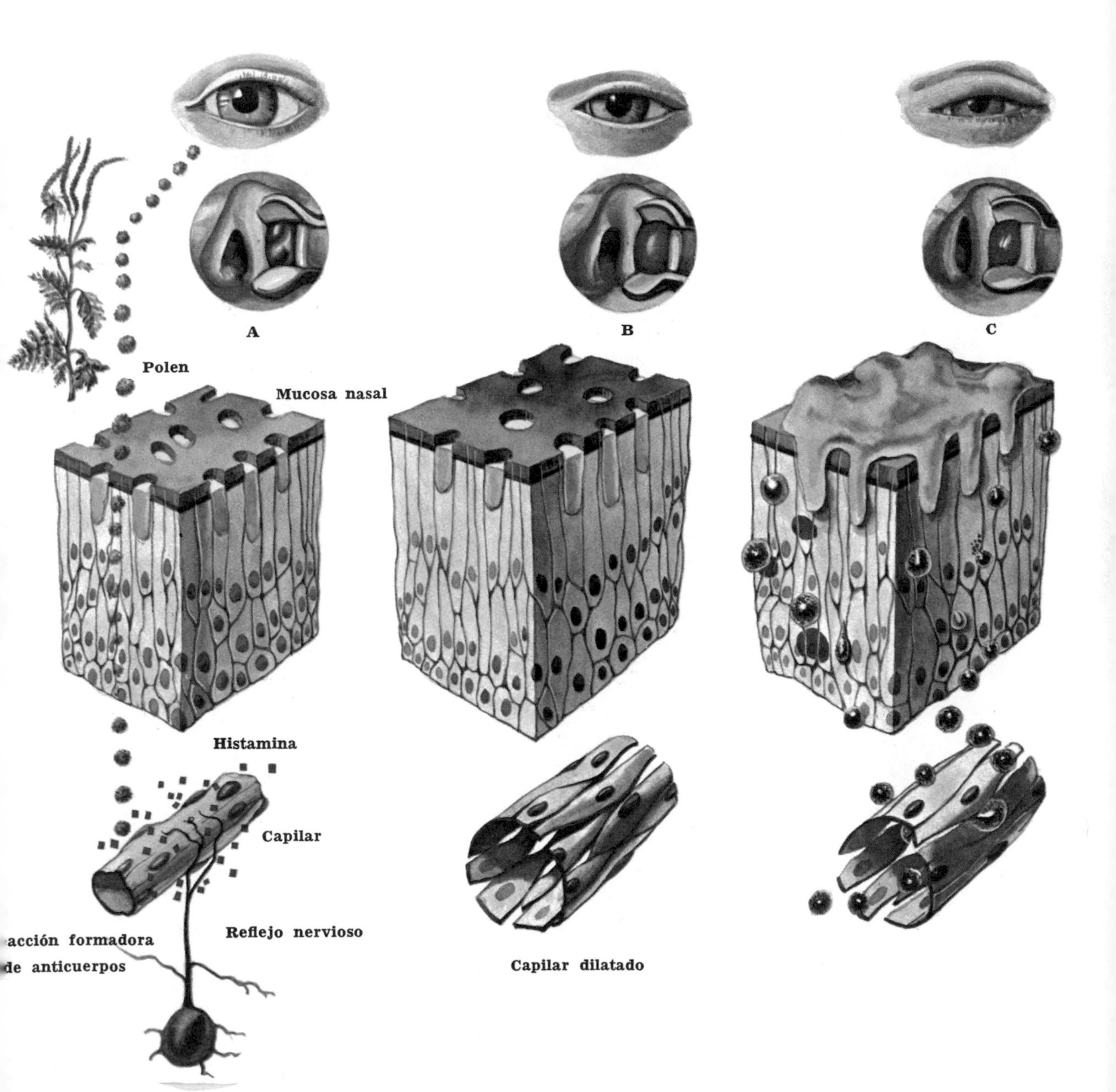

grass", el abrojo, la "pata de perdiz", la cortadera, el junco, etc.

Entre las plantas cultivadas, el polen de diversas clases de sorgo, de maíz, girasol, acelga, remolacha, etc.

De los árboles pueden citarse ciprés, roble, raulí, cohigüe, arce, casuarina, plátano, álamo, tala, etc.

b) *Polvo de las habitaciones.* Es una de las causas más frecuentes.

c) *Esporos de diversas especies de hongos.*

d) *Pelo y caspa de animales domésticos.* En la ciudad: perro, gato, algunas aves. En el campo: los anteriores y además ovejas, vacunos, caballos, gallinas y otras aves. En la ciudad y en el campo las personas predispuestas pueden ser afectadas por partículas de crin de caballo, pelo de vicuña o de camello, lana, pelo de conejo, pieles de diversos animales, plumas, seda, etc., partículas que se desprenden de prendas de vestir, ropas de cama o tapizados de muebles.

e) *Polvo de ciertos vegetales.* Algodón, lino, yute, paina o kapok, fibra de "palo borracho", maíz, raíz de lirio (se la halla en muchos cosméticos), piretro (se lo halla en líquidos insecticidas que se pulverizan y en las espirales para mosquitos), tabaco.

POR INGESTION.—La ingestión de diversas sustancias puede producir asma y cualquier tipo de alergia, aunque lo más común es que produzca, como manifestación alérgica, urticaria, ciertas formas de eccema y trastornos digestivos. Puede dividirse en ingestión de alimentos y de medicamentos.

a) *Alimentos.* Prácticamente cualquier alimento es capaz de producir sensibilización. Dentro de los más corrientes, podemos citar los siguientes: pescado, chocolate, huevos, trigo, maíz, arvejas, porotos, frutillas, banana (plátano), leche, papa, naranja, etc.

b) *Medicamentos.* Pueden hallarse personas sensibilizadas a medicamentos como sulfas, penicilina, aspirina, quinina, cafeína, teobromina, fenacetina, piramidón, etc.

También los medicamentos que se inyectan pueden producir en ciertos casos alergia (sueros terapéuticos, hormonas, penicilina, etc.). Estos, junto con la picadura de ciertos insectos, forman en realidad otro grupo, el de los alergenos inyectados.

POR CONTACTO.—Hay sustancias que producen manifestaciones de origen alérgico en la parte de la piel con la que han estado en contacto. Cabe señalar como manifestaciones principales ciertas formas de eccema y la dermatitis por contacto (véase el capítulo 161). En dicho capítulo se mencionan cuáles son las principales plantas capaces de provocar estos trastornos. Hay otras más comunes, que pueden también producirlo ocasionalmente.

La lana y la seda, las tinturas para el cabello y los cueros, los esmaltes para las uñas, los lápices para los labios, los coloretes para las mejillas, la raíz de lirio (que actúa también como inhalante), pueden ser causantes de lesiones en la piel.

Además, muchas sustancias utilizadas en la industria pueden sensibilizar a los operarios que las manejan.

ENDOALERGENOS O ALERGENOS INTRINSECOS.—Son aquellos que la persona lleva en su organismo. Sucede a veces que una persona llega a sensibilizarse a los gérmenes que lleva en sus vías respiratorias, aparato digestivo o en algún foco de infección (alergia bacteriana). También los parásitos pueden causar el mismo efecto.

AGENTES FISICOS.—Se ha observado que algunos pacientes presentan síntomas alérgicos cuando se someten a ciertos agentes físicos, como el frío, el calor, la luz, la presión.

La explicación de este fenómeno no es aún del todo clara (¿histamina?), pero no por ello deja de ser cierto el hecho.

Vías por las que pueden actuar los alergenos

El alergeno puede actuar sobre el organismo penetrando por muy diversas vías: inhalación o vía respiratoria, ingestión o vía digestiva, inyección, contacto con la piel o las mucosas.

Relación entre la intensidad de los estímulos y la disposición

Cualquier persona no predispuesta puede presentar síntomas alérgicos sin previa sensibilización, si se la somete a la acción muy intensa de un alergeno. En cambio el predispuesto los presentará frente a cantidades infinitesimales de la misma sustancia. Quiere decir que cuanto mayor la predisposición menos intenso necesitará ser el excitante para producir trastornos o para sensibilizar a la persona. Además de la predisposición, pueden intervenir otros factores en la aparición de síntomas alérgicos, como éstos: exposición a polvo u otras sustancias irritantes, ciertas infecciones, la exposición al frío o al calor, el tiempo húmedo o tormentoso, factores nerviosos, trastornos hepáticos o de las glándulas de secreción interna, y otros que sería largo enumerar aquí.

Principales manifestaciones de alergia

Rinitis espasmódica (capítulo 164), ciertas formas de asma bronquial (capítulo 110), urticaria, edema angioneurótico (capítulo 161) y ciertas formas de eccema (capítulo 161), son las manifestaciones más corrientes de alergia. Cabe señalar que hay muchas más, como diversas erupciones en la piel o las mucosas, ciertos dolores de cabeza, algunas conjuntivitis, algunas formas de púrpura, ciertas colitis, etc.

Diagnóstico de la alergia

Por supuesto, el médico piensa en alergia cuando la enfermedad o síntoma que presenta el paciente es producido siempre o frecuentemente por dicha causa. Tiende a confirmar esta presunción si hay antecedentes de enfermedades alérgicas en la familia. Cuando, suprimido el factor que parece causar los síntomas alérgicos, éstos desaparecen, y reaparecen cuando el enfermo se pone nuevamente en contacto con aquél (esta prueba se hace repetidamente para evitar una casualidad), hay, por así decirlo, una confirmación experimental del diagnóstico.

Hay sin embargo diversos medios de diagnóstico que utilizan los especialistas en alergia, de mucha utilidad cuando son bien interpretados. Así por ejemplo, si se sospecha que una "dermatitis por contacto", o sea una inflamación de la piel de probable origen alérgico, es producida por determinada sustancia (tejido, tintura, polvos, barniz, etc.), la manera lógica de confirmarlo es colocar en contacto con la piel, por un número determinado de horas, la sustancia de la que se sospecha. Si es la causante, provocará una reacción en la porción de la piel con la cual estuvo en contacto. Otros medios que pueden utilizarse para inhalantes y alimentos son las llamadas cutirreacciones y las intradermorreacciones. Para las primeras se hacen erosiones superficiales de la piel, que se ponen en contacto cada una con determinada sustancia. En las segundas, se inyecta en el espesor de la piel una pequeña cantidad de una solución de las sustancias que se investigan. En ambos casos, cuando la persona está sensibilizada a determinada sustancia, se produce una saliente rojiza, semejante a una placa de urticaria donde se ha inoculado. En el niño, como las sensibilizaciones son relativamente pocas, este método es de fácil interpretación. En el adulto, la interpretación suele ser más difícil, pues es a menudo múltiple. El hecho de que sea positiva la reacción para cierta sustancia no quiere decir siempre que sólo ésta sea la causante de los síntomas del paciente.

Otro método útil para la alergia por ingestión, es el de suprimir todo alimento por 24 horas y luego añadir los alimentos que con menos frecuencia dan alergia, agregando gradualmente los otros alimentos. El paciente lleva además un diario detallado de todo lo que come y anota la reacción que le ha producido. Combinando así ambos métodos se puede a veces deducir cuál es el alimento que causa los trastornos.

Tratamiento de la alergia

(Véase el tratamiento propio de cada afección alérgica.) Cuando es posible, se suprime el agente causal. Cuando esto no es posible, se trata de inmunizar a la persona, dando a ingerir o inyectando, según el caso, pequeñísimas cantidades de la sustancia que no se tolera. Otras veces se hace la desensibilización no específica (véase el tratamiento de asma en el capítulo 110). Para evitar los síntomas molestos, el médico prescribe adrenalina, efedrina o corticoides, o bien los llamados antihistamínicos que describimos más adelante. Además es importante tratar o evitar los diferentes factores que secundariamente reducen la tolerancia del organismo frente al factor causante de la alergia (véase la página 1400).

Los antihistamínicos

Se debe al investigador francés Fourneau el haber producido en 1933 una sustancia que impedía la anafilaxia experimental. Tenía el inconveniente de ser tóxica. Nuevas investigaciones del mismo hombre de ciencia permitieron llegar a producir una sustancia comercialmente llamada antergan, que era efectiva y sin toxicidad. Se creía que se combinaba esta sustancia con la histamina, a cuya liberación se atribuyen muchas manifestaciones alérgicas. Se las llamó por ello sustancias antihistamínicas. Estudios posteriores han demostrado que no hay tal combinación, aunque se cree que los antihistamínicos "compiten" con la histamina al actuar sobre las células impidiendo así la acción de esta última. Nuevos perfeccionamientos permitieron producir mejores sustancias, como neoantergan y fenergan. En Suiza y Estados Unidos se comenzaron a producir luego sustancias de acción semejante, como antihistina, piribenzamina, benadryl, hetramina; neohetramina, teforín, diatrina, decaprin, diparalene, trimeton, clortrimeton, eucatol, fenergan, tenalín, periciclín, dibistina, copironil, tacaryl, etc.

Los antihistamínicos en sí no curan la alergia, pero sí hacen cesar o alivian muchas de sus tan molestas manifestaciones. Algunas de las más corrientes afecciones para las cuales se usan actualmente los antihistamínicos son: urticaria y edema angioneuróticos, para los cuales son sumamente efectivos; ciertas dermatitis o eccemas de origen alérgico (por ingestión y localmente) ; rinitis espasmódica; ciertas formas de asma; picaduras de abeja o de otros insectos; comienzo del resfrío común (véase el capítulo 164). En forma de pomada o crema se utilizan algunos antihistamínicos en el tratamiento local de prurito de diversas partes del cuerpo, inflamaciones de la piel de origen alérgico, etc.

Algunas de estas sustancias producen somnolencia y otras molestias, por lo que deben tomarse solamente por prescripción médica y bajo vigilancia del facultativo.

En ciertos casos intensos y rebeldes los síntomas ceden temporariamente con derivados de la cortisona, tales como la prednisolona o con una hormona de la hipófisis (ACTH).

3

PARTE DECIMOQUINTA

Enfermedades del Sistema Nervioso

CAPITULO 137

Resumen de la Anatomía y Fisiología del Sistema Nervioso

LA COMPLEJIDAD del tema, tan lleno de detalles, y la falta de espacio, nos obligarán a ser más breves aún en la descripción de la constitución del sistema nervioso y de sus funciones, que en los otros temas de anatomía y fisiología tratados anteriormente.

Objeto del sistema nervioso; sus partes

El sistema nervioso nos pone en contacto con el mundo exterior, permitiéndonos conocerlo y obtener de él los elementos necesarios para la vida. Además, coordina la acción de los distintos sistemas y órganos, función ésta que comparte con las glándulas de secreción interna, que influyen sobre el sistema nervioso y que, a su vez son influidas por él. Hay dos partes principales en el sistema nervioso: a) *el sistema nervioso cerebroespinal,* llamado también de relación, por ponernos en relación con el mundo exterior; b) *el sistema neurovegetativo* o *autónomo,* que dirige el funcionamiento de los órganos que están fuera de la acción de nuestra voluntad, y que coordina el funcionamiento de los diversos aparatos. Aunque recibe el nombre de autónomo, como veremos más adelante, su origen se halla también en el sistema nervioso central, al cual está unido por diversas fibras.

Se ha comparado el sistema nervioso a un sistema telefónico automático, en el cual los nervios representarían los cables y los centros nerviosos las centrales que reciben y transmiten por la vía más apropiada las comunicaciones. El influjo nervioso es semejante al influjo eléctrico o corriente que pasa por los hilos telefónicos.

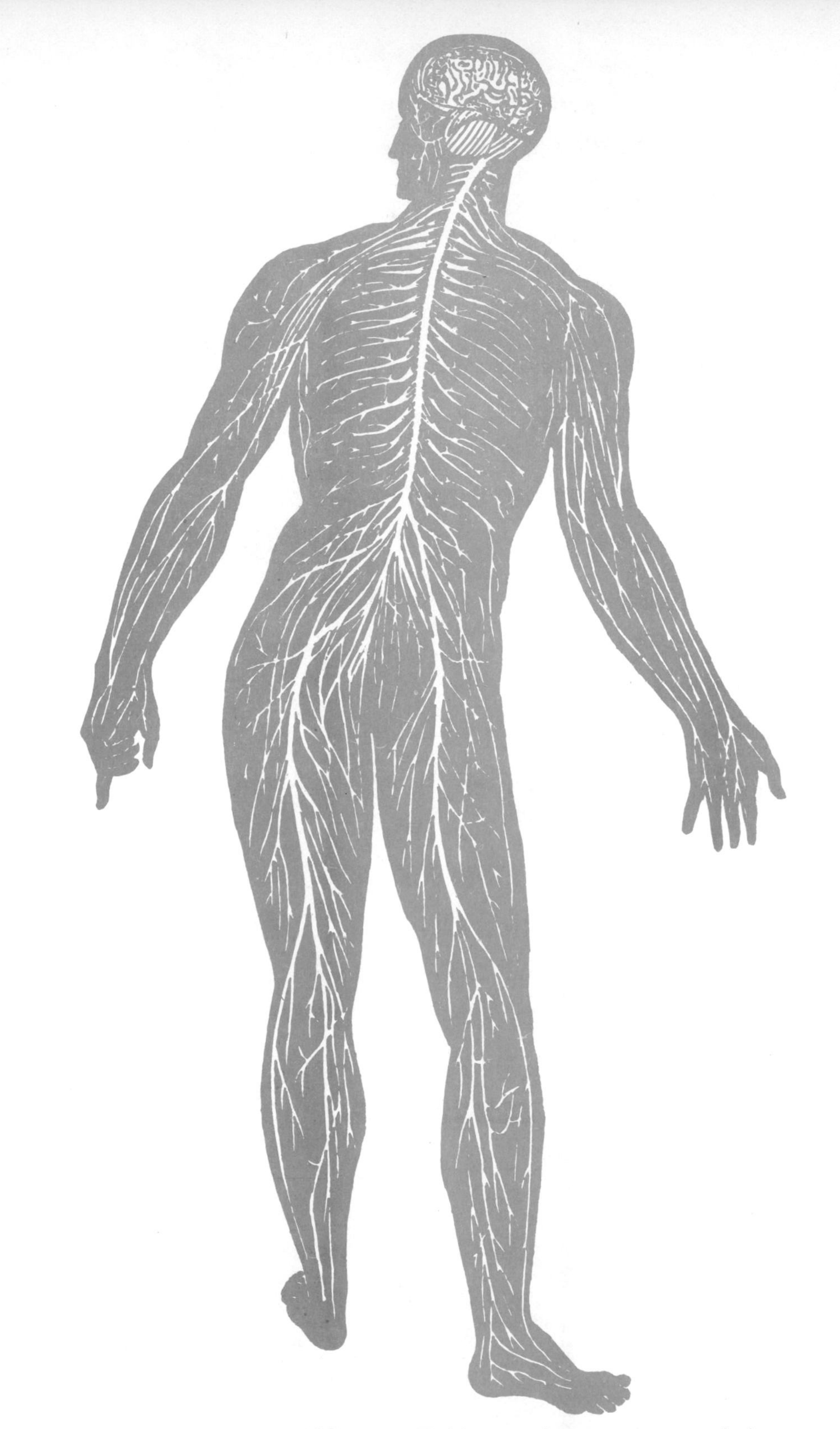

Fig. 527. EL SISTEMA NERVIOSO. El sistema nervioso nos pone en contacto con el mundo exterior y nos permite obtener de él los elementos necesarios para la vida.

SISTEMA NERVIOSO CEREBROESPINAL O DE LA VIDA DE RELACION

Este sistema nos permite, por medio de la sensibilidad y de los órganos de los sentidos, percibir el mundo exterior y, por medio de los movimientos voluntarios y los involuntarios o reflejos, nos permite actuar en dicho medio.

El sistema comprende el encéfalo, la médula espinal y sus envolturas. De él salen los nervios periféricos. Para comprender mejor sus funciones, es indispensable estudiar su elemento o unidad fundamental, que es la neurona.

La neurona

La neurona está formada por la célula nerviosa y sus prolongaciones. El cuerpo de la célula es de forma variable: piramidal, poliédrica, esférica,

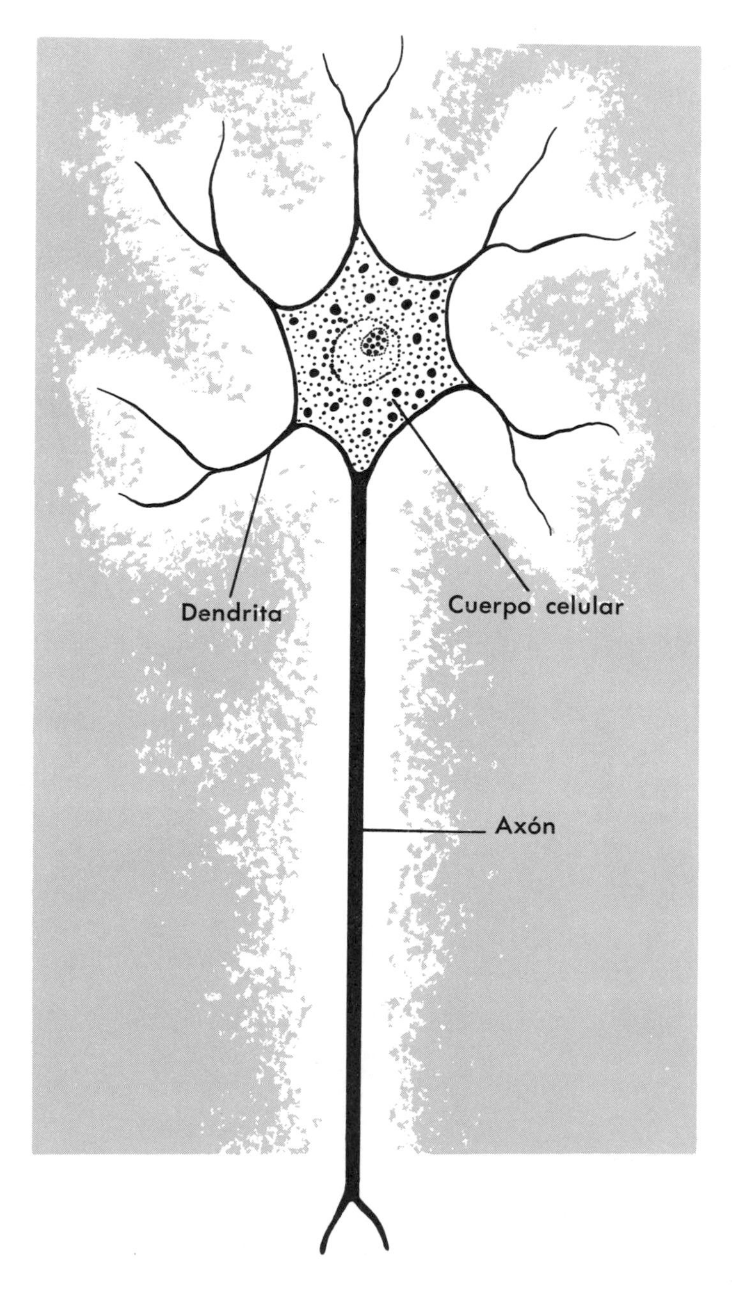

Fig. 528. ESQUEMA DE UNA NEURONA. Se puede observar la célula con su núcleo; en la parte superior se observan sus prolongaciones protoplasmáticas o dendritas, y en su parte inferior su axón o cilindroeje con su vaina o envoltura. (El axón ha sido acortado para ahorrar espacio.)

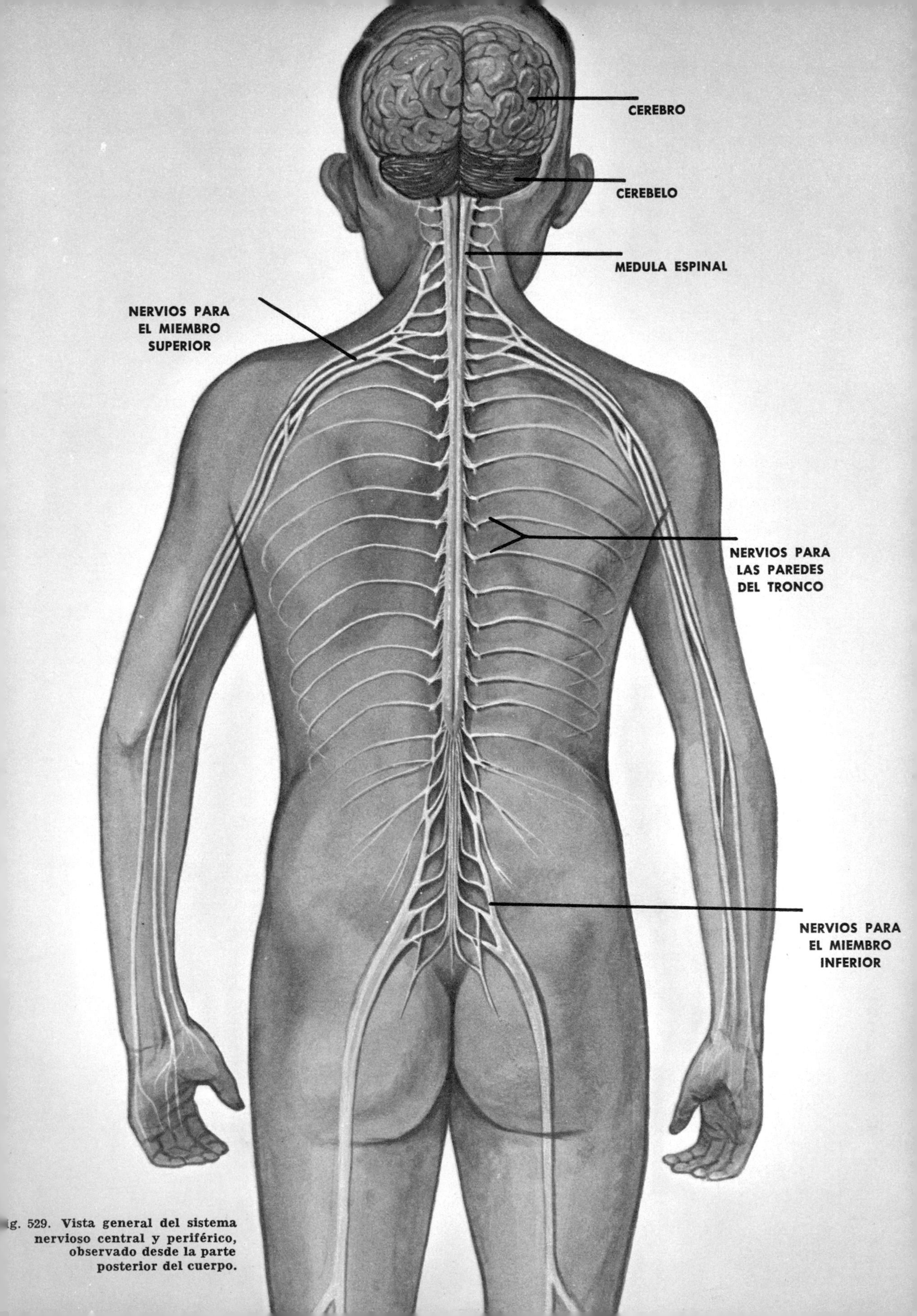

ig. 529. Vista general del sistema nervioso central y periférico, observado desde la parte posterior del cuerpo.

ovoidea, etc. Su tamaño varía desde las muy pequeñas, de 6 milésimas de milímetro, o micrones, que pueden hallarse en el cerebelo, hasta las de 70 micrones, como por ejemplo las células motoras que se hallan en los cuernos anteriores de la médula.

El cuerpo de la célula nerviosa tiene en su interior fibrillas (neurofibrillas) y unas masas llamadas cuerpos de Nissl, que dan a la célula teñida con ciertos colorantes un aspecto atigrado. Además se observa una especie de red llamada aparato de Golgi. Su núcleo es claramente visible y contiene un nucleolo. Las prolongaciones son de dos variedades: la *dendrita* o prolongación protoplasmática y el *axón,* o cilindroeje. Las dendritas son generalmente cortas, ramificadas y de base ancha. Pueden ser múltiples. El axón es habitualmente largo, único, de base estrecha y poco ramificada, formada por neurofibrillas del cuerpo de la célula que le da origen. Con frecuencia el axón está aislado por una sustancia grasosa llamada mielina y además por otra envoltura formada por unas células especiales, llamadas de Schwann, que le forman una vaina al axón.

Las fibras nerviosas revestidas de mielina reciben el nombre de mielínicas y las no protegidas por dicha sustancia, el de amielínicas.

Los cuerpos de las células nerviosas se hallan habitualmente en la sustancia gris del sistema nervioso central y en ciertos ganglios situados fuera del mismo. La sustancia blanca del sistema nervioso está formada en cambio por fibras nerviosas, cada una de las cuales tiene en su centro un axón o cilindroeje, habitualmente revestido de mielina y del neurilema o vaina de Schwann. En los nervios periféricos la envoltura de mielina presenta interrupciones, hundiéndose a su nivel la vaina de Schwann. Estos estrechamientos de la fibra nerviosa reciben el nombrc de estrangulaciones de Ranvier.

FUNCIONAMIENTO DE LA NEURONA.—La célula nerviosa recibe influjos nerviosos por sus dendritas y a su vez transmite influjos nerviosos por su axón. Esos influjos pueden ir a otra célula nerviosa, a un músculo

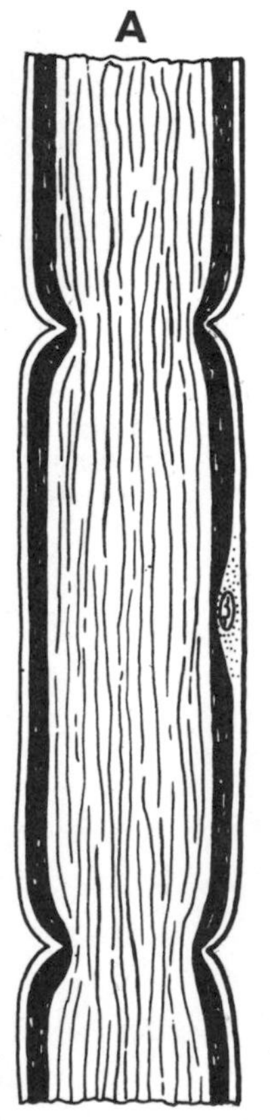

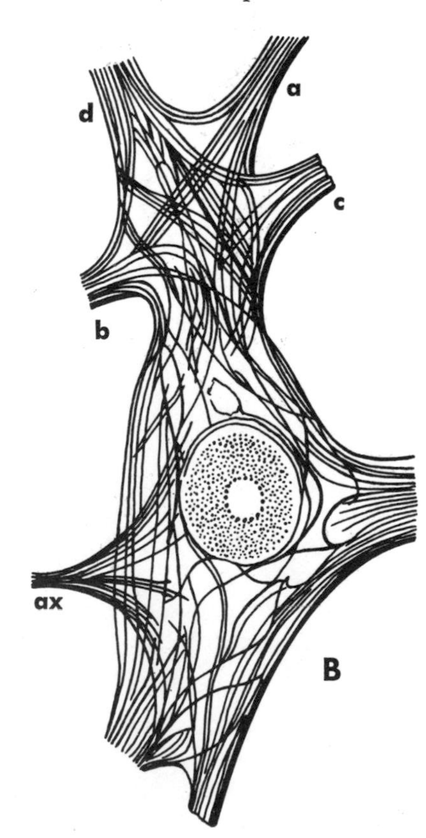

Fig. 530. A) CORTE LONGITUDINAL DE UN CILINDROEJE O AXON. Pueden observarse las fibrillas que constituyen el cilindroeje, rodeadas de la vaina de mielina (teñida aquí de negro). Por fuera de la mielina es visible, en ciertos lugares, la vaina de Schwann. La zona estrechada es una de las llamadas estrangulaciones de Ranvier. (Testut.)

Fig. 531. B) CELULA NERVIOSA DEL CUERNO ANTERIOR DE LA MEDULA. En esta célula se ven claramente las neurofibrillas que pasan a la célula de las prolongaciones protoplasmáticas (a, b, c, d), algunas de las cuales pasan al cilindroeje o axón. (ax) (Testut.)

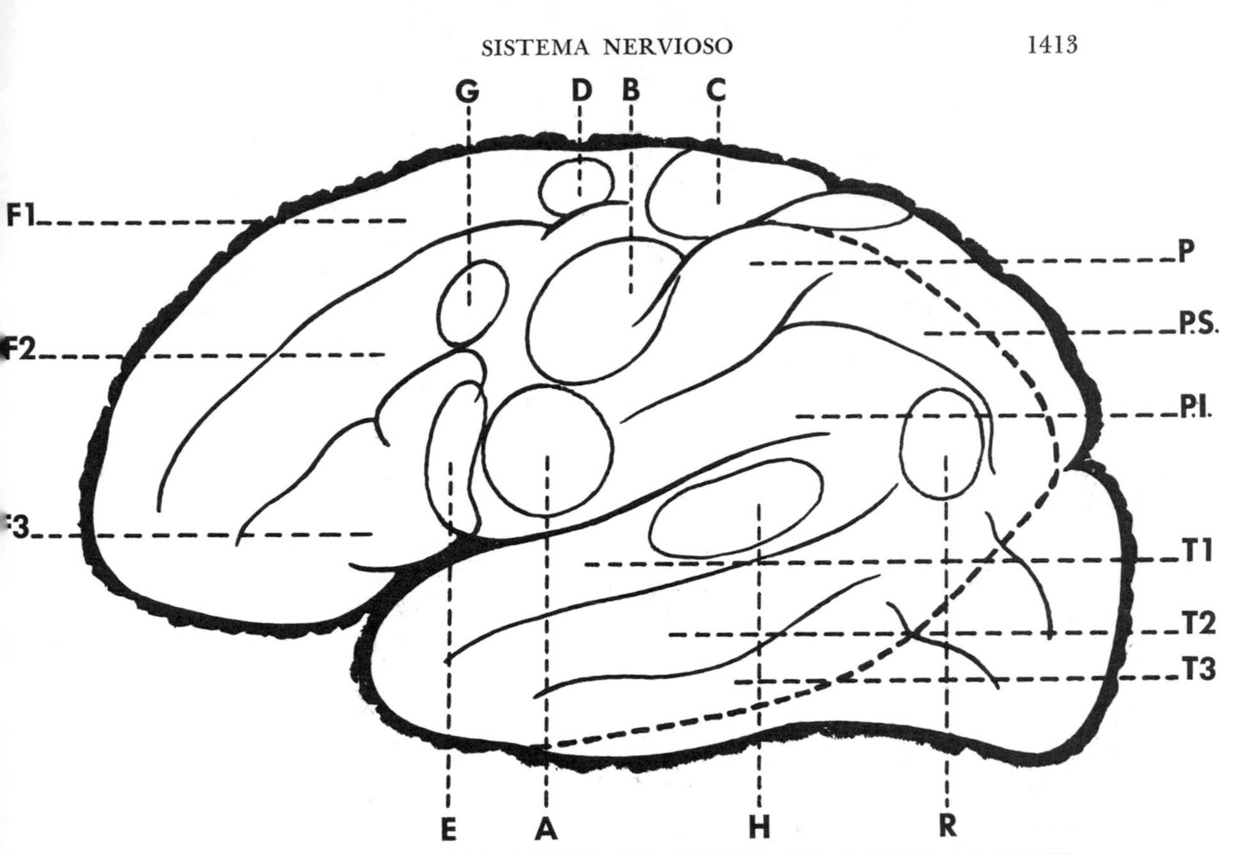

Fig. 532. **ESQUEMA DE LA CARA EXTERNA DEL CEREBRO, QUE MUESTRA LA LOCALIZACION DE ALGUNOS CENTROS NERVIOSOS. A) Centro de los músculos de la cara, la lengua, la faringe y la laringe. B) Centro motor del miembro superior. C) Centro del miembro inferior. D) Centro de los músculos del tronco y el cuello. E) Centro motor del lenguaje hablado (su lesión produce ataxia motriz). G) Centro de la escritura. H) Centro cuya lesión produce sordera verbal. F1, F2, F3) 1a., 2a., 3a. circunvoluciones frontales. P) Circunvolución parietal. P. S.) Parietal superior. P. I.) Parietal inferior. R) Pliegue curvo cuya lesión produce la ceguera verbal. T1, T2, T3) 1a., 2a., 3a. circunvoluciones temporales.**

o a una glándula. Cuando una neurona recibe un influjo nervioso proveniente de la sensibilidad o de los órganos de los sentidos, se la llama *neurona sensitiva.* Las neuronas que envían influjos nerviosos a un músculo para hacerlo contraer, reciben el nombre de *neuronas motoras* o *motrices.* Las neuronas que sirven como intermediarias entre otras neuronas, reciben el nombre de *intercalares* o de *neuronas de asociación.* La teoría más aceptada en cuanto a la forma en que se transmite el influjo nervioso de una neurona a otra es la de Cajal (a él se debe el concepto de la neurona), quien sostenía que no había continuidad entre las fibrillas de una neurona y otra, sino que la transmisión del influjo nervioso entre las ramificaciones del axón y las dendritas de otra célula se hace por contacto o contigüidad de unas y otras. Esos contactos entre las terminaciones del axón y las dendritas, reciben el nombre de *sinapsis.* La sinapsis deja pasar el influjo nervioso en un solo sentido pero hay circunstancias, como el cansancio excesivo, en que puede no dejarlo pasar. La vitalidad de la neurona depende del cuerpo de la célula; si ésta muere, se produce la degeneración del axón y de la dendrita. Asimismo, si se secciona un nervio que, como sabemos, está formado por los axones de numerosas células, la parte de cada axón que ha quedado separada del cuerpo de la célula, degenera. Después de un tiempo, sin embargo, vuelve a brotar el axón, que penetra en la vaina de Schwann y de la mielina que dejó vacía la degeneración del axón primitivo.

La rapidez en la conducción del influjo nervioso a través de los axones, y por lo tanto del nervio que éstos forman, es tanto mayor cuanto más gruesos son aquéllos. Como dato aproximado puede decirse que en el ser humano es de unos 100 metros por segundo.

Las neuronas se forman durante el desarrollo del niño en el útero, no apareciendo nuevas células nerviosas después del nacimiento, aun cuando se destruyan algunas por enfermedad. Aunque no se puede aumentar el número de neuronas, puede al parecer aumentarse la eficiencia de su funcionamiento por aumento de las sinapsis o contactos de las mismas. Además, en el caso de que una parte del cerebro haya sido destruida, puede en ciertos casos esa función ser cumplida por otra que se eduque, como por ejemplo en la afasia, o sea pérdida de alguno de los aspectos del lenguaje hablado o escrito. En ciertas personas jóvenes estas funciones pueden ser cumplidas por el otro lado del cerebro, es decir, el lado no afectado.

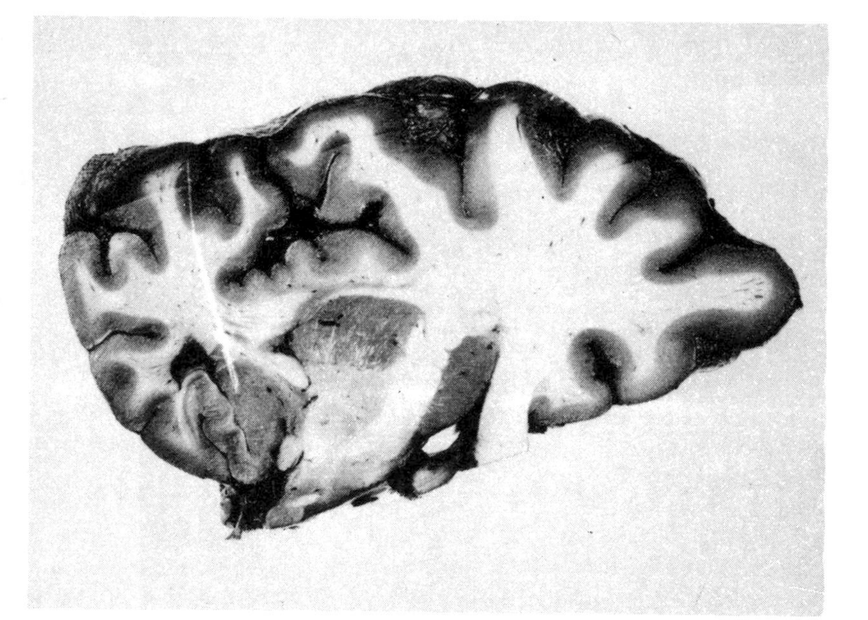

Fig. 533. Corte de cerebro.

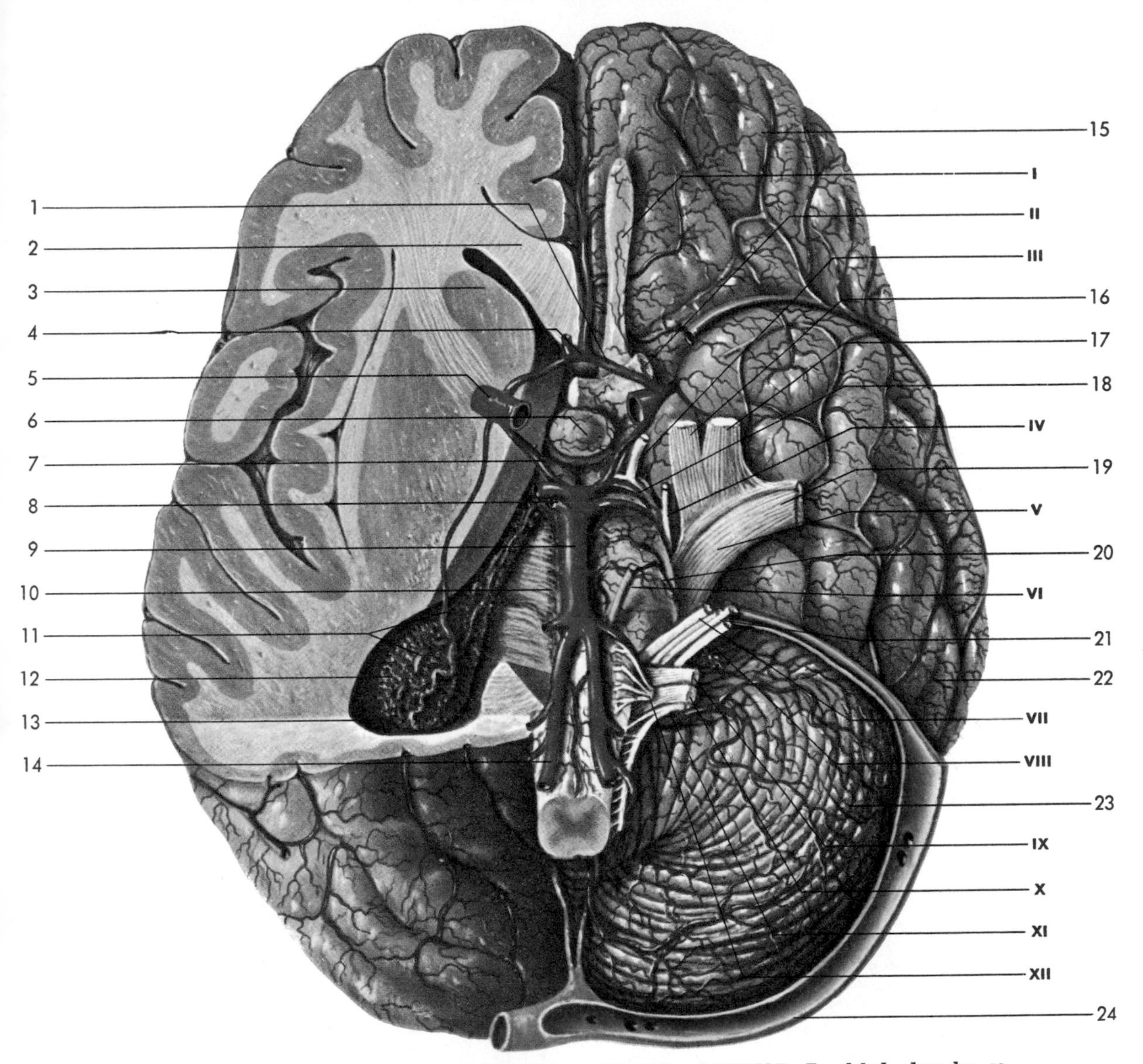

Fig. 534. **CEREBRO Y CEREBELO VISTOS DESDE SU CARA INFERIOR.** En el lado derecho, se ha efectuado un corte horizontal para permitir observar los ventrículos cerebrales.

1) Arteria cerebral anterior
2) Cuerpo calloso
3) Núcleo caudado
4) Arteria comunicante anterior
5) Arteria cerebral media
6) Hipófisis
7) Arteria comunicante posterior
8) Arteria cerebelosa superior
9) Arteria basilar
10) Vena cerebral interna
11) Arteria y vena coroideas
12) Plexo coroideo del ventrículo lateral
13) Cuerno inferior del ventrículo lateral
14) Arteria vertebral
15) Lóbulo frontal
16) Nervio oftálmico
17) Nervio maxilar superior
18) Arteria cerebral posterior
19) Nervio maxilar inferior
20) Protuberancia anular
21) Nervio intermediario
22) Lóbulo temporal
23) Cerebelo
24) Seno venoso transverso izquierdo

NERVIOS CRANEANOS

I) Nervio olfatorio
II) Nervio óptico
III) Nervio motor ocular común
IV) Nervio patético
V) Nervio trigémino
VI) Nervio motor ocular externo
VII) Nervio facial
VIII) Nervio acústico
IX) Nervio glosofaríngeo
X) Nervio neumogástrico
XI) Nervio espinal
XII) Nervio hipogloso

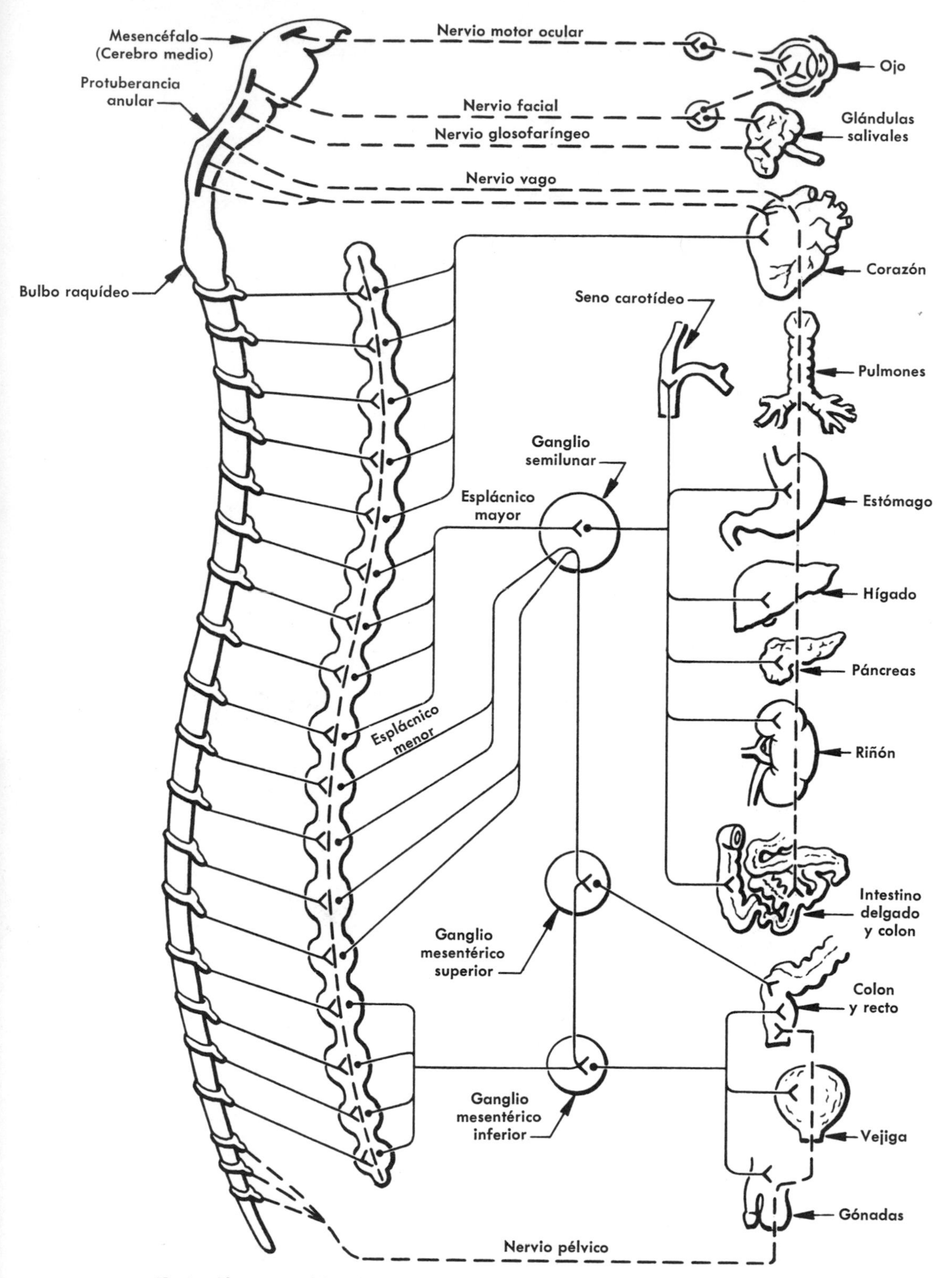

Ilustración esquemática del sistema nervioso autónomo, que muestra los órganos cuyas funciones son reguladas por los nervios de los sistemas simpático y parasimpático.

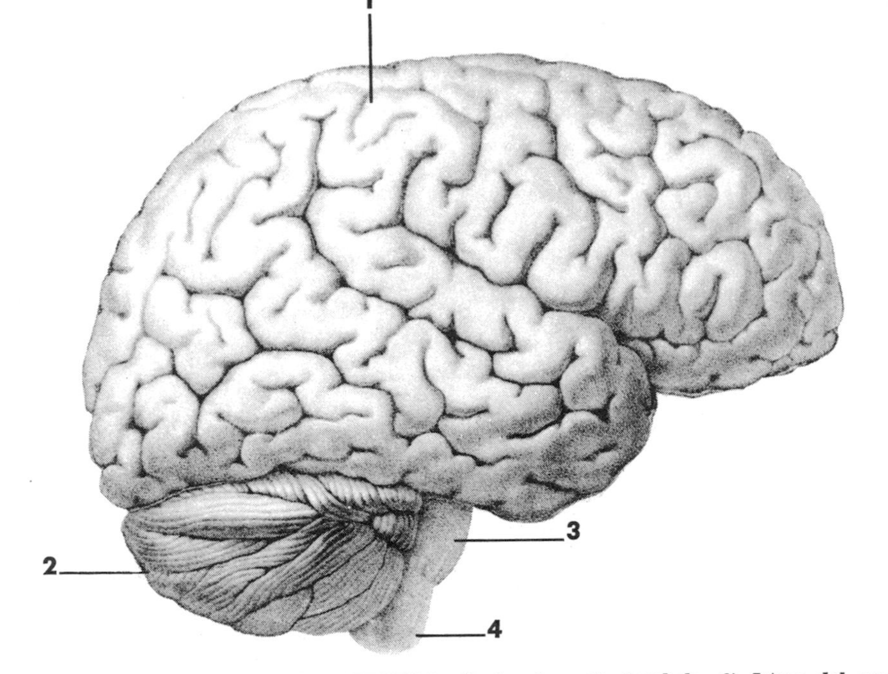

Fig. 535. **VISTA LATERAL DEL CEREBRO.** 1) Cerebro. 2) Cerebelo. 3) Istmo del encéfalo (protuberancia anular). 4) Bulbo raquídeo, observados lateralmente.

Gigantesco "cerebro" electrónico que forma parte del formidable sistema de defensa norteamericano. Sin embargo, estos computadores son meros juguetes comparados con la tremenda complejidad del cerebro humano.

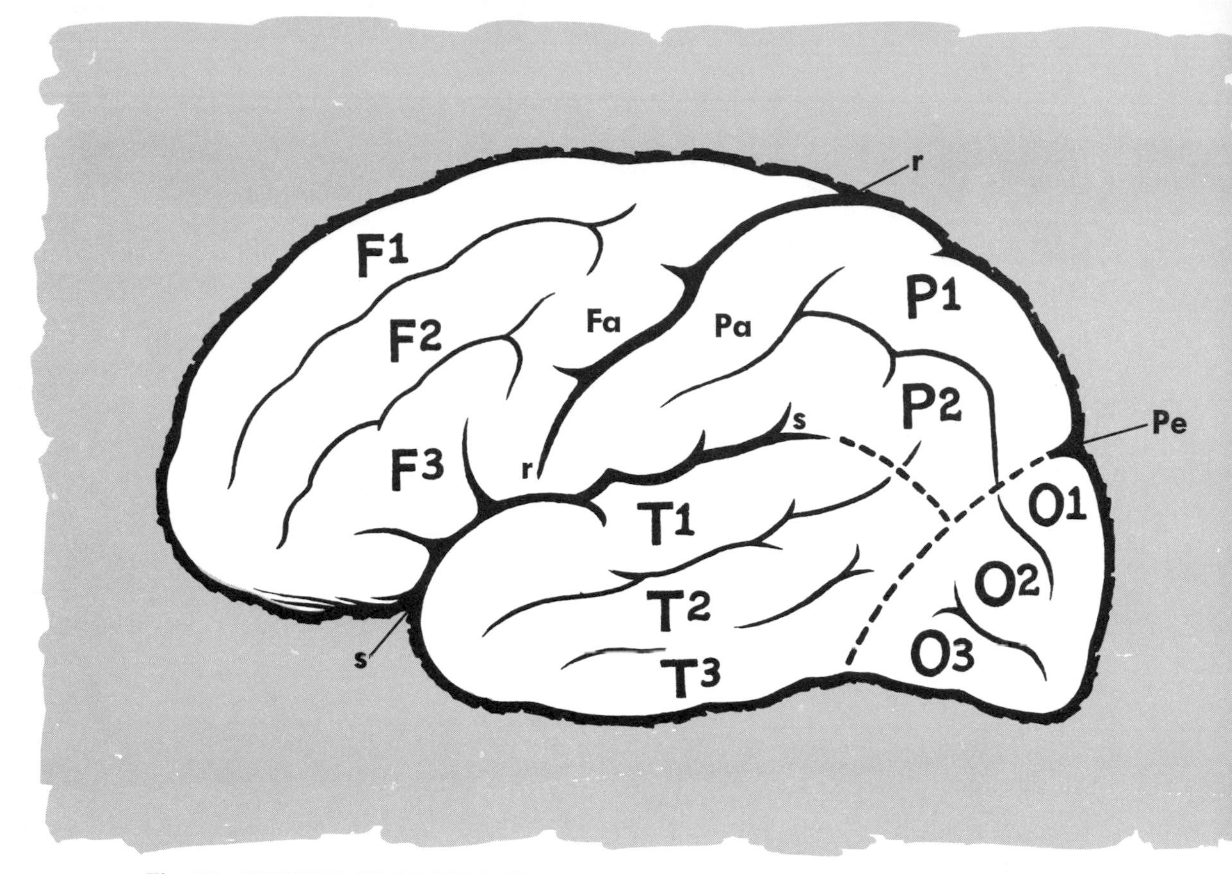

Fig. 536. ESQUEMA DE LA DIVISION EN LOBULOS DEL CEREBRO (vista lateral). s. Cisura de Silvio. r. Cisura de Rolando. Pe. Cisura perpendicular externa. F1, F2 y F3, 1a., 2a. y 3a. circunvoluciones frontales. Fa. Circunvolución frontal ascendente. Pa. Circunvolución parietal ascendente. P1 y P2. Parietal superior e inferior. T1, T2 y T3. Circunvoluciones temporales. O1, O2 y O3. Circunvoluciones del lóbulo occipital.

El encéfalo

El encéfalo es la parte del sistema nervioso central que está contenida en el cráneo. Comprende el cerebro, el cerebelo, la protuberancia o istmo del encéfalo y el bulbo raquídeo.

EL CEREBRO.—El cerebro es el órgano que recibe e interpreta los datos que le llegan de los órganos de los sentidos, siendo el órgano de la conciencia e inteligencia. Contiene aproximadamente 9.000 millones de células, cuyas alteraciones físicas o funcionales pueden producir distintas enfermedades del sistema nervioso, como por ejemplo, demencia senil, cuando las células nerviosas degeneran marcadamente por la vejez; parálisis general progresiva, cuando la sífilis ataca la corteza cerebral; epilepsia, etc. Posee ciertas partes destinadas a recibir e interpretar los mensajes de los órganos de los sentidos y otras destinadas a ciertas funciones, por ejemplo el movimiento de los miembros. Estas partes especializadas reciben el nombre de centros nerviosos. Están los distintos centros asociados entre sí por fibras. El cerebro, que ocupa la parte más alta del encéfalo, tiene una forma ovoide, siendo la menor su extremidad anterior. Pesa entre 1.200 y 1.500 g, y se halla dividido por una gran hendidura o *cisura* central en dos mitades o *hemisferios,* el derecho, que rige los movimientos del lado izquierdo del cuerpo, y el izquierdo, que rige los movimientos de la mitad derecha del mismo.

Ambos hemisferios cerebrales se hallan unidos por el llamado *cuerpo calloso,* que permite coordinar las funciones de ambos lados. La parte exterior del cerebro está formada por la *sustancia gris.* Con el fin de aumentar la superficie de la misma, presenta partes salientes que reciben el nombre de *circunvoluciones* y partes hundidas o *surcos,* que separan las circunvoluciones entre sí. Algunos surcos, mucho más profundos (cisuras), permiten dividir el cerebro en varios *lóbulos.* Estos lóbulos reciben en su mayor parte el nombre del hueso de la bóveda del cráneo que se halla cercano a ellos. Así por ejemplo, el lóbulo anterior de cada hemisferio recibe el nombre de *frontal;* el posterior, el de *occipital,*

Fig. 537. CORTE VERTICAL DEL CEREBRO. 1. Gran cisura interhemisférica. 2. Cuerpo calloso. 3. Trígono cerebral. 4. Ventrículo lateral. 5. Núcleo caudado. 6. Ventrículo medio. 7. Tálamo. 8. Comisura gris. 9. Tubérculos mamilares. 10. Cápsula interna. 11. Cintilla óptica. 12. Núcleo lenticular. 13. Núcleo amigdalino. 14. Cápsula externa y antemuro. 15. Núcleo caudal. 16. Lóbulo de la ínsula. 17. Cisura de Silvio.

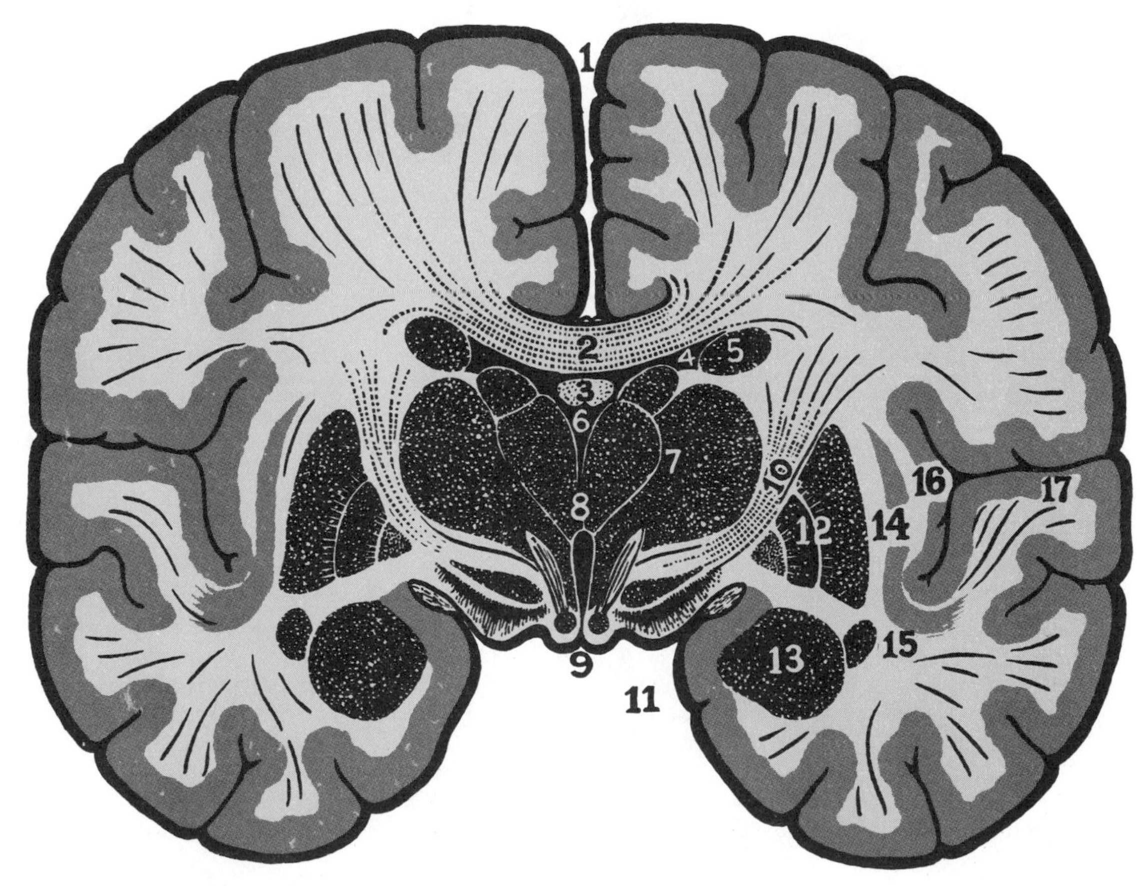

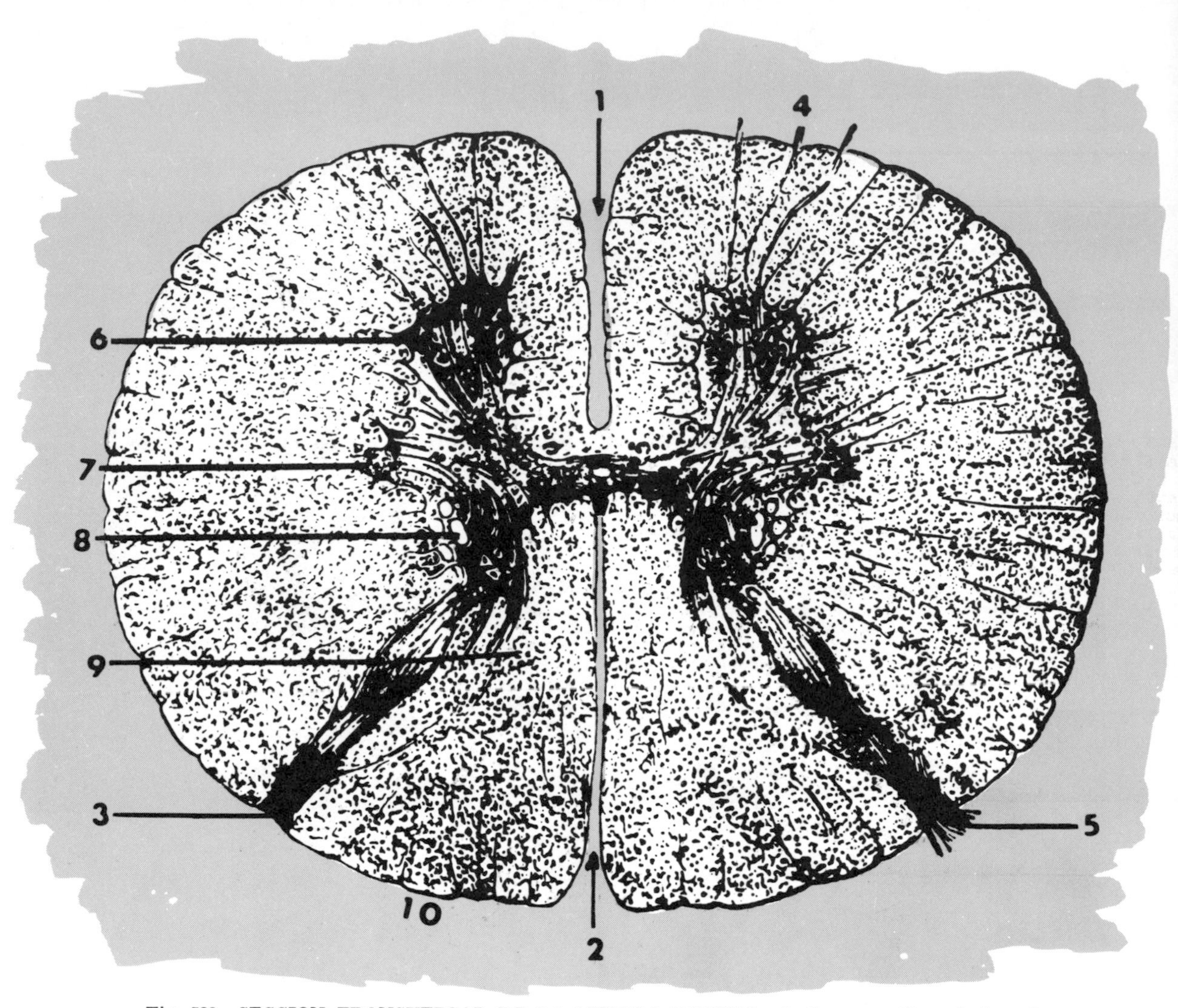

Fig. 538. **SECCION TRANSVERSAL DE LA MEDULA ESPINAL. 1. Surco medio anterior. 2. Surco medio posterior. 3. Hendedura dorsolateral. 4. Raíces de los nervios anteriores. 5. Raíces de los nervios posteriores. 6. Cuerno anterior de la médula. 7. Cuerno o asta lateral. 8. Cuerno posterior. 9. Formación reticular. 10. Cordones posteriores de la médula.**

etc. Si se corta transversalmente el cerebro, se observa que debajo de la sustancia gris que forma su corteza hay una capa de *sustancia blanca* y además unas cavidades, llamadas *ventrículos,* y núcleos de sustancia gris cerca de su base, entre ellos el tálamo óptico, los núcleos del hipotálamo, los cuerpos estriados, el núcleo caudado, etc.

De cada lado, entre el tálamo y el núcleo lenticular, existe una gruesa lámina de sustancia blanca, que recibe el nombre de *cápsula interna,* por donde pasan *fibras sensitivas* que van al cerebro y *fibras motoras* que vienen del cerebro. Parte de la cápsula interna recibe el nombre de *haz piramidal.*

Entre los tálamos derecho e izquierdo hay una cavidad llamada *ventrículo medio* o *tercer ventrículo.* Recibe el nombre de *diencéfalo* la región formada por este ventrículo, los dos tálamos, el hipotálamo y algunos otros pequeños núcleos. Las funciones de estos núcleos se estudiarán con las distintas enfermedades que los afectan.

EL CEREBELO.—El cerebelo está situado por debajo del cerebro y hacia su extremidad posterior, estando en contacto su cara posterior con la mitad inferior del hueso occipital. El cerebelo presenta los *lóbulos* o *hemisferios laterales* separados por una parte media larga y delgada llamada *vermis.* El peso del cerebelo es de unos 140 g. Su superficie presenta muchos surcos de variable profundidad. Al seccionar el cerebelo se comprueba que presenta una capa delgada de sustancia gris, rodeando la sustancia blanca, cuya disposición en este órgano ha recibido, por su forma, el nombre de *árbol de la vida.* Hay también núcleos de sustancia gris en el interior del cerebelo. El cerebelo está unido al cere-

SQUEMA DE LOS DIVERSOS HACES DE A SUSTANCIA BLANCA DE LA MEDULA. la derecha se han sombreado en forma distinta los diversos haces. A la izquierda se an colocado letras para diferenciarlos. PD. Iaz piramidal directo. PC. Haz piramidal ruzado. SL. Haz sensitivo lateral. FC. Haz erebeloso directo. FG. Haz de Gowers. PF. Iaz restante del cordón anterior. B. Haz de urdach. G. Haz de Goll.

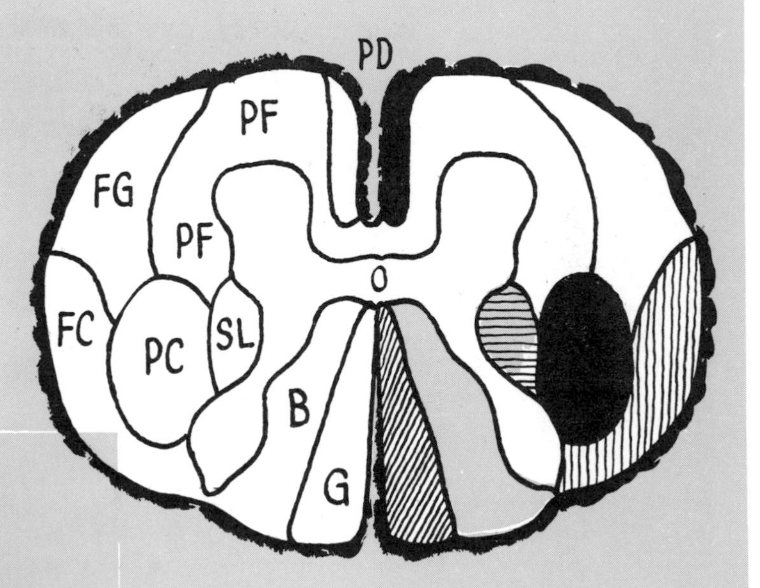

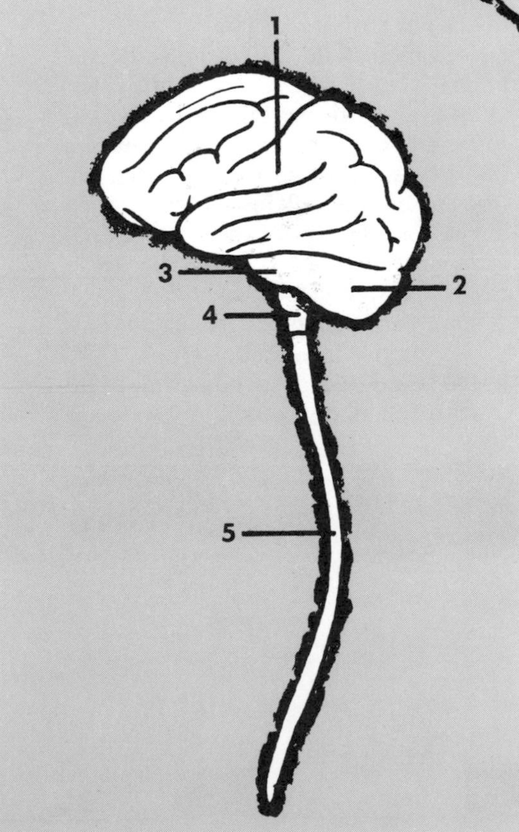

Fig. 539. **ESQUEMA DEL SISTEMA NERVIOSO CENTRAL. 1) Cerebro; 2) cerebelo; 3) istmo del encéfalo o protuberancia; 4) bulbo raquídeo; 5) médula espinal.**

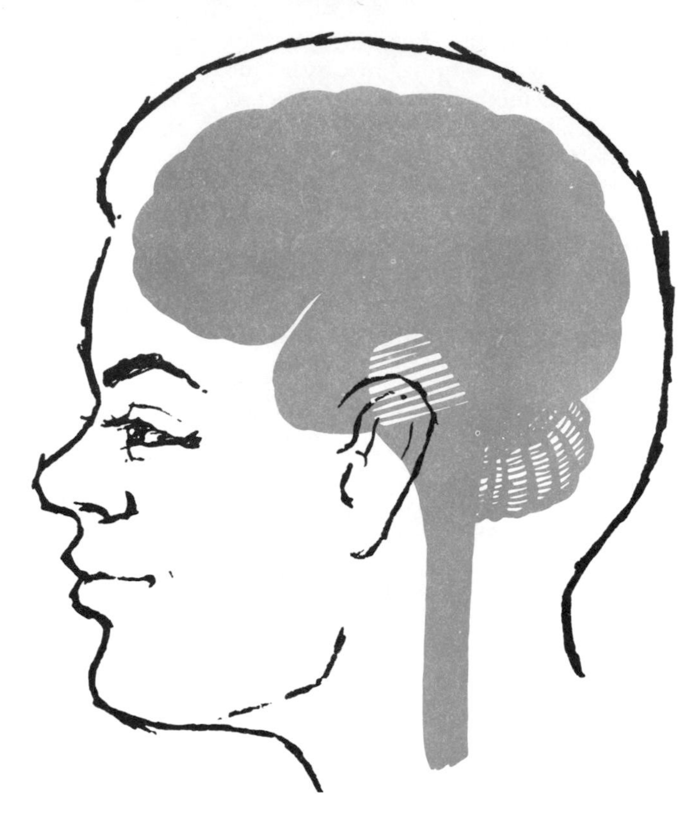

Fig. 540. Una vista de la cabeza que muestra la posición que ocupa el sistema nervioso central.

bro, la protuberancia y el bulbo por medio de los llamados pedúnculos. La función del cerebelo es dirigir la coordinación de los movimientos y el equilibrio del organismo.

EL BULBO RAQUIDEO.—El bulbo raquídeo, contenido en el cráneo, está apoyado sobre la apófisis basilar del occipital, muy cerca del orificio occipital. Se continúa por abajo con la médula espinal y por arriba con la protuberancia. Tiene un largo de unos 3 cm y es algo más grueso en su parte superior. Su parte externa está formada por sustancia blanca y en su interior, además de los cordones de sustancia blanca que de la médula van al encéfalo y viceversa, hay núcleos de sustancia gris que son el asiento de importantísimos centros nerviosos, que regulan ciertos reflejos de defensa, como la tos, el vómito, etc., y de ciertos actos indispensables, como la deglución, la respiración, etc.

También tienen allí su nacimiento varios nervios muy importantes. En el bulbo raquídeo se produce el entrecruzamiento de la mayor parte del haz llamado piramidal, que nace de la parte de la corteza del cerebro que rige los movimientos voluntarios de una mitad del cuerpo. Es así como el lado derecho del cerebro rige los movimientos de la mitad izquierda del cuerpo, y la mitad izquierda del cerebro rige el habla y también los movimientos de la mitad derecha del cuerpo.

LOS NERVIOS CRANEALES.—En el encéfalo se originan 12 pares de nervios, algunos de los cuales están destinados a transmitir sensaciones (nervio óptico, olfatorio, auditivo); otros a transmitir movimiento (espinal, hipogloso, nervios para los músculos oculares), y otros son mixtos (glosofaríngeo, trigémino, facial y neumogástrico). Con excepción de este último, que actúa en el cuello, el tórax y el abdomen, los demás se distribuyen en la cabeza y el cuello.

LA MEDULA ESPINAL.—La médula espinal es la parte del sistema nervioso central contenida en el *canal raquídeo.* (El canal raquídeo es el que forman las vértebras entre el cuerpo vertebral y el arco vertebral.)

Es un tallo de unos 50 cm de largo,

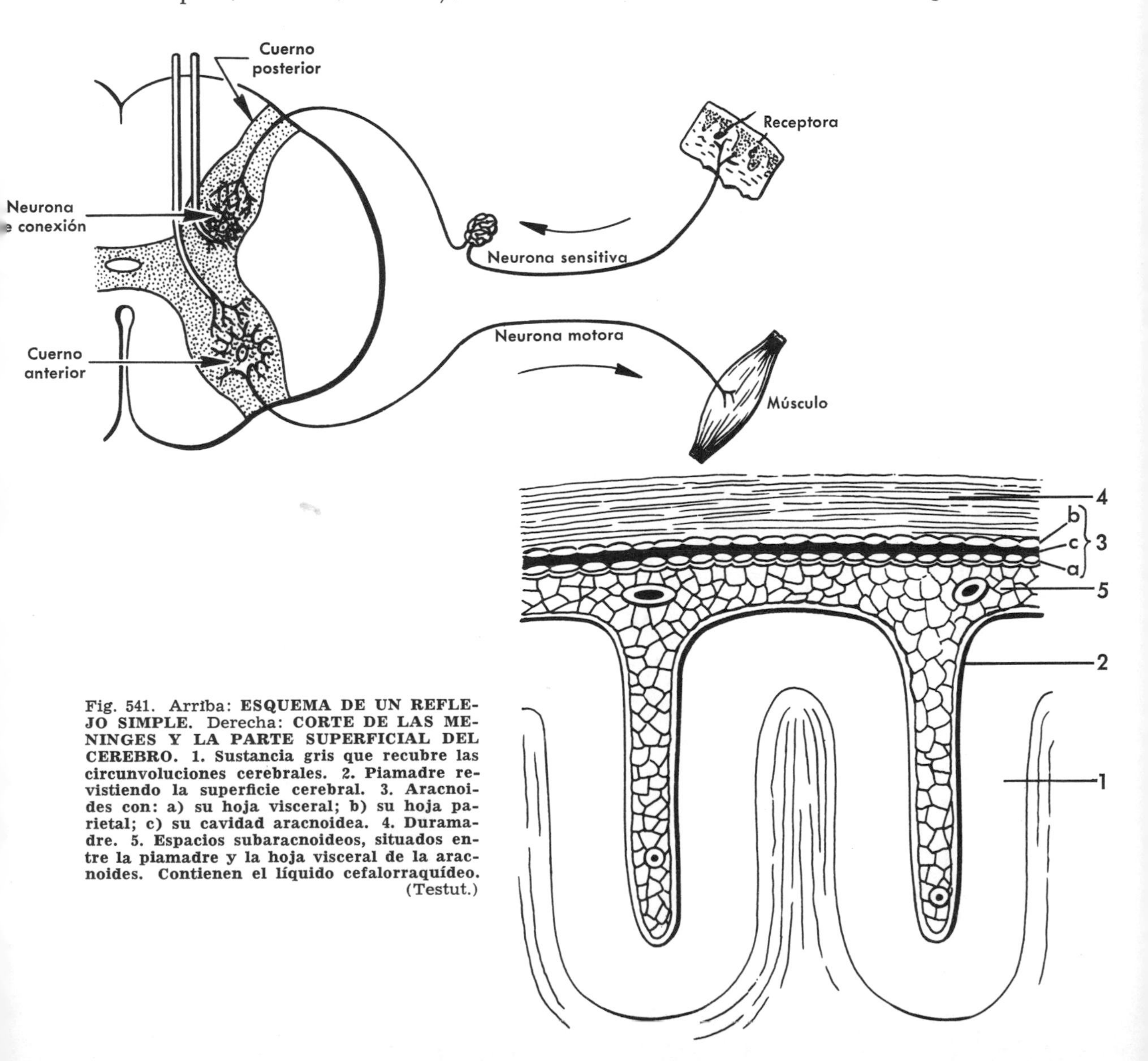

Fig. 541. Arriba: **ESQUEMA DE UN REFLEJO SIMPLE.** Derecha: **CORTE DE LAS MENINGES Y LA PARTE SUPERFICIAL DEL CEREBRO. 1. Sustancia gris que recubre las circunvoluciones cerebrales. 2. Piamadre revistiendo la superficie cerebral. 3. Aracnoides con: a) su hoja visceral; b) su hoja parietal; c) su cavidad aracnoidea. 4. Duramadre. 5. Espacios subaracnoideos, situados entre la piamadre y la hoja visceral de la aracnoides. Contienen el líquido cefalorraquídeo.** (Testut.)

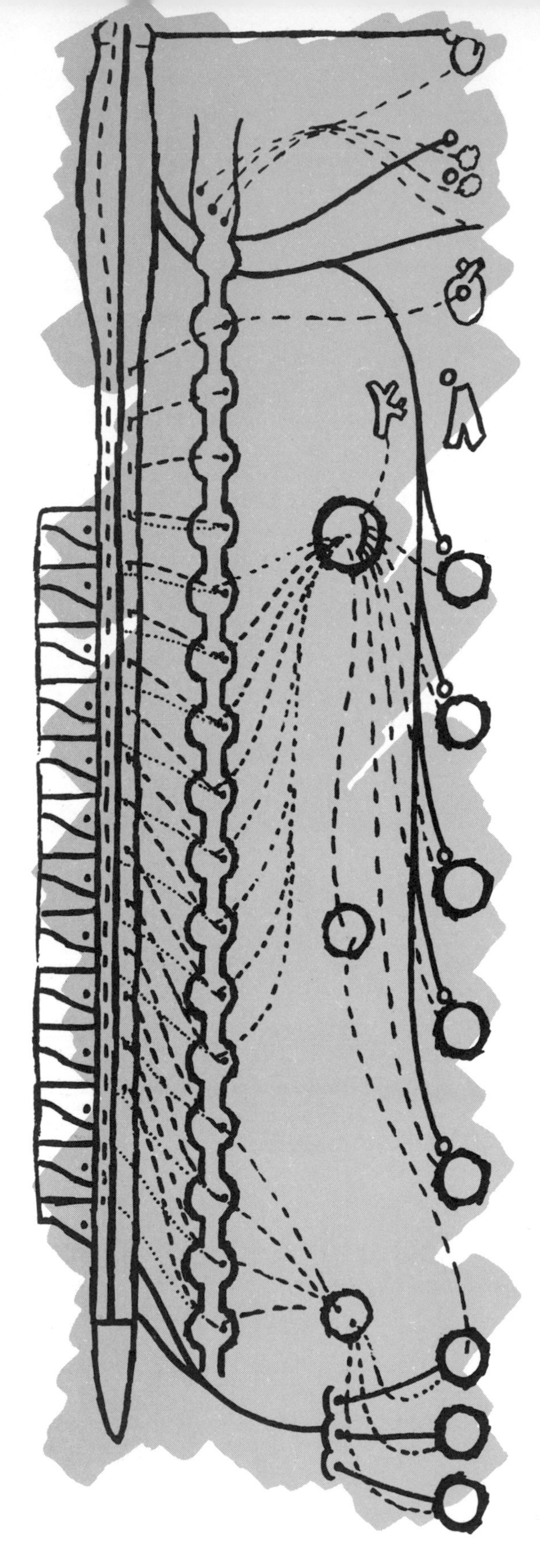

de aproximadamente 1 cm de diámetro, que se extiende desde el bulbo raquídeo y la primera vértebra cervical, hasta la segunda vértebra lumbar. Presenta un engrosamiento en la zona donde nacen los nervios correspondientes al miembro superior, y otro donde nacen los que van al miembro inferior. Tiene un color blanquecino, por hallarse su parte externa formada por sustancia blanca. Si se corta transversalmente la médula se comprueba que hay en su interior sustancia gris, que adopta una disposición que se ha comparado con la de una letra H. Está compuesta por una rama transversal que une dos ramas laterales, recibiendo la primera el nombre de *comisura gris.* En su parte media hay un conducto llamado *epéndimo.* Las ramas laterales forman los dos *cuernos* o *astas anteriores* de la médula en su parte anterior y dos *cuernos* o *astas posteriores* en su parte posterior. La médula presenta un surco en la parte media de su cara anterior y otro menos marcado en la parte media de su cara posterior. La sustancia blanca que rodea a la sustancia gris está dividida en dos cordones anteriores, dos cordones posteriores y dos cordones laterales. Cada uno de esos cordones está dividido en varios haces, cuya descripción no cabría aquí.

La médula es prolongada en su parte inferior por un hilo delgado llamado *filum terminale,* que es acompañado por nervios que emergirán más abajo y que reciben el nombre de *cola de caballo.*

Fig. 542. SISTEMA NERVIOSO AUTONOMO (vegetativo), en que se observan los distintos órganos cuyas funciones son reguladas por los nervios del sistema simpático y parasimpático.

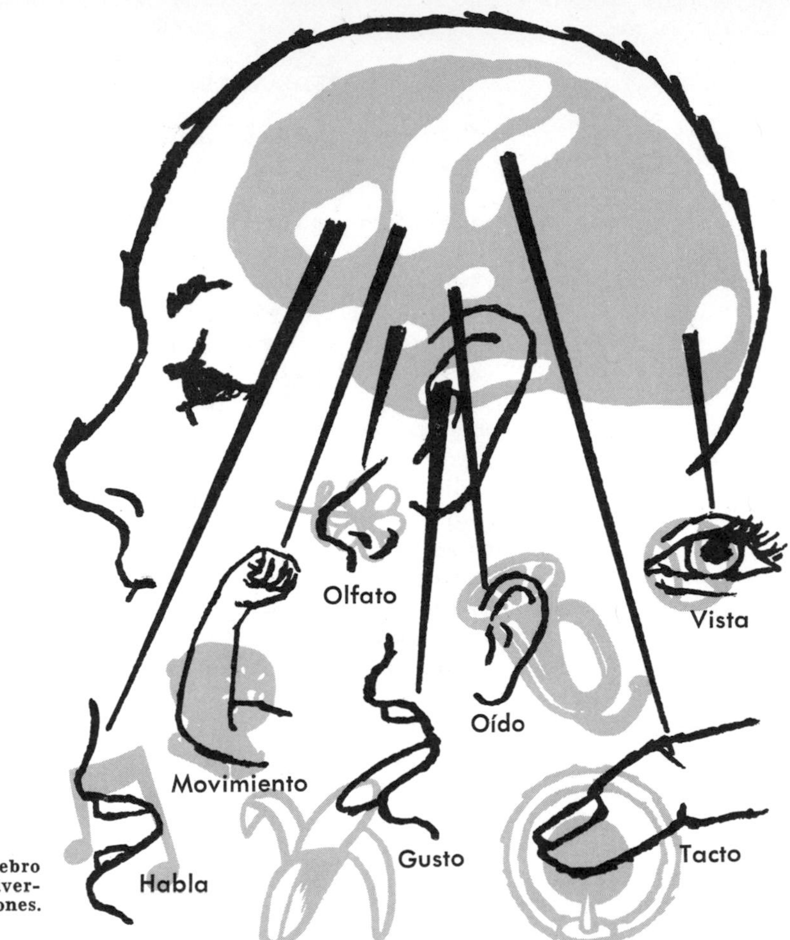

Fig. 543. Areas del cerebro que corresponden a diversas funciones.

Los 31 pares de nervios raquídeos o espinales. Se originan en la médula espinal 31 pares de nervios. Son nervios mixtos que se originan por dos raíces cada uno, una anterior motora y otra posterior o sensitiva que comunican respectivamente con los cuernos anteriores y posteriores de la médula. La raíz posterior presenta un engrosamiento o *ganglio* donde se alojan los cuerpos de neuronas sensitivas. Estos nervios se reúnen formando *plexos,* de los cuales salen los nervios que van a distintas partes del cuerpo. Así por ejemplo, los 4 primeros nervios cervicales forman el *plexo cervical;* los últimos 4 cervicales y el primer dorsal forman el *plexo braquial,* que inerva el miembro superior; los 5 nervios lumbares forman el *plexo lumbar,* y los 6 nervios sacros el *plexo sacro.* Estos últimos 2 plexos inervan mayormente el miembro inferior.

Funciones de la médula. La médula tiene dos funciones principales: la de conducción o transmisión y la refleja. Conduce al tronco y a los miembros los impulsos nerviosos provenientes del encéfalo (cerebro, cerebelo, etc.), habitualmente impulsos motores, y a su vez transmite al cerebro las impresiones sensitivas que recogen los nervios de la piel, las mucosas, los músculos y las articulaciones. Además, tiene una acción trófica o nutritiva sobre los tejidos inervados por los nervios que en ella se originan.

Los reflejos. Mientras la parte blanca de la médula está destinada a la transmisión, su parte gris viene a ser el asiento de centros nerviosos, que intervienen en la producción de reflejos. *Acto reflejo* es el que en respuesta a un estímulo, se produce en forma inmediata e involuntaria. Así por ejemplo, cuando el médico golpea con un martillo de goma el tendón que se halla debajo de la rótula, se produce rápida e involuntariamente una extensión de la pierna, provocada por la contracción del músculo cuádriceps femoral.

La sensación del golpe es llevada por las fibras sensitivas de un nervio mixto hasta el ganglio que se halla en las raíces posteriores o sensitivas de un nervio mixto. Allí está el cuerpo de la neurona sensitiva, que por medio de uno de sus prolongamientos transmite el influjo nervioso a la neurona motora, que se halla en el cuerno anterior de la médula, y de allí se transmite por el axón motor al músculo que se contrae. Será pues éste un reflejo simple en el cual intervendría una sola neurona sensitiva y una sola neurona motora. En la práctica esto es más complejo, pero lo importante es que se comprenda cómo se produce el reflejo simple.

Hay otros actos reflejos más complejos aún dentro de los que presenta el ser humano a su nacimiento, que facilitan sus funciones y lo defienden contra diversos peligros. Además, pueden producirse en el hombre y los animales nuevos *reflejos* llamados *condicionados* o *adquiridos.* Así por ejemplo, en tiempo de guerra el soldado adquiere como reflejo ciertos movimientos defensivos, como el agacharse al oír el silbido de una bala, etc.

LAS MENINGES.—Las envolturas destinadas a nutrir, sostener y proteger al sistema nervioso central, reciben el nombre de *meninges.* Tanto el encéfalo como la médula espinal están rodeados de 3 membranas: una externa llamada *duramadre,* una media, formada por 2 hojas, que recibe el nom-

Fig. 544. De una célula, el óvulo fecundado, se desarrollan todos los diversos tejidos y órganos del organismo. El sistema nervioso y la piel se originan de una de las tres capas que se forman en el embrión, llamada ectodermo.

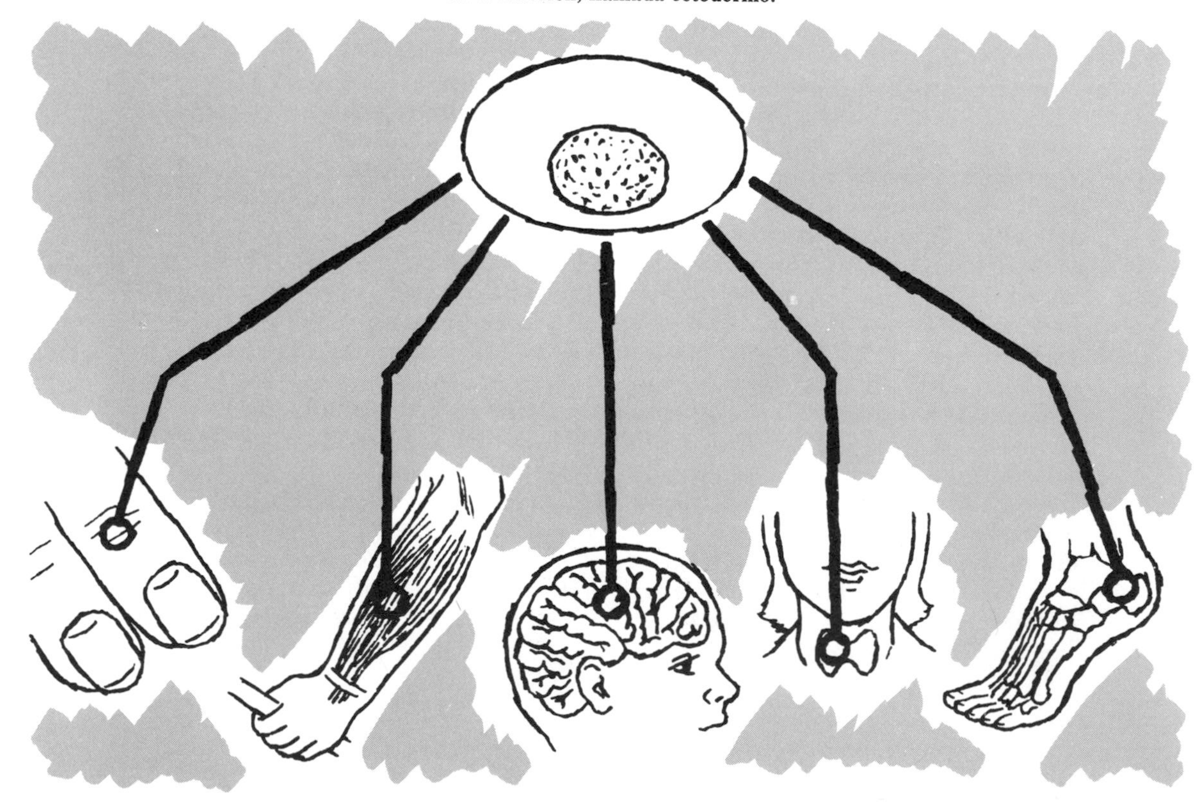

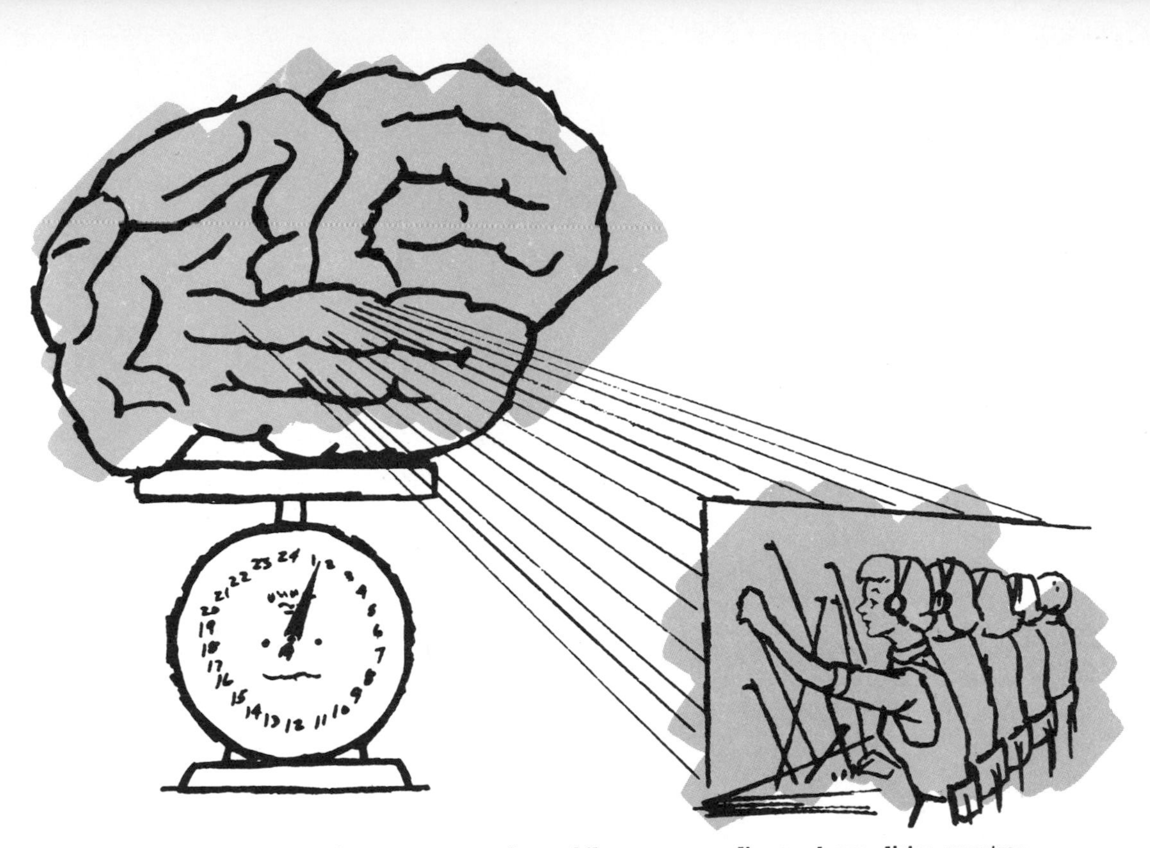

Fig. 545. Aunque el cerebro pesa menos de un kilogramo y medio, es el que dirige nuestros actos, pensamientos y sentimientos. Recoge todas las informaciones que le proveen los órganos de los sentidos y envía órdenes a las diversas partes del cuerpo. Como una central telefónica nos permite comunicación con el teléfono que deseemos, así el cerebro nos provee de las informaciones que ha recogido y que necesitamos en determinado momento.

bre de *aracnoides,* y una interna, aplicada sobre la sustancia nerviosa, y que recibe el nombre de *piamadre.* La duramadre es una membrana fibrosa y resistente, que reviste el interior de la caja craneana, a la cual se adhiere en algunas partes. La duramadre envía un tabique entre los dos hemisferios cerebrales y entre el cerebro y el cerebelo.

La aracnoides, como todas las *membranas serosas,* tiene dos hojas, una *parietal* que reviste la cara interna de la duramadre, y otra *visceral* que sigue a la piamadre pero sin penetrar en las cisuras. La piamadre es una membrana que lleva los vasos del cerebro y que recubre toda la superficie del encéfalo y de la médula. Entre la piamadre y la hoja visceral de la aracnoides que la cubre, se halla un espacio llamado subaracnoideo, ocupado por un líquido claro, llamado *líquido cefalorraquídeo,* que mantiene una presión uniforme sobre todo el sistema nervioso central, amortiguando las sacudidas y golpes a que éste pueda hallarse sometido.

SISTEMA NERVIOSO AUTONOMO (vegetativo)

Este sistema, que regula los músculos involuntarios y las glándulas, ha recibido también los nombres de *involuntario* y de *neurovegetativo.* Coordina las funciones involuntarias del organismo.

Comprende dos partes de efecto contrario, el *simpático* y el *parasimpático,* que tienen, a pesar de su aparente autonomía, origen en el sistema nervioso central.

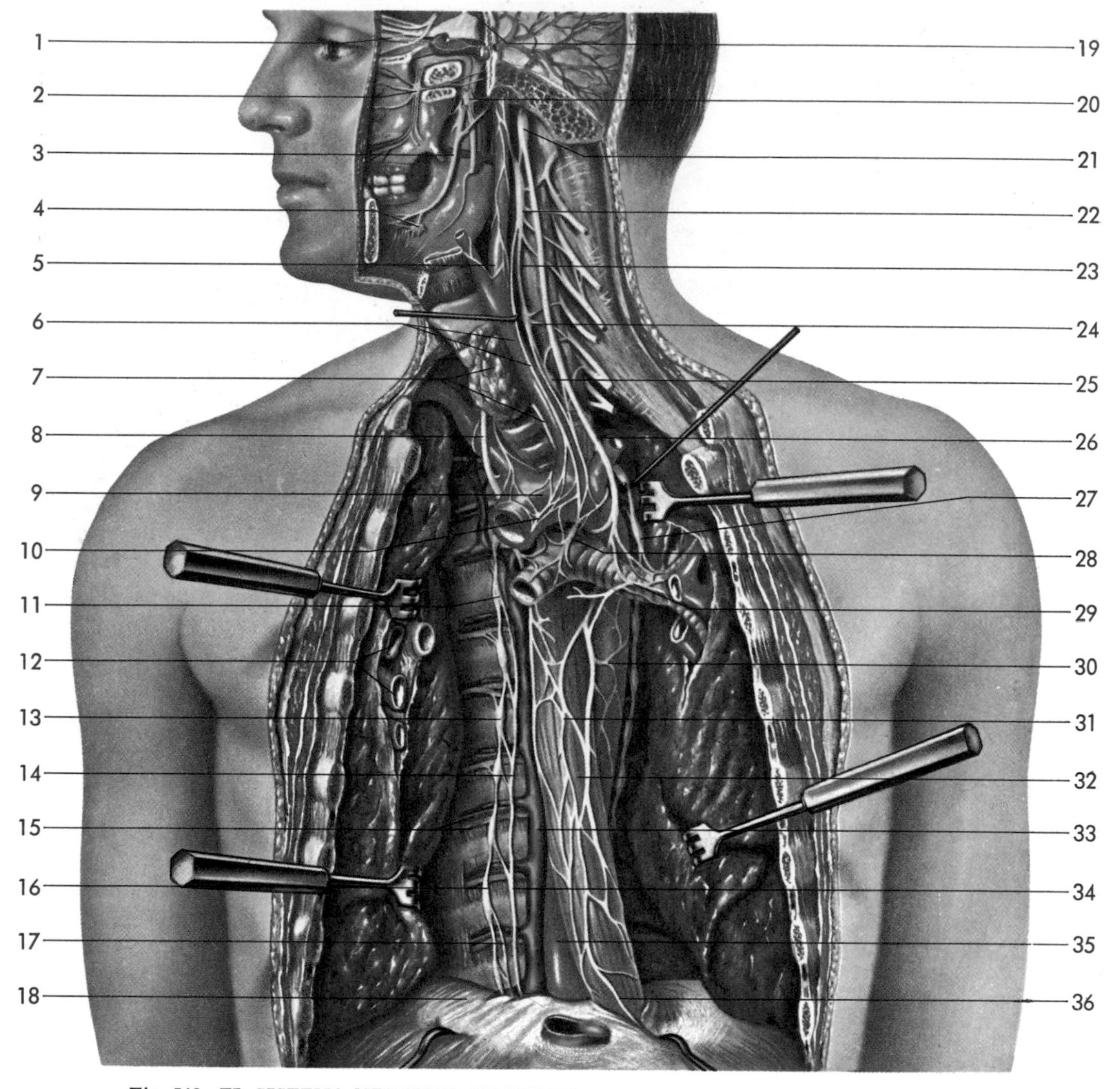

Fig. 546. **EL SISTEMA NERVIOSO VEGETATIVO. (Parte cefálica, cervical y torácica.)**

1) Ganglio ciliar
2) Ganglio esfenopalatino
3) Nervio lingual
4) Ganglio submaxilar
5) Arteria carótida interna
6) Arteria carótida primitiva, nervio cardíaco superior
7) Glándula tiroides; nervio recurrente
8) Nervio vago derecho
9) Cayado aórtico
10) Plexo cardíaco superficial
11) Quinto ganglio simpático torácico
12) Arteria y vena pulmonar
13) Séptimo ganglio simpático torácico
14) Nervio esplácnico mayor
15) Arteria, vena y nervio, intercostales
16) Décimo ganglio simpático torácico
17) Nervio esplácnico menor
18) Diafragma
19) Nervio trigémino
20) Ganglio ótico
21) Ganglio yugular
22) Ganglio simpático cervical superior
23) Tronco cervical del simpático
24) Ganglio simpático cervical medio
25) Ganglio simpático cervical inferior
26) Nervio vago izquierdo
27) Cuarto ganglio simpático torácico
28) Ganglio cardíaco
29) Plexo pulmonar anterior
30) Plexo aórtico
31) Plexo esofágico
32) Esófago
33) Vena ácigos
34) Ganglio esplácnico
35) Aorta
36) Rama gástrica anterior del vago

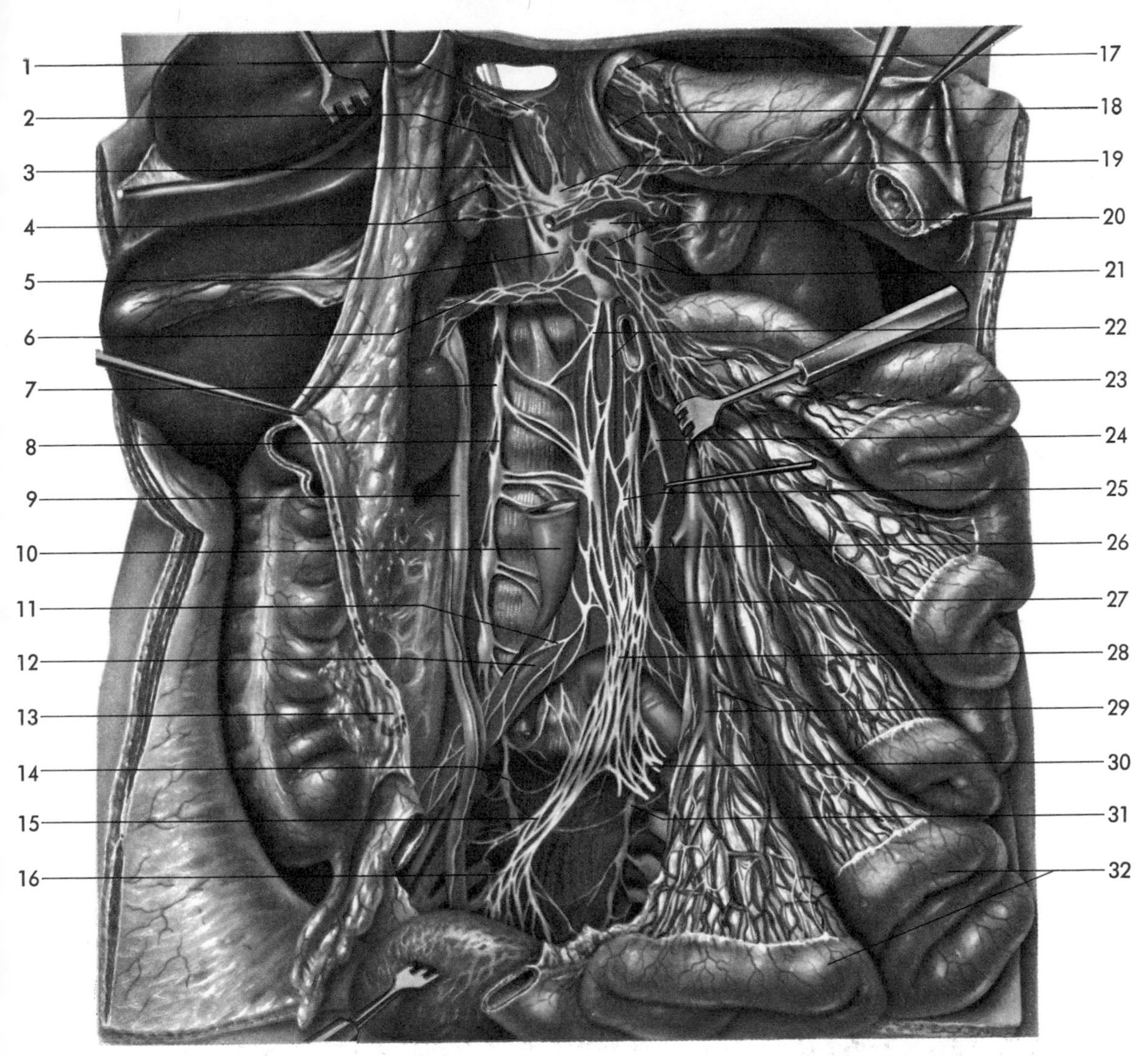

Fig. 547. **EL SISTEMA NERVIOSO VEGETATIVO. (Parte abdominal y pelviana.)**

1) Ganglio y plexo frénicos
2) Nervio esplácnico mayor
3) Nervio esplácnico menor
4) Plexo suprarrenal
5) Ganglio aórtico renal
6) Arteria renal derecha y plexo
7) Ganglio simpático renal derecho
8) Tronco simpático derecho
9) Uréter
10) Vena cava inferior
11) Plexo ilíaco
12) Arteria ilíaca primitiva derecha
13) Mesocolon (seccionado)
14) Ganglio simpático sacro, derecho
15) Plexo pélvico derecho
16) Plexo pudendo
17) Nervio vago izquierdo
18) Nervio vago derecho
19) Plexo celíaco y ganglio celíaco derecho
20) Ganglio mesentérico superior y plexo
21) Ganglio celíaco izquierdo; arteria mesentérica superior
22) Plexo aórtico abdominal
23) Yeyuno
24) Ganglio simpático lumbar izquierdo
25) Ganglio mesentérico inferior
26) Plexo mesentérico inferior
27) Tronco simpático izquierdo
28) Plexo hipogástrico
29) Ramas de la arteria y vena mesentéricas superiores
30) Plexo pélvico izquierdo
31) Ganglio simpático sacro izquierdo
32) Ileo

El simpático

Llamado también a veces *gran simpático,* está formado por 2 largos cordones situados a los lados de la columna vertebral. En esos cordones hay engrosamientos que reciben el nombre de *ganglios,* cuyo número oscila de 20 a 23 en cada lado (3 en el cuello, 12 dorsales, 4 lumbares y 4 sacros). Cada ganglio recibe y emite fibras que van a la médula por medio de los llamados *ramos comunicantes.* De los ganglios salen también ramas que van a las vísceras, a los vasos sanguíneos y a las glándulas. A veces estos nervios se unen para formar *plexos,* y presentan ciertos engrosamientos llamados *ganglios periféricos.*

El parasimpático

El parasimpático tiene dos partes, una superior o cráneobulbar, y otra inferior o sacra. La parte superior se origina en el bulbo raquídeo y sus fibras corren principalmente por el nervio llamado *vago, neumogástrico* o *décimo par craneal.* Hay otras fibras que van por el motor ocular común, el facial, el glosofaríngeo y el trigémino. Por medio del neumogástrico llegan fibras parasimpáticas a los bronquios, al corazón, al tubo digestivo, etc. La parte inferior o sacra se origina en la parte baja de la médula espinal, distribuyéndose por medio del llamado plexo hipogástrico en la parte terminal del tubo digestivo, la vejiga y los órganos genitales.

Funciones del sistema autónomo

PRINCIPIOS GENERALES

a) El sistema autónomo inerva todos los músculos lisos y las glándulas. Su fin es el de regular las funciones involuntarias del organismo.

b) El simpático y el parasimpático inervan las glándulas de secreción interna regulando su actividad. A su vez las glándulas de secreción interna actúan sobre el sistema autónomo.

c) El simpático y el parasimpático inervan los mismos órganos y tejidos. Ejercen una función antagónica, pero al estar en equilibrio, se facilita la acción de cualquiera de ellos, así como el contrapeso colocado a un ascensor hace más fácil su funcionamiento.

d) El simpático facilita la defensa del organismo. Cuando una persona está airada o asustada, el simpático produce cambios que favorecen el ataque o la huida. Se dilatan los bronquios facilitando la respiración; se acelera la circulación; aumenta la cantidad de glucosa que hay en la sangre, material que necesitan los músculos para su trabajo; se libera adrenalina; aumenta la coagulabilidad de la sangre, y ésta se distribuye entre los órganos que más la necesitan en esa emergencia, etc.

e) El parasimpático tiende a acumular y ahorrar energía en el organismo.

En el siguiente cuadro se mencionan y comparan las principales acciones del simpático y el parasimpático.

Simpático

Su estimulación:
dilata las pupilas (midriasis),
acelera el corazón,
produce contracción de los vasos,
dilata los bronquios,
aumenta la cantidad de glucosa de la sangre,
paraliza las contracciones del tubo digestivo, contrayendo en cambio los esfínteres del mismo,
disminuye las secreciones de las glándulas.

Parasimpático

Su estimulación:
contrae las pupilas (miosis),
disminuye el ritmo del corazón,
no afecta los vasos,

contrae los bronquios,
no afecta la glucosa de la sangre,
aumenta las contracciones del tubo digestivo, cerrando los esfínteres,
aumenta las secreciones glandulares.

El sistema nervioso vegetativo es influido por los núcleos de la base del cerebro (la parte del *diencéfalo* que recibe el nombre de *hipotálamo*). También puede tener influencia la corteza cerebral.

Para obrar sobre los órganos, el simpático y el parasimpático lo hacen liberando en sus terminaciones dos sustancias que reciben el nombre de *simpatina* o *noradrenalina* (sustancia semejante a la adrenalina) a nivel del simpático, y *acetilcolina* en las terminaciones del parasimpático. Por ello, a las fibras del simpático se las llama *adrenérgicas,* y a las del parasimpático *colinérgicas.*

CAPITULO 138

Enfermedades de los Nervios Periféricos; Tratamiento de las Mismas

NEURITIS

Definición

BAJO el nombre de neuritis se designan las lesiones de los nervios periféricos.

Clasificación

A su vez, las neuritis pueden dividirse, según sus causas y según el número de nervios afectados, en: a) *Neuritis de causa local,* que suelen afectar un solo nervio, y b) *Polineuritis* o *neuritis múltiples,* que suelen ser de causa interna o general y que afectan simultáneamente varios nervios periféricos.

NEURITIS DE CAUSA LOCAL

Causas

Traumatismo: compresión, contusión o sección. Propagación de una inflamación vecina. Frío.

Síntomas

Estas neuritis suelen ser de tipo llamado mixto, por afectar a la vez las fibras motoras, sensitivas y tróficas. Los síntomas principales son:

PARALISIS FLACCIDA.—(Es decir, con pérdida de tono de los músculos y abolición de los reflejos), en mayor o menor grado, de los músculos inervados por el nervio afectado.

ABOLICION DE REFLEJOS (a veces exagerados al comienzo).

DOLOR.—En el trayecto del nervio aumenta el dolor cuando se mueve el miembro afectado. Falta la sensibilidad cuando hay sección completa del nervio.

TRASTORNOS SENSITIVOS.—Las sensibilidades cutáneas de la zona de la piel inervada por el nervio enfermo se hallan disminuidas o abolidas.

TRASTORNOS VASOMOTORES Y TROFICOS (nutritivos).—La piel de la zona afectada suele estar fría y de color azulado. Más tarde puede observarse adelgazamiento de la misma y aspecto lustroso. Las uñas pueden ser irregulares y quebradizas.

TRASTORNOS ELECTRICOS.—La exploración de los nervios y músculos con la corriente galvánica y farádica muestra diferencias con lo normal, que pueden llegar a la llamada reac-

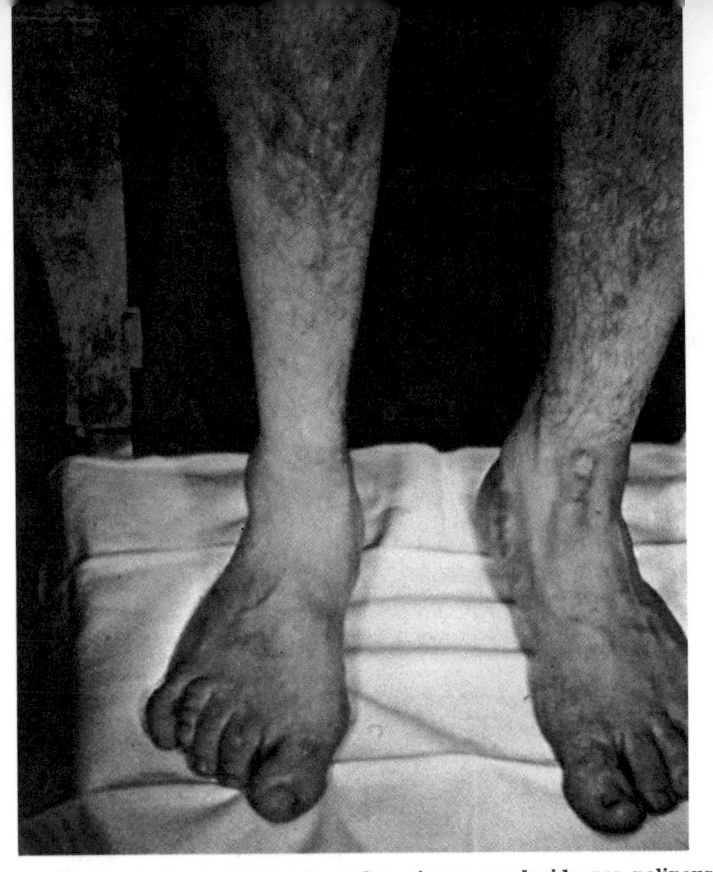

Fig. 548. **Atrofia de los músculos de ambas piernas producida por polineuritis.**

ción de degeneración. El moderno método de la cronaxia demuestra también diferencias muy acentuadas y permite un pronóstico más exacto. También por el estudio de los músculos por medio del aparato llamado miógrafo, pueden estudiarse bien estos casos.

Tratamiento

En el caso de sección, se necesita la sutura. El resto del tratamiento es semejante al de la polineuritis.

POLINEURITIS

La polineuritis o neuritis múltiple consiste en una inflamación y degeneración de muchos nervios periféricos, principalmente de los miembros, a los que suele afectar simétricamente (de ambos lados en la misma forma). Su consecuencia son trastornos motores y sensitivos.

Causas

Las polineuritis no son de causa local como las neuritis de un solo nervio, sino que suelen ser el resultado de una causa general: tóxica, infecciosa o autotóxica.

CAUSAS TOXICAS.—Alcohol, tabaco, arsénico, plomo, mercurio, oro, monóxido de carbono, tetracloruro de carbono, benceno, barbitúricos, sulfas.

CAUSAS INFECCIOSAS.—Ya sea por las toxinas (difteria, tétanos); o por el germen mismo (lepra). Tifoidea, sífilis, gripe, tuberculosis, ciertos focos de infección, virus, etc., pueden también causar neuritis múltiple.

AUTOINTOXICACIONES.—Diabetes, cáncer, enfermedades debilitantes, senilidad, anemia perniciosa.

DIETA DEFICIENTE.—Beriberi, pelagra, falta de vitamina B_6 cuando se recibe isoniazida. La dieta deficiente del alcoholista crónico.

Síntomas

Estos varían con cada causa. Son, sin embargo, casi siempre mixtas las polineuritis, es decir que afectan a la vez las fibras motoras, sensitivas, tróficas y vasomotoras. Los síntomas son semejantes a los que se acaban de mencionar para la neuritis de causa local.

Se presentarán a continuación los tipos principales de polineuritis con algunas de sus características.

Polineuritis alcohólica

Es uno de los resultados del alcoholismo crónico, con la alimentación incorrecta que lo acompaña. Es una polineuritis sensitivomotora.

La *parálisis fláccida* suele atacar sobre todo los miembros inferiores, predominando en los extensores del pie, lo que trae como consecuencia la imposibilidad de mantener levantada la punta del pie. También produce la marcha llamada "steppage", en que el paciente se ve obligado a levantar mucho el pie en cada paso para evitar que arrastre sobre el suelo.

La parálisis puede acentuarse hasta el punto de impedir en absoluto la marcha. Puede afectar también los miembros superiores. La parálisis es acompañada y precedida por trastornos sensitivos: hormigueos, dolores neurálgicos, sensación de ardor, anestesia, etc.

Pronto se observa atrofia muscular. La piel puede estar enrojecida y es frecuente el edema del pie.

Los trastornos mentales son relativamente frecuentes: delirio, alucinaciones (ver capítulo 144), etc. Otras veces se trata de una psicosis con desorientación, confusión mental, pérdida de memoria para los hechos recientes y fabulación (el paciente inventa hechos para compensar su pérdida de memoria). Se llama síndrome de Korsakoff la polineuritis acompañada de dicha psicosis.

Polineuritis arsenical

Sigue a una intoxicación arsenical. A menudo afecta a los cuatro miembros (cuadriplejía), aunque los inferiores están más afectados que los superiores. La marcha es muy difícil o imposible. Ataca a la vez la motilidad y la sensibilidad. La atrofia muscular predomina a nivel de los pequeños músculos de las manos y los pies. El dolor suele ser bastante intenso. Se observan a veces otros síntomas de intoxicación arsenical: pigmentación de la piel, hígado agrandado, edemas (hinchazón), keratosis (callosidad) de las palmas de las manos y las plantas de los pies, etc.

Polineuritis saturnina

Es el resultado de la intoxicación crónica por el plomo. Otros signos de saturnismo: anemia, línea azulada en las encías, cólicos, constipación etc.

La polineuritis saturnina suele ser exclusivamente motora, afectando principalmente los extensores del antebrazo, lo que produce la imposibilidad de extender la mano, que cae en flexión.

Polineuritis diftérica

Es principalmente motora. Ataca principalmente los nervios craneales, observándose parálisis del velo del paladar y del músculo ciliar (el que modifica la convexidad del cristalino). Cuando hay parálisis de los miembros, ésta suele ser ligera. Debido a la parálisis del velo del paladar se observa voz nasal o gangosa, dificultad para la deglución, con regurgitación de los líquidos a través de la nariz, e inmovilidad del velo. La parálisis del músculo ciliar ocasiona parálisis de la acomodación, lo que impide ver bien a diversas distancias.

Pronóstico

Cuando puede eliminarse la causa, las parálisis suelen retroceder después

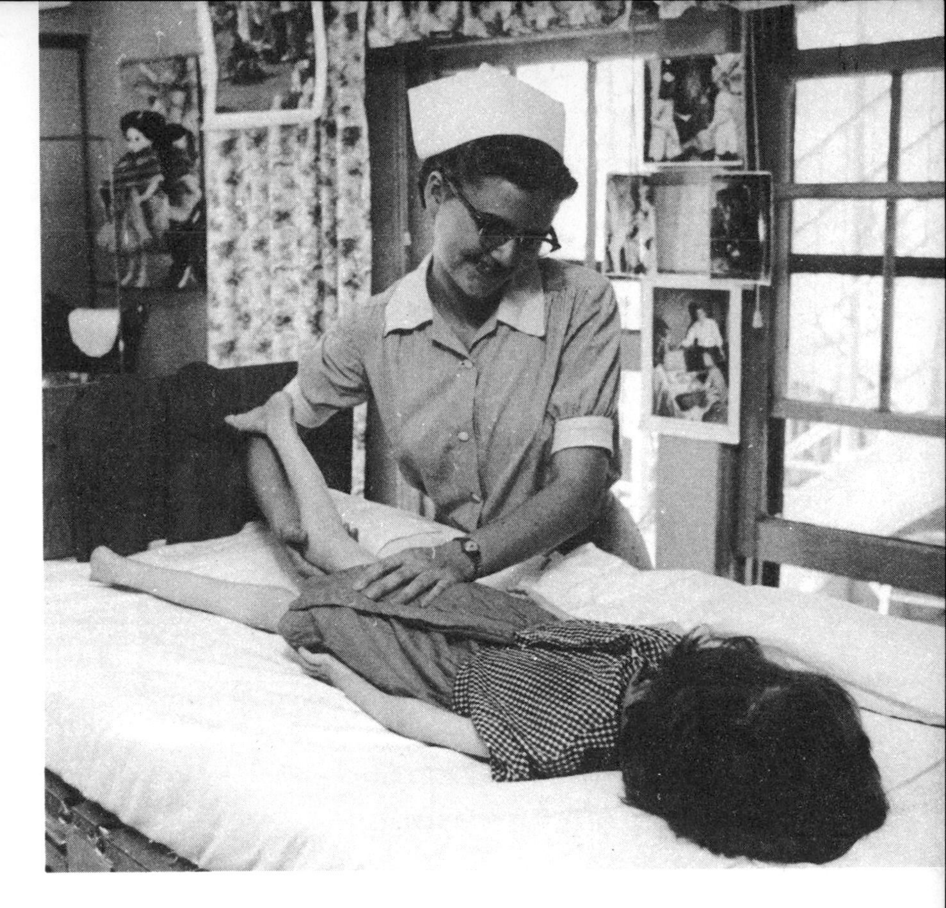

Fig. 549. Rehabilitación en un caso de polineuritis.

de un tiempo a veces prolongado. Pueden quedar, como secuelas, atrofias o debilidad de los músculos y contracturas (contracción permanente o prolongada de los músculos, que se produce involuntariamente).

Muy rara vez la polineuritis se extiende hasta el punto de causar la muerte por la parálisis de los músculos respiratorios.

Tratamiento de las neuritis y polineuritis

Suprimir la causa, si es posible, y en el caso de un tóxico, tratar de eliminar el que queda aún en el organismo. Cuando la causa ha sido por intoxicación por metales o metaloides (plomo, arsénico, mercurio, etc.), puede ayudarse a eliminar el tóxico por medio de la sustancia llamada BAL (véase intoxicación con sales de mercurio en la página 622). Esta sustancia parece ayudar también en algunas neuritis de origen infeccioso. Por supuesto que el tratamiento de las polineuritis deberá ser indicado por un médico.

Para el dolor, aplíquense fomentos calientes, ya sea en la forma común o según el método Kenny, pues son muy beneficiosos. (Véase la página 824.)

Reposo en cama durante el período agudo, manteniendo el miembro afectado en posición correcta, evitando que la ropa de cama pese sobre el pie (el pie debe mantenerse en posición correcta, vale decir, en ángulo recto) y que éste se enfríe.

El calor en diversas formas (fomentos, calor radiante, infrarrojos, diatermia, onda corta), tiene un efecto favorable, pues disminuye el dolor y mantiene la nutrición del miembro.

A veces es necesario emplear analgésicos contra el dolor, cuando éste no cede. El médico indicará el que parezca más apropiado.

Cuando ha cesado el dolor, la movilización pasiva y luego activa, la rehabilitación, el masaje y más tarde la *electroterapia* (galvánica, sinusoidal, etc.), tienen un efecto favorable sobre los músculos y nervios afectados. Muy utilizada por sus buenos efectos es la reeducación de los movimientos.

La *dieta* será completa y a la vez fácil de digerir. Será rica en vitamina B_1. Esta vitamina, llamada también antineurítica, debe administrarse en dosis elevadas por boca o mejor aún en inyecciones. Su efecto es mayor si se da también el complejo vitamínico B. Es a veces útil el uso de las vitaminas B_{12}, B_2 y B_6. Se han utilizado en algunos casos las tabletas de prostigmin. Es útil el tratar adecuadamente los focos de infección que pueda presentar el paciente.

NEURALGIAS

Definición

Se dice que hay neuralgia cuando hay dolor en el trayecto de un nervio, sin lesión orgánica demostrable en el sistema nervioso. Con frecuencia las neuritis son precedidas por neuralgias.

Causas

Como las neuritis, las neuralgias pueden deberse a una causa general o a una causa local.

CAUSAS GENERALES.—Pueden ser causa de neuralgias: anemias, artritismo, diabetes, ciertas enfermedades infecciosas, como gripe, tuberculosis, sífilis, paludismo, focos de infección y la alimentación inadecuada.

Los histéricos y otros neurópatas, presentan fácilmente neuralgias. Como causa ocasional frecuente puede mencionarse el frío.

CAUSAS LOCALES.—Varían con cada localización.

Síntomas

Los más comunes son:

a) *Dolores paroxísticos* (por ataques) en el trayecto de determinados nervios.

b) *Hay hiperestesia* o sea exceso de sensibilidad de la piel de la zona afectada y dolor a la presión del nervio.

c) *En la mitad de los casos crónicos* pueden hallarse puntos cuya presión es dolorosa y que corresponden a puntos de emergencia del nervio o de sus ramas a través de canales óseos o de músculos.

d) *Suelen faltar signos de enfermedad orgánica del sistema nervioso*, como parálisis, anestesia (pérdida de sensibilidad) y cambios en las reacciones eléctricas. Los trastornos tróficos o de la nutrición de la zona afectada, si existen, son poco acentuados.

FORMAS CLINICAS

Las formas más frecuentes de neuralgia son: del trigémino, intercostal y del ciático.

Neuralgia del trigémino

Es probablemente una de las más frecuentes de las neuralgias y puede afectar una o varias de las ramas del trigémino o quinto par craneal. Suele ser unilateral y es más frecuente del lado derecho.

CAUSAS.—Es más frecuente en la edad madura. Sus causas locales más habituales son: afecciones de los dientes, de la nariz, de los senos de la cara, del oído y de los ojos. También pueden causarla compresiones del ganglio de Gasser o del trayecto del nervio en el cráneo por lesiones óseas, meníngeas, tumores, etc.

SINTOMAS.—El trigémino tiene tres ramas: la oftálmica, la maxilar superior y la maxilar inferior. El asiento del dolor es variable según la rama o ramas afectadas. Suele ser muy intenso, sobreviniendo por accesos. Otras veces es continuo, pero con exacerbaciones. Aumenta con los esfuerzos, la masticación, el frío, etc.

Hay puntos dolorosos típicos para cada rama del nervio.

Otros síntomas que pueden observarse son:

1) *Trastornos sensitivos y sensoriales.* Hiperestesia (exceso de sensibilidad) cutánea en el territorio inervado por el trigémino. A veces fotofobia (la luz molesta).

2) *Trastornos vasomotores y secretorios.* Al final de los accesos intensos puede observarse congestión de la conjuntiva y del lado afectado de la cara. La secreción salivar es excesiva y hay lagrimeo.

3) *Trastornos tróficos.* En los casos inveterados pueden observarse diversos trastornos tróficos: piel lisa y adelgazada, canicie, alteraciones de la córnea, etc.

Una variedad de esta afección ha recibido el nombre de tic doloroso, pues se acompaña de sacudidas musculares en el lado correspondiente de la cara o de movimientos rápidos del maxilar inferior.

EVOLUCION Y PRONOSTICO.—A veces es de corta duración (días o semanas), pero con frecuencia ocurren recidivas, siendo a menudo largas y rebeldes al tratamiento.

TRATAMIENTO.—Ante todo debe buscarse y eliminarse la causa. Se aplicará fisicoterapia (onda corta, ionización con aconitina, etc.). Las vitaminas B_1, B_6 y B_{12} en grandes dosis pueden dar buenos resultados. Se les asocia el complejo B. También se ha utilizado la difenil hidantoína sódica. Con buenos resultados hemos utilizado el producto llamado tegretol. El médico indicará el analgésico quc parezca más adecuado (a veces bajo su vigilancia se puede utilizar durante los paroxismos del dolor, el tricloroetileno o "trilene") y, en casos muy rebeldes, se indica alcoholización, o sea una inyección de alcohol practicada por un médico especializado en el tronco nervioso, lo que da alivio por varios meses. En los casos que no ceden con ningún otro tratamiento, se efectúa la extirpación del ganglio de Gasser o la sección de sus raíces.

Neuralgia intercostal

Es causada a menudo por afecciones de columna vertebral, costillas o pleura. Esta neuralgia produce dolor a lo largo del trayecto de un nervio intercostal, haciéndose más intenso con la tos o los movimientos respiratorios. A veces se acompaña de herpes zóster (véase el capítulo 161).

Ciática

Es el dolor radicado en el trayecto del nervio ciático o de sus ramas (nalga, cara posterior del muslo, cara externa y posterior de la pierna, el pie). En realidad el dolor es causado con mayor frecuencia por un proceso que afecta la quinta raíz lumbar o primera sacra. Puede deberse a neuralgia, neuritis o compresión. Es más frecuente en el hombre y entre los 30 y los 60 años de edad.

CAUSAS.—Las ciáticas pueden ser idiopáticas (o reumáticas), o bien sintomáticas o secundarias.

En la aparición de las primeras influyen: frío, humedad, fatigas, focos de infección, traumatismos, intoxicaciones intestinales, gota, una forma de reumatismo llamada fibrositis, etc.

Las sintomáticas suelen ser secundarias y complican a diabetes, sífilis, blenorragia, tumores pelvianos, lesiones de columna vertebral, sacralización de la quinta vértebra lumbar (unión de dicha vértebra al sacro), lesiones de la articulación sacroilíaca, hernia del núcleo pulposo de un disco intervertebral que es probablemente la causa más frecuente (véase la página 568), avitaminosis, etc.

SINTOMAS.—Hay dolor en el trayecto del nervio, siendo éste sensible a la presión. Los movimientos que determinan un estiramiento del nervio ciático producen dolor (signos de Lasègue y de Bonnet, al agacharse, etc.).

Son especialmente sensibles a la presión diversos puntos donde emergen ramas del ciático o donde éste puede ser comprimido más fácilmente. Es frecuente que la ciática sea precedida o acompañada de dolores en la parte baja del dorso o lumbago.

EVOLUCION.—Su duración es muy variable. Hay casos muy rebeldes mientras que otros ceden rápidamente.

TRATAMIENTO.—Eliminación de las posibles causas. Reposo prolongado en cama, mientras haya dolor. Hay raros casos en que el reposo en cama aumenta el dolor. Debe evitarse cuidadosamente el enfriamiento del miembro afectado. Aplíquese calor en diversas formas: infrarrojos, onda corta (pasado el período agudo), diatermia, fomentos o simplemente bolsa de agua caliente y otras formas de hidroterapia, ultrasonidos, iontoforesis y ultravioletas. El masaje es útil en las formas crónicas. A veces el médico prescribe vitamina B_1 y la vitamina B_{12} en inyecciones, complejo B por boca y diversos medicamentos o inyecciones. Se utilizan a veces localmente ciertos linimentos revulsivos. Si la causa de la ciática es la hernia del núcleo pulposo de un disco intervertebral, el tratamiento será el de esa causa (véase la página 568).

PARALISIS FACIAL

El nervio facial es el que permite los movimientos de la cara. Se lo ha llamado por esto el nervio de la expresión.

La parálisis del nervio facial puede deberse a una lesión del sistema nervioso central (por ejemplo en hemiplejías), o a una lesión periférica (del tronco del nervio).

a) Cuando la parálisis es de origen *central* está en general respetado el facial superior, es decir, que está conservada la función del orbicular de los párpados y del frontal. El paciente puede cerrar el ojo y arrugar la frente.

b) La parálisis de origen *periférico* ataca todas las ramas del facial.

Causas de parálisis facial periférica

Puede ser provocada por una lesión o compresión del nervio, ya sea en el cráneo antes de pasar por la parte del hueso temporal llamada el peñasco (por meningitis localizadas, sífilis, etc.), o en el peñasco durante su trayecto intraóseo (otitis o sea inflamaciones del oído, fracturas de base de cráneo, tumores vasculares o del nervio auditivo, etc.). Puede deberse también a lesiones del nervio después de su salida del peñasco (heridas, trau-

Fig. 550. Parálisis facial.

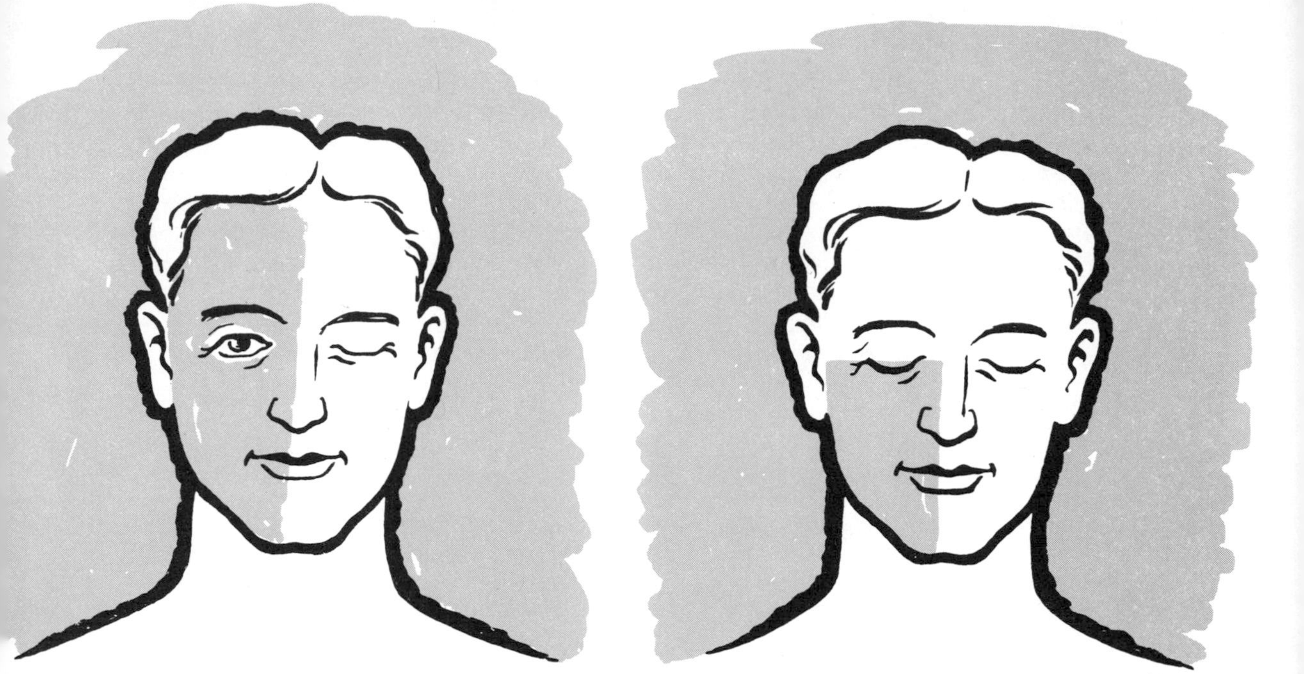

Fig. 551. **ESQUEMA DE LAS DIFERENCIAS ENTRE LA PARALISIS FACIAL DE CAUSA CENTRAL (proveniente de los centros nerviosos) Y LA DE CAUSA PERIFERICA (lesión o compresión del nervio facial). La zona coloreada señala la región donde están paralizados los músculos de la cara.** A la izquierda: **parálisis facial de tipo periférico. Todos los músculos de la mitad derecha de la cara están paralizados. No puede cerrar bien el ojo.** A la derecha: **parálisis facial de origen central. Los músculos de la frente y el que cierra el ojo no están afectados. Puede arrugar la frente y cerrar el ojo del lado paralizado.**

matismos, tumores de parótida, etc.).

La llamada parálisis facial "a frigore", que es la más frecuente, parece deberse a una neuritis con compresión del nervio en el acueducto de Falopio, estrecho canal que se halla en el hueso temporal. A menudo se encuentra como factor de su producción la exposición al frío del lado afectado de la cara.

Síntomas

Los principales son:

a) Desviación de los rasgos de la cara hacia el lado sano, con desaparición o disminución de las arrugas del lado afectado.

b) Desaparición de los movimientos de la cara en el lado afectado al reír, sonreír, llorar, hablar, etc.

c) Al sacar la lengua, ésta parece desviada hacia el lado enfermo por desviación de la comisura de los labios de ese lado hacia la línea media.

d) Imposibilidad de arrugar la frente y cerrar completamente el ojo del lado paralizado.

e) También se hace imposible silbar y, al masticar, se acumula la comida al nivel de la mejilla enferma por parálisis del músculo buccinador.

La duración y evolución de la parálisis facial es muy variable. Oscila de 2 semanas a 24 meses, y varía también desde la curación completa hasta la parálisis crónica.

Tratamiento

Eliminada la causa, si es posible, se puede tratar la parálisis al principio con calor: infrarrojos (protegiendo el globo ocular del exceso de calor), fomentos calientes u onda corta; además vitamina B_1, B_6, B_{12} y diversos medicamentos (corticoides, antihistamínicos, etc.). Actualmente el medicamento más frecuentemente indicado por el médico es la prednisona en dosis y duración que el mismo indicará. Su aplicación debe ser precoz. Cuando ya no hay dolor, es útil hacer masaje del lado afectado de la cara durante 5 minutos, 3 veces por día. Una o dos semanas después se puede recurrir a tratamientos con corriente galvánica y masaje más prolongado. Cuando la deformación de la cara es acentuada, es conveniente corregirla con tela adhesiva. De noche, si el ojo no puede cerrarse, es conveniente poner algodón sobre el párpado cerrado y hacer un vendaje para evitar que se seque la córnea y los trastornos que esto acarrearía.

CAPITULO 139

Formas Principales de Enfermedades de la Médula Espinal

LAS enfermedades de la médula espinal reciben el nombre de mielitis. Las mielitis pueden afectar indistintamente todos los elementos de la médula (mielitis difusas), o bien afectar predominantemente cierta parte de la médula (mielitis sistematizadas).

MIELITIS DIFUSAS

Dentro de este grupo entran las *mielitis agudas difusas,* la *esclerosis en placas* o *esclerosis múltiple,* las *mielitis transversas,* las *mielitis por compresión,* la *siringomielia,* etc.

Las mielitis por compresión suelen ser causadas por traumatismos, el mal de Pott (véase el capítulo 149), por paquimeningitis (inflamaciones crónicas de la duramadre con espesamiento de la misma) o por tumores medulares.

Las mielitis transversas afectan toda la médula a cierto nivel. A menudo son causadas por sífilis. Tanto las mielitis transversas, como las que ocurren por compresión, producen síntomas semejantes. Por supuesto, éstos varían con la altura de la lesión. Se caracterizan por presentar en grado diverso espasticidad (tendencia a espasmos musculares) y paresia (parálisis parcial) de los miembros inferiores, con exageración de los reflejos, marcha de tipo espasmódico y, a veces, aun parálisis completa de los miembros inferiores.

ESCLEROSIS EN PLACAS O ESCLEROSIS MULTIPLE

Es una enfermedad degenerativa crónica de la sustancia blanca en que aparecen placas difusas de esclerosis en la médula y el cerebro. Afecta principalmente el haz piramidal (véase el capítulo 137). Se inicia más comúnmente entre los 15 y los 35 años y se cree que es debida a una infección por virus. Solamente al final de la enfermedad pueden aparecer verdaderas parálisis. Como las placas de esclerosis aparecen en cualquier parte del sistema nervioso, los síntomas son muy variables de un caso a otro.

Síntomas principales

Cansancio fácil. Trastornos en la vejiga. Temblor intencional, es decir, temblor que aparece cuando el enfermo hace un movimiento. *Palabra escandida:* cada sílaba se pronuncia separadamente. *Nistagmus:* movimientos en general horizontales de los globos oculares. *Marcha espástica:* cuesta levantar los pies al caminar. *Ausencia de reflejos abdominales:* la pared del abdomen no se contrae al rozarla con un alfiler. *Exaltación de los reflejos tendinosos y el signo de Babinsky:* al pasar un alfiler por la planta del pie, en lugar de flexionarse los dedos hacia la misma, el dedo gordo se extiende hacia arriba. Tardíamente puede aparecer parálisis en los cuatro miembros, pero predominando en los miembros inferiores. Hay muchos casos que no se agravan después de alcanzar cierto grado. En un tercio de los casos, a los 10 años de evolución el paciente aún puede llevar bastante bien una vida normal. Según estadísticas recientes solamente el 20% de los afectados por dicha enfermedad quedan incapacitados, lo cual es ya un progreso considerable.

Tratamiento

El tratamiento realmente específico para esta enfermedad no ha sido aún descubierto. Deben evitarse diversos factores agravantes a los cuales algunos atribuyen la enfermedad o su agravación: nutrición deficiente (hay que dar una alimentación correcta, rica en vitaminas, escasa en grasas de origen animal, además de administrar vitaminas B_1, B_6, B_{12} y el complejo B en abundancia), preocupaciones y otros factores emocionales, infecciones y causas alérgicas. También se evitarán viajes muy cansadores, y los extremos de frío y calor. En ciertos casos se

Fig. 552. A) ESQUEMA DE LAS LESIONES HALLADAS EN UN CASO DE ESCLEROSIS EN PLACAS. Las zonas sombreadas de este corte de la médula espinal son las afectadas por la esclerosis. Como puede comprobarse, no siguen ninguna distribución sistemática.
B) CORTE DE LA MEDULA DE UN AFECTADO DE SIRINGOMIELIA. a) Cuerno anterior de la médula. c) Tejido gliomatoso o tumoral. b) Cavidad en el centro de ese tejido.
C) Esquema que muestra en un corte de la médula espinal, la parte lesionada en el tabes dorsal. Las zonas sombreadas de los cordones posteriores de la médula d) se hallan esclerosadas.

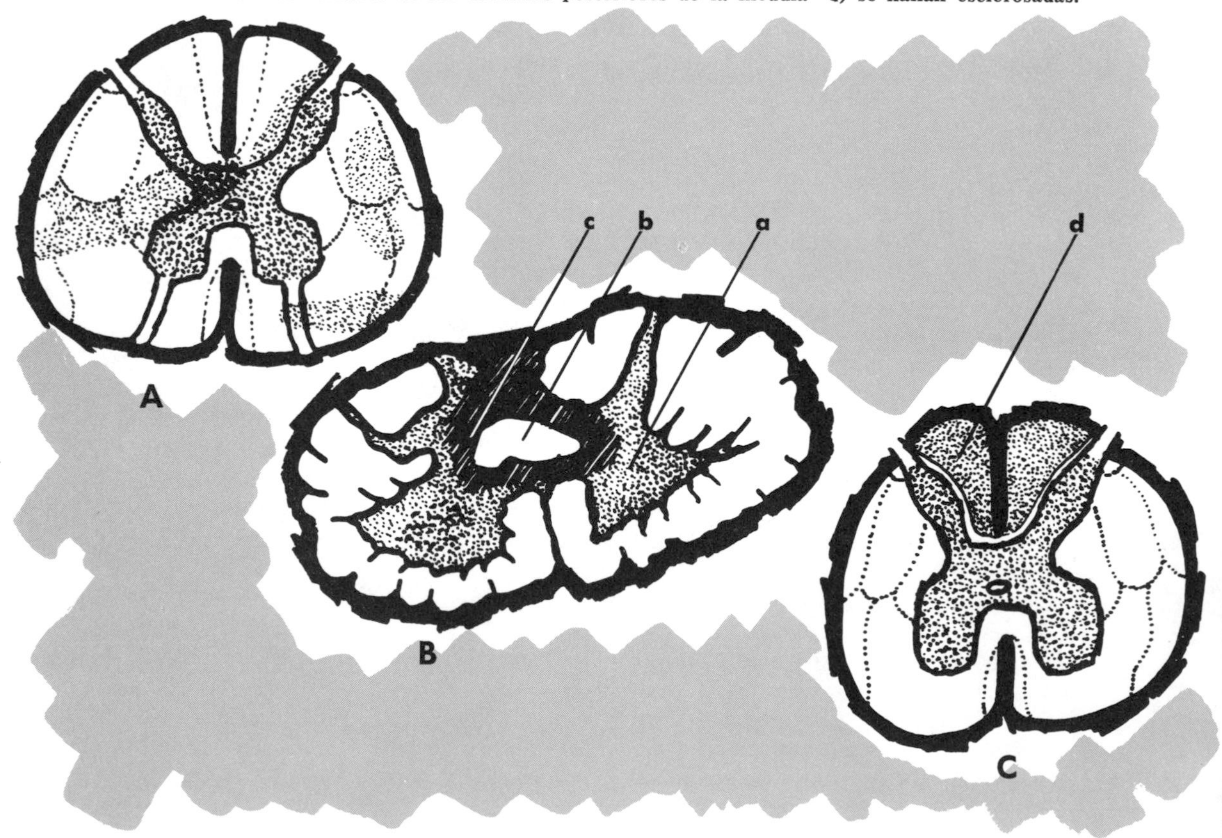

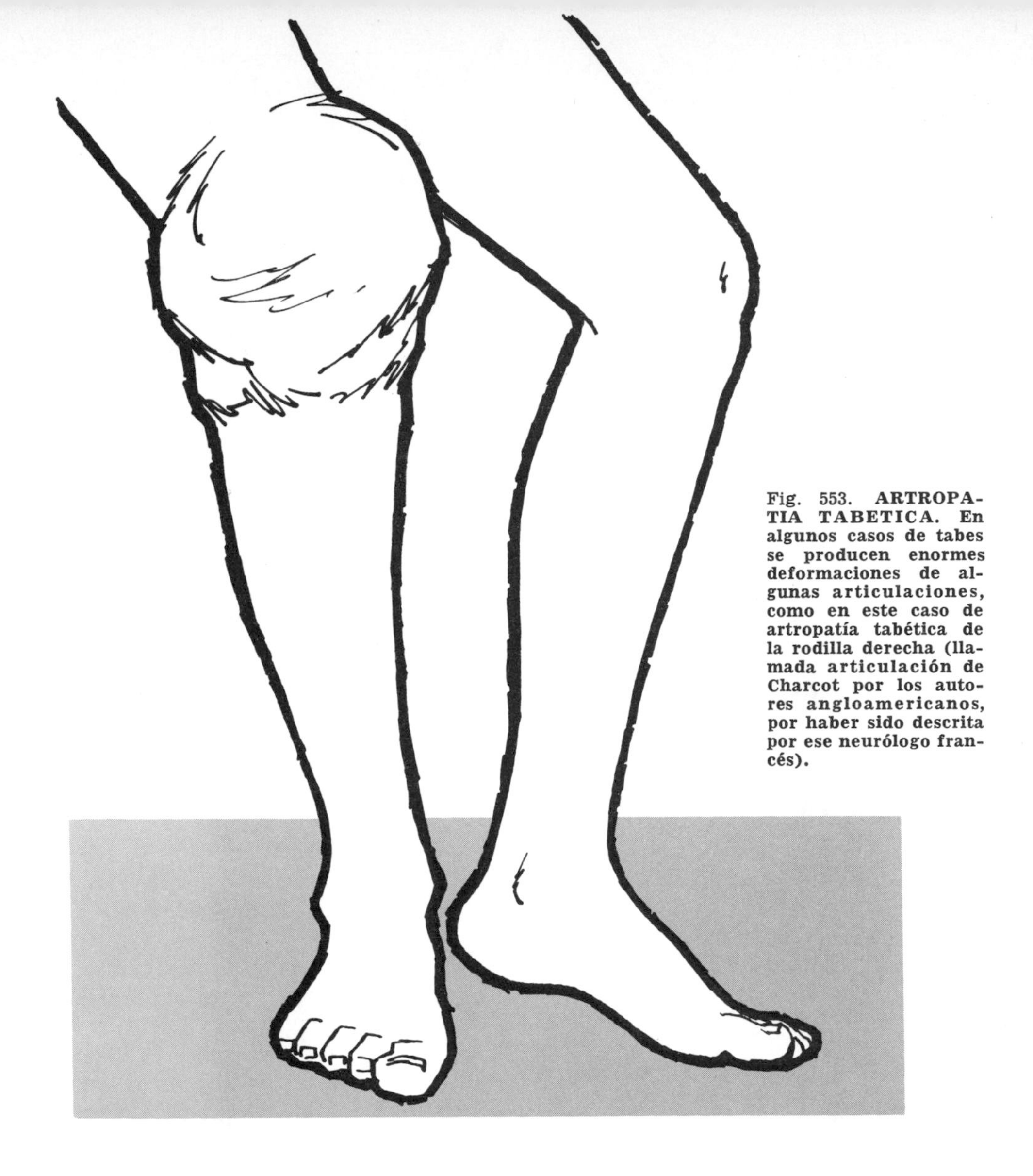

Fig. 553. ARTROPATIA TABETICA. En algunos casos de tabes se producen enormes deformaciones de algunas articulaciones, como en este caso de artropatía tabética de la rodilla derecha (llamada articulación de Charcot por los autores angloamericanos, por haber sido descrita por ese neurólogo francés).

ha obtenido disminución de las contracturas con relajantes musculares. También se ha comprobado que al hacer ejercitar los músculos que se hayan debilitado con pesos gradualmente crecientes, se obtiene una mejoría en la función de los mismos. Algunos síntomas que parecen ser provocados por contracción de los vasos, parecen mejorar con medicamentos que dilatan estos últimos. Como medicación se han prescrito las vitaminas B_1, B_6, B_{12} y la niacina. También la vitamina E. Una parte importante del tratamiento consiste en fisicoterapia y rehabilitación. Según algunos médicos especializados, el uso de la corticotropina (ACTH) y de corticoides es muy beneficioso en estos casos. Según trabajos recientes algunos pacientes mejoran con el uso de la isoniacida.

SIRINGOMIELIA

Es una enfermedad crónica y progresiva de la médula espinal, en la cual se forman cavidades alrededor del canal central de dicho órgano.

Síntomas

Los síntomas principales son:

ANESTESIA DISOCIADA.—Aunque se conserva la sensación del tacto (en las manos por ejemplo), hay desaparición de la sensación de dolor, de frío y calor.

TRASTORNOS TROFICOS O DE LA NUTRICION.—Se presentan en la piel, articulaciones y músculos.

El tratamiento será indicado en cada caso según la edad del paciente y la probable causa, por un médico especializado en enfermedades del sistema nervioso, y podrá consistir en cirugía, fisicoterapia, medicamentos, cuidados ortopédicos, etc.

MIELITIS SISTEMATIZADAS

Comprende la enfermedad de Little (paraplejía espasmódica congénita infantil), tabes, o ataxia locomotriz, enfermedad de Friedreich o tabes hereditario, poliomielitis anterior aguda (parálisis infantil) y muchas otras.

TABES DORSAL O ATAXIA LOCOMOTRIZ

Definición

Es una enfermedad nerviosa caracterizada por incoordinación de los movimientos y trastornos sensitivos producidos por una esclerosis de los cordones posteriores o sensitivos de la médula.

Causa

Todos los casos son producidos por la sífilis (aunque solamente del 2 al 5% de los sifilíticos adquieren el tabes). Suele aparecer de 5 a 20 años después de la infección y es mucho más frecuente en el hombre.

Síntomas

Los síntomas característicos son:

SIGNO DE ARGYLL ROBERTSON.—La pupila no se contrae a la luz aunque sí para mirar de cerca.

SIGNO DE WESTPHAL.—Abolición de los reflejos rotulianos y aquilianos (los que se producen al golpear el tendón que se halla debajo de la rótula y el tendón de Aquiles).

SIGNO DE ROMBERG.—Imposibilidad de conservar el equilibrio cuando se hace cerrar los ojos al enfermo de pie con los pies juntos.

ATAXIA.—Pérdida de la coordinación de los movimientos.

Evolución

La enfermedad evoluciona en 3 períodos que han recibido los nombres de preatáxico, atáxico o de incoordinación y paralítico.

PERIODO PREATAXICO.—Predominan en este período los síntomas sensitivos. Puede durar meses y aun años. Los síntomas más importantes en este período son:

1) *Dolores fulgurantes.* Son dolores muy intensos pero transitorios que suelen repetirse periódicamente. Atacan los miembros inferiores, el tórax o el abdomen.

2) *Parestesias.* Hay sensaciones de hormigueo, adormecimiento de los pies, etc.

3) El examen médico comprueba algunos de los signos mencionados anteriormente: los de Romberg, Westphal y Argyll Robertson.

PERIODO ATAXICO.—Durante este período predominan los síntomas motores. Hay incoordinación muscular y pérdida de la sensación de la posición de los miembros, lo que hace muy característica la marcha del tabético. Para guiar sus pasos el tabético mira sus miembros inferiores. Existen además casi todos los síntomas del período anterior.

PERIODO PARALITICO.—Al llegar a este período final, el tabético ha perdido la capacidad de caminar.

Cabe señalar en el curso del tabes las crisis gástricas y las crisis laríngeas,

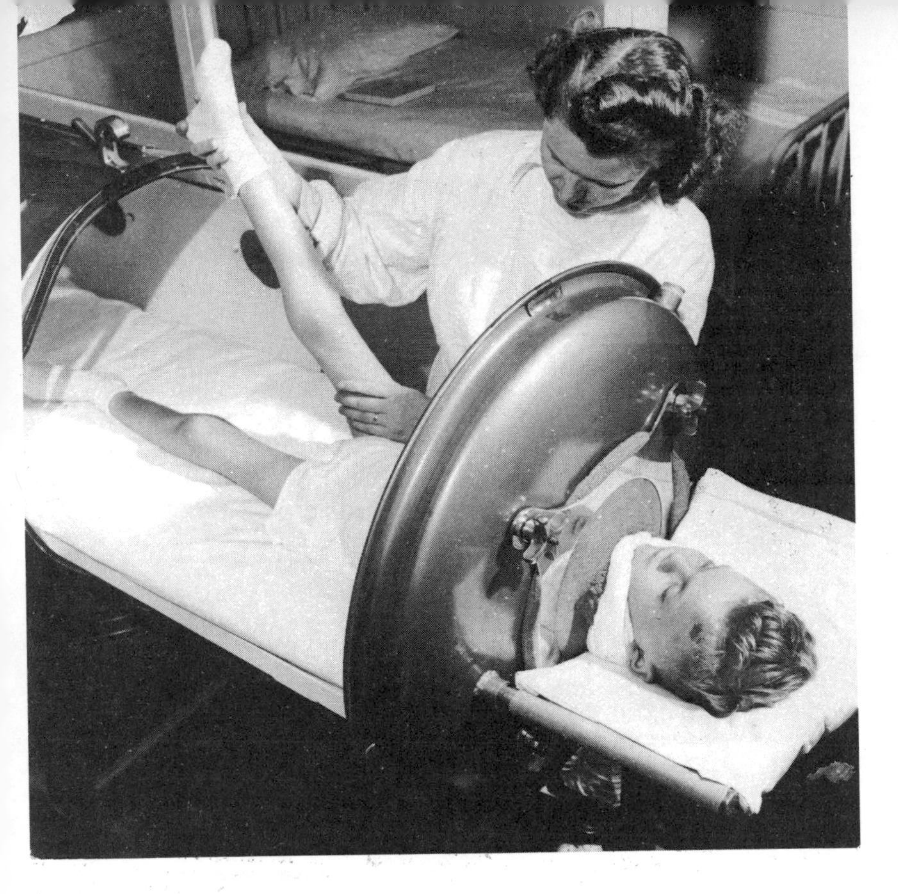

Fig. 554. La enfermera enseña a este pequeño paciente de poliomielitis a respirar de nuevo, mientras le ejercita las piernas.

caracterizadas las primeras por dolor y vómitos y las segundas por espasmo de la laringe con sofocación. También pueden verse artropatías, o sea lesiones de las articulaciones, neuritis del nervio óptico, etc.

Tratamiento

Tratar la neurosífilis, o sea la sífilis del sistema nervioso (véase el capítulo 156). Es conveniente evitar el cansancio, las preocupaciones y las bebidas alcohólicas. Alimentación correcta. Físicoterapia, con reeducación de los miembros afectados. En caso de dolores fulgurantes muy rebeldes al tratamiento, puede ser necesaria una operación.

POLIOMIELITIS ANTERIOR AGUDA (parálisis infantil o enfermedad de Heine Medin)

Definición

La poliomielitis anterior aguda es una enfermedad infecciosa que ataca principalmente los cuernos anteriores de la médula espinal.

Causas

EL VIRUS CAUSAL.—El virus que produce esta enfermedad es el más pequeño de los conocidos, pues mide solamente 10 millonésimas de milímetro. Existen diversas variedades de este virus. Aunque antes solamente se podía mantenerlo vivo con fines de experimentación en los monos, hoy se lo ha conseguido inocular con éxito al ratón blanco, a la rata de los algodonales y a otros roedores fáciles de conseguir. En octubre de 1954, fue concedido el Premio Nóbel de Medicina a los Dres. Enders, Weller y Robbins por haber descubierto la manera de desarrollar el virus de la poliomielitis en cultivos de diversos tejidos.

MODO DE CONTAGIO.—Por muchos años se creyó que se hacía únicamente por intermedio de gotecillas de las secreciones de la nariz y la faringe

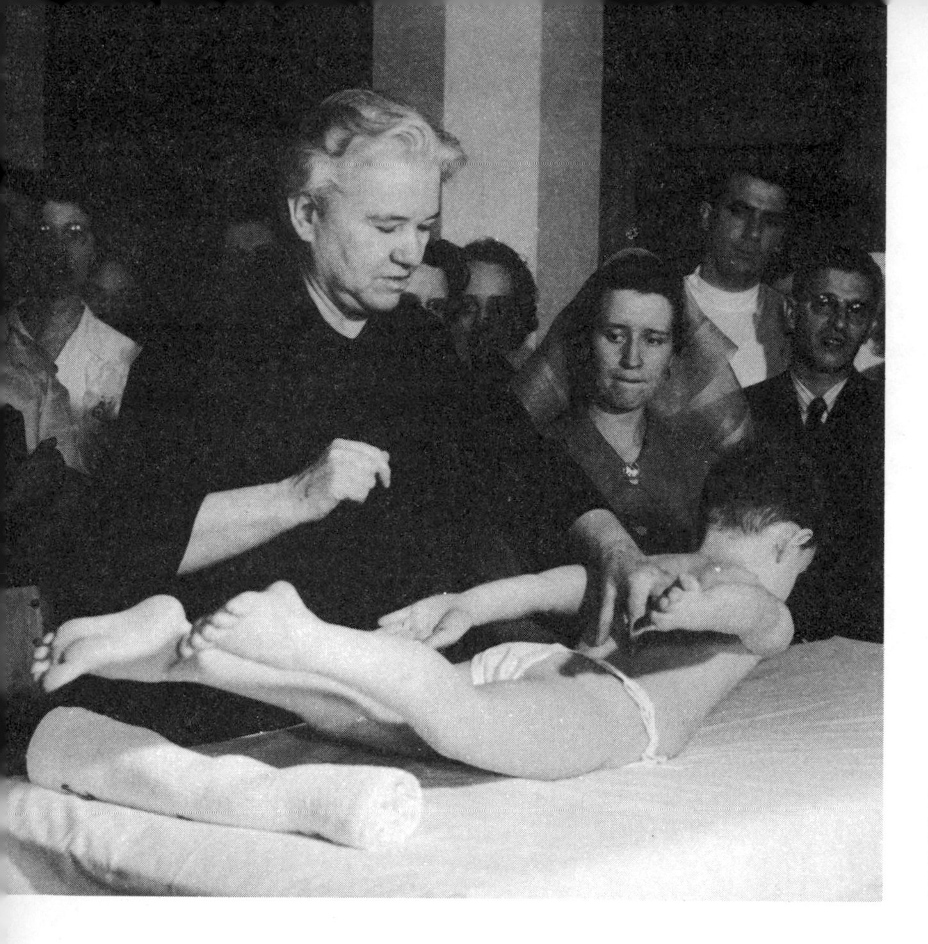

Fig. 555. La enfermera australiana, Sra. Kenny, enseñando su método de rehabilitación en un niño afectado de poliomielitis.

de los infectados. Estudios posteriores demostraron que además de esa vía por inhalación (confirmada nuevamente por experimentos recientes), la vía digestiva es con frecuencia el lugar por donde se produce la infección, llegando el virus por medio de alimentos o agua contaminados. Ha podido demostrarse la presencia del virus en las materias fecales de los enfermos de poliomielitis y de algunos de los que han estado en contacto con ellos. Se cree que desde la faringe o el intestino, el virus pasa al sistema nervioso central a través de los nervios craneales en la faringe y del simpático en el intestino. Se cree que las localizaciones altas, en el bulbo por ejemplo, se producen con mayor frecuencia cuando se inocula por la boca o la faringe, y que las localizaciones más habituales, por ejemplo en la parte lumbar de la médula espinal, se producen cuando la infección se hace a través de la mucosa intestinal y el simpático.

Factores predisponentes

CLIMA Y EPOCA DEL AÑO.—Las epidemias de esta temible enfermedad se observan en los climas templados y mayormente en verano y al comienzo del otoño.

EDAD.—Aproximadamente el 95% de los casos de poliomielitis se ven en niños y adolescentes, variando con las distintas epidemias la edad en que hay más atacados. Así por ejemplo, en la epidemia que atacó a Buenos Aires en 1936, el 70% de los casos se vio en niños menores de 4 años y, en otra posterior en la misma ciudad, fue mayor el número de atacados de 5 ó más años de edad. Es poco frecuente en el primer año de vida y en los adultos, pero no hay edad alguna de la que pueda decirse que se esté por completo libre de la posibilidad de adquirir esta enfermedad.

SEXO.—Hay un leve predominio de casos en los varones con respecto a las niñas, pero la diferencia es pequeña.

CANSANCIO.—El niño fatigado por un exceso de ejercicio es más susceptible a esta infección. Se cree que la fatiga puede transformar una forma abortiva (véase la página 1450) en otra con parálisis. También los enfriamientos son desfavorables.

OTROS FACTORES PREDISPONENTES.—Se ha comprobado que durante las epidemias de poliomielitis no es conveniente operar a los niños de amígdalas o efectuarles extracciones dentarias, ni efectuar vacunas, pues ello facilita la aparición de formas graves. Se cree que el virus penetra por la herida de la operación o extracción, llegando al bulbo raquídeo. Algunos autores opinan que hay familias más predispuestas que otras a adquirir la infección. Aunque muy raras veces hay más de un paralizado en la misma casa, es muy probable que los contagiados sean varios, aunque la parálisis solamente haya atacado a uno (véase más adelante).

Lesiones

Se observan casi siempre lesiones en las células motoras de los cuernos anteriores de la sustancia gris de la médula espinal. Los axones o cilindroejes de dichas células forman parte de los nervios motores (los que actúan sobre los músculos). Pueden, sin embargo, hallarse lesionadas otras partes del sistema nervioso: cerebro, cerebelo, bulbo raquídeo, ganglios, etc. Se observa también inflamación del tejido linfático en el intestino y otras partes del cuerpo.

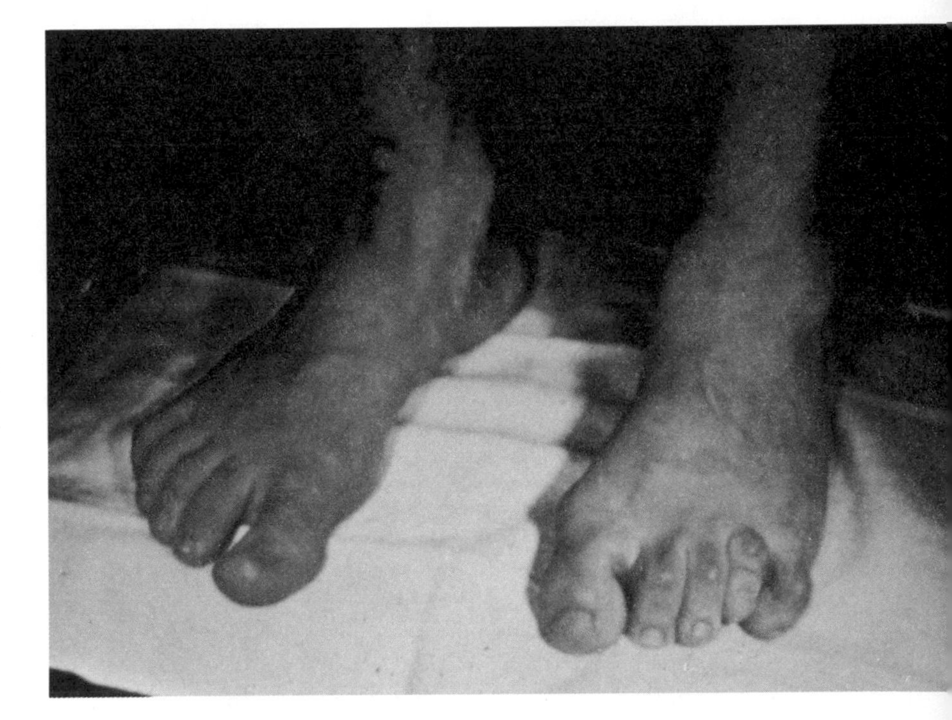

Fig. 556. Atrofias musculares y deformaciones consecutivas de los pies, como secuelas de una poliomielitis.

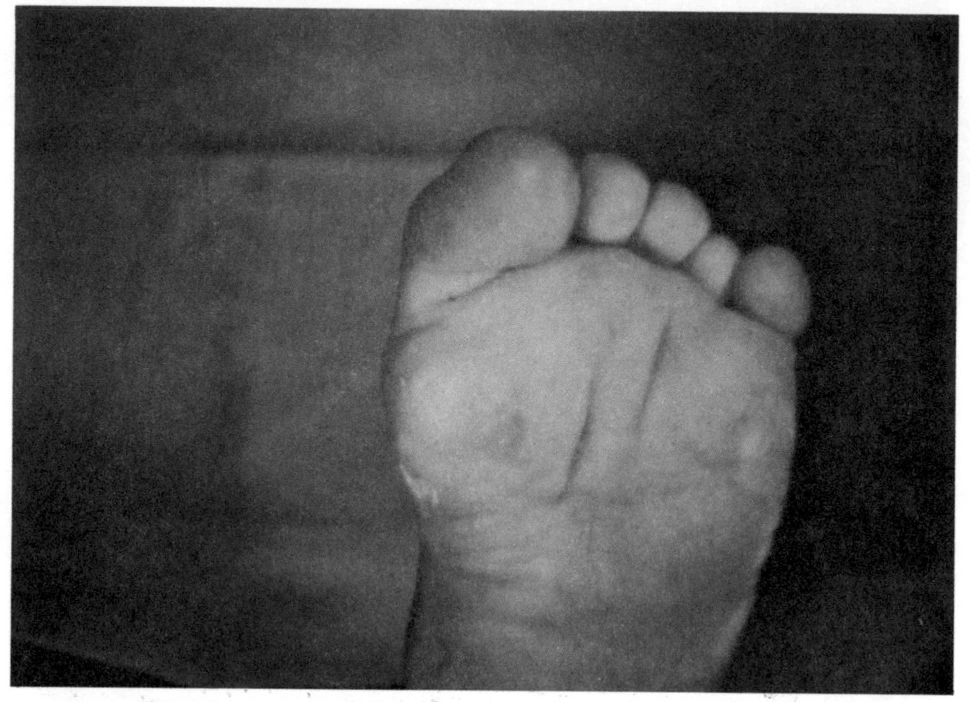

Fig. 557. Planta de pie deformado por antiguo ataque de poliomielitis. Se han formado callosidades al caminar.

Síntomas

Hay formas muy diversas de poliomielitis anterior aguda, pudiendo localizarse la afección en distintos lugares o detenerse en su evolución antes de producir parálisis.

PERIODO DE INCUBACION.— Desde el momento del contagio hasta la aparición de los síntomas en las formas con parálisis pasan habitualmente de 12 a 14 días, pero hay casos de incubación mucho más corta o mucho más larga (3 a 30 días). Hay algunos casos en los que el virus ha podido hallarse en la materia fecal semanas antes de aparecer los síntomas.

PERIODO DE INVASION.—Los síntomas son variables y pueden simular una inflamación de las vías respiratorias o digestivas superiores, como coriza o resfrío nasal, amigdalitis o faringitis. Es común que el comienzo sea brusco, con fiebre superior a 38°C (100,4° F), acompañada de malestar general, dolor de cabeza, a veces vómitos, rara vez diarrea. Puede haber dolor de garganta, observándose enrojecimiento de la misma. Estos síntomas duran de 24 a 48 horas. Se cree que aproximadamente el 95% de los contagiados no presentan sino los síntomas arriba mencionados. El 5% restante presenta los síntomas llamados preparalíticos que se describirán a continuación. Entre este período y el siguiente, se observa en la mitad de los casos desaparición de la fiebre con reaparición posterior de la misma.

PERIODO PREPARALITICO.— Es el período en que puede sospecharse la poliomielitis pero en el cual no hay aún parálisis. Dura de 1 a 5 días. Los síntomas que aparecen en este momento indican que el sistema nervioso está afectado. Los más comunes son: irritabilidad, no queriendo el niño que se lo mueva; alternativas de somnolencia y de intranquilidad e insomnio; dolor de cabeza, de nuca o de columna vertebral, acompañados con frecuencia de cierto grado de rigidez de la nuca y la columna vertebral. Esta rigidez se pone de manifiesto cuando, estando el niño sentado sobre un plano resistente con sus piernas separadas, no se le puede hacer colocar la cabeza entre las mismas y, a veces, ni hacerle tocar con el mentón el pecho. Puede haber dolor en los músculos, leve temblor en las manos y los labios, sudores, alteración de los reflejos y modificaciones en el líquido cefalorraquídeo. A veces hay trastornos pasajeros en la vejiga o el intestino (retención de orina o constipación). La mitad o más de los que presentan estos síntomas pueden no llegar a presentar parálisis.

PERIODO DE PARALISIS.—Cuando ha de producirse parálisis, ésta aparece entre los 3 y los 7 días de iniciada la enfermedad, aunque hay casos en que tarda más y otros en los que la parálisis parece establecerse de primera intención. En este último caso los síntomas que han precedido a la parálisis han sido tan leves que han pasado inadvertidos. Es común que en este momento no haya más fiebre, pudiendo, sin embargo, aumentar el dolor de cabeza y doler los miembros afectados. El concepto clásico de la parálisis en esta enfermedad es la de ser fláccida, es decir, con músculos relajados, y la de estar abolidos los reflejos de los tendones en las partes afectadas. El concepto de la enfermera australiana Kenny, compartido por algunos especializados, es que predomina el espasmo o contracción de ciertos músculos, y que a ello se deben el dolor y las deformaciones. Cree además que se ha producido "alienación mental", expresión que usa la Srta. Kenny para señalar la interrupción del estímulo que va desde el centro voluntario del movimiento al músculo afectado. El

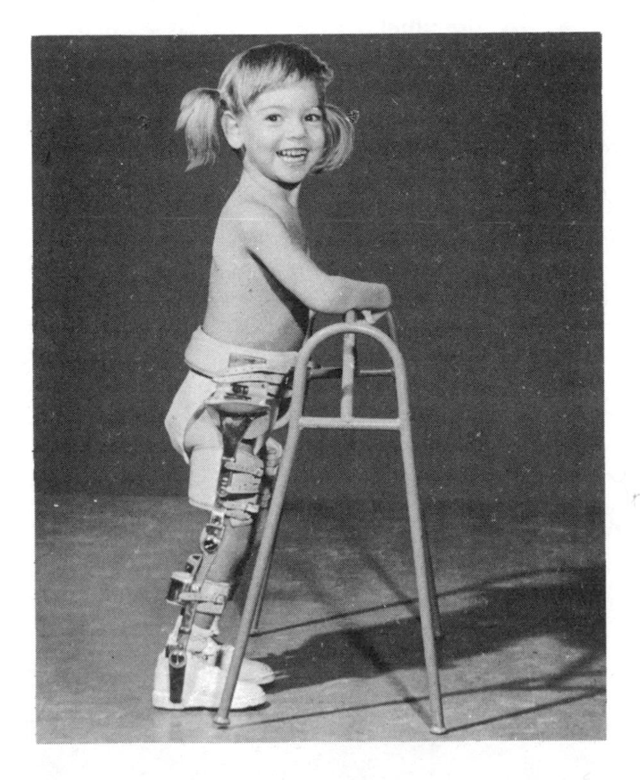

Fig. 558. Atrofia de los músculos de ambas piernas, como secuela de un ataque de poliomielitis.

músculo que se presenta así como paralizado no sería el músculo enfermo, siéndolo en cambio el músculo oponente, que presenta contractura o espasmo. Además del espasmo y la "alienación", admite la Srta. Kenny un tercer factor, al que llama incoordinación, y que consiste en la incorrecta dirección de los impulsos nerviosos, que provoca la contracción de los músculos indebidos y la falta de coordinación en el trabajo de los músculos aparentemente sanos. Esta falta de coordinación trae como consecuencia un ritmo anormal y una eficiencia disminuida en los movimientos del paciente.

El dolor que experimenta el niño y que asienta en los músculos que presentan espasmo, hace que el enfermo trate de evitar todo movimiento de la parte afectada del cuerpo. Cualquier músculo puede estar afectado, pero hay predominio de manifestaciones en los miembros inferiores. Son también bastante frecuentes las manifestaciones en los miembros superiores.

Formas principales

FORMA ABORTIVA.—Es la que produce solamente los síntomas descritos en el *período de invasión,* cesando la enfermedad.

FORMA NO PARALITICA.—Produce los síntomas del *período de invasión* y del *período preparalítico* (pág. 1448). Estos últimos indican que el virus afecta al sistema nervioso, pero la enfermedad cura sin llegar a producir parálisis.

FORMA PARALITICA.—Hay dentro de esta forma varios tipos: la *común* o *espinal,* que afecta mayormente la médula espinal y los músculos que ésta inerva; la forma *espinal ascendente,* en la que progresivamente sube la lesión, y la *forma bulbar.* Esta última afecta el bulbo raquídeo, pudiendo producir la muerte al afectar centros vitales como el respiratorio. Puede afectar también los músculos faciales, oculares, de la deglución y de la fonación. La forma bulbar se manifiesta con frecuencia por una voz gangosa y dificultad para deglutir líquidos, los que pueden salir por la nariz, etc.

OTRAS FORMAS.—Hay otras formas, como la *meningítica,* la cual simula por completo una meningitis, la *encefalítica,* que ataca mayormente el encéfalo, etc.

Evolución y pronóstico

El período agudo es aquel que se extiende hasta la cesación de los dolores, lo que tarda generalmente varias semanas. En pocos días, sin embargo, salvo raras excepciones, las lesiones alcanzan su máxima intensidad y luego retroceden, al principio rápidamente y después con una mayor lentitud. Hay casos que no dejan casi alteración alguna y otros que dejan marcadas lesiones. La mortalidad es muy variable según las epidemias, siendo mucho más graves las formas en que está afectado el bulbo raquídeo. El desarrollo del miembro, si resulta muy afectado en un niño, puede ser menor que el del lado sano, observándose a veces tendencia al enfriamiento, color azulado de la piel y otros trastornos tróficos.

Profilaxis o prevención

a) En tiempo de epidemia debe evitarse que los niños concurran a lugares donde hay muchas personas. Cuando hay casos de parálisis infantil en cierta localidad, deben evitarse las operaciones de amígdalas y otras pequeñas operaciones que puedan postergarse. También evitar vacunaciones corrientes, salvo la antipoliomielítica.

b) Deben tomarse todas las precauciones posibles para evitar que el germen llegue al organismo. No se utilizarán aguas que no sean puras o alimentos que puedan estar contaminados. Se tomarán las otras precauciones que se mencionan al estudiar la profilaxis de la fiebre tifoidea.

c) Cuando hay un caso de poliomielitis, el niño afectado debe aislarse por 2 ó 3 semanas, tomándose las precauciones de desinfección de excreciones y los cuidados que se mencionan en el capítulo 76. Los que han estado en contacto con él deben también aislarse por 2 ó 3 semanas. Los niños y adultos que están en esa casa pueden presentar formas abortivas o no paralíticas, o ser portadores de gérmenes. Se tomarán con ellos las mismas precauciones, pues son tan contagiosos como los casos típicos.

d) Los niños evitarán el cansancio excesivo y los enfriamientos. Deben lavarse muy cuidadosamente las manos, especialmente antes de cualquier comida.

e) La vacuna preparada por el Dr. Jonas Salk y aplicada durante 1954, evitó aproximadamente 70% de los casos de forma paralítica de poliomielitis. Durante los últimos años, se han perfeccionado vacunas antipoliomielíticas con virus atenuados que pueden tomarse por boca (vacuna Sabín oral, cuyos resultados son tan buenos que ha sustituido a la vacuna Salk).

La manera actual de dar la vacuna Sabín oral para niños pequeños es la siguiente: a los 2 meses, a los 4 meses y a los 6 meses se da por boca la vacuna trivalente antipoliomielítica. Lo habitual es darla con la vacuna triple inyectable contra difteria, tétanos y tos convulsa. Al año y medio se repite la vacuna trivalente contra poliomielitis y también entre los 4 y los 6 años. En las embarazadas puede administrarse después de los primeros tres meses, habitualmente al 5º mes. Antes de que el niño concurra a la escuela, es conveniente que repita la dosis de vacuna con los tres virus.

Para niños de más edad se da la vacuna preparada con los tres virus, dos o tres veces.

Es aconsejable evitar la administración de la vacuna a un paciente que está padeciendo de una enfermedad febril o a un niño que sufre de vómitos o diarrea. En esos casos, debe esperarse que haya un restablecimiento completo antes de dar la vacuna. Es preferible no vacunar desde dos semanas antes o dos semanas después de extracciones dentarias, amigdalectomías, apendicectomías, etc. Se puede administrar en embarazadas desde el quinto mes.

No dar simultáneamente con vacunas que contengan microorganismos vivos (B. C. G. antivariólica, antiamarílica). Dichas vacunas se podrán dar cuando ha pasado un mínimo de 15 días después de la última dosis de Sabín oral. Si se aplicó por primera vez vacuna antivariólica, o B. C. G., esperar 30 días antes de dar Sabín oral.

Las vacunas con antígenos inertes (sin gérmenes vivos) como la vacuna triple (anticoqueluche, antitetánica y antidiftérica) pueden darse simultáneamente con la vacuna Sabín oral. Los vacunados con vacuna Salk recibirán también la Sabín oral triple.

Tratamiento

A la menor sospecha de parálisis infantil el niño debe ser puesto en manos del médico y, una vez confirmado el diagnóstico, debe, si es posible, ser internado en uno de los centros especializados que en cada país existen para el tratamiento de esta afección. Allí se aplicará al enfermo el tratamiento más adecuado. Para ilustración del lector se mencionarán brevemente algunos de los medios utilizados para combatir esta enfermedad en sus distintos períodos. Durante el período de la enfermedad anterior a la aparición de las parálisis, pueden obtenerse muy buenos resultados con la inyección de globulina gamma.

Son discutidos aún por los especializados, los méritos respectivos del método clásico y del método Kenny. Se mencionarán ambos brevemente.

a) *EL METODO KENNY*

1) *Lecho y posición del enfermo.* En seguida de hecho el diagnóstico de poliomielitis el niño es acostado en una cama debajo de cuyo colchón hay tablas. Al pie de la cama se coloca verticalmente un tablón de unos 50 a 75 cm de alto que apoye sobre el elástico de la cama y cuyo fin es permitir que el paciente apoye los pies. El colchón estará separado de ese tablón unos 10 cm por unos tacos de madera. Este espacio entre tablón y colchón, tiene como objeto permitir al talón o a los dedos de los pies estar libre, según que el paciente esté de espaldas o boca abajo. Se mantiene al paciente acostado en la misma posición en que estaría de pie. Puede ser necesario poner debajo de las rodillas (hueco poplíteo) alguna toalla doblada o algodón para que las piernas queden bien derechas, pero sin doblarse hacia atrás (hiperextensión). En algunos casos en que hay mucho espasmo de los músculos, puede ser necesario modificar la posición del cuerpo, lo que el médico indicará.

2) *Manera de combatir el espasmo muscular y el dolor que éste produce.* Se preparan fomentos calientes como se explica en las páginas 824 y 827, pudiendo necesitarse variar la forma y el tamaño de los mismos para abarcar los músculos afectados. Se aplican los fomentos y se cubren con el material que ha de recubrirlos y que se ha preparado de antemano, consistente en una capa delgada impermeable, como gutapercha o hule de seda, que se fija a una franela de lana seca. Se recubre todo con una franela de algodón que se fija con alfileres de seguridad. Estas capas que recubren el fomento, tienen como objeto mantener su calor. Los fomentos se renuevan cada 2 horas y día y noche, aunque hay casos en que el médico los indica más frecuentes.

Estas aplicaciones se continúan hasta que desaparezcan el dolor y el espasmo. Después de 3 ó 4 días, cuando los dolores han disminuido marcadamente, es conveniente mover las articulaciones sobre las cuales obran los músculos afectados, pero sin producir dolor, ni excitar los músculos con tendencia a espasmo. Esto se hará una vez por día, mientras se cambian los fomentos.

3) *Reeducación muscular.* Esta debe ser hecha por un técnico debidamente entrenado y se comenzará cuando ya no haya dolor. Consiste al principio solamente en mostrar al enfermo el punto de inserción de los músculos y el efecto de la contracción de los mismos, movimiento que efectuará el técnico. Luego se enseña a combatir la incoordinación y después se hacen efectuar movimientos activos de los músculos por parte del paciente. Después de 2 ó 3 semanas de tratamiento en cama, es posible hacer la reeducación en mesas especiales. Luego se permite gradualmente al paciente sentarse, ponerse en pie y caminar. A veces se asocia el uso de baños de inmersión y duchas.

b) *EL METODO CLASICO*

1) *Período agudo.* Se han utilizado inyecciones del suero de convalecientes de esta enfermedad o mejor aún de gamma globulina, cuyo resul-

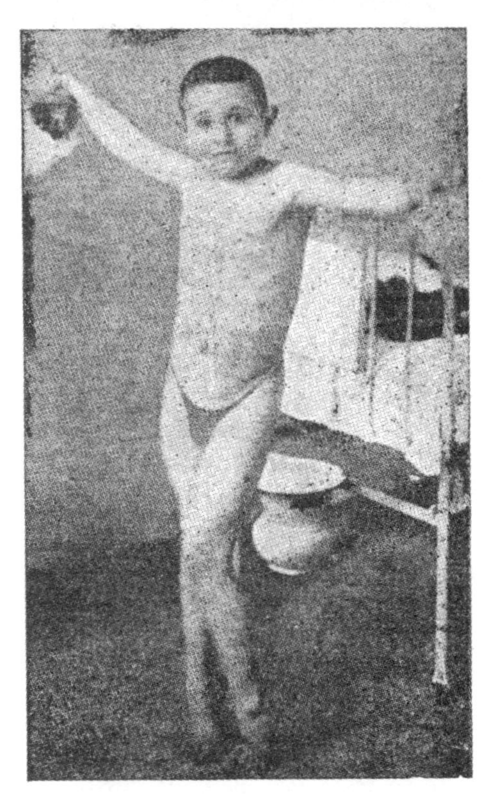

Fig. 559. Enfermedad de Little (niño espástico).

tado parece bastante bueno cuando no hay aún parálisis. Para el dolor se utiliza el calor en diversas formas. Se coloca al niño en posición correcta sobre cama dura (interponer tabla entre el elástico y el colchón). Para evitar que el peso de las frazadas haga caer los pies, se coloca un arco de metal o madera que las sostenga levantadas. Los miembros se colocarán en posición correcta, variando según el caso los medios que se pondrán en práctica: bolsas de arena, férulas, aparatos de yeso, etc. Cuando cesan los dolores y la fiebre, comienza el período de la convalecencia.

2) *Período de convalecencia.* Además del reposo en posición correcta, se ayuda a la circulación del miembro por medio de calor y masaje, y se busca la reeducación de los músculos y su fortalecimiento por medio del ejercicio de los mismos. Un técnico bien entrenado, después de hecha la evaluación del estado de cada músculo, comienza en forma gradual los ejercicios de los que están afectados, después de la aplicación de calor (calor radiante, horno Bier, fomentos, etc.). Debe tenerse cuidado de que no se produzcan deformaciones. Al comenzar a caminar puede ser necesario colocar en el miembro inferior o en el tronco aparatos que impidan las deformaciones. Los movimientos pueden efectuarse bajo agua, por ser más fáciles de mover los miembros en la misma. Después de 2 años puede considerarse que lo que queda son secuelas.

3) *Tratamiento de las secuelas.* Es frecuente que un cirujano especializado en ortopedia tenga que efectuar operaciones para corregir ciertos defectos que haya podido dejar la enfermedad.

4) *Tratamiento de las formas bulbares.* Cuando los músculos respiratorios no cumplen su función, puede ser necesario colocar al enfermo uno de los aparatos llamados "pulmón de acero", o sea respiradores del tipo Drinker u otros simplificados, camas especiales que al hamacarse producen en el paciente movimientos respiratorios del diafragma, o más sencillamente el llamado respirador electrofrénico que hace contraer rítmicamente el diafragma. Sin embargo, cuando hay lesión importante del bulbo con marcada dificultad para tragar y toser, puede estar contraindicado el uso del aparato para respiración artificial. Como primer auxilio puede levantarse el pie de la cama (unos 15 a 20 grados) y poner al enfermo con la cabeza rotada hacia un lado, para evitar que las mu-

cosidades pasen a las vías respiratorias. En las clínicas se hace a veces aspiración de dichas mucosidades a través de una sonda y con otra que llega al duodeno se alimenta al paciente. En algunos casos es necesario efectuar traqueotomía.

Tratamiento higienicodietético

Es el que corresponde a las demás enfermedades infecciosas. Es indispensable el aislamiento y la desinfección de las secreciones de la boca y la faringe, así como de las evacuaciones intestinales y la ropa, como se describe para la fiebre tifoidea.

ENFERMEDAD DE LITTLE Y ENCEFALOPATIAS CRONICAS DEL NIÑO

Es una paraplejía espasmódica congénita, es decir, parálisis de los miembros inferiores y espasmo existentes en el momento del nacimiento, debido a la falta de desarrollo completo de los haces piramidales. Se nota al tiempo del nacimiento o poco después del mismo.

Hay rigidez, más marcada en los miembros inferiores que en los superiores, exaltación de reflejos, espasmo de los aductores de los muslos con marcha peculiar caracterizada por arrastramiento de los dedos de los pies y tendencia a cruzar las rodillas.

El cerebro y la sensibilidad son normales.

Síntomas parecidos pueden verse en adultos, por degeneración de las columnas laterales de la médula. También puede observarse en otras lesiones y compresiones de la médula.

Hay casos en que estos síntomas, o una rigidez de uno de los lados del cuerpo, se deben a prematurez, a lesión por sífilis, a encefalitis, a dificultades en el parto, incompatibilidad entre el factor Rh de la madre y del niño (se produce en estos casos una ictericia llamada nuclear o quernicterus que lesiona ciertos núcleos del encéfalo del niño), enfermedades infecciosas de la madre (o del niño a través de ella) durante la gravidez, etc. Algunos casos se acompañan de desarrollo mental insuficiente o de convulsiones de tipo epiléptico.

Tratamiento

En la enfermedad de Little lo corriente es que la afección retroceda gradualmente. En los demás casos, el médico trata la causa después de determinarla en la forma más exacta posible. Hay casos que mejoran notablemente y otros que son rebeldes al tratamiento. Con beneficio se utilizan los masajes, la movilización, la hidroterapia, la reeducación de los movimientos, rehabilitación, ciertas vitaminas, medicamentos antiespásticos, etc. Para corregir ciertas deformidades, puede ser necesario recurrir a la cirugía.

CAPITULO 140

Principales Afecciones del Cerebro; Síntomas y Tratamiento

HEMIPLEJIA

Definición

ES LA parálisis de los músculos de una mitad del cuerpo. No es una enfermedad sino un conjunto de síntomas producidos por diversas causas que afectan el haz piramidal (que es el encargado de transmitir desde el cerebro las órdenes de movimiento) : lesiones vasculares, sífilis, tumores, abscesos, traumatismos, etc.

El haz piramidal se extiende desde la zona motriz (que dirige los movimientos) de la corteza cerebral a la médula, entrecruzándose a nivel del bulbo. La hemiplejía puede producirse por lesión en cualquier parte del trayecto del haz piramidal, aunque el mayor número de casos se produce por lesiones en el cerebro, ya sea en la corteza cerebral o a nivel de la cápsula interna, en la sustancia blanca cerebral.

Síntomas

COMIENZO.—La hemiplejía puede iniciarse con o sin estado de coma (ver definición de coma más adelante). En el primer caso se habla generalmente de apoplejía que, aunque de comienzo habitualmente brusco, puede establecerse en forma más lenta (en minutos u horas). En los casos sin coma el comienzo suele ser lento.

PERIODO DE HEMIPLEJIA FLACCIDA.—Además de los síntomas de coma que pueden hallarse (coma: pérdida más o menos completa de la motilidad, la sensibilidad y la conciencia, con conservación de la respiración y de la circulación), se encontrarán los signos típicos de la hemiplejía que son los siguientes:

En la cara. Hay parálisis del nervio facial inferior y de los músculos inervados por él, lo que se notará por borramiento de los pliegues normales y desviación de la boca hacia el lado sano. Durante la espiración puede observarse que la mejilla del lado afectado se levanta. Si el enfermo está consciente, la parálisis facial se hará más evidente cuando contraiga los rasgos del lado sano.

En los miembros. Hay hipotonía muscular (o sea pérdida de la tonicidad normal del músculo). Si el enfermo está consciente será incapaz de mover sus miembros afectados o lo hará con dificultad. Si está en coma, al levantar y luego al dejar caer sus miembros, los del lado enfermo lo harán más pesadamente.

Otros trastornos. A veces hay incontinencia (imposibilidad de retención) de la orina y materias fecales. Otras veces, retención de orina (imposibilidad de orinar). Los trastornos sensitivos son poco marcados y consisten principalmente en hormigueo y adormecimiento de los miembros afectados.

Trastornos de los reflejos. Su estudio es muy importante para el diagnóstico. Los reflejos tendinosos y óseos están disminuidos o abolidos en el lado paralizado. Lo mismo sucede con los cutáneos (véase "reflejos" en la página 1425).

La excitación de la planta del pie, en lugar de provocar el reflejo plantar normal, con flexión de los dedos del pie, provoca el llamado signo de Babinsky. Este signo, en su forma completa, consiste en un movimiento de extensión del dedo gordo hacia el dorso del pie, con separación de los demás dedos del pie en abanico.

El reflejo corneano (cierre de párpados cuando se pretende tocar la córnea), está atenuado o ha desaparecido. Del período de hemiplejía fláccida, el enfermo puede pasar a la muerte, lo que es frecuente cuando las lesiones cerebrales son importantes; o a la curación completa, o al período de contracturas musculares, llamado también espástico. El período de flaccidez dura habitualmente de 4 a 6 semanas.

PERIODO DE HEMIPLEJIA ESPASTICA.—Los músculos han perdido su elasticidad. Se manifiesta mayormente en los miembros, siendo más marcada en el miembro superior. Este está generalmente flexionado: el brazo pegado al cuerpo, el antebrazo en semiflexión y aplicado sobre el pecho, la mano flexionada hacia el antebrazo y los dedos flexionados sobre la palma. En el miembro inferior es frecuente que la contractura sea en extensión: el muslo recto, la pierna en el eje del muslo y el pie con su extremidad algo descendida.

Al mismo tiempo que la contractura, aparece cierto grado de motilidad voluntaria que, iniciándose en la raíz de los miembros, aumenta gradualmente hacia su extremidad. Esta motilidad es más marcada y precoz en el miembro inferior que en el superior, lo que permite relativamente pronto la marcha, aunque defectuosa.

En este período los reflejos tendinosos y óseos están exagerados. Pueden observarse también trastornos tróficos (de la nutrición de los tejidos), especialmente a nivel de las manos (hinchazón, piel fría y azulada, etc.).

El médico puede en general establecer la causa de la hemiplejía y la localización del proceso, tomando en cuenta los antecedentes, el modo de establecerse la hemiplejía y los signos que da el examen del enfermo. Puede orientar algo la edad. En una persona de edad avanzada, puede pensarse en reblandecimiento cerebral por arteriosclerosis o trombosis; en un adulto de 40 a 60 años, puede pensarse en hemorragia cerebral o trombosis y también, aunque con menor frecuencia, en sífilis. En una persona de menos de 40 años, la probabilidad es que haya ocurrido una embolia por lesión cardíaca o que se trate de sífilis.

Tratamiento

Debe llamarse de urgencia a un médico.

Varía mucho el tratamiento inmediato. Si la causa es una hemorragia, se hará a veces sangría, de 250 a 300 gramos, bolsa de hielo sobre la cabeza, enema purgante, ocasionalmente operación, etc. Si es una arteritis sifilítica, se aplicará penicilina en inyecciones. Si es un espasmo, se darán vasodilatadores. Si se trata de un reblandecimiento por arteriosclerosis haría mal la sangría.

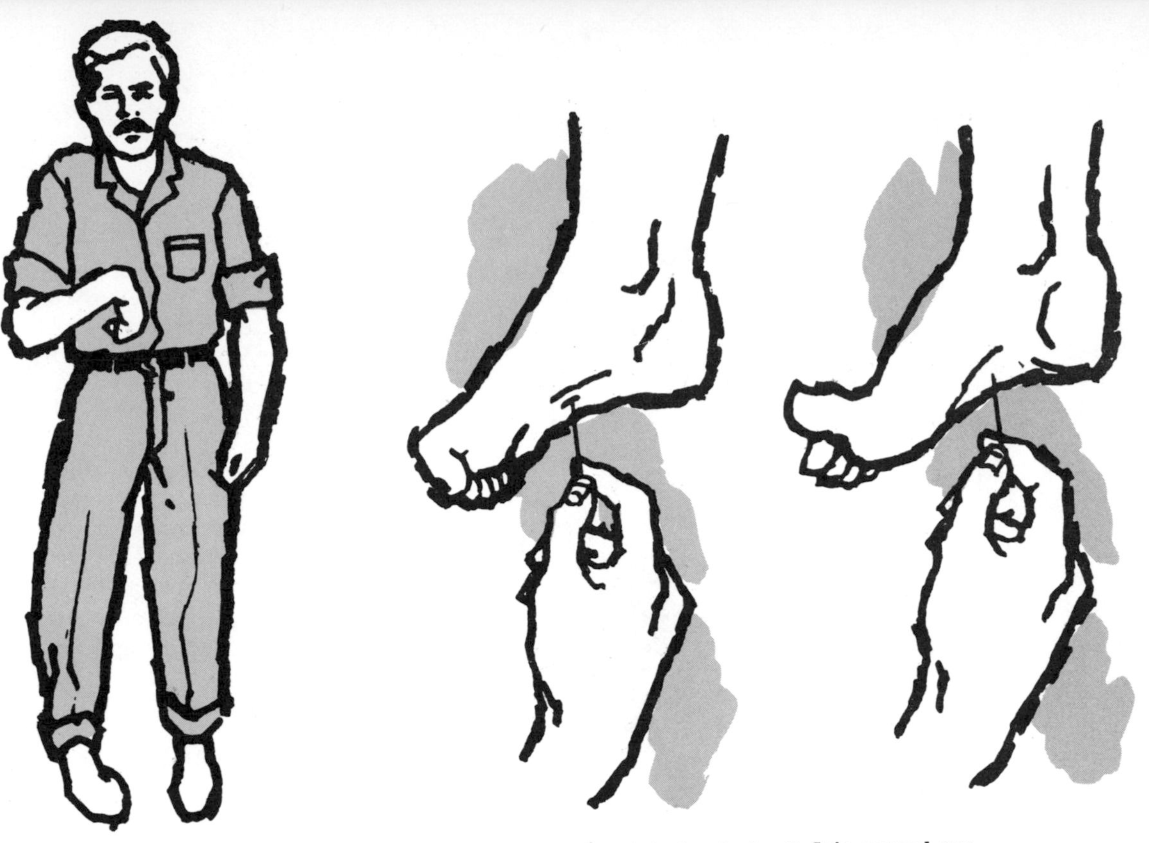

Fig. 560. **Hemipléjico. Manera peculiar de caminar de algunos hemipléjicos que quedan con contracturas. El miembro superior derecho está en flexión, mientras que el inferior derecho está contracturado en extensión.**

Fig. 561. A la izquierda: **Reflejo normal que se produce cuando se pasa un alfiler en la planta del pie.** A la derecha: **Reflejo llamado de Babinsky en el que se produce una extensión del dedo gordo del pie hacia el dorso, en lugar de una flexión hacia la planta. Indica habitualmente que se halla lesionado el haz piramidal.**

Los cuidados que pueden aplicarse a casi todos los casos son: evitar movilizar mucho al enfermo (especialmente en caso de hemorragia); posición correcta de los miembros paralizados; coramina o micoren o cardiazol en inyección si el pulso estuviese débil; fricciones de los miembros con alcohol; vigilar la vejiga y el intestino; hidratar (vale decir, hacer que el organismo reciba el líquido que necesita), etc. A veces el médico indica algún antibiótico para prevenir complicaciones infecciosas. En algunos casos se aplica suero glucosado hipertónico por vía endovenosa. Si hay tensión arterial muy elevada, el médico la trata. Hay que cuidar mucho al enfermo para evitar la formación de escaras, o sea, lesiones de la piel a nivel del hueso sacro y las nalgas, que son muy frecuentes en estos casos. Puede ser conveniente, mientras el enfermo esté sin conocimiento y para evitar la aspiración en las vías respiratorias de vómitos o mucosidades, que el paciente se acueste de costado. En cuanto se pueda, siéntese al enfermo para evitar las congestiones pulmonares. La hidroterapia y dosis de penicilina ayudarán mucho en este sentido. El masaje, la movilización pasiva y luego la activa de los miembros afectados son muy convenientes para evitar atrofias, artritis, retracciones tendinosas y contracturas. Si los vasos son frágiles, dar rutina y otros flavonoides y vitamina C, sustancias que aumentan la resistencia

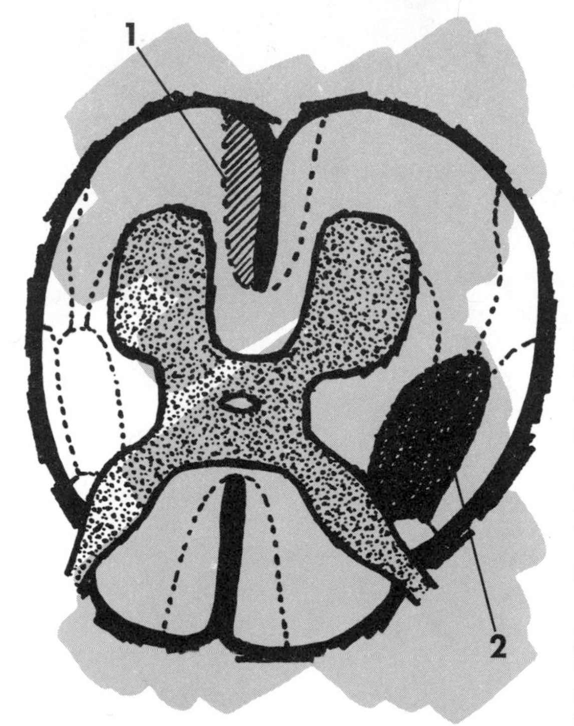

Fig. 562. CORTE DE LA MEDULA ESPINAL EN UN ANTIGUO HEMIPLEJICO CUYAS LESIONES NO HAN RETROCEDIDO. Este esquema muestra sombreados los haces piramidal directo (1) y piramidal cruzado (2) que han degenerado secundariamente después de la lesión cerebral causal.

de los capilares. Hay que reeducar los movimientos del paciente en la forma que indicará el médico para cada caso. Si hay aneurisma de alguna arteria cerebral, puede ser necesario operar.

TRASTORNOS DE LOS VASOS DEL CEREBRO

HEMORRAGIA CEREBRAL

Causas

Es más frecuente en el hombre que en la mujer y entre los 40 y 60 años. Se observa a veces una tendencia familiar a las degeneraciones vasculares, que favorecen la hemorragia cerebral.

Predisponen a la hemorragia cerebral, además de la herencia, la tensión arterial elevada, la arteriosclerosis, los aneurismas, las intoxicaciones (alcoholismo, saturnismo), la sífilis, etc. La hemorragia cerebral puede producirse durante el reposo, pero con cierta frecuencia aparece durante los esfuerzos físicos (tos, defecación, trabajo, etc.) o las emociones.

Lesiones

A menudo se ven pequeñas dilataciones de las arteriolas cerebrales, a cuyo nivel puede producirse la ruptura con relativa facilidad. Una rama de la arteria cerebral media, la lenticuloestriada, es la que con mayor frecuencia produce la hemorragia cerebral.

Síntomas

La hemorragia cerebral puede ser precedida (desde minutos o días antcs) por mareos, trastornos pasajeros del lenguaje, adormecimiento de los miembros, etc. Iguales trastornos pueden observarse cuando hay tendencia a trombosis o a espasmos de las arterias cerebrales o reblandecimiento del cerebro. El comienzo es a menudo brusco, con pérdida repentina del conocimiento. En otros casos, el coma se establece gradualmente. La hemiplejía es en general completa e intensa. El examen del enfermo generalmente muestra que la cara está roja y congestionada, la respiración estertorosa, el pulso fuerte y saltón, la tensión arterial elevada. A menudo hay fiebre, siendo el pronóstico tanto más grave cuanto más elevada sea aquélla.

Cuando la hemorragia se produce en el hemisferio cerebral izquierdo (hemiplejía derecha), con frecuencia hay afasia (véase la página 1459). El tratamiento de la hemiplejía se describe en las páginas 1456-1457.

EMBOLIA CEREBRAL

Es la obstrucción brusca de una arteria cerebral por un cuerpo extraño (coágulo, trozo de válvula, etc.). Se produce habitualmente en personas jóvenes que padecen de alguna afección cardíaca productora de émbolos (enfermedad mitral, estrechez mitral, endocarditis, etc.). El émbolo se aloja con preferencia en la arteria cerebral media izquierda. El comienzo suele ser brusco y el coma es corto y en general no profundo. La hemiplejía aparece bruscamente y a veces se acompaña de convulsiones. (Véase el tratamiento de la hemiplejía en la página 1456.)

TROMBOSIS CEREBRAL

Es la obstrucción de un vaso cerebral por formación de un coágulo en el mismo. Este accidente es más frecuente en la vejez, salvo en el caso de sífilis, en el cual la trombosis puede ser precoz. Otras veces la trombosis obstruye la carótida interna u otros vasos que llevan sangre al cerebro (arterias vertebrales o basilar).

Puede observarse en casos de arteriosclerosis, sífilis, enfermedades infecciosas, aneurismas, anemias, leucemias, etc. La trombosis puede no dar síntomas si se produce en vasos que corresponden a las llamadas "zonas silenciosas" del cerebro, es decir, aquellas que no corresponden a una motilidad o sensibilidad particular.

Como pródromos o síntomas que la anuncian, pueden encontrarse: debilidad y hormigueos en los miembros, afasia (trastornos del lenguaje) transitoria, dolor de cabeza, mareos, etc.

El coma no se produce o es ligero y la parálisis se establece gradualmente. El rostro está habitualmente pálido, la respiración es tranquila, el pulso regular y compresible.

A menudo se suman a la trombosis parcial *espasmos arteriales,* que explican las hemiplejías transitorias. A veces basta el espasmo para producir hemiplejía.

AFASIA

Se dice que hay afasia cuando hay trastornos del lenguaje debido a lesiones de los centros especiales del lenguaje en la corteza cerebral o en sus vías de asociación. También puede producirse por lesión de los centros motores (del movimiento) corticales y las vías que de los mismos parten hacia los músculos de la vocalización (los que permiten hablar).

Centros del lenguaje

Se acepta la existencia de 4 centros:

a) *Centro de la memoria auditiva verbal,* cuyo funcionamiento nos permite comprender el significado de las palabras que oímos.

Fig. 563. Hemorragia de la arteria cerebral media. (Dos cortes transversales que muestran el coágulo.)

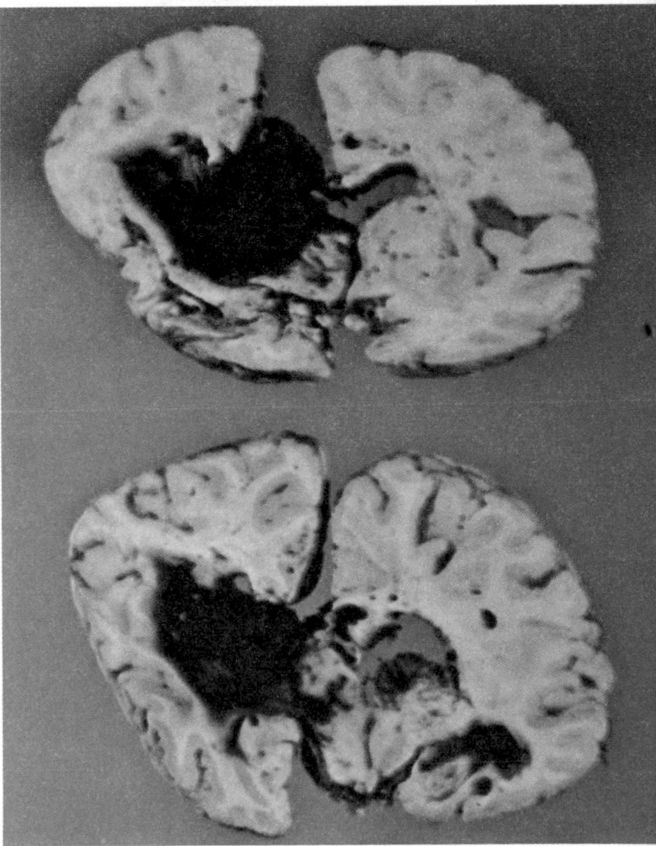

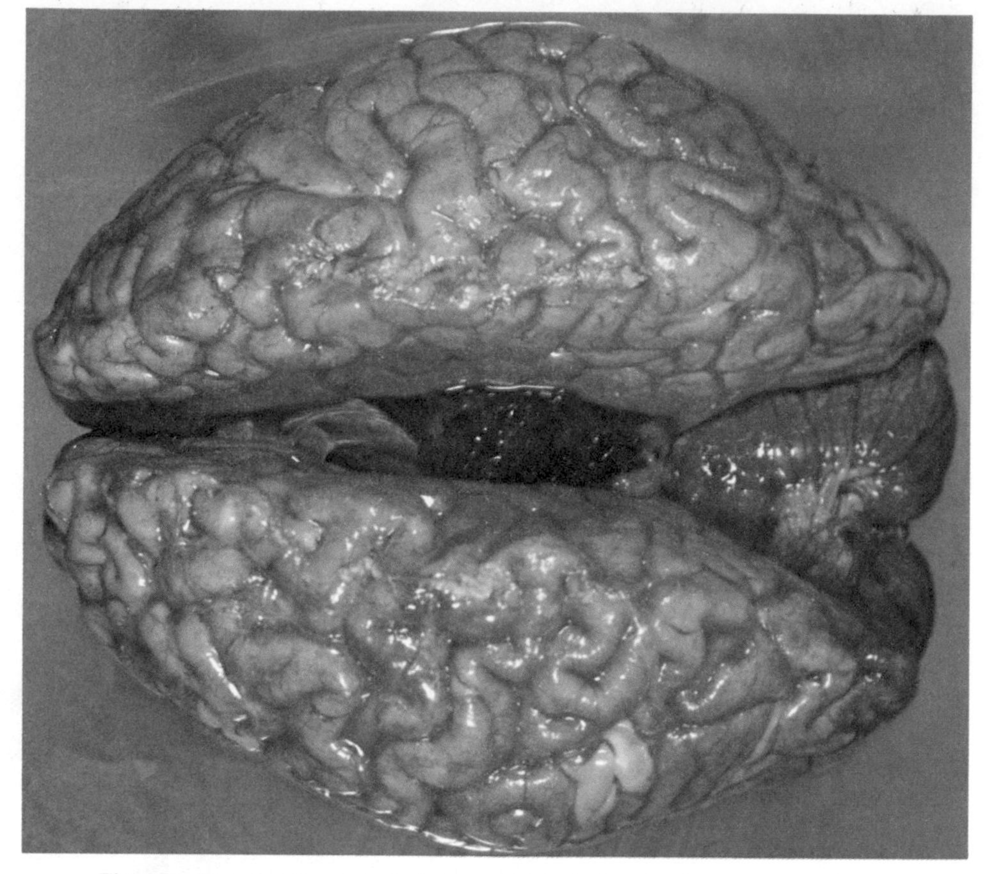

Fig. 564. Hemorragia cerebral (intraventricular). Puede observarse el coágulo.

b) *Centro motor del lenguaje* (área de Broca). Permite la articulación de las palabras.

c) *Centro visual del lenguaje escrito.* Permite reconocer el significado de una palabra escrita.

d) *Centro de la escritura.* Los centros b y d son motores y permiten la palabra hablada o escrita. Los centros a) y c) son sensoriales y permiten la recepción y el reconocimiento de la palabra hablada o escrita.

Salvo en los zurdos, estos centros se hallan en el hemisferio cerebral izquierdo del cerebro. Algunos especialistas no aceptan centros tan definidos, sino una amplia zona en los lóbulos frontal, temporal y parietal del cerebro.

Formas clínicas

Según el asiento de la lesión habrá afasias motoras, afasias sensoriales y afasias mixtas. Se dice que hay *agrafia* cuando se ha perdido la facultad de escribir. Hay *alexia* o afasia visual o ceguera verbal, cuando no se puede comprender la palabra escrita. Existe *sordera verbal* o afasia auditiva cuando no se interpreta el sonido de las palabras; *afemia,* cuando no puede hablarse por lesión del centro motor cortical. Se dice que hay *anartria* cuando la lesión de las vías motrices de

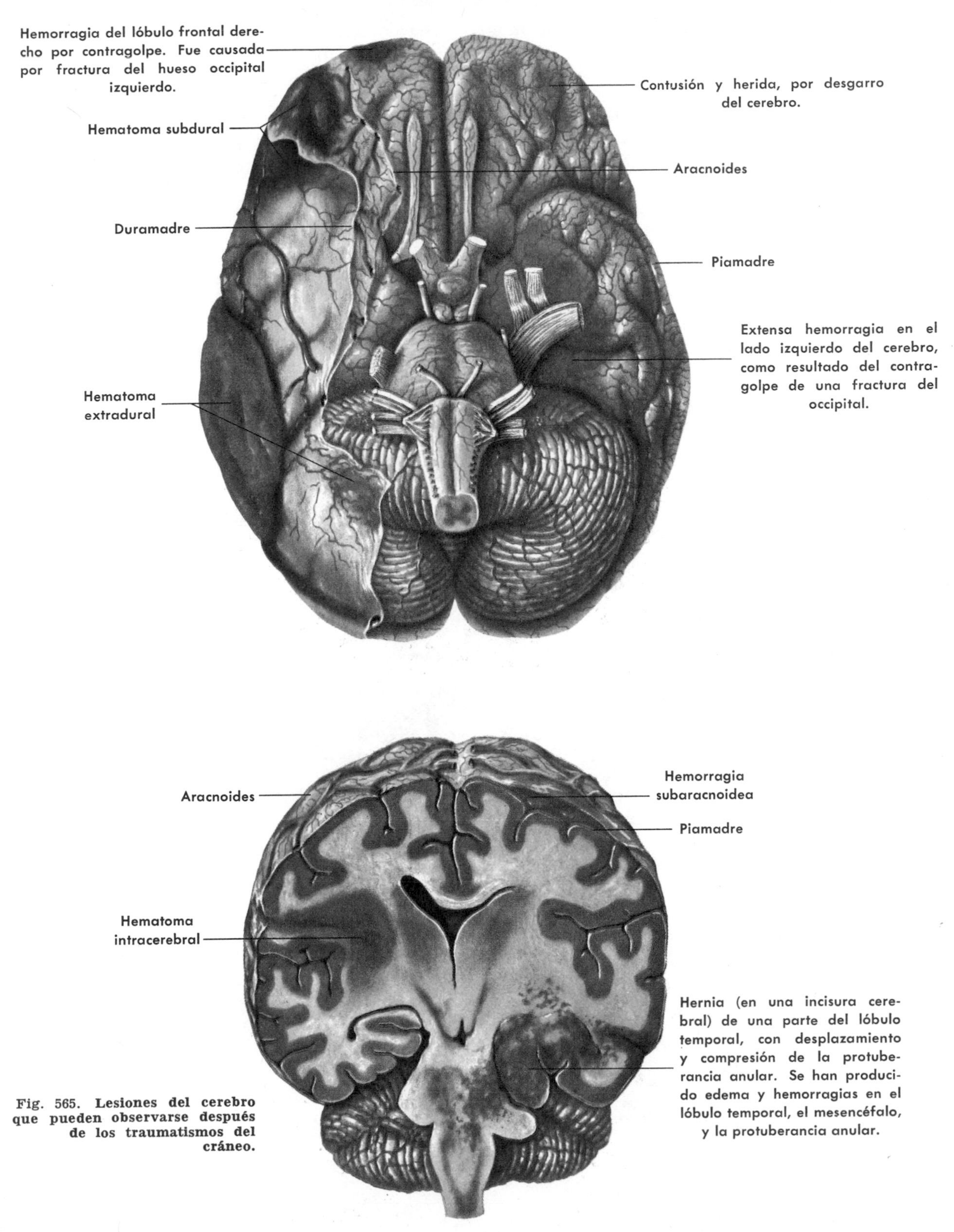

Fig. 565. **Lesiones del cerebro que pueden observarse después de los traumatismos del cráneo.**

conducción impide la articulación normal de la palabra.

Habitualmente se asocian en grado diverso estas formas simples. Con mucha frecuencia acompañan a una hemiplejía derecha. Sus causas suelen ser las mismas que las de la hemiplejía.

El tratamiento es el de la causa (véase hemiplejía). Se puede a veces, especialmente en personas de edad no muy avanzada, educar el otro lado del cerebro para que realice las funciones del lenguaje que han desaparecido. Hay centros especializados con ese fin en ciertas instituciones médicas.

ENFERMEDAD DE PARKINSON (parálisis agitante)

Es una enfermedad crónica y con tendencia a la progresión, caracterizada por rigidez muscular, temblor, debilidad y lentitud de los movimientos. Su verdadera causa no se conoce aún. Hay casos que siguen a la encefalitis letárgica. Con mayor frecuencia parece intervenir la arteriosclerosis. La única lesión constante se halla a nivel de las grandes células ganglionares del "globo pálido" del núcleo lenticular, en los núcleos grises de la base del cerebro.

Favorecen la aparición de esta enfermedad, la herencia nerviosa, el frío, las emociones, el exceso de trabajo. Se observan casos que siguen a ciertas intoxicaciones (monóxido de carbono, cianuro de potasio, arsenicales, derivados de la fenotiazina, etc.).

Síntomas

El comienzo es lento y progresivo. A menudo el paciente lo atribuye a

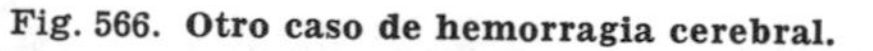
Fig. 566. Otro caso de hemorragia cerebral.

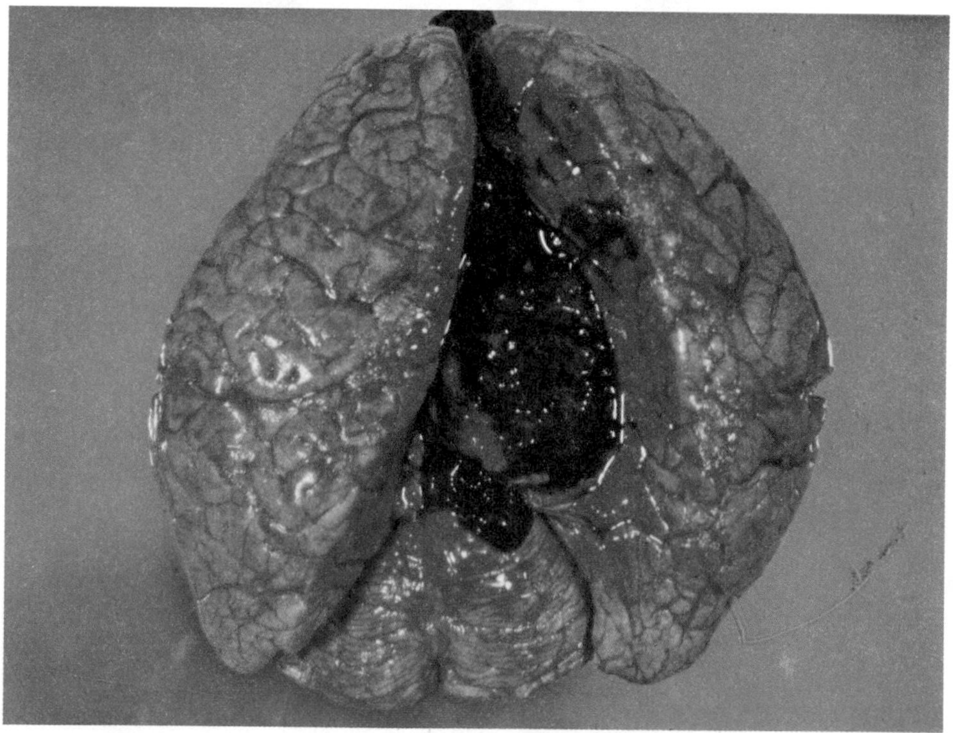

Fig. 567. EXPRESION Y ACTITUD DE UN PACIENTE AFECTADO DE UNA FORMA INTENSA DE ENFERMEDAD DE PARKINSON. La cara tiene poca expresión, el paciente se halla encorvado, con sus miembros superiores flexionados y con movimientos involuntarios de sus manos y dedos.

un accidente o emoción. Lo que ocurre es que generalmente esas circunstancias ponen de manifiesto el temblor.

Los síntomas más característicos son:

a) *Temblor.* Es rítmico, con 4 a 7 vibraciones por segundo. Cesa durante el sueño. Habitualmente disminuye o cesa con los movimientos voluntarios, aumentando después. Aumenta también con la nerviosidad. Se observa el temblor especialmente en los miembros superiores e inferiores, aunque puede verse también en la cabeza. El temblor comienza en uno de los lados.

A menudo se ve un movimiento de los dedos semejante al de una persona que cuenta monedas. Puede faltar el temblor.

b) *Rigidez muscular.* Se observa tanto en los flexores como en los extensores, aunque predomina en los primeros. Cuando se flexionan y extienden los miembros, puede observarse el llamado "signo de la rueda dentada", por ceder en forma intermitente los músculos. La rigidez del cuello hace que para mirar de lado, se rote el cuerpo, o los ojos.

c) *Actitud y facies (rostro) característicos.* La actitud más característica es la de flexión: flexión del cuello y de la columna vertebral, y semiflexión de los codos. Hay inmovilidad de los rasgos de la cara. El parpadeo es poco frecuente.

d) La *marcha es rígida* y a veces, debido a la tendencia a caer hacia adelante, se acelera a medida que se camina. Rara vez se inclinan cada vez más hacia atrás a medida que caminan.

e) *Hay debilidad física* y a veces impotencia sexual progresiva.

f) El *habla es dificultosa* y la voz monótona.

Se observan además diversos síntomas secretorios, vasomotores, etc.

Tratamiento

No hay aún tratamiento que la cure completamente, pero mucho puede hacerse para aliviar al paciente.

Suelen disminuir la rigidez y el temblor tratamientos hidroterápicos tibios, masaje, la enseñanza por un fisioterapeuta de cómo caminar mejor y cómo efectuar los diversos movimientos de la vida diaria, tienen una influencia muy favorable. En los últimos años se han obtenido en muchos pacientes buenos resultados con la levodopa (larodopa, etc.). En los pacientes que no toleran el medicamento anterior pueden obtenerse buenos resultados con sustancias del grupo de los anticolinérgicos como ser el artane o el akineton, etc., solos o asociados a un antihistamínico, como el benadryl o sus equivalentes. En ciertos casos el médico indica la amantadine o antidepresivos. En algunos casos muy bien elegidos se ha recurrido a la cirugía de algunos núcleos de la base del cerebro.

ENCEFALITIS

Es la inflamación de la sustancia encefálica (cerebro, cerebelo y otros órganos contenidos en el cráneo). La encefalitis puede ser supurada (con pus) o no supurada. Las encefalitis supuradas agudas o crónicas, reciben habitualmente el nombre de absceso cerebral. Al hablar de encefalitis se piensa generalmente en las inflamaciones no supuradas del encéfalo. La forma mejor caracterizada es la *encefalitis letárgica*.

Puede producirse encefalitis en diversas afecciones cerebrales (traumatismos, sífilis, rabia, etc.), en diversas enfermedades infecciosas (causadas por virus filtrables, otros gérmenes o sus toxinas), como poliomielitis anterior aguda, sarampión, tos convulsa (convulsiva), varicela, vacuna, difteria, neumonía, gripe, etc. También puede verse en intoxicaciones. En los últimos años se han descrito varios tipos de encefalitis por virus.

Los síntomas comunes a todas las encefalitis son los siguientes:

a) Comienzo en general agudo, a veces muy brusco, pudiendo simular un ataque de hemiplejía.

b) Fiebre y leucocitosis (aumento de los glóbulos blancos en la sangre).

c) Síntomas cerebrales de localización e intensidad variables, pudiendo ser desde insomnio e irritabilidad hasta estado de coma (véase Comas en la página 589).

d) Hay constantemente cambios en las pupilas y a menudo también se presentan casos de desviaciones de los ojos.

e) Hay signos meníngeos poco intensos y aumento de leucocitos en el líquido cefalorraquídeo.

f) Constantemente pueden observarse trastornos motores: temblor y parálisis.

ENCEFALITIS LETARGICA

Es una enfermedad infecciosa, ligeramente contagiosa, caracterizada por lesiones múltiples no supuradas del sistema nervioso central y por la multiplicidad y diversidad de sus síntomas.

Ataca a personas de cualquier edad, pero con mayor frecuencia entre los 25 y los 45 años. Parece ser causada por un virus filtrable.

Formas clínicas

Hay 4 tipos predominantes, que, pueden a veces sucederse:

FORMA LETARGICA.—Después de un período de fiebre e irritación meníngea, sobreviene somnolencia, seguida de parálisis de algunos músculos oculares. Estas parálisis provocan diplopia (visión doble), y, a veces, ptosis palpebral o caída del párpado superior. Es la forma más común que se conoce.

FORMA PARKINSONIANA.—Su comienzo simula un estado gripal, pero de pronto aparecen síntomas semejantes a los de la enfermedad de Parkinson: cara inexpresiva, rigidez muscular, etc. Habitualmente falta el temblor. Esta forma puede aparecer como secuela de la encefalitis.

FORMA HIPERKINETICA (con exceso de movimiento).—Aparecen síntomas de excitación motriz: movimientos coreiformes (como los de la corea) o contracciones mioclónicas especialmente de abdomen (o sea contracciones bruscas de los músculos semejantes a las producidas con un choque eléctrico).

FORMAS PSICOTICAS O MENTALES.—Se caracterizan por trastornos mentales: memoria defectuosa, desorientación, delirio (puede alternar con estupor), trastornos emocionales.

El líquido cefalorraquídeo es claro, habitualmente sin mayor presión que la normal, con aumento de leucocitos. La duración del período agudo varía generalmente entre 3 y 5 semanas. Esta enfermedad suele dejar algunas secuelas.

Tratamiento

El mejor tratamiento parece ser el suero de convaleciente o la gamma globulina durante el período agudo. Con frecuencia se administran corticosteroides.

TUMORES DEL ENCEFALO (cerebro, cerebelo)

Pueden ser debidos a una infección: gomas sifilíticos, tuberculomas (tumor tuberculoso), o bien quistes hidáticos o de otro origen. Más a menudo son tumores propiamente dichos, benignos o malignos.

Síntomas

Son de dos clases: los generales, debidos a la hipertensión craneana (aumento de la presión dentro del cráneo) y los de localización, que permiten a menudo diagnosticar el asiento de la lesión y que, por supuesto, varían según el área afectada.

a) Los síntomas generales son: *Dolor de cabeza* intenso y constante y, a veces con paroxismos o ataques a mayor intensidad. No suele ceder con los medicamentos comunes. *Vómitos,* sin náuseas ni esfuerzos. Vértigos, convulsiones, cambios mentales y pulso lento son otros de los síntomas frecuentes. A veces hay disminución de fuerzas en alguno de los miembros.

El examen del fondo del ojo revela casi siempre neuritis óptica con edema papilar, o sea, hinchazón del lugar donde penetra el nervio óptico.

Para confirmar la presencia de un tumor y localizarlo, el médico especializado utiliza métodos de diagnóstico como la encefalografía, la neumoencefalografía, arteriografía de arterias cerebrales, ciertos radioisótopos, ecoencefalografía, que se basa en la propiedad de reflexión (o "eco") de ultrasonidos, etc.

El tratamiento difiere según su causa. Con frecuencia hay que operar.

b) *Absceso cerebral.* Además de los síntomas de hipertensión intracraneana que acaban de mencionarse, hay síntomas de infección y a menudo alguna infección de oídos, mastoides, senos frontales, etc., que ha causado el absceso. A veces, además de antibióticos, puede ser necesario drenar o dejar salir el pus por medio de una operación.

EPILEPSIA

(epilepsia convulsiva, epilepsia jacksoniana, epilepsia no convulsiva)

Definición

La epilepsia es una enfermedad caracterizada principalmente por ataques de pérdida del conocimiento, acompañados a menudo por convulsiones.

Causas

Indudablemente el factor principal en la aparición de la epilepsia es una tendencia heredada a la misma. Cuando éste es el factor único o predominante se considera que la epilepsia es esencial o idiopática. Aproximadamente en una cuarta parte de los casos de epilepsia, hay otra causa que es la principal, como lesiones en el cerebro o sus envolturas (producidas por parto difícil, golpe, inflamación o tumor, etc.), ciertas afecciones del aparato circulatorio, algunos medicamentos, el alcoholismo, etc. En estos casos se dice que la epilepsia es secundaria o adquirida.

La tendencia hereditaria a esta enfermedad puede influir marcadamente en la producción de ataques epilépticos, aun en estos casos de epilepsia secundaria o adquirida.

FACTORES PREDISPONENTES. —En la infancia es tan frecuente en los varones como en las niñas. En la edad adulta es algo más frecuente en el sexo masculino.

Comienza con frecuencia en la infancia y en la pubertad, siendo poco frecuente que se inicie después de los 30 años, en cuyo caso es a menudo secundaria a otra enfermedad.

Es muy frecuente que haya en los ascendientes de los epilépticos, epilepsia, alcoholismo, neurosis, psicosis y otras afecciones nerviosas.

Un método que permite un mejor estudio del epiléptico y de sus familiares es el electroencefalograma. Consiste en el trazado que registra un aparato especial de las débiles corrientes eléctricas que genera el cerebro al funcionar. En los epilépticos estos trazados difieren casi siempre de los normales (por esto a veces se define la epilepsia como una disritmia cerebral). También se hallan estas diferencias en mayor porcentaje que lo habitual en los familiares de los enfermos de epilepsia.

FACTORES QUE PREDISPONEN AL ATAQUE CONVULSIVO.—Es innegable que hay ciertos factores que facilitan la aparición del ataque en el epiléptico, como las emociones, la menstruación, las comidas indigestas o ingeridas en exceso, la ingestión de alcohol u otras sustancias tóxicas, etc.

Aunque negado por algunos autores, hay al parecer casos en que la presencia de parásitos intestinales, cicatrices dolorosas, trastornos de la vista o las fosas nasales, etc., pueden favorecer la aparición de los ataques en el ya predispuesto.

Síntomas

Los síntomas de la epilepsia pueden diferir grandemente según se trate de un caso típico, con ataques convulsivos (epilepsia convulsiva, llamada también "grand mal"), o de epilepsia no convulsiva ("petit mal"). Se estudiarán a continuación la epilepsia convulsiva y luego las formas menos intensas, como la epilepsia llamada jacksoniana, la epilepsia no convulsiva y los equivalentes epilépticos.

EPILEPSIA CONVULSIVA

Se caracteriza por ataques convulsivos epilépticos típicos. Puede el mismo paciente presentar también en ciertos momentos otras manifestaciones epilépticas menos llamativas, semejantes a las que se describirán más adelante. Algunos epilépticos tienden a ser irritables y, con los años, pueden presentar modificaciones del carácter.

El ataque epiléptico es a veces precedido por ciertos malestares que le permiten al paciente sospechar su aparición. Así por ejemplo, algunos epilépticos están más irritables o deprimidos que lo habitual, o pueden presentar insomnio, pesadillas, trastornos en la digestión, etc.

El ataque epiléptico

Se producen sucesivamente: el aura, la pérdida del conocimiento, acompañada de la caída y del llamado grito inicial, las convulsiones tónicas, las convulsiones clónicas y el coma.

AURA.—Son los síntomas del ataque que preceden a la pérdida del conocimiento. Solamente la mitad de los epilépticos presenta aura.

Esta consiste en una sensación que puede diferir grandemente de un paciente a otro, pero que es siempre igual en los diversos ataques del mismo enfermo. Una forma común es una sensación especial en "la boca del estómago" o epigastrio. También es frecuente, especialmente si hay una causa localizada en la corteza cerebral, una contracción o sensación anormal en uno de los miembros o de un lado de la cara. Otras veces el epiléptico percibe zumbidos de oído, o voces, o luces, o ve una escena que le ha impresionado, o siente olores o sabores desagradables, etc. Habitualmente el aura es tan breve que el paciente no tiene tiempo de sentarse o acostarse antes del ataque. Rara vez da tiempo de hacerlo, y ocasionalmente el paciente puede detener el ataque comprimiendo, por ejemplo, el miembro afectado por el aura.

PERDIDA DE CONOCIMIENTO.—Bruscamente el epiléptico pierde el conocimiento y se pone pálido, cae al suelo como fulminado y puede lesionarse. Es frecuente que al mismo tiempo que ocurren la pérdida del conocimiento y la caída se produzca también un grito ronco e impresionante.

CONVULSIONES TONICAS.—Casi simultáneamente con la caída, los músculos del epiléptico se ponen rígidos, quedando los miembros extendidos, el pulgar flexionado en la palma de la mano y recubierto por los otros dedos, la cabeza echada hacia atrás, la cara contraída y los ojos rotados hacia arriba. Como por la contracción de los músculos de la respiración, ésta no se produce, la piel del paciente toma un color azulado. Las pupilas están muy dilatadas, dato que conviene observar para poder dárselo al médico. Los maxilares están apretados y a veces el enfermo se muerde la lengua. En este período o en el siguiente hay pérdida de orina y a veces también de materias fecales. Este período de convulsiones tónicas dura habitualmente medio minuto, pasándose al período siguiente.

CONVULSIONES CLONICAS.—Los músculos de los ojos, la cara, los maxilares, la cabeza y los miembros se contraen en forma intermitente, aumentando gradualmente de intensidad las sacudidas de las distintas partes del cuerpo. El paciente se golpea frecuentemente la cabeza contra el suelo. La respiración se hace entrecortada y estertorosa y, a menudo, sale espuma por la boca, a veces sanguinolenta por la mordedura de la lengua. Luego las convulsiones disminuyen gradualmente hasta cesar. La duración de este período de convulsiones clónicas es habitualmente de 2 ó 3 minutos, pero puede durar más tiempo.

COMA.—Terminadas las convulsiones el epiléptico queda sumido en un profundo sopor, con respiración estertorosa, músculos completamente relajados y sudor fétido. La duración de este sueño profundo es variable. Al despertar, el epiléptico suele estar deprimido, con dolor de cabeza y con músculos también doloridos. No recuerda absolutamente nada de su ataque, salvo el aura.

A veces el ataque puede provocar complicaciones, como una fractura o una herida causada por la caída, o hemorragias pequeñas en la piel y las mucosas, etc.

Los ataques pueden ser muy escasos, uno o dos por año, o repetirse con frecuencia.

Cuando los ataques se repiten sin que entre uno y otro el enfermo haya recobrado el conocimiento, se dice que hay estado de mal epiléptico. Se acompaña habitualmente de fiebre, pulso rápido y respiración acelerada.

EPILEPSIA JACKSONIANA

Se caracteriza porque las convulsiones son parciales y no están acompañadas habitualmente de pérdida del conocimiento. Se inicia habitualmente el ataque en un solo grupo de músculos, extendiéndose gradualmente al resto del miembro. Es causado habitualmente por una lesión localizada de la corteza cerebral (traumatismo, tumor, inflamación localizada). En general, cura bien con una intervención quirúrgica.

EPILEPSIA NO CONVULSIVA (petit mal)

Los casos más característicos son los que se acompañan de pérdida del conocimiento (generalmente muy breve), pero no de convulsiones. Aunque la pérdida del conocimiento puede causar caída, lo más frecuente es que sea brevísima, manifestándose por la llamada "ausencia", durante la cual el paciente palidece, deja bruscamente de hablar o de trabajar, o deja caer lo que tenía en las manos, cambia la expresión de su rostro y se dilata la pupila. En pocos segundos todo vuelve a la normalidad. A veces hay pérdida involuntaria de orina o pequeños movimientos rítmicos de los párpados o de la cabeza, o aun movimientos automáticos o maquinales, como por ejemplo para desvestirse. Otras veces la epilepsia no convulsiva se manifiesta como el aura que precede al ataque convulsivo.

EQUIVALENTES EPILEPTICOS

A veces, en lugar del ataque de gran mal o pequeño mal, pueden aparecer: amnesia, actos criminales o indecentes, fuga, etc. Cuando el paciente vuelve a la normalidad, no tiene el más leve recuerdo de lo que ha hecho. A veces se encuentra a centenares de kilómetros de su domicilio, en un lugar desconocido al cual no sabe cómo ha llegado.

Primeros auxilios

Durante el ataque, trátese de evitar que el paciente se lesione. Colóquese entre los dientes un corcho o lápiz para evitar que se muerda la lengua. Aflójese la ropa ceñida. Cuando han cesado las convulsiones, evítese que se enfríe. Alguien debe quedar con él hasta que recobre el conocimiento. Antes de permitirle levantarse, hay que asegurarse de que no hay alguna fractura de los miembros inferiores.

Tratamiento

A veces puede curarse la epilepsia hallando y eliminando alguna de sus frecuentes causas (lesión craneana o cerebral, trastornos de las glándulas de secreción interna, zonas de irritación, como por ejemplo ciertos parásitos intestinales, pólipos nasales, vegetaciones adenoideas, trastornos no corregidos de la visión, etc.). Pueden hacer mucho para evitar los ataques una buena higiene; alimentación correcta (en cantidad moderada y sin condimentos ni alimentos pesados ni alcohol); ejercicio físico; descanso suficiente; evitar lo que pueda poner nervioso o irritable al enfermo; corregir la constipación, etc. Hay casos que pueden requerir una operación.

Para evitar el ataque, el médico indica diversas sustancias: barbitúricos y la primidona (mysoline). Se usan mucho epamín (difenilhidantoína o dilantina), mesantoína y ácido glutámico asociados a los barbitúricos. Con buenos resultados se han utilizado ospolot y tegretol. En la epilepsia de los niños algunos emplean fenilacetilurea (phenacemida o phenurona). En la epilepsia no convulsiva se obtienen buenos resultados con etosuximida (zarontín), tridione, celontín, milontín y, a veces diamox o paradione. Algunos de estos medicamentos no son siempre bien tolerados, por lo que es importante utilizarlos únicamente por indicación y bajo vigilancia del médico.

COREA

La corea de Sydenham o baile de San Vito es una enfermedad aguda probablemente infecciosa, que ataca principalmente a los niños y se caracteriza por movimientos desordenados e involuntarios de los miembros.

Es más frecuente en niñas que en varones y entre los 5 y los 15 años. Los niños nerviosos la adquieren más fácilmente. Algunos creen que puede ser producida por el mismo agente causal que la fiebre reumática. Con frecuencia origina endocarditis (véase el capítulo 117).

Síntomas

Los movimientos son irregulares, bruscos, involuntarios, amplios, espasmódicos e incoordinados. Suelen comenzar por las manos o, por lo menos, por los miembros superiores. Aparecen primero en un lado y se extienden luego a ambos. Pueden tomar los miembros inferiores y también la cara. El habla puede ser dificultosa, el apetito está disminuido y a veces hay fiebre.

Cuando se percute el tendón rotuliano, al extenderse la pierna, queda en extensión durante algunos segundos en lugar de caer de inmediato. El ataque de corea dura de unas 10 a 12 semanas, observándose a menudo recaídas.

Tratamiento

El médico indica con frecuencia tranquilidad, aislamiento en un cuarto bien ventilado y con poca luz, antirreumáticos y sedantes del sistema nervioso y vitaminas. En ciertos casos seleccionados se han utilizado los corticoides en dosis reducidas. Los baños tibios 2 veces por día son beneficiosos (véase baño neutro en la página 835). Hay otras formas de corea que atacan a los adultos.

HEMICRANEA (jaqueca)

Es una afección caracterizada por ataques intensos de dolor de la mitad de la cabeza, acompañados de vómitos y a menudo precedidos por signos visuales o sea molestias en la vista.

Ataca más frecuentemente a las mujeres. Rara vez comienza esta afección después de los 30 años. Es más frecuente que lo haga entre los 5 y los 20 años. A menudo hay antecedentes de hemicránea en los padres u otros parientes.

Estos ataques se atribuyen a espasmos (contracción marcada) de las arterias cerebrales, seguidos por una dilatación de las mismas. En muchos casos, la causa parece ser alérgica, especialmente en los hepáticos. Otras veces, trastornos ováricos parecen tener relación con la aparición de los ataques. Se atribuyen otros casos a trastornos del metabolismo de las grasas. Hay casos de causa ocular, otros de causa nerviosa, cansancio, etc.

Síntomas

El ataque se anuncia a menudo por malestar y depresión. Con mucha frecuencia hay síntomas visuales: dificultad en la visión, puntos brillantes, etc. Luego aparecen los síntomas típicos de la hemicránea:

CEFALALGIA (dolor de cabeza intenso).—Asienta habitualmente en un lado de la cabeza. Este dolor comienza en general a nivel del ojo, la sien o la parte posterior de la cabeza, pudiendo extenderse de allí a diversas partes. Aumenta con los movimientos, el ruido, la luz o el estar de pie.

NAUSEAS Y VOMITOS.—Los vómitos, al principio mucosos, se hacen luego biliosos.

FENOMENOS VASOMOTORES. —Palidez de la cara y de las extremidades (más tarde puede haber enrojecimiento). En algunos casos puede observarse espasmo de las arterias temporales.

OTROS SINTOMAS.—El pulso es a menudo lento y la pupila está contraída.

Evolución

El ataque comienza habitualmente de mañana y dura entre 6 y 24 horas (casi siempre desaparece después de dormirse el enfermo). Los ataques se repiten cada semana o cada 15 días, o bien con cada menstruación o con menor frecuencia. En la menopausia suelen desaparecer espontáneamente los ataques.

Tratamiento

A veces puede el médico descubrir alguna causa productora del ataque, facilitando así su prevención. Es aconsejable la vida al aire libre con ejercicio físico, dieta lactovegetariana, evitándose en lo posible las grasas, y manteniendo el intestino libre.

En un elevado número de casos se ha comprobado que la persona que padece hemicránea presenta signos de dispepsia hepato-biliar crónica (ver pág. 1151) y se obtienen buenos resultados si el paciente sigue el régimen alimentario correspondiente y toma algún medicamento que facilite el funcionamiento biliar. Si el paciente tiene constancia, se observa en general un espaciamiento de los ataques de hemicránea y una disminución de la intensidad de los mismos. En algunos casos desaparecen del todo.

Durante el ataque: enema o purgante, quietud, oscuridad, calor a los pies y frío a la cabeza y algún medicamento. Este último, que elegirá en cada caso el médico, debe tomarse en seguida que se anuncia el ataque, antes que aparezcan los vómitos.

Las inhalaciones de oxígeno y el tartrato de ergotamina (ginergeno) en comprimidos o en inyección dan a veces buen resultado. Se pueden usar equivalentes como el DHE 45 o bien el ginergeno con cafeína (cafergot). Estos derivados del cornezuelo de centeno no deben ser utilizados por embarazadas ni por personas con tensión arterial elevada o con marcada arteriosclerosis. En algunos casos se han utilizado con éxito los antihistamínicos solos o asociados a otros medicamentos. Cuando las hemicráneas son muy frecuentes algunos pacientes se benefician con el uso preventivo del maleato de metisergida o también el periactin.

CAPITULO 141

Enfermedades de las Meninges

TIENEN casi todas ellas en común el llamado conjunto de síntomas meníngeos que se estudiará brevemente, para mencionar luego las diversas causas que pueden darle origen: meningitis, reacciones meníngeas y hemorragias meníngeas.

Síntomas meníngeos

Aunque varían mucho según la enfermedad que los produce, hay casi siempre los siguientes síntomas:

Cefalalgia (dolor de cabeza) intensa.

Rigidez de la nuca y de la columna vertebral (no se puede doblar bien la nuca hacia adelante).

Signo de Kernig, o sea imposibilidad de sentar al enfermo sin que doble las rodillas.

Vómitos fáciles, sin esfuerzo ni náuseas.

Pulso y respiración lentos y a veces irregulares.

Constipación.

MENINGITIS

Pueden dividirse en supuradas y no supuradas. Las supuradas pueden ser causadas por el meningococo, neumococo, estreptococo, estafilococo, etc., y se deben, ya a una enfermedad general, ya a una afección local: traumatismo de cráneo, otitis media (infección del oído medio), mastoiditis, sinusitis, flemones de la órbita, etc.

Las no supuradas pueden deberse a tuberculosis, parotiditis epidémica (paperas) y a sífilis, además de otras causas, como poliomielitis, etc.

MENINGITIS CEREBROESPINAL EPIDEMICA

Es una enfermedad contagiosa, habitualmente epidémica, causada por el meningococo de Weischselbaum (*Neisseria meningitidis*), que penetra al parecer por la nasofaringe hasta las meninges. Ataca tanto a los niños como a los adultos.

Período de incubación

Dura de 1 a 5 días.

COMIENZO.—Suele ser bastante brusco, con escalofríos, fiebre alta, vómitos, dolor intenso en cabeza y nuca, columna vertebral y miembros. Con frecuencia hay convulsiones.

SINTOMAS.—Los síntomas del período de estado, además de los mencionados anteriormente, son los siguientes:

Síntomas motores. Hay rigidez de la nuca, a menudo con la cabeza echada hacia atrás, rigidez de los miembros (signos de Kernig, de Brudzinsky, etc.), exaltación de los reflejos y contracciones permanentes de ciertos músculos.

Síntomas sensitivos. Hay fotofobia (la luz molesta mucho), dolor de cabeza intenso, dolores en la columna vertebral y los miembros, e hiperestesia, o sea exceso de sensibilidad de la piel.

Síntomas mentales. Al principio de la enfermedad hay delirio o intranquilidad marcada, al final estupor y a veces coma.

Síntomas cutáneos. En el primero o segundo día de la enfermedad puede aparecer un "rash" (enrojecimiento de la piel), que en el caso de ser hemorrágico señala una forma muy grave. Aproximadamente en la mitad de los casos aparece herpes labial.

El diagnóstico se confirmará con la punción lumbar que revelará un líquido cefalorraquídeo bajo tensión y turbio. En el laboratorio se encontrará en el líquido el meningococo causal.

Es una enfermedad grave, que puede dejar como consecuencia déficit mental.

Tratamiento

El médico cuida de que el paciente esté bien hidratado y que el llamado medio interno del mismo se mantenga dentro de cifras normales. Los cuidados generales son los habituales de una enfermedad infectocontagiosa. El tratamiento específico será determinado en cada caso por el médico, quien tomará en cuenta la sensibilidad del meningococo en la epidemia reinante. En los adultos y niños de más de 10 años es frecuente que se prescriba la penicilina G bencílica por inyección en grandes dosis. En ciertos casos puede ser necesario el uso del cloramfenicol. En los niños de menos de 10 años se indica con frecuencia la ampicilina. A veces el médico puede considerar conveniente añadir corticosteroides al tratamiento antimicrobiano.

Además convendrá proteger al enfermo de ruidos, luz excesiva y manoseos innecesarios. Puede aplicarse bolsa de hielo sobre la cabeza e hidroterapia tibia o caliente sobre el resto del cuerpo.

OTRAS MENINGITIS SUPURADAS

Son las producidas por neumococo, estreptococo, estafilococo, bacilo de Pfeiffer, etc.

Sus síntomas son semejantes a los de la meningitis cerebroespinal epidémica. Hasta utilizarse en su tratamiento las sulfanilamidas, eran prácticamente siempre mortales. Se tratan actualmente también con penicilina en dosis muy elevadas y algunas con estreptomicina, cloramfenicol, tetraciclinas, o ampicilina y sulfas. En las formas producidas por ciertos gérmenes gram negativos se ha utilizado la polimixina B (aerosporina) o E (colistin).

MENINGITIS TUBERCULOSA

Causas predisponentes

Puede aparecer a cualquier edad, pero es más frecuente en la segunda infancia. Aunque puede parecer primitiva, es siempre secundaria a otra localización tuberculosa.

Síntomas

Son extremadamente variables, no sólo de un enfermo a otro, sino en el mismo enfermo, de un día al otro.

PRODROMOS.—Durante un período que varía de 2 a 6 semanas, el niño está decaído, inapetente, irritable, triste. Hay adelgazamiento, cambio del carácter, a veces somnolencia.

PERIODO DE ESTADO.—Hay 3 períodos: de irritación meníngea, de hipertensión intracraneana (aumento de presión dentro del cráneo) y de parálisis.

a) *Período de irritación meníngea.* A veces comienza con una convulsión. Los síntomas principales de este período son:

1) *Cefalalgia* (dolor de cabeza) intensa que hace a veces que el niño se lleve las manos a la cabeza. 2) *Vómito* fácil, sin mayor náusea o esfuerzo. 3) *Fiebre* de 38° a 39° C (100,4° a 102,2° F). 4) *Fontanela* o "mollera" tensa. 5) *Pupilas* contraídas.

b) *Período de hipertensión intracraneana.* En este período pueden ceder algo la cefalalgia y el vómito. El enfermito suele estar acostado de lado con los miembros en flexión. El niño grita inconscientemente. Es un grito generalmente corto que recibe el nombre de hidrencefálico. Hay a la vez adormecimiento e irritabilidad, negándose el niño a ser movido. Se observa con frecuencia retracción abdominal (pared del abdomen hundida), dilatación de las pupilas, convulsiones y cabeza echada hacia atrás.

c) *Período de parálisis.* El niño entra en coma. El pulso, relativamente lento en el período anterior, se hace rápido, aparecen diarrea, convulsiones y trastornos motores, como parálisis, espasmos, contracturas, etc.

Una vez comenzados los síntomas, la muerte sobreviene entre las 2 y las 6 semanas, salvo aquellos casos que responden al actual tratamiento para la tuberculosis.

La *punción lumbar* revela un líquido claro bajo tensión. El examen del líquido cefalorraquídeo muestra aumento de albúmina y de linfocitos. Con frecuencia un examen cuidadoso del sedimento revela el signo característico: bacilos de Koch. Buenos resultados se obtienen con el tratamiento actual de la tuberculosis aplicado en forma intensa y prolongada. A veces deja secuelas.

REACCIONES MENINGEAS

Son irritaciones de las meninges, de intensidad diversa, que se ven en el curso de las más variadas enfermedades. Dan síntomas meníngeos de intensidad variable, que pueden hacer creer a veces en una verdadera meningitis. El líquido cefalorraquídeo está bajo tensión, es límpido y con frecuencia presenta aumento del número de leucocitos. Se citan a continuación algunas de las enfermedades que con cierta frecuencia dan una reacción meníngea: neumonía del vértice en el niño, tifoidea, zona, herpes y varicela, sarampión, tos convulsa (convulsiva), difteria, poliomielitis aguda anterior, encefalitis, insolación, uremia, helmintiasis intestinal (gusanos intestinales), tumores de cerebro, inflamaciones de mastoides, oídos, etc. El tratamiento es el de la causa y los cuidados generales como los que se indicaron para la meningitis cerebroespinal (página 1471).

HEMORRAGIAS MENINGEAS

Pueden ser de origen traumático o espontáneas. Estas últimas se deben a menudo a la llamada paquimeningitis hemorrágica, afección que ataca la duramadre y que se ve mayormente en personas de edad. Se produce esta afección en enfermos mentales crónicos, o en sifilíticos, nefríticos, alcoholistas, etc.

Después de un período meningítico, que se manifiesta por dolor de cabeza y a veces trastornos mentales ligeros, sobreviene el período hemorrágico. Si la hemorragia es brusca, los síntomas son los de una hemorragia cerebral. Si la hemorragia es lenta, puede simular un tumor cerebral. El médico suele indicar hielo sobre la cabeza, coagulantes, vitaminas C, P, K y rutina o sus equivalentes, etc. Cuando el coágulo es grande, puede ser necesaria una operación.

CAPITULO 142

Neurosis o Psiconeurosis; Síntomas Causas y Métodos de Tratamiento

Definición

LAS neurosis o psiconeurosis son trastornos nerviosos en los cuales está habitualmente conservada la personalidad del afectado, pero que producen diversos síntomas mentales y a veces también corporales.

¿Por qué aparecen las neurosis?

Sería poco apropiado y ocuparía demasiado espacio en un libro como éste el estudio de las diversas teorías que buscan explicar las causas de las neurosis. Fue mérito de Freud mostrar la importancia del inconsciente y aunque exageró la importancia de lo sexual en la génesis de las neurosis, abrió una vía fecunda, que siguieron Jung, Adler, Kinkel y otros. Cada uno de estos últimos ha estudiado nuevos aspectos del problema, contribuyendo a un mejor conocimiento de la mente humana, aunque complicando el problema con nuevos términos. Esta escuela utiliza el llamado psicoanálisis como tratamiento de las neurosis, tratando con este método de descubrir las causas y mecanismos que han producido la afección. Una vez expuestas estas causas al paciente y el mecanismo que trajo su neurosis, es frecuente observar una mejoría o desaparición de los síntomas. (Véase higiene mental, en el capítulo 7.)

Los especialistas en psiquiatría, desde Freud, aceptan que la mente humana presenta tres partes:

a) *El yo* o *ego,* que es aquella parte de la que tenemos claramente conocimiento, con la cual nos identificamos y que hace frente a la realidad de la vida, tratando de ajustar a esa realidad las demandas del *superyo* y del *inconsciente.* El yo asienta en la corteza cerebral y en sus numerosas conexiones con el diencéfalo. El tálamo, parte del diencéfalo, recibe las impresiones de todo el organismo, enviándolas a la corteza cerebral. En él asientan los instintos y las emociones. Se regula a través del hipotálamo la acción del simpático y del parasimpático.

El yo se rige por el principio de la realidad. Este principio viene a ser la capacidad de renunciar a un placer actual, para asegurarse un bien mayor en el futuro o evitar un dolor o dificultad que pudiese ser su consecuencia.

b) *El superyo* o *superego* o *conciencia moral,* es aquella parte de la mente que actúa como censor del yo y del inconsciente, cuyos impulsos advierte antes que el yo y que suele frenar automáticamente. En la formación del superyo intervienen el ejemplo, las prohibiciones y enseñanzas de los padres y de los maestros, y las normas religiosas o éticas del individuo.

c) *El inconsciente* o *ello* o *"id"*, que asienta en el diencéfalo, estando formado por los instintos y también por los pensamientos y deseos que por ser censurados por el superyo, son rechazados al inconsciente. El inconsciente pugna por manifestarse y hacer que se manifiesten libremente los instintos, emociones e impulsos que encierra. El principio del placer o satisfacción de los instintos (de conservación propia, sexual, etc.) es el que rige al inconsciente.

La parte del inconsciente que más fácilmente puede reconocerse, es llamada por algunos preconsciente.

Algunas definiciones

Definiremos a continuación algunos de los términos cuyo conocimiento es indispensable para la comprensión de ciertas neurosis.

Complejo es una idea o grupo de ideas cargadas de emoción, más que de razonamiento. El más conocido de esos complejos es el de inferioridad, bastante frecuente. Hay muchos otros, tales como el de superioridad, los partidarismos, los prejuicios raciales, los sexuales, etc.

Racionalización es el proceso por el cual en forma inconsciente se da una explicación lógica y aceptable, pero no la verdadera, para justificar cierta conducta, emoción, creencia o idea.

Compensación es un mecanismo por el cual una persona que es o se cree inferior en algún sentido trata de compensar su inferioridad destacándose en otra actividad, o aun en la que se siente inferior, como el caso clásico de Demóstenes.

Sublimación es la transformación de una tendencia que no puede manifestarse por diversas circunstancias en forma aceptable, en una tendencia útil y constructiva. Así por ejemplo, una mujer soltera puede sublimar su impulso sexual y maternal en una vida dedicada a obras de beneficencia o sociales.

Represión es el acto de arrojar al inconsciente aquellos pensamientos, ideas o percepciones que son desagradables o que no acepta el superyo.

Desplazamiento es el traspaso de los sentimientos de amor u odio que se tengan a cierta persona o cosa, a otra distinta de la que los causó.

Proyección es el acto de atribuir a otros y criticar en otros aquellos mismos motivos o hechos que el neurótico presenta.

Conversión es el mecanismo por el cual el histérico transforma un deseo reprimido o un problema en un síntoma físico (parálisis, pérdida de la sensibilidad, dificultad para respirar, etc., etc.). Se ve en la histeria.

Conflicto es el estado de desagrado que produce la incapacidad de renunciar a cierta satisfacción para obtener otra más aceptable al superyo o a la sociedad.

Según la escuela de Freud, los conflictos del yo con el superyo y de éstos con el inconsciente, los traumas psíquicos o mentales, debidos a una crianza inadecuada del niño o a experiencias sexuales infantiles, el quedar el niño en su desarrollo psicosexual detenido en una etapa que debió superarse con el crecimiento, son algunas de las causas de las neurosis.

Otro factor que parece tener importancia es la incapacidad del neurótico para hacer frente con éxito a la lucha que se establece entre su "ello", dominado por los instintos, y las restricciones de la sociedad, o a los conflictos con los superiores o autoridades, por no haber aprendido la disciplina en la infancia.

Las circunstancias que ponen al predispuesto a las neurosis en situaciones difíciles, como guerras, revoluciones, crisis financieras, etc., son con frecuencia causa de neurosis.

También la pérdida de un ser querido, de la posición financiera o social, los amores contrariados, etc., son causa de la aparición de neurosis en la persona predispuesta a ella.

Teorías de Pavlov y la psicología del comportamiento ("behaviorism")

El célebre fisiólogo ruso Pavlov dedicó sus últimos años a establecer una teoría que explicara las neurosis, basada en sus estudios anteriores sobre esas reacciones llamadas reflejos condicionados.

Sostiene Pavlov que, debido a las íntimas conexiones de los centros de la corteza cerebral con los núcleos del diencéfalo, donde asientan los instintos (de reproducción, de nutrición, etc.) por una parte, y las emociones por la otra, cualquier influencia sobre uno de ellos, tiene influencia sobre los otros. Así, según el ejemplo de Pavlov, puede uno en algunos casos, por sufrir del estómago, llevarse mal con los demás; como también, por llevarse mal con los demás, se puede terminar por sufrir del estómago.

La conducta humana sería una serie de verdaderos reflejos condicionados que se establecerían y perfeccionarían gradualmente desde la infancia hasta la edad adulta. Cuando hay interferencia del normal funcionamiento del cerebro por una inhibición o estimulación excesiva que perturba el pasaje de los impulsos nerviosos, se produce una neurosis. Otras veces, un fracaso puede hacerse un reflejo condicionado que pueda impedir emprender nuevamente la acción en la cual se fracasó. También la falta de integración o la desintegración de los reflejos podría causar una conducta anormal.

La escuela del comportamiento no utiliza el psicoanálisis en el tratamiento de las neurosis, sino métodos más rápidos basados en la modificación de los reflejos condicionados desfavorables por psicoterapia.

Otras causas que predisponen a las neurosis son: la herencia, el temor, los sustos y los accidentes, la pérdida de algún ser querido, el alcoholismo y otras intoxicaciones, la masturbación y los excesos sexuales, las enfermedades infecciosas y los traumatismos del sistema nervioso. Se han atribuido también ciertas neurosis a trastornos de las glándulas de secreción interna y a afecciones del hipotálamo que se manifestarían a través del simpático y el parasimpático. El sentimiento de culpabilidad, que puede traer una conciencia intranquila, es otro factor importante.

PRINCIPALES FORMAS DE NEUROSIS

NEUROSIS DE ANSIEDAD O DE ANGUSTIA

La ansiedad es una sensación de temor, de peligro, que se acompaña a menudo de sensación de opresión en la zona del tórax donde se halla el corazón. Todos los neuróticos y aun una persona normal, pueden presentar ansiedad, pero en este tipo de neurosis, la ansiedad es un síntoma constante y predominante.

Las causas son muy diversas, pero con frecuencia aparece esta neurosis en personas que han tratado de ignorar o relegar fuera de su "yo consciente" algún impulso o emoción, como hostilidad hacia ciertas personas, impulso sexual, etc. Se produce más fácilmente en personas que desde la infancia han sido temerosas, tímidas y que han sufrido a esa edad, por excesiva severidad de los padres o por dificultades entre ellos. Además de los síntomas ya mencionados, el ansioso puede presentar inquietud, transpiración, especialmente en las manos y axilas, temblor, pulso rápido, respiración rápida y superficial, lengua seca. Pueden aparecer también síntomas en el tubo digestivo y el corazón, insomnio, etc.

En estos pacientes de temperamento ansioso pueden aparecer fobias o sea temores que el mismo paciente reconoce como injustificados. Así por ejemplo, se puede tener fobia a los gérmenes, las enfermedades, el agua, los lugares cerrados (claustrofobia) ; o a cruzar un lugar abierto, por ejemplo una calle o plaza (agorafobia) ; o a la suciedad (misofobia), etc. Para el tratamiento, ver el de las neurosis en general.

EL HISTERISMO

El histerismo es una de las neurosis más frecuentes e importantes. El histérico convierte sus conflictos mentales en diversos síntomas corporales, que pueden simular numerosas enfermedades.

Causas

El histérico es generalmente una persona con una constitución predispuesta, ya sea por herencia o por diversos acontecimientos de su vida infantil que hayan afectado desfavorablemente su actitud frente a la vida. Es habitual que sea incapaz de hacer frente a las dificultades que se le presentan, y en forma involuntaria e inconsciente convierte los conflictos entre los diversos sectores de su personalidad (el yo o ego, el superyo o superego, y el inconsciente), en síntomas diversos: parálisis, anestesia (pérdida de la sensibilidad), ataques, etc.

Las causas de la aparición de síntomas de histerismo pueden ser muy diversas y no siempre de origen sexual, como creía Freud: emociones intensas, miedo (accidentes, guerra), ira, pena (pérdida de un ser querido, fracasos amorosos), conflictos de índole sexual, etc.

Es mucho más frecuente en la mujer que en el hombre, pero se ha puesto de manifiesto en la última guerra mundial, que en circunstancias de tensión nerviosa, numerosos hombres presentan histerismo (neurosis de guerra). Es más frecuente en las mujeres jóvenes.

Síntomas

Son muy numerosos los síntomas de histerismo y se mencionarán aquí solamente los más frecuentes:

SINTOMAS MOTORES.—Parálisis de diversos tipos, convulsiones, risa o llanto exagerados, incapacidad para caminar.

SINTOMAS SENSITIVOS Y SENSORIALES.—Puede haber anestesia o pérdida de la sensibilidad de algunas partes del cuerpo, pero no siguiendo la distribución de un nervio, sino tomando, por ejemplo, toda la mano como un guante, o todo el pie y parte de la pierna como un calcetín. Puede haber ceguera o sordera.

SINTOMAS DEL SISTEMA NERVIOSO VEGETATIVO.—Puede haber aumento o disminución de las secreciones de las diversas glándulas: saliva, lágrimas, jugos digestivos, espasmo de los bronquios, etc. Pueden aparecer síntomas mentales, como la amnesia o pérdida de la memoria, olvidándose el paciente de su pasado; doble personalidad, etc.

El médico puede comprobar a veces ciertas modificaciones en los reflejos y pérdida de la sensibilidad en ciertas mucosas.

El ataque de histerismo, cada vez

menos frecuente, se describe bajo ese término.

La profilaxis de la histeria es realmente una buena higiene mental (capítulo 7). Su tratamiento es el de las neurosis en general (véase el final de este capítulo).

PSICASTENIA (Neurosis compulsivo-obsesiva)

Obsesión

Es una idea fija que no puede desplazarse de la mente.

Compulsión

Es un impulso a cometer alguna acción contra la propia voluntad del paciente. Además de estos dos síntomas, en este tipo de neurosis se observan marcados sentimientos de duda; duda que obliga al enfermo a comprobar repetidas veces, por ejemplo, si ha cerrado la puerta, si ha apagado la luz en otra habitación, etc. Repite a veces por esa misma duda alguna acción por no estar seguro de su efectividad (por ejemplo, lavarse las manos muchas veces antes de estar seguro de que están limpias). Puede verse este síntoma en otras formas de neurosis.

La compulsión puede impulsar al psicasténico a robar (cleptomanía), a beber alcohol en forma desmedida en ciertas épocas (dipsomanía), o a provocar incendios (piromanía), etc. Pueden en estos casos aparecer también fobias. (Véase el tratamiento de las neurosis en la página 1479.)

NEURASTENIA

Con el mejor conocimiento de las psiconeurosis se ha restringido el concepto de neurastenia a aquellos casos en que, sin que haya anormalidades en el organismo que lo expliquen, el paciente presenta marcada debilidad, irritabilidad nerviosa y agotamiento rápido.

Causas

Aparece más fácilmente en personas con un sistema nervioso predispuesto por la herencia o por una higiene mental defectuosa. Es más frecuente en personas que viven en la ciudad y en las que tienen trabajos sedentarios, que en las que viven en el campo y las que tienen trabajos manuales. Se presenta en personas que por causas diversas se ven abocadas a excesiva y constante preocupación: responsabilidades para las que no están preparadas, fracasos de diversa índole, falta de ajuste en su vida sexual. Se acusó a la masturbación como una causa importante de neurastenia, pero parece más bien que la masturbación es una manifestación de la neurastenia, y no lo contrario.

Síntomas

El paciente presenta insomnio, impotencia sexual, dolor de cabeza (parte alta), en la nuca o en la columna vertebral. Se queja de pérdida de la memoria, de incapacidad para concentrarse en su trabajo intelectual, de falta de interés en sus ocupaciones habituales. Hay además sensación de debilidad y cansancio. Con frecuencia es malhumorado e irritable. En la verdadera neurastenia, el médico no puede hallar causa material para estos síntomas. Es frecuente que se presente también malestar en diversos órganos: corazón, tubo digestivo, etc. Cuando éstos predominan, se trata de una organoneurosis (véase más adelante).

Para el tratamiento de la neurastenia, véase más adelante en este mismo capítulo el tratamiento de las neurosis.

ORGANONEUROSIS

Las organoneurosis son afecciones que se manifiestan en órganos o aparatos determinados, que ya presentaban una debilidad o predisposición especial, por lo que se proyectan en los mismos manifestaciones de una neurosis. Hay, pues, a la vez afección neurótica y del órgano.

Tipos principales

a) *En el tubo digestivo:* anorexia o sea inapetencia, disfagia o dificultad para tragar (por espasmos, dolor, etc.), náuseas, vómitos, síntomas de dispepsia, aerofagia (deglución de aire), colitis, etc.

b) *En el aparato circulatorio y respiratorio:* asma psicógeno (de origen mental), ciertas formas de hipertensión arterial, dolor a nivel del corazón, etc.

c) *En el aparato urinario y genital:* poliuria (excesiva cantidad de orina), micción frecuente e imperiosa, impotencia genital, frigidez. Pueden observarse también síntomas en la piel, los miembros, etc.

El tratamiento será el de las psiconeurosis en general, pero también hay que tratar las causas que ponían al órgano afectado en estado de menor resistencia.

CALAMBRES PROFESIONALES O NEUROSIS OCUPACIONALES (calambre de los escribientes, de los telegrafistas, etc.)

Este tipo de dolencia puede afectar también a sastres, relojeros, pianistas, etc. Se manifiesta por diversas molestias que impiden el uso del grupo de músculos más utilizados en el desempeño de sus tareas, como calambres, dolores, pérdida del dominio sobre el grado e intensidad del movimiento, etc.

Frente a estos casos, es importante un examen completo por un médico especializado en neurología (afecciones del sistema nervioso), para descartar alguna enfermedad orgánica del sistema nervioso. Descartadas esas causas, lo común es que se deba a una neurosis. Puede obligar a cambiar de trabajo.

TIC O ESPASMO HABITUAL

Los tics son movimientos repetidos, involuntarios y bruscos, que atacan principalmente a niños entre los 5 y los 10 años. Los movimientos más comunes pueden simular los que ocasionalmente se efectúan con un fin útil. Se localizan con mayor frecuencia en la cabeza, la cara, el cuello y los hombros. Pueden presentarse en forma de guiños, parpadeo, movimientos laterales de la boca, movimientos de la cabeza o de los hombros, carraspeo, etc.

Su origen es neurótico y se ven mayormente en niños nerviosos, especialmente si se exige mucho de ellos o si en su hogar hay poca armonía entre los padres. El tratamiento es el de las causas, siendo a veces conveniente que el niño cambie de ambiente por un tiempo.

Tratamiento de las neurosis

El tratamiento profiláctico es una buena higiene mental (véase el capítulo 7). Los casos de neurosis que no cedan al tratamiento indicado por el médico de la familia deben ser puestos en manos de un médico especializado en psiquiatría (enfermedades mentales y nerviosas). Para ilustración del lector se mencionarán algunos de los medios que se utilizan para tratar estos pacientes. (Por razones religiosas el autor no se solidariza con algunos de ellos.)

Se trata cualquier afección física que pueda haber descubierto el examen del paciente. Se indica una alimentación completa, rica en vitaminas y adaptada a la capacidad digestiva del neurótico. Hay que obtener la cooperación de la familia para eliminar las causas familiares que puedan haber contribuido a provocar o agravar la enfermedad. A veces es necesario aislar al paciente de su medio familiar. Si hay ansiedad es conveniente tratar de eliminarla descubriendo sus causas y combatiéndolas. Es útil que el paciente tenga a la vez suficiente reposo cada día y que haga algún trabajo o ejercicio no cansadores que lo entretengan y le ayuden a olvidarse de sí mismo y de sus malestares. También son beneficiosos ciertos paseos y distracciones. Puede beneficiar al paciente la hidroterapia cuando va acompañada de otros medios, como la psicoterapia. El lector hallará en las páginas 101, 102 la opinión del célebre especialista en afecciones nerviosas Dr. Jung, acerca de la importancia de la religión en la prevención y el tratamiento de las neurosis. Muchos destacados especialistas concuerdan con Jung en este punto.*

PSICOTERAPIA.—Es el empleo de métodos psicológicos: persuasión, sugestión, psicoterapia de apoyo, reeducación, etc. Da muy buenos resultados.

PSICOANALISIS.—Consiste en descubrir las causas y el mecanismo de la neurosis por el análisis de lo que manifiesta el paciente: de sus pensamientos actuales, recuerdos infantiles, sueños, asociaciones de ideas, etc.

REEDUCACION DE LOS REFLEJOS CONDICIONADOS.—Es otro de los métodos utilizados con éxito por ciertos médicos especializados. Probablemente terminará por desplazar el método anterior.

NARCOANALISIS Y NARCOSINTESIS.—Otros de los métodos utilizados por los especialistas son el narcoanálisis y la narcosíntesis, que consisten en administrar una inyección de un medicamento (pentotal o amytal sódico) para que en un estado de semisueño el paciente, cesando su inhibición o su resistencia a manifestar sus emociones, sentimientos y complejos, los ponga al descubierto. Esto permite el diagnóstico y, al mismo tiempo, al relatar el paciente sus emociones reprimidas, produce la llamada abreacción, que se podría comparar en su efecto favorable al beneficio que se obtiene en un absceso cuando se abre para dejar salir el pus. Generalmente aprovecha el especialista en psiquiatría este momento para hacer su psicoterapia, aconsejando, persuadiendo y sugiriendo la manera de hacer frente a las emociones que han causado la neurosis. Se designó a este tratamiento narcosíntesis. Su éxito es especialmente marcado cuando la neurosis es producida por una emoción intensa y reciente. En la última guerra mundial, se obtuvieron rápidas curaciones de las neurosis de guerra con este método. También se benefician con el mismo tratamiento las organoneurosis.

OTROS METODOS.—En casos rebeldes, el especialista recurre a veces al shock eléctrico con ciertos aparatos especiales, o al obtenido por otros medios (cardiazol, insulina). En los últimos años se ha progresado mucho en la obtención de medicamentos que mejoran la depresión o tranquilizan al paciente ansioso o nervioso.

* Quien se interese por conocer las diversas etapas que llevan a la conversión y a la paz espiritual podrá leer con provecho la obrita *El camino a Cristo* de esta misma editorial.

CAPITULO 143

Insuficiencia Mental - Demencias

INSUFICIENCIA MENTAL (oligofrenia)

HAY personas que desde el comienzo de su vida tienen una inteligencia marcadamente inferior a la normal. El mongolismo y el cretinismo han sido estudiados en las páginas 433 y 1373 respectivamente.

Causas

En numerosos casos la causa de la insuficiencia mental se debe a algún defecto o enfermedad de los padres: alcoholismo, sífilis, debilidad mental, enfermedades del sistema nervioso y mentales, trastornos de la glándula tiroides u otras de secreción interna, casamiento entre parientes con tendencia a afecciones mentales, u otros factores, como madre con factor Rh negativo (véase la página 520), padres demasiado jóvenes o demasiado viejos, etc.

En otros casos se debe a una enfermedad o sufrimiento de la madre durante el embarazo: rubéola y otras enfermedades, o alimentación deficiente. Otras veces son anormalidades en el parto (parto difícil o prematuro, etc.), las que causan una lesión cerebral.

Por último, pueden ciertas enfermedades del niño en sus primeros meses o años provocar ese defecto de desarrollo intelectual: meningitis, encefalitis, afecciones graves del tubo digestivo, convulsiones de diverso origen, etc.

Síntomas

Para evaluar el grado de inteligencia se determina el cociente intelectual.

El cociente intelectual. En 1905 y 1908 hicieron conocer Binet y Simon una serie de pruebas para poner de manifiesto el desarrollo de las distintas facultades intelectuales. Se utilizan hoy día modificaciones de estas pruebas, cuyo resultado indica la edad mental de la persona sometida a la misma. Para obtener el cociente intelectual se divide la edad mental (es decir, la inteligencia correspondiente al término medio de los niños de esa edad) por la edad cronológica o real, y el resultado se multiplica por 100. Así por ejemplo, si un niño de 10 años tiene la edad mental de 7 años, su cociente intelectual será de $7 \div 10 \times 100 = 70$. Si ese niño tuviese una edad mental de 14, su cociente intelectual sería de $14 \div 10 \times 100 = 140$, o si su edad mental y cronológica fuesen iguales, su cociente sería $10 \div 10 \times 100 = 100$.

La inteligencia normal da un cociente intelectual de 90 a 110. De 110 a 120 la inteligencia es superior. De 120 a 140 es el cociente de los superdotados, y el de 140 ó más es el de los geniales. Cuando el cociente os-

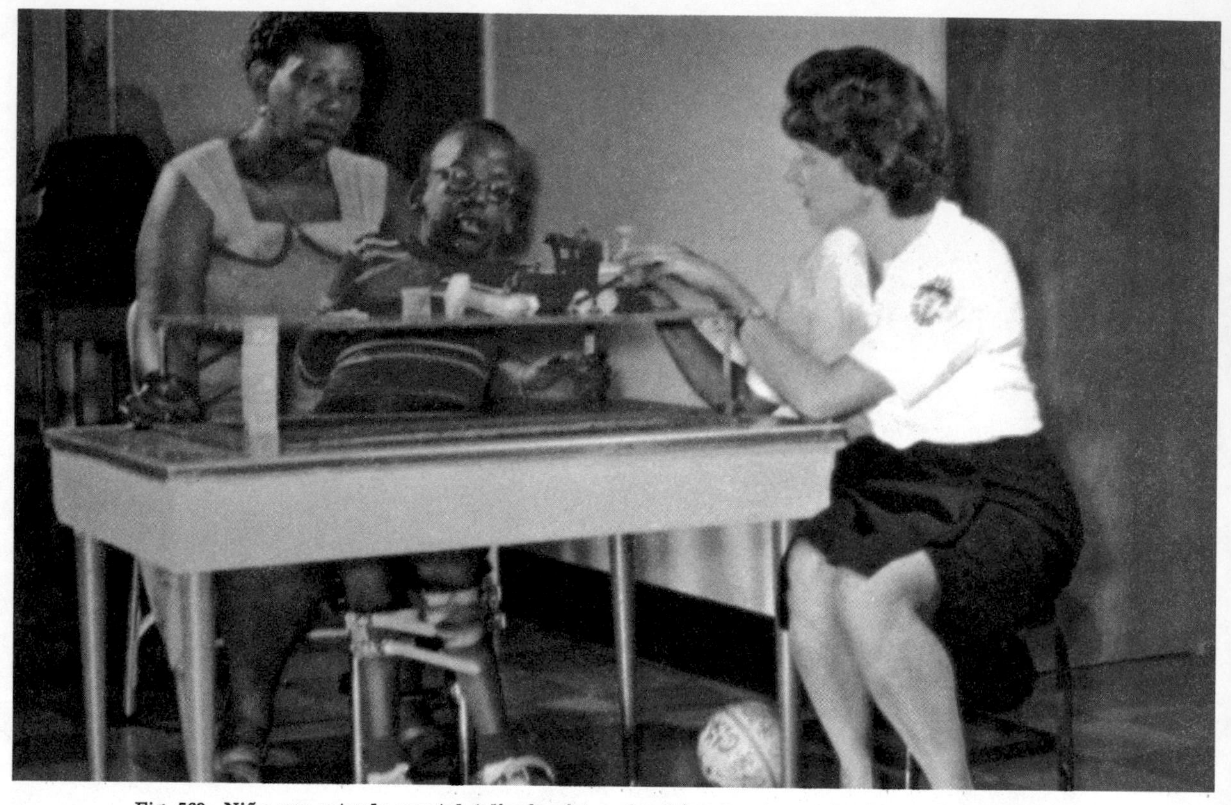

Fig. 568. Niño con retardo mental (oligofrenia) y simultáneamente con trastornos de la motilidad de los miembros. La técnica en rehabilitación le enseña a coordinar los movimientos de los dedos de las manos al mismo tiempo que a mantenerse de pie.

cila entre 80 y 90, hay una leve debilidad intelectual. Entre los 70 y 80, la debilidad intelectual es grande. Entre 50 y 70, ya es imbecilidad leve, y cuando es menor de 50 hay imbecilidad profunda o idiotez. Al hacer estas pruebas hay que tomar en cuenta muchos factores. Así por ejemplo, un niño inteligente pero poco informado por el ambiente en el que ha vivido, puede tener un cociente intelectual bajo.

IDIOTEZ O AMENCIA.—Es la forma más grave. El idiota, aunque puede oír, no aprende a hablar, salvo muy rudimentariamente, ni comprende bien lo que le dicen. Su desarrollo intelectual es inferior al de un niño de tres años. Son incapaces de ayudarse a sí mismos. Con frecuencia pueden observarse en ellos defectos físicos (cráneo muy pequeño o muy grande o deformado, parálisis y espasmos en los miembros, etc.). Hay muy diversas formas y grados de idiotez, no pudiendo algunos enfermos siquiera caminar.

IMBECILIDAD.—Son personas cuyo desarrollo intelectual es mayor que el de un niño de 3 años y menor que el de uno de 7 años. Pueden hablar, vestirse, comer y aprender trabajos sencillos. Pueden tener buena memoria, afición por la música, etc. Algunos son de mal genio, mal intencionados y capaces de dañar a personas y cosas. No aprenden generalmente a leer ni a escribir.

DEBILIDAD MENTAL.—Son personas cuyo desarrollo mental es mayor que el de 7 años y que pueden alcanzar hasta el de los 12 años. Pueden aprender a leer, a escribir y trabajos manuales no difíciles. No se adaptan bien a la vida familiar, escolar y social, pudiendo algunos causar dificultades de toda índole en los diversos medios en que actúan, a menos que sean guiados correctamente por personas especializadas.

Tratamiento

Poco puede hacerse por el idiota. El imbécil puede con frecuencia ser enseñado y educado en ciertos centros especializados. El débil mental, es el que más requiere la atención especializada desde su infancia, para que se transforme en persona útil que pueda bastarse a sí misma y estar adaptada al medio en que actúa. Si esto no se hace, se corre el riesgo de que se transformen en delincuentes. Es preferible que el débil mental no se case, para que no transmita su defecto. Debe cuidarse especialmente a las niñas para evitar deslices sexuales. El uso de ciertos medicamentos produce en un buen porcentaje de casos mejora del estado mental o en la conducta.

DEMENCIA (pérdida de la inteligencia)

Definición

Demencia es la pérdida permanente de la inteligencia en una persona que previamente había tenido una inteligencia normal. Se ha dicho con cierta razón que "un demente es un rico empobrecido", es decir, que ha perdido algo que tenía, mientras que el idiota, el imbécil y otros oligofrénicos han sido "siempre pobres". La llamada demencia precoz o esquizofrenia, y la demencia paralítica o parálisis general progresiva se estudiarán en el capítulo 144.

Causas

Proviene generalmente de una lesión de la corteza del cerebro. Esta lesión puede deberse a una causa localizada: hemorragia, tumor, traumatismo; o a una causa que obra sobre una zona extensa del cerebro: sífilis, degeneración senil (por edad avanzada), reblandecimiento cerebral por lesiones de los vasos cerebrales. El alcoholismo, la pelagra y la epilepsia son males que pueden terminar por provocar demencia.

Síntomas

Son muy variables según su causa, su localización y su grado de intensidad. Los síntomas más comunes, sin embargo, son: pérdida marcada de la memoria, especialmente para los hechos recientes; pérdida del juicio normal, de la capacidad de concentración y de la atención.

En lo emotivo puede observarse infantilismo (el enfermo llora y ríe por cualquier cosa), egoísmo, a veces pérdida de la afectividad o indiferencia. Pueden también observarse síntomas de arteriosclerosis cerebral.

Tratamiento

El médico busca la causa de la demencia para tratarla. Debido a su falta de juicio, fácil sugestibilidad y falta de dominio sobre sus instintos, el demente debe ser cuidado y vigilado para evitar hechos deshonrosos, o que sea víctima de personas sin escrúpulos. Hay casos avanzados de demencia que pueden exigir internación en instituciones especializadas.

CAPITULO 144

Las Psicosis y su Tratamiento

(Locura)

Definición

SE ENGLOBAN bajo el nombre de psicosis los trastornos marcados y generalmente prolongados de la mente, que afectan el ánimo y la conducta del paciente al punto de producir entre este último y el medio en que actúa una falta de adaptación acentuada. Se estudiarán brevemente en este capítulo las siguientes psicosis: la parálisis general progresiva, la esquizofrenia o demencia precoz y las psicosis afectivas (manía, depresión melancólica, psicosis maniacodepresiva). Al hablar de delirios se mencionará brevemente la paranoia.

Causas

Son muy numerosas y variadas las causas de psicosis. Algunas de las más importantes y que con frecuencia se combinan, actuando sobre la misma persona son:

a) *Enfermedades orgánicas del sistema nervioso:* sífilis cerebral, encefalitis, meningitis, trastornos en la circulación cerebral, tumores, epilepsia intensa y antigua, traumatismos del sistema nervioso, etc.

b) *Intoxicaciones:* alcoholismo, intoxicación crónica con plomo, opio, etc.

c) *Herencia:* Hay indudablemente familias en las cuales abundan los enfermos mentales. No basta, sin embargo, la herencia para causar enfermedad, si no aparecen también otros factores evitables o tratables.

d) *Nutrición deficiente* o enfermedades del metabolismo o de las glándulas de secreción interna.

e) *Conflictos mentales* o situaciones difíciles, pérdida de un ser querido, o de una posición y otros factores que estudiamos al tratar las neurosis.

f) *Constitución o temperamento anormal.* Con frecuencia el alienado era antes una persona "rara". Si esa persona rara es guiada por un médico especializado, éste puede a veces conseguir un cambio favorable que impedirá que caiga en la locura.

Síntomas principales de las enfermedades mentales

ALUCINACIONES.—Se ha podido definir una alucinación como "una percepción sin objeto", vale decir, se percibe algo que no existe. La alucinación puede verse (alucinación visual), u oírse (alucinación auditiva), o bien olerse (alucinación olfatoria), o gustarse (alucinación gustativa), o sentirse a nivel de la piel y las mucosas. Así por ejemplo, el enfermo puede percibir ruidos, voces que le ordenan o lo insultan, puede ver escenas horribles o animales repugnantes, o percibir olores o sabores desagradables, etc. Las alucinaciones son indicio casi constante de verdadera enfermedad mental.

ILUSIONES.—Una ilusión es una falsa interpretación de una sensación real. Es posible que esto suceda en personas mentalmente sanas pero su frecuencia es mayor en los alienados. En éstos, por ejemplo, un sonido será oído como insulto, una pieza de ropa colgada será interpretada como un enemigo en acecho, etc.

DELIRIO.—No debe confundirse este delirio con el que aparece en el curso de las enfermedades febriles, que describiremos más adelante al tratar de confusión mental. Los delirios son ideas o juicios claramente erróneos, pero cuya demostración de falsedad no acepta el paciente debido a su enfermedad mental.

Algunos de los tipos más frecuentes de delirio son: el delirio de grandeza, en que el paciente se cree extremadamente rico, o poderoso, etc.; el delirio de autoacusación, en que el paciente se acusa de culpas imaginarias e indignidad; el delirio de persecución, en que el paciente se cree perseguido, corriéndose el riesgo de que se transforme en perseguidor; delirio hipocondríaco, en que el paciente cree tener graves enfermedades; delirio melancólico, en que el afectado está seguro de que nada podrá salvarlo de una terrible suerte.

Una de las formas más características de delirio es la *paranoia* o *locura razonante*. Se trata generalmente de una persona de sexo masculino en cuya familia ya hay enfermos mentales y que presenta el llamado temperamento o constitución paranoide, caracterizada por orgullo, desconfianza, exceso de amor propio e inadaptabilidad social. Después de un período con síntomas de aspecto neurasténico, en el cual trata de buscar una explicación de sus malestares y de las cosas que le suceden, comienzan los delirios de interpretación. El paciente se cree generalmente perseguido por enemigos desconocidos. Percibe voces y ruidos, sabores u olores desagradables, que atribuye a sus enemigos. Puede llegar el momento en que personalice en alguien al perseguidor, atentando a veces contra su vida.

Fig. 569. Enferma mental que está oyendo voces que no son reales (alucinación auditiva).

DELIRIUM TREMENS.—Es un delirio que aparece en los alcoholistas crónicos con motivo, habitualmente, de algún traumatismo (fractura, contusión intensa, etc.) o de alguna infección (neumonía, erisipela, etc.).

Con frecuencia, días antes de aparecer el delirio franco, el paciente está inquieto, angustiado, con dolor de cabeza, tendencia a insomnio y pesadillas. El comienzo del delirio propiamente dicho es a menudo brusco, caracterizándose por alucinaciones horrorosas, que provocan la agitación y el temor que demuestra el enfermo. Es frecuente que vea animales comunes o extraños que tratan de atacarlo, escenas de incendio o inundación, u otras visiones horribles, y trata de huir o luchar contra lo que lo amenaza.

Si se observa al enfermo, se notará un característico temblor de todo el cuerpo, pero que se observa más fácilmente en las manos y los labios. El enfermo, sumamente agitado, está constantemente en movimiento, cubierto de sudor, con la cara y los ojos que expresan horror. Cuando se examina al paciente con cuidado, es muy frecuente encontrar que presenta respiración acelerada, pulso rápido, lengua sucia, cara enrojecida y a veces fiebre. Gradualmente, después de cierto número de horas, los síntomas suelen aminorar su intensidad, a menos que, como en ciertos casos graves, los síntomas generales se agraven para terminar desfavorablemente.

Hay que tratar de hacer guardar cama al paciente, calmándolo. El médico, a quien se habrá llamado de inmediato, indica generalmente algún medicamento sedante como por ejemplo el clordiazepóxido, o mejor aún el valium, que, además de calmar la agitación, induce al sueño. A veces también se indican sueros, vitaminas B_1 y niacinamida, un laxante salino, etc. La alimentación es al principio líquida (leche, jugo de naranja, caldo de verduras, etc.), añadiendo luego cereales, purés de verduras y otros alimentos fáciles de digerir. Hay casos que se benefician con un baño neutro prolongado. Dejar por completo el alcohol.

CONFUSION MENTAL.—Hay una forma aguda de confusión mental con delirio, que puede hallarse en el curso de una enfermedad aguda con fiebre. El enfermo habla en forma incoherente o demostrando tener una alucinación. A veces se agita y quiere salir del lecho. El tratamiento de este delirio consiste, además del tratamiento de la afección que lo causa y de disminuir la fiebre, en tratar de evitar que el enfermo se dañe y salga de la cama. La habitación será tranquila y bien ventilada, no debiendo haber ruidos ni visitantes. Debe cuidarse de mantener el intestino libre.

Otra forma de confusión es un estado en el que el paciente se halla desorientado, pudiendo ignorar el lugar donde se halla, quiénes son las personas que lo rodean, el día y la fecha, y aun hay casos en que no sabe quién es él mismo.

Puede haber también agitación, excitación y alucinaciones. Generalmente el paciente está débil, adelgazado, inapetente, con la lengua sucia. Presenta además otros síntomas de enfermedad física, y en el rostro una expresión de extrañeza.

Las causas son generalmente infecciosas o tóxicas.

Profilaxis o prevención de las psicosis

Algunos de los factores que contribuirán a disminuir el número creciente de enfermedades mentales son: la lucha contra la sífilis, el alcoholismo y otras intoxicaciones; la eugenesia o higiene de la procreación, por la cual se evita que los tarados nerviosos tengan descendencia; el evitar los excesos de trabajo físico e intelectual; la higiene mental correcta, comenzando desde la infancia, para evitar que los acontecimientos que traen dolor en toda vida, hagan perder el equilibrio de la mente. El hacer examinar y tratar a los niños o adultos inadaptados o "raros", puede a menudo evitar que se llegue a la enfermedad mental. Una alimentación adecuada, una vida saludable, con ejercicio al aire libre, tienden a mantener el equilibrio mental.

Tratamiento de las afecciones mentales

Afortunadamente en los últimos años se han efectuado grandes progresos en el tratamiento de las enfermedades mentales. Afecciones como la parálisis general progresiva y la esquizofrenia o demencia precoz, que antes eran casi siempre incurables, curan o por lo menos mejoran considerablemente con los tratamientos modernos: la primera, con la fiebre artificial o por medio de formas benignas de paludismo o el tratamiento de la neurosífilis; y la segunda, con el shock provocado por medio de insulina, cardiazol (metrazol) o por medio de la electricidad. En los últimos años se ha progresado mucho en la obtención de medicamentos muy efectivos para combatir la depresión o la excitación.

En la mayor parte de las psicosis es necesaria la internación del paciente en un establecimiento especializado, para su mejor diagnóstico y tratamiento. Mientras el paciente está en el hogar, debe vigilárselo para evitar que atente contra su vida, no dejando a su alcance objetos con los cuales pueda conseguir ese propósito. Es importante recordar que cuanto más precozmente se comienza el tratamiento de la enfermedad, tanto mayor es la probabilidad de restablecimiento. Dentro de los medios físicos que indica a veces el especialista, está la hidroterapia, como por ejemplo, el baño tibio (de 28 a 34° C, 82,4 a 93,2° F), prolongado en casos de agitación, la envoltura en sábana mojada, etc.

El médico especializado busca y trata la causa o las causas que hayan contribuido a provocar el desequilibrio mental. Además utiliza en numerosos casos la psicoterapia (persuasión y sugestión), y la laborterapia, haciendo efectuar al paciente trabajos adecuados.

PARALISIS GENERAL PROGRESIVA (demencia paralítica)

Definición

Es una inflamación crónica y progresiva de la corteza cerebral y de las meninges causada por la sífilis en su período cuaternario (así llaman al período en que pueden aparecer lesiones tardías en el sistema nervioso central). No es la única forma de locura provocada por la sífilis.

Causas

Se produce en personas cuya sífilis no ha sido tratada o lo ha sido en forma insuficiente. Aparece habitualmente de 10 a 15 años después de adquirida la sífilis, observándose el mayor número de casos entre los 35 y los 55 años. Es mucho más frecuente en el hombre que en la mujer. Favorecen la aparición de esta enfermedad el alcoholismo, los excesos físicos, intelectuales o sexuales y la falta de suficiente reposo.

Síntomas

Son muy variables de un caso a otro. Sin embargo, hay algunos síntomas que son muy frecuentes y que describimos a continuación:

SINTOMAS MENTALES.—Al comienzo llama la atención de los que conocen al paciente, que éste puede hacerse descuidado en su manera de comer, vestir y conducirse. Se hace irritable, perdiendo a veces el interés en sus tareas habituales. Más tarde puede observarse su falta de juicio en negocios ruinosos, o en hechos indecentes, extravagancias, delirio de grandeza (se cree poseedor de inmensas riquezas, gran poder, etc.; se observa este delirio en un gran número de casos), o delirio de persecución, u otros.

SINTOMAS DEL SISTEMA NERVIOSO.—Se observa la llamada *disartria,* que consiste en la dificultad para pronunciar correctamente las palabras. Así por ejemplo, si se le pide al paciente que repita algunas palabras difíciles de pronunciar, como "constitucional, constitucionalmente, anticonstitucionalmente", se observa que se equivoca. Las pupilas son irregulares: cuando se las expone a la luz, no se contraen como es habitual, y se contraen en cambio cuando se hace mirar al paciente un objeto que se acerca a su vista (signo de Argyll-Robertson).

Hay un temblor en diversos músculos, que hacen su escritura irregular y que puede observarse en la lengua cuando la saca, en los músculos de la cara cuando se le hace mostrar los dientes, en las manos, etc.

En algunos casos pueden observarse convulsiones y hemicráneas, o la asociación de un tabes (ataxia locomotriz). Salvo en este último caso, en el que los reflejos de los tendones del miembro inferior están abolidos, se observa habitualmente una exageración de dichos reflejos. Cuando la enfermedad no es tratada, puede llegar a provocar una debilidad gradualmente creciente de los músculos que termine por dejar prácticamente paralizado al paciente. El análisis del líquido cefalorraquídeo muestra ciertas características especiales que confirman el diagnóstico.

SINTOMAS DE DECAIMIENTO GENERAL.—Se observa adelgazamiento, lengua sucia, digestión difícil y una menor resistencia a las enfermedades.

Evolución

Sin tratamiento esta enfermedad termina aproximadamente en tres años con la muerte. Hay casos en que se producen espontáneamente remisiones, vale decir, se detiene el progreso de los síntomas.

Tratamiento

TRATAMIENTO DE LA CAUSA. —Conociéndose que la causa de esta enfermedad es una sífilis nerviosa, en un enfermo no tratado o insuficientemente tratado, es fundamental atacar al treponema culpable. La penicilina en dosis suficiente tiene una influencia muy favorable en la sífilis nerviosa.

FIEBRE PROVOCADA.—Es el mérito de Wagner von Jauregg el haber introducido el primer método que mejoró el pronóstico de la parálisis general, vale decir la fiebre provocada por medio del paludismo. En los casos en que el médico lo ve factible, se inocula al paciente una forma benigna de paludismo, infección que se combate en el momento en que ya no es necesario su efecto. La fiebre puede provocarse también artificialmente por medio de electricidad, hidroterapia, etc.

ESQUIZOFRENIA O DEMENCIA PRECOZ

Definición

Esta enfermedad, desgraciadamente muy frecuente, fue llamada por Kraepelin demencia precoz, por llevar en muchos casos a la pérdida gradual de las facultades intelectuales y aparecer en personas jóvenes. Bleuler la llamó *esquizofrenia,* es decir, "mente hendida".

Aunque no todos aceptan que ambos términos sean idénticos, reservando el nombre de demencia precoz a aquellas formas más graves en que los síntomas demenciales se establecen rápidamente y sin tendencia a la remisión, consideraremos aquí ambos términos como sinónimos.

Causas

La causa exacta de la esquizofrenia no se conoce aún. Se sabe, sin embargo, que afecta principalmente a personas con tendencia familiar a las enfermedades mentales y nerviosas y dotadas de un temperamento o constitución especial llamado esquizoide. Son personas que desde la infancia muestran una tendencia a la soledad, a aislarse de los demás, prefiriendo meditar o vivir en sueños, y que no hacen frente en forma franca a las dificultades. Es frecuente que presenten el llamado hábito asténico (véase visceroptosis en la página 1118). Sobre este fondo puede aparecer la esquizofrenia en los muy predispuestos, con motivo de dificultades financieras, sentimentales o de adaptación al ambiente. También puede aparecer después de enfermedades infecciosas, embarazo, parto, etc. Creen algunos psicólogos que esta enfermedad es una manera de huir cobardemente frente a una realidad desagradable.

La mayor parte de los casos de demencia precoz comienza entre los 15 y los 25 años de edad, pero pueden verse comenzar casos en la infancia o aun a los 40 años y más. Afecta a ambos sexos por igual.

Síntomas

Son muy variables los síntomas de un paciente a otro. El comienzo es también variable, pudiendo simular en su iniciación una psiconeurosis (histerismo, neurastenia, psicastenia), u otra enfermedad mental (excitación maníaca, melancolía, delirio, etc.). Los síntomas fundamentales son:

PERDIDA DE LA AFECTIVIDAD.—El paciente deja de amar a sus padres y otros familiares o amigos. Este hecho, que al principio puede disimularse por medio de la cortesía, más tarde se hace evidente.

DESINTERES.—El esquizofrénico pierde el interés en su trabajo (tiene tendencia a cambiarlo a menudo) y pierde su iniciativa y ambición, no dándole valor ni importancia a nada.

INERCIA.—Este mismo desinterés hace que el paciente tenga tendencia a aislarse, a quedar por horas en la misma posición y a descuidar su higiene y su alimentación.

SENTIMIENTO DE ANORMALIDAD.—El enfermo se siente extraño, irreal, creyendo a veces que también su cuerpo ha sufrido una transformación desfavorable. Se ha observado que en algunos casos se contemplan por horas delante de un espejo, tratando en vano de recobrar su personalidad.

DELIRIOS, ALUCINACIONES E ILUSIONES.—Ya se han tratado en este capítulo.

Formas clínicas

Debido a la gran variabilidad de esta enfermedad, se describen numerosas formas, las más frecuentes de las cuales se mencionan brevemente a continuación:

FORMA HEBEFRENICA.—Alternan los períodos de actividad y alegría tonta, con otros períodos de depresión física y mental. Son frecuentes los delirios y las alucinaciones auditivas.

FORMA CATATONICA.—Puede acompañarse de estupor o excitación, frecuentemente alternadas. Es característica de esta forma el que el enfermo pueda mantener durante horas cualquier posición extraña que se les dé a sus miembros. Hay con frecuencia negativismo, negándose a veces el paciente a comer, orinar, evacuar el intestino, abrir la boca o los ojos cuando se le ordena hacerlo, etc. Hay períodos en que los síntomas disminuyen.

FORMA PARANOIDE.—Se observan delirios crónicos (de persecución, celos, grandeza) aunque no con la fijeza y sistematización del paranoico o del paralítico general. La personalidad no suele perderse.

Tratamiento

Se pueden obtener buenos resultados por medio de shocks: eléctricos con aparatos especiales, o con insulina o cardiazol (metrazol) entre los que, según las características del caso, elige el médico especialista. En algunos casos es útil la psicoterapia (persuasión, sugestión, etc.). Cuando el tratamiento se comienza precozmente, el porcentaje de buenos resultados es elevado. Hay ciertos casos rebeldes en que puede estar indicada una operación cerebral. Muchos síntomas de estos pacientes mejoran con psicofármacos.

PSICOSIS AFECTIVAS

Aunque hay normalmente en casi cada persona ciclos de mayor optimismo y actividad, que alternan con otros de menor actividad productiva y de menos optimismo, se observan personas en las cuales estos ciclos son más acentuados que lo normal. Se dice de dichas personas que son de temperamento ciclotímico. Con frecuencia son personas de hábito asténico (véase visceroptosis en la página 1118). En algunas de estas personas, en lugar de alternar períodos de excitación y de depresión, puede observarse que la excitación alterna con períodos normales o que la depresión, alterna con la normalidad. Los ciclotímicos generalmente lo son por herencia. Es en ellos donde suelen aparecer las psicosis afectivas.

MANIA

La manía es un estado de excitación psíquica o mental que se caracteriza por el aumento del impulso a actuar.

Grados de manía

Hay distintos grados de manía: hipomanía, manía aguda y manía delirante.

En la *hipomanía,* el paciente está habitualmente optimista y lleno de entusiasmo. Pasa de una idea a otra sin descanso, siendo acentuada la asociación de ideas, y es con frecuencia ingenioso. Traba conversación con todos los que halla a su paso y no tiene timidez alguna para decir lo que piensa y siente. Si se lo contradice se irrita. Le cuesta quedarse quieto. Come mucho.

Durante la *manía aguda* el paciente está excitado, habla y se mueve continuamente, tiene los ojos brillantes, la cara puede estar enrojecida y la actitud es arrogante. Hay con frecuencia delirio, ya sea de grandeza, de persecución, de perjuicio, de invención o reforma. Se hace desvergonzado, diciendo a veces palabras obscenas o cometiendo actos indecentes. No siente el cansancio, el dolor o el frío, y es casi constante el insomnio.

En la *manía delirante* el paciente está desorientado, en el tiempo (ignora el día y la fecha), en el espacio (no sabe dónde está) y no reconoce a las personas. Hay alucinaciones y delirio, con frecuencia de grandeza. Se mueve continuamente.

Causas

La manía puede formar parte de la psicosis maniacodepresiva o ser causada por el alcoholismo, la parálisis general progresiva o situaciones especiales frente a las cuales reacciona la persona con mente predispuesta, con excitación maníaca.

DEPRESION MELANCOLICA

Hay una depresión y disminución de las facultades intelectuales, acompañada de tristeza y angustia, sin causa externa suficiente para justificarla. Hay formas de distinta intensidad: depresión leve, depresión aguda y sopor depresivo. En la depresión llamada leve el paciente se queja de malestares digestivos, cansancio e insomnio. Hay casos en que la pérdida de todo sentimiento agradable puede generar ideas suicidas. En la depresión aguda, la depresión es más acentuada y son frecuentes los delirios de culpabilidad, indignidad, de terribles pecados, o de que el paciente tiene alguna grave enfermedad o un órgano destruido, etc. El estupor depresivo lo deja inmóvil, casi sin hablar, con deseo de estar a solas. A veces la excitación alterna con la depresión.

Se observan como síntomas en el organismo: inapetencia, pérdida de peso, debilidad, falta o retardo de la menstruación, digestión difícil, dolor de cabeza o a nivel del corazón.

Causas

Puede ser la melancolía parte de la psicosis maniacodepresiva o bien ser causada por el envejecimiento (melancolía involutiva, más frecuente en las mujeres). Puede sobrevenir después de alguna desgracia o deberse a una enfermedad infecciosa o a intoxicaciones o a una alteración de las glándulas de secreción interna o digestivas.

PSICOSIS MANIACODEPRESIVA

Es más frecuente en la mujer que en el hombre, especialmente la parte depresiva o melancólica. La alternación de la manía y la depresión puede ser clara, o puede predominar uno de esos estados, pasando el otro inadvertido. Sus causas y también sus síntomas ya han sido estudiados en este capítulo. El primer ataque, que puede ser único, comienza habitualmente entre los 25 y los 35 años. Dura un tiempo variable, entre pocos meses y varios años, siendo lo habitual de 6 meses a 2 años. Entre un ataque y otro el paciente es bastante normal, aunque puede presentar signos de neurosis.

Tratamiento

Por lo general, estos pacientes deben ser internados en establecimientos especializados durante sus períodos de manía o depresión. El psiquiatra o médico especializado, combate todo factor que pueda contribuir al estado anormal del paciente. Trata de que la alimentación sea correcta y adaptada a la capacidad digestiva del paciente. En algunos casos está indicado el tratamiento con shock eléctrico (el preferible en estos casos) o por medio de insulina o cardiazol, o ciertos medicamentos que combaten la excitación o la depresión. También se uti-

Fig. 570. **Paciente afectada de psicosis maniacodepresiva. Está en la fase de melancolía.**

liza la psicoterapia (sugestión, persuasión, etc.), el ejercicio, la recreación y el trabajo sabiamente elegidos y dosificados. La hidroterapia es también muy útil, utilizándose los baños tibios, continuados a veces por horas, en los períodos de excitación, y la hidroterapia tónica en los períodos de depresión. En ciertos casos de depresión intensa y rebelde a los demás tratamientos, se ha recurrido a ciertas operaciones en el cerebro (lobotomía prefrontal). Hay numerosos medicamentos que en estos últimos años se pueden utilizar con éxito para tratar la depresión o la excitación de estos pacientes.

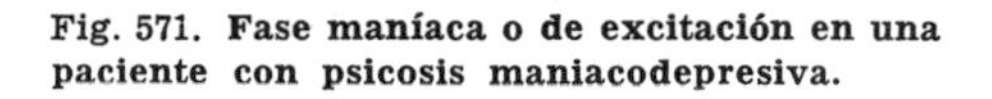

Fig. 571. Fase maníaca o de excitación en una paciente con psicosis maniacodepresiva.

CAPITULO 145

Atrofias y Distrofias Musculares

HAY numerosas causas de atrofia muscular, como por ejemplo la que sigue a la falta de uso de los músculos, o las ya estudiadas en esta sección de las enfermedades del sistema nervioso (hemiplejías, polineuritis, neuritis, etc.). Estudiaremos brevemente en esta parte las atrofias musculares debidas a trastornos del aparato neuromuscular. Las dividiremos en dos grupos principales: Las miopatías o distrofias musculares progresivas y la esclerosis lateral amiotrófica. No presentaremos otras afecciones semejantes, por su poca frecuencia.

MIOPATIAS PRIMITIVAS PROGRESIVAS

Son afecciones hereditarias o familiares, de origen aún desconocido, más frecuentes en los varones que en las mujeres y caracterizadas por debilitamiento progresivo de ciertos grupos musculares, con atrofia (a veces pseudo hipertrofia) de los mismos, que toma preferentemente la raíz de los miembros en forma simétrica. Es habitual que comience la enfermedad durante el período de la infancia o en la adolescencia.

Hay varias formas clínicas de esta afección, que citamos a continuación: a) Forma escápulo-humeral de Erb, que atrofia los músculos del hombro y del brazo. b) Forma facio-escápulo-humeral de Landouzy y Déjerine: Paraliza primeramente los músculos de la cara, lo que produce la llamada facies miopática (inmóvil, inexpresiva, sin arrugas, con la boca y los ojos abiertos) antes de atacar los músculos del hombro y del brazo. c) Forma pseudo hipertrófica de Duchenne. Hay aparente engrosamiento de los músculos de los miembros inferiores y a veces del tronco, aunque en realidad las fibras musculares están atrofiadas. d) Forma de Leyden-Moebius: Toma primero los miembros inferiores, pudiendo más tarde tomar también los superiores.

Hay casos en que la atrofia comienza por la extremidad distal de los miembros.

Tratamiento

El tratamiento consiste en llevar la vida más normal posible, ejercitando los músculos y sometiéndolos a masajes. Como medicación se han utilizado la glicocola y la vitamina E, vasodilatadores como la hidergina y otras sustancias como los ácidos adenosintrifosfórico y uridintrifosfórico.

ESCLEROSIS LATERAL AMIOTROFICA

Recibe también el nombre de enfermedad de Charcot. Es más frecuente en el hombre y después de los cuarenta años. Su causa es aún desconocida y rara vez se hereda. Hay lesión de las vías motoras del sistema nervioso. Toma simultáneamente ambos lados del cuerpo.

Se inicia habitualmente con una lenta atrofia de los músculos de las manos, que aparecen aplanadas, flexionándose después las dos últimas falanges (mano en garra).

La atrofia se extiende hacia la raíz de los miembros.

Hay debilidad y signos de espasticidad en los miembros inferiores. Es muy frecuente observar fibrilaciones de los músculos afectados, vale decir contracciones involuntarias de algunas fibras de los músculos afectados por la enfermedad.

Tratamiento

El tratamiento consiste mayormente en fisicoterapia, vitamina E, glicocola, vitaminoterapia.

PARTE DECIMOSEXTA

Algunas Enfermedades Llamadas Quirúrgicas

CAPITULO 146

Ulceras – Quistes – Afecciones de las Sinoviales y Bolsas Serosas; su Tratamiento

ULCERAS

YA FUERON estudiadas, en la página 1294, las úlceras más frecuentes en los climas templados, vale decir las úlceras varicosas. Tócanos aquí mencionar algunas otras afecciones capaces de provocarlas.

Una úlcera es una pérdida de sustancia en la piel o las mucosas, con poca tendencia a la cicatrización. Su extensión y profundidad son variables. Su localización más frecuente es en los miembros inferiores, principalmente en la parte anterior de la pierna y en la planta del pie. Suele haber supuración, a veces fétida.

En la producción de la úlcera y en su falta de cicatrización interviene en general más de un factor: traumatismos, infecciones (con gérmenes comunes de supuración, sífilis, pian, tuberculosis, lepra, leishmaniosis, hongos, etc.), circulación venosa o arterial deficiente, lesiones del sistema nervioso, diabetes, alimentación inadecuada (falta de proteínas y vitaminas, etc.), transformación de la úlcera en cáncer, presencia de lesiones entre los dedos de los pies producidas por hongos, presión continuada (úlcera de decúbito), etc.

Tratamiento

El tratamiento local sigue los lineamientos generales del de la úlcera varicosa. El tratamiento general depende de la afección causal, por lo que es indispensable un diagnóstico exacto. El médico indicará el tratamiento de la enfermedad causal.

El tratamiento de la úlcera varicosa se indica en la página 1294.

QUISTES

Quiste es una cavidad anormal que contiene un líquido o sustancia blanda.

Diversos tipos de quiste. Algunos de ellos tienen origen embrionario, vale decir que son restos anormales formados durante el crecimiento del niño, antes de su nacimiento, como los quistes dermoides de la piel, el ovario, los de la región sacrococcígea, y otros.

En otros casos, se distiende una cavidad habitualmente vacía: una bolsa serosa (bursitis) sinovial de un tendón o de una articulación, cuyo ejemplo más típico son los gangliones del puño, o los quistes del cordón (ver "Hidrocele").

Puede formarse un quiste en diversas glándulas: ovario, páncreas, tiroides, hipófisis, etc., a veces por retención de la secreción. La tenia equinococo provoca en el ser humano el quiste hidático o hidatídico.

QUISTE SEBACEO

Quiste sebáceo es una especie de saco o bolsa formada a expensas de una glándula sebácea de la piel y que contiene una sustancia grasosa. Con frecuencia se observa un orificio en la piel que corresponde al quiste. Asientan, con mayor frecuencia, en el cuero cabelludo, la cara, detrás de las orejas

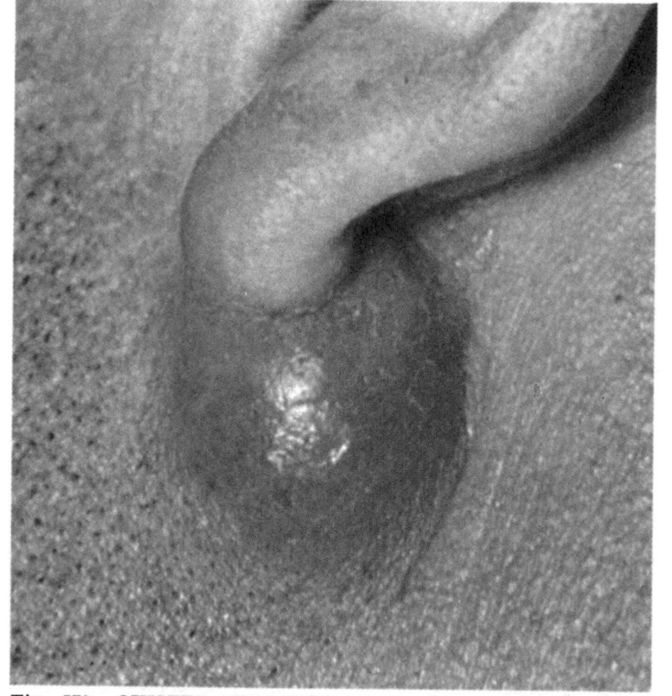

Fig. 572. QUISTES SEBACEOS. Los quistes sebáceos pueden asentar en cualquier parte (cara, dorso, cuello, etc.), pero una de sus localizaciones más frecuentes es el cuero cabelludo.

Fig. 573. **Quiste dermoide en la terminación de la ceja. Es una localización frecuente de este tipo de quiste.**

y en la espalda, pero pueden hallarse en cualquier región. No deben confundirse con los lipomas, tumores benignos de grasa que no tienen una pared propia como el quiste sebáceo y que no son tan perfectamente redondeados.

Pueden infectarse, supurando. Muy rara vez sufren una transformación maligna. Deben extirparse.

QUISTES DERMOIDES

Son de origen embrionario, es decir, que se producen en la formación del niño, aunque a veces sólo puedan manifestarse años después. Pueden hallarse en cualquier parte (ovario, cuello, piso de la boca, terminación de la ceja, etc.). Su pared está formada por piel y contiene siempre una sustancia grasosa y a veces pelos y dientes. La localización más frecuente es en la terminación de la ceja, donde se manifiesta como un pequeño bulto redondeado, que puede estar unido al hueso. Deben extirparse.

QUISTES Y FISTULAS SACROCOCCIGEOS

Son quistes o trayectos fistulosos presentes al nacimiento, aunque a veces pueden causar trastornos sólo en la

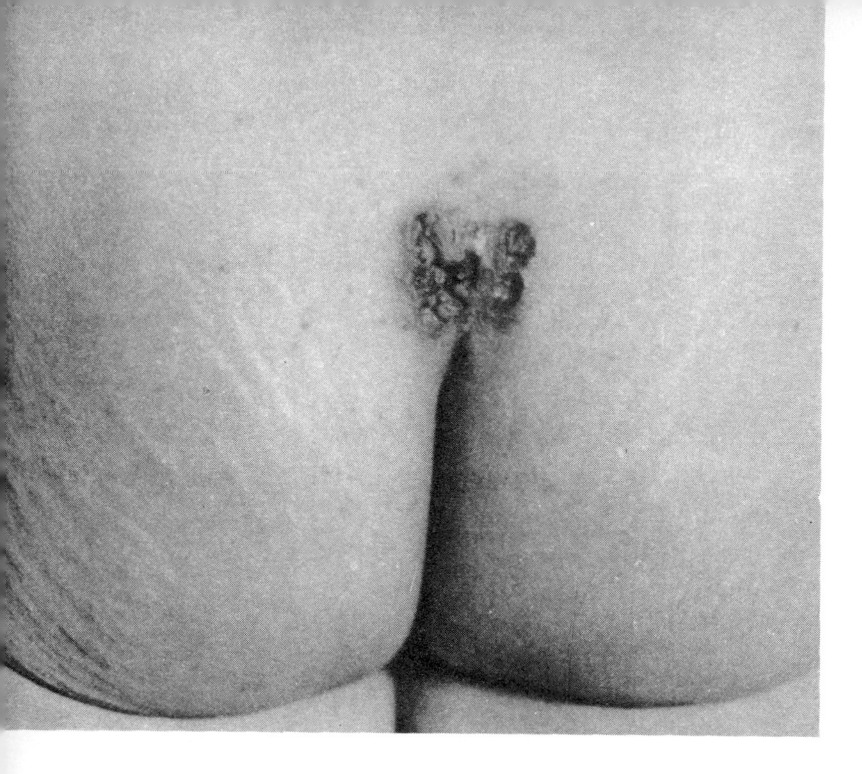

Fig. 574. **QUISTE SACROCOXIGEO (pilonidal) FISTULIZADO.** Por encima del surco que separa las nalgas se ve el quiste del tamaño de una nuez y la saliente donde se abre la fístula.

edad adulta, o no causarlos nunca, que ocupan la piel que se halla por encima de la última parte de la columna vertebral, vale decir el sacro y el cóccix.

Con frecuencia se observa un orificio superficial o profundo, con o sin pelos en la zona donde asienta el quiste. Puede a veces producir algo de secreción. Pueden infectarse formando un absceso y dejando en ciertos casos una o varias fístulas que no deben confundirse con las fístulas de ano y recto. Hay que extirpar todo el tejido anormal.

AFECCIONES DE LAS SINOVIALES Y BOLSAS SEROSAS

GANGLIONES DE LA MUÑECA

Ganglión es un pequeño quiste que se ha formado a expensas de una sinovial de tendón o articulación. Asienta a veces en el dorso del pie y en otras regiones. Se ve con mayor frecuencia en la adolescencia y edad adulta. Se cree que los traumatismos pueden intervenir en su formación. Contiene un líquido mucoso.

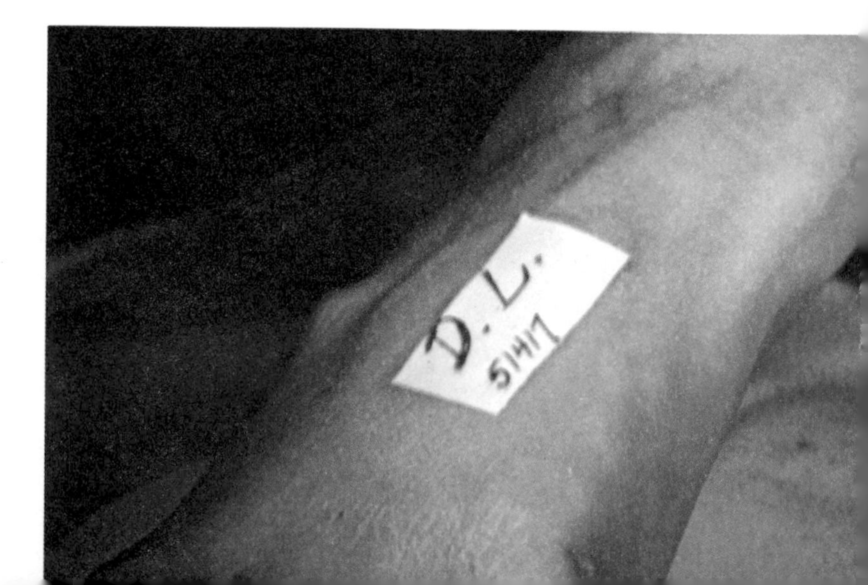

Fig. 575. Ganglión de parte externa y dorsal del pie.

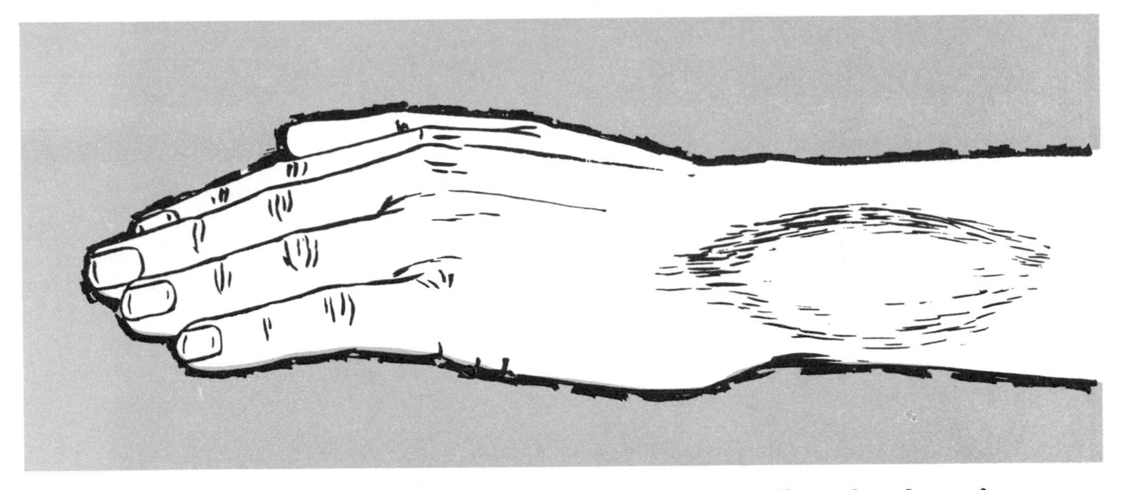

Fig. 576. **TENOSINOVITIS DE LA MUÑECA. Puede observarse la saliente alargada que forma la sinovial inflamada de un tendón.**

Tratamiento

Pueden romperse por presión brusca, aunque con frecuencia vuelven a formarse. Algunos inyectan un líquido que los esclerose. El método más aceptado es la extirpación, aunque a veces vuelven a formarse.

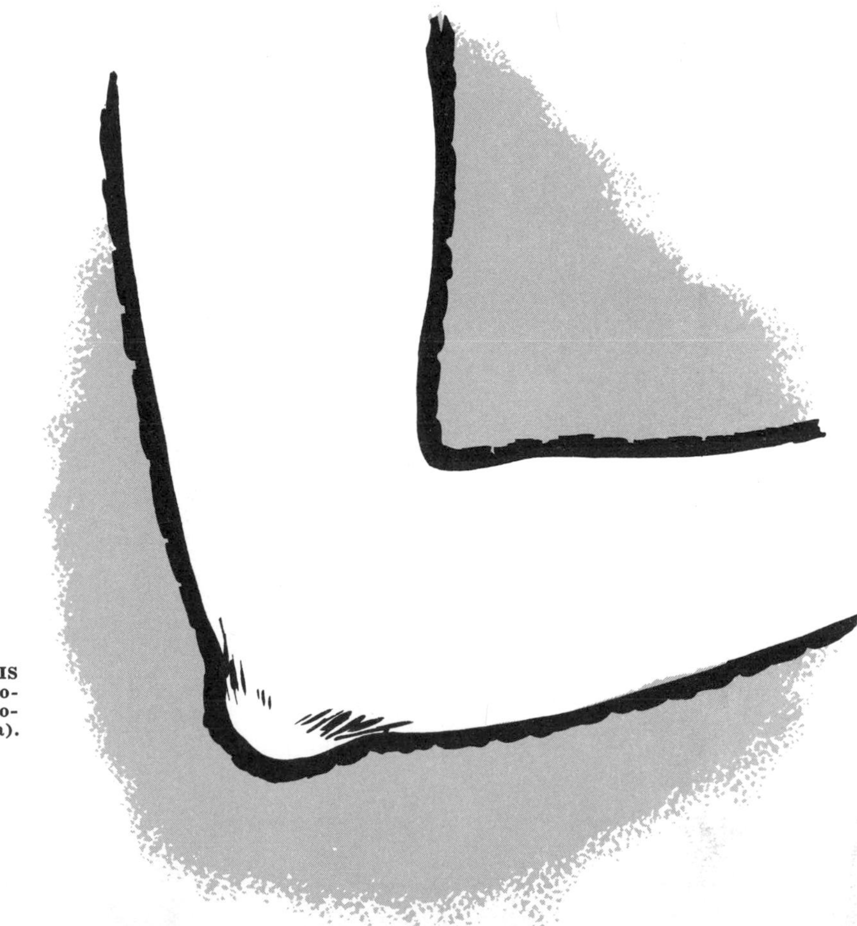

Fig. 577. **BURSITIS DEL CODO (higroma de la bolsa serosa retroolecraneana).**

TENOSINOVITIS

Es la inflamación de un tendón y de la vaina sinovial que lo rodea. Hay muy diversas formas:

a) *Aguda simple,* producida por una entorsis o por exceso de trabajo en un músculo que no estaba acostumbrado a hacerlo. Se ve con frecuencia en el lugar donde asientan en el antebrazo los tendones que van al pulgar. Se observa hinchazón y dolor en dicho lugar. A veces al moverse el tendón provoca un ruido especial llamado crepitación. Hay una forma debida a blenorragia.

b) *Aguda supurada.* Es consecuencia de un panadizo (véase bajo ese término).

c) *Crónica simple.* Puede quedar como consecuencia de la aguda simple, persistiendo por seguir usándose con exceso el músculo cuyo tendón y sinovial están afectados.

d) *Tuberculosa.* Pueden observarse unas granulaciones de fibrina, que por parecer granos de arroz han recibido el nombre de granos riciformes.

Tratamiento

En las formas simple, aguda o crónica, el tratamiento consiste en: a) reposo del músculo afectado; b) calor (fomentos calientes o baños calientes o caliente y frío alternados, rayos infrarrojos, etc.); c) baños de sol; d) vendaje elástico cuando no está tomándose un tratamiento.

En la forma tuberculosa el médico indicará el tratamiento en cada caso.

BURSITIS (inflamación de bolsas serosas)

Las bolsas serosas son cavidades que contienen algunas gotas de líquido, situadas en las partes del cuerpo donde hay roce. Estas bolsas sinoviales pueden inflamarse en forma aguda o crónica cuando son sometidas a roce excesivo, traumatismo, infecciones de diversa clase, reumatismo, gota, tuberculosis, etc. La forma simple se manifiesta por la presencia de líquido en la bolsa sinovial, síntoma que se pone muy de manifiesto en la rodilla y el codo. Puede haber cierto grado de enrojecimiento y dolor en la forma aguda, siendo muy acentuados en la forma supurada.

Tratamiento

La forma simple, sea aguda o crónica, será tratada como las tenosinovitis simples (véase lo dicho al respecto anteriormente). A veces es necesario extraer el líquido por punción y luego poner una venda elástica. En la forma supurada hay que abrir ampliamente para que salga el pus o puncionar para retirarlo e inyectar antibiótico en la cavidad.

CAPITULO 147

Tumores Benignos y Malignos El Cáncer

TUMORES

Definición

AUNQUE con frecuencia emplea el médico la palabra tumor o tumoración en el sentido de hinchazón o bulto de cualquier origen que se pueda comprobar en el organismo, hay tendencia sin embargo a limitar la acepción de la palabra tumor. Según esta acepción limitada, tumor sería un crecimiento anormal de tejido que no llena ninguna función en el organismo y que una vez formado persiste, o tiene tendencia a crecer. Los tumores se forman a expensas de los diversos tejidos. Su estructura es muy parecida a la del tejido que le dio origen.

División

Desde el punto de vista de su evolución o gravedad, es muy importante la división de los tumores en *benignos* y *malignos*.

TUMORES BENIGNOS.—Los tumores benignos tienen las siguientes características:

a) Son limitados, generalmente rodeados por una cápsula o envoltura que los separa netamente del resto del organismo. Nunca atraviesan esa cápsula.

b) Al crecer, lo hacen excéntricamente, comprimiendo los tejidos vecinos, pero sin invadirlos ni infiltrarse en ellos.

c) No invaden tampoco los ganglios, ni otros órganos.

d) Son con frecuencia múltiples.

e) No tienen gravedad y no afectan el estado general del que los padece. La única excepción es que puedan hacerse graves por su localización. Así por ejemplo, un tumor benigno que se desarrolle junto a la médula espinal o en el cerebro, puede causar síntomas graves al comprimir estos órganos tan delicados. Sin embargo, aun en estos casos, son extirpables y no se reproducen. Pueden algunos tipos de tumores benignos transformarse a veces en malignos.

TUMORES MALIGNOS (CANCERES).—Presentan las siguientes características:

a) Tienen tendencia a invadir los tejidos vecinos, en los que se infiltran.

b) Crecen en forma irregular, siendo mayores las lesiones que se pueden comprobar al microscopio que las que se ven a simple vista.

c) Invaden con frecuencia los ganglios que reciben los vasos linfáticos del órgano afectado. Tienen además tendencia a invadir otros órganos (metástasis).

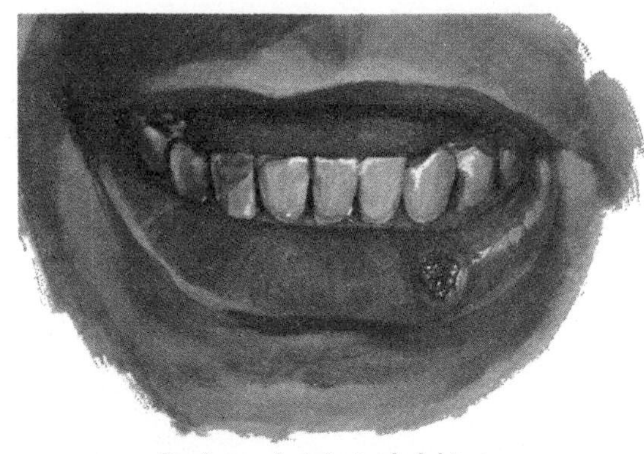

Carcinoma incipiente de labio

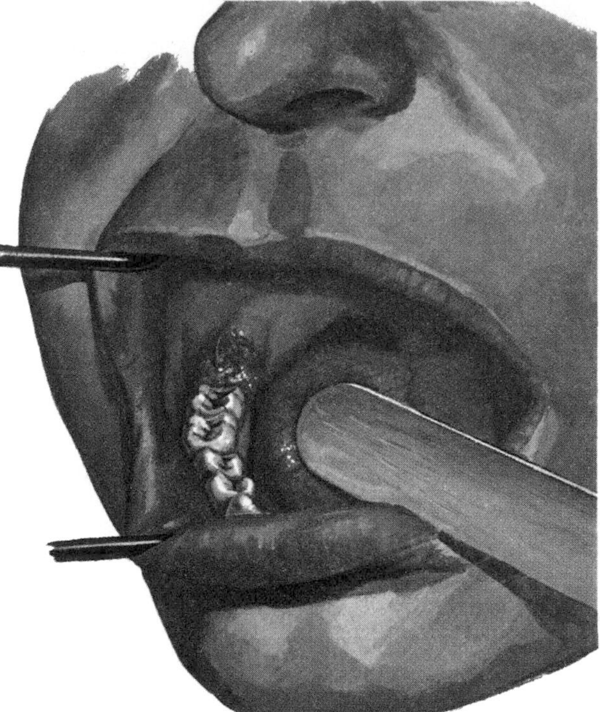

Carcinoma de encía
(en el espacio retromolar)

Carcinoma escamoso
o espinocelular (visto
al microscopio)

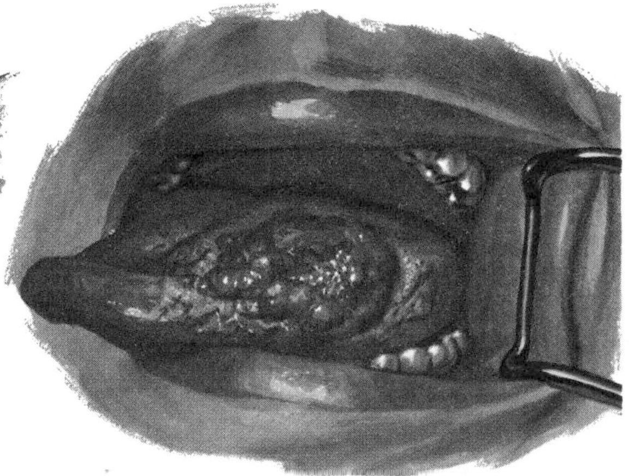

Carcinoma de la lengua
sobre placa de leucoplasia

Carcinoma de mejilla

F. Netter M.D.

Fig. 578. Cánceres de la boca.

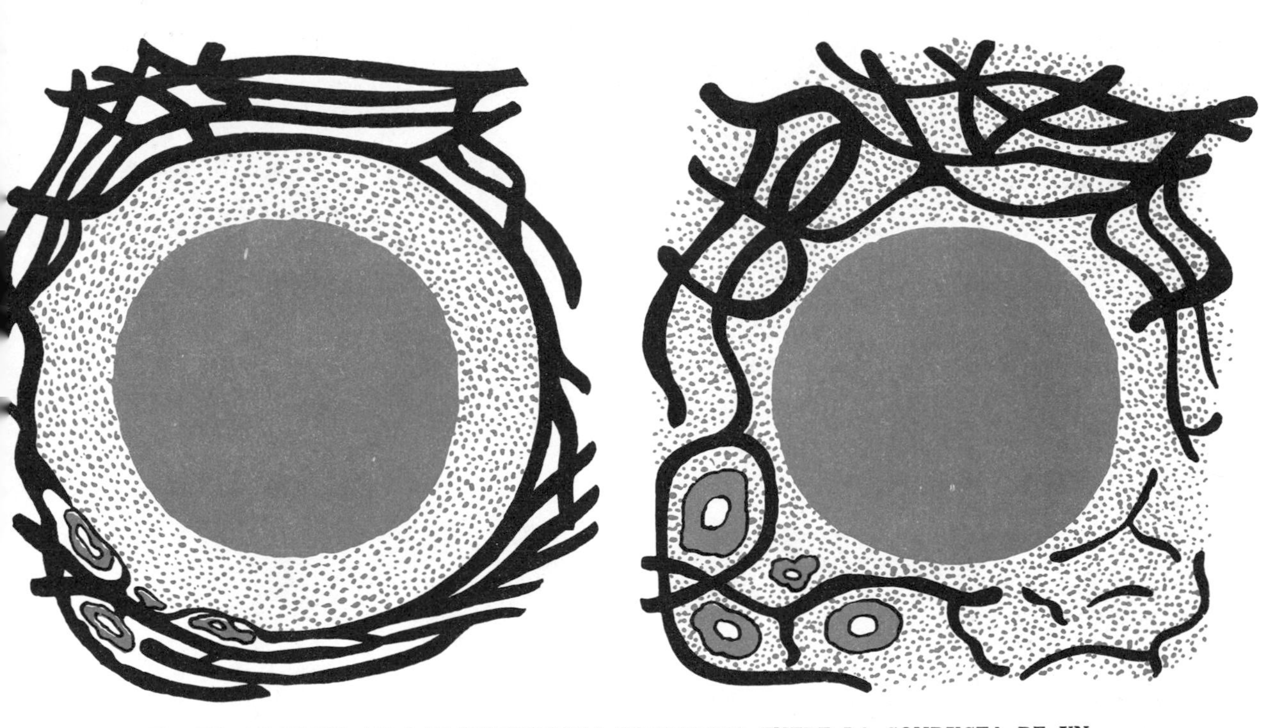

Fig. 579. **ESQUEMA DE LAS DIFERENCIAS ESENCIALES ENTRE LA CONDUCTA DE UN TUMOR BENIGNO Y LA DE UN TUMOR MALIGNO O CANCER.** A la izquierda, **tumor benigno. El disco oscuro central representa el núcleo primitivo del tumor. La zona punteada que lo rodea, representa el aumento de tamaño del tumor benigno que progresivamente rechaza y comprime los tejidos vecinos: tejido conjuntivo (en negro) y unos tubos glandulares (abajo a la izquierda). El tumor queda encapsulado, no invadiendo los tejidos vecinos.** A la derecha, **tumor maligno. El disco central representa también el núcleo primitivo del cáncer. El punteado que lo rodea, representa las células cancerosas, provenientes del núcleo primitivo, que invaden e infiltran los tejidos vecinos destruyéndolos gradualmente. No hay cápsula que limite al cáncer de los tejidos sanos, como sucede en el tumor benigno.**

d) Cuando se inicia, el tumor maligno es único. Se hace múltiple tardíamente, por siembra o metástasis.

e) Afectan el estado general del paciente. Deben ser tratados para evitar consecuencias fatales. En los casos avanzados, tienen tendencia a reproducirse, aun cuando se hayan extirpado.

TIPOS PRINCIPALES DE TUMORES BENIGNOS.–Reciben su nombre según la clase de tejido que les dio origen. Así por ejemplo, los diversos tejidos conjuntivos pueden producir los siguientes tipos de tumores: el tejido adiposo, un *lipoma;* el tejido fibroso, un *fibroma;* el tejido óseo, un *osteoma;* el tejido cartilaginoso, un *condroma;* el tejido vascular un *angioma,* etc.

Los tejidos epiteliales de revestimiento pueden dar origen a los *papilomas,* y los epiteliales glandulares a los *adenomas.* El tejido muscular liso, puede dar origen a los *miomas,* el tejido nervioso a los *neuromas* y *gliomas,* etc.

TIPOS PRINCIPALES DE TUMORES MALIGNOS O CANCERES. –Son más frecuentes los cánceres for-

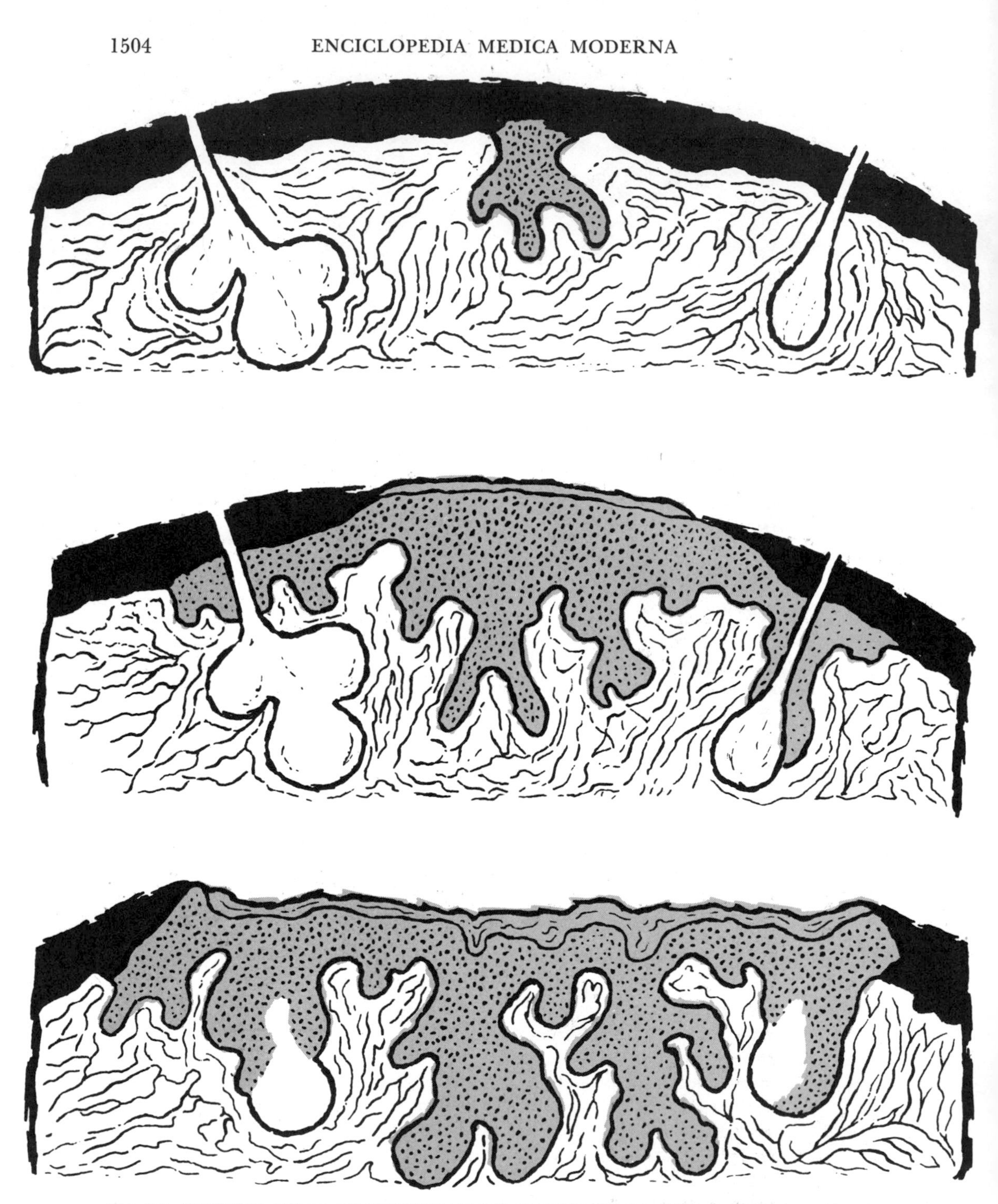

Fig. 580. **ESQUEMA DE LA EVOLUCION DE UN CANCER DE LA PIEL** (epitelioma cutáneo). En azul: **tumor maligno. La piel sana en negro.** A la izquierda: **glándula sebácea** y a la derecha **pelo.** En el centro: **cáncer que, iniciado en la parte baja de la epidermis, va progresivamente invadiendo la epidermis y la dermis, hasta dejar una ulceración de la piel.**

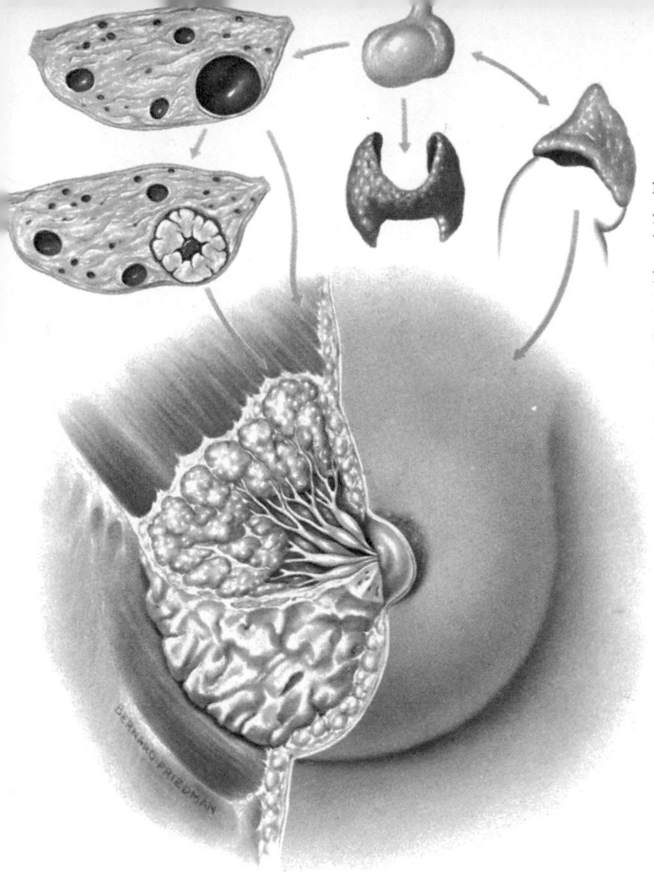

Fig. 581. Interrelación de las glándulas endocrinas que regulan el crecimiento y desarrollo de la glándula mamaria. Las modificaciones en las secreciones internas pueden causar tumores benignos de la mama.

mados a expensas del tejido epitelial, ya sea de revestimiento, como la piel o mucosas, o de células glandulares. Algunos de estos cánceres epiteliales reciben el nombre de *epiteliomas,* otros, el de *carcinomas,* aunque a su vez cada uno de estos tipos puede dividirse en otros, conocimiento que, en cada caso, le es útil al médico que ha de tratar el tumor. Los tumores de tejido conjuntivo, menos frecuentes y prácticamente los únicos que aparecen en el niño, reciben el nombre de *sarcomas,* de los cuales hay también numerosas variedades.

EL CANCER

Hipócrates, el griego que fue llamado el padre de la medicina, denominó *karkinos,* o sea cangrejo, a ciertos tumores. La traducción latina de *karkinos* es cáncer, origen de nuestra palabra castellana para designar un tumor maligno. La probable razón de que Hipócrates llamara cangrejo al cáncer, es el aspecto que presenta a veces este tumor maligno, en el cual pueden comprobarse ciertas salientes que se producen por propagación del mismo y que semejan las patas del crustáceo antes mencionado.

En la página 1501 definimos lo que es un tumor y cuáles son las características de los tumores malignos o cánceres. Podrían resumirse éstas en la siguiente definición: cáncer es un tejido que, sin tomar en cuenta al resto del organismo, crece anormalmente, en forma invasora, terminando en forma fatal si no se trata a tiempo.

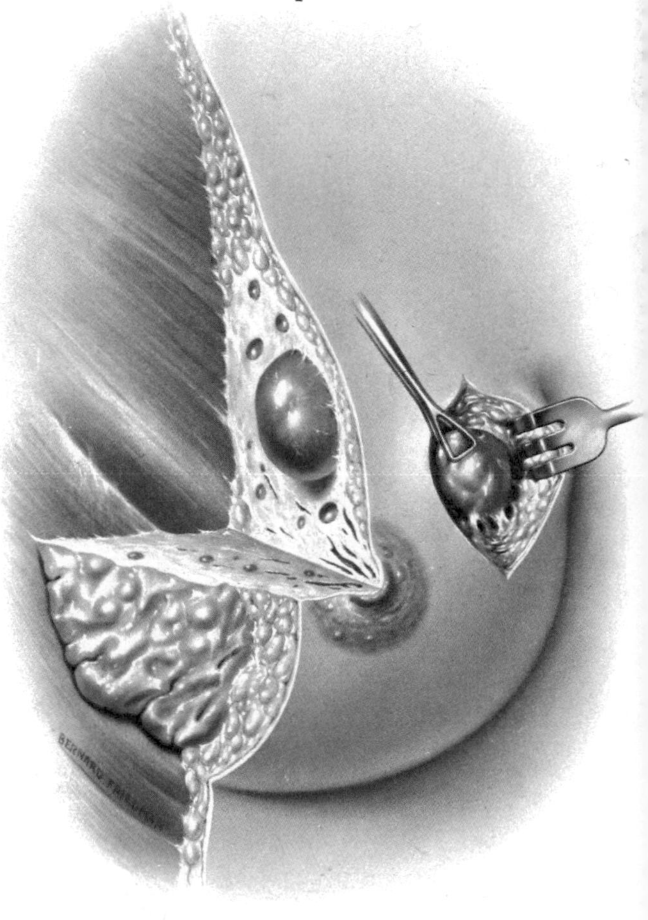

Fig. 581a. **Lesiones benignas de glándula mamaria.** Abajo a la izquierda: **Mastitis crónica quística.** En el medio: **Mastitis quística con un solo quiste grande.** A la derecha: **Adenofibroma circunscrito.**

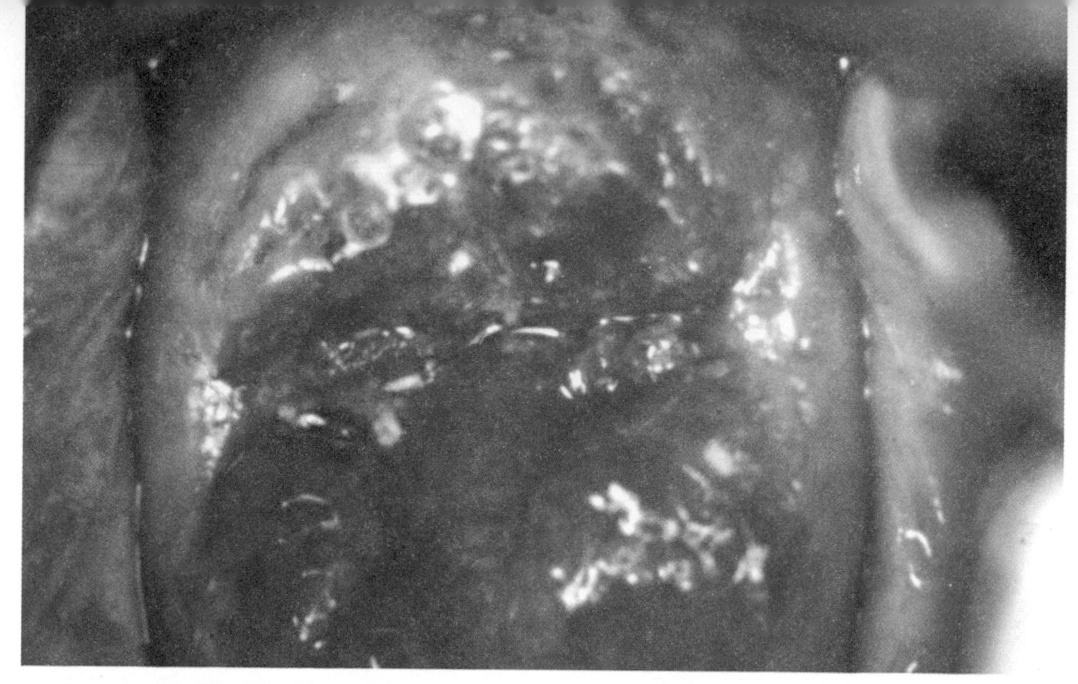

Fig. 583. Cáncer del cuello uterino desarrollado sobre una inflamación crónica del cuello uterino (cervicitis).

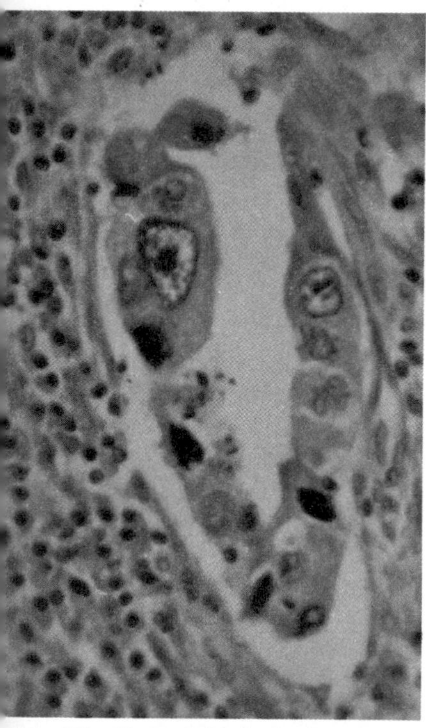

Fig. 582. Cáncer del pulmón observado al microscopio (adenocarcinoma).

Fig. 584. CANCER DE INTESTINO (epitelioma de células cilíndricas), donde se ven tubos cancerosos invadiendo una capa musculosa del intestino.

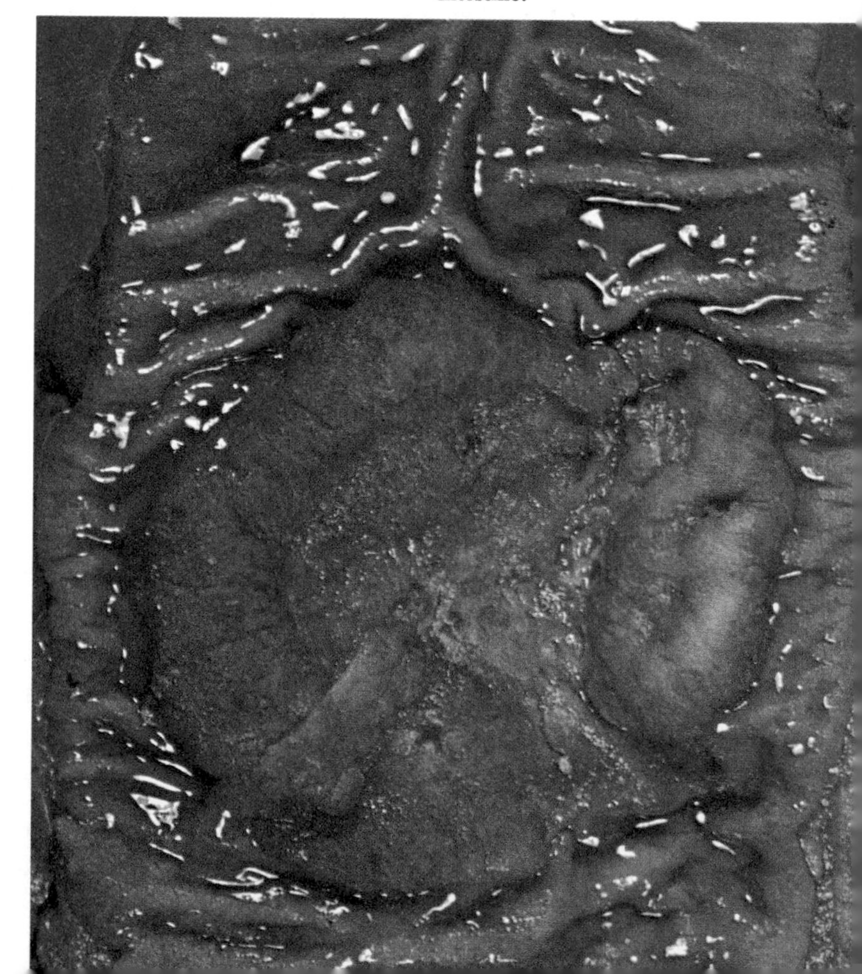

Causas del cáncer

Aún no se conoce con certeza la verdadera causa del cáncer, no habiéndose confirmado plenamente ninguna de las numerosas teorías que se han adelantado para tratar de explicarlo. Se sabe sin embargo que para que se produzca el cáncer es generalmente necesaria la intervención de por lo menos dos factores: a) predisposición y b) una causa de irritación local. Entre estas últimas pueden citarse numerosas causas: irritación de la piel por alquitrán, parafina, arsénico, hollín, petróleo y colorantes, etc., en personas que trabajan con esos materiales. Cabe señalar que la irritación prolongada de la piel por el sol, puede favorecer la aparición del cáncer en la misma. Sostiene sin embargo un autor norteamericano que el someter la piel al sol durante la infancia y la adolescencia, disminuiría el porcentaje de cánceres en la adultez y la vejez.

Ciertas cicatrices pueden ser afectadas también por cáncer. Dentro de los cánceres que el uso del tabaco contribuye poderosamente a desarrollar (como irritante local, ya sea directamente en el labio, o por medio de los alquitranes fuertemente productores de cáncer que se encuentran en el humo), caben señalar: el cáncer del labio inferior, el cáncer de la boca, el de la laringe y el del pulmón. Algunos de estos cánceres aparecen casi exclusivamente en fumadores.

Ejemplo clásico de la influencia de la irritación local como causa del cáncer es el de los habitantes de cierta fría región del Asia. Se producen frecuentes quemaduras con un calentador que llevan bajo las ropas, y desarrollan a menudo un cáncer en el lugar de las lesiones. Otro ejemplo es el de las mujeres de otra región que mastican la nuez de betel, y que desarrollan con relativa frecuencia cáncer de la mejilla, continuamente irritada. Es así como las irritaciones crónicas de la lengua por alguna raíz de muela o una dentadura mal ajustada, pueden provocar una úlcera que, en algunos casos, se transformará en cáncer. Las frecuentes irritaciones del estómago (líquidos excesivamente calientes, condimentos), pueden favorecer la aparición de un cáncer en este órgano, aunque puede éste aparecer sin que aparentemente nada se haya hecho que pudiese irritar el estómago. Ciertos parásitos llamados Bilharzia, que irritan el intestino grueso y la vejiga, favorecen la aparición de cáncer en dichos órganos. Hay un tercer factor al que cada vez se le asigna mayor importancia. Me refiero a un virus filtrable que, según algunos experimentadores, puede comprobarse en muchos de los tejidos cancerosos por medio del microscopio electrónico. Ya en el año 1910 Peyton Rous demostró la presencia de un virus en el sarcoma del pollo, que inoculado a un ave sana reproducía el tumor. Durante 1970 se aisló un virus del sarcoma del gato, que inoculado a un gato sano reproduce en éste el sarcoma. Se han inoculado en ciertos animales virus obtenidos de un sarcoma humano, con producción de cáncer.

Posteriormente otros investigadores descubrieron virus productores de cánceres en otras especies animales. Probablemente no pasarán muchos años sin que sea confirmada la importancia de un virus como productor del cáncer. Para tener un cáncer, no basta tener el virus, sino que es indispensable la acción de otros factores.

¿Qué influencia tienen la edad, el sexo, el contagio y la herencia en la aparición del cáncer?

EDAD.—El cáncer es más frecuente después de los 40 años, pero puede aparecer en cualquier edad, aun en niños pequeños. En estos últimos con frecuencia son cánceres formados a expensas del tejido conjuntivo, los que reciben el nombre de sarcomas.

SEXO.—El sexo influye más que nada en la localización del cáncer. El cáncer de labio, laringe y pulmón (antes de que la mujer fumara en la misma proporción que el hombre) aparecía casi exclusivamente en el sexo masculino, probablemente por el uso del tabaco. La próstata presenta cáncer con relativa frecuencia. Muy frecuentes son en la mujer el cáncer de útero y el de seno. El de estómago es algo más frecuente en el hombre que en la mujer. El de vesícula biliar en cambio es más frecuente en la mujer que en el hombre, por tener más a menudo enfermo dicho órgano.

¿ES CONTAGIOSO EL CANCER? —Está demostrado que el cáncer no es contagioso de un ser humano a otro.

¿INFLUYE LA HERENCIA?—Aunque hay registro de ciertas familias con tendencia acentuada al cáncer, estos casos son excepcionales. No hay que temer, pues, ser víctima de un cáncer por tener ascendientes u otros parientes que lo hayan tenido.

Cuándo pensar en cáncer

Al estudiar las enfermedades de cada órgano, se han estudiado las características del cáncer en cada uno de ellos. Como resumen conviene, sin embargo, hacer notar algunos de los síntomas que pueden o no corresponder a un cáncer, pero que hacen prudente consultar al médico:

CANCERES EXTERNOS.—Hay que tener en cuenta lo siguiente:

a) Haga atender por el médico los lunares o verrugas que, por roce al afeitarse o con la ropa o por cualquier otra razón, estén sometidos a irritaciones frecuentes.

b) Haga examinar cualquier lunar, verruga, callosidad o ulceración de la piel que aumente de tamaño. En el caso de ulceración que no quiera cicatrizar, o si aparecen espesamientos en el labio u otras partes de la piel, o costras que se forman repetidamente, es indispensable también un examen médico.

c) Cualquier dureza o bulto en el seno debe ser examinado por el médico.

CANCERES INTERNOS.—Debe considerarse lo que sigue:

a) Haga examinar cualquier herida de la lengua que no tenga tendencia a cicatrizar.

b) Si en un hombre de más de 40 años aparece ronquera que persista más de 3 semanas, es prudente hacer examinar la laringe por un especialista en garganta.

c) Es indispensable hacerse examinar por el médico si sale sangre por la boca, el recto o con la orina. También cuando una mujer pierde sangre por la vagina fuera de los períodos menstruales o cuando, después de haber cesado la menstruación, aparece la más mínima cantidad de sangre.

d) Cualquier bulto anormal que se sienta en el abdomen o en otra parte del cuerpo debe ser motivo de consulta.

e) Si le cuesta tragar, o si ha perdido el apetito, o aparecen trastornos en la digestión, si aparece una constipación que antes no existía, o hay pérdida anormal de peso, debilidad, palidez o aparece alguna molestia en el recto hágase examinar.

Están en estudio algunas reacciones para el diagnóstico del cáncer. Si alguna de ellas es realmente efectiva será un gran adelanto para el diagnóstico precoz del cáncer.

La prevención del cáncer

Podría reducirse en algo el número elevado de cancerosos con algunas precauciones:

a) Las personas que trabajan con sustancias irritantes que se ha demostrado que pueden producir cáncer, tomarán las debidas precauciones para evitar su contacto prolongado con la piel.

b) El arreglo periódico de la dentadura contribuirá a evitar cánceres en la boca.

c) El no fumar contribuirá a evitar cánceres de labio, boca, laringe y pulmón.

d) El evitar los alimentos irritantes y demasiado calientes, puede contribuir a disminuir el número de cánceres de estómago.

e) El tratar las irritaciones u otras lesiones del cuello uterino disminuirá el número de cánceres de ese órgano. Véase en la página 278 el consejo que se da referente al examen de las células del cuello uterino (método de Papanicolaou).

f) El hacerse practicar sistemáticamente un examen médico completo cada año puede permitir descubrir cánceres incipientes o lesiones que podrían hacerse cancerosas.

g) Cada mujer debe practicar el autoexamen de sus glándulas mamarias (véase la página 352).

Autoexamen de las mamas

Un medio muy útil para descubrir cualquier anormalidad en las glándulas mamarias es el examen que cada mujer podría hacer de las mismas cada mes o por lo menos cada dos meses. La época más apropiada es habitualmente después de terminada la menstruación. La primera parte del examen la hará la paciente sentada delante de un espejo, con buena luz. Obsérvese si hay diferencias en la forma, el contorno de los senos o partes más salientes o más chatas que lo habitual.

Levántense ambos brazos hacia arriba y obsérvese si hay retracción de uno de los pezones, o de alguna parte de la piel o diferencia marcada entre una y otra mama. Pálpense luego las glándulas en el sentido de las agujas del reloj.

La segunda parte del examen la hará acostada de espaldas, con una pequeña almohada debajo del hombro derecho y con el brazo derecho levantado al lado de la cabeza. Con la mano izquierda, palpará suavemente la mitad interna de la glándula mamaria derecha, desde debajo de la clavícula hasta las costillas debajo del seno. Comenzará en la parte más interna, palpando cuidadosamente con los dedos y la palma de la mano, hasta llegar al pezón, que será también palpado así como su contorno. Bajará luego el brazo derecho y examinará la mitad externa del seno derecho. Para practicar el examen del seno izquierdo, colocará la almohada debajo del hombro izquierdo y palpará con la mano derecha y sus dedos.

En el cuadrante superior y externo es donde más a menudo puede palparse alguna dureza o abultamiento. Puede corresponder a un proceso completamente benigno, pero será prudente hacerlo examinar con el médico a la brevedad posible. Con este sencillo examen se descubrirían la mayor parte de los tumores benignos y cánceres de seno. Estos últimos, cuando son aún muy pequeños, dan un porcentaje muy elevado de curaciones definitivas.

Tratamiento del cáncer

Un elevado porcentaje de personas atacadas de cáncer curan completamente por medio de la cirugía o con radiaciones (rayos X, radio o cobalto radiactivo). Sin embargo, cuanto más ha tardado el paciente en consultar al médico, cuanto más tardío el diagnóstico o más avanzado el cáncer, tanto menor es el porcentaje de curaciones definitivas. Pocas cosas hay que causen al médico tanta pena, como el ser consultado por un cáncer muchos meses o aun un año o más después de haberse iniciado los síntomas que indicaban su presencia; un cáncer que habría sido perfectamente curable tratado en un comienzo. Y también pocas satisfacciones hay más grandes que el poder diagnosticar precozmente algún cáncer, orientar al paciente para que sea tratado en algún centro especializado y verlo después sano y vigoroso año tras año.

¿Hay algún medicamento que cure el cáncer?

Con cierta frecuencia se leen en la prensa telegramas o artículos en los que se afirma que en una u otra parte del mundo alguien ha descubierto algún medicamento que cura el cáncer. El último que recuerdo es el Krebosan. Hasta ahora ninguno de ellos ha sido realmente curativo, lográndose a lo sumo con algunos de ellos hacer más lento el avance del cáncer. Entre los que dan ese resultado cabe señalar la hormona masculina llamada propionato de testosterona, en casos de ciertos tumores benignos y de cáncer de glándula mamaria, y el dietilestilbestrol y otras sustancias semejantes en el caso de cáncer de la próstata. Con un antibiótico llamado actiomicina C (sanamicina), se puede a veces en ciertos casos obtener una mayor lentitud del proceso canceroso y una mejoría del estado general.

LOS CITOSTATICOS

Desde hace varios años, los médicos especializados en tumores malignos, utilizan ciertas sustancias llamadas genéricamente citostáticos, que inhiben las células cancerosas, cuando a pesar de cirugía o de radiaciones todavía hay, o se sospecha que hay, células malignas para combatir.

Cáncer del labio

Es muchísimo más frecuente en el labio inferior que en el superior y también mucho más frecuente en el hombre que en la mujer. Favorecen su aparición las irritaciones crónicas del labio, principalmente el tabaco (que causa la llamada leucoplasia, la que luego puede transformarse en cáncer), o la irritación que causa la exposición a la intemperie, que provoca "paspaduras" repetidas. Es raro antes de los 40 años, y tiene su máxima frecuencia después de los 60 años.

SINTOMAS.—Puede comenzar en diversas formas: como una especie de verruga, que porque se rasca el paciente se lastima o ulcera, o como una placa blanquecina que empieza a crecer y a endurecerse en su base, o por un endurecimiento localizado o nódulo. De todas maneras, después de un tiempo de evolución, se manifiesta como una ulceración (herida con pérdida de sustancia sin tendencia a cicatrizar), que asienta sobre una base dura. Más tarde pueden aumentar de tamaño los ganglios que están debajo del maxilar inferior.

TRATAMIENTO.—Cualquier persona que presente una lesión de labio que no tenga tendencia a desaparecer debe consultar al médico. Aun esas pequeñas costras o espesamientos repetidos en el mismo lugar deben ser atendidos para evitar que se transformen en cáncer. El tratamiento del cáncer confirmado, consiste, según el caso, en tratamiento con radiaciones o cirugía. El resultado es muy bueno, pues casi siempre curan en forma definitiva. Las lesiones aún no cancerosas pueden tratarse con diatermia quirúrgica (electrodesecación, electrofulguración o electrocoagulación).

TUMORES DEL SENO (tumores benignos y cáncer)

Sucede con cierta frecuencia que una mujer descubre en el seno un bulto o tumoración. Las causas del mismo pueden ser muy diversas: inflamación crónica, tumor benigno, o un cáncer. Como el tratamiento de estas tres afecciones es muy distinto de un caso a otro, y la diferenciación entre unos y otros exige pericia y diversos exámenes, la única conducta lógica es consultar al médico lo antes posible, sin perder tiempo en esperar para ver si los síntomas desaparecen o no.

Mientras que los tumores benignos aparecen generalmente en mujeres jóvenes, y son móviles y bien redondeados, el cáncer aparece generalmente en mujeres de más edad. Aunque al principio puede ser móvil como los tumores benignos, más tarde puede hacerse inmóvil con respecto al resto de la glándula y presentar algunos de los caracteres que mencionamos a continuación:

a) El pezón puede estar hundido.

b) La piel que cubre el tumor puede presentar el aspecto de "piel de naranja", vale decir, aparece con los poros amplios.

c) Puede adherirse a la piel, y ésta ponerse roja e hinchada como si hubiese inflamación. Por último puede ulcerarse.

d) Puede adherirse a los músculos y a la pared del tórax.

e) Los ganglios de la axila pueden estar aumentados de tamaño.

f) Ocasionalmente puede salir sangre por el pezón. Este signo puede verse también en ciertos tumores benignos del seno. Toca al médico diagnosticar cada caso.

Tratamiento

Cuando hay tumoración en el seno, aun en el caso de tumores benignos, es conveniente operar, practicando un examen microscópico de lo extraído, a veces en el mismo momento de la operación.

En el caso de cáncer se hacen también, además de la cirugía, aplicación de roentgenterapia (tratamiento con rayos X) o tratamiento con radio, cobalto radiactivo, etc. En ciertos casos el médico indica además inyecciones de propionato de testosterona (hormona masculina).

CAPITULO 148

Tortícolis Congénito - Luxación Congénita de Cadera - Desviaciones de la Columna Vertebral

TORTICOLIS CONGENITO

YA FUERON estudiados con los reumatismos crónicos el tortícolis reumático y los tortícolis en general. Réstanos aquí mencionar brevemente el tortícolis llamado congénito, que se produce habitualmente por una lesión del músculo esternocleidomastoideo, de un lado del cuello, en el momento del parto. Se produce en estos casos, además de la desviación de la cabeza, una asimetría de la cara. No causa dolor. Si hay dolor, puede haber alguna lesión de la columna cervical que simula un tortícolis.

Tratamiento

En el niño de menos de 3 años, pueden a veces bastar, para obtener la curación, los movimientos correctores del masaje y la movilización, y el mantener con vendajes especiales la cabeza en una posición correcta. Cuando el niño tiene más de 3 años, puede ser necesario seccionar el tendón del músculo afectado y luego mantener la corrección por medio de aparatos de yeso o vendajes especiales. Es conveniente que el tratamiento sea efectuado por un médico especializado en ortopedia.

LUXACION CONGENITA DE LA CADERA

El niño nace en estos casos, con una o las dos caderas luxadas, vale decir que la cabeza del fémur no se halla en la cavidad cotiloidea del hueso ilíaco, sino por encima y por detrás de ella. Hay que sospechar que este defecto existe cuando se nota que un miembro inferior es más corto que el otro, o cuando el niño tarda en caminar, o cuando al hacerlo tiene una "marcha de pato". Si se observa al niño de pie, se puede notar que las caderas parecen muy anchas, que la columna vertebral está más cóncava hacia atrás en su parte baja y además puede verse que el abdomen es muy saliente.

Tratamiento

A la menor sospecha, debe llevarse el niño al médico para que sea examinado. Cuanto menor es el niño al iniciar el tratamiento, tanto mejores son los resultados en manos de un especialista. Cuando tienen más edad, los resultados no son siempre tan buenos y, a veces, es necesaria una operación.

DESVIACIONES DE LA COLUMNA VERTEBRAL

CIFOSIS

Es una acentuación anormal de la convexidad posterior de la columna dorsal. Rara vez aparece en la columna lumbar. Al decir cifosis se entiende habitualmente una curva amplia y redondeada. Cuando por aplastamiento de uno o dos de los cuerpos vertebrales hay una angulación, se dice que hay una giba (la vulgarmente llamada joroba), causada habitualmente por el mal de Pott.

Fig. 586. **TORTICOLIS CRONICO DE ORIGEN MUSCULAR, EN UNA NIÑA. Se observa la desviación y la asimetría de la cara, y la tensión de parte de un músculo del cuello (esternocleidomastoideo) causante de este tortícolis.**

Causas de las cifosis

Varían según la edad. En el niño pequeño se debe comúnmente a raquitismo. Rara vez se debe a un defecto congénito, vale decir, presente al nacimiento. En el niño de edad escolar, lo común es que se deba a una posición incorrecta y debilidad muscular. En el adolescente es frecuente que haya alguna causa ósea. En el adulto puede deberse a un traumatismo que aplaste inmediata o tardíamente los cuerpos vertebrales, o a enfermedades de la columna: osteoartritis y espondilosis, osteomalacia, acromegalia. En los ancianos con cierta frecuencia se debe a osteoporosis, afección caracterizada por disminución del calcio en los huesos.

Tratamiento

Hallada la causa se corregirá ésta. En el niño y en el adolescente, se utilizan la gimnasia correctiva y el masaje, indicando a veces el médico especializado ciertas espalderas o reposo en cama dura, o corsé de yeso. El tra-

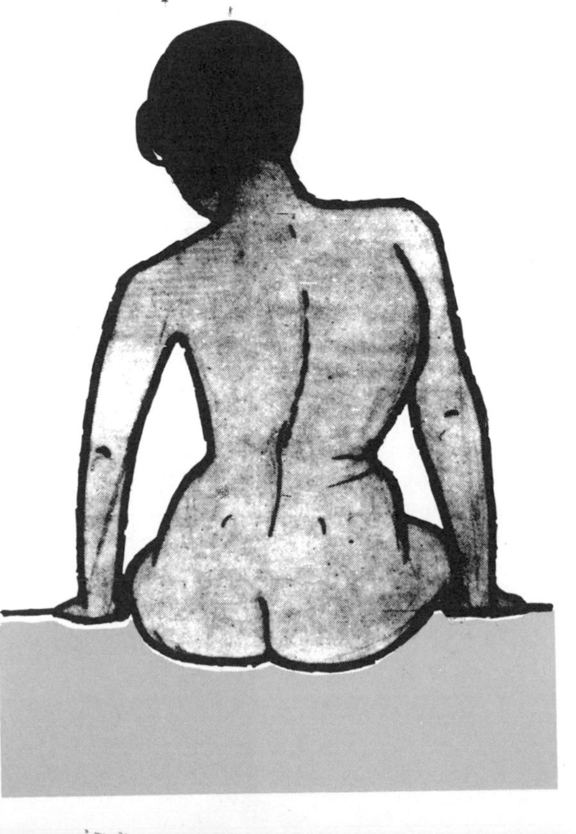

Fig. 587. **FORMA MAS COMUN DE ESCOLIOSIS. La curva principal convexa hacia la derecha se halla compensada por convexidades hacia la izquierda del cuello y de la parte baja de la columna vertebral.**

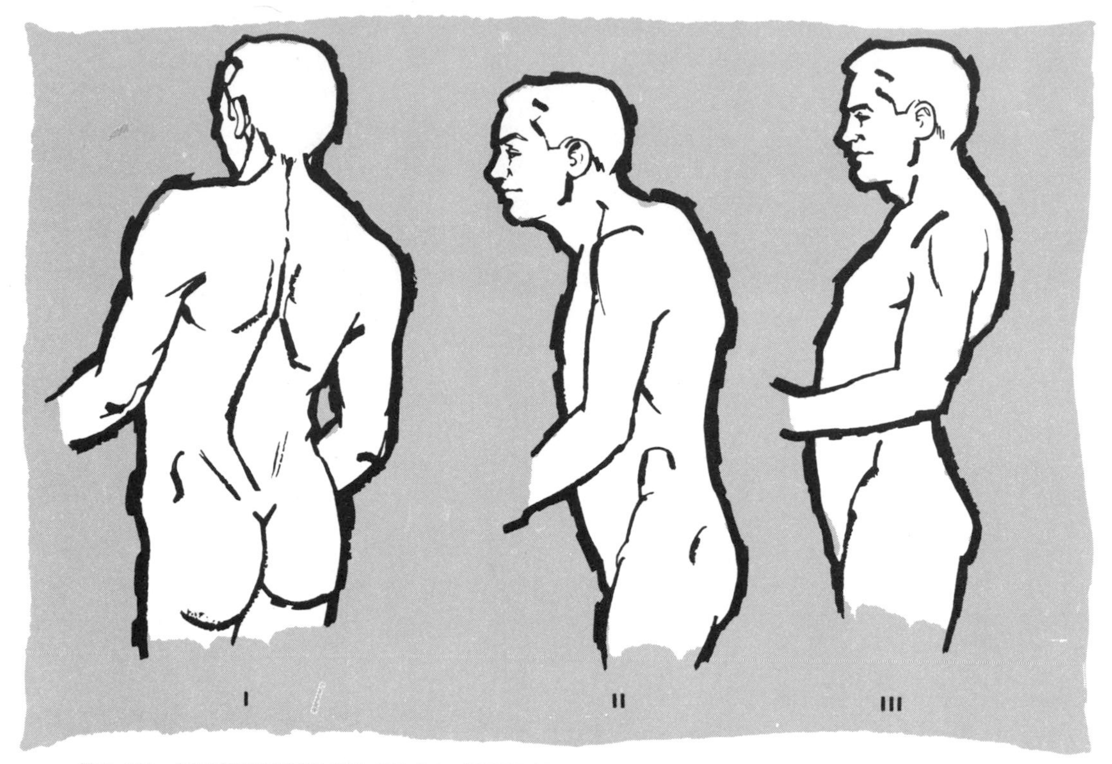

Fig. 588. **DEFORMACIONES DE LA COLUMNA VERTEBRAL. I. Escoliosis, o sea desviación lateral de la columna (obsérvese el marcado descenso del hombro derecho). II. Cifosis o sea acentuación de la convexidad dorsal de la columna. Obsérvese cómo se aumenta el diámetro ánteroposterior del tórax y se acentúa el ángulo que forma la nuca con la espalda. III. Lordosis, o sea exageración de la concavidad posterior de la región lumbar de la columna vertebral.**

tamiento general con alimentación correcta, aire libre y sol, es muy beneficioso.

LORDOSIS

Es una exageración de la concavidad posterior de la columna lumbar. Sus causas más frecuentes son: enfermedades de la articulación de la cadera, compensación de una cifosis dorsal, abdomen muy pesado y prominente (embarazo, obesidad, ascitis, etc.), espondilolistesis. El tratamiento consiste en la corrección de la causa.

ESCOLIOSIS

Escoliosis es la desviación lateral de la columna, que se combina con una rotación de las vértebras, que en los casos acentuados puede, desviando las costillas, deformar marcadamente el tórax, produciendo una giba o joroba. Los hombros también son de altura desigual.

Causas

Rara vez el niño nace con esta deformidad. Más tarde el raquitismo es capaz de causarla. Con cierta frecuencia la escoliosis se produce compensando otra deformidad, como el acortamiento de uno de los miembros inferiores, una enfermedad de la cadera, un tortícolis acentuado, etc. Puede aparecer después de una parálisis infantil, o una supuración de la pleura. Sin embargo, los casos más frecuentes son los llamados de escoliosis esencial,

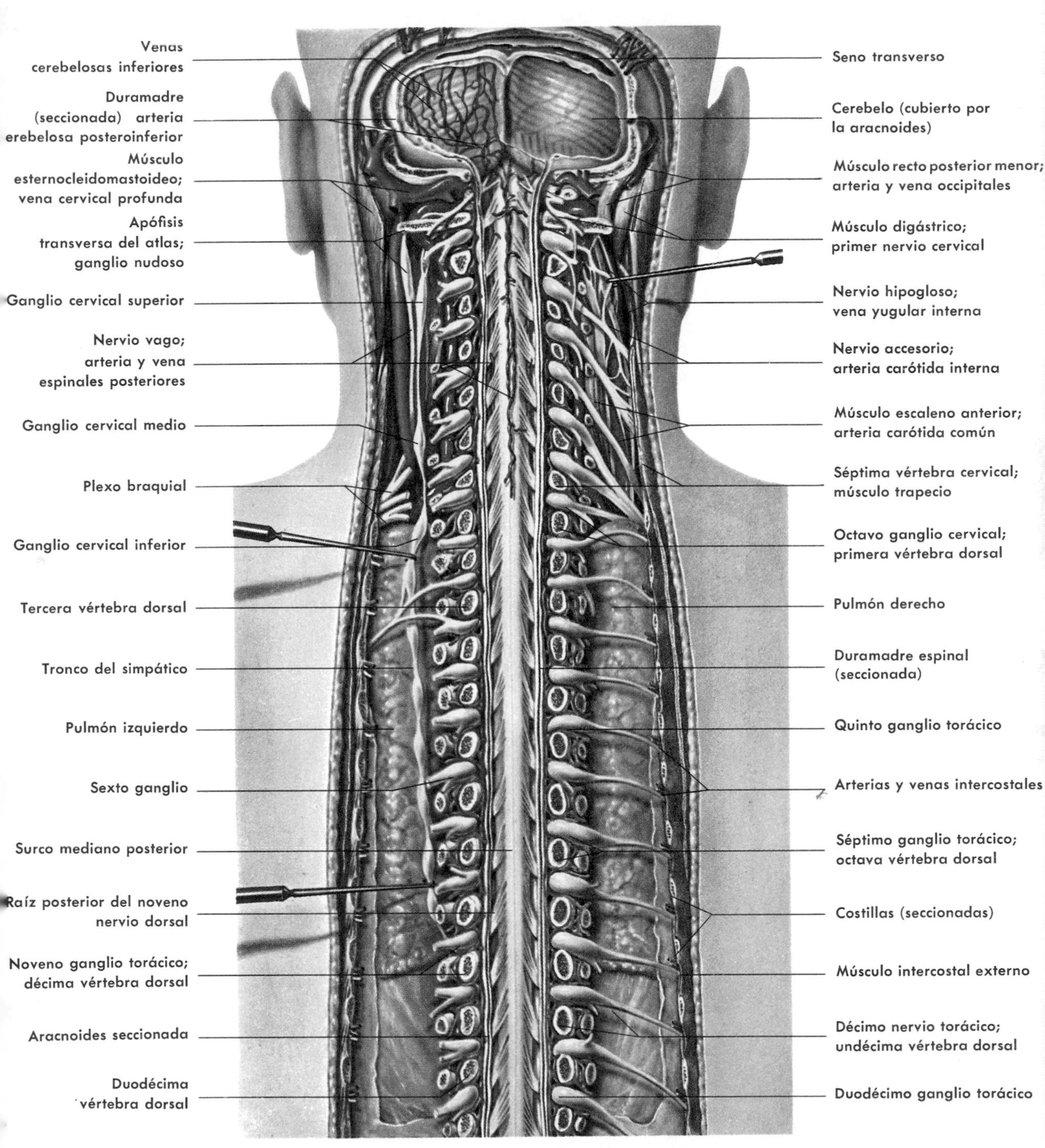

Fig. 589. **REGIONES CERVICAL Y TORACICA DE LA MEDULA ESPINAL.**

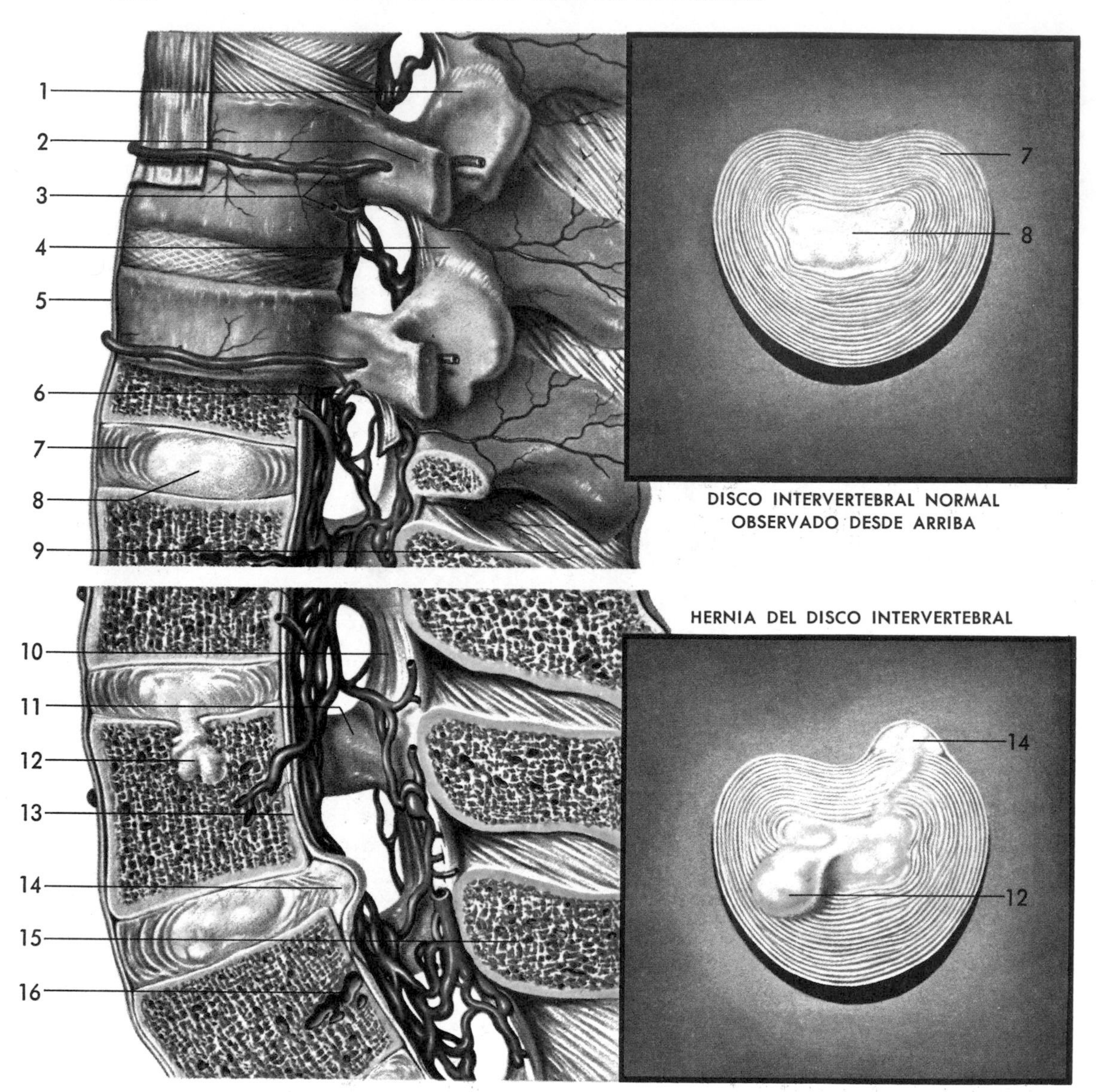

Fig. 590. **LOS DISCOS INTERVERTEBRALES.**

1) Apófisis articular superior
2) Apófisis transversa
3) Arteria y vena lumbares
4) Apófisis articular inferior
5) Ligamento vertebral común anterior
6) Plexo venoso vertebral interno
7) Anillo fibroso del disco intervertebral
8) Núcleo pulposo
9) Ligamento interespinoso
10) Ligamento amarillo
11) Lámina de la vértebra
12) Hernia del núcleo pulposo en la esponjosa del cuerpo vertebral (nódulo de Schmorl)
13) Ligamento vertebral común posterior
14) Hernia del núcleo pulposo por debajo del ligamento vertebral común posterior
15) Apófisis espinosa
16) Vena del cuerpo vertebral

que aparecen en la época de mayor crecimiento, 10, 12 ó 14 años, y que son más frecuentes en las niñas que en los varones. Se han atribuido a la posición incorrecta en la escuela, aunque probablemente su causa sea una laxitud de los ligamentos y músculos.

Grados de escoliosis

En una primera etapa, el niño puede, con un poco de esfuerzo, tomar una posición correcta. En una segunda etapa, el paciente ya no puede ponerse derecho, pero el médico puede lograrlo con ciertas maniobras. Por último, las deformaciones son tan acentuadas que son irreductibles.

Tratamiento

a) Recién iniciada la escoliosis esencial, hay que vigilar que el niño adopte una posición correcta cuando está sentado. Para no agravar su lesión, hacerle hacer gimnasia correctiva y ejercicio, siendo útil especialmente la natación. Una cama dura y una vida higiénica son otros factores de utilidad.

b) Cuando el niño ya no puede corregir su deformidad, se puede insistir en la gimnasia correctora, el masaje y el corregir todo defecto que el médico haya descubierto en su examen. Cuando a pesar de un tratamiento bien instituido el médico ve que aumenta la deformación o que ésta es muy acentuada, puede ver necesario hacer un corsé de yeso.

c) En los casos que ya están en el tercer grado el uso del corsé es indispensable.

CAPITULO 149

Algunas Afecciones en los Huesos y Articulaciones

COXALGIA (tuberculosis de la cadera)

ESTA afección comienza generalmente en la infancia o la adolescencia. Los síntomas que deben hacer pensar en la posibilidad de un comienzo de esta afección son: a) Cansancio rápido y dolor en la cadera o la rodilla después de caminar o correr. b) Ligera renguera, al principio solamente cuando hay cansancio. c) De noche el niño puede despertar sintiendo dolor agudo en la cadera o la rodilla. Ocasionalmente hay fiebre. El médico puede comprobar síntomas de coxalgia, al notar limitación de los movimientos de la articulación de la cadera, dolor al presionar sobre la cabeza del fémur y un aparente alargamiento del miembro enfermo.

La radiografía puede confirmar el diagnóstico, aunque no es raro que, al principio de la enfermedad, pueda no mostrar aún lesiones.

Tratamiento

Será indicado en cada caso por el médico, preferiblemente por uno especializado en ortopedia.

MAL DE POTT (tuberculosis de la columna vertebral)

Síntomas que deben hacer pensar en la posibilidad de esta enfermedad

EN EL NIÑO.—Algunos de los síntomas que el niño puede presentar son: cansancio fácil, que obliga al niño a sentarse o preferiblemente acostarse; dolores en la espalda, que a menudo irradian a los lados del cuerpo o a los miembros inferiores.

Estos dolores pueden manifestarse de noche en forma de sueño intranquilo. Ligera saliente o joroba en la columna vertebral. El médico podría hallar otros síntomas que indican que es probable la existencia de esta enfermedad, lo que se confirmará con la radiografía.

EN EL ADULTO.—Puede esta enfermedad simular al principio una ciática o un lumbago. Es frecuente que el enfermo presente también adelgazamiento. Hay cansancio fácil, y sufre más cuando se acuesta sobre una cama blanda, que se hunde, o cuando salta o baja escaleras; en cambio siente alivio al acostarse sobre una cama dura.

El tratamiento de esta afección debe en cada caso ser indicado y vigilado por el médico, preferiblemente por uno especializado en ortopedia.

ARTRITIS TUBERCULOSAS (tumores blancos)

Ataca a niños o adultos jóvenes. Es frecuente que haya antecedentes de tuberculosis en la familia o aun en el paciente. Este se queja de dolor en una articulación, de comienzo lento, sin antecedentes de traumatismo. Puede haber ligera fiebre. Al examinar

Fig. 591. **MAL DE POTT (tuberculosis de la columna vertebral). El cuerpo vertebral enfermo se ha aplastado por el peso del cuerpo, tomando una forma triangular, y formándose una giba angulosa en la zona correspondiente del dorso. Cuando el enfermo está acostado de espaldas, cesa la presión sobre la vértebra enferma, como se advierte en el esquema de la izquierda.**

Fig. 592. **MAL DE POTT AVANZADO. Se ha producido en esta niña una gibosidad acentuada.**

la articulación se observa que está hinchada y que los músculos que llegan a ella presentan atrofia y pueden estar contraídos.

Se observa limitación de los movimientos. Todos estos signos se hacen más evidentes cuando se compara la articulación sana con la enferma. El diagnóstico y el tratamiento de estas afecciones deben estar siempre a cargo de un médico.

INFLAMACIONES DE LAS ARTICULACIONES

Caracteres generales

Ya se han estudiado las producidas por reumatismo agudo (véase fiebre reumática), las de los reumatismos crónicos (osteoartritis y artritis reumatoide) y las tuberculosas. También se han mencionado en la página 563 las que se producen por luxaciones y entorsis. Réstanos mencionar brevemente la artritis blenorrágica y las supuradas por infección con gérmenes comunes.

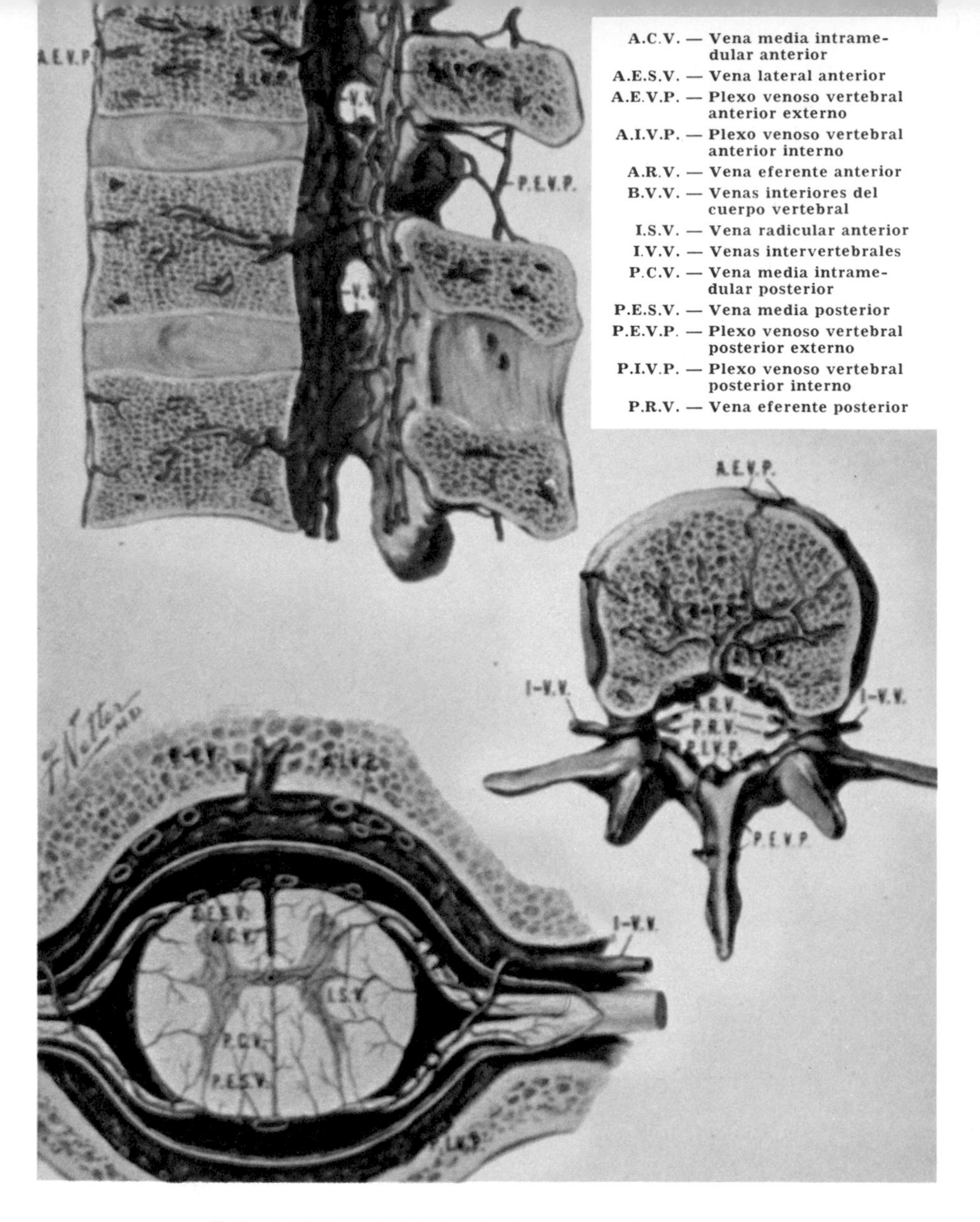

Fig. 593. Irrigación venosa de la columna vertebral.

ARTRITIS GONOCOCICA

Es una grave complicación de la blenorragia. Suele comenzar tomando varias articulaciones, sucesiva o simultáneamente, pero cede luego en todas, salvo en una o dos. La articulación que queda afectada se pone roja, caliente, hinchada, muy dolorosa, deformada por tener líquido. Suele producir fiebre. Cede con penicilina y reposo de la articulación enferma en posición correcta. El médico indica luego movimientos de la articulación infectada para evitar que pudiera quedar rígida.

ARTRITIS SUPURADAS

Pueden éstas aparecer en el curso de una infección general del organismo (septicemia, septicopiemia), o de una infección al principio localizada (forúnculo, foco de infección en las amígdalas o los dientes, neumonía, etc.), o producirse por una infección cercana a la articulación (osteomielitis, celulitis, forúnculo, etc.), o por un traumatismo que ha llevado gérmenes a la articulación. Los gérmenes que producen con mayor frecuencia esta infección son el estafilococo y el estreptococo. Pueden también hacerlo el neumococo, el meningococo y otros.

Síntomas

Hay síntomas acentuados de infección: fiebre elevada, escalofríos, sudores, malestar general, etc. Localmente hay dolor (al principio solamente cuando se mueve la articulación), hinchazón por la existencia de líquido en la articulación, e inflamación de sus partes blandas, calor local aumentado, enrojecimiento (no siempre) y marcada limitación de los movimientos.

Tratamiento

El tratamiento de esta grave afección lo indica el médico en cada caso. Consiste en general en administrar un antibiótico que ataque al germen causal, tanto en forma general, como localmente en la articulación enferma, previa extracción del pus con la misma aguja. Además el médico vigila la posición y la movilización de la articulación. Hay casos que pueden requerir una operación.

OSTEOMIELITIS AGUDA

Definición

Pasteur llamó a la osteomielitis "forúnculo del hueso", pues había com-

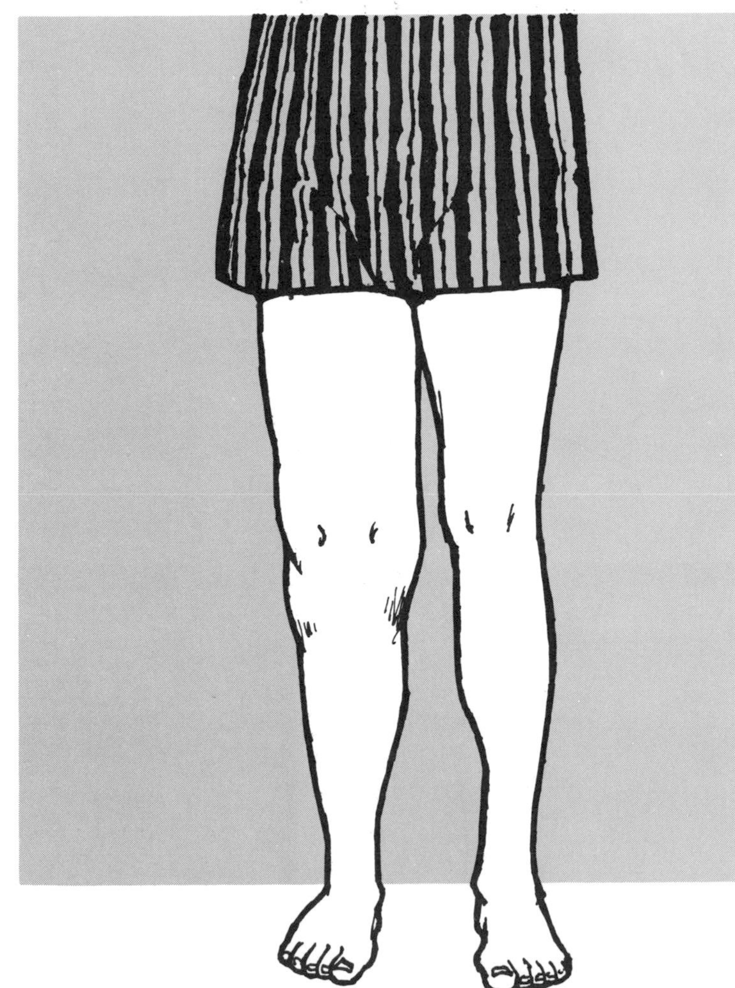

Fig. 594. TUMOR BLANCO DE LA RODILLA DERECHA. Puede observarse una hinchazón fusiforme de la rodilla derecha con desaparición de las diversas salientes y entrantes de la rodilla izquierda normal del paciente.

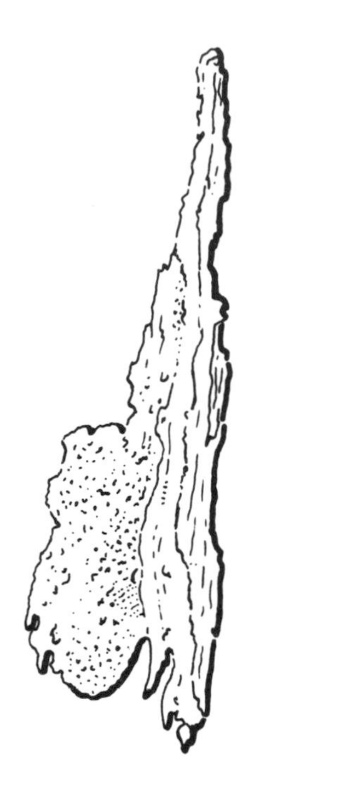

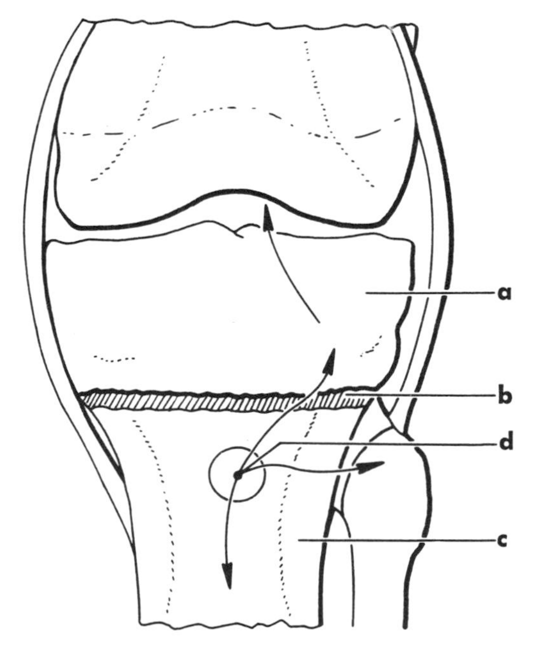

Fig. 595. Arriba: secuestros, o sea pedazos de hueso muerto que son expulsados espontáneamente o extraídos por el cirujano. Abajo: esquema de la manera cómo desde su punto de origen (en este caso, la extremidad superior de la tibia), se puede propagar la infección hacia abajo, hacia arriba y aun penetrar en la articulación. También muestra el camino que sigue para salir hacia afuera del hueso, formando primero un absceso debajo del periostio y luego buscando un camino hacia el exterior. a) Epífisis (o sea, extremidad del hueso); b) cartílago de conjugación (lugar donde se produce el crecimiento del hueso); c) zona llamada yuxtaepifisiaria, donde se inicia habitualmente la osteomielitis; d) foco de iniciación de la osteomielitis, en este caso (representado por un círculo en blanco). Las flechas señalan la propagación de la infección.

probado la presencia del mismo germen, el estafilococo dorado, en los forúnculos y en la osteomielitis. Es la osteomielitis una inflamación del hueso y de su médula.

Causas predisponentes

EDAD.—Es mucho más frecuente en la adolescencia, debido al activo crecimiento de los huesos a esa edad. Puede verse, sin embargo, con relativa frecuencia en el niño. Es menos frecuente en el adulto.

OTRAS CAUSAS PREDISPONENTES.—Favorecen su aparición los traumatismos, los enfriamientos y el cansancio excesivo. Es, quizá por esas razones, tres veces más frecuente en los varones que en las niñas.

Origen del germen

El estafilococo puede llegar hasta el hueso, proveniente de algún forúnculo, pústula de acné o alguna pequeña infección. Ocasionalmente, en lugar del estafilococo dorado, el germen causal es un estafilococo blanco, o un estreptococo, u otro germen.

Localización

Prefiere atacar la tibia, principalmente su extremidad superior. Le siguen, en orden de frecuencia, la extremidad inferior del fémur y la extremidad superior del húmero, el peroné, el pie y el maxilar inferior.

En el hueso se inicia la infección en la llamada metáfisis del hueso, que se halla entre el cartílago de crecimiento y la diáfisis o parte larga del hueso.

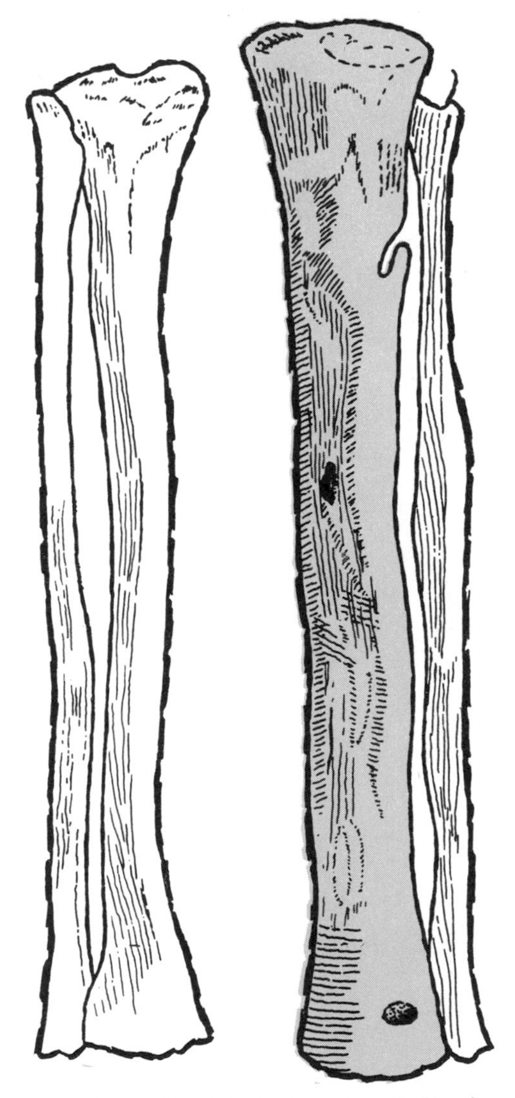

Fig. 596. **OSTEOMIELITIS DE LA TIBIA.** A la izquierda: **tibia y peroné normales.** A la derecha: **tibia izquierda afectada de osteomielitis. Se pueden observar, engrosamiento e irregularidad de la superficie del hueso, y en este caso también alargamiento del mismo. Presenta también dos orificios por los que sale pus de cavidades que encierran hueso muerto (secuestros) o infectado.**

Síntomas

Los síntomas generales son: fiebre elevada, 39, 40° C (102,2° F) o aún más, escalofríos, dolor de cabeza, a veces delirio, pulso rápido (120 ó más pulsaciones por minuto), sed e inapetencia. En los niños pequeños pueden presentarse convulsiones. Los síntomas a nivel de la articulación de la cual forma parte el hueso enfermo, pueden ser: dolor espontáneo, que aumenta al presionar sobre el punto afectado del hueso. Hay hinchazón moderada de las partes blandas sobre la zona afectada, pero sin color rojizo de la piel, aunque pueden notarse venas dilatadas en la misma.

Tratamiento

Si no se trata rápidamente esta infección, puede destruirse mucho hueso, infectarse la articulación vecina, y pasar el germen a la sangre. Hay que actuar rápidamente. El médico indica, además del tratamiento adecuado al estado general fuertemente afectado del paciente, un antibiótico que sea activo sobre el estafilococo. Puede, en ciertos casos, ser necesaria una operación para dejar salir el pus. Más tarde, si hay secuestros, vale decir trozos de hueso muerto, puede ser necesario operar para extraerlos.

CAPITULO 150

Afecciones en los Pies; Tratamientos y Correcciones

PIE ZAMBO (pie bot)

SE DICE de un pie que es zambo cuando presenta una deformación permanente que le impide, al ponerse en contacto con el suelo, el apoyo sobre los puntos normales. Hay diversos tipos: *el pie equino,* que, por estar extendido, apoya sobre su extremidad anterior; *pie talus,* cuando por estar flexionado apoya solamente sobre el talón; *pie valgus,* el desviado hacia afuera y que apoya sobre su borde interno; y *pie varus,* el que se desvía hacia adentro, apoyando sobre su borde externo. Es frecuente que haya asociación de estas desviaciones, como el pie varus equino.

Causas

Puede ser *congénito:* el niño nace con uno o ambos pies defectuosos. El tipo común es el *varus equino,* en el que el pie está a la vez doblado hacia adentro y extendido.

Otras veces el pie zambo se debe a una parálisis, que con frecuencia es consecuente a una poliomielitis anterior aguda o parálisis infantil. El espasmo de los músculos, como el provocado por ejemplo por la enfermedad de Little, puede también deformar los pies. Hay ciertos casos debidos a un traumatismo, o destinados a compensar algún otro defecto. Cuando un paciente está mucho tiempo en cama, se corre el riesgo de que el peso del pie o de la ropa de cama deje el pie en extensión. Esto puede evitarse manteniendo el pie en ángulo recto por medio de bolsas de arena, o un cajón o tabla, contra los cuales pueda apoyarse el pie.

Tratamiento

En el pie zambo congénito, se puede comenzar desde muy tierna edad con manipulaciones y vendajes que "ablanden" el pie, haciendo posible al año una corrección más completa. Cuando el paciente es atendido tardíamente, el médico especializado puede necesitar practicar una operación. Los demás pies zambos requieren también atención especializada.

PIE PLANO

El pie plano es una afección caracterizada por un aplastamiento del arco longitudinal del pie (ver más adelante), acompañado generalmente de una desviación del pie hacia afuera.

El pie apoya normalmente en tres puntos: el talón y la cabeza del primero y el quinto metatarsianos. La elasticidad del pie es mantenida por dos arcos, uno situado de atrás hacia adelante a lo largo del borde interno

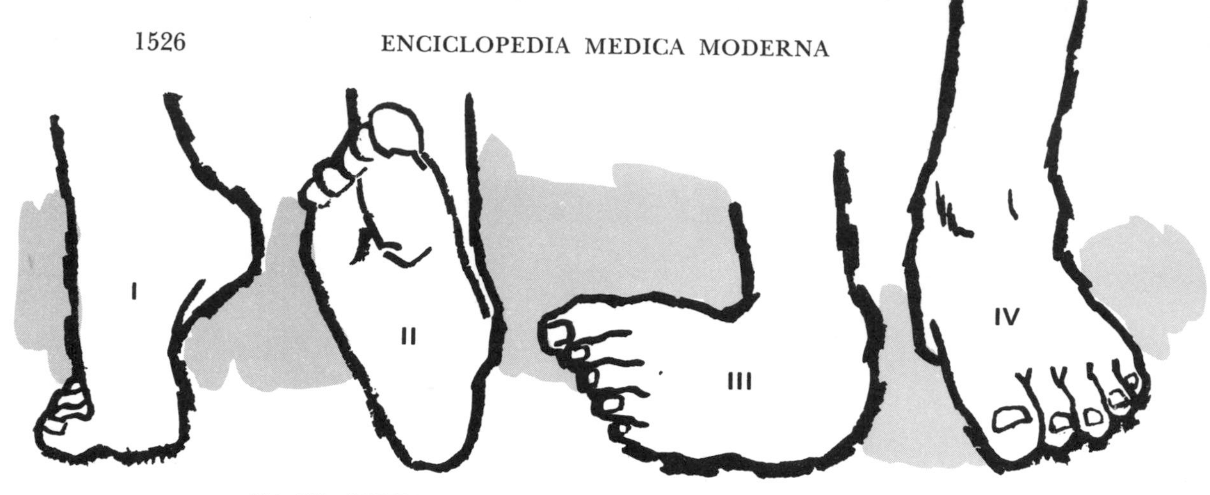

Fig. 597. **DIVERSOS TIPOS DE PIE ZAMBO (pie bot). I Pie equino II. Pie talus. III. Pie varus. IV. Pie valgus.**

del pie y otro anterior o transversal. Este último arco mantiene sin contacto con el suelo las cabezas del segundo, tercero y cuarto metatarsianos. En el pie plano, el arco longitudinal está disminuido o vencido, y a veces también lo está el transverso. Estos arcos están sostenidos por músculos, huesos, aponeurosis y ligamentos.

Causas

Cuando se debilitan los músculos y ligamentos que sostienen los arcos y el pie en su posición normal, aparece primero la desviación del pie hacia afuera (valgus), y luego el aplastamiento del arco longitudinal.

Las causas de este debilitamiento pueden ser muy diversas:

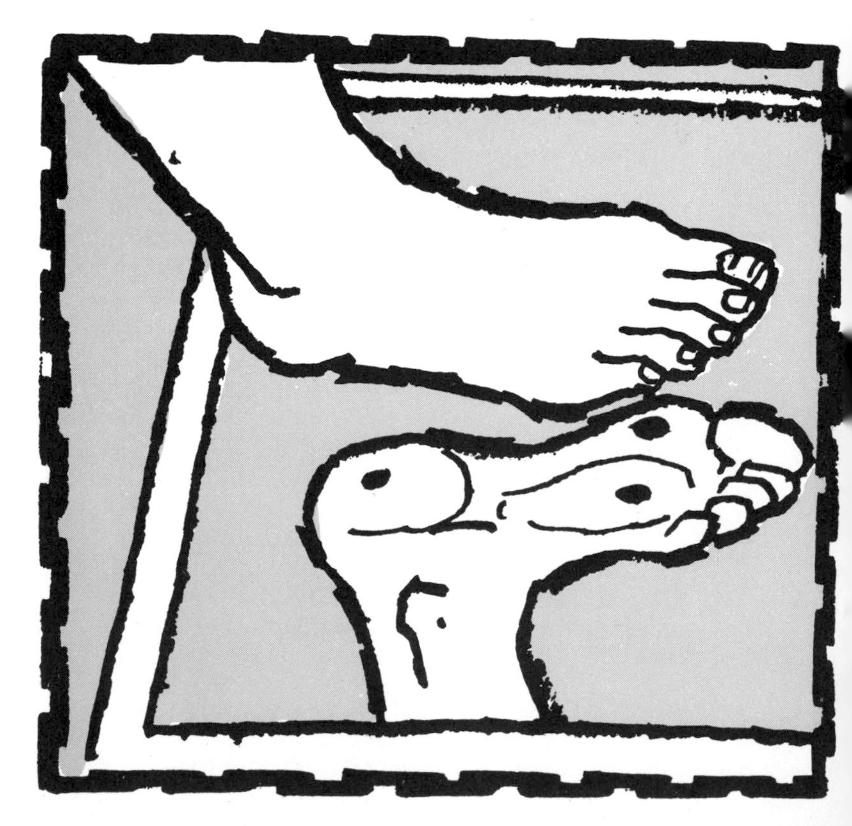

Fig. 598. **DISTRIBUCION DEL PESO DEL CUERPO SOBRE EL PIE. El peso del cuerpo pasa del tobillo al talón y a la cabeza del 1o. y 5o. metatarsianos. Estos puntos de apoyo en el suelo se ven reflejados en el espejo, señalados por tres círculos oscuros.**

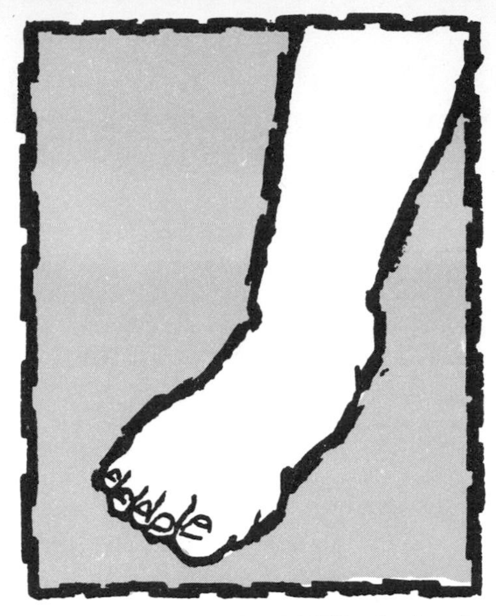

Fig. 599. **PIE PLANO VALGUS. Aquí se lo observa desde adelante. El pie está desviado hacia afuera y el arco longitudinal se ha aplastado.**

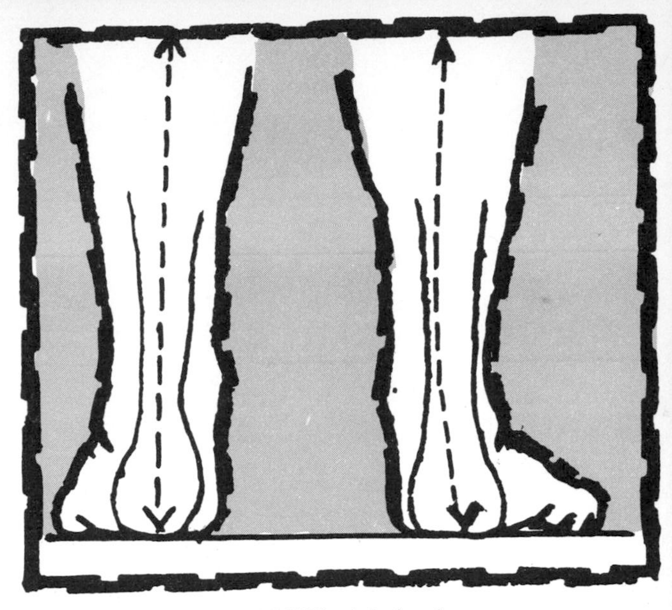

Fig. 600. **PIE PLANO VALGUS.** A la izquierda: **Pie normal cuyo eje continúa el de la pierna.** A la derecha: **Pie plano valgus visto desde atrás. El eje de la pierna y el del pie forman un ángulo abierto hacia afuera (véase la línea punteada).**

a) Crecimiento rápido del pie, sin fortalecimiento proporcional de los músculos y ligamentos, lo que explicaría su frecuente aparición durante la adolescencia en los ya predispuestos.

b) Aumento excesivo de peso (obesidad, embarazo, etc.).

c) El estar demasiado tiempo de pie o el caminar llevando pesos excesivos.

d) Debilitamiento por enfermedades infecciosas o focos de infección.

e) El quedar mucho tiempo en cama por alguna enfermedad o accidente, lo cual debilita los músculos.

f) Tendencia familiar, y muchos otros factores que sería largo enumerar.

Fig. 601. Arriba: **Corte transversal del pie que pasa por la base de los metatarsianos.** A la izquierda: **Pie normal. Se observa que los metatarsianos forman una bóveda que a la derecha se ve aplanada.** Abajo: **Corte del pie que pasa por la cabeza de los metatarsianos (detrás de los dedos del pie).** A la izquierda: **las cabezas de los metatarsianos forman una bóveda correspondiente al arco transversal del pie.** A la derecha: **ese arco está vencido en el pie plano.**

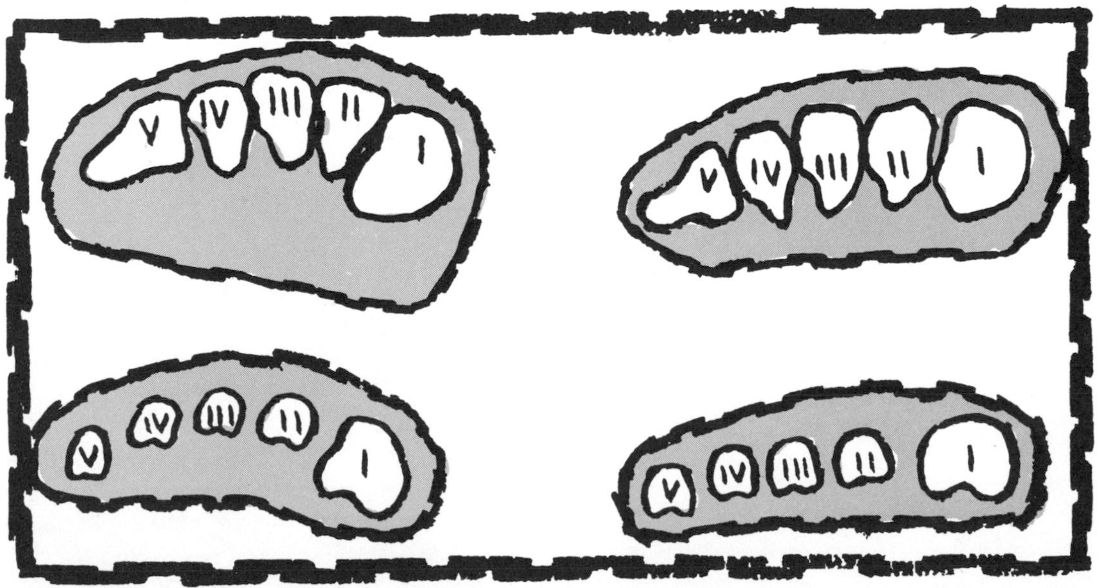

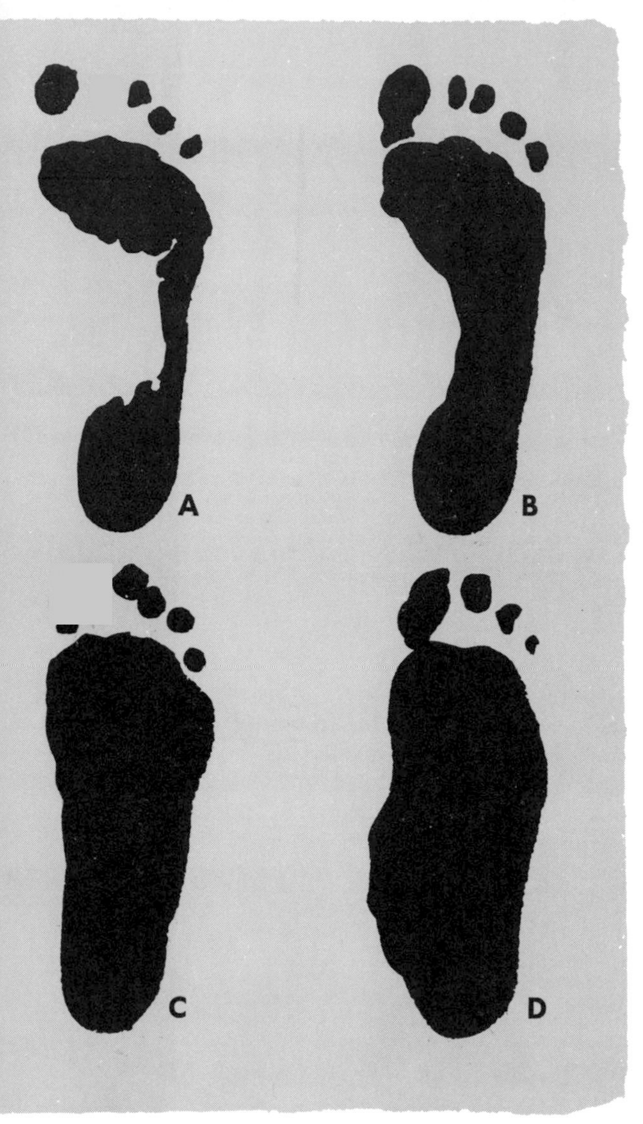

Fig. 602. **HUELLA QUE DEJA EN EL SUELO UN PIE MOJADO. A) Pie normal. B, C y D) Huellas que muestran grados crecientes de pie plano.**

Síntomas

Hay casos en que el paciente no se queja de malestar alguno. Sin embargo, lo frecuente es que se queje de cansancio fácil y dolor en los pies al caminar o al estar mucho de pie, a veces dolores en las pantorrillas, los muslos y la parte baja del dorso, marcha defectuosa y falta de elasticidad en el paso. Al mirar al paciente desde atrás, se observa que hay una desviación del talón hacia afuera, con respecto al eje de la pierna (véase la figura 603). El borde interno del pie toca el suelo o no es tan alto como debería ser. Si el paciente se moja el pie y pisa sobre un papel sobre el suelo, se ve que la huella que deja es mucho más ancha en su parte media que lo normal.

Tratamiento

1) Véase en las páginas siguientes la manera correcta de caminar y de calzar.

2) Hay que devolver su posición normal al pie, corrigiendo la desviación del pie hacia afuera y manteniendo el pie con su arco longitudi-

Fig. 603. **ZAPATO EN EL QUE SE HA AÑADIDO UNA CUÑA DE CUERO EN LA PARTE INTERNA DEL TACO. Se observa cómo en la figura de la izquierda con un zapato común se produce una desviación del pie hacia afuera. En el grabado de la derecha, se advierte cómo un zapato con el taco levantado en su borde interno hace que el pie recobre su eje normal.**

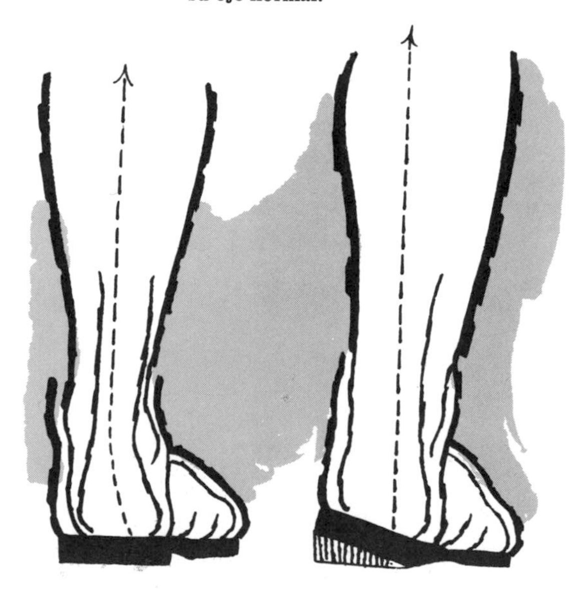

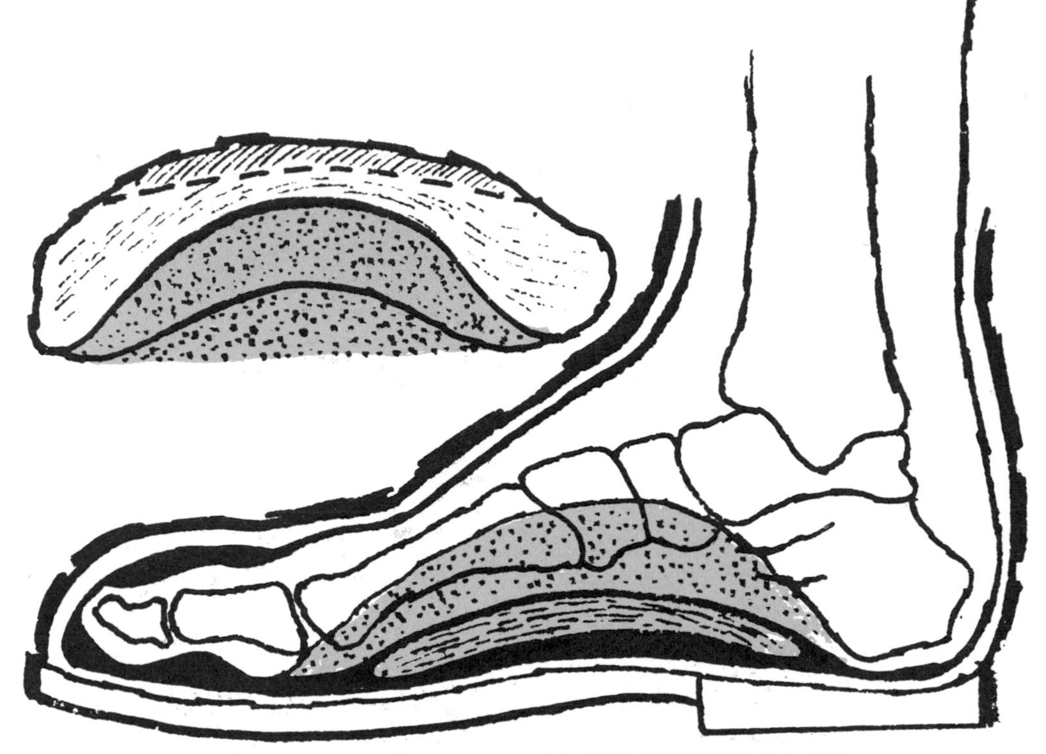

Fig. 604. SOPORTE PARA EL ARCO LONGITUDINAL DEL PIE, COMO METODO DE AYUDA EN EL CASO DE PIE PLANO.

nal normal. Esto puede obtenerse con diversos medios:

a) Para que no aumente la deformación, evitar el estar mucho de pie, las marchas y el llevar pesos. En algunos casos de marcado dolor, puede ser necesario no apoyar los pies en el suelo durante algunos días, practicándose tres veces por día los baños de pies alternados y calientes y fríos (véanse las páginas 841 y 842).

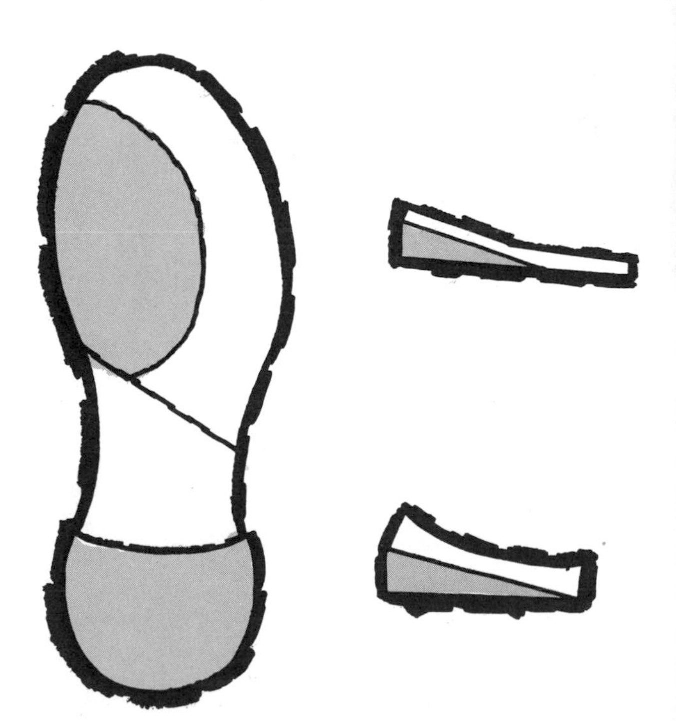

Fig. 605. EL PIE PLANO VALGUS A VECES EXIGE COLOCAR UNA CUÑA EN LA SUELA COMO MUESTRA ESTE GRABADO. En ocasiones puede necesitarse una modificación del lugar de esta cuña en la suela o hacer el taco más largo siguiendo el borde interno del zapato para sostener mejor el arco.

b) Hasta que por medio del masaje y los ejercicios se fortalezcan los arcos del pie, puede ser necesario usar un soporte o arco plantar. Este será construido sobre un molde del pie en yeso, siendo probado y vigilado su efecto por una persona competente.

c) Para que el pie no se desvíe hacia afuera, apoyándose sobre su borde interno, puede ser necesario hacer más alto el taco en el lado interno y, en

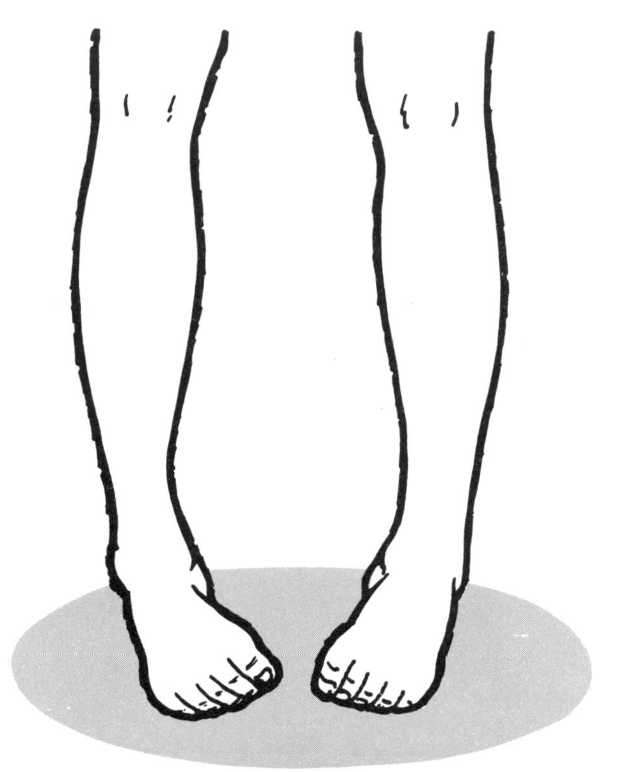

Fig. 607. **Apoya los pies sobre su borde externo, para continuar así el ejercicio que fortalece los músculos del pie plano.**

Fig. 606. **EJERCICIOS DESTINADOS A FORTALECER LOS MUSCULOS DEL PIE PLANO. La persona se levanta sobre las puntas de los pies, rotando a la vez la planta de los pies hacia adentro (separando los tobillos entre sí).**

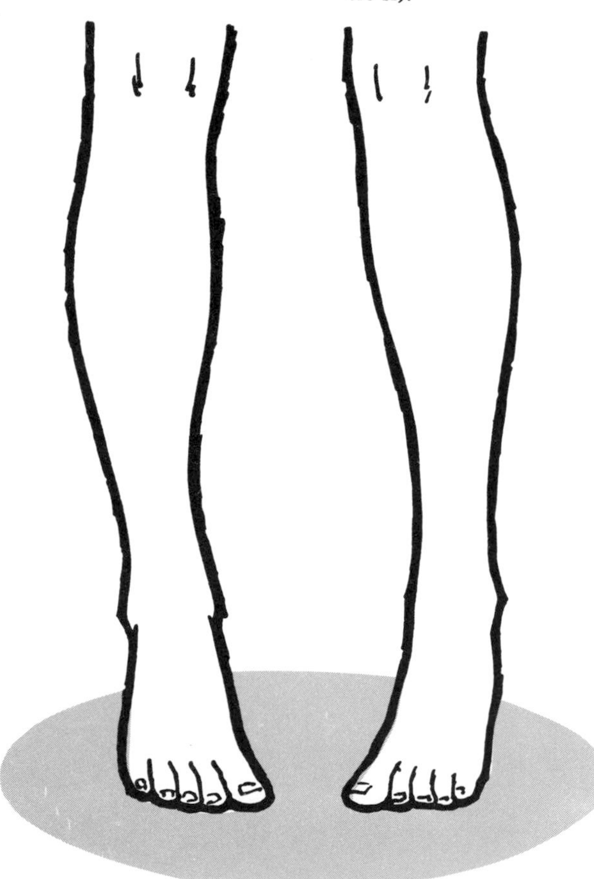

ciertos casos, hasta más largo en ese lado.

d) La persona que tiene pie plano debe evitar caminar descalza o con zapatillas. Al caminar cuidará de hacerlo con la punta del pie hacia adelante, y tratando de apoyar el borde externo del pie. Cruzará los pies cuando esté sentado.

e) Es muy conveniente, además de los baños antes mencionados, el masaje del pie y la pierna, y ejercicios que fortalezcan los músculos que ayudan a mantener el pie con su arco longitudinal y su posición normales.

f) Se han utilizado con éxito cierto tipo de taloneras, especialmente en el niño.

Fig. 608. **OTRO EJERCICIO UTIL PARA EL PIE PLANO.** Consiste, como lo muestra esta figura, en tomar bolitas del suelo con los dedos del pie y transportarlas cruzándolo sobre el otro y dejándolas caer en un recipiente.

Manera de hacer los ejercicios

EJERCICIO I

Si hay simplemente tendencia a pie plano, se pueden hacer los ejercicios estando el paciente apoyado con los pies en el suelo y con las manos sobre el respaldo de una silla.

Si hay mucha debilidad en los arcos, el ejercicio se hará estando sentado en un banco alto o una mesa, y con los pies en el aire. Partiendo de la posición normal de los pies, colocar las plantas hacia adentro y hacia atrás, elevándose en la punta de los pies, y (figuras 606 y 607) ahuecando el borde interno del pie. El primer día quizá no pueda repetirse este ejercicio más que unas 10 veces, pero se las aumentará gradualmente hasta llegar a 50.

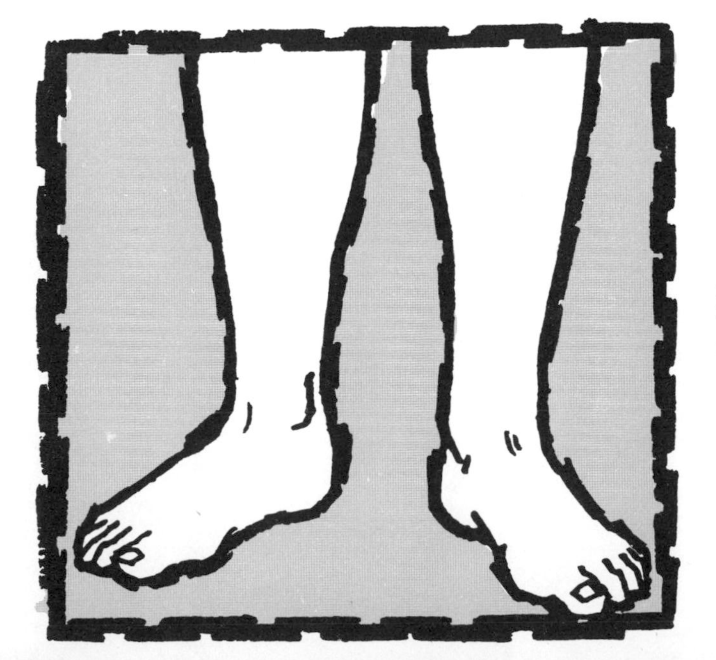

Fig. 609. **POSICION INCORRECTA DE LOS PIES AL CAMINAR O ESTAR DE PIE.** Los pies deben estar con sus puntas directamente dirigidas hacia adelante, es decir, paralelos entre sí, para evitar que se venzan los arcos longitudinales.

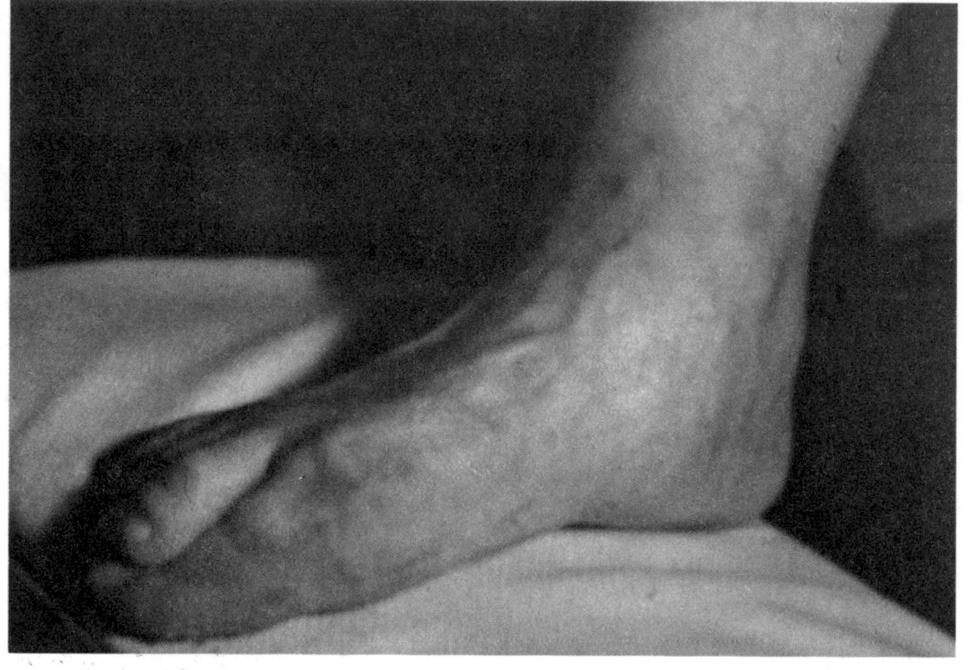

Fig. 610. Juanete, con, a la vez, superposición del segundo dedo sobre el primer dedo.

EJERCICIO II

Rotar el pie desde su posición normal, de tal manera que apoye sobre su borde externo (figuras 606 y 607).

EJERCICIO III

Colocar unas 10 bolitas en el suelo y recogerlas con los dedos de los pies, colocándolas a un lado (figura 608).

HALLUX VALGUS ("juanetes")

Es una desviación hacia afuera del dedo gordo del pie, con formación de una saliente o "juanete" en la extremidad del primer metatarsiano. Esta saliente se debe a varios factores: desviación de la cabeza del metatarsiano hacia adentro; rotación del mismo; con frecuencia también exóstosis, o sea formación de un "sobrehueso" y a veces inflamación de los tejidos vecinos, principalmente los de una bolsa serosa que cubre la saliente del hueso.

Influye en la formación de este defecto el usar calzado estrecho y de taco alto, pero hay otros factores que pue-

Fig. 611. Radiografía que muestra la desviación hacia adentro de la cabeza del primer metatarsiano y hacia afuera del dedo gordo del pie.

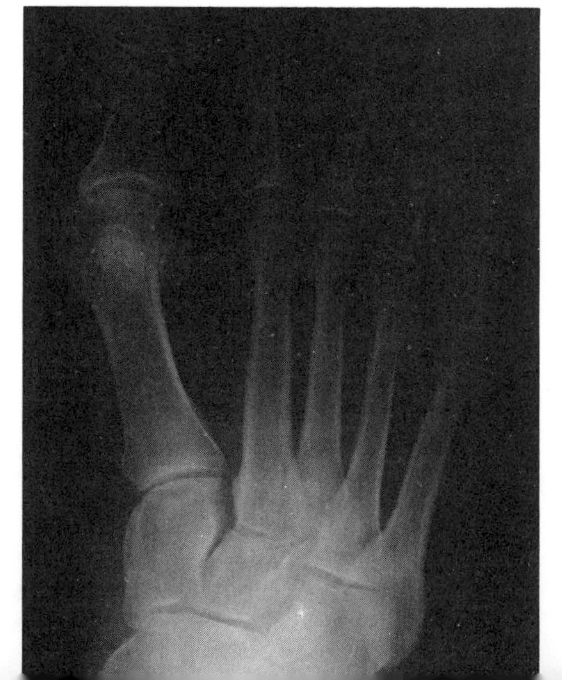

den influir en su formación. Puede asociarse con el llamado "dedo en martillo", generalmente el segundo dedo, que presenta su articulación media como una saliente hacia el dorso del pie.

Tratamiento

Al notar la menor tendencia a este defecto, hay que usar calzado correcto y caminar en la forma que hemos explicado anteriormente. Además, hay que corregir manualmente la posición del dedo gordo y hacer contraer repetidas veces, para fortalecerlo, el músculo que separa el dedo gordo de los otros. De noche se puede poner un aparato especial que mantenga corregida la posición del dedo (aparato de Bigg). También ayudan los baños de pie alternados calientes y fríos y el masaje. De día se puede colocar una venda elástica de 5 cm de ancho en la parte anterior del pie, que corrija el defecto. Puede ser necesaria una operación.

UÑA ENCARNADA

Es más frecuente en el dedo gordo del pie. Para evitarla, usar calzado adecuado y cortar las uñas transversalmente. Como tratamiento: Separar y levantar la parte de la uña que está encarnada con un pequeño trozo de algodón mojado en tintura de benjuí compuesta.

Permite levantar con más facilidad la parte encarnada de la uña, el hacer más delgada la parte media del dorso de la uña raspándola con un cortaplumas u hoja de afeitar. Cuando no cede, puede ser necesario cortar una cuña de la uña (la parte encarnada). En los casos rebeldes, puede ser necesaria una operación. Cuando hay inflamación, hacer baño del pie en agua calentita durante 15 minutos.

CAPITULO 151

Hernias de la Pared Abdominal

SE DICE que hay hernia cuando algún órgano del abdomen puede salir parcialmente del mismo a través de alguna parte debilitada de la pared abdominal. El órgano que sale, habitualmente el epiplón (un repliegue del peritoneo) o intestino, está contenido en el llamado saco herniario, especie de bolsa del peritoneo.

El signo más característico de la hernia es la aparición de un bulto o tumoración en alguna de las regiones donde se forman habitualmente hernias (ingle, ombligo, etc.), que de costumbre puede hacerse entrar en el abdomen pero que vuelve a salir cuando se hace fuerza o se tose.

Hay casos en los cuales el contenido no puede hacerse entrar en el abdomen. Se dice en este caso que la hernia es irreductible.

Se describirán a continuación brevemente los tipos más comunes de hernia: *inguinal, crural, umbilical, epigástrica* y *diafragmática*. Luego se estudiará la hernia estrangulada.

HERNIA INGUINAL

Es la hernia que sale por el canal inguinal (canal inguinal es aquel por el cual pasan el conducto deferente y los vasos del testículo en el hombre y el ligamento redondo del útero en la mujer). Las causas principales son:

a) Persistencia de parte o de todo el canal que comunicó en cierto momento el abdomen con las bolsas, para permitir el descenso del testículo.

b) Debilidad de la pared abdominal en esa región.

c) Sumados a estos factores se hallan con frecuencia los esfuerzos, ya sea sólo uno muy intenso en un momento dado, o ya sean esfuerzos no tan intensos pero repetidos (tos crónica, constipación, dificultad para orinar, etc.).

Hay numerosas variedades de hernia inguinal, aunque hay una división fundamental en hernias *oblicuas,* que siguen desde el abdomen el recorrido del canal inguinal, y hernias *directas,* variedad menos frecuente, debida a un debilitamiento de la pared a cierta edad. En este último tipo el contenido de la hernia sale directamente desde el interior del abdomen.

Las oblicuas pueden estar ya presentes al nacimiento o aparecer más tarde en el niño. Todos estos casos son debidos a la persistencia del canal que unía el abdomen y las bolsas, y a alguna fuerza que puede hacer penetrar en dicho canal el epiplón o intestino. Puede o no llegar hasta el testículo. Cuando la hernia es adquirida, se forma un saco a expensas del peritoneo y difícilmente llega al testículo, salvo cuando pasan muchos años. Se manifiesta con los caracteres genéricos de las hernias que mencionamos al hablar de las generalidades

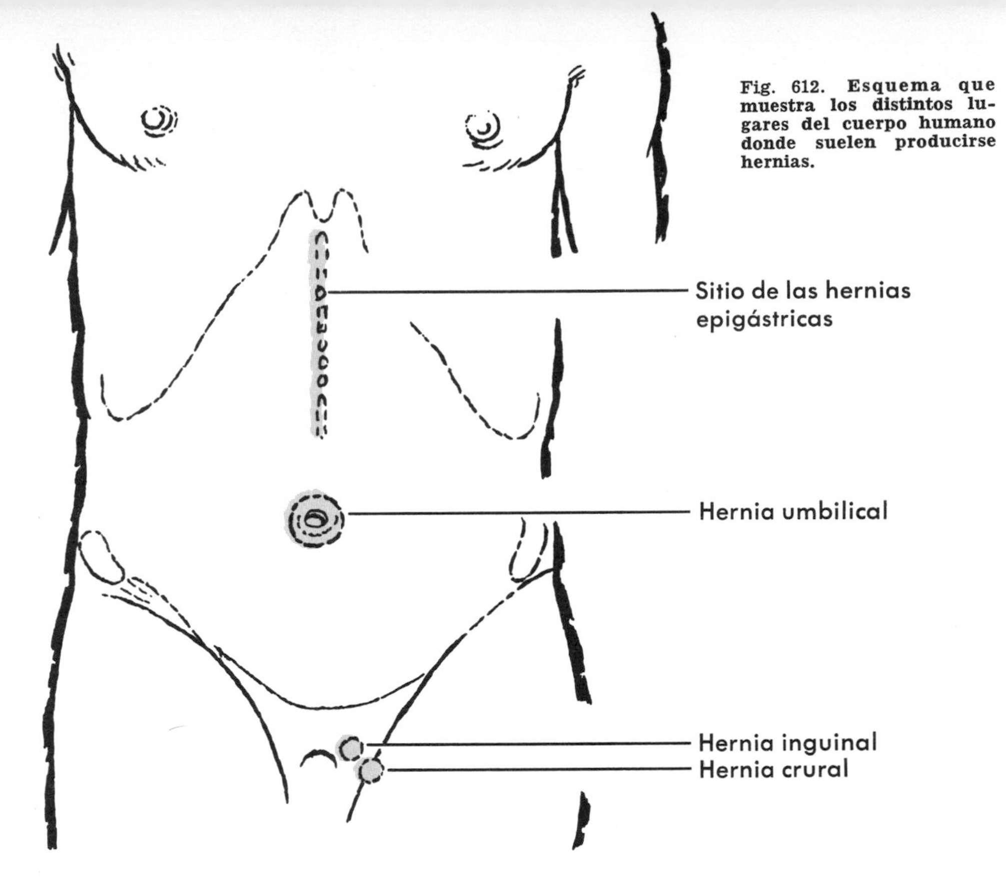

Fig. 612. Esquema que muestra los distintos lugares del cuerpo humano donde suelen producirse hernias.

de esta afección. Puede causar algo de dolor y una sensación de tironeo en el abdomen; así como síntomas de digestión difícil, etc.

Tratamiento

Es conveniente consultar al médico, pues puede tratarse de otros abultamientos (que no sean en realidad hernias) o de una hernia crural. Además, el médico aconsejará acerca del tratamiento en ese caso dado, tomando en cuenta todos los factores. En el bebé puede curar con un braguero. En el niño, puede a veces también curar con un braguero hasta los 12 ó 15 años, siempre que la hernia pueda ser correctamente mantenida en dicho aparato. En el adulto, salvo que haya alguna contraindicación especial, es preferible operar.

HERNIA UMBILICAL

Las hernias que aparecen en el ombligo pueden observarse en el niño de pocas semanas o meses, debiéndose a un cierre insuficiente de la pared abdominal. Otras veces la hernia aparece en una mujer adulta, haya o no tenido en la infancia una hernia umbilical. Predisponen a dicha hernia los embarazos y la obesidad, que debilitan la pared del abdomen.

El contenido de la hernia está formado por parte del epiplón y generalmente también por parte del intestino. Es muy común que el epiplón se adhiera al saco de la hernia y que ésta no pueda reducirse, o sea hacerse entrar de nuevo por completo en el abdomen.

Tratamiento

Debido a su tendencia a aumentar de tamaño y a la facilidad que tienen para estrangularse, es prudente operar todas las hernias umbilicales del adulto, preferiblemente antes que sean muy grandes. Solamente se dejarán de operar aquellos casos en los cuales el médico encuentre alguna razón especial que haga desaconsejable una intervención quirúrgica.

HERNIA CRURAL O FEMORAL

En el lugar por donde pasan los gruesos vasos sanguíneos del abdomen al muslo, hay un punto débil, situado por dentro del lugar donde pasa la gruesa vena femoral. En ese punto puede producirse una hernia. Es más frecuente en la mujer que en el hombre. Tiene más tendencia que la inguinal a estrangularse y menor tendencia a aumentar de tamaño que esta última. Aunque la hernia crural se hace en la parte más alta de la cara anterior del muslo, su proximidad con el lugar donde aparecen las hernias inguinales hace que fácilmente las confunda el paciente con éstas.

Tratamiento

Por su tendencia a estrangularse estas hernias deben ser operadas.

HERNIA EPIGASTRICA

Es la hernia que se produce en un punto débil de la llamada línea blanca, situada en la línea media de la pared anterior del abdomen. Esta hernia, generalmente de tamaño muy chico, se siente como un pequeño abultamiento situado en cualquier punto entre el ombligo y el esternón. Contiene parte del epiplón y es habitualmente dolorosa. Con frecuencia provoca síntomas de enfermedad del estómago, como la úlcera. Hay casos en los cuales coexisten la hernia y una lesión gástrica, por lo cual es conveniente un examen completo. El tratamiento es la operación.

HERNIA DIAFRAGMATICA

Cuando una parte del estómago penetra en el tórax, se dice que hay hernia diafragmática. Aunque a veces es causada por un traumatismo que ha lesionado el diafragma, a menudo se debe a defectos congénitos, o se produce espontáneamente, especialmente

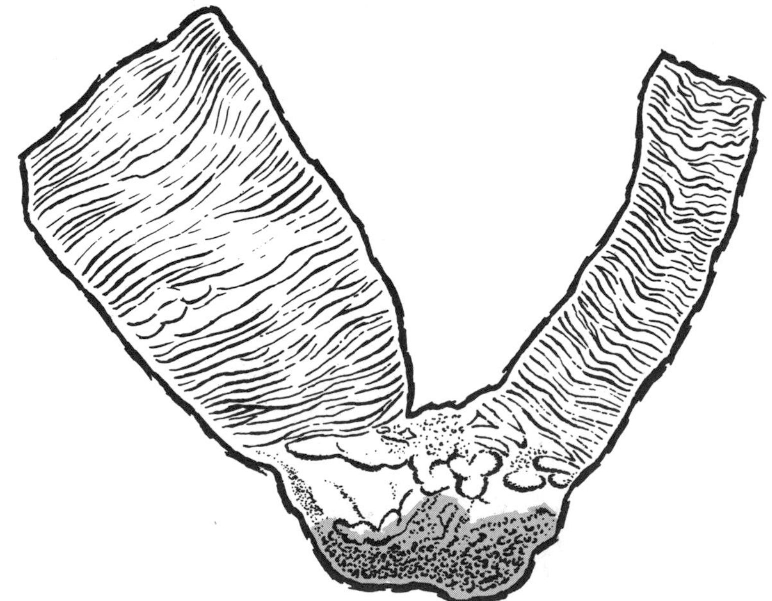

Fig. 613. ASA INTESTINAL DELGADA QUE HA SUFRIDO EL EFECTO DE LA ESTRANGULACION DE UNA HERNIA. Se ha abierto el asa intestinal para mostrar su interior. Abajo, la zona más negruzca es la que se ha gangrenado por hallarse tan comprimida que no le llegaba sangre. A la izquierda, el asa distendida por los gases provenientes de la parte alta del intestino presenta en su mucosa hemorragias y pequeñas ulceraciones.

después de los 50 años. En el mayor número de casos se produce a través del llamado hiato esofágico (lugar donde pasa el esófago del tórax al abdomen).

Hay casos en que no produce síntomas. Otras veces produce síntomas digestivos que pueden simular una úlcera gástrica o duodenal o trastornos hepáticos o biliares. Los dolores o la sensación de pirosis aparecen o se acentúan al acostarse el paciente o al flexionar el tronco hacia adelante. Otras veces hay dificultad para deglutir o síntomas que simulan una afección cardíaca.

El diagnóstico se hace o se confirma con el examen radiológico.

El tratamiento puede ser médico (régimen alimentario, comer poco a la vez y más veces que lo habitual, no tomar alimentos las tres horas que preceden al acostarse, descansar con la cabecera de la cama levantada, etc.) o quirúrgico cuando hay marcada irritación esofágica o cuando no responde al tratamiento médico.

HERNIA ESTRANGULADA

Aunque teóricamente cabría diferenciar entre una hernia que duele y no puede reducirse, por atascamiento del contenido intestinal, y la que lo está por estrangulación, en la práctica es peligroso hacerlo. El atascamiento del contenido de la hernia con gases o materias sólidas produciría interrupción del paso de materias y gases por el intestino, mientras que el estrangulamiento comprometería la vitalidad de la pared intestinal.

Causas

Es frecuente que en algún momento, al hacer fuerza el paciente, penetre en el saco de la hernia mayor contenido (intestino o epiplón) y que éste sea comprimido por el lugar más estrecho de la hernia, generalmente el lugar por donde sale del abdomen. Otras veces, la penetración de gases o materias en cantidad mayor que la habitual dentro de un asa intestinal contenida en la hernia, es la que causa los accidentes. En algunos casos hay adherencias o bridas que acodan el intestino.

Síntomas

La hernia se hace irreductible, vale decir, no puede hacerse entrar de nuevo en el abdomen como anteriormente, aumenta de tamaño y se hace dolorosa. Aparecen más tardíamente los síntomas de obstrucción intestinal (detención del paso de materia y gases, vómitos, dolores de tipo cólico en el abdomen, etc.).

Tratamiento

Debe operarse al paciente lo más pronto posible, antes que la presión sobre el contenido de la hernia produzca gangrena del mismo, obligando a sacar un pedazo de intestino, lo que haría más grave la operación. Ocasionalmente, cuando la hernia acaba de estrangularse, el cirujano puede tratar de reducirla.

Un hombre joven al que habíamos recomendado un par de años antes una operación para la hernia inguinal doble (de ambos lados) que presentaba, es traído después de dos días de estrangulación, en estado grave. Se opera del lado estrangulado, no tocándose el otro, pues lo importante era salvar la vida del paciente. Estando en la casa, al día siguiente de haber sido dado de alta, se produce una estrangulación del otro lado. Ya aleccionado por la primera estrangulación, se hace operar antes que se produzcan accidentes graves. Lo que pudo ser una operación en frío, se transformó, pues, en dos operaciones de urgencia, una de ellas de gravedad.

CAPITULO 152

Afecciones Comunes del Ano y del Recto

RECTITIS (proctitis)

LA INFLAMACION del recto recibe el nombre de *rectitis.* Muy diversas causas son capaces de provocarla: inflamaciones de hemorroides o de la próstata, pólipos o tumores benignos o malignos del recto, cuerpos extraños o parásitos en el mismo, ulceraciones, disentería, purgantes o enemas irritantes, tuberculosis, blenorragia del recto, etc.

Síntomas

Sus síntomas más frecuentes son:

a) Dolores en el recto o en el ano y el recto, que aumentan al estar de pie, y especialmente al evacuar el intestino. Puede acompañarse del llamado tenesmo rectal, es decir deseo imperioso, infructuoso y frecuente de evacuar el intestino.

b) Salida de secreción de aspecto variable, ya sea mucosidades con pus, o mucus con sangre, o las tres cosas.

El *tratamiento provisorio,* hasta que el médico pueda por el examen determinar la causa, es: reposo en cama, baños de asiento calientes, pequeñas enemas tres veces por día con almidón o de agua de malva y supositorios como en el caso de las hemorroides.

ABSCESO ISQUIORRECTAL

Una infección del recto o rectitis, a menudo causada por una espina de pescado o trozo agudo de hueso que se haya tragado, es la causa de esta infección del tejido graso que rodea el recto. Hay dolor, hinchazón y cierto grado de enrojecimiento, habitualmente a uno de los lados del ano, pero a cierta distancia del mismo. El dolor aumenta en el momento de evacuar el intestino. Puede dificultar la micción. El enrojecimiento de la piel puede ser tardío. Hay fiebre, decaimiento, inapetencia y mal color de la piel. No hay que confundir este absceso con otros que se hallan cerca del margen del ano, que no son tan profundos y que curan más fácilmente.

Tratamiento

Debe recurrirse al médico lo más pronto posible, antes que la infección destruya mucho del tejido grasoso que rodea el recto, lo que traería como consecuencia una mayor lentitud en la cicatrización. Este absceso tarda mucho en abrirse espontáneamente. El médico corta el absceso para dejar salir el pus, indicando habitualmente algún antibiótico, que varía según el

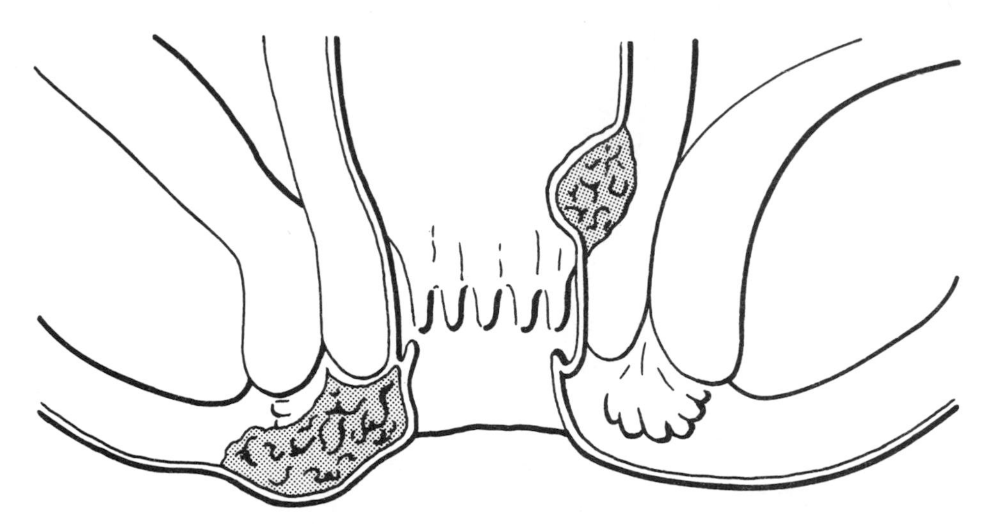

germen que causa la infección. Con cierta frecuencia, el absceso isquiorrectal deja como consecuencia una fístula anal, que requerirá tratamiento posterior.

Fig. 614. **Corte esquemático del recto para mostrar los diversos tipos de abscesos que pueden formarse en su vecindad. En este caso se observan abscesos superficiales. El absceso está representado en negro. A la izquierda: absceso principalmente debajo de la piel, aunque se lo ve invadir hasta debajo de la mucosa anal. A la derecha: absceso formado debajo de la mucosa.**

FISTULA ANAL Y ANORRECTAL

Fístula es un trayecto anormal que deja pasar algún líquido normal o anormal y que se mantiene habitualmente abierto por el pasaje de dicho líquido. Fístula anal o anorrectal es cualquier trayecto fistuloso cercano al

Fig. 615. **Otro esquema en el que se representan, mediante la parte grisada, abscesos profundos o isquiorrectales. A la izquierda: absceso que se ha iniciado en el espacio isquiorrectal, quedando en el mencionado espacio. A la derecha: absceso que ha comenzado más arriba, atravesando el músculo llamado elevador del ano, para invadir el espacio isquiorrectal.**

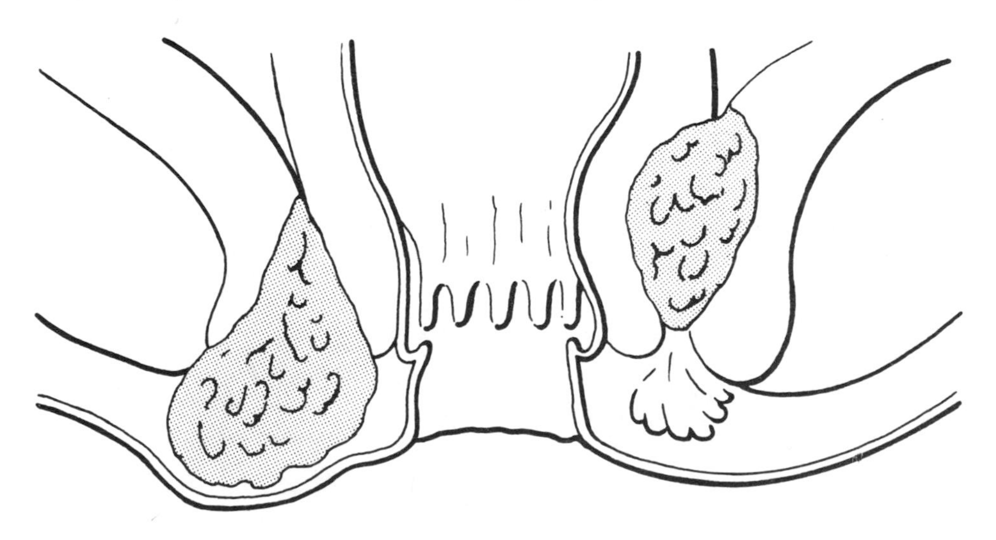

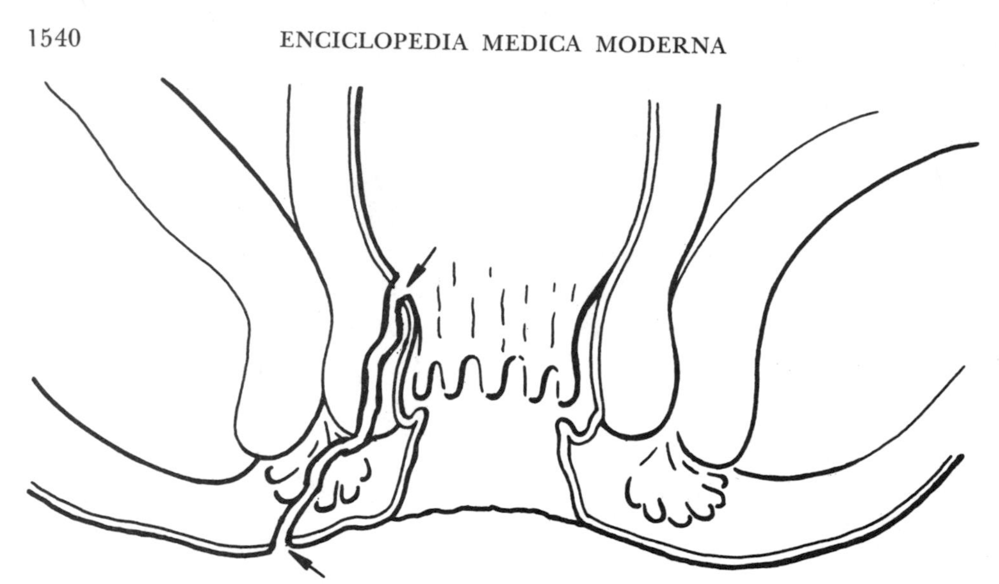

Fig. 616. DIVERSOS TIPOS DE FISTULA ANAL Y ANORRECTAL. Fístula completa que pasa por fuera de los esfínteres del ano. Las flechas señalan los orificios de la fístula.

ano que no se deba a una alteración de hueso. Sus causas pueden ser: antiguo absceso anal o isquiorrectal, que al curar ha dejado la fístula, cuerpo extraño (espina de pescado por ejemplo) u otro cuerpo extraño que haya inflamado el recto, tuberculosis, tumores, disenterías, infecciones agudas, etc.

Hay muchas variedades. *Completa* es la fístula que comunica el ano o el recto con el exterior. *Incompleta* o *ciega* es la que se abre solamente en el recto o el ano *(ciega interna)*, o en el exterior *(ciega externa)*. Fístula en *herradura* es aquella que rodea parcialmente el recto. El orificio interno es habitualmente único, mientras que

Fig. 617. Fístula ciega e interna, vale decir, abierta únicamente en el recto o ano. La flecha señala el orificio.

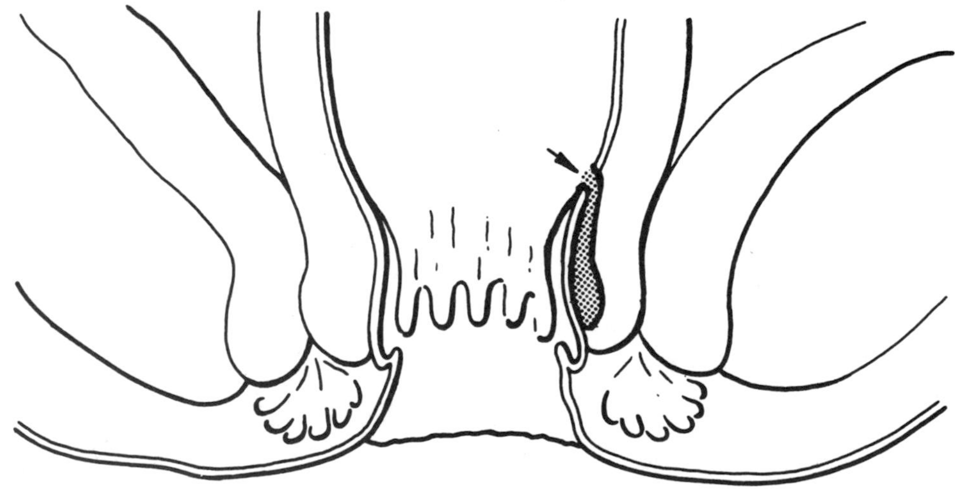

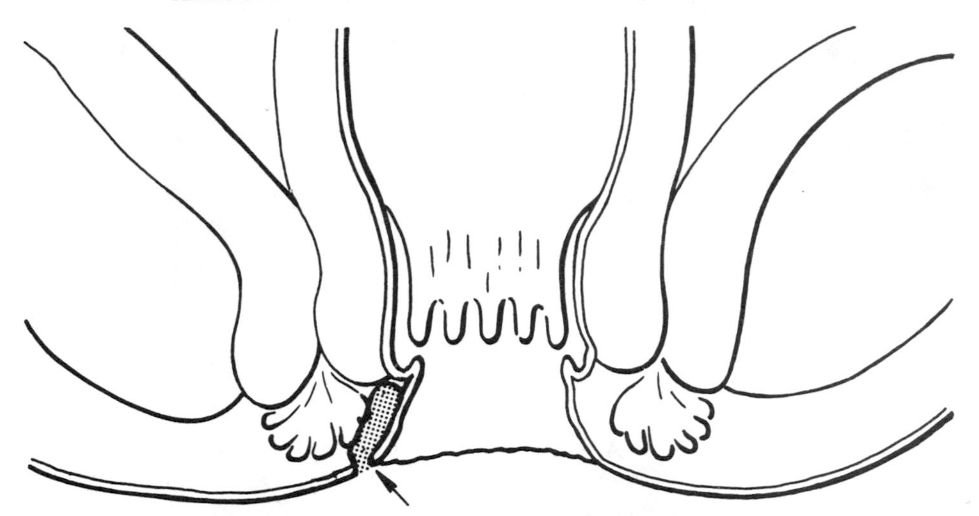

Fig. 618. Fístula ciega externa que pasa dentro de los esfínteres. La flecha señala el orificio.

el externo es a menudo múltiple. Los síntomas son variables. Se observa en las vecindades del ano un orificio o varios, de los que sale un líquido que puede ser pus, o sanguinolento, o constituido ocasionalmente por materia fecal o gases, si tiene comunicación con el recto. A veces se cierra por un tiempo el orificio externo, reteniéndose la secreción y provocando dolor y enro-

Fig. 619. Una causa muy frecuente de fístula anorectal es un absceso isquiorrectal. Obsérvese el trayecto fistuloso que conduce desde el lugar del absceso al ano.

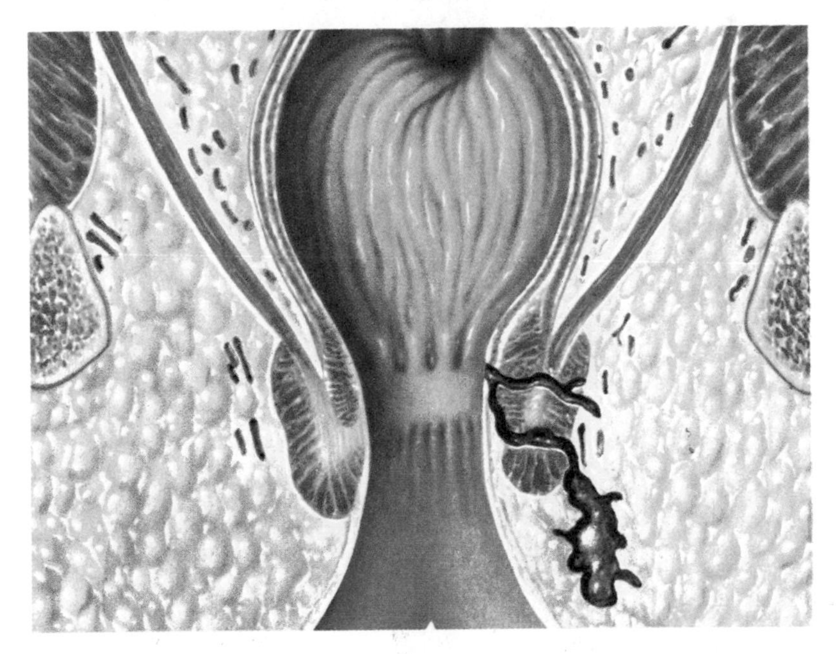

Fig. 620. Parte inferior: **Sección de recto y ano que muestra en el recto dilataciones de venas rectales (hemorroides internas) y en el ano, hemorroides externas visibles desde el exterior.** Arriba: **Hemorroides internas observadas a través del instrumento llamado proctoscopio o rectoscopio.**

jecimiento hasta volver a abrirse. Puede haber dolor sordo al defecar y sensación de pesadez en el recto.

Tratamiento

La fístula no suele curar sin operación, por lo que ésta está indicada prácticamente en todos los casos.

FISURA ANAL

Una fisura anal es una ulceración alargada u ovalada en la margen del ano, bastante superficial, pero muy dolorosa y sin tendencia espontánea a cicatrizar. No hay aún completo acuerdo acerca de la causa de esta afección. El síntoma más característico es un fuerte ardor en el momento de evacuar el intestino, que es seguido de dolor aún más intenso minutos después, al punto que el paciente puede temer la defecación. El examen comprueba que casi siempre la fisura se halla en la parte posterior del ano y que debajo de ella se halla una saliente con aspecto de hemorroide a la que se ha llamado "hemorroide centinela". Es a veces difícil de ver la fisura por el dolor del paciente y el espasmo del esfínter del ano.

Tratamiento

Hay que evitar la constipación y las materias fecales duras. Puede por un tiempo probarse un tratamiento como el de las hemorroides poco acentuadas, tomando además complejo de vitamina B. Sin embargo es en general necesario recurrir a una inyección local, parecida a las esclerosantes que se usan para las hemorroides, o mejor aún a una operación. Para alivio momentáneo, ayudan los baños de asiento calientes o alguna pomada anestésica.

HEMORROIDES

Las hemorroides son várices, o sea dilataciones permanentes de las venas del ano y del recto.

Causas

Predisponen a las hemorroides la dificultad en la circulación de la vena porta (enfermedades del corazón, cirrosis hepática, congestión del hígado, etc.), la constipación, los esfuerzos violentos, el embarazo, las tumoraciones o desviaciones del útero, las afecciones de la próstata, las bebidas alcohólicas, los condimentos y la herencia.

Variedades

Hay hemorroides *internas, externas* y *mixtas.* Las hemorroides internas son las más comunes y en realidad es a ellas a las que nos hemos referido hasta ahora. Las hemorroides externas son salientes de la piel que se han producido casi siempre por haberse formado un coágulo a su nivel. Luego ese coágulo se reabsorbe lentamente, arrugándose la piel que al principio estaba tensa. Las hemorroides mixtas o las secundariamente externas son aquellas que eran internas pero que se han exteriorizado.

Síntomas

Las hemorroides pueden existir sin dar mayores síntomas. En otros casos producen dolor por temporadas, cuando son asiento de una inflamación. Pueden también producir en estos períodos de inflamación, pequeñas hemorragias. Estas pueden aparecer sin dolor alguno, especialmente si la materia fecal es dura.

Se caracterizan por la expulsión de sangre bien roja, en cantidad habitualmente pequeña, que "riega" las materias porque sale después de ellas. Ocasionalmente la cantidad de sangre puede ser bastante abundante. La inflamación o congestión de las hemorroides puede manifestarse también por sensación de pesadez y a veces latidos en el recto. Es frecuente que las hemorroides, tanto internas como externas, se manifiesten por

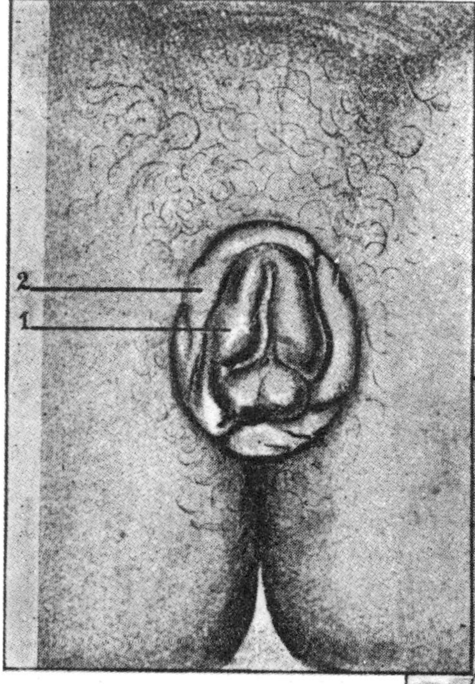

Fig. 621. **HEMORROIDES INTERNAS INFLAMADAS QUE SE HAN HECHO PROCIDENTES (Fluxión hemorroidaria). 1) En el centro, hemorroides internas que han salido al exterior. 2) Rodete de hemorroides externas o mixtas, que rodean a las internas.**

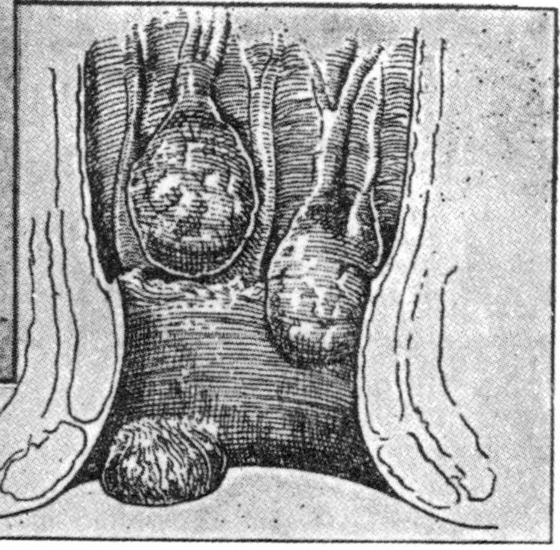

Fig. 622. **ESQUEMA DE HEMORROIDES INTERNAS, EXTERNAS Y MIXTAS.** De arriba hacia abajo: **Hemorroide interna, hemorroide mixta y hemorroide externa.**

una sensación de comezón en el ano.

Las hemorroides internas pueden salir al exterior y allí inflamarse y aun estrangularse por la presión del esfínter, que dificulta la circulación en las mismas. Es probable que la inflamación de las hemorroides pueda facilitar su salida al exterior.

Las hemorroides pueden favorecer la aparición de una fisura anal, el prolapso o salida de la mucosa del recto y las congestiones de la próstata. Cuando sangran por períodos prolongados, es frecuente que causen marcada anemia.

Tratamiento

Es conveniente que el médico examine a las personas que presentan síntomas de hemorroides, pues hemos comprobado que bajo el nombre de hemorroides se han presentado casos de pólipos, cánceres rectales, fisuras anales, fístulas ciegas internas, rectitis, etc.

HEMORROIDES POCO ACENTUADAS

Cuando las hemorroides internas no salen al exterior, se inflaman y sangran solamente de vez en cuando, puede bastar con el tratamiento que se indica a continuación:

a) Evitar la constipación (véase ese tema en la página 1077).

b) No tomar alimentos, bebidas o condimentos que puedan irritar y congestionar el recto: vino y otras bebidas alcohólicas, vinagre, ají, pimienta, mostaza, encurtidos (pickles), quesos fuertes y las comidas demasiado copiosas.

c) Evitar esfuerzos grandes si se observa que empeoran las hemorroides. Evitar también el estar demasiado tiempo sentado sobre asientos que se calienten. El ejercicio no intenso es útil.

d) Después de defecar hacer una buena higiene anal con lavados de agua fresca (en el bidet por ejemplo). Los cortos baños de asiento frescos o fríos son a menudo beneficiosos.

e) Cuando haya dolor se pueden hacer compresas alternadas calientes y frías del ano, o baño de asiento alternado caliente y frío, o enemas a 42° C con poca presión, para lo cual se colocará el irrigador solamente a 50 centímetros de altura sobre el plano de la cama.

f) Para la hemorragia, colocar con una pera de goma, unos 100 g de agua hervida fresca con 1 cucharadita de extracto fluido de *Hamamelis virgínica*.

Fig. 623. **POLIPO RECTAL BENIGNO. Estos pólipos pueden transformarse secundariamente en cánceres.**

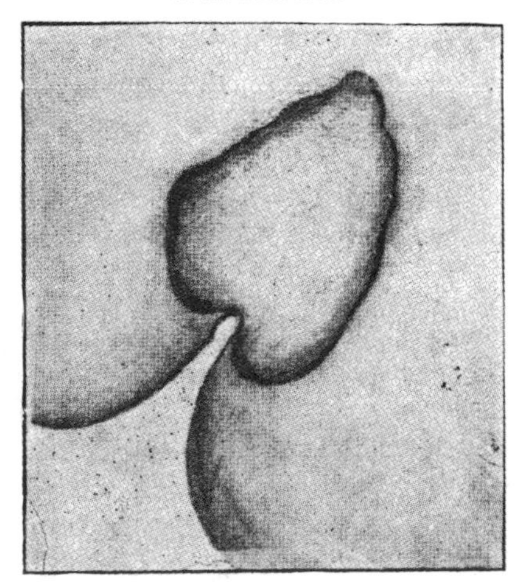

g) Puede colocarse en el ano una pomada o supositorio de los que se consiguen ya preparados con este fin en el comercio, que se colocan cada noche al acostarse y después de evacuar el intestino.

Cuando las hemorroides salen al exterior

Hay que tratar de hacerlas entrar nuevamente lo más pronto posible, lo que es fácil cuando es un paquete no inflamado, y difícil cuando son varios paquetes que, formando un verdadero rodete de hemorroides inflamadas, salen al exterior. En este último caso es conveniente que otra persona, después de untarlas con una pomada de las que se utilizan para hemorroides, trate suavemente de hacerlas entrar.

Si no se puede hacerlas entrar, aplíquese sobre las hemorroides pomada antihemorroidal y la bolsa de hielo, protegida con algún material impermeable. A falta de hielo, aplíquense compresas frías. Algunos pacientes obtienen alivio con la aplicación de compresas calientes.

Cuando las hemorroides no mejoran

En ciertos casos de hemorroides internas sin tendencia a salir al exterior y sin inflamación local, el médico puede recurrir a ciertas inyecciones esclerosantes que dan buen resultado. En los demás casos es preferible operar. En las hemorroides externas hinchadas por un coágulo, el médico suele sacar el coágulo.

CANCER DEL RECTO

Es un poco más frecuente en el hombre que en la mujer y también después de los 50 años, aunque recordamos haber visto casos en personas de 20 años o poco más.

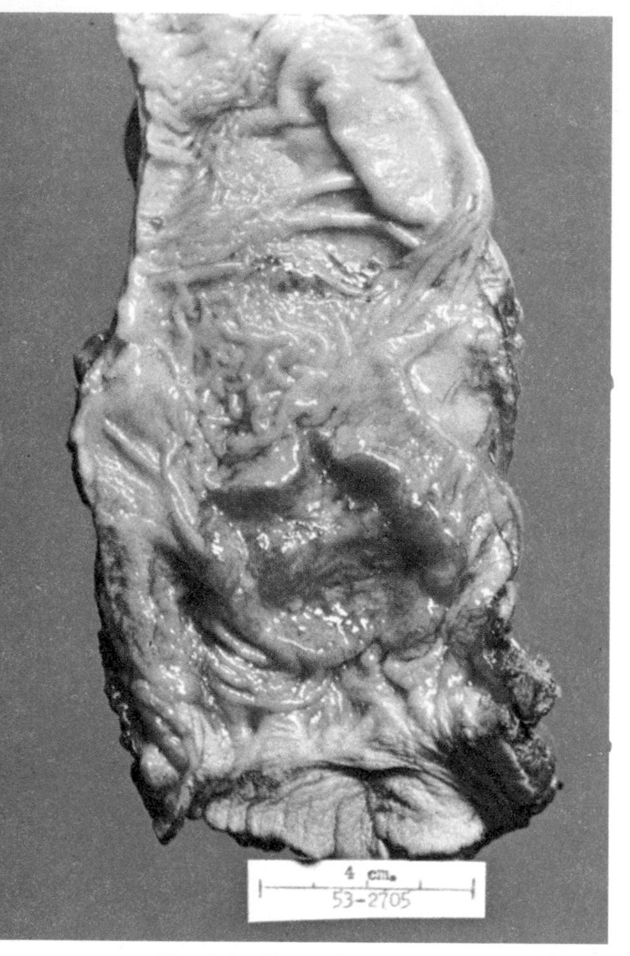

Fig. 624. Cáncer de recto con ulceración.

Síntomas

Puede dar pocos síntomas. Sin embargo, hay en general suficientes síntomas como para que el paciente pueda darse cuenta de que hay algo anormal y que debe ir al médico para que se descubra su causa. Los síntomas pueden ser:

Hemorragia, dolores y trastornos en la evacuación intestinal, además de *adelgazamiento* y *digestión deficiente,* que también pueden aparecer.

La hemorragia puede ser escasa, acompañada de mucosidades. Puede ser negruzca, o roja, a veces abundante. En algunos casos se acompaña de un líquido maloliente y de una especie de membranas. Los dolores son poco acentuados al principio, pudiendo manifestarse en forma de cólicos intestinales, o de dolores en el ano, o simplemente de sensación de pesadez o de cuerpo extraño, como si hubiese algo que expulsar al exterior. Los trastornos intestinales consisten en una tendencia a la constipación, que puede a veces alternar con diarrea. Puede la obstrucción del recto hacerse marcada, y dar síntomas de oclusión intestinal. Las materias fecales pueden estar deformadas, tomando en ciertos casos la forma de cinta, o se acumulan por encima del cáncer en forma de bolitas. Más tardc puede el cáncer afectar los órganos vecinos (vejiga, próstata, uréteres, útero, vagina, etc.) .

Tratamiento

La extirpación amplia del cáncer, efectuada lo más precozmente posible, es el mejor tratamiento. Para el diagnóstico precoz, concúrrase al consultorio de un médico cuando haya molestias en el recto, aunque éstas sean leves.

PROLAPSO DEL RECTO (descenso del recto)

En el adulto lo más frecuente es que solamente se produzca descenso de la mucosa, mientras que en el niño pueden con más facilidad bajar todas las capas que forman el recto. Se observa especialmente después de la defecación un rodete que sale del ano, formado por la mucosa roja del recto.

En el niño habrá que evitar la constipación y también que vaya de cuerpo más de una vez por día. Hay que vigilar para que no haga más fuerza después de haber evacuado el intesti-

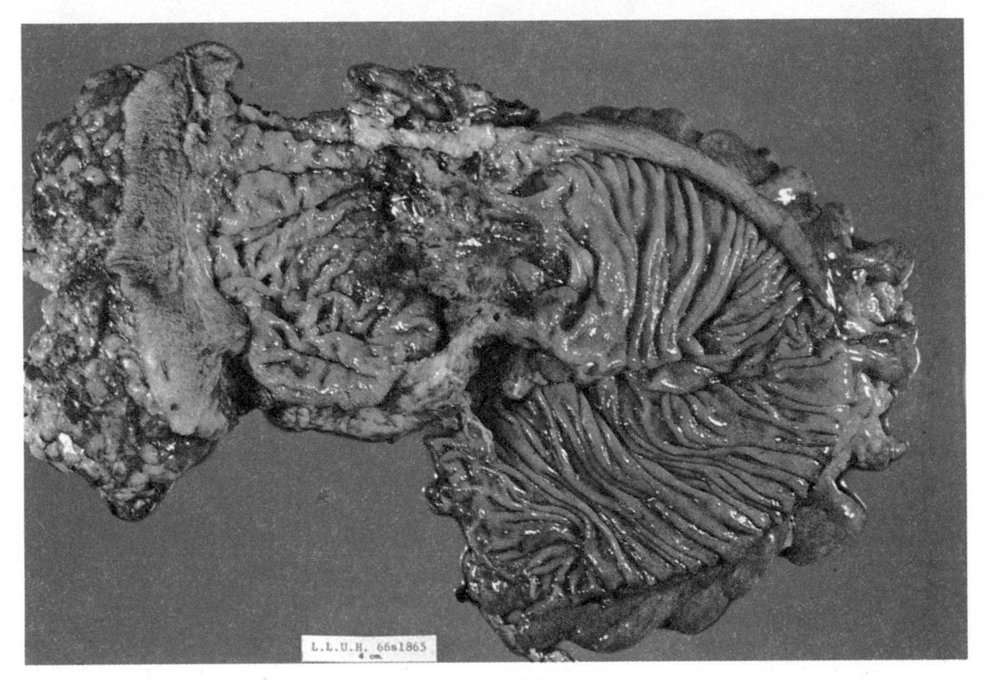

Fig. 625. Cáncer de recto que estrecha la luz rectal.

no. En seguida después de evacuar el intestino hay que reducir la mucosa saliente. Se pueden hacer pequeños enemas frescos para tratar de devolver la tonicidad a la mucosa. Cuando esto no basta, el médico puede ver necesario hacer fijar la mucosa por medio de pequeñas cicatrices.

En los adultos, cuando no cede con tratamientos semejantes a éstos, se efectúa generalmente una operación.

PRURITO ANAL
(comezón del ano)

Son muy diversas las causas capaces de provocar prurito anal. Se mencionan a continuación algunas de las causas que quizá ayuden a descubrir la del caso que interese. En el niño (y también, aunque con menos frecuencia, en el adulto) los oxiuros, pequeños gusanos que se describen en la página 995, son una causa de prurito anal. Ocasionalmente puede haber piojos de cierto tipo. La irritación de la piel del ano por transpiración, por pequeños restos de materias fecales, por secreción proveniente del ano, el recto o la vulva, o por el uso de ropa de lana o no bien enjuagada, son otros factores que deben tomarse en cuenta. Las afecciones del ano y del recto, como hemorroides, rectitis, fisura, fístula y otras afecciones del intestino o de la pelvis, pueden también causar prurito anal. Las enfermedades de la piel anal, como micosis (hongos), eccema, atrofia senil, sarna, etc., deben ser investigadas como causas relativamente frecuentes. Ciertas enfermedades del hígado, la diabetes, la uremia, la gota, la alergia, el alcoholismo, pueden también intervenir. Ocasionalmente una neurosis o un factor psíquico puede ser incriminado como el causante de esta molesta afección.

El prurito suele ser peor de noche. El rascado hace que muchas veces la piel presente modificaciones diversas.

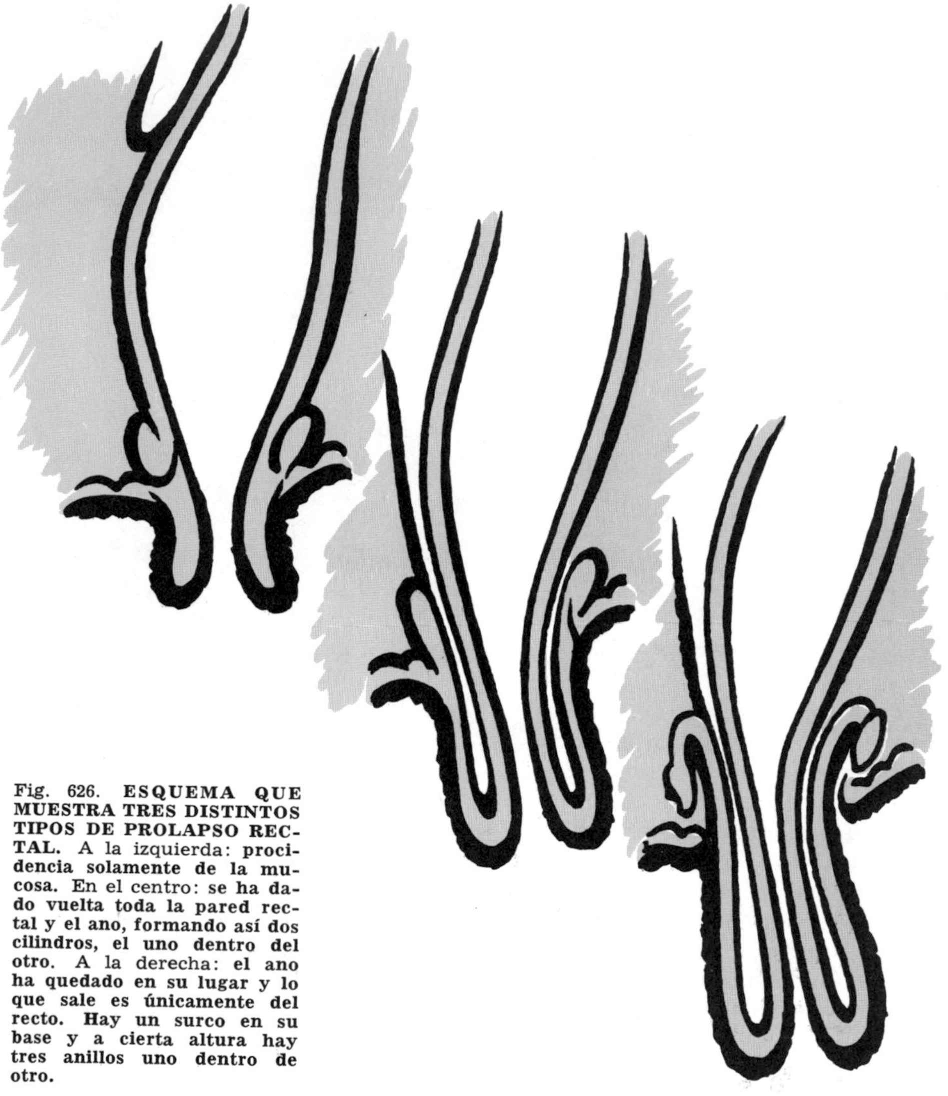

Fig. 626. **ESQUEMA QUE MUESTRA TRES DISTINTOS TIPOS DE PROLAPSO RECTAL.** A la izquierda: **procidencia solamente de la mucosa.** En el centro: **se ha dado vuelta toda la pared rectal y el ano, formando así dos cilindros, el uno dentro del otro.** A la derecha: **el ano ha quedado en su lugar y lo que sale es únicamente del recto. Hay un surco en su base y a cierta altura hay tres anillos uno dentro de otro.**

Tratamiento

Es muy útil descubrir la causa y tratarla.

a) Tratar de eliminar la causa si ha podido descubrirse alguna.

b) Evitar el rascado.

c) Después de evacuar el intestino, hacer lavado con agua fresca en el bidet en lugar de utilizar papel higiénico. Secar bien. Aplicar luego una crema que contenga corticoide.

d) La alimentación será sencilla y fácil de digerir, evitándose los condimentos, el alcohol, el té, el café y el mate.

Sacco
Day
Green
Deal

PARTE DECIMOSEPTIMA

Enfermedades del Aparato Genital Masculino

CAPITULO **153**

Breves Nociones de Anatomía y Fisiología de Dicho Aparato

EL APARATO genital masculino está constituido esencialmente por: a) *Los testículos,* que cumplen con dos importantísimas funciones: producir espermatozoides, indispensables para la perpetuación de la especie humana, y producir una secreción interna u hormona que transforma al niño en hombre y que lo mantiene luego con dichas características. b) *Una serie de canales* destinados a llevar los espermatozoides al exterior para la fecundación (canales del epidídimo, deferente, vesículas seminales, canales eyaculadores). c) *El órgano copulador* o *pene,* que cumple, además de esa función, la de llevar la última parte de la uretra. d) Hay además cierto número de *glándulas* y ciertos *músculos* que intervienen en la función genital.

Los testículos, el epidídimo y sus envolturas

El testículo es un órgano de forma ovoide, que pesa aproximadamente 18 g, y que tiene sobre su borde posterior y su polo superior el epidídimo, que se ha comparado a la cimera de un casco por su forma y posición. El peso del epidídimo es de unos 4 g. Cada testículo está formado por numerosos canalículos seminíferos (lugar donde se forman los espermatozoides) y por un tejido celular que se halla entre dichos canales y en el cual se encuentran las células llamadas intersticiales, lugar donde probablemente se forma la hormona o secreción interna masculina. Esta es la que hace aparecer en el hombre los caracteres sexuales masculinos secundarios: barba, cre-

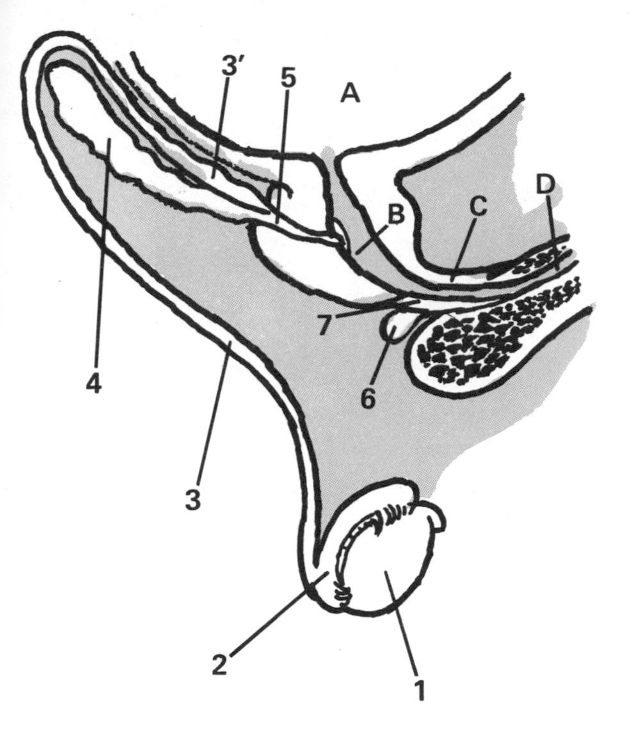

Fig. 628. ESQUEMA DEL APARATO GENITAL MASCULINO. A) Vejiga; B) porción prostática de la uretra; C) su porción membranosa; D) su porción esponjosa. 1) Testículo derecho; 2) epidídimo; 3) conducto deferente con 3') su ampolla; 4) vesícula seminal; 5) conducto eyaculador que atraviesa la próstata para desembocar al lado de la saliente llamada verumontánum; 6) glándula de Cowper, con 7) su conducto excretor.

cimiento de la laringe, que da una voz más grave, disposición especial de los pelos en el cuerpo, desarrollo de los órganos genitales, etc. Los tubos seminíferos y el epidídimo con sus canales, están rodeados de una envoltura de color blanco, llamada *albugínea*. En el epidídimo recibe el nombre de cabeza la parte superior, que es abultada. Un abultamiento menor que se halla en su extremidad inferior recibe el nombre de cola. El resto del epidídimo se llama cuerpo. Contiene un canal delgado muy flexuoso y muy largo (6 a 7 m de longitud), que por apelotonamiento cabe en este órgano de reduci-

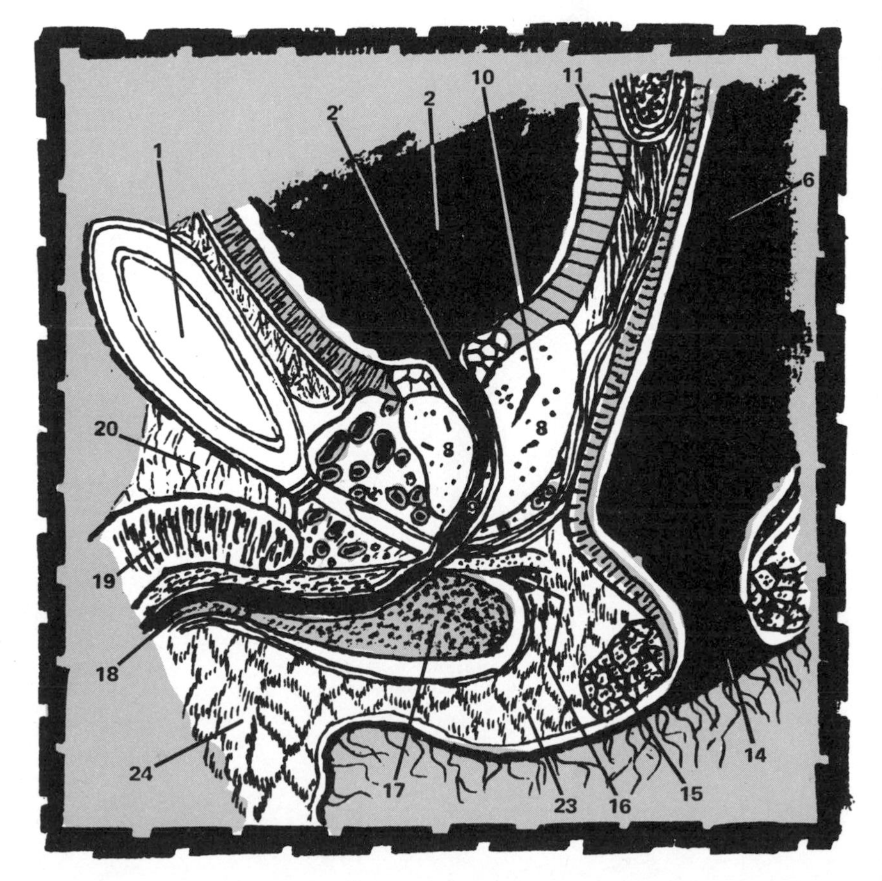

Fig. 627. CORTE SAGITAL DE UNA PELVIS MASCULINA DESTINADA A MOSTRAR LA PROSTATA Y SUS RELACIONES CON LOS ORGANOS VECINOS. 1) Sínfisis del pubis. 2) Vejiga, con 2') su cuello. 6) Recto. 8) Próstata atravesada por la uretra prostática, en la cual se ve 9) el orificio donde desemboca el canal eyaculador derecho, al lado del llamado verumontánum. 10) Canal eyaculador izquierdo, cortado oblicuamente en el espesor de la próstata. 11) Conducto deferente del lado derecho. 14) Ano. 15) Su esfínter externo. 16) Glándula de Cowper. 17) Bulbo de la uretra. 18) Uretra esponjosa. 19) Cuerpo cavernoso. 20) Ligamento suspensor del pene. 23) Periné. 24) Bolsas.

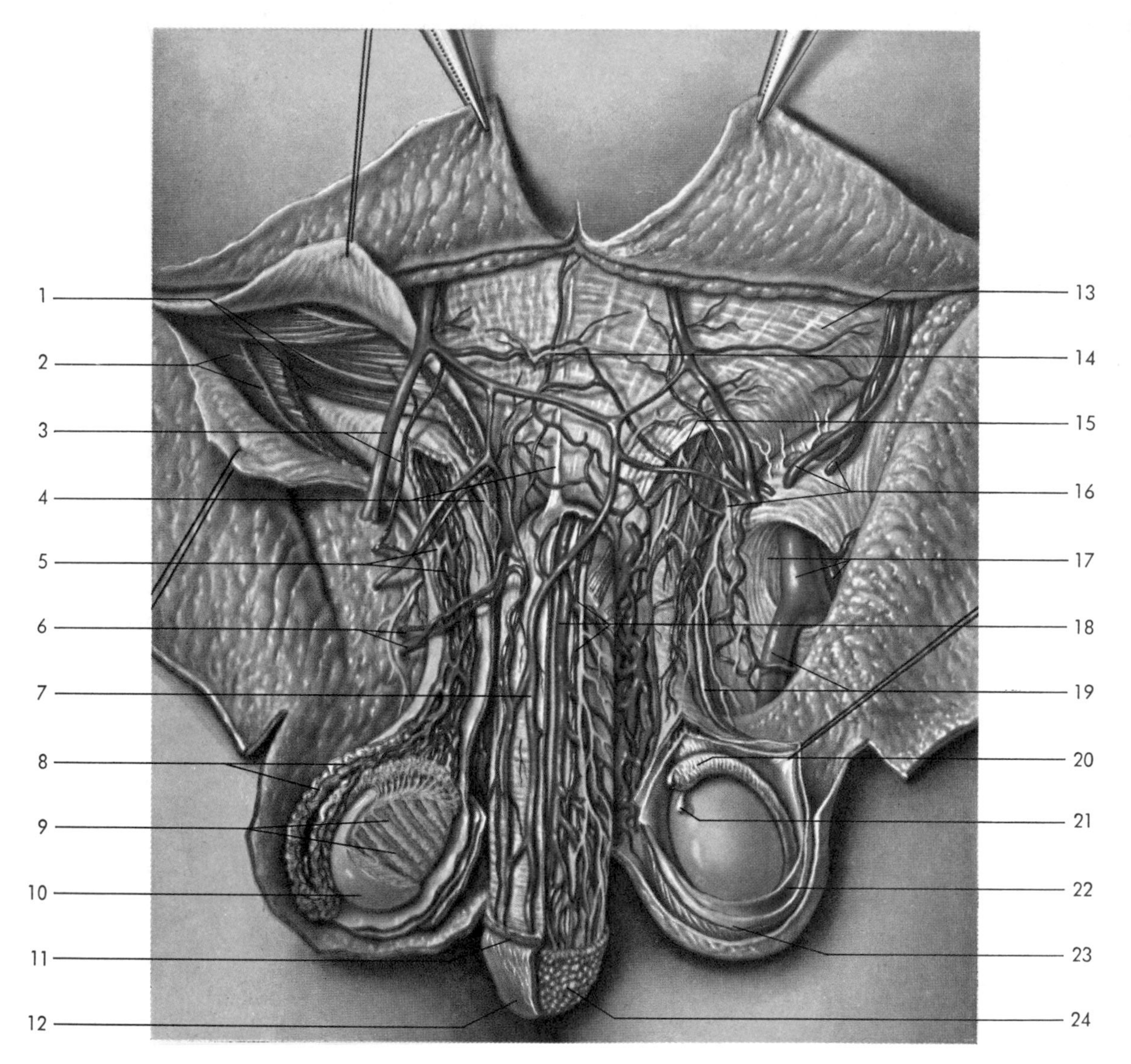

Fig. 629. **ANATOMIA DE LOS ORGANOS GENITALES MASCULINOS.**

1) Músculo transverso del abdomen y nervio iliohipogástrico
2) Músculo oblicuo interno del abdomen y nervio ilioinguinal
3) Arteria y vena epigástricas superficiales
4) Rama genital del nervio génito crural y ligamento suspensorio del pene
5) Arteria espermática interna y plexo pampiniforme
6) Arteria y vena pudendas externas
7) Vena dorsal superficial del pene
8) Conducto deferente y arteria deferente
9) Lóbulos del testículo
10) Testículo (cubierto por la túnica visceral de la vaginal)
11) Prepucio
12) Glande del pene
13) Aponeurosis abdominal
14) Rama cutánea anterior de un nervio intercostal
15) Anillo inguinal superficial
16) Nervio ilioinguinal y vasos (arteria y vena) circunflejos ilíacos superficiales
17) Fosa oval y arteria y vena femorales
18) Arteria y nervio dorsales del pene y vena dorsal profunda del pene
19) Músculo cremáster y cayado de la vena safena interna
20) Cabeza del epidídimo
21) Hidátide de Morgagni
22) Hoja parietal de la vaginal
23) Fascia infundibuliforme
24) Plexo esponjoso

do tamaño. El deferente recibe los espermatozoides que, provenientes del testículo, han atravesado el canal del epidídimo.

Ambos, testículos y epidídimos están contenidos en las bolsas o *escroto,* que está formado por varias capas y presenta un tabique en su centro. Hay una cavidad serosa entre las bolsas y el testículo y epidídimo, que recibe el nombre de *vaginal.* Cuando esta cavidad se llena de líquido, se dice que hay *hidrocele.*

Vías espermáticas

La secreción del testículo pasa del epidídimo al canal deferente, luego a la vesícula seminal y en el momento de la eyaculación se vuelca en la uretra a través de los canales eyaculadores, mezclada ya a la secreción de la próstata.

El canal deferente

Es un canal de consistencia dura, y de un grosor de 2 a 2½ mm. Su longitud es de unos 35 a 45 cm, que va desde la cola del epidídimo, donde nace, hasta la base de la vejiga, donde se une a las vesículas seminales. En su trayecto, desde el testículo a la vesícula seminal, el deferente forma parte primero del llamado *cordón inguinal,* con los vasos sanguíneos y nervios que desde el abdomen pasan al escroto y viceversa. En el abdomen, queda cubierto por el peritoneo de la pared de éste.

Vesículas seminales

Son dos depósitos alargados donde se deposita la esperma, que se hallan en la parte posterior y superior de la próstata, por detrás de la vejiga. Desembocan junto con los canales deferentes en los canales eyaculadores.

Canales eyaculadores

Son dos pequeños canales que comunican con las vesículas seminales y que atraviesan la próstata, desembocando en la uretra, donde vuelcan el semen en el momento de la eyaculación.

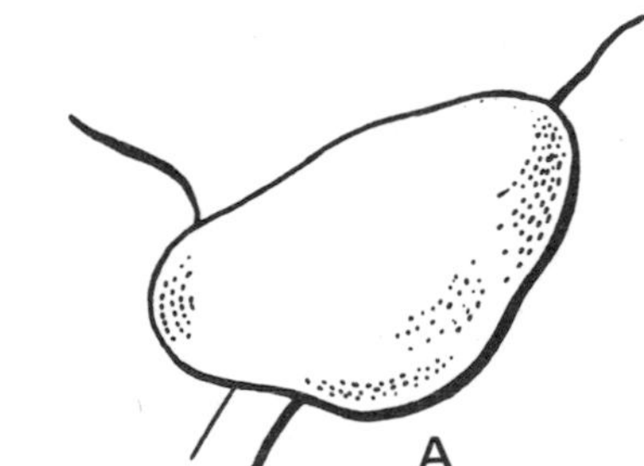

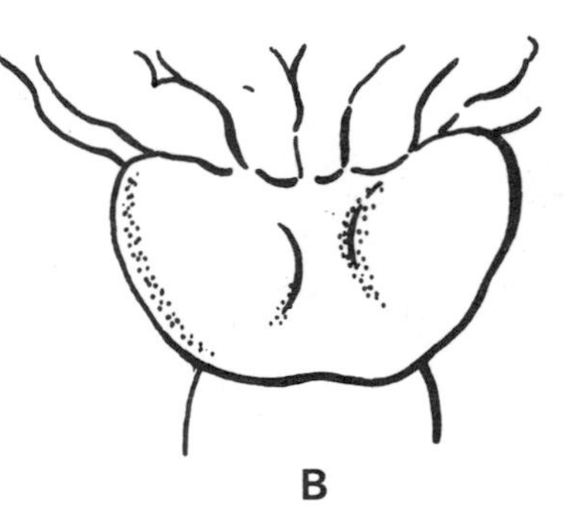

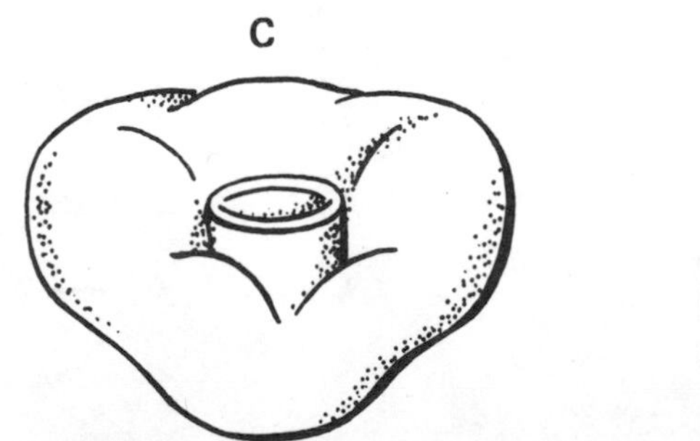

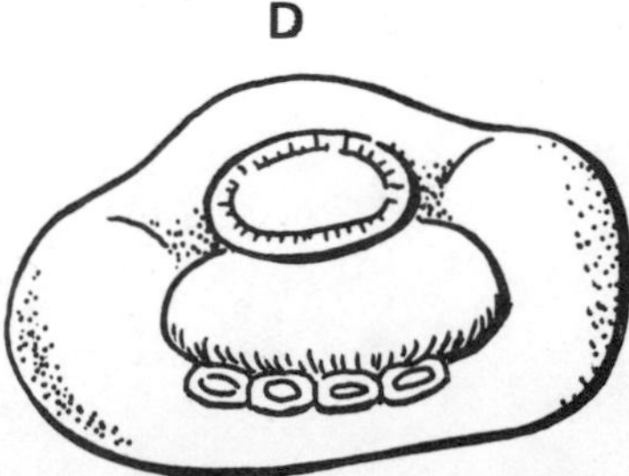

Fig. 630. PROSTATA NORMAL. A) Vista desde su lado izquierdo. B) Vista por su cara posterior. C) Vista por su cara anterior. D) Vista por su base, la que está en contacto con la cara inferior de la vejiga.

La próstata

La próstata es una glándula cuya forma y tamaño se ha comparado al de una castaña grande. Se halla debajo de la vejiga, rodeando la parte superior de la uretra, aunque ésta no pasa por su centro sino cerca de su cara anterior. Su cara posterior se halla en relación con la cara anterior del recto. Segrega un líquido que forma parte de la esperma.

El pene

Es el órgano de la copulación. Está formado por los cuerpos cavernosos y el cuerpo esponjoso. Este último rodea a la uretra, y su parte anterior presenta un engrosamiento que va a formar el *glande* o extremidad del pene. Tanto el cuerpo esponjoso como los cuerpos cavernosos son formaciones eréctiles, vale decir que pueden en el momento oportuno, llenándose de sangre, aumentar de tamaño y consistencia, lo que facilita la función transportadora de espermatozoides del órgano del que forman parte. La erección insuficiente o inexistente produce la llamada impotencia genital. El glande está revestido de una mucosa muy ricamente inervada. Está protegido por un repliegue de piel llamado *prepucio.*

CAPITULO 154

Síntomas y Tratamientos de Algunas Enfermedades de la Próstata

PROSTATITIS AGUDAS Y CRONICAS (Inflamaciones de la próstata)

Causas

PREDISPONEN a las infecciones de la próstata las congestiones de dicho órgano, como las que pueden producir hemorroides, irritaciones rectales, excitaciones sexuales demasiado frecuentes, enfriamientos, el ir demasiado en bicicleta o a caballo, etc. Los gérmenes que producen la infección con mayor frecuencia son el estafilococo, el colibacilo, el estreptococo y el gonococo. Lo más corriente es que el germen llegue a la próstata a través de la uretra, ya sea desde abajo (blenorragia, sondaje, especialmente si no se hace con las precauciones debidas, inflamaciones crónicas de la uretra, etc.), o desde arriba: infección de la vejiga. Rara vez la infección viene por vía sanguínea o de algún órgano vecino infectado.

Síntomas

La *forma aguda* es con mucha frecuencia una complicación de la blenorragia, aunque puede tener cualquiera de las otras causas que mencionamos más arriba. Se manifiesta por una sensación de dolor, ardor y pesadez entre las bolsas y el recto, que aumenta al sentarse y al ir de cuerpo. El paciente orina a menudo, con dolor y cierta dificultad. Puede en ciertos casos resultarle imposible orinar (retención de orina). Hay además signos generales de infección: fiebre de grado variable, inapetencia, insomnio, dolor de cabeza, etc. Son tres las posibles maneras en que la prostatitis aguda puede evolucionar: puede curar por completo, hacerse crónica o formar un absceso o colección de pus. En este último caso se agravan los síntomas. Este absceso puede abrirse espontáneamente por distintos lugares, algunos poco favorables.

La *prostatitis crónica* puede ser consecuencia de una prostatitis aguda o de una uretritis crónica blenorrágica. Intervienen mucho en su producción las causas predisponentes que ya se estudiaron. Aunque hay casos de prostatitis crónicas sin síntomas aparentes, lo común es que esta afección provoque algunas molestias urinarias, como micción frecuente, seguida a veces de

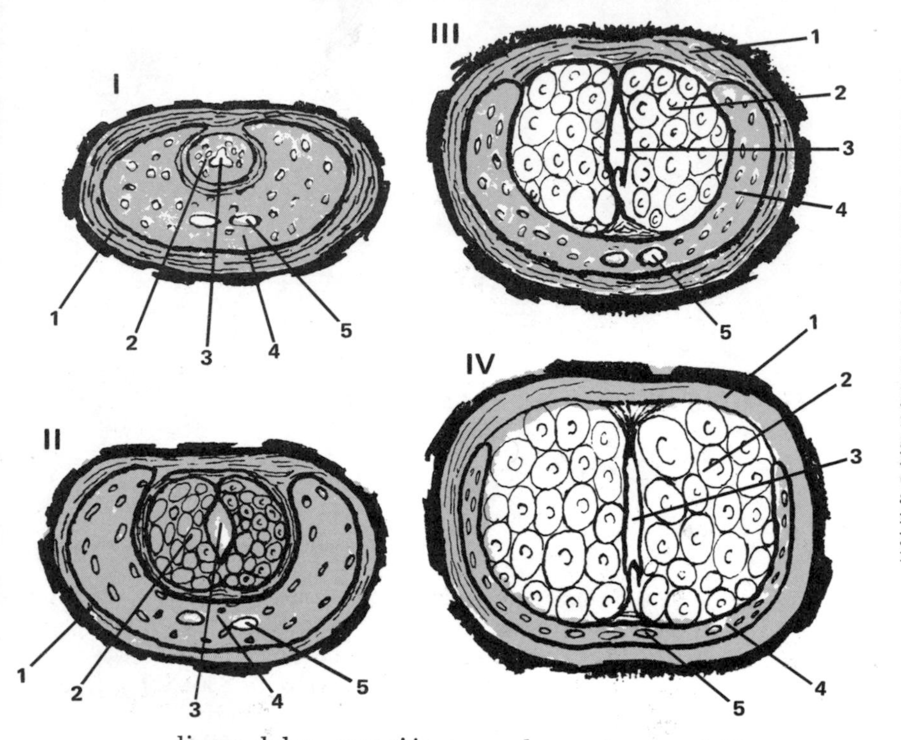

Fig. 631. ESQUEMA QUE MUESTRA EL CRECIMIENTO GRADUAL DE UN ADENOMA PROSTATICO (en gris claro). El aumento de tamaño de la próstata se hace por el crecimiento gradual de las glándulas periuretrales. I) Próstata normal con 1) cápsula prostática; 2) glándulas periuretrales; 3) uretra; 4) próstata propiamente dicha con sus glándulas periféricas; 5) canales eyaculadores. En II, III y IV las glándulas periuretrales se han transformado en adenoma (2), aplastando gradualmente a la uretra (3), y a la próstata propiamente dicha (4).

ligero dolor, secreción que sale por la uretra, sensación de pesadez en el periné (entre las bolsas y el recto) y molestias genitales, principalmente de la erección y la eyaculación. El médico puede, en las prostatitis agudas y crónicas, descubrir signos característicos. Hay prostatitis crónicas de origen tuberculoso, secundarias generalmente a otra localización en el aparato genital, como el testículo o las vesículas seminales.

Tratamiento

Hay algunas medidas útiles, tanto para las formas agudas como para las crónicas, que se mencionan a continuación:

a) Evitar las causas de congestión prostática que se mencionaron al estudiar las causas predisponentes de prostatitis.

b) Alimentación: deben evitarse pimienta, mostaza y demás condimentos; vinagre, vino, cerveza y bebidas alcohólicas en general. Hay que beber muchos líquidos (salvo cuando hay retención de orina). Los alimentos más aconsejables son: verduras, frutas, leche y cereales integrales, que también ayudarán a evitar la constipación, pues ésta es un factor agravante.

c) Los baños de asiento calientes (véase la página 838) tomados según la intensidad de la inflamación de 1 a 3 veces diarias, tienen un efecto sedante sobre las molestias y descongestionante de la próstata, efecto que resulta muy favorable.

d) El médico indica con frecuencia antibióticos que elige según la causa.

En el caso de absceso puede ser necesario abrirlo. En los casos crónicos, puede resultar indicado practicar masajes de próstata. La diatermia, las ondas cortas, son a veces también indicadas con beneficio. El tratamiento de la causa de la prostatitis es de suma importancia.

AUMENTO DE TAMAÑO DE LA PROSTATA (adenoma prostático, prostatismo, hipertrofia prostática)

Es muy común que la próstata aumente de tamaño después de los 50 años. En un buen número de personas, este aumento es muy discreto y no provoca molestias. No se conoce aún con toda certeza la verdadera causa de este aumento de tamaño, aunque se ha acusado a ciertas modificaciones que sobrevienen a esa edad en las secreciones internas o en los vasos, o también a las prostatitis crónicas, los excesos sexuales y otras causas que congestionan la próstata. Indudablemente que éstos son todos factores que pueden predisponer.

Síntomas

Los síntomas al comienzo son: pérdida de la fuerza del chorro de la orina; micción frecuente, especialmente de noche; cierta dificultad para comenzar a orinar. El paciente puede observar que sus molestias para orinar aumentan cuando su pelvis se congestiona por cualquier razón (constipación, resistir al deseo de orinar, enfriamiento de los miembros inferiores, excitaciones sexuales, comidas abundantes o irritantes, etc.) .

Si la enfermedad avanza, le cuesta cada vez más al enfermo orinar y, cuando ha terminado de hacerlo, hay aún en su vejiga cierta cantidad de orina o residuo vesical que aumenta gradualmente.

La vejiga puede infectarse, o sobrevenir, con motivo de alguna congestión pelviana, una retención de orina (véase la página 1342).

Si el paciente no es tratado, puede suceder que la vejiga llegue a estar continuamente distendida por una gran cantidad de orina (hasta un litro o más) , lo que termina por dilatar los uréteres, la pelvis renal y los cálices renales. La repercusión sobre el funcionamiento de los riñones es entonces muy acentuada.

Tratamiento

La persona que presente síntomas urinarios como los que mencionamos anteriormente, debe hacerse examinar por el médico, quien determinará si se deben a un adenoma prostático o a otra causa y, en el primer caso, el grado que éste ha alcanzado. Cuando el crecimiento de la próstata es reducido y el residuo que queda en la vejiga después de orinar es escaso, es probable que el médico indique un tratamiento higienicodietético y quizá alguna medicación, y que con esas medidas el paciente pueda pasarlo bien por años. Habrá otros casos más avanzados que pueden requerir una intervención quirúrgica para evitar peligrosas complicaciones. Daremos a continuación algunos consejos higienicodietéticos útiles para las personas que tienen una hipertrofia leve o moderada de la próstata. Estas son, en realidad, precauciones que deben tomarse para evitar la congestión de la próstata.

ALIMENTACION.—Evitar los condimentos y especias: mostaza, vinagre, pimienta, ají picante, encurtidos o pickles, clavo de olor, nuez moscada, etc. Evitar en general las carnes, los alimentos grasosos y de pesada digestión, y las comidas copiosas, especialmente en la cena.

El alcohol debe proscribirse en todas sus formas (vino, cerveza, bebidas destiladas) . Es preferible una alimentación sencilla y a la vez dietéticamente equilibrada, con leche, cereales (preferiblemente integrales) , verduras crudas y cocidas, frutas y otros alimentos sencillos.

EJERCICIO Y DESCANSO.—Evitar el estar muchas horas sentado en automóvil o ferrocarril, y también la equitación y el ciclismo. No quedar en cama más de 6 a 8 horas. Son convenientes, como ejercicio, las caminatas, pero cortas y repetidas. Una de ellas antes de acostarse.

LA CONSTIPACION.—Es uno de los peores enemigos del prostático. Es muy probable que una alimentación correcta la evite. Si hay constipación que no cede con el régimen alimentario, consúltese al médico. Lo que no debe hacer el prostático es tomar píldoras laxantes, tan populares, pues en su mayor parte contienen aloína, que congestiona la pelvis.

ORINA.—El prostático no debe resistir al deseo de orinar, siendo preferible que mientras esté despierto, no deje pasar más de 3 horas sin orinar.

ENFRIAMIENTO Y CANSANCIO.—Evitar los enfriamientos de los miembros inferiores, el cansancio excesivo y las excitaciones sexuales. Las relaciones sexuales serán espaciadas y, en ciertos casos en que el paciente observa un efecto muy desfavorable sobre su micción, es preferible prescindir de ellas.

BAÑOS.—Los baños de asiento calientes tomados antes de acostarse en la forma explicada en la página 838, son favorables.

El prostático debe *estar bajo vigilancia médica* y no pretender tratarse a sí mismo.

CANCER DE LA PROSTATA

Los síntomas del cáncer de la próstata pueden, en su comienzo, simular los de la hipertrofia de la próstata, de origen benigno, que acabamos de estudiar. De allí la ventaja de un examen médico precoz cuando hay síntomas urinarios. En estos casos llama la atención que los síntomas aumentan rápidamente, siendo frecuentes el dolor, las hemorragias y la infección vesical. El tratamiento es generalmente la extirpación completa de la próstata y de las gónadas y además inyecciones de hormona femenina o equivalentes, como el dietilestilbestrol, que en los últimos años se ha añadido con buen resultado al tratamiento de esta afección. Cuando el cáncer se ha extendido, o si por alguna razón no conviene operar, es habitualmente preferible no extirpar la próstata, recurriendo a la castración y a la hormonoterapia femenina.

CAPITULO 155

Otras Enfermedades del Aparato Genital Masculino

ESTRECHEZ DE LA URETRA

HAY estrecheces congénitas de la uretra, vale decir presentes ya al nacimiento, y otras que se deben a un traumatismo, inflamación aguda o congestión de la uretra. Son causas relativamente poco frecuentes y no nos referiremos a ellas, sino que hablaremos del tipo que se ve más a menudo, que es consecuencia tardía de una blenorragia o de una uretritis no blenorrágica o un traumatismo, y que se debe a una cicatriz de la uretra. Esta se retrae gradualmente. Aparece unos años después de la uretritis, pero habitualmente en personas jóvenes aún. Puede haber una o varias estrecheces, que asientan casi siempre en la uretra revestida de cuerpo esponjoso.

Síntomas

Los síntomas más notables son: dificultad diurna para orinar, notándose retardo en la salida de la orina, lo cual obliga al paciente a esforzarse más que lo habitual para poder hacerlo. Se tarda más en orinar que antes, y el chorro de orina puede ser irregular o delgado. Con frecuencia, después de algunos instantes de terminada la micción salen algunas gotas de orina. Puede también observarse micción frecuente, y una desagradable sensación de que la vejiga no se ha vaciado bien. En algunos casos se observan trastornos en la eyaculación (emisión de esperma), que puede hacerse difícil o dolorosa.

Las complicaciones que pueden aparecer son la retención de orina y la incontinencia de orina. La primera se presenta a veces con motivo de enfriamientos, ingestión de bebidas alcohólicas, excesos sexuales, o por resistir mucho tiempo el deseo de orinar. Si el paciente no se hace tratar, pueden dilatarse la vejiga, los uréteres y las pelvis renales, y a veces producirse la salida de orina gota a gota, continuamente. Puede también infectarse el aparato urinario en forma a menudo grave.

Tratamiento

Cuando hay síntomas de estrechez de la uretra, el único tratamiento lógico es ponerse en manos de un médico, preferiblemente de uno especializado en vías urinarias, quien determinará la localización, calibre, extensión y número de las estrecheces, y el estado del resto del aparato urinario. El especialista devolverá a la uretra su calibre normal por dilataciones u otros medios que puedan ser necesarios.

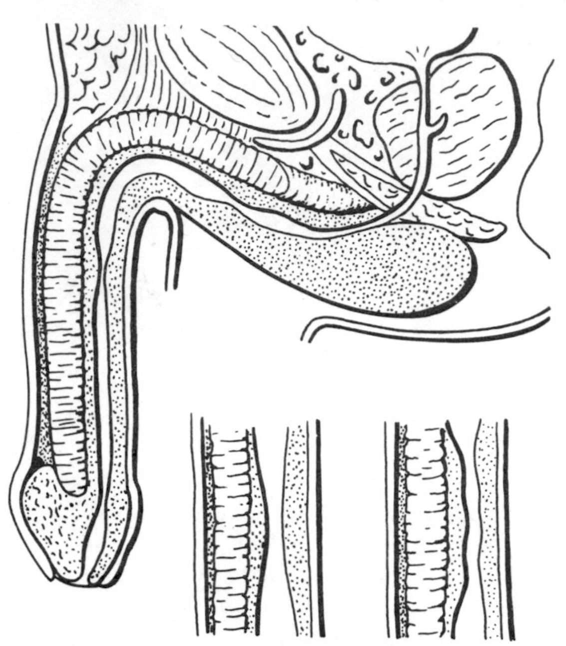

Fig. 632. **ESTRECHECES DE LA URETRA. Pueden observarse estrecheces gradualmente crecientes en varios puntos de la uretra.** Abajo, a la derecha: **dos grados crecientes de estrechez.**

FIMOSIS (estrechez del prepucio)

Es una estrechez anormal del prepucio que impide descubrir el glande o extremidad del pene. Puede ser congénita, vale decir, presente al nacimiento, que es la forma más común, o bien aparecer en una persona que no tenía fimosis, como consecuencia de una inflamación del prepucio.

Aunque es muy frecuente que el recién nacido presente un leve grado de fimosis, que suele desaparecer con el crecimiento, la verdadera fimosis, que producirá más tarde trastornos, se manifiesta por una muy marcada estrechez del orificio por donde sale la orina. Puede haber dolor y dificultad para orinar, o el prepucio se distiende al orinar el niño. Se acumula esmegma prepucial (material blanquecino y maloliente segregado por glándulas especiales) entre el glande y el prepucio, e irrita a ambos.

Tratamiento

Cuando hay un muy leve grado de fimosis, puede corregirse tratando diariamente de hacer salir el glande. No debe nunca cometerse el error de dejar el glande afuera, sino que hay que volver pronto a cubrirlo con el prepucio, para evitar la parafimosis, vale decir el estrangulamiento del glande por un prepucio estrecho. En los demás casos es más conveniente operar, ya sea haciendo la circuncisión o extirpación de todo el prepucio, o utilizando un método plástico que deje amplio el prepucio.

PARAFIMOSIS (estrangulamiento del glande)

Cuando se ha hecho pasar un prepucio estrecho por encima del glande y luego no puede hacerse volver el prepucio hacia adelante, se dice que hay parafimosis. Es más frecuente en el niño. Se manifiesta por dolor y marcada tumefacción del glande y del prepucio, y a veces dificultad para orinar.

Tratamiento

A veces se tiene éxito con la sencilla maniobra de sostener el pene con la mano izquierda, mientras que con la derecha se comprime gradualmente el glande y la parte hinchada del prepucio, tratando de deshincharlo y empujarlo. Si esto fracasa, debe llevarse al afectado de inmediato al médico para que practique una pequeña operación.

BALANOPOSTITIS (inflamación del glande y del prepucio)

Las balanopostitis son inflamaciones de la mucosa del glande y del prepucio. Puede deberse a fimosis, que impidiendo una buena higiene, provoca irritación e inflamación del glande. Otras veces aparece por alguna enfermedad venérea, por diabetes o por una afección de la piel. Es conveniente consultar al médico en estos casos, para asegurarse de la naturaleza de la inflamación y no correr el riesgo de interpretar como simple irritación o inflamación una enfermedad que necesite tratamiento especial.

VARICOCELE

Varicocele es la dilatación varicosa de las venas que vienen del testículo (várices de las venas espermáticas). Es mucho más frecuente en el lado izquierdo que en el derecho. Muy rara vez se produce por compresión de ciertas venas en el abdomen. Se puede ver por debajo del testículo izquierdo, que las bolsas presentan unos abultamientos que, al ser palpados dan, según la comparación clásica, la sensación de una cantidad de lombrices. Puede también hallarse a los lados del testículo o por encima del mismo.

Síntomas

Con la mayor frecuencia no dan síntoma alguno. Otras veces dan una sensación de tironeo o dolor después de las excitaciones sexuales o de esfuerzos físicos.

Tratamiento

No merecen ninguno si no son acentuadas o si no producen molestias. En caso contrario, basta en general con llevar un suspensor. Hay casos en que el médico aconseja una operación.

HIDROCELE

Es la acumulación de líquido en la cavidad vaginal que rodea al testículo. El espacio vaginal está revestido por una serosa, que como toda serosa presenta dos hojas, una parietal que reviste el interior de la mitad correspondiente de las bolsas, y otra visceral que reviste el testículo y el epidídimo.

Causas

Sus causas son muy diversas, pudiendo deberse a enfermedades del

Fig. 633. ESQUEMA DE DIVERSOS TIPOS DE HIDROCELE. a) Hidrocele congénito (presente en el momento del nacimiento o poco después). Se debe a la persistencia del canal que comunica el peritoneo con la túnica vaginal testicular, penetrando el líquido peritoneal en esta última. b) Hidrocele común del adulto, que ocupa y distiende la túnica vaginal. c) Hidrocele que toma la túnica vaginal del testículo y la parte persistente del canal peritoneovaginal. d) Quiste del cordón. E) Epidídimo. T) Testículo.

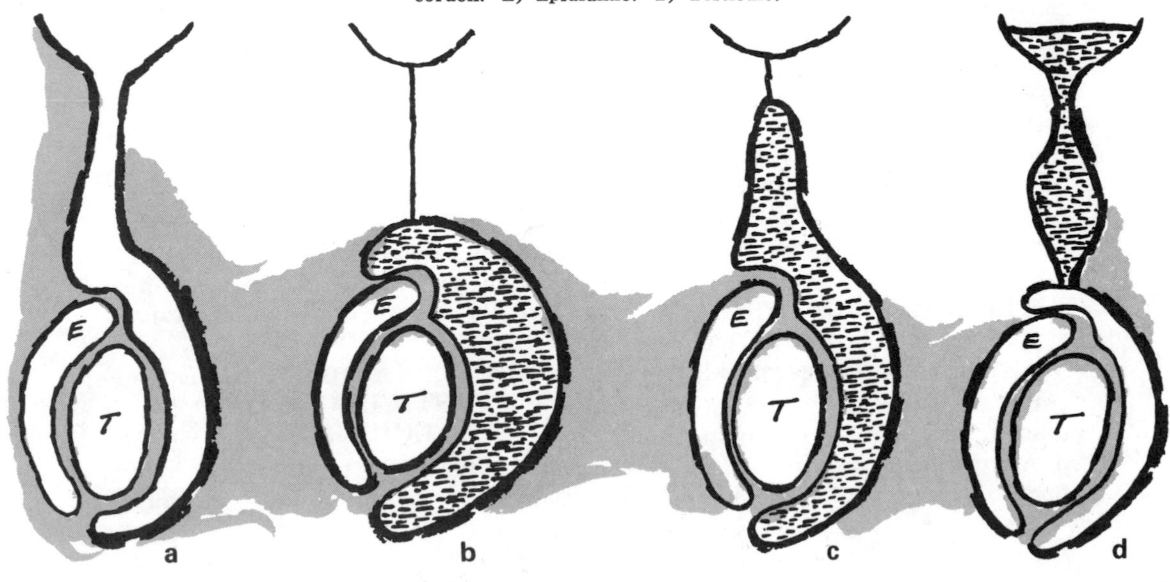

testículo o del epidídimo. Hay casos que han seguido a un traumatismo.

Puede existir en el niño al nacimiento, siendo habitual que en ese caso persista sin cerrar el llamado canal peritoneovaginal, a través del cual pasó el testículo en su descenso desde el abdomen a las bolsas. Puede aparecer más tarde, siendo a veces manifestación de alguna afección heredada.

A veces se acompaña de quistes del cordón espermático o de hernia. Los quistes del cordón espermático son restos no atrofiados del canal peritoneovaginal antes mencionado.

Síntomas

El síntoma más llamativo es la tumefacción de uno de los lados de las bolsas, sin cambio de su color, ni dolor. Si se coloca de uno de los lados de esa masa una linterna eléctrica que se apoye contra la piel, se nota del otro lado que la luz se transmite.

Tratamiento

El diagnóstico de esta afección y de su causa (que con frecuencia no puede determinarse), será hecho por el médico. El mejor tratamiento es por lo general una operación. En los casos en que por alguna razón no se pueda operar, el médico extraerá el líquido por una punción, que se repite cuando vuelva a estar muy tensa la cavidad vaginal. En el niño pequeño generalmente cura solo, aunque es conveniente tratar de determinar su causa. Hay médicos que tratan con éxito el hidrocele del adulto con inyecciones esclerosantes.

ECTOPIA TESTICULAR Y CRIPTORQUIDIA (testículo no descendido)

Los testículos se forman en el abdomen, descendiendo a las bolsas, donde normalmente se los halla al nacimiento. Ese descenso se hace por el llamado canal peritoneovaginal, cuya falta de cierre puede originar hernias.

Cuando uno de los testículos no ha descendido, hallándose escondido en la pared anterior del abdomen en el llamado canal inguinal (lugar donde se presenta la mayor parte de las hernias de la ingle) o se halla aún en el abdomen, se dice que hay *criptorquidia.* Cuando el testículo atravesó ya la pared abdominal y se halla debajo de la piel, pero por alguna razón, habitualmente un obstáculo opuesto a su descenso, no ha bajado a las bolsas, sino que está debajo de la piel del abdomen u otra región, se dice que hay *ectopía del testículo.*

Se observan niños cuyos testículos, principalmente el derecho (que es el más frecuentemente afectado de ectopía o de criptorquidia), tienen tendencia a subir o a esconderse, por acción del frío, etc., pudiendo creerse en una anomalía que no existe.

Tratamiento

Con cierta frecuencia el testículo baja solo con el desarrollo. Si entre los 5 y 7 años el testículo no está en su lugar, está indicado un tratamiento activo, ya sea por inyecciones de hormonas (gonadotrofina coriónica o hipofisiaria), o por una intervención quirúrgica. Sostienen algunos que los casos que descienden con inyecciones, lo habrían hecho solos con la pubertad, pero de todas maneras, el tratamiento acelera el proceso, pues se nutre mejor el testículo y se facilita la operación si ésta es necesaria. Solamente en caso de hernia o alguna otra afección que obligue a operar, está indicada la operación a edad temprana.

INFLAMACIONES DEL TESTICULO Y DEL EPIDIDIMO

Difícilmente se produce una inflamación del epidídimo sin que reper-

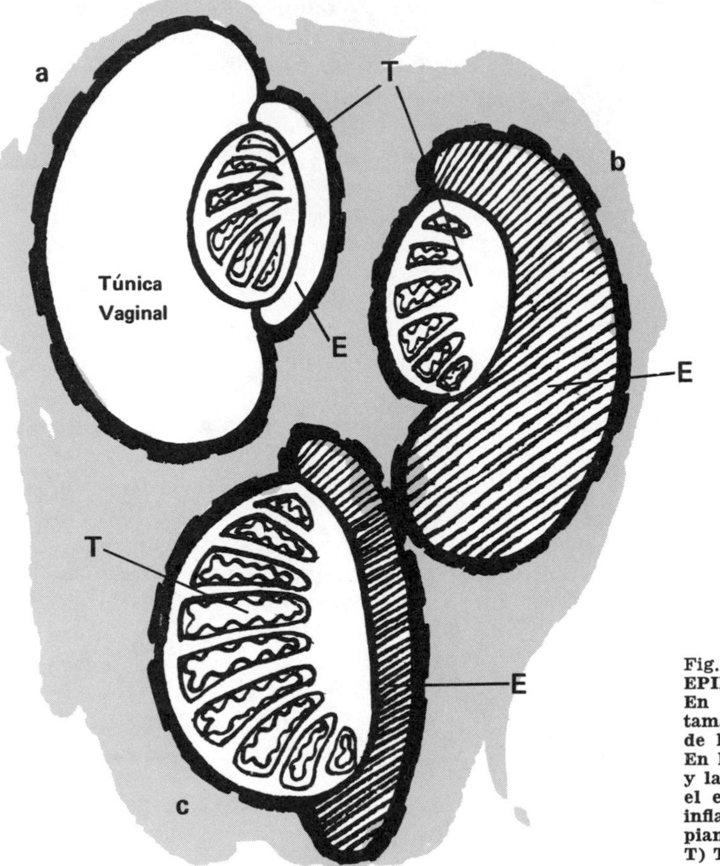

Fig. 634. a) **HIDROCELE.** b) **EPIDIDIMITIS.** c) **ORQUITIS.** En el hidrocele el aumento de tamaño se debe a acumulación de líquido en la túnica vaginal. En la epididimitis la inflamación y la tumefacción predominan en el epidídimo. En la orquitis, la inflamación es del testículo propiamente dicho. E) Epidídimo. T) Testículo.

cuta sobre el testículo y viceversa. Sin embargo, según que la infección sea principalmente del testículo o del epidídimo, se les da respectivamente el nombre de *orquitis* y de *epididimitis*. Aunque se la llama vulgarmente orquitis, la causada por blenorragia es una epididimitis. Cuando ambos están francamente inflamados se dice que hay *orquiepididimitis*.

EPIDIDIMITIS

La inflamación del epidídimo es generalmente consecuencia de una infección de la parte posterior de la uretra, con frecuencia por blenorragia; pero también aparece en estrecheces de la uretra, infecciones de la próstata o de la vejiga u otras partes del aparato urinario. La infección llega al epidídimo por el deferente. Se puede producir después de operaciones sobre la próstata.

Describiremos como tipo de epididimitis aguda la producida por la blenorragia. Aparece habitualmente en los que, teniendo una blenorragia, no se han puesto en tratamiento médico o no han cumplido con las indicaciones que se les han hecho. Por lo general se presenta en el curso de la tercera o de la cuarta semana de la enfermedad, manifestándose por síntomas cuya intensidad varía de un caso a otro. El primer síntoma suele ser una sensación de dolor en el cordón por el que pasa por la ingle el canal deferente, o en la parte baja del abdomen. Luego aparecen los síntomas más característicos: dolor y tumefacción o hinchazón del epidídimo, que aumentan gradualmente, alcanzando su máximo algunos días después de iniciada la enfermedad. El dolor puede irradiar a la cintura o a los miembros inferiores, aumentando con la menor presión o movimiento. La piel está enrojecida, caliente y también hinchada. Es frecuente que haya fiebre y signos generales de infección: inapetencia, decaimiento, lengua sucia, dolor de cabeza, etc. Es frecuente que disminuya la secreción de pus por la uretra cuando aparece esta complicación. El examen le revela al médico que hay un enorme aumento de tamaño del epidídimo, permaneciendo en cambio en general el testículo de tamaño normal. Puede haber líquido en la cavidad vaginal (hidrocele agudo). Después de una semana, aproximadamente, los síntomas comienzan a disminuir, tardando más o menos un mes en desaparecer la tumefacción. Puede dejar como consecuencia un endurecimiento de la cola del epidídimo, y a veces queda el epidídimo cerrado al paso de los espermatozoides. Si ataca ambos lados, podría producir esterilidad, pero no impotencia, pues no afecta el testículo.

Tratamiento

a) Generalmente el médico prescribe un antibiótico que ataque el germen causal. En el caso de la epididimitis blenorrágica se obtienen muy buenos resultados con la penicilina en inyecciones, o con otro antibiótico por boca.

b) Reposo en cama hasta que cedan los síntomas.

c) Se mantendrán las bolsas levantadas con algodón o algún otro medio semejante entre los muslos. Muy práctico resulta colocar un cartón con una escotadura en forma de media luna en la parte media de uno de sus lados, que se coloca sobre la parte superior de los muslos, con su parte escotada hacia los testículos, los que se apoyan sobre un algodón que se coloca sobre dicho cartón.

d) La alimentación será semejante a la indicada durante la blenorragia (véase en el capítulo siguiente, la página 1570).

e) Se aplicará frío sobre el epidídimo inflamado, en forma de bolsa de hielo, tomando las precauciones habituales (véase el capítulo 66); si no hay hielo, por medio de compresas frías que se renuevan tantas veces como sea necesario para mantener al paciente confortable.

f) Deben evitarse la excitación sexual y la constipación.

g) Los tratamientos de diatermia o las ondas cortas tienen un efecto favorable.

h) Al levantarse, el paciente usará un suspensor.

ORQUITIS

La vulgarmente llamada orquitis, complicación de la blenorragia, es en realidad una epididimitis. Ya se la describió anteriormente.

Orquitis es la inflamación del testículo. A veces es el resultado de un traumatismo. Más corriente es que alguna enfermedad general produzca la infección testicular, como en el caso de la parotiditis epidémica (paperas). La brucelosis o fiebre ondulante, la tifoidea, el paludismo y muchas otras enfermedades pueden producir una orquitis como complicación. En estos casos, el germen llega al testículo llevado por la sangre. Se describirán muy brevemente los síntomas de la más común de las orquitis, la de la parotiditis epidémica o paperas (véase esta afección en la página 959).

Aparece habitualmente de los 7 a los 10 días de la inflamación de las glándulas salivares. Se manifiesta por un aumento de la fiebre, si aún existía fiebre, o por su reaparición. El testículo aumenta marcadamente de tamaño y se hace muy doloroso. El epidídimo está habitualmente poco afectado. El tratamiento y la prevención de esta complicación de la papera los hallará el lector en la página 961. El tratamiento general ha sido indicado al hablar de la epididimitis. En la orquitis producida por otras enfermedades, habrá que hacer el tratamiento propio de la enfermedad causal.

CANCER DEL TESTICULO

Se manifiesta habitualmente al principio por un aumento de tamaño y de consistencia del testículo, sin mayor dolor o molestia, y que deja libre el epidídimo. La sífilis y otras afecciones, como el hematocele crónico (presencia de sangre en la túnica vaginal del testículo), pueden simular un tumor del testículo. Debe consultarse en seguida al médico cuando haya síntomas semejantes a los descritos, para que éste pueda diagnosticar su causa y hacer el tratamiento más adecuado.

LA TUBERCULOSIS DEL APARATO GENITAL MASCULINO

Aparece principalmente en los adultos. Puede llegar el germen por la sangre, proveniente de otra lesión tuberculosa que haya en el cuerpo, ora esté localizada en el pulmón o fuera de él. Otras veces la tuberculosis genital proviene del aparato urinario. En el aparato genital masculino ataca principalmente el epidídimo, el conducto deferente y las vesículas seminales. El testículo es atacado más tardíamente. La característica más frecuentemente observada consiste en unos abultamientos o nódulos duros en el canal deferente y en el epidídimo. En éste comienza por lo general por la cabeza de dicho órgano. Cuando comienza por la cola, proviene de las vesículas seminales a través del deferente. Pueden abrirse a través de las bolsas los abscesos que se forman por el reblandecimiento de los focos tuberculosos. Las vesículas seminales y a veces la próstata se sienten también induradas o endurecidas. El tratamiento es en general el de la tuberculosis. A veces es necesario operar.

LA IMPOTENCIA

La impotencia genital es la imposibilidad masculina para efectuar el coito. No debe confundirse con la *esterilidad,* que es la incapacidad de fecundar, y que con mucha frecuencia se acompaña de una potencia normal, ni con la *frigidez,* que es la falta de deseo sexual, más común en la mujer que en el hombre (se ha aplicado también la palabra frigidez a la falta de orgasmo en la mujer).

Causas

Hay diversos defectos presentes al nacimiento, o producidos posteriormente por un accidente o enfermedad, que pueden impedir el coito por razones, por así decir, mecánicas. Nos referiremos aquí más bien a los casos en los cuales el coito es imposible por falta de erección o por erección insuficiente, en una persona que previamente era potente. Pasaremos revista a sus causas más frecuentes.

a) *Impotencia fisiológica.* Es aquella que se debe al proceso normal de envejecimiento del organismo. Llega a una edad que varía mucho de una persona a otra, aunque se podría considerar normal que se inicie a los 60 años hay personas que ya comienzan a sentir sus efectos a los 50 años y otros que a los 70 años tienen aún potencia. A veces la impotencia genital es temporaria, por preocupaciones, cansancio, disgusto con la esposa. Está dentro de lo normal que haya períodos de menor deseo sexual.

b) *Impotencia por enfermedades debilitantes.* La diabetes, las enfermedades causadas por falta de vitaminas o de otros elementos esenciales de la alimentación, ciertas enfermedades graves de la sangre y, en fin, cualquier enfermedad que debilite el organismo, puede traer temporariamente una impotencia genital.

c) *Las enfermedades del sistema nervioso central,* principalmente las de la médula espinal, como el tabes dorsal, la sífilis medular y las mielitis o inflamaciones de la médula, de cualquier origen, así como la parálisis general, presentan casi siempre este síntoma. En el caso del tabes y de la parálisis general progresiva es frecuente que la impotencia sea precedida por una época de excitación y excesos sexuales.

d) También pueden provocar impotencia diversas *intoxicaciones crónicas:* alcoholismo, tabaquismo, morfinomanía, los bromuros, las bebidas que contengan cafeína (té, café, mate) y el plomo.

e) Hay ciertas *insuficiencias de glándulas de secreción interna,* principalmente de la hipófisis y del testículo, que pueden tener una marcada repercusión sobre la potencia genital. También han sido causa de estos trastornos ciertas inflamaciones o infecciones crónicas de la próstata y la parte superior de la uretra o las vesículas seminales.

f) *Las neurosis* (neurastenia, psicastenia, etc.) se acompañan generalmente de impotencia genital.

g) Dejamos para el final una de las causas más importantes: los *abusos sexuales,* sea de masturbación o de relaciones sexuales, el coito interrumpido y ciertas desviaciones sexuales.

h) Con frecuencia *la impotencia es de causa psíquica,* cuando sin haber una verdadera neurosis, después de un fracaso debido a cualquier causa ocasional, la persona se sugestiona, creyéndose impotente. La demostración de que no hay razón física para la impotencia es que en tales personas se pueden producir durante el sueño erecciones perfectas.

Tratamiento

Hay que someterse a un examen médico completo para poder determinar la causa y tratarla. Ayudan además a combatir la impotencia una vida saludable con alimentación correcta, ejercicio al aire libre y reposo suficiente. Es también útil una actitud mental correcta frente a la vida. Cuando la impotencia se ha debido a excesos, puede ser útil una temporada de descanso sexual, tanto físico como mental. Evitar las relaciones en días y horas prefijados que, al poner en compromiso al que tiene tendencia a la impotencia, pueden inhibirlo.

Cuando la causa es hormonal (falta de alguna secreción interna), deben ser administrados los extractos correspondientes. Si hay una lesión urinaria (prostatitis, uretritis, vesiculitis), ésta será diagnosticada y tratada por un especialista en vías urinarias. Si se debe a una intoxicación (tabaco, alcohol, estupefacientes, etc.), o a una enfermedad debilitante, el mejor tratamiento consistirá en suprimir el tóxico o tratar dicha enfermedad. Si la causa es una neurosis, o es psíquica, puede ser necesario que un médico especializado en esas afecciones indique un tratamiento adecuado.

PERDIDAS O EMISIONES SEMINALES

Es normal que una persona que no tiene relaciones sexuales pierda semen de noche de vez en cuando, en períodos que varían de una persona a otra entre un mes y ocho días. No tienen, pues, importancia y no producen debilitamiento alguno, salvo cuando el joven que las tiene se preocupa indebidamente por ello. Hay sin embargo casos en los que las emisiones seminales son más frecuentes que lo debido y, para esos casos, se indica el tratamiento que se menciona más adelante. Cabe señalar que en ciertas personas se pueden producir, por algunas enfermedades o por el agotamiento que han provocado los abusos sexuales, pérdidas seminales con o sin erección, estando despiertos. Estos pacientes deben consultar al médico para que éste trate de determinar la causa e indique el tratamiento más adecuado.

Tratamiento

a) Es conveniente que la cama sea un poco dura y sin exceso de ropa de cama y que la habitación no esté caldeada, salvo que haga frío excesivo. Para evitar dormirse sobre la espalda, que es una causa de erección y pérdida seminal involuntaria, se puede atar una toalla larga alrededor de la cintura con el nudo atrás, lo que obligará a dormir de lado.

b) Es bueno hacer trabajo físico suficiente, pero no al punto de acostarse completamente agotado.

c) La alimentación será saludable, evitándose condimentos y alimentos pesados. Es conveniente el uso de frutas cítricas: naranjas, pomelos, jugo de limón. La cena debe ser liviana.

d) Tiene una importancia muy grande evitar las excitaciones sexuales, las lecturas excitantes o pornográficas y los pensamientos y ensueños de esa naturaleza. (Véase el capítulo 157.)

e) Evitar la constipación. Puede ser necesario levantarse de noche para orinar, pues la vejiga llena puede predisponer a la emisión seminal.

f) Un baño de asiento con agua a 30° C (86° F), que se rebajará gradualmente en los 15 minutos de su duración hasta 27° C (80,6° F), acompañado de fricción y de baño de pies caliente, descongestiona la pelvis y puede ayudar si la congestión de la pelvis es en determinado caso una de las causas de pérdidas seminales.

CAPITULO 156

Las Enfermedades Venéreas, Terrible Azote de la Sociedad

LA BLENORRAGIA (gonorrea, "purgaciones")

LA BLENORRAGIA común masculina es una inflamación aguda de la uretra causada por el gonococo de Neisser *(Neisseria gonorrheae)*. El contagio en el hombre se produce prácticamente siempre por relaciones sexuales con una mujer infectada. El gonococo muere fácilmente cuando se expone a la desecación, al sol, al calor o al frío excesivos.

Se estudiará aquí la blenorragia en el hombre. La de la mujer ha sido estudiada en la página 280. Al describir en el capítulo 125 la anatomía de la uretra, se mencionó que desde el punto de vista de sus enfermedades, la uretra podía dividirse en dos partes separadas por un músculo circular o esfínter: una parte anterior o uretra anterior, y una uretra posterior, lo que es útil recordar al estudiar esta enfermedad.

Síntomas

El período de incubación, vale decir, desde el contacto infectante hasta la aparición de los primeros síntomas, es de 3 a 6 días. (En los que ya han tenido blenorragia, el período de incubación puede tardar hasta 15 días.) El primer síntoma es habitualmente una sensación de picazón en la parte anterior de la uretra y un leve calor o ardor al orinar, que aumenta gradualmente. Si se pasa algunas horas sin orinar, se puede exprimir de la uretra hacia su orificio externo o meato una gota blanquecina y mucosa. Aparecen luego enrojecimiento y edema o hinchazón del meato urinario, aumentando la secreción, que pega ese orificio. El orinar se hace doloroso.

En un período que varía de 2 a 6 días después de iniciada la enfermedad, la blenorragia presenta todos sus síntomas más característicos: hay secreción abundante de pus amarillo o amarillo verdoso espeso, que produce en la ropa manchas verdosas en el centro y amarillas en su parte externa. El meato uretral está muy enrojecido e hinchado y, en casos muy intensos, todo el pene puede estar algo hinchado. Al orinar, el paciente siente dolor y ardor y le cuesta a veces hacerlo. Si se ha infectado la parte posterior de la uretra, el paciente se ve obligado a orinar a cada instante, siendo aún más agudo el dolor. De noche son frecuentes las erecciones, que son muy dolorosas por haber perdido la uretra inflamada parte de su elasticidad, lo que en ciertos casos la pone tirante, pudiendo arquearse el pene. Ha habido casos en los que el paciente ha cometido el grave error de "romper la cuerda", es decir la uretra inflamada, para evitar los dolores en la erección. Esto trae como consecuencia, años más tarde, una estrechez de la uretra. Cuando la blenorragia es intensa, puede haber fiebre ligera, inapetencia, dolor de cabeza y otros síntomas generales de infección.

Después de un período que puede variar de dos a seis semanas, los síntomas disminuyen marcadamente, haciéndose la secreción más clara y escasa, y disminuyendo el ardor al orinar y la inflamación uretral. Por último queda solamente una gota que aparece en el meato cada mañana. La duración habitual, sin los tratamientos actuales, es de 6 a 10 semanas.

Complicaciones

Pueden éstas producirse en el aparato genital o urinario o bien en otras partes del cuerpo.

a) *Complicaciones genitourinarias.* Puede producirse retención de orina, vale decir imposibilidad de orinar, ya sea por infección aguda de la próstata (prostatitis aguda), o por espasmo (contracción) del músculo que divide la uretra en dos partes. Las diversas glándulas que vuelcan sus secreciones en la uretra pueden infectarse (glándulas de Cowper, próstata, glándula de Littré, etc.). La vejiga puede también infectarse. Las vesículas seminales, el deferente y el epidídimo son otras localizaciones posibles. La última, llamada incorrectamente orquitis, fue descrita en la página 1564. El prepucio puede inflamarse marcadamente.

b) *Complicaciones fuera del aparato genital.* Por falta de cuidado, el paciente puede hacer llegar su pus a los ojos, causando la grave conjuntivitis blenorrágica (véase la página 1700), o al recto, causando una rectitis gonocócica.

En otros casos, el gonococo es llevado por la sangre a las articulaciones, produciendo artritis gonocócica; a las sinoviales de los tendones, determinando sinovitis; al endocardio o membrana que reviste el interior del corazón, dando endocarditis; a las meninges, produciendo meningitis, y prácticamente a cualquier otro tejido del organismo.

Formas crónicas de la blenorragia

Con cierta frecuencia la blenorragia se hace crónica, manifestándose por una gota matinal, que sale espontáneamente o exprimiendo la uretra, o produciendo filamentos en la orina. Otras veces hay molestias urinarias. Cuando el paciente toma bebidas alcohólicas, o ingiere alimentos condimentados, o abusa en las relaciones sexuales, la secreción de la uretra aumenta. Las causas que provocan este pasaje de la blenorragia a la cronicidad son variadas, pero con mucha frecuencia se deben a que el paciente no ha seguido estrictamente las indicaciones que le hizo el médico, o a ciertos defectos en la uretra donde se forman nidos de gonococos, o al haber quedado los gérmenes acantonados en alguna de las numerosas glándulas grandes o pequeñas que desembocan en la uretra. Si la localización de este resto de infección es la próstata, puede el paciente sentir los síntomas que se describieron en la prostatitis crónica.

Importancia social de la blenorragia

Esta enfermedad, a la cual hay tendencia a considerar como de poca importancia, puede traer graves consecuencias a la sociedad. Por ejemplo, un elevado porcentaje de los así llamados ciegos de nacimiento, lo son por haberse infectado sus ojos con el gonococo. Muchos casos de esterilidad matrimonial y de inflamaciones e infecciones de los órganos genitales femeninos, que pueden requerir operaciones o causar malestares o invalidez, son causados por el contagio que trajo un esposo no completamente curado de su blenorragia, o que la ha adquirido por relaciones extramaritales. En el hombre, además de las complicaciones ya mencionadas en el aparato urinariogenital y en el resto del organismo, cabe señalar las estrecheces de la uretra, que aparecen años después que la blenorragia está aparentemente curada.

Tratamiento de la blenorragia aguda

A la menor sospecha de blenorragia debe acudirse al médico para que se aclare el diagnóstico y se comience el tratamiento lo antes posible. El examen microscópico de la secreción permite asegurar el diagnóstico.

Muy eficaz es el tratamiento de la blenorragia con los antibióticos, principalmente con la penicilina, cuya dosis indicará el médico en cada caso. Las dosis insuficientes pueden dar una apariencia de curación. A veces el médico indica algún otro antibiótico. Van a continuación algunos consejos que ayudarán para lograr un restablecimiento más completo del paciente y para evitar nuevas complicaciones:

a) Mantenga el mayor reposo posible mientras no esté curado. Los ejercicios violentos y el baile pueden causar complicaciones.

b) Evite las bebidas alcohólicas, el café y el té, los alimentos condimentados, irritantes, las salsas, etc. La alimentación mejor en estos casos es a base de un menú saludable y de fácil digestión: leche, cereales (preferiblemente integrales), verduras crudas y cocidas y frutas. Hay que tomar suficientes líquidos para evitar una orina concentrada, que irrite aún más la uretra, provocando dolor.

c) Evite las excitaciones sexuales durante su enfermedad, y más aún el coito, que al mismo tiempo que puede producir un contagio, puede dañarlo a Ud. mismo. No hay que contraer matrimonio hasta que el médico haya dado de alta, sano, al blenorrágico.

d) Tenga especial cuidado con el pus que produce la blenorragia. Hay que mantener el pene limpio por medio de lavados con agua tibia. No hay que poner nada que impida la salida del pus, pero una gasa de buena calidad sostenida con un suspensor, absorbe el pus e impide que se manchen las ropas. Hay que lavarse muy cuidadosamente las manos con agua tibia y jabón para evitar que en un descuido puedan causar una grave infección. No manche con pus toallas u otras cosas que otros podrían usar. La ropa contaminada puede desinfectarse poniéndola en agua muy caliente.

e) Para evitar las erecciones nocturnas puede ayudar el dormir de lado (véase emisiones de semen en el capítulo anterior), orinar antes de acostarse y evitar excitaciones sexuales. Si la erección es dolorosa aplíquense al pene compresas frías.

Blenorragia crónica

Hay que hacerse examinar por un médico especializado en vías urinarias, quien por medio de un examen completo determinará las causas que han impedido la curación de la blenorragia y las tratará, además de administrar antibióticos. Hay casos que el paciente interpreta como blenorragia crónica sin que ésta exista. El paciente se obsesiona y mantiene su gota, por la irritación que causa a la uretra el exprimirla con frecuencia buscando secreción. El especialista determinará si hay blenorragia crónica o no.

CHANCRO BLANDO (chancroide)

El chancro blando es una ulceración producida por el bacilo de Ducrey (*Haemophilus ducreyii*), que se adquiere casi siempre durante las relaciones sexuales. Es menos frecuente que el chancro sifilítico.

Aparece de 3 a 6 días después del contacto infectante, y es con frecuencia múltiple. Aunque asienta en los órganos genitales, puede tener otras localizaciones y aun es posible que si el pus del chancro blando genital contamina otra parte del cuerpo, aparezcan otros chancros. El chancro se caracteriza por una ulceración bastante profunda, con bordes cortados a pico y sueltos, con su fondo de un color amarillo sucio, y su borde rodeado de una zona rojiza. Supura y duele.

Tarda unas 6 a 8 semanas en curar. En la segunda o tercera semana, los ganglios de la ingle del lado afectado (si el chancro es genital), aumentan de tamaño y se hacen dolorosos, uniéndose entre sí por inflamación del tejido que los rodea. Es frecuente que supuren. Hay que hacerse examinar por el médico para que éste asegure el diagnóstico e indique el tratamiento. Como a veces el contagio ha sido a la vez de sífilis y de chancro blando, es necesaria la vigilancia médica.

Tratamiento

El médico indica habitualmente sulfisoxazol (gantrisin) ASOCIADO CON tetraciclina. Otras veces elige otros medicamentos. Es beneficioso el reposo en cama. Cuando los ganglios contienen ya pus, el médico suele puncionarlos en una forma tal que no se forme fístula. Localmente, se hacen lavados con agua y jabón, y luego se coloca polvo de sulfatiazol o pomada de la misma sustancia o pomada de estreptomicina o de bacitracina. Los cuidados generales son semejantes a los de la blenorragia.

SIFILIS

Definición

La sífilis es una enfermedad específica debida a la penetración en los tejidos del *Treponema pallidum* o *Spirocheta pallida (Treponema de Schaudinn)*, ya por inoculación a través de la piel o las mucosas (sífilis adquirida), ya por transmisión antes del nacimiento (sífilis congénita).

Causas

AGENTE CAUSAL.—Fue descubierto por Schaudinn en 1905. No es una bacteria (reino vegetal), sino una espiroqueta (reino animal). Es un organismo muy delicado, en forma de espiral, y cuya longitud suele ser igual al diámetro de un glóbulo rojo. Tiene un flagelo en cada extremidad y es móvil. Es poco resistente a los agentes

Fig. 635. ESPIROQUETA PALIDA O TREPONEMA DE SCHAUDINN, agente causal de la sífilis, observado con un aumento muy grande por medio de un microscopio electrónico.

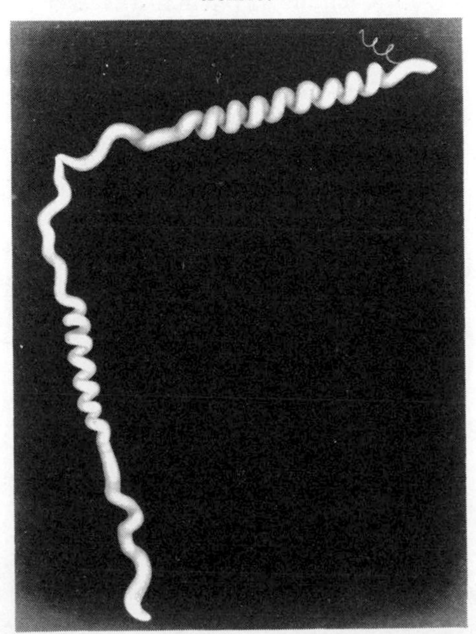

externos, siendo destruido fácilmente por la luz, la desecación y los antisépticos débiles. (El jabón lo mata en 5 minutos.) Se lo ha encontrado en todas las lesiones sifilíticas, pero aunque pulula en las lesiones primarias y en algunas de las secundarias, son pocos los que se encuentran en las lesiones terciarias.

MODO DE INFECCION.—La inoculación de la sífilis adquirida se produce casi siempre por relaciones sexuales. Hay casos relativamente poco frecuentes en que el contagio ha sido accidental; ya por causa médica (examen de un sifilítico e inoculación de un paciente no sifilítico por un instrumento contaminado con treponemas, etc.) ; ya por vasos, mate en común, navajas de afeitar; ya por el beso, etc. Es necesario que haya una erosión, por ligera que sea, en la piel o las mucosas, para que penetre la espiroqueta. Las lesiones más contagiosas son el chancro y las placas mucosas.

Es raro que un sifilítico contagie después de 5 años de adquirida la enfermedad.

Manera de desarrollarse

SIFILIS ADQUIRIDA.—Se desarrolla en el punto de inoculación una lesión primaria o chancro. Luego la infección se generaliza y, al cabo de algunas semanas, pueden aparecer lesiones en la piel, las mucosas y muchos otros órganos. Después de 3 años, en cualquier parte del cuerpo pueden aparecer lesiones llamadas terciarias. Después de muchos años pueden desarrollarse lesiones degenerativas del sistema nervioso que algunos llaman cuaternarias (parálisis general, tabes dorsal). Precozmente pueden hallarse modificaciones en el suero sanguíneo que hacen posibles las reacciones específicas de la sífilis (Wassermann, Kahn, VDRL, etc.).

SIFILIS CONGENITA.— (Véase sífilis congénita en la página 430.) La enfermedad es generalizada desde el principio. La madre puede no presentar lesiones, pero no por ello está menos infectada. Debido a ello es que la madre puede amamantar al niño con lesiones contagiosas sin peligro (ley de Colles). Viceversa, si la madre presenta lesiones y el niño no, podrá amamantarlo, pues ya tiene la infección este último, aunque no se manifieste (ley de Profeta).

Síntomas

Se ha dividido la evolución de la sífilis en 3 períodos: primario, secundario y terciario. Ciertas lesiones tardías del sistema nervioso central se han designado bajo el nombre de período cuaternario o para sífilis.

PERIODO PRIMARIO.—Se observan las siguientes características:

a) *Período de incubación* (desde el contacto infectante hasta aparecer el chancro). Varía entre 15 y 30 días. Lo común es 21 días. Hay casos raros en que el chancro aparece antes de los 10 días o recién a los 40 del contacto infectante.

b) *Chancro sifilítico.*

1) *Localización.* El chancro puede ser genital, que es lo más frecuente, o extragenital. En el hombre asienta con mayor frecuencia a los lados del frenillo, en la corona del glande y en el prepucio. Más raramente se encuentra en el meato, en la piel del pene o del escroto.

En la mujer suele asentar principalmente en los labios menores y en el cuello uterino. Con menor frecuencia se lo halla en los labios mayores, en el ano y muy rara vez en la vagina misma.

Los chancros extragenitales pueden encontrarse en cualquier parte del cuerpo, pero los lugares donde se los encuentra con mayor frecuencia son: los labios (mayormente el labio inferior), la punta de la lengua, la mucosa bucal, las amígdalas y la faringe, la cara, los dedos, la conjuntiva ocular y los senos (el pezón).

2) *Caracteres principales del chancro típico.* Es una exulceración (ulceración muy superficial), generalmente única, redondeada y de bordes regulares de unos 2 a 5 mm de diámetro, de superficie lisa y de color rojo carne, que asienta sobre una *base indurada* (dura). Es indoloro y cura espontáneamente en poco tiempo, dejando poca o ninguna cicatriz.

Hay muchas variaciones de tamaño y de induración. Los ganglios tributarios de la zona donde asienta el chancro duro o sifilítico, generalmente en la ingle, están aumentados de tamaño, especialmente uno de ellos. Dichos ganglios son poco dolorosos, móviles y no supuran. El diagnóstico positivo de chancro sifilítico lo establecerá el médico por los caracteres ya mencionados, y lo confirmará con el examen del exudado o secreción que se puede obtener del mismo al ultramicroscopio, y con el análisis de sangre que puede ser precozmente positivo, demostrando que la generalización del treponema no espera el período secundario.

Vale decir que no basta el examen simplemente por la vista del chancro, sino que es mucho mejor recurrir también al laboratorio para que no haya que tratar inútilmente por sífilis a uno que no la tenga, o que no pase por otra cosa un chancro sifilítico poco típico.

3) *¿De qué diferenciará habitualmente el médico el chancro duro?* Establecerá principalmente las diferencias con el chancro blando producido por el bacilo de Ducrey. Los caracteres de este último que mencionamos a continuación permiten casi siempre diferenciarlos. El chancro blando o no sifilítico, es generalmente múltiple, y aparece de 3 a 6 días después del contacto infectante. Es una ulceración profunda, que se extiende rápidamente, con bordes sueltos y cortados a pico. Hay dolor y supuración y falta de induración de la base. Los ganglios correspondientes están muy inflamados, están unidos entre sí por inflamación y supuran. No tiene tendencia a curar espontáneamente, y suele dejar cicatriz. A veces coexisten o se siguen el chancro blando y el chancro duro. También habrá que establecer en algunos casos el diagnóstico diferencial del chancro duro, con ulceración traumática, linfogranuloma venéreo, y herpes genital.

PERIODO SECUNDARIO.—Comienza más o menos unos 45 días después de la aparición del chancro. Su duración es aproximadamente de 3 años. Puede hacerse más largo en las sífilis mal tratadas o no tratadas. Este período se caracteriza por:

a) *Lesiones cutáneas y mucosas:* se caracterizan por ser: superficiales, diseminadas, múltiples y transitorias.

b) Hay *aumento de tamaño de los ganglios* en muy diversas partes del cuerpo: la nuca y sobre todo por dentro y encima del codo; además hay aumento leve del tamaño del bazo.

c) *Posibles localizaciones viscerales también transitorias:* iritis (inflamación del iris), mielitis (inflamación de la médula espinal), ictericia (piel amarilla por bilis), nefritis, meningitis. Esta última es casi constante y se manifiesta por dolor de cabeza.

Las principales manifestaciones son las siguientes.

a) *Manifestaciones cutáneas.*

1) *Roseola.* Es la primera manifestación del período secundario. Son manchas redondeadas, de color de flor de durazno, indoloras, no pruriginosas y del tamaño de una lenteja o aun mayores.

Comienza la roseola en los lados

del tronco y se extiende luego al pecho, al abdomen, los miembros y a veces aun a la cara (la frente sobre todo).

Las manchas son difíciles de distinguir al principio, haciéndose poco a poco más marcadas hasta que, al cabo de una semana, son fácilmente visibles. Ceden rápidamente al tratamiento. En los casos no tratados persisten de 3 a 6 semanas y, a veces, se transforman en lesiones papulosas o pustulosas (vale decir salientes sin pus o con pus).

2) *Sifílides papulosas.* Hay unas 10 variedades. Aparecen levantadas sobre el nivel de la piel, y tienen un color cobrizo particular. En sus márgenes suele haber escamas brillantes, y son seguidas de descamación. Duran de uno a tres meses, salvo que sean tratadas. Una de las variedades, llamada *Sifílide psoriasiforme,* simula la psoriasis.

3) *Sifílides ulcerosas.* Pueden simular el acné, el herpes y la viruela. Toman el nombre de *rupia,* cuando sobre una ulceración se forma una gruesa costra.

b) *Angina.* Las amígdalas están aumentadas de tamaño y rojas. A veces hay pequeñas úlceras grisáceas. La inflamación se extiende a menudo también a la laringe, dando ronquera.

c) *Placas mucosas.* Son *pápulas erosivas* (con leve erosión) en la boca. Son placas redondeadas de 3 a 5 mm de diámetro y de color opalino. Son *papulohipertróficas* (vale decir muy elevadas), a nivel de los grandes y de los pequeños labios (de la vulva) y alrededor del ano. Tienen un diámetro de 1 a 2 cm. Son salientes y húmedas. Abundan los treponemas en dichas lesiones, que son los que causan el mayor número de contagios.

d) *Adenopatías.* Los ganglios de todo el cuerpo están aumentados de tamaño, pero esto se observa sobre todo a nivel de los ganglios epitrocleares (por encima del codo) y occipitales (en la nuca).

El bazo suele estar aumentado de tamaño.

e) *Pérdida del cabello.* El cabello pierde su brillo y cae un poco en cada zona. Las cejas, sobre todo en su parte externa, también caen.

f) *Anemia.* El número de glóbulos rojos puede bajar a 3 millones por mm^3, en lugar de 5 millones.

g) *Fiebre.* No es constante, pero sí frecuente. No suele pasar de 38° C (100,4° F). Otros síntomas que pueden encontrarse son:

h) *Dolores en los huesos.* Sobre todo en ambas tibias (hueso de la pierna) y principalmente de noche. Puede observarse *periostitis tibial,* o sea inflamación del periostio de la tibia.

En el segundo año del período secundario puede observarse *iritis.*

También hay enfermos que desarrollan *nefritis aguda* o *mielitis* (inflamación de la médula espinal). Las embarazadas suelen abortar.

PERIODO TERCIARIO.—Comienza generalmente al cuarto año de iniciada la enfermedad y se extiende indefinidamente. Se caracteriza por su tendencia a localizarse en determinados lugares, dando lesiones destructivas y mutilantes. El organismo suele reaccionar con esclerosis, o sea formación de tejido fibroso.

Cuando hay lesiones sifilíticas en cierto órgano, éstas pueden ser *difusas,* como por ejemplo en la cirrosis sifilítica del hígado, o *localizadas,* revistiendo la forma de *goma.*

Durante el primer año hay predilección por lesiones en la piel, pero desde ese tiempo, las lesiones esclerogomosas pueden atacar cualquier tejido: huesos, músculos, articulaciones; y cualquier órgano: hígado, riñones, pulmones, sistema nervioso y, sobre todo, el aparato circulatorio, sea el corazón, o las arterias, donde atacan mayormente el tejido elástico. Cuando ataca dichos órganos puede simular casi cualquier enfermedad orgánica conocida.

Caracteres del goma sifilítico. Puede aparecer en cualquier órgano o tejido. Se lo ve, sin embargo, con mayor frecuencia en la piel, las mucosas, el tejido celular subcutáneo y los músculos.

Es un tumor bien limitado, habitualmente esférico y cuyo tamaño varía, según el caso, desde el de una arveja hasta el de un huevo de gallina.

Es al principio duro, elástico e indoloro. En un corte se presenta como un tejido seco y semitransparente de color grisáceo o rosado.

Su evolución es hacia el reblandecimiento. El tumor se hace blanduzco, luego fluctuante (da sensación de líquido en su interior); más tarde la piel a su nivel enrojece, adelgaza, y por último se ulcera, dando salida a un líquido gomoso y amarillento y a veces a tejido más consistente.

En el período de ulceración se observa que esta última tiene los bordes cortados a pico, como con sacabocados y que asienta aun sobre una zona dura.

Si no se la trata, dura meses. Cuando se trata convenientemente, el período de reparación es más corto, y se forma una cicatriz, al principio roja, y más tarde blanca con una aureola pigmentada.

Tratamiento

A la menor sospecha de sífilis hay que ponerse en manos de un médico, si es posible de uno especializado en esta enfermedad, para que se establezca un diagnóstico de certeza y se comience el tratamiento que parezca más apropiado cuanto antes. Para ilustración del lector mencionaremos a continuación los principios generales del tratamiento que se sigue actualmente, y luego se mencionarán algunos principios de vida saludable que contribuirán a curar más pronto esta enfermedad, contra la cual hay actualmente medicamentos activísimos y bien tolerados que la curan completamente.

El tratamiento de la sífilis debe ser precoz e intenso. Se harán frecuentes análisis (reacciones de Wassermann, Kahn, VDRL, etc., en la sangre) y en ciertos períodos que el médico elige, también en el líquido cefalorraquídeo, y examen completo de este último. Mencionaremos sólo los medicamentos más usados, sin entrar en ningún detalle.

Penicilina en inyecciones, es muy activa y bien tolerada. Actualmente es el mejor medicamento y está demostrado que es suficiente para curar por sí sola la sífilis. En el tratamiento de la sífilis se utiliza mayormente la penicilina G benzatina (DBED), en dosis suficiente y en ciertos casos repetida. Algunos médicos prefieren otras formas de penicilina. El mercurio y los arsenicales están ya descartados. En ciertos países a veces el médico prescribe compuestos liposolubles de bismuto. Cuando el paciente es alérgico a la penicilina, puede utilizarse eritromicina u otro antibiótico que el médico indique.

Medidas higiénicas que pueden ayudar al tratamiento antes explicado, pero que no curan la sífilis.

Contribuirá a curar la sífilis y evitar nuevas manifestaciones, una vida higiénica. El sifilítico se abstendrá de alcohol, de tabaco y de condimentos. Debe observarse una alimentación equilibrada, como la que se aconseja en el capítulo 4, y se evitarán los condimentos, los alimentos pesados o irritantes, el té, el café y el mate. El agua se tomará en cantidad suficiente como para mantener el volumen de orina, que debe ser cada 24 horas al-

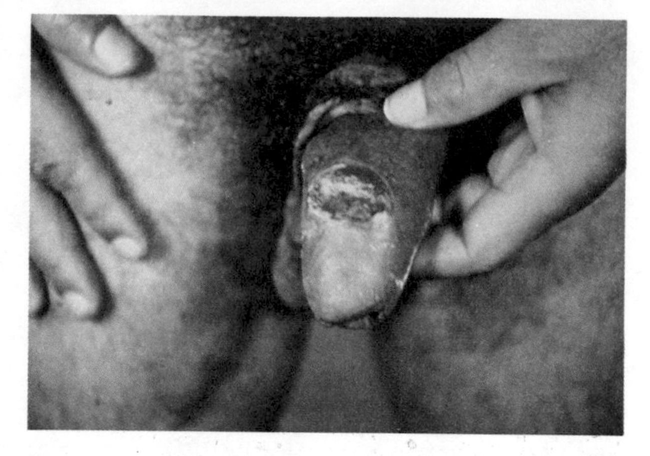

Fig. 636. **Chancro gigante del pene**

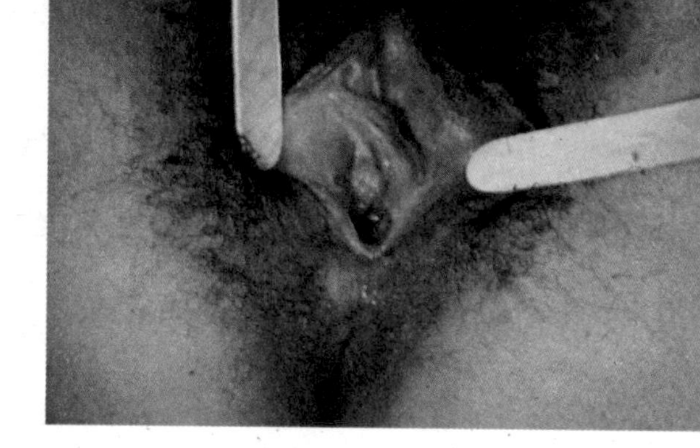

Fig. 637. **Chancro en el labio menor derecho, de tamaño habitual.**

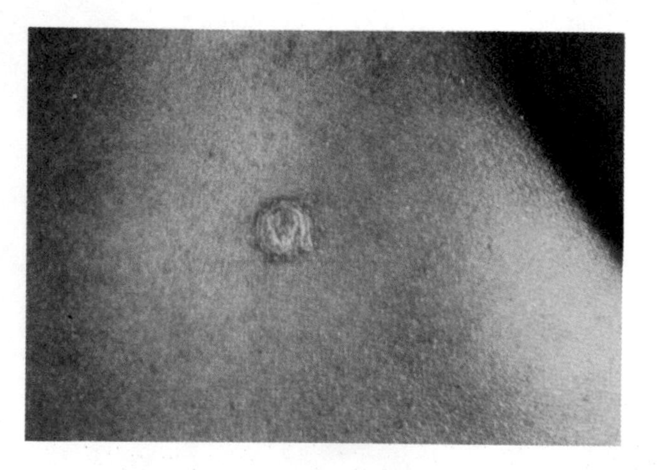

Fig. 638. **Sifílide papuloescamosa vista de cerca.**

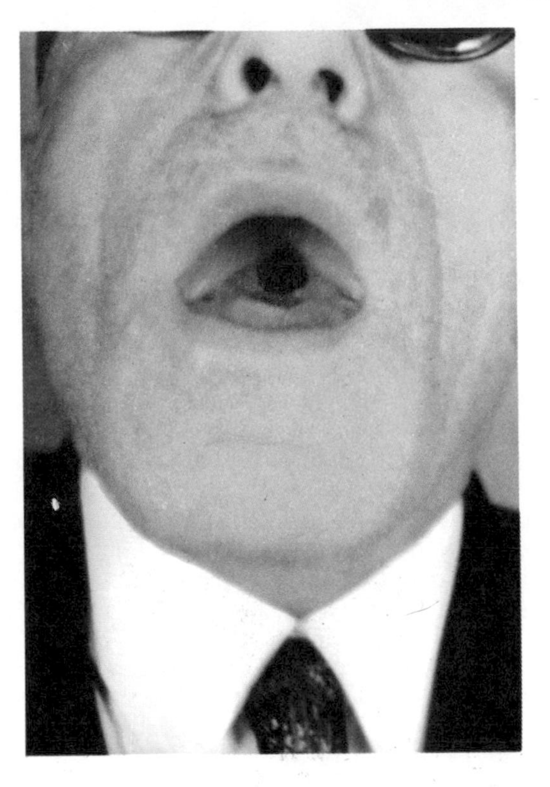

Fig. 639. **Paladar perforado por lesión terciaria de sífilis.**

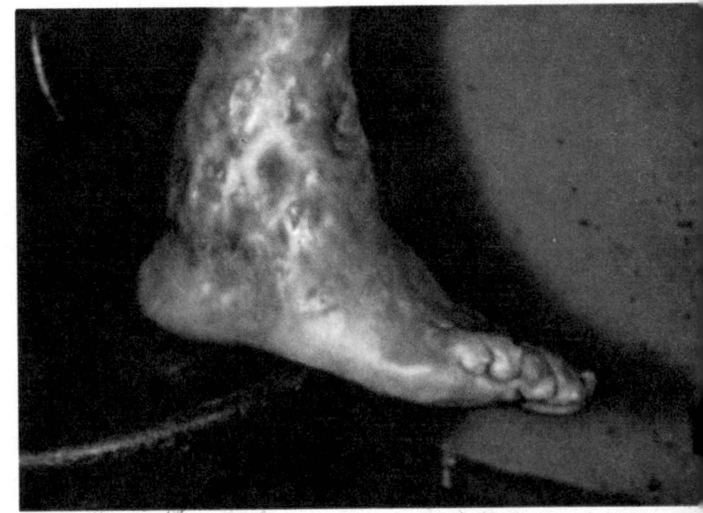

Fig. 640. **Goma sifilítico de la piel que penetra hasta el hueso.**

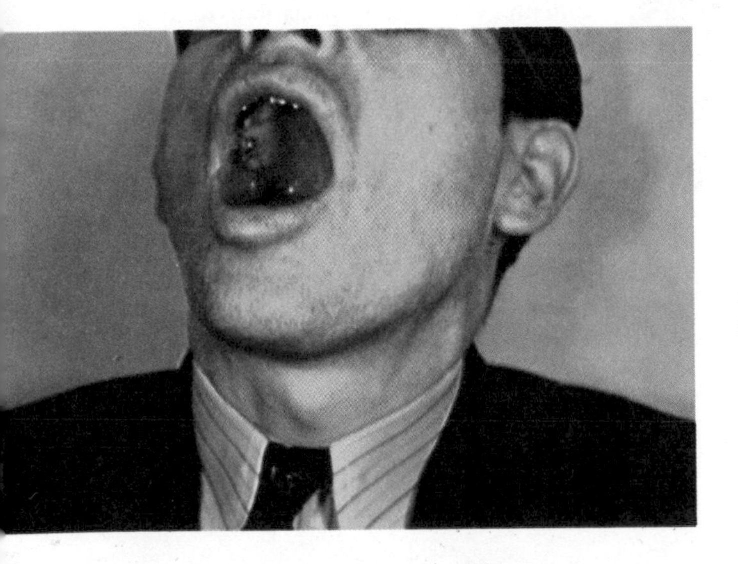

Fig. 641. **Placas mucosas de sífilis secundaria en la boca.**

rededor de un litro y medio. Se descansará lo suficiente y se cuidará también de hacer ejercicio al aire libre. Es útil mantener una escrupulosa higiene de la piel. Aconsejan algunos especialistas los baños de sol, tomados en la norma prudente que se explica en el capítulo 71. Evitar el matrimonio y las relaciones sexuales hasta que el médico declare al enfermo "no contagioso".

Mientras se hace el tratamiento de la sífilis es importante tener la dentadura en buen estado, para lo cual hay que mantenerla bien limpia y hacerla examinar por el dentista periódicamente. Hay que confiarle al dentista que se tiene esa enfermedad. También debe informarse a los médicos que se tenga que consultar en los años sucesivos, aunque parezca tratarse de una afección que no tenga nada que ver con la sífilis.

Hay que tener cuidado de no contagiar a otros durante el período primario y secundario. Evítese el besar; el mate con bombilla; el usar vasos, vajilla, toallas, peines, navajas y otros objetos de tocador que los demás puedan usar. Cuando hay placas mucosas, cualquier objeto que haya estado en la boca es contagioso. Hay que lavarlo con agua y jabón o hervirlo.

LINFOGRANULOMA VENEREO (linfogranulomatosis inguinal, enfermedad de Nicolás y Favre)

Esta enfermedad, relativamente poco frecuente, es producida por un virus filtrable que se adquiere por lo general en las relaciones sexuales. De una a dos semanas después del contagio (puede oscilar entre 3 días y 3 meses) aparece en alguna parte de los órganos genitales una pequeña ulceración indolora, por lo que pasa a menudo inadvertida. Unas 2 ó 3 semanas después, los ganglios de la ingle, de uno de ambos lados, aumentan de tamaño y se ponen dolorosos. Hay también inflamación de los tejidos que rodean los ganglios, pudiendo llegar a tener el tamaño de un puño. La piel enrojece y es común que se abran los ganglios, dejando salir un pus bastante líquido. Es frecuente que esta inflamación se acompañe de fiebre, decaimiento, dolores en el cuerpo y otros síntomas generales de infección. En la mujer, los ganglios que se inflaman no son habitualmente los inguinales, sino los correspondientes al recto, lo que puede traer como consecuencia fístulas y estrecheces del recto. La supuración de los ganglios persiste por muchos meses. La llamada reacción de Frei permite generalmente confirmar el diagnóstico.

Tratamiento

Hay que consultar al médico, quien hará el diagnóstico e indicará el tratamiento. Las tetraciclinas dan resultados muy buenos en esta afección. Algunos especialistas prefieren que se trate esta enfermedad con sulfas, para evitar el uso de antibióticos, cuya utilización podría ocultar un contagio concomitante de sífilis.

CAPITULO 157

La Higiene Sexual

NO DEBE SER TEMA PROHIBIDO

LA IMPORTANCIA del sexo y de la sexualidad, tomada esta expresión en su acepción más amplia, es innegable. Se ha hecho, sin embargo, en torno a este problema, una especie de "confabulación del silencio", como si, al no hablar del tema, éste dejara de existir, y como si la ignorancia, o la información errónea o malintencionada, fuesen preferibles al conocimiento limpio y adecuado de los problemas del sexo, tan íntimamente ligados a la vida y la conducta humanas.

Así como la gran energía de una máquina a vapor, correctamente canalizada y dirigida, es útil y en cambio, ignorada o mal dirigida, puede causar una catástrofe, también el instinto sexual con que dotó el Creador al ser humano, puede ser para cada uno y para la sociedad un motivo de felicidad y progreso, mientras que el mal manejo del mismo puede causar infelicidad personal y daño a la comunidad. En la historia de la humanidad se repiten épocas de mayor libertad sexual o para decirlo más claramente, de libertinaje. Aunque en Hispanoamérica el problema no es tan marcado como en ciertos países europeos y otros, pues se conserva mejor la unión de la familia y no se han abdicado ciertas normas morales, tenemos que ponernos en guardia contra la exaltación y sobrevaloración de la sexualidad que amenaza actualmente con invadir también a Hispanoamérica.

La falta de escrúpulos morales se ha acentuado desde la segunda guerra mundial. Contribuyen a este deplorable estado de cosas muchas de las películas que, con fines de lucro, son francamente inmorales, llegando a veces a la obscenidad y aun a la pornografía. También en la literatura actual muchas veces se muestra esta tendencia, llamando la atención que los libros a veces más crudamente sexuales han sido escritos por mujeres. Otro factor es la excesiva libertad de los adolescentes de ambos sexos, que abusan de la misma en forma destructora para ellos y para la sociedad.

En realidad es imperioso poner una valla a la inmoralidad que tiende a invadir todo el mundo. Los padres, los dirigentes religiosos y los educadores pueden y deben hacer su parte para que la juventud conserve las normas morales del Decálogo, que les darán una vida más feliz que la que pueden alcanzar con efímeros placeres que manchan y a veces arruinan sus vidas.

Estudiaremos brevemente la educación sexual del niño, el problema sexual de los adolescentes y del joven, y el factor sexual en el matrimonio. Un corto resumen de la anatomía y fisiología de los órganos genitales, se hallará en los capítulos 23 y 153.

¿Cómo realizar la educación sexual del niño?

Para comprender la importancia de este asunto hay que recordar dos hechos: la curiosidad natural del niño, y el hecho de que, tarde o temprano, lo que no le hayamos enseñado en forma correcta acerca del sexo lo aprenderá en forma sucia y a menudo errónea, de sus compañeros y otras personas, lo cual puede tener una influencia desfavorable para el resto de su vida.

Sembremos flores en el alma del niño, antes de que los malintencionados o ignorantes siembren malezas, pues de cierto algo habrá de crecer en ella, y el espacio que no sembremos con pureza y verdad, será llenado con impureza e información falsa.

La enseñanza del niño será adecuada a su edad. No debe entrarse en muchos detalles ni debe adelantarse uno a su curiosidad. Así por ejemplo, una manera de ir preparando el camino para una contestación que sea comprensible y no demasiado explícita a la inevitable pregunta que a los 4 años aproximadamente hacen casi todos los niños: "¿De dónde vienen los bebés?" consiste en aprovechar las oportunidades que brinda la naturaleza para enseñar ciertas formas de reproducción.

Se puede, por ejemplo, explicar con palabras sencillas cómo una flor dará origen a la semilla interviniendo el polen o elemento masculino y los óvulos o elementos femeninos en el ovario de la flor. Más interesante le resultará al niño sembrar una semilla de alverjilla y ver desarrollarse la planta y las flores, observar los insectos, que llevan en su cuerpo el polen de una a otra flor y, por último ver formarse las alverjillas con sus semillas.

Los pájaros, la construcción del nido, la puesta de los huevos, la incubación, el cuidado de ambos padres para atender sus pequeñuelos, son otra forma más completa, pero todavía de fácil comprensión para el niño, que asocia probablemente esa familia alada a la familia humana. En el campo es también aleccionador para el niño el nacimiento de animales domésticos. Se puede, si parece que el niño ya está preparado para ello, explicarle que así como el pájaro incubó los huevos en el nido para que se formasen los polluelos, el animal doméstico, los incubó, por así decirlo, en su cuerpo, siendo expulsados cuando llegó el momento oportuno.

No es conveniente entrar en demasiados detalles, y se hablará de esto como de una cosa muy natural. En esa forma, cuando el niño pregunte acerca del origen de los bebés, será más fácil y natural explicarle que también el niño debió desarrollarse en la madre. Así, gradualmente, sin mentir y también sin dar más detalles que los indispensables, se le puede dar al niño una enseñanza que haga de lo sexual algo limpio y natural. La curiosidad del niño por sus órganos genitales es algo normal, y puede ser necesario explicar al varoncito, por ejemplo, cuando sus preguntas lo hagan conveniente, que esos órganos lo transformarán en el momento adecuado en un hombre. Ya se estudió en la página 387 lo referente a la masturbación del niño.

Cuando la niña se acerca a la pubertad, hay que explicarle lo que es la menstruación y la posibilidad de su aparición en cualquier momento, para evitar el horror y choque emotivo que puede causar en la niña desprevenida.

El delicado problema sexual del adolescente y del joven

Una enseñanza correcta suele bastar para guiar al niño, pues en la infancia hay más curiosidad que impulso sexual. En la adolescencia el problema se hace más complejo, pues el desarrollo de las glándulas sexuales hace aparecer en mayor o menor grado el instinto sexual.

Es el deber de padres, maestros, médicos y consejeros religiosos ayudar a los jóvenes en esa difícil época de su vida, para facilitar una actitud correcta frente al problema del sexo, que les evite luchas indecibles, terminadas muchas veces en claudicaciones, que tantos daños físicos y morales les pueden causar. Una correcta enseñanza en la infancia es ya un factor favorable para que el adolescente adopte una actitud adecuada. ¿Qué se les puede enseñar, en resumen, al adolescente y al joven, que pueda ayudarles en ese período turbulento de su vida?

Algunos de los puntos que conviene inculcarles son los siguientes:

1) Los órganos genitales tienen una doble función: a) transformarlos gradualmente en hombres, lo que en realidad se completa tan sólo al terminar el crecimiento a los 21 años, manteniéndolos luego viriles y enérgicos; b) permitir la perpetuación de la raza humana.

2) Las relaciones sexuales solamente alcanzan su legítima manifestación cuando se forma un hogar, cumpliéndose así el fin del instinto sexual en una forma digna y completa, aceptable para la religión y la sociedad.

3) Hay que diferenciar claramente entre *continencia* y *castidad,* pues mientras la primera es simplemente el abstenerse de actos sexuales, la castidad es la pureza en pensamientos y actos. Mientras que la simple continencia es difícil, y en raros casos perjudicial, la castidad, para el que la busca sinceramente, es más fácil y siempre beneficiosa.

4) Está demostrado que la castidad no produce daño alguno, ni trae como consecuencia impotencia genital, ni atrofia de los testículos. Aunque no haya relaciones sexuales, el testículo sigue cumpliendo sus funciones: por una parte, produciendo la secreción interna que hizo del niño un hombre y que lo mantiene en ese estado, y por la otra, generando los espermatozoides. ¿Qué sucede con la esperma que se acumula? En parte se reabsorbe, y el resto suele expulsarse espontáneamente en forma de emisiones seminales que sobrevienen durante el sueño y que no son anormales a menos que sean extremadamente frecuentes.

5) *¿Qué ventajas puede reportar la castidad a un joven?* Hay ventajas físicas, mentales y morales. Algunas de las ventajas físicas son: a) Mayor vigor y salud, que se manifestarán por una capacidad acrecentada para el esfuerzo físico. b) El evitar con seguridad las enfermedades venéreas.

Algunas ventajas mentales son: a) Una mente más resistente al esfuerzo, más activa, más despierta, más rápida. b) Por medio de la sublimación, vale decir, por la transformación temporaria del instinto sexual, que no puede descargarse en esa época de la vida, en alguna forma de energía socialmente aceptable, el joven se hace entusiasta, progresista, constructivo, volcando estas cualidades en el bien hacer y en prepararse eficientemente para enfrentar con éxito la lucha por la vida.

Las ventajas morales son sin duda las más abundantes y valiosas: a) Fortalece y desarrolla la voluntad. b) Se desarrollan la dignidad y el respeto propio o autoestimación. c) La actitud hacia el otro sexo es de respeto. Se llevará al matrimonio la misma conducta intachable que se exige al futuro cónyuge. d) El optimismo y la paz del espíritu dan una felicidad que no logra, en efímero placer, el que tiene relaciones sexuales en forma clandestina.

6) *¿Qué pueden hacer el joven y el*

adolescente para alcanzar la castidad?

a) Hay que cultivar la pureza mental, lo que podrá lograrse en la siguiente forma: evitar cuidadosamente los libros inmorales, las figuras pornográficas, las películas inapropiadas para un adolescente y la compañía de jóvenes cuya conversación y hechos no sean recomendables. Librar en lo posible la mente de todo pensamiento impuro, estableciendo una censura que, siendo al principio voluntaria, se convierte luego en hábito, haciéndose casi automática. Cuando llegue a la mente un pensamiento indeseable, sustitúyaselo por otro constructivo. Comprobará el joven que la pureza física es fácil cuando se alcanza la pureza mental.

b) Se llevará una vida saludable. En la alimentación, se evitarán los alimentos excitantes o irritantes, como los condimentos (pimienta, vinagre, ajo, encurtidos [pickles], mostaza), el exceso de carne y de huevos, el alcohol, el café y el té. Aun el comer en exceso puede ser desventajoso en estos casos. Una alimentación a base de leche, verduras, frutas y cereales integrales es la más apropiada.

Se dormirá lo suficiente. Conviene acostarse en lo posible temprano y levantarse temprano. Los órganos genitales se mantendrán escrupulosamente limpios.

c) El trabajo físico e intelectual intenso es un magnífico "enfriador" sexual. No hay que llegar, sin embargo, al cansancio excesivo, lo cual es contraproducente.

d) El ejercicio físico para el que tiene un trabajo sedentario o intelectual es indispensable. La práctica de un deporte o de la gimnasia es una solución conveniente. Si no hay manera de practicarlo, se puede por lo menos caminar bastante o hacer algún trabajo físico interesante.

e) El tener una afición o "hobby" que ocupe las horas que no se dediquen a otra cosa, es muy útil, pues no hay peor enemigo de la pureza que el ocio, ni mejor aliado de la misma que el estar ocupado en algo agradable.

f) Por último, mencionaremos el factor más importante, la religión, fuente inagotable de poder a la que puede recurrir el joven en su lucha para lograr la pureza.

g) Si hay emisiones seminales muy frecuentes, pónganse en práctica los consejos de la página 1566.

LA MASTURBACION.—Ya fue estudiado este problema en el niño pequeño; se lo menciona aquí en lo que se refiere al niño mayorcito y al adolescente. La masturbación suele producir una disminución de fuerza física, de eficiencia mental y de fuerza de voluntad. En eso no se diferencia del efecto que tiene el exceso de relaciones sexuales aun en el matrimonio. En cambio tiene sobre el carácter una influencia peor, pues se pierde el respeto propio y aparecen sentimientos de culpa, que hacen al adolescente pesimista y desgraciado. Los consejos dados anteriormente para obtener la castidad serán muy útiles para ellos.

Cómo influye el factor sexual en el matrimonio

Es innegable la gran influencia estabilizadora y además generadora de felicidad que constituye en el matrimonio la parte sexual del amor. Cuando el amor nace es completamente espiritual, pero después de un tiempo variable, según el caso, aparece su factor sexual, que por así decirlo estaba oculto en sus comienzos. Pero indudablemente, a pesar de su gran importancia, la atracción física o sexual no es todo, y el verdadero amor que nació sin ser atracción sexual manifiesta, debe sobrevivir a ésta y ser algo más que ella, para que pueda formarse un hogar estable donde se pongan de manifiesto las elevadas cualidades indispensables para una vida familiar y hogareña ideal.

El amor, por verdadero que sea, debe ser cultivado y cuidado por ambos cónyuges como un inapreciable tesoro. Desafortunadamente se parte de una premisa falsa, aquélla de que la felicidad está simplemente en el cambio de estado, y que como en los cuentos de hadas, "se casaron y fueron felices". Pocos fracasos matrimoniales habría en realidad si ambos esposos pusiesen de su parte el esfuerzo necesario para que su unión fuera un éxito. No habrá lugar para tratar este tema en forma extensa, pero deseo dar algunos consejos y advertencias cuya necesidad he comprobado como médico.

Uno de los errores que amarga la vida de algunos matrimonios es el concepto erróneo de ambos o de uno de los cónyuges, con mayor frecuencia de la esposa, de que hay algo intrínsecamente malo o pecaminoso en las relaciones sexuales.

Esto se debe a una educación sexual errónea durante la infancia o la adolescencia, y quizá al falso concepto de que el pecado original consistió en la cohabitación. Debe recordarse que el ser humano fue dotado por su Creador de órganos sexuales, y que la orden de "creced y multiplicaos" le fue dada a la pareja humana cuando aún tenía su prístina pureza e inocencia.

Otro error pernicioso, con mayor frecuencia masculino, es creer que una vez casado el hombre, no le será más necesario ejercer dominio propio, y que puede dar rienda suelta al instinto sexual. Es habitualmente necesario para el casado ejercer dominio propio para adaptarse al sentir o preferencia de su esposa. El no hacerlo puede traer el hastío y aun la repugnancia. Por otra parte habrá temporadas en las cuales la abstinencia tendrá que ser completa, como en el caso de enfermedad o embarazo. Es interesante notar que cuando hay verdadero amor, esa abstinencia voluntaria no disminuye, en realidad, la felicidad de los cónyuges.

No se puede establecer regla fija acerca de la frecuencia de las relaciones sexuales, pues éstas varían con el temperamento de los esposos, con su capacidad sexual innata y con la clase de trabajo al que se dedican. De todas maneras, en general no deberían ser más frecuentes de dos por semana, tendiendo a espaciarse más a medida que aumenta la edad de los esposos.

Una buena manera de regular el número de relaciones es tomar en cuenta el deseo no de uno sino de ambos esposos, y de que el acto no deje una sensación de cansancio y de disminución de capacidad para el trabajo físico e intelectual.

Un tercer error consiste en creer que la llamada adaptación sexual se establece siempre en seguida después del matrimonio. Hay que tomar en cuenta que hay numerosas mujeres que no llegan al orgasmo o culminación del acto sexual hasta meses o años después de haberse casado, y que hay aun casos en que esto no llega a suceder, sin que por eso se deba creer en una falta de ajuste. En parte puede deberse a que el hombre, en su impaciencia, no prepara debidamente a su esposa, generalmente mucho más lenta en llegar a la excitación sexual. Además puede intervenir para bien o para mal la actitud del hombre fuera de esos momentos. Si su actitud habitual es de crítica, reproches y sequedad, no puede esperar la misma reacción favorable que cuando su actitud habitual es de cariño y de amor que se manifiesta en hechos y palabras.

Otro error que ha causado preocupación indebida, es el de creer que, por no haberse producido hemorragia en la primera relación sexual, la esposa no era virgen. Afortunadamente, en la mayoría de los casos, si el hombre es suficientemente considerado (como debe serlo siempre en esas circunstancias), no hay tal hemorragia ni tal falta de virginidad.

Un último error que quiero mencionar es el de defraudar a la naturaleza y a la vez defraudarse a sí mismos, negándose a tener hijos. El fin del matrimonio no es solamente obtener placer sexual, sino que, entre otros fines, persigue el objeto primordial de tener hijos y darles a éstos el ambiente adecuado para que se preparen física, mental y espiritualmente para ocupar su lugar en la vida. El tener un solo hijo es inconveniente, tanto para el niño como para los padres. Tres hijos parece ser en general el número más adecuado.

Cuando haya alguna razón para evitar embarazos, los esposos deben dirigirse a su médico para pedirle consejo.

Higiene de los órganos genitales: muy importante

En la página 380 se estudió la higiene de los órganos genitales del niño pequeño. Esa misma higiene debe ser practicada en el niño y la niña más grandes. Cuando éstos ya tienen edad suficiente como para bañarse solos, por un tiempo habrá que comprobar si la limpieza de los órganos genitales ha sido hecha correctamente.

Ninguna parte del cuerpo necesita más higiene que los órganos genitales externos, pues se producen en ellos secreciones que son a la vez malolientes e irritantes. Diariamente, y en algunas personas dos veces por día, se hará una limpieza cuidadosa con agua y jabón suave de todos los genitales externos, especialmente en los pliegues, que es donde se acumulan las secreciones. Se puede hacer en el momento del baño, o en un bidet o palangana. Después de orinar es conveniente una limpieza de la parte anterior de la vulva, y después de evacuar el intestino habrá que tratar de impedir que los gérmenes provenientes del mismo lleguen a la vulva. Para ello, al limpiar el ano con el papel higiénico, el movimiento será siempre de adelante hacia atrás. Luego se puede hacer un lavado del ano.

La ropa interior se cambiará con frecuencia. La higiene de la menstruación y del embarazo se estudian en las páginas 267 y 298.

PARTE DECIMOCTAVA

Enfermedades de la Piel

CAPITULO **158**

Resumen de la Anatomía y Fisiología de la Piel. La Comezón y su Tratamiento

LA PIEL reviste todo el organismo y se continúa a nivel de los orificios naturales con las mucosas.

La superficie total de la piel de una persona de talla mediana es de 1½ m^2. Su espesor es variable, siendo, por ejemplo, muy delgada en el conducto auditivo y en los párpados, y muy gruesa en cambio en ciertas partes de la planta de los pies. Es más delgada en el lado que se flexiona de los miembros, y más gruesa en el lado opuesto. En los niños, en la mujer y en los ancianos, la piel es más delgada que en el hombre adulto.

La piel varía de color de una raza a otra, según la cantidad de melanina, pigmento que existe en la piel de todos los seres humanos, pero en cantidad mayor cuanto más morena es aquélla. Aun en una misma persona la piel no tiene en todas partes el mismo color, sino que hay diferencias de una región a otra.

Toda la superficie de la piel presenta vellos o pelos, algunos tan delgados que cuesta percibirlos. La palma de las manos y la planta de los pies son una excepción, en el sentido de que no presentan vellos ni tampoco glándulas sebáceas, teniendo en cambio muy numerosas glándulas sudoríparas (de sudor).

También desembocan en la piel, por medio de poros, unos dos millones de glándulas sudoríparas. Hay otro tipo de glándulas en la piel, las sebáceas, que producen una sustancia grasosa que impide que se reseque la piel. Desembocan casi todas ellas en el folículo de los vellos, y de allí al exterior, aunque algunas lo hacen directamente

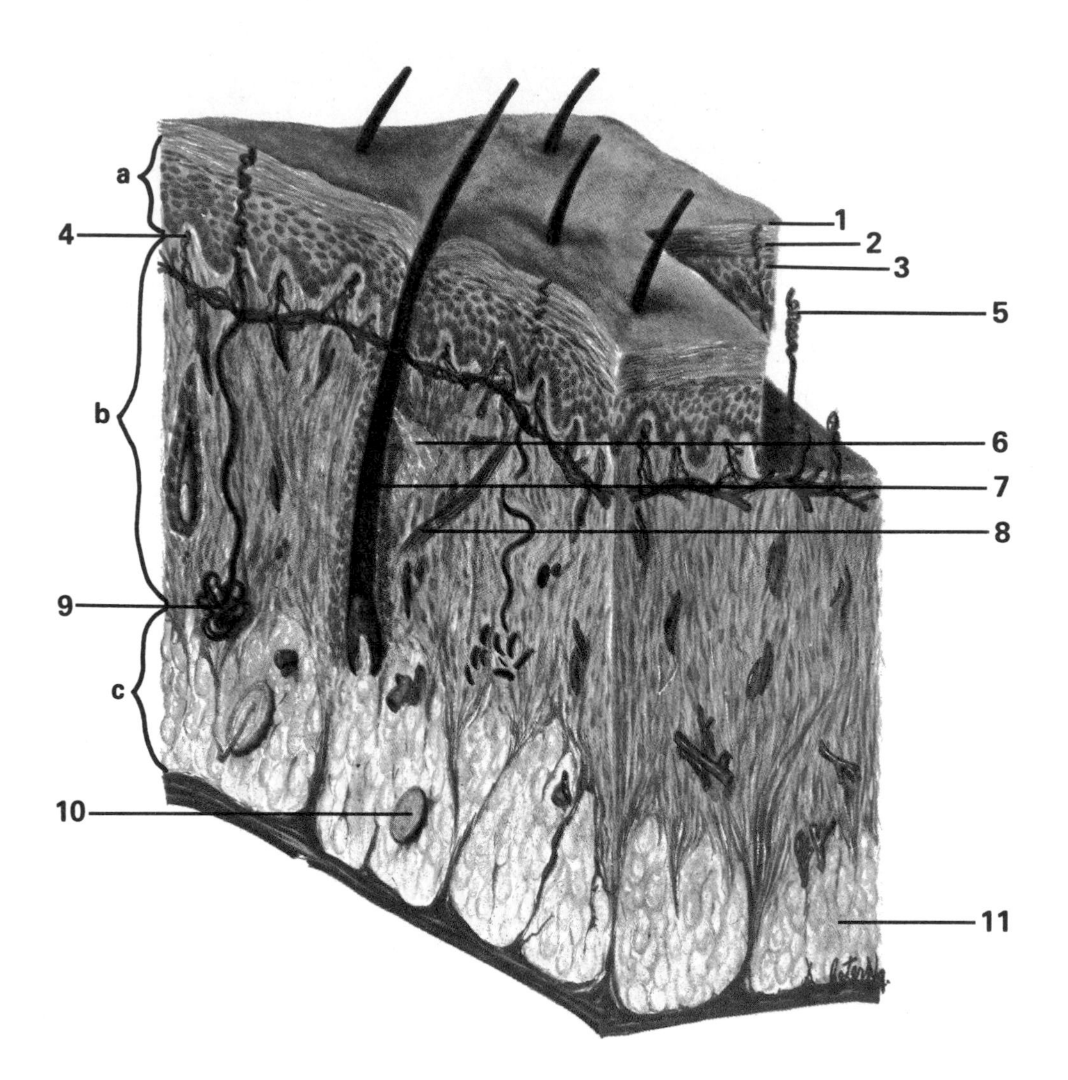

Fig. 642. **SECCION DE LA PIEL HUMANA, MUY AMPLIFICADA.**

a) Epidermis
b) Dermis
c) Tejido celular subcutáneo
1) Capa córnea
2) Capa transparente (stratum lucidum)
3) Capa de Malpighi. Su parte superficial recibe el nombre de capa granulosa y contiene gránulos de melanina que según su cantidad dan color variable a la piel
4) Capa basilar o generatriz de las células de la epidermis
5) Conducto excretor de una glándula sudorípara
6) Glándula sebácea
7) Pelo
8) Músculo del pelo (horripilador)
9) Glomérulo de glándula sudorípara
10) Corpúsculo de Pacini (del tacto)
11) Tejido adiposo del tejido celular subcutáneo

en la piel. Además de sudor y sustancias sebáceas, la piel produce en ciertos lugares cabello y uñas.

Constitución de la piel

Si se corta transversalmente la piel (véase la figura 642), se pueden observar dos partes: una superficial o *epidermis,* formada por un *epitelio poliestratificado plano,* y otra profunda, llamada *dermis,* formada por tejido conjuntivo. Por debajo de estas capas de la piel está el tejido celular subcutáneo, que une la piel al resto del cuerpo, permitiéndole así una cierta movilidad.

EPIDERMIS.—Su parte externa o superficial, llamada capa córnea, está formada por células muy aplanadas y superpuestas, de consistencia dura. El resto de la epidermis es blando y recibe el nombre de *cuerpo mucoso de Malpighi,* cuyas células se transformarán en la capa córnea. Tiene varios estratos o capas.

DERMIS.—La piel debe su resistencia mayormente a este tejido conjuntivo provisto de numerosas fibras elásticas, que dan a la piel su elasticidad. Su parte superficial no es lisa, sino que presenta numerosas salientes llamadas *papilas,* destinadas a llevar vasos y, en algunos lugares que requieren mayor sensibilidad (labio, yema de los dedos, etc.), pueden llevar también terminaciones nerviosas.

Hay terminaciones nerviosas de distintos tipos que asientan en la epidermis, la dermis y por debajo de esta última, destinadas a las distintas sensibilidades de la piel: táctil, dolorosa, al frío, al calor, etc. También se hallan en la dermis parte de las glándulas sudoríparas y un músculo llamado *horripilador,* anexo a cada pelo, que pone erecto al mismo (piel de gallina) cuando se siente frío o se tiene temor. La parte profunda de la dermis recibe el nombre de *capa reticular,* y está abundantemente provista de vasos.

TEJIDO CELULAR SUBCUTANEO O HIPODERMIS.—Por debajo de la piel se halla este tejido conjuntivo cargado de una cantidad variable de tejido adiposo o grasa. En los ancianos (con excepción de los obesos), tiene tendencia a disminuir de espesor. Es abundante en ciertos lugares donde la piel es suelta, faltando en la nariz y las orejas.

¿Qué funciones cumple la piel?

La piel cumple con numerosas e importantes funciones, las principales de las cuales enumeramos a continuación:

FUNCION DE PROTECCION.—La piel sana protege al organismo contra la penetración de gérmenes, sustancias tóxicas y líquidos u otras sustancias no deseables.

FUNCION DE ORGANO DE LOS SENTIDOS.—Por medio de la piel sabemos si hace frío o calor, o si algo puede dañarnos, si se hace presión sobre ella y el grado de esa presión. Cuando una persona pierde la sensibilidad de su piel en ciertas partes, sufre con gran frecuencia heridas y quemaduras en ese lugar.

FUNCION REGULADORA DE LA TEMPERATURA.—La piel es un órgano muy importante en la regulación de la temperatura. Lo hace en dos formas distintas: regulando el calibre de los vasos y mediante la acción de las glándulas sudoríparas. Si el organismo desea perder calor, los vasos de la piel se dilatan, irradiando al exterior el calor de la sangre y, además, aumenta la secreción de sudor, cuya evaporación absorbe una cantidad considerable de calor. Cuando hace frío, para evitar la pérdida de calor, los vasos se contraen y disminuye marcadamente la producción de sudor.

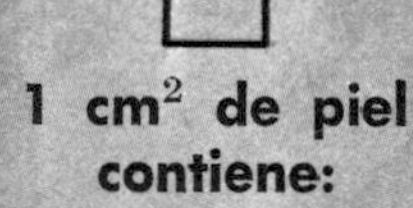

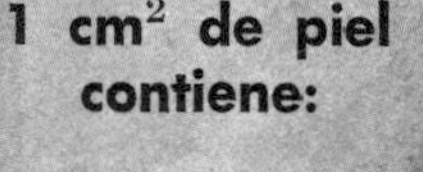

1 cm^2 de piel contiene:

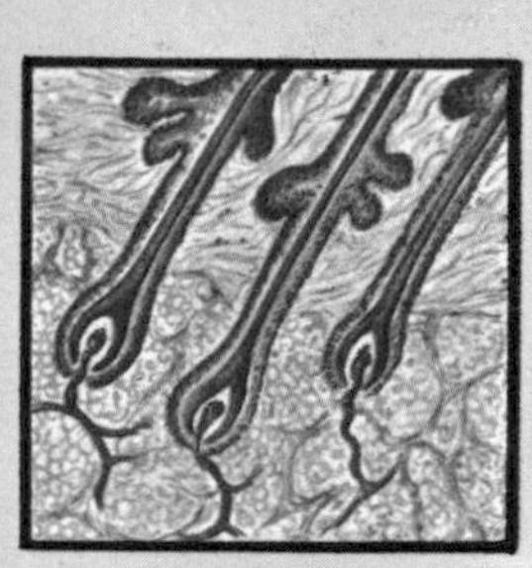

10 pelos

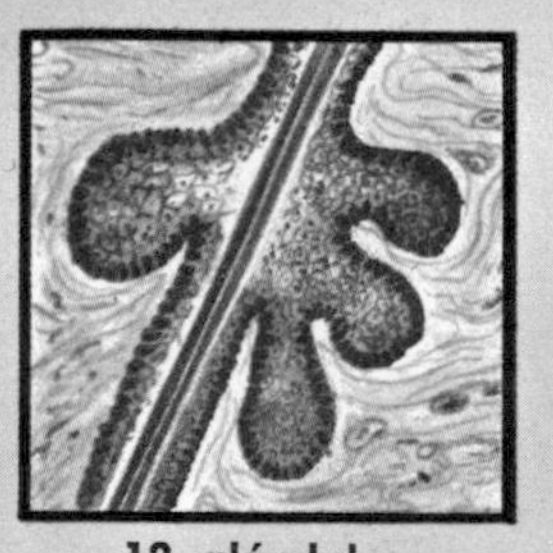

12 glándulas sebáceas

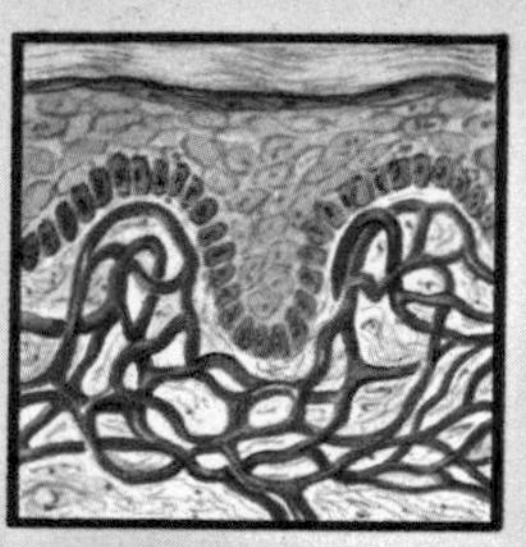

Casi 1 metro de vasos sanguíneos

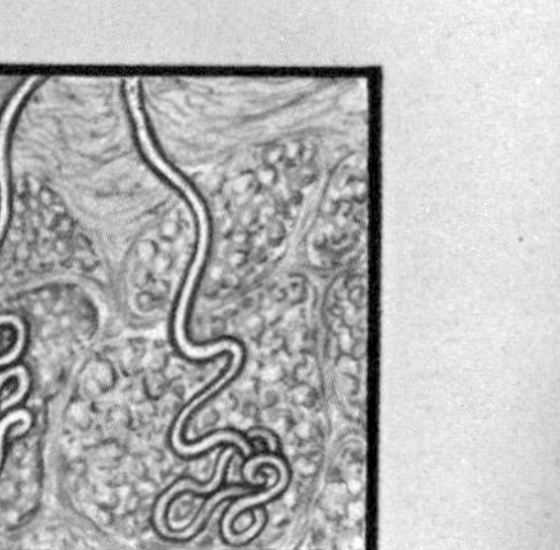

100 glándulas sudoríparas

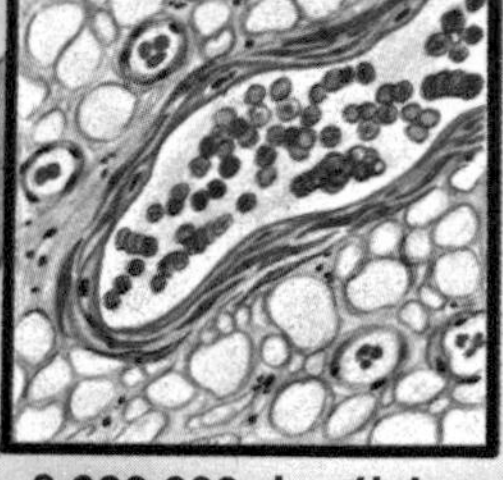

3.000.000 de células

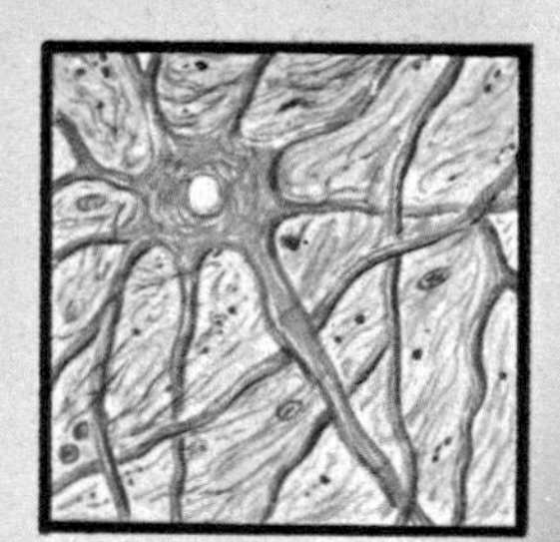

Casi cuatro metros de nervios

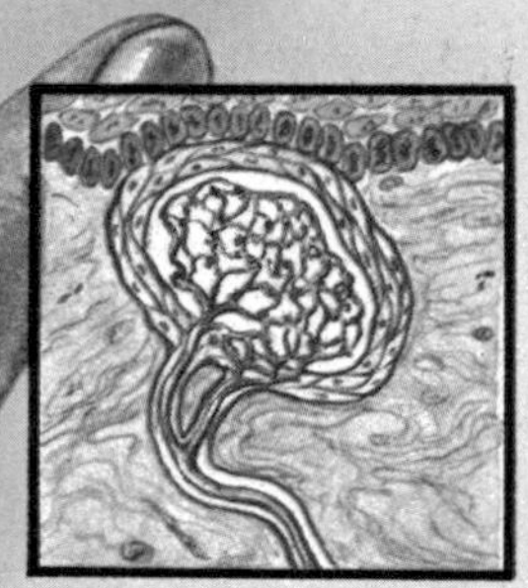

12 corpúsculos sensoriales para percepción del calor

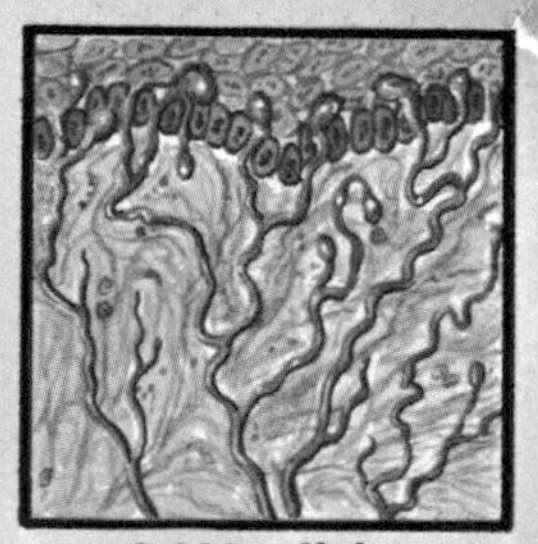

3.000 células sensoriales a la terminación de fibras nerviosas

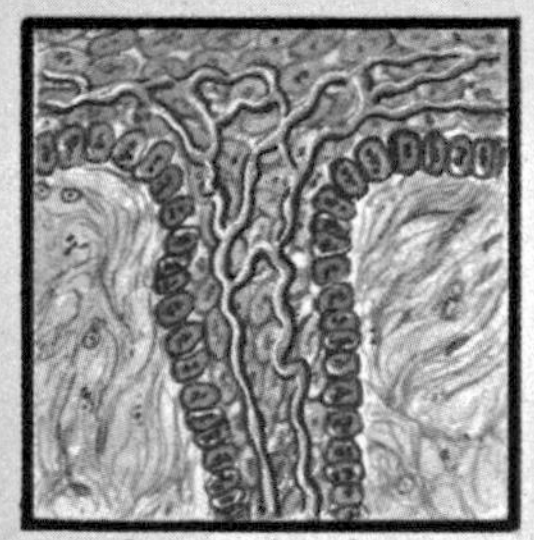

2 corpúsculos sensoriales para percepción del frío

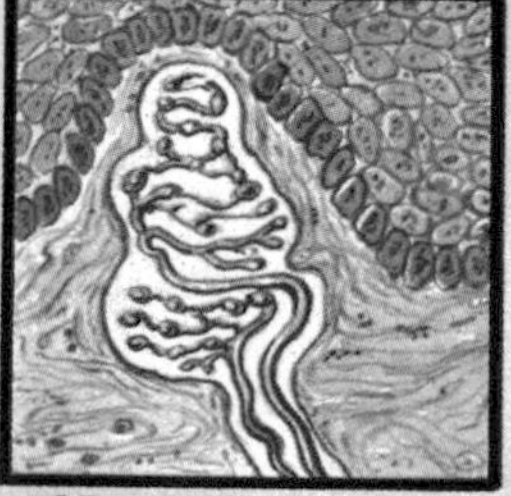

25 corpúsculos de presión para la percepción de los estímulos táctiles

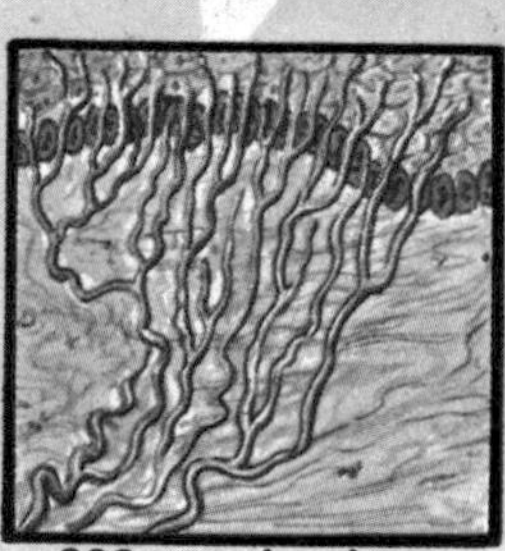

200 terminaciones nerviosas para registrar el dolor

FUNCION SECRETORA.—Además del sudor que acabamos de mencionar, la piel segrega una sustancia sebácea que impide que se reseque. La función de eliminación de sustancias tóxicas que tiene el sudor es muy reducida. La principal función de esa secreción es la de ayudar a regular la temperatura del organismo.

Definición de las principales lesiones elementales de la piel

MACULA O MANCHA.—Es una simple modificación del color de la piel. Puede deberse a una dilatación de los vasos, en cuyo caso se borra cuando se presiona con un vidrio. Otras veces se debe a la falta o la acumulación de pigmento de la piel (pecas, vitiligo, etc.) o al derramamiento de sangre en el espesor de la piel (púrpura).

PAPULA.—Es una elevación o sea una lesión que sobresale sobre el nivel de la piel.

VESICULA.—Es un pequeño levantamiento de la piel que contiene un líquido claro. Cuando es más grande recibe el nombre de *ampolla* o *flictena.*

ULCERA.—Es una pérdida de sustancia de la piel.

PUSTULA.—Es una vesícula que contiene pus.

COSTRA.—Es un espesamiento más o menos duro y seco que se forma en la superficie de la piel. Se produce por la desecación de alguna secreción o líquido.

ESCAMA.—Es una laminilla de epidermis que se desprende de la piel.

COMEZON DE LA PIEL (prurito)

Este molesto síntoma puede aparecer en el curso de diversas enfermedades de la piel o en enfermedades de otros órganos. Puede en este último caso servir para que se descubra una enfermedad que permanecía oculta.

Ya hemos estudiado en las páginas 274 y 1548 el prurito vulvar y el prurito anal respectivamente.

El prurito puede ser localizado en una parte del cuerpo o bien ser generalizado.

Causas

CAUSAS LOCALES.—Enfermedades de la piel que se acompañan de prurito y que en su mayor parte serán descritas en los capítulos 160 y 161: eccema, lesiones producidas por hongos, eritrodermia, eritemas, sabañones, urticaria, prurigo, edema angioneurótico, infecciones de la piel. *Parásitos de la piel:* sarna, piojos de distintas clases (de cabeza, de cuerpo o de ropa y de los pelos genitales o "ladillas"). Una causa y a veces también una consecuencia de la comezón crónica es el llamado *liquen,* del cual hay diversos tipos (agudos, crónicos, planos, acuminados, etc.). Su elemento característico son pequeñas salientes de contornos poligonales, de superficie plana, lisa, brillante (si se mira lateralmente), de color rosado amarillento o rosado violáceo, a veces grisáceo. Se localizan con frecuencia en los miembros y el tronco, siendo su lugar de elección la cara anterior de los antebrazos.

CAUSAS GENERALES.—Algunas de las posibles causas de comezón son: diabetes, ictericia y otras afecciones del hígado, nefritis crónicas, trastornos de las glándulas de secreción interna, intoxicaciones de diverso origen (bebidas que contienen cafeína, ciertos medicamentos, embarazo, etc.), alergia, falta de ciertas vitaminas, ciertas enfermedades de la sangre o de sus órganos productores (leucemias, enfermedad de Hodgkin), neurosis, quiste hidático y otros parásitos. Aquellos casos en los cuales la causa no puede hallarse han sido llamados *pruritos esenciales.*

Tratamiento

Es fundamental hallar la causa, para que ésta sea eliminada, si es posible. El prurito puede resultar útil en el sentido de hacer descubrir una enfermedad que hasta ese momento no daba síntomas.

Daremos a continuación un tratamiento sencillo del prurito. Si no responde rápidamente, hay que consultar al médico, quien además de indicar el tratamiento de la causa, puede prescribir antihistamínicos, sedantes, etc.

Tratamiento local.

a) Evitar el rascado, que siempre aumenta la comezón.

b) Si la piel no es muy seca, aplicar la loción de la receta No. 7 de la página 846, tantas veces como sea necesario.

c) Si la piel es muy seca, usar en cambio la crema de la receta No. 8, que se aplicará cada mañana y cada noche, o más veces si es necesario. Se puede espolvorear con talco mentolado (receta No. 9), o con polvo de la receta No. 10, después de aplicada abundantemente la pomada. Cuando en la producción del prurito interviene una causa alérgica, puede ayudar el uso de una crema con antihistamínico (se consiguen ya preparadas en el comercio), o mejor aún, una loción o pomada que contengan corticoides.

d) A falta de otra cosa se puede verter sobre la parte que presenta comezón agua bastante caliente a la que se haya añadido medio vaso de vinagre por cada litro de agua. También puede probarse un baño de almidón. (véase pág. 838). Secar suavemente y aplicar talco.

Tratamiento general.

a) Suprimir la causa o tratarla.

b) Alimentación no irritante, supriméndose condimentos, conservas, bebidas alcohólicas, las que contienen cafeína (té, café, mate, coca cola), chocolate y todo alimento de difícil digestión o mal tolerado. En general se pueden ingerir verduras, frutas, cereales integrales y leche.

c) Mantener el intestino funcionando normalmente (véase constipación en la página 1077) y beber muchos líquidos, para facilitar el trabajo de eliminación del riñón.

d) Evitar que la piel se ponga en contacto directo con lana y jabones fuertes e irritantes. Debe evitarse que la piel se ponga excesivamente seca o que esté húmeda.

CAPITULO 159

Enfermedades de la Piel Producidas por Gérmenes Microbianos

ACNE ("granos en la cara", "barritos")

EL ACNE simple o juvenil es una afección muy común de la piel. Es una inflamación crónica de las glándulas sebáceas y de los folículos donde nacen los vellos.

Causas

El mayor número de casos se ve en la pubertad y la afección ataca a los adolescentes de ambos sexos por igual. Aparece especialmente en los lugares donde más abundan las glándulas sebáceas: cara, espalda y parte superior del pecho. Para que se produzca acné tiene que haber la llamada *seborrea* (excesiva formación de secreción grasosa por parte de las glándulas sebáceas de la piel), casi siempre con la presencia de *comedones* o "puntos negros", que son simplemente una acumulación de sustancia sebácea endurecida en una glándula y su canal excretor. Como la seborrea, favorecida probablemente por la acción de las glándulas sexuales, es bastante más acentuada en la adolescencia, ésta predispone al acné, desapareciendo éste generalmente cuando, de los 20 a los 23 años, mejora la seborrea. Según algunos trabajos modernos en los atacados de acné, hay una alteración en la proporción de diversas hormonas sexuales. También pueden predisponer la herencia, el estreñimiento, la debilidad general, la ingestión de yodo y bromuros y la falta de vida al aire libre. Los gérmenes que se hallan casi siempre en el pus del acné son el bacilo del acné y el estafilococo.

Síntomas. Lo característico del acné común es que presente, al mismo tiempo que los comedones, pequeñas salientes rojas por inflamación de los comedones *(pápulas),* otras que ya tienen pus en su extremidad *(pústulas)* y, por último, salientes que ya han perdido su pus. El acné puede empeorar en los días de la menstruación.

Tratamiento

Hay que recordar que esta afección, aunque no es grave, puede ser a veces rebelde al tratamiento.

TRATAMIENTO GENERAL.—Es el siguiente:

a) Hay que evitar los alimentos grasos (grasas animales, crema, manteca [mantequilla], frituras, pastelería), el

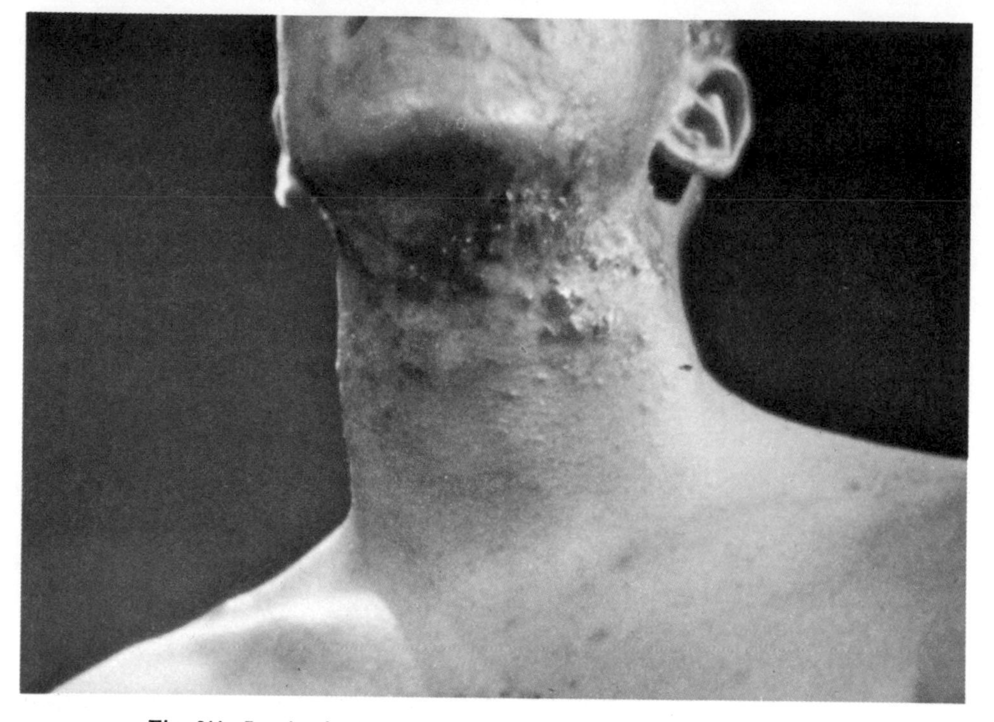

Fig. 644. La sicosis de la barba es una afección desagrable y molesta.

exceso de alimentos dulces, el té, el café y el chocolate. Pueden utilizarse en la alimentación los aceites vegetales en lugar de grasas animales. También se evitarán los condimentos, tales como, mostaza, pimienta, vinagre, etc. La leche o el yogurt, los cereales integrales, las verduras crudas y cocidas y las frutas son la mejor alimentación. Debe combatirse además la constipación. Es aconsejable el uso de la vitamina A.

b) También es un factor favorable una vida saludable, con reposo suficiente y con ejercicio al aire libre, pero sin exceso.

c) En ciertas personas son beneficiosos los baños de sol (página 798) o los rayos ultravioletas, aplicados por una persona debidamente preparada.

d) En algunos casos con marcada inflamación, el médico puede ver conveniente indicar tetraciclina y aun por breves períodos corticoides. Otras veces prescribe hormonas o diuréticos en mujeres jóvenes en que hay marcado empeoramiento del acné antes de la menstruación.

TRATAMIENTO LOCAL.—Comprende lo que sigue:

a) Hágase el tratamiento para los comedones o "puntos negros" como se explicará más adelante.

b) No tocar los comedones que presentan una zona roja a su alrededor. Cuando la pústula del acné esté "madura", con una aguja desinfectada o con su extremidad pasada por una llama se puede abrir cuidadosamente su parte superior, para luego hacer salir muy suavemente el pus que salga fácilmente. Desinfectar ese lugar con una gota de alcohol yodado al 1%.

c) Hágase el siguiente tratamiento:

Cada mañana y cada noche, después de un lavado de la cara con agua tibia y un jabón suave, aplicar la loción de azufre de la receta No. 11 de la página 847, a la cara y otros lugares donde aparezca el acné. En las personas de cutis muy irritable se puede poner menor cantidad de azufre en la loción (8 a 15 g), mientras que en las de cutis resistente se puede aumentar hasta 30 g.

OTROS TRATAMIENTOS.— Cuando el acné no disminuya con estos tratamientos sencillos, será conveniente consultar a un especialista en enfermedades de la piel, que pueda indicar o aplicar tratamientos más enérgicos, entre ellos diversas hormonas, pomadas con neomicina, bacitracina y corticoides, azufres con los llamados penetrasoles, a veces alternados con penetrasol de tirotricina, que les permiten llegar profundamente, el producto llamado camiña que disminuye la grasitud de la piel, rayos ultravioleta, tratamiento de las diversas causas predisponentes, etc. En ciertas formas rebeldes, a veces el médico prescribe sulfa o antibiótico o vacunas.

COMEDONES ("puntos negros", "espinillas")

Los comedones son acumulaciones en glándulas sebáceas y su conducto excretor de la secreción que ellas producen. En esta secreción grasosa endurecida es frecuente la presencia de un parásito llamado *Demodex folliculorum*. La extremidad del comedón toma un color oscuro debido al polvo. Se encuentra con mayor frecuencia en adolescentes y adultos jóvenes afectados por la llamada *seborrea,* en la cual las glándulas sebáceas producen un exceso de secreción, que hace que la piel sea grasosa en demasía. La localización más frecuente es la cara, pero puede hallarse también en la espalda y en la parte superior del pecho. Las causas que predisponen al acné (véase más arriba) predisponen también a los comedones.

Tratamiento

El tratamiento general es semejante al indicado para el acné. El tratamiento local más sencillo es el siguiente:

a) Mantener la piel sin exceso de grasitud por medio de lavados de las zonas afectadas, con agua tibia y jabón suave, 3 veces por día.

b) Se puede, si se desea, aplicar la loción de azufre que se indicó para el acné (receta No. 11 de la página 847), cada mañana y cada noche después del lavado antes indicado.

c) Extraer los comedones suavemente con un aparatito especial que se puede obtener en las farmacias. No conviene sacar muchos a la vez. Se puede, por ejemplo, sacar en distintas ocasiones los de distintos lugares (frente, nariz, mentón, mejillas, etc.). Para facilitar su extracción se pueden hacer de noche, antes de la misma, fomentos tibios en la zona donde se van a extraer. Después de extraído cada comedón se puede desinfectar con alcohol ese punto y hacer con la extremidad del dedo un corto masaje sobre el mismo. Hay lociones o pomadas descamantes que facilitan la extracción de los comedones, pero por su efecto a menudo irritante no se indican aquí, prescribiéndolas el médico cuando parezca conveniente. (Un ejemplo de este tipo de crema es la de la receta No. 27, de la página 848.)

FORUNCULOS, ANTRAX E HIDROSADENITIS

Definición

a) Un *forúnculo* es una infección localizada de la piel, producida por el germen llamado estafilococo dorado, que ha penetrado en la piel a través de un vello de la misma. Produce supuración y la muerte de los tejidos inflamados, que se eliminarán después en forma de una "raíz" de color amarillo verdoso.

b) Un *ántrax* son varios forúnculos que aparecen juntos. La zona de tejido destruido es más amplia y la infección tiene más repercusión general.

c) Una *hidrosadenitis* (vulgarmente llamada "golondrino"), es una infección producida por el mismo germen, que penetra por el canal excretor de una de las glándulas de sudor de gran tamaño que existen en la axila y que la infecta, produciéndose un absceso o colección de pus.

Causas

Predisponen a estas infecciones ciertas causas locales: irritaciones de la piel, roce (lo que explica la frecuencia de los forúnculos en la nuca y la nalga), o contaminación con pus proveniente de alguna infección. Las causas generales que pueden predisponer son: diabetes, anemias, enfermedades crónicas del riñón y cualquier otra causa que disminuya la resistencia del organismo, tales como descanso insuficiente, convalecencia, trastornos digestivos, etc. Como se dijo anteriormente, el agente causal es el estafilococo dorado en casi todos los casos, y es indispensable que este germen se ponga en contacto con la piel de quien está predispuesto, para que se produzca la infección.

Síntomas

a) El *forúnculo* se inicia como una pequeña saliente roja con una punta en la cual asienta generalmente un vello. Produce al principio un poco de comezón, aumenta rápidamente de tamaño y de consistencia, y el dolor es creciente. Al tercero o cuarto día el forúnculo forma un bulto cónico de color rojo violáceo, muy tenso y doloroso, cuya extremidad presenta una delgada capa epidérmica que cubre un punto amarillo verdoso. Dos o tres días después se abre el forúnculo y sale pus, quedando en su extremidad una especie de cráter por donde se ven los tejidos destruidos por la infección, en forma de una masa de color amarillo verdoso. Cuando sale el pus se produce alivio del dolor. Al octavo o noveno día de iniciado el forúnculo, los tejidos muertos o "raíz" se eliminan espontáneamente y queda un hueco que se rellena rápidamente pero que dejará una cicatriz.

Cuando el forúnculo es muy grande, o si se trata de forúnculos numerosos, pueden producirse síntomas generales semejantes a los que se describen en el caso del ántrax.

Las localizaciones más frecuentes de los forúnculos son: la nuca, la cara, los antebrazos, las nalgas y el dorso de las manos y de los dedos.

b) *Antrax.* Hay con frecuencia síntomas generales de infección: fiebre moderada, inapetencia, decaimiento, dolor de cabeza, etc. Estos síntomas son más acentuados cuando la afección se produce en un diabético. El ántrax puede aparecer en cualquier lugar, pero se ve con frecuencia en la nuca, en la espalda o en las nalgas. Localmente se manifiesta al principio como una placa dolorosa de color rojo violáceo, cuya característica principal es su dureza. Aparecen luego pequeñas ampollas, que al abrirse dejan salir pus y permiten ver el tejido amarillo verdoso que hay debajo. Hay pues, en ese momento, varias bocas, aspecto que se ha comparado a un panal de abejas. Se hacen más grandes las aberturas, desprendiéndose el tejido destruido. Con frecuencia los puentes de piel que quedan entre una y otra abertura son destruidos también por la inflamación, quedando un vasto hueco que curará en forma relativamente lenta, dejando una cicatriz. En los diabéticos no tratados el ántrax puede hacerse enorme.

c) *Hidrosadenitis.* Se forma en la axila bastante profundamente un pequeño bulto redondeado, que al aumentar de tamaño se adhiere más íntimamente a la piel, enrojeciéndola y haciéndose cada vez más doloroso. Después de algunos días se abre dejando salir un pus cremoso. No hay expulsión de tejidos muertos como en el caso del forúnculo y del ántrax.

Evolución

a) El forúnculo puede ser único. Con cierta frecuencia, especialmente en los que tienen diabetes o alguna otra causa debilitante, pueden aparecer sucesivamente numerosos forúnculos en lugares cercanos al primero, o distantes. Cuando se comprime el forúnculo, lo que no debe hacerse, salvo cuando hay una amplia abertura y pus líquido que sacar, se rompe la barrera de defensa que ha formado el organismo alrededor del forúnculo para defenderse de la infección y el germen pasa al tejido celular produciendo un absceso, o a la sangre, pudiendo infectar un hueso (osteomielitis), a la grasa que rodea al riñón (flemón perirrenal), o a cualquier otra parte del organismo. El forúnculo que asiente en el labio superior o en la mejilla cerca del ala de la nariz no debe ser tocado, y su tratamiento será hecho por un médico, pues existe la posibilidad de que la infección pase por una vena al llamado seno cavernoso en el cráneo, complicación que es temible. En estos casos es indispensable dar antibióticos a los que sea sensible el estafilococo.

b) El *ántrax* es generalmente único y pocas veces repite. Puede ser grave en el diabético o en pacientes debilitados.

c) La *hidrosadenitis* tiene desafortunadamente la tendencia a repetir en la misma axila y en la otra. No tiene gravedad, aunque produce mucho sufrimiento e incomodidad.

Para evitar la aparición de nuevos forúnculos o hidrosadenitis

Hay que tratar de descubrir si hay una causa general o local que predisponga a la repetición, lo que hará el médico. Además de combatir esas causas, el paciente puede contribuir a evitar nuevos focos en la siguiente forma:

a) Evitar roces e irritaciones en los lugares donde aparecen los forúnculos.

b) Pintar con alcohol yodado al 1% o con la solución de yodo de la receta No. 16 de la página 847, las zonas donde pueden formarse nuevas infecciones, cada noche o aun cada mañana y cada noche. Otra forma de desinfectar las zonas predispuestas es lavado diario de las mismas con jabón de hexaclorofeno.

c) Tener extremado cuidado para que no se contamine con pus la piel. Las gasas o algodones con pus serán quemados, la ropa contaminada será hervida y se lavarán cuidadosamente las manos, si han entrado en contacto con el pus, antes de tocar la piel en otro lugar.

d) Cuando las infecciones por estafilococos se repiten con mucha frecuencia, el médico indica a veces vacunación con anatoxina o toxoide estafilocócico, y en ciertos casos con autovacuna.

e) Se ha comprobado que las personas que tienen forúnculos a repetición, albergan con frecuencia el agente causal en la parte superior de las vías respiratorias, particularmente en la parte anterior de las fosas nasales, o con menor frecuencia en otros lugares, como ojos, oídos, axilas, etc. Si se comprueba la presencia de estafilococos dorados en alguno de estos lugares es muy recomendable aplicar localmente antibióticos, como ser neomicina o bacitracina, o ambos.

Tratamiento

a) *Forúnculo.*

1) En el comienzo se puede tratar de hacerlo abortar arrancando el pelo que hay en su centro, y colocando luego tintura de yodo pura sobre el forúnculo y un centímetro alrededor del mismo. Puede prescindirse, si se desea, de arrancar el vello en cuyo folículo se ha iniciado la infección.

2) Cuando el forúnculo quiere seguir su curso, se puede ayudar a disminuir el dolor que produce y acelerar su maduración con baños alternados calientes y fríos, o compresas calientes y frías como se explica en la página 528. Se puede repetir este tratamiento cada 4 horas, si es necesario. No debe apretarse el forúnculo.

Para evitar propagaciones, aplicar alrededor del forúnculo una pomada con neomicina y bacitracina.

3) Cuando el forúnculo tiene su extremidad madura, se puede levantar con una aguja quemada la delgada capa de epidermis que la recubre para facilitar la salida del pus. Se puede entonces colocar una curación húmeda, como se explica en la página 529, o bien aplicar localmente neomicina, bacitracina o viomicina. Si existe a mano se puede poner en la curación un poco de polvo de sulfatiazol, para que ayude a destruir los estafilococos e impida su siembra a otras partes. Al sacar esta curación a las 24 horas, el pus sale a veces fácilmente. Conviene, luego que esté bien seca la piel, pincelar toda la zona y las vecinas con

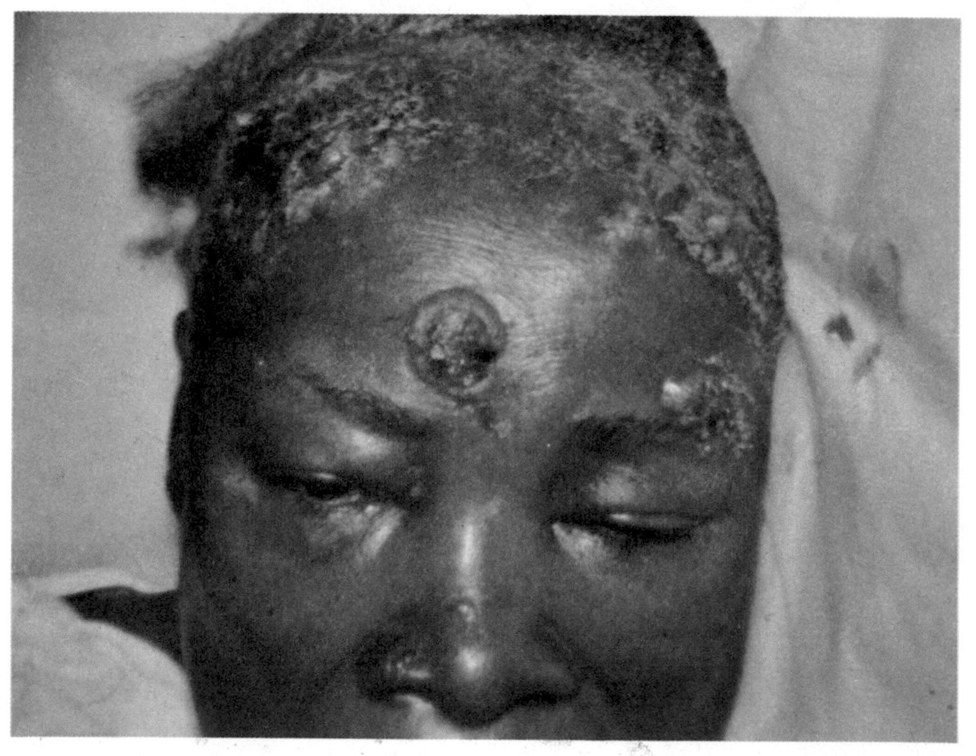

Fig. 645. Impétigo de la cara (mayormente de la frente y la nariz).

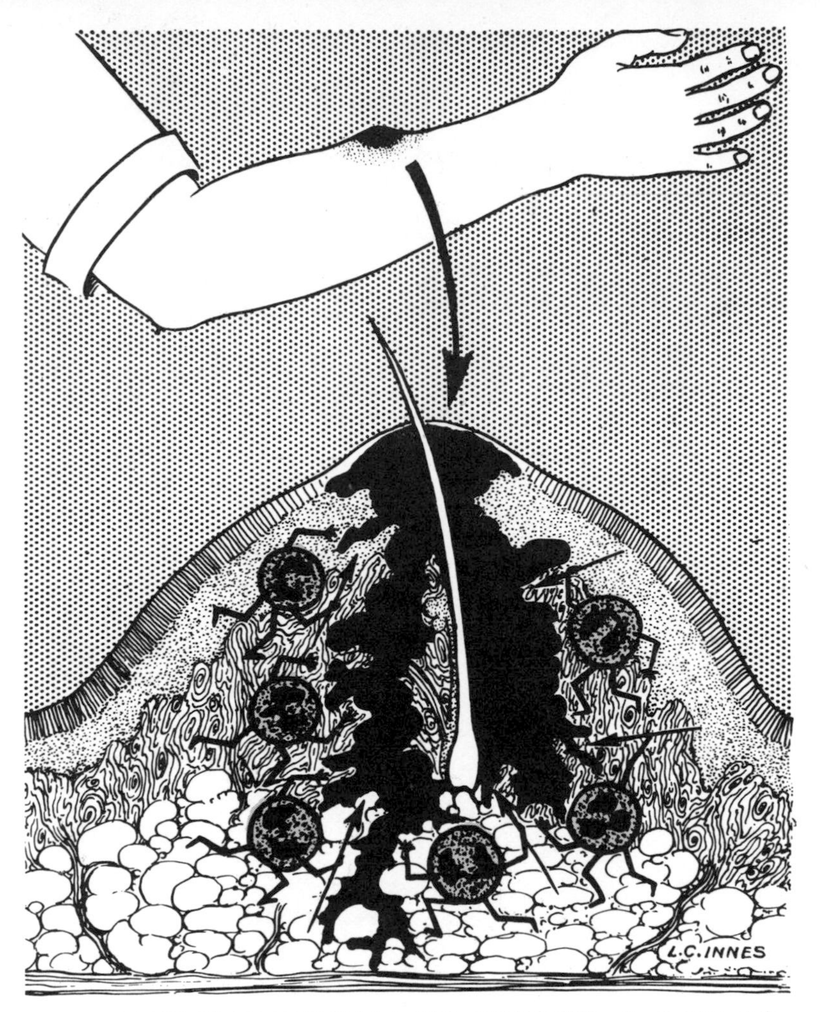

Fig. 646. **ESQUEMA DE FORUNCULO DEL ANTEBRAZO.** Se observa el folículo piloso necrosado, rodeado de pus y muy aumentado de tamaño, y los glóbulos blancos que forman una barrera defensiva alrededor de la zona infectada.

alcohol yodado y, si ya ha quedado un hueco por la salida de parte de la raíz, se puede colocar en el mismo polvo de sulfatiazol y una gasa. Para evitar otros forúnculos, véase el párrafo sobre prevención de forúnculos.

4) Hágase una curación cada vez que se note que está sucia la gasa. Si tiene tendencia a cerrarse la abertura del forúnculo por la formación de una costra sobre la misma, levántesela suavemente con una aguja quemada.

5) Si el forúnculo asienta en el labio superior o en zona de la mejilla que se halla cerca de la nariz, no debe tocarse para nada, pues puede producir complicaciones graves. Hay que llevar el paciente al médico, como también cuando el forúnculo crece mucho o cuando repite. En los casos en que se teme una complicación, el médico hace un tratamiento semejante al aplicado para el ántrax. Con frecuencia indica el médico algún antibiótico al cual el estafilococo sea sensible.

b) *Antrax.* El paciente debe ser llevado al médico, quien, mediante el examen determinará si hay diabetes o cualquier otra causa que predisponga al enfermo al ántrax o lo agrave. Habitualmente se obtienen muy buenos resultados con el uso de ciertos antibióticos.

c) *Hidrosadenitis* ("golondrino"). Pueden al principio aplicarse las compresas alternadas calientes y frías, como se explica en la página 528, que se pueden repetir cada 4 horas. Cuando la hidrosadenitis está "madura", el médico suele abrirla, lo que produce un rápido alivio. (Véanse en el párrafo sobre prevención de forúnculos, las precauciones a tomar para evitar su reaparición.) A veces el médico indica ciertos antibióticos lo que da espléndidos resultados. Ayudan también las aplicaciones de onda corta.

IMPETIGO CONTAGIOSO

Esta enfermedad ataca especialmente a los niños. Aparece preferentemente en la cara y las manos. Cuando aparece en el cuero cabelludo, puede estar asociada a piojos.

Desde el momento del contagio hasta la aparición de las lesiones en la piel, pasan de 1 a 5 días. Aparecen salientes rojizas de tamaño diverso que rápidamente se transforman en ampollas (vesículas), cuyo contenido se hace turbio, transformándose en costras de color claro, que contienen pus (pústulas). Los gérmenes que producen esta infección son el estreptococo o el estafilococo o ambos. Parece ser más frecuente el primero. La lesión es superficial y no deja cicatriz, aunque por un tiempo se ve una mancha. Produce comezón, pero no dolor. Hay una forma especial de impétigo en el recién nacido, con grandes ampollas, al que se da a veces el nombre de pénfigo común, que no hay que confundir con el pénfigo de la sífilis hereditaria. Otra forma en el adulto es la que se contrae en las peluquerías y ataca la barba. Su tratamiento es el mismo.

Tratamiento y prevención

a) Siendo contagioso el impétigo, es conveniente que se aísle al niño de los demás hasta que esté curado. Hay que evitar que el niño propague la infección a otras partes del cuerpo, lo que hace habitualmente contaminándose las uñas al tocar la lesión y luego sembrando los gérmenes al rascarse o tocarse la piel de otras partes. Se le mantendrán las uñas bien cortas y cubiertas las lesiones, si es posible, para evitar que las toque. Destrúyase el material infectado.

b) Cada mañana y cada noche hágase el siguiente tratamiento: 1) Con agua tibia, un jabón suave y trozos de algodón, ablandar las costras hasta que salgan fácilmente. Si hay ampollas, sacarlas con una tijera que haya sido previamente hervida. 2) Absorber el pus con algodón. Pueden con ventaja ponerse cremas o pomadas que contengan gramicidina o neomicina (pomada de graneodin por ejemplo) o compresas húmedas con bacitracina, tirotricina, neomicina, polimixina B o combinaciones de las mismas, o bien furacina.

c) En los niños muy pequeños, o cuando la infección es intensa, el médico puede ver conveniente indicar un antibiótico adecuado al caso. Hágase ver al niño por el médico si hay orinas muy oscuras, pues una de las posibles complicaciones del impétigo es la nefritis aguda.

SICOSIS DE LA BARBA

Bajo este nombre se designan desafortunadamente dos enfermedades distintas, pero ambas localizadas en los folículos de los pelos de la barba o el bigote. La una es la *sicosis tricofítica,* producida por hongos; la otra es la *sicosis estafilocócica,* producida por diversos tipos de gérmenes llamados estafilococos. Ambos tipos de si-

Fig. 647. **Ampliación de la lesión de la frente observada en la Fig. 645.**

cosis son con frecuencia afecciones rebeldes que responden lentamente al tratamiento.

Sicosis estafilocócica

Predisponen a adquirirla la seborrea, las irritaciones locales, tales como pequeñas erosiones producidas al afeitarse, y la secreción nasal que irrita el labio superior. El contagio puede adquirirse en la peluquería o por contacto con pus de estafilococo (toalla o almohada contaminadas, etc.). Hay salientes relativamente pequeñas (de medio a cuatro mm), en cuyo centro hay un pelo y, a veces, pus o líquido amarillento. La piel vecina enrojece y se hace más dura cuando se unen varias salientes o pápulas. Se forman costras. Hay ardor y dolor.

Tratamiento

a) Evitar afeitarse, lo cual tiende a aumentar las lesiones. Cortar más bien la barba por medio de una máquina Nº 0 de cortar el cabello. Puede ser conveniente extraer con una pinza los pelos infectados.

b) Si hay alguna causa que predisponga a la sicosis, como secreción nasal, debilidad, etc., ésta debe ser tratada.

c) Aplicar fomentos calientes en la zona afectada durante media hora cada mañana, tarde y noche. Si hay costras o pus sacarlos después de los fomentos.

d) Lavar después la cara (zona afectada) con un jabón desinfectante (por ejemplo con hexaclorofeno).

e) Aplicar después del lavado con jabón sobre la zona enferma una crema con neomicina, o neomicina y bacitracina (graneodin, por ejemplo), asociado a menudo a un corticoide, debe hacerlo friccionando suavemente con el dedo.

f) El médico indica con frecuencia eritromicina u otro antibiótico que actúe sobre el estafilococo a tomar por boca, para combatir también la infección.

ERITRASMA

Esta afección de la piel se interpretó hasta hace pocos años como producida por hongos. Se descubrió que es producida por un germen microbiano *(Corynebacterium minutissimus)*. Afecta mayormente a los adultos. Toma principalmente las ingles. En las mujeres obesas puede tomar también las axilas, tronco y miembros. A veces toma entre los dedos de los pies. Son manchas sin borde neto y de un color amarillo ocre, rosado o pardusco, con una superficie plegada o cuadriculada, que no produce otra molestia que una leve comezón. Cuando se quiere tener certeza absoluta de que se trata de esta afección, el médico observa la misma bajo una luz especial llamada de Wood. Las lesiones de eritrasma bajo la misma toman una coloración rojo-coral. El tratamiento consiste en la administración de eritromicina. En ciertos casos se le asocia el uso de una pomada como la receta Nº 17 en la pág. 847.

CAPITULO 160

Enfermedades de la Piel Causadas por Hongos

SICOSIS TRICOFITICA

SE OBSERVA mayormente en hombres que, por trabajar con animales, están expuestos al contagio. Puede contagiarse de una persona a otra por navajas, toallas, etc. Se presenta en forma de bultos bastante grandes en los cuales hay, además de enrojecimiento, numerosos orificios de los que sale pus. Los pelos afectados salen con mucha facilidad cuando se tira de ellos.

Tratamiento

a) Sacar con una pinza los pelos cuyos folículos están infectados.

b) Si hay mucha inflamación, hacerla ceder por medio de la aplicación de compresas calientes de agua de manzanilla.

c) Elegir alguno de los siguientes tratamientos: En los últimos años se ha preconizado como muy efectivo el tinaderm o tinactin (tonalfato) dos veces por día. También puede optarse por el pyroace (solución de pirrolnitrina con ácido salicílico y otros componentes. Una tercera posibilidad es el uso local del miconazol (daktarin). Estos tratamientos locales deben ser acompañados por el uso de la griseofulvina, como se indica bajo el punto d).

d) Buenos resultados se obtienen asociando al tratamiento local la ingestión del antibiótico llamado griseofulvina durante 4 a 6 semanas en esta afección.

EPIDERMOFITOSIS DE LOS PIES ("pie de atleta")

Esta afección, bastante frecuente en ciertas regiones, ataca los espacios que se hallan entre los dedos de los pies, con preferencia entre el dedo pequeño y el siguiente. Hay marcada comezón y la epidermis puede estar engrosada, blanca y ser fácil de desprender, dejando una superficie roja y sensible. Puede atacar también el lugar donde los dedos se unen con la planta del pie o aun otras partes del pie, como su borde interno o su dorso. Hay casos en los cuales se observan pequeñas ampollas que producen comezón. Otras veces es una forma seca con o sin prurito, desprendiéndose escamas secas del espacio que media entre los dedos.

Esta afección empeora durante el tiempo de calor, especialmente cuando se humedecen los pies por la transpiración. Suele mejorar en invierno. El que tiene esta afección puede presentar lesiones en las manos, no directamente producidas por los hongos sino como reacción y que curan cuando mejoran los pies.

Prevención

Para impedir el contagio y para no contagiar a otros, hay que evitar usar calzado ajeno y el estar descalzo donde van otras personas descalzas, salvo que se hayan dejado los pies durante unos instantes en una solución de hipoclorito de sodio al 1%. El material que ha tocado la parte enferma y los trocitos de piel que salen pueden contaminar a otros. Los zapatos pueden desinfectarse colocando en ellos un papel secante que se haya mojado con una cucharadita de formol líquido. Envolverlos en un diario y dejar así 24 horas. Hay que dejarlos airear dos días antes de volver a usarlos.

Tratamiento

a) Evitar que quede humedad entre los dedos de los pies. Usar si es necesario el polvo que mencionaremos luego y aun algodón entre los dedos de los pies.

b) Cada noche hacer un corto lavado de los pies con agua tibia y jabón, secando luego perfectamente con una gasita entre los dedos.

c) Con muy buenos resultados se ha utilizado el tolnaftato en solución (tinaderm o tinactin).

d) A la mañana siguiente, espolvorear los pies y especialmente entre los dedos con talco boratado o mejor aún, polvo con tolnaftato (tinaderm) si se utiliza la solución al 1% de dicha sustancia dos veces por día. Luego conviene poner un par de calcetines, preferiblemente blancos, que se renovarán diariamente. Se hervirán después del uso para desinfectarlos.

e) Si hubiese marcada inflamación de las partes afectadas, es conveniente tratarla previamente por medio de aplicaciones de compresas mojadas en solución de ácido bórico o de permanganato de potasio al 1 en 10.000. Mejor aún es aplicar baños calientes de pies, 2 veces por día, con la solución antedicha de permanganato de potasio, durante 20 minutos.

PITIRIASIS VERSICOLOR

Esta afección es producida por el crecimiento de una clase de hongos en la piel, cuyo único síntoma son unas manchas de color amarillento o castaño, que tienen tendencia a multiplicarse y a extenderse. Se las halla con frecuencia a nivel del tórax. Si se observan las manchas con cuidado, se nota que presentan algo así como unas finísimas arrugas paralelas. Si se las raspa salen escamas. A veces no producen molestia alguna, y otras pueden producir un poco de comezón, especialmente cuando la persona transpira.

Tratamiento

El tratamiento de esta afección exige mucha constancia. Puede elegirse alguno de los siguientes tratamientos:

a) Nos ha dado buen resultado el friccionar las manchas diariamente con la pomada de la receta No. 18 (página 847). Es un poco fuerte en los casos cuando se la usa sobre piel muy delicada. Hay tendencia, como en el caso de cualquier otro tratamiento, a su reaparición, si no se continúa aplicando la pomada de vez en cuando, después de estar aparentemente curadas.

b) Otro tratamiento que pueda dar buen resultado es pincelar las manchas cada noche con el líquido yodado de la receta No. 20, dejando secar bien antes de ponerse ropa. Si parece haber irritación de la piel, se puede poner pomada de azufre (receta No. 21) hasta que se vea que la irritación ha cedido.

c) Frotar enérgicamente las manchas con agua tibia, jabón y una toalla áspera. Secar bien y luego aplicar una solución acuosa saturada de tiosulfato de sodio (hiposulfito de sodio), frotando. En seguida después de seca frotar con una solución de ácido tartárico al 3%.

Seguir aplicando diariamente la solución de hiposulfito y de vez en cuando ambas. Para evitar nuevo contagio es preferible usar ropa interior de algodón y hervirla antes de usarla.

d) Ultimamente se ha recomendado (cuando hay pocas manchas) fricciones 3 veces al día con solución al 1% de tolnaftato (tinaderm o tinactin) realizadas regularmente durante 2 ó 3 semanas.

Recientemente estamos obteniendo buenos resultados con el uso, en ésta y otras micosis de la piel, de un producto de origen japonés, cuya sustancia activa es la pirrolnitrina. Contiene 0,5% de pirrolnitrina en un vehículo con 2% de ácido salicílico, 0,5 de cloruro de benzalconio, 20% de éster dietílico del ácido sebácico y cantidad suficiente de alcohol de 70° para completar 100 ml. Se aplica dos o tres veces por día. En el lugar donde ejerzo mi profesión, se obtiene bajo el nombre comercial de Pyroace.

MICOSIS DE LA PARTE SUPERIOR DE LOS MUSLOS (Eccema marginado)

Es una afección de la piel producida por ciertas clases de hongos y que aparece en las ingles y en la raíz del muslo, tomando a veces también las bolsas. También puede aparecer en las axilas. Se caracteriza por placas con bordes netos y algo levantados, de color rojizo. Las placas se extienden gradualmente. Producen una sensación de ardor y picazón. La afección que acabamos de describir es la descrita antiguamente bajo el nombre de eccema marginado.

Tratamiento

Cuando hay mucha inflamación puede aplicarse una crema con corticoides y Vioformo.

Se puede elegir alguno de los siguientes (el punto *c*, es el más efectivo):

a) Aplicación diaria de solución de yodo (receta No. 12, de la pág. 847) durante unos 15 días. Es más enérgica la solución de la receta No. 20. Si hay borde, friccionar sobre el mismo y un par de centímetros a su alrededor. Alguna vez, si la lesión parece irritarse, se puede aplicar pomada de azufre (receta No. 21). Repetir el tratamiento si es necesario.

b) Aplicar ungüento Whitefield (receta No. 17) cada noche. Es conveniente hervir la ropa interior para destruir los hongos de la misma y además prolongar el tratamiento, pues tiene tendencia a repetir, aun estando aparentemente curada.

c) En casos rebeldes de eccema marginado, se obtienen muy buenos resultados con el uso de un antibiótico llamado griseofulvina y localmente aplicar tinaderm o tinactin (tolnaftato).

TRICOFITIA DE LA PIEL LAMPIÑA

Además de la tricofitia del cuero cabelludo, que da una forma de tiña (véase la página 1622), y de la barba, que da una forma de sicosis (véase el comienzo de este capítulo), de la micosis de las uñas u onicomicosis y de la micosis de los pies o epidermofitosis, este tipo de hongos puede localizarse en la piel lampiña, que es la forma que describiremos aquí.

Puede aparecer en las manos, los antebrazos, la cara y el cuello, vale decir, en las partes descubiertas. Con frecuencia se debe a contagio de un animal (ternero, caballo, etc.) que tenga estos hongos.

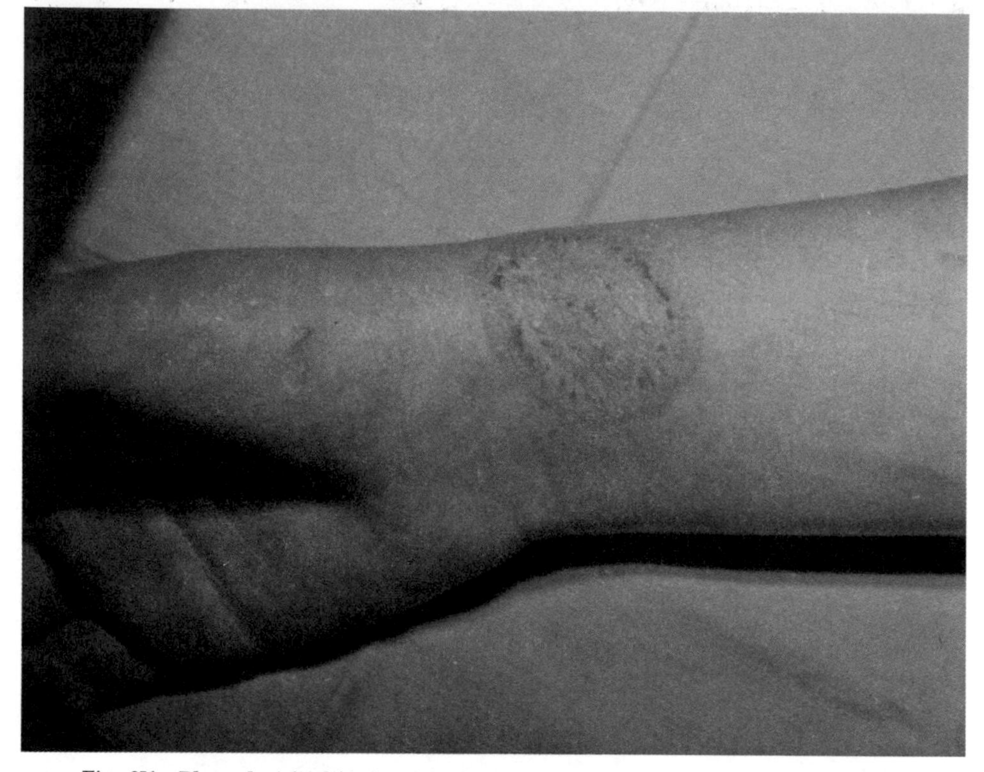

Fig. 651. **Placa de tricofitia de piel lampiña. Es típica la forma redondeada y el borde más saliente y oscuro.**

Lo característico de la tricofitia es su forma redondeada, limitada por un borde rojizo y algo levantado en el cual se pueden ver pequeñas vesículas, mientras que en el centro tiene tendencia a cicatrizar. Las placas pueden llegar a tener gran tamaño.

Tratamiento

El mejor tratamiento actual consiste en el uso de un antibiótico llamado griseofulvina y localmente solución de tinaderm o tinactin (tolnaftato).

MONILIASIS O CANDIDIASIS CUTANEA

Son lesiones de la piel producidas por el hongo llamado *Monilia* o *Cándida albicans.* Pueden aparecer en pliegues de la piel (axilas, ingles, entre los dedos de las manos, vulva, piel perianal, ombligo, etc.). El tratamiento consiste en mantener la piel seca y aplicar lociones de nistatina (Mycostatin) o anfotericín B (Fungizone). Después que ha secado la loción aplicar algún polvo secante o talco.

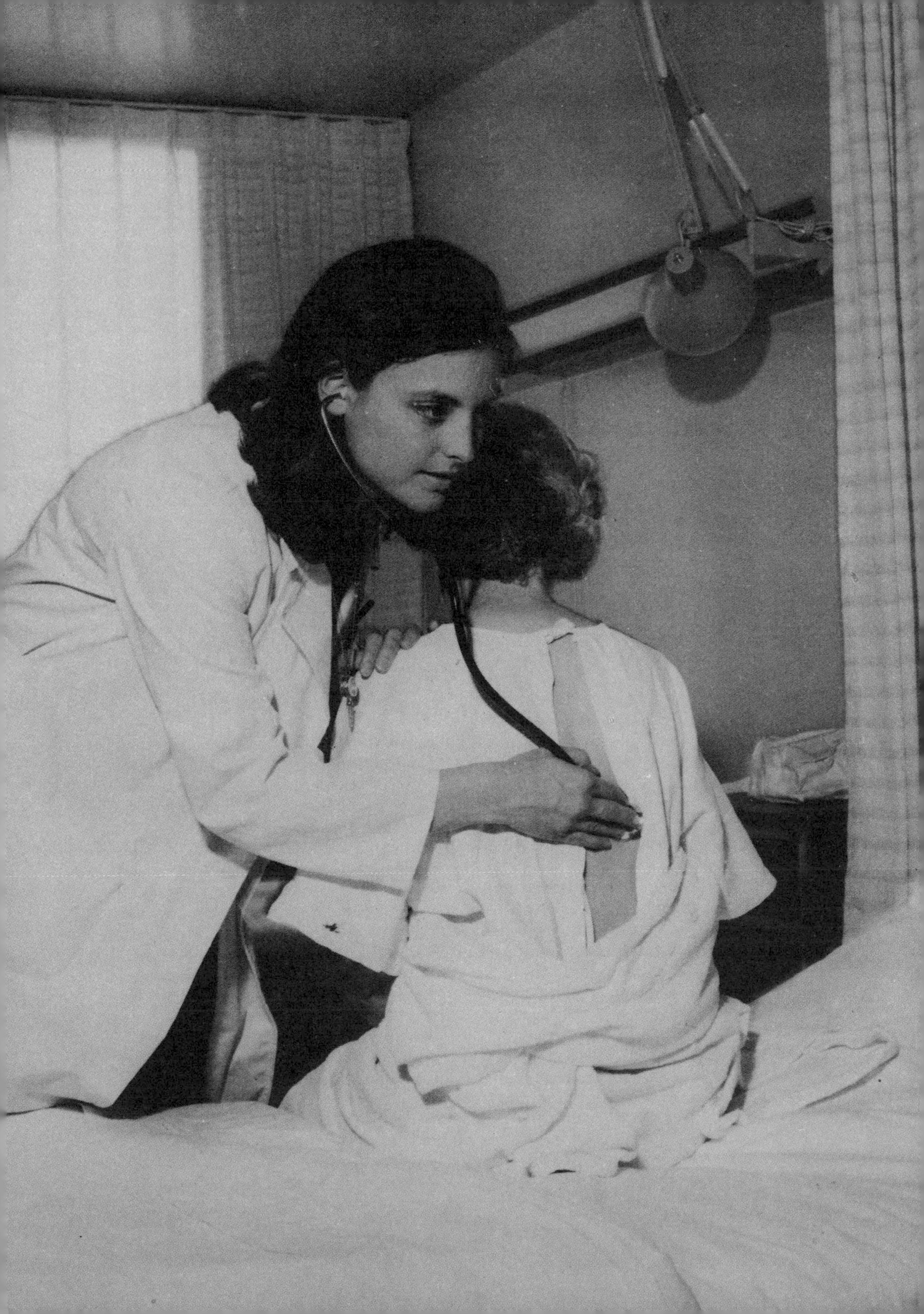

CAPITULO 161

Otras Afecciones de la Piel

HERPES

LOS herpes son afecciones de la piel o de las mucosas producidas por virus y caracterizadas por la formación de pequeñas ampollas.

HERPES SIMPLE

Es una afección bastante frecuente, caracterizada por la formación de varias vesículas que asientan sobre una zona de piel enrojecida. Es producida por un virus filtrable, vale decir, una especie de germen microbiano tan pequeño que es capaz de pasar a través de ciertos filtros de porcelana que utilizan los que se ocupan de su estudio. Su localización más frecuente es en la cara, habitualmente en los labios. Puede aparecer en los órganos genitales y en otras partes. Favorecen su aparición causas debilitantes, fiebre, quemaduras de sol, traumatismos, y con más razón ciertas enfermedades como neumonía, meningitis cerebroespinal epidémica, gripe, resfríos fuertes, etc.

Hay mujeres que presentan herpes en cada período menstrual. En algunos casos se acompaña de malestar en el tubo digestivo (lengua sucia, inapetencia, malestar en el abdomen), lo que generalmente no es la causa sino el efecto del herpes, que puede aun acompañarse de algo de fiebre y aumento de tamaño de los ganglios que corresponden a esa zona cuando el herpes es intenso.

En el lugar donde van a aparecer las ampollas hay una sensación de ardor, tensión o picazón. Aparece una mancha rojiza sobre la que se forman pequeñas vesículas que, si se rompen, dejan salir un líquido amarillento. Se forma luego una costra amarillenta que después cae. Su duración varía entre 6 y 10 días. En el capítulo 101 se estudió el herpes de la boca (estomatitis vesiculosa).

Tratamiento

Localmente, aplicar unas 4 veces por día alcohol alcanforado, o dos veces por día tintura de merthiolate o tintura de benjuí compuesta. Si se reseca mucho, poner manteca de cacao. Buen resultado se obtiene a veces aplicando, al iniciarse el proceso, un compuesto antivirósico, como la idoxuridina. El médico suele prescribir la vacunación antivariólica repetida (por ejemplo, cada semana, por 10 veces). Si hay trastornos digestivos que acompañan al herpes, puede ser útil dar un laxante salino como la limonada Rogé, y evitar los alimentos pesados durante algunos días. Cuando el herpes acompaña una enfermedad general grave, lo que más importa es el tratamiento de esta última.

HERPES ZOSTER O ZONA (culebrilla)

El herpes zóster es una afección dolorosa, caracterizada por una erupción de ampollas y enrojecimiento de la piel, sobre el trayecto de un nervio que se ha inflamado. Se cree que es causado por la inflamación de la raíz posterior del nervio o del ganglio anexo al mismo, producida por un virus filtrable que algunos piensan es el mismo de la varicela. Es poco probable que aparezca por segunda vez. Puede aparecer en el curso de ciertas infecciones o lesiones del sistema nervioso y en la intoxicación arsenical.

Su localización más frecuente es el tronco, pero puede aparecer en el cuello, en los miembros, o en el trayecto del nervio oftálmico (párpado superior y frente), localización que puede dañar el ojo.

Se manifiesta por dolor en el trayecto del nervio inflamado antes de aparecer la erupción, lo que puede hacer pensar en diversas enfermedades del tórax o abdomen. Luego aparecen placas rojizas, ovaladas y alargadas en el sentido del trayecto del nervio, y en las cuales se forman numerosas ampollas de 1 a 3 mm de diámetro, que contienen un líquido amarillento y que no tienen tendencia a romperse espontáneamente. Los ganglios correspondientes a la piel afectada están habitualmente aumentados de tamaño y dolorosos. El dolor y el ardor son bastante intensos. Puede acompañarse de fiebre, malestar general, escalofríos y otros síntomas generales de infección. Toma habitualmente un solo lado del cuerpo. Las placas pueden crecer durante unos días. La afección cura en unos 8 a 10 días, pero cuando afecta a una persona de más de 50 años, es frecuente que el dolor persista por cierto tiempo después de desaparecida la erupción.

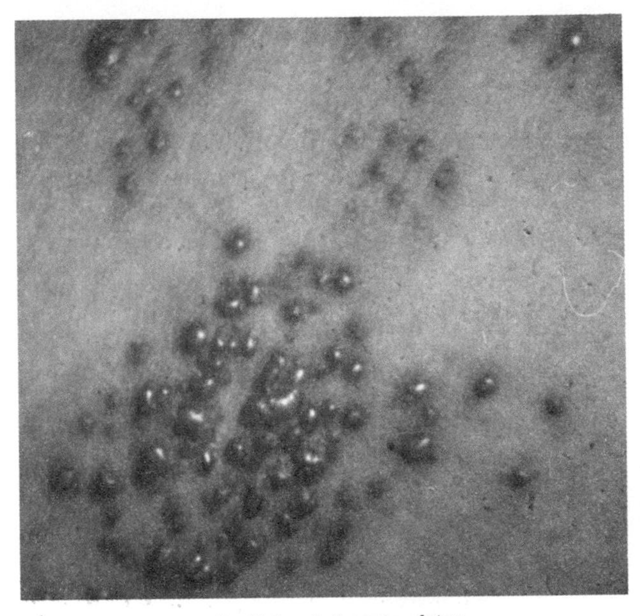

Fig. 652. Erupción típica de herpes zóster.

Tratamiento

El paciente guardará cama mientras haya síntomas generales y mucho malestar. Luego puede estar levantado, pero debe evitar los roces sobre la lesión. Alimentar como en el caso de enfermedades ligeramente febriles (leche, cereales cocidos, purés de verduras, jugos de fruta, abundantes líquidos, etc.). El intestino se mantendrá libre. Localmente puede aplicarse cada mañana y cada noche el polvo de la receta No. 10 o simplemente talco mentolado (receta No. 19 de pág. 848), protegiendo la región con una gasa sostenida con un vendaje. A veces prescribimos tratamiento como para una quemadura, lo que impide a la piel resecarse y alivia algo el ardor. Puede producir marcado alivio al dolor el calor radiante, como el que da una lamparilla eléctrica de 60 w, a una distancia prudente para no producir quemadura y aplicado 20 minutos unas 3 veces por día.

El médico prescribe diversos medicamentos que parecen ser útiles, como la vitamina B_1, antihistamínicos, calmantes del dolor, y en ciertos casos, corticoides, etc.). Localmente, el médico puede indicar compuestos con neomicina, bacitracina o polimixina B. Ciertos médicos especializados en enfermedades nerviosas utilizan con muy buen resultado las inyecciones de novocaína (procaína) en ciertos ganglios nerviosos. El resultado es mejor cuando se inicia precozmente y en una persona que no sea de mucha edad.

ERITEMAS

Definición

Eritema significa enrojecimiento de la piel. Es un síntoma que puede ser provocado por muy diversas causas: intoxicaciones, ciertas enfermedades eruptivas o infecciosas, quemaduras de sol, irritaciones de la piel, etc.

ERITRODERMIAS

Son aquellas enfermedades caracterizadas por aparecer enrojecimiento de toda la piel, seguido de pronunciada descamación de la misma. Puede aparecer en el niño pequeño o en el adulto. Son afecciones serias que deben necesariamente ser tratadas por el médico.

ERITEMA POLIMORFO O MULTIFORME

Ya se definió el significado de la palabra eritema. Polimorfo o multiforme significa "de diversas formas" pues en esta enfermedad la erupción puede manifestarse en el mismo enfermo o en varios enfermos, en formas distintas: manchas o máculas rojizas o violáceas, zonas salientes o pápulas, vesículas o ampollas de diverso tamaño.

Se localiza más frecuentemente en el dorso de las manos y los antebrazos, aunque puede aparecer en el dorso de los pies, las piernas y el cuello. Ataca preferentemente a personas jóvenes y en primavera. Al iniciarse puede acompañarse de síntomas generales: fiebre, dolores reumáticos, malestar general, etc. No hay acuerdo entre los diversos especialistas de piel acerca de su causa, la que probablemente varía de un caso a otro. Hay casos al parecer infecciosos, otros debidos a intoxicaciones de diverso origen y, por último, los hay de probable origen alérgico. El diámetro de cada elemento varía entre 1 y 2½ cm. La duración de la erupción varía de pocos días a varias semanas. En algunas personas tiene tendencia a reaparecer en cada primavera. Ocasionalmente la erupción puede manifestarse en la boca. En algunos casos, la aparición del eritema polimorfo es precedida de un herpes simple que aparece de 7 a 10 días antes. En estos casos, el tratamiento del herpes con vacuna antivariólica (véase herpes simple en la página 1606), puede ayudar a evitar la aparición del eritema.

Tratamiento

a) Si hay síntomas generales (véase el párrafo anterior), es conveniente guardar cama.

b) Alimentación: evitar condimentos, frituras y alimentos grasosos o difíciles de digerir, o aquellos para los cuales se haya notado intolerancia; también té, café y alcohol. Beber muchos líquidos: limonada, jugos de fruta fresca o de fruta cocida, infusiones, etc.

c) Mantener el intestino funcionando normalmente.

d) Localmente, aplicar 3 veces por

día la loción de óxido de zinc de la receta No. 7 de la página 846.

e) Es prudente consultar al médico para que éste determine e indique el tratamiento de la posible causa. El médico indica a veces sustancias de las llamadas antihistamínicas (véase la página 1405), inyecciones de calcio, ACTH o corticoides, etc.

ERITEMA NUDOSO

Se le ha dado el nombre de nudoso por sentirse la piel espesada o nudosa en el lugar de la afección. También se lo ha llamado contusiforme, por semejar al aspecto que toma una zona contusionada o golpeada. Aparece especialmente en personas jóvenes y en la parte anterior de las piernas, pudiendo también observarse en el dorso de los pies y en los antebrazos. Son nódulos múltiples, redondos u ovalados de color violáceo, cuyo tamaño varía entre 1 y 6 cm. Son algo dolorosos y duros al tocarlos. Se desarrollan rápidamente, pero pueden tardar de 3 semanas a un mes o más aún en desaparecer. Pueden acompañarse de dolores en las articulaciones, decaimiento general y ligera fiebre. Su causa varía con el caso. Con cierta frecuencia acompañan a una infección tuberculosa en sus comienzos. Otras veces se deben a algún foco de infección en amígdalas, dientes o alguna otra parte del organismo.

Tratamiento

Es conveniente que el paciente sea examinado por el médico para que se determine la probable causa del eritema nudoso. Mientras tanto, se puede guardar cama con las piernas elevadas con una almohada. Luego conviene caminar y estar de pie lo menos posible. Localmente se puede aplicar cada mañana y cada noche, con un pincel suave o un algodón montado en un palito, la solución de ictiol en agua, de la receta No. 23 de la página 848, luego de lo cual se colocan algodón y venda sobre las partes afectadas. El médico indica a veces algún antibiótico o diversas formas de fisioterapia. En casos muy intensos y rebeldes se ha utilizado con éxito ACTH o hidrocortisona, si hay certeza de que la causa no es la tuberculosis.

ERITEMA PERNIO (sabañones). Cómo evitar su aparición

El sabañón es una inflamación de la piel de las extremidades, causada por repetidos enfriamientos de las mismas. Es más frecuente en los niños, adolescentes y adultos jóvenes, estando predispuestas las personas debilitadas, con trastornos en la circulación o en sus glándulas de secreción interna. Aparece con mayor frecuencia en los dedos de los pies y de las manos, pudiendo hallarse también en las orejas, los bordes de las manos y de los pies, los talones, las piernas y, rara vez, en la punta de la nariz y las mejillas.

Se manifiesta por la aparición de zonas de color rojo azulado, en que la piel está tensa y a veces lustrosa. En los dedos la hinchazón es a veces marcada. Se acompañan los sabañones de una molesta sensación de ardor y comezón. Los sabañones pueden abrirse o ulcerarse, produciendo secreción, haciéndose en ese caso más dolorosos. Cada sabañón suele curar habitualmente en una o dos semanas, pero aparecen otros, mientras sigue la temporada de frío.

Tratamiento

PREVENCION.—Puede ser útil, para evitar o disminuir el número y la intensidad de los sabañones, tomar las siguientes precauciones:

a) Mantener las manos y los pies

secos y abrigados, evitando los cambios bruscos de temperatura. Para los pies, usar calzado amplio y utilizar dos pares de medias o calcetines, de lana el exterior y de algodón el interior. Colocarse guantes de lana o guantes amplios de cuero con forro de piel antes de salir al frío.

b) No exponer las manos o los pies enfriados a calor fuerte (estufa, bolsa de agua caliente, etc.).

c) Mejorar la circulación por medio de ejercicios físicos, así como del ejercicio que se aconseja más adelante para el tratamiento de los sabañones.

d) Evitar que se dificulte la circulación con ropas ceñidas (ligas, mangas, pulseras o cuellos apretados, etc.).

e) Mejorar el estado general o resistencia del paciente por medio de una vida saludable, y tratando cualquier afección debilitante que predisponga. Pueden ser útiles las vitaminas A y D (aceite de hígado de bacalao u otros peces).

f) De noche, al acostarse, aplicar a las manos y los pies una solución astringente como las recomendadas más adelante. Evitar el agua muy fría al lavarse o trabajar.

TRATAMIENTO PROPIAMENTE DICHO.—Es el siguiente:

a) Poner en práctica todos los medios aconsejados anteriormente con el fin de evitar la aparición de nuevos sabañones.

b) Facilitar la circulación de las partes afectadas por diversos medios: 1) Varias veces por día (por lo menos 3 veces), mover durante unos 3 minutos los dedos de los pies y las manos, los tobillos y las muñecas. Los movimientos de flexión y extensión de los dedos (abrir y cerrar la mano) se harán primeramente con los brazos mantenidos horizontalmente y luego hacia arriba. 2) Cada mañana y cada noche, hacer un baño caliente de la parte afectada o compresa caliente sobre la misma (lo que se tolere bien). Es útil si se consiguen hojas de nogal; para que el agua se haga astringente, añadir un puñado de dichas hojas por cada litro de agua y hacer hervir unos 10 minutos. Cada 5 minutos puede dejarse caer sobre las partes afectadas un poco de agua fresca (no muy fría), volviendo a poner manos o pies en el agua caliente por otros 5 minutos. Después de enjuagarlos con agua fresca, secar bien y, si no hay lesiones de la piel, espolvorearlos con talco y hacer una fricción muy suave desde la extremidad de los dedos hacia la raíz del miembro, para facilitar el retorno de la sangre de las venas. 3) Después del baño y la fricción suave, aplicar de día alguno de los siguientes líquidos que se elegirán según el caso: alcohol alcanforado o alcohol mentolado al 1% o alcohol yodado al 1%. De noche se puede aplicar con un pincel la solución de la receta No. 24 ó la No. 25 que es más fuerte, espolvoreando los sabañones, después que se haya secado la solución que se aplicó, con el polvo de la receta No. 26. 4) Cuando hay ulceraciones, se puede aplicar cada noche y cada mañana una pomada cicatrizante, de las que se consiguen en tubos en el comercio (ungüento de bepanten, clinal, hipoglos, etc.), después de haber hecho un baño en solución caliente de permanganato de potasio al 1 por 5.000. Si las ulceraciones están infectadas puede colocarse una pomada con bacitracina o neomicina de las del comercio. 5) Métodos muy útiles son las aplicaciones de rayos ultravioleta, ondas cortas y duchas de aire caliente. 6) Es útil dar a estos pacientes aceite de hígado de bacalao u otras sustancias ricas en vitaminas A y D. El médico puede ver necesario prescribir en ciertos casos niacina, ciertos extractos glandulares, sustancias vasodilatadoras (priscol, roniacol, etc.).

INTERTRIGO (irritación de los pliegues de la piel)

Esta irritación se produce mayormente en niños y personas obesas, en los pliegues de la piel: en la ingle, entre las nalgas, en las axilas, en los pliegues de la piel del abdomen, debajo de los senos, etc.

Favorecen su aparición, además de la obesidad, el tiempo caluroso, la transpiración, la diabetes y cierta tendencia especial de la piel.

La región puede infectarse con estreptococos, con hongos o levaduras. Se manifiesta por un enrojecimiento de la piel, que está irritada, con frecuencia húmeda, y a veces despide un olor desagradable.

Tratamiento

a) Lavar muy suavemente con agua tibia y un jabón suave.

b) Espolvorear con talco boratado, o mejor aún con el polvo de la receta No. 10, de la página 847.

c) Si es posible, mantener separadas las superficies que se tocaban con un género muy suave (pañuelos gastados, por ejemplo), espolvoreado con el polvo o talco antedicho.

d) Hacer cada día una escrupulosa higiene de la zona afectada, espolvoreándola luego con talco o con el polvo mencionado. Hay casos que se benefician al poner una crema como la de la receta No. 28.

e) Los casos rebeldes pueden estar secundariamente infectados por gérmenes u hongos o levaduras, debiendo en esos casos el médico indicar el tratamiento adecuado.

ECCEMA*

El eccema es una inflamación de la piel con formación de vesículas, escamas y costras, que tiene tendencia a hacerse crónica. El eccema es quizá la más frecuente de las afecciones de la piel. Siendo un tema algo complejo, por la diversidad de sus causas, de sus formas y sus asociaciones con otras enfermedades de la piel, como las micosis y las infecciones con gérmenes comunes o piodermitis, trataremos de hacerlo claro al lector indicando luego tratamientos sencillos. Si éstos no resultan suficientes, debe consultarse al médico. El eccema del niño fue estudiado en el capítulo 35.

* Véanse las figuras 653 y 654.

Causas

Con frecuencia, en la aparición del eccema intervienen dos factores: la predisposición del paciente y una irritación local. En muchos casos el eccema es alérgico (véanse los capítulos 35 y 136). Con frecuencia hay alguna causa local de irritación, que provoca o mantiene el eccema en la persona predispuesta. Así por ejemplo, son causas locales de eccema el uso de jabones irritantes o el trabajar con cal, o cemento portland, o en panaderías, o encuadernación, o el uso de ciertos medicamentos irritantes (formol, yodo, sales de mercurio, etc.), la irritación de la piel por viento, sol, frío, calor excesivo. En ciertos lugares, las secreciones normales o anormales (supuración, flujo, etc.), pueden producir un eccema en la zona de la piel que se pone en contacto con las mismas. Como causas predisponentes de orden general, pueden citarse las afecciones hepáticas, ciertos trastornos nutritivos y trastornos de las glándulas de secreción interna. También pueden favorecer el eccema los hongos que se desarrollan en los pies y los focos de infección.

Forma aguda

El paciente siente ardor, tensión y comezón en la zona afectada de la piel, con enrojecimiento e hinchazón de la misma, en la cual pueden obser-

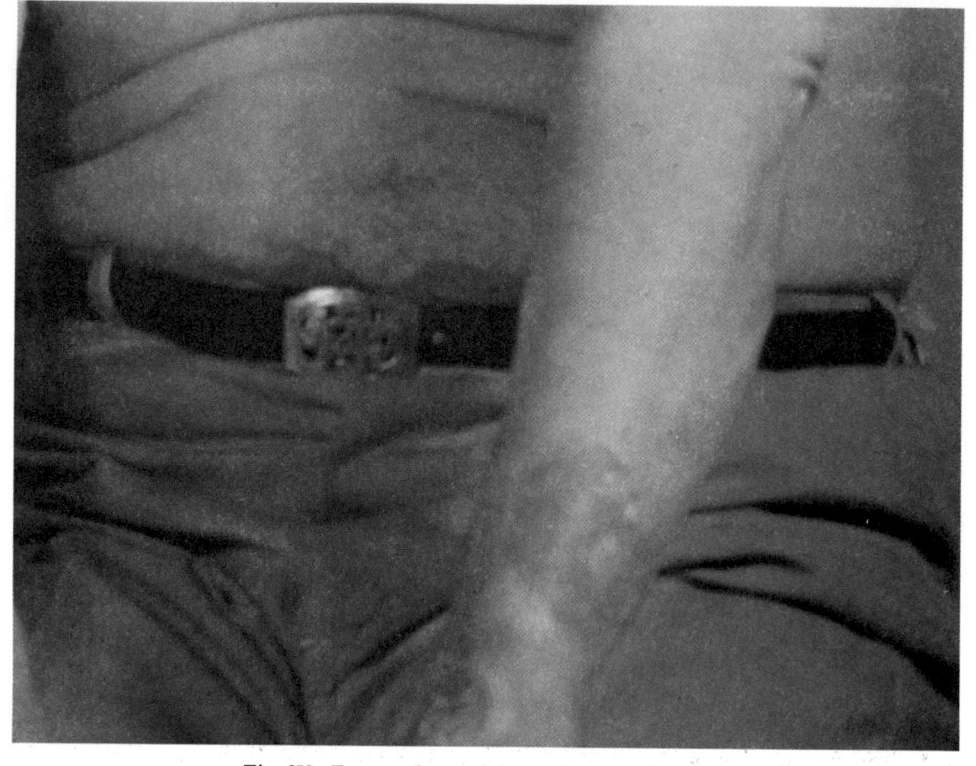

Fig. 653. Eccema de antebrazo y de dorso de mano.

varse vesículas muy pequeñas. La piel está caliente. Al cabo de un día o dos, se rompen las vesículas y sale un líquido amarillo abundante, que tiende a formar escamas amarillentas. Después de un período que puede variar entre días y semanas, deja de salir líquido, pudiendo quedar una superficie lisa y roja, o aun con más frecuencia sucede que se cubre la piel de escamas delgadas, que pueden hacerse luego más espesas si el eccema pasa a la cronicidad. Cuando el eccema asienta en la cara es frecuente que haya marcada hinchazón de los párpados.

Eccema crónico

Puede ser continuación de un eccema agudo o haberse iniciado ya en forma lenta. Con mucha frecuencia se presenta en forma de placas escamosas y espesamiento e irregularidades de la piel. Si se sacan las escamas, pueden a veces comprobarse las pequeñas vesículas que se describían en el eccema agudo. Ocasionalmente pueden estas vesículas dar líquido. En algunos casos puede presentar surcos que quiebran las escamas. Es frecuente que el eccema crónico provoque comezón y que el rascado produzca modificaciones en el aspecto de la piel.

Tratamiento local de la forma aguda

Durante el período agudo, además del tratamiento general que se mencionará al final, se puede hacer el siguiente tratamiento local:

a) Cuando la lesión se inicia, y mientras está húmeda, aplicar compresas de gasa mojada que se renovarán o mojarán con frecuencia dejándolas evaporar, lo cual calma el ardor. En el caso de que el eccema agudo asiente en la cara, se puede hacer una máscara de gasa. Las compresas se mojarán con agua de manzanilla, que se prepara echando 1 litro de agua hirviendo sobre 10 cabezas o flores de manzanilla y manteniendo esta infusión a fuego lento durante 20 minutos. Se puede utilizar en lugar de la manzanilla el agua de malva. Las compresas se aplicarán a la temperatura de la habitación y no deben dejar gotear el líquido con que se han mojado.

b) Cuando el eccema agudo no produce ya exudación o líquido, se puede aplicar una crema con corticoides, o una pasta al agua como la de la receta No. 23. También se la puede aplicar de noche, en lugar de las compresas. Al mejorar aún más el estado de la piel, se le puede añadir 3% de ictiol a esta pasta. La pasta se puede poner 2 ó 3 veces por día si el paciente siente sequedad de la piel. Para sacar la colocada anteriormente se puede utilizar un algodón mojado en aceite de almendra, o de oliva, o simplemente de aceite comestible de buena calidad. Si el aceite parece molestar al paciente, se puede hacer el lavado con solución salina normal (2 cucharaditas de sal fina en 1 litro de agua; hervir para esterilizarla). En ciertas formas agudas e intensas el médico prescribe localmente y por ingestión derivados de la cortisona.

Fig. 654. Eccema avanzado de las rodillas.

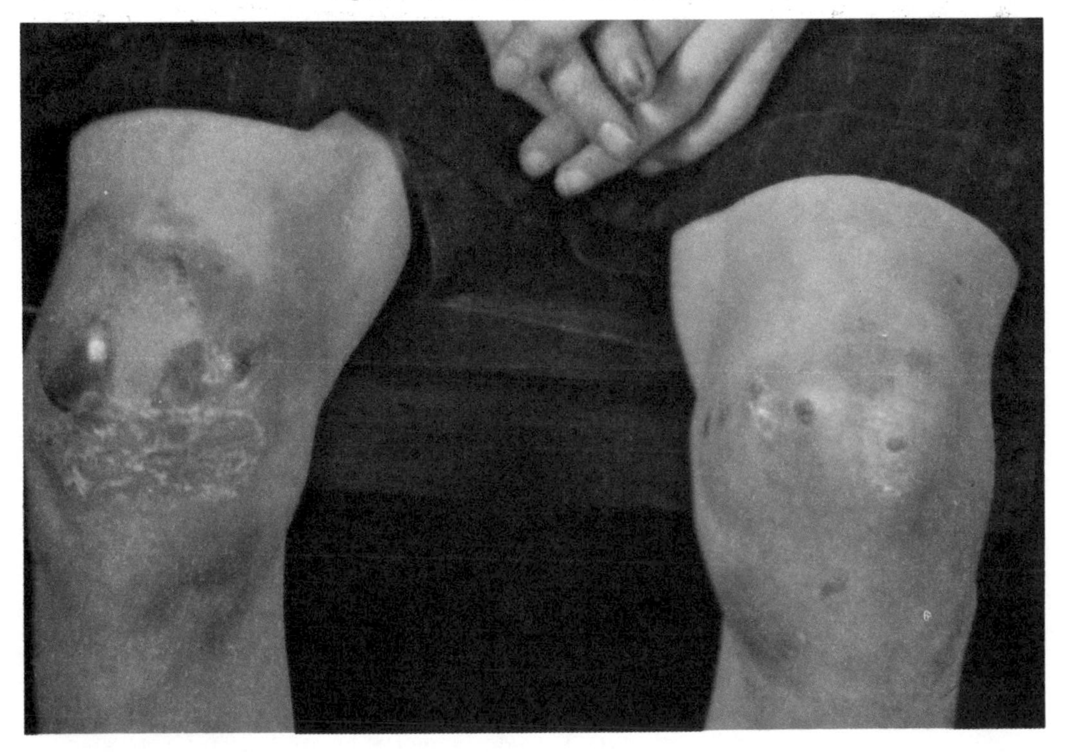

Tratamiento local de la forma crónica

Se pueden utilizar diversos medicamentos que tiendan a la cicatrización del eccema: alquitrán de hulla, o de haya, aceite de cada, ictiol, etc. Una fórmula a menudo útil es la de la receta No. 30 de la página 848, que se puede aplicar cada noche en la zona del eccema crónico, colocando alguna protección para no manchar las ropas. También dan buen resultado en algunos casos las pomadas con antihistamínicos que se consiguen en el comercio. (Por ejemplo, ungüento de teforín o crema de piribenzamina.) **A veces el médico prescribe en forma local diversos corticoides que suelen dar muy buenos resultados.**

Tratamiento general

a) *Régimen alimentario.* Cuando se haya descubierto que algún alimento es el causante de las manifestaciones alérgicas, será por supuesto eliminado en seguida de la alimentación. De todas maneras, es conveniente prescindir de condimentos: mostaza, pimienta, vinagre, encurtidos (pickles), ají; de alimentos grasosos o fritos, quesos fermentados, salsas, carne de cerdo, pescados, mariscos y exceso de alimentos dulces. También deben evitarse bebidas alcohólicas, tabaco, chocolate, té, café, mate y otras bebidas que también contengan cafeína, como la coca-cola. Mientras tenga tendencia a ser húmedo el eccema es conveniente disminuir la cantidad de sal de la alimentación. Los alimentos más convenientes son: leche (salvo intolerancia a ella), verduras (excepto las que producen gases o las irritantes, como repollo, coliflor, rabanitos, nabos, espinacas, pepinos, etc.), frutas, cereales integrales (salvo avena). Debe beberse mucho líquido.

b) Evitar en lo posible el agua y el jabón sobre el eccema. Se lo puede limpiar con aceite de almendra o aceite comestible de buena calidad, o con alguno de los nuevos detergentes sin jabón que se consiguen en el comercio, probándolos con prudencia. Si el eccema está localizado en las manos, mojarlas lo menos posible. Puede ser de mucha utilidad un par de guantes de goma para ciertos trabajos.

c) Evitar, además del jabón, cualquier otro factor de irritación especialmente en el período agudo: ropa de lana, viento, sol, calor o frío excesivos y el rascado.

d) Hay que evitar la constipación, lo que será fácil si se sigue el régimen adecuado (véase constipación en la página 1077). Además conviene llevar una vida saludable que aumente la resistencia del organismo. Hay que dormir lo suficiente, evitar preocupaciones y, en las formas crónicas, tratar de hacer suficiente ejercicio al aire libre.

Tratamiento que indica el médico

Cuando un eccema no cede con los tratamientos sencillos antes indicados, es conveniente consultar al médico, si es posible a uno especializado en enfermedades de la piel. El médico tratará de determinar la causa o las causas del eccema y de eliminarlas o ponerlas en tratamiento. Si se sospecha causa alérgica es probable que indique un tratamiento desensibilizante (véase el capítulo 136), o que administre algún antihistamínico o corticoides que impidan las manifestaciones alérgicas mientras se tratan las causas. Además, en el tratamiento local, el examen le revela al médico si hay alguna complicación (infección, micosis, etc.) que requiera tratamiento, pudiendo variar los medicamentos según la tolerancia de la piel y la evolución de la enfermedad.

DERMATITIS POR CONTACTO

Existen muy diversas sustancias que, cuando se ponen en contacto con la piel de personas sensibles o sensibilizadas, pueden producir inflamación o irritación de la misma. Hay enrojecimiento, hinchazón, comezón y pequeñas ampollas que pueden romperse, dando líquido. Pueden simular un eccema agudo. Dentro de sus causas pueden citarse diversos colorantes o tinturas, medicamentos, cosméticos y ciertas plantas que existen en diversos países, como el zumaque, la aruera, el litre, los llamados "poison ivy" y "poison oak", las prímulas, la higuera y otras. Estas plantas obran por sus aceites esenciales o resinas que, puestos en contacto con la piel, producen en la persona sensible una inflamación de la misma de grado variable. Esa inflamación puede aparecer inmediatamente después de la exposición o sólo horas o días más tarde. En los casos intensos la inflamación se hace más persistente y puede durar bastante tiempo.

Tratamiento (en el caso de exposición a plantas venenosas)

ANTES DE LA APARICION DE LA ERUPCION.—Conviene sacar cuanto antes la sustancia irritante que pueda haberse puesto en contacto con la piel y la ropa. Esto se hará en la siguiente forma: 1) Lavado de las partes descubiertas con jabón de lavar ropa y agua, teniendo cuidado de que el agua no corra a otras partes que no hayan sido expuestas. 2) Pasar luego alcohol, o alcohol y agua en partes iguales, después de haber enjuagado la piel con agua. Si no hubiera alcohol se puede usar nafta (gasolina). 3) Cambiar las ropas por otras no contaminadas. 4) Puede utilizarse una solución de permanganato de potasio al 2 por mil, pintándose con ella la piel contaminada. En realidad el mejor tratamiento actual es el indicado en el último párrafo de este tema.

CUANDO YA HAY AMPOLLAS Y SALE LIQUIDO.—Aplicar compresas húmedas siguiendo el procedimiento que se explica en la página 819 para los casos de eccema agudo.

CUANDO YA NO SALE LIQUIDO.—Se puede aplicar la loción de la receta No. 7 (pág. 846) unas 3 veces por día, o la pasta al agua de la receta No. 29.

TRATAMIENTO MAS EFECTIVO ACTUALMENTE.—En ciertos casos, el médico indica corticoides en aplicación local y a veces por ingestión o inyección, que dan muy buen resultado.

URTICARIA ("ronchas")

La urticaria se halla caracterizada por la brusca aparición de ronchas o placas ligeramente salientes que se acompañan de comezón intensa o ardor. La placa de urticaria es saliente, pálida al principio y rodeada de una zona rosada, haciéndose luego rosada

Fig. 655. Lesiones producidas en la cara por el "poison oak".

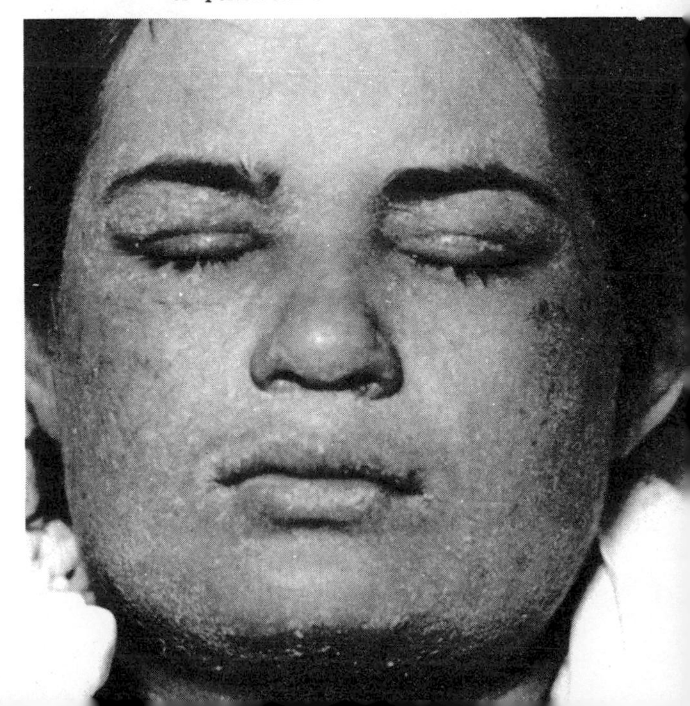

y a veces rojiza. Su tamaño es muy variable según el caso. Cuando comienza es habitualmente del tamaño de la roncha que produce la picadura de un mosquito. Aumenta en general rápidamente de tamaño, alcanzando dos o tres centímetros de diámetro.

A veces, por unión de varias placas, se hace una muy grande, como la palma de una mano, por ejemplo. La forma de la placa de urticaria es variable: redondeada, ovalada o irregular. Puede aparecer en cualquier parte del cuerpo, generalizándose a veces. Las placas y la comezón pueden aumentar con el rascado. La duración de la placa de urticaria puede variar de minutos a horas, pudiendo desaparecer unas y aparecer otras, lo que en ciertos casos prolonga bastante la erupción.

Causas

La placa aparece por dilatación de los vasos sanguíneos y aumento de la permeabilidad de los mismos, lo que permite la salida de suero a los tejidos. Aunque la mayor parte de los casos de urticaria son de origen alérgico, hay algunos casos que no son de ese origen, como las urticarias causadas por picaduras de ciertos insectos o ciertas larvas urticantes de insectos, o ciertos celenterados en el mar ("aguas vivas"), emociones, etc.

Las causas más frecuentes son: ingestión de ciertos alimentos: pescado o mariscos, frutillas, huevos, leche, nueces, chocolate, u otro cualquiera. El paciente es sensible a determinado alimento o alimentos, y su ingestión le provoca urticaria. Otras veces la sensibilidad es hacia algún medicamento, o hacia los gérmenes de algún foco de infección o de alguna infección generalizada, o hacia el calor, el frío o el rascado o el contacto con algún tejido o sustancia. Con relativa frecuencia puede aparecer urticaria días después de inyectar suero antidiftérico o suero antitetánico.

Cuando la persona ha recibido previamente inyecciones de un suero terapéutico obtenido del caballo, pueden sobrevenir accidentes que reciben el nombre de *enfermedad del suero,* acompañándose a veces en ese caso la urticaria de dolores en las articulaciones, fiebre, edema angioneurótico, etc. En algunas personas la urticaria aparece con mucha frecuencia.

Tratamiento

El mejor tratamiento sintomático de la urticaria es la administración de alguna de las sustancias llamadas antihistamínicas; piribenzamina, benadryl, copyronil, neoantergán, ciproheptadina, etc., pero su prescripción, dosificación y la vigilancia de sus efectos, deben estar a cargo de un médico, quien además tratará de descubrir la causa de la urticaria e indicará el tratamiento de la misma.

Como primer auxilio puede prestarse el siguiente:

a) Si el alimento que ha causado la urticaria está aún en el estómago, es conveniente provocar el vómito. Si ya ha salido del estómago, se podrá dar un purgante salino para que se elimine lo más pronto posible: limonada Rogé o sulfato de magnesia (sal inglesa). Si hay constipación, hacer también una enema evacuadora.

b) Aplicar sobre la piel una pasta que se prepara mezclando bicarbonato de soda con agua. Si hay poco bicarbonato de sodio se pueden disolver 2 cucharaditas en un vaso de agua, aplicando esa solución bastante caliente (salvo que la urticaria aparezca por calor) sobre las partes donde hay urticaria. Se puede luego, sin secar, espolvorear con talco.

c) Otros tratamientos que pueden hacerse en la casa son: lociones con vinagre (una parte de vinagre y dos de agua) y, al secarse aplicar talco. Es en general muy útil un baño de almidón o afrecho (véase la manera de prepararlos en la página 838). En lugar de este baño puede hacerse en la misma forma, un baño de vinagre o de bicarbonato de sodio, según lo que haya a mano (una taza de bicarbonato de sodio en la bañera o, para la misma cantidad de agua, 2 tazas de vinagre).

d) El médico puede indicar inyecciones de gluconato de calcio y otras sales de calcio o ½ cc de solución de adrenalina al 1 por mil o efedrina, antihistamínicos, ACTH o corticoides en ciertas formas muy intensas, etc.

Para evitar la reaparición de la urticaria

Hay que investigar la causa y tratarla. Durante 24 horas puede ser útil tomar solamente agua o infusiones. A veces basta dejar ciertos alimentos y cuidar el correcto funcionamiento intestinal. En otros casos, habrá que hacer un tratamiento desensibilizante no específico, o mejor aún con la sustancia que causa la urticaria (véase alergia en el capítulo 136) que, en algunos casos, deberá determinarla un médico especializado en alergia.

EDEMA ANGIONEUROTICO O DE QUINCKE

Se caracteriza por aparecer bruscamente hinchazón de alguna parte del cuerpo: labios, párpados, mejilla o toda la cara. Puede también localizarse en los miembros, los órganos genitales o la laringe. En este último caso, afortunadamente poco frecuente, puede dificultar la respiración y la voz. Este edema o hinchazón es más bien pálido. Cuando aparece, el paciente siente en la zona que se hincha una sensación de tensión, hormigueo o picazón. La tumefacción dura generalmente un poco más que en la urticaria.

Las causas y la significación del edema angioneurótico son idénticas a las de la urticaria.

Tratamiento

Es idéntico al de la urticaria, vale decir que lo mejor será según la urgencia, inyectar o ingerir un antihistamínico o un corticoide. Si toma la laringe, inyección de ½ cc de adrenalina al 1 por mil subcutáneamente pero en forma profunda, o pulverización o nebulización en la faringe y la laringe con dicha solución.

El médico a veces inyecta corticoides, especialmente los que se pueden usar por vía endovenosa. Otras veces puede ser necesario efectuar una intubación.

Localmente, pueden ayudar las compresas frías. Si persiste, se puede aplicar una curación húmeda con solución saturada de sulfato de magnesio. A veces el médico prescribe corticoides.

PSORIASIS

La psoriasis es una enfermedad crónica y bastante frecuente de la piel, caracterizada por placas redondeadas, ligeramente levantadas y cubiertas de escamas nacaradas. No suele producir molestias mayores y no es contagiosa. Su verdadera causa no se conoce aún. Aparece principalmente en los adolescentes y adultos jóvenes y en personas por lo general robustas. Los lugares donde se localiza con mayor frecuencia son: los codos, las rodillas, el cuero cabelludo y la parte baja del dorso a nivel del sacro. Puede en realidad aparecer en cualquier parte del cuerpo.

El especialista de piel confirma el diagnóstico de psoriasis raspando suavemente las escamas con una cureta y desprendiendo un polvillo nacarado.

Luego se presenta una delgada capa roja y lustrosa que se puede despegar del resto de la piel, produciéndose entonces la salida de numerosas y pequeñísimas gotas de sangre. De vez en cuando se ve algún caso de psoriasis complicada de artritis, o sea una forma de reumatismo crónico. Hay personas que tienen siempre unos pocos elementos de psoriasis y otras que, de vez en cuando, presentan exacerbaciones o brotes, durante los cuales aumentan las placas de psoriasis, especialmente en invierno. Puede desaparecer por ciertos períodos y, ocasionalmente, desaparece en forma definitiva. En ciertos casos se comprueba tendencia hereditaria a esta afección.

Tratamiento

a) Evitar carne y grasas animales. También condimentos, alcohol, tabaco, té, café y mate. Para proveer proteína completa es útil en estos casos la leche descremada.

b) Evitar la constipación (véase la página 1077), y tratar cualquier causa general que predisponga a la psoriasis, la que será determinada por el médico. Tienden a empeorar la psoriasis las preocupaciones y emociones intensas, por lo que se evitarán en lo posible. No usar vaselina líquida u otros medicamentos que la contengan para combatir la constipación.

c) Pueden ser útiles los baños de sol (véase la página 54) y la administración de vitaminas A y D.

d) El Dr. Silvio Gaetti, de Buenos Aires, atribuye a trastornos hepáticos la psoriasis, y ha tenido éxito con su tratamiento. Este consiste en un régimen alimentario como el indicado para insuficiencia hepática (véase la pág. 1151) y en inyecciones endovenosas aplicadas día por medio, de un preparado llamado Insulo hepathipertónico, que contiene suero glucosado hipertónico, un extracto hepático que por su gran purificación puede inyectarse en las venas, y 3 unidades de insulina. Además aconseja tomar cada mañana en ayunas una cucharadita de un granulado de los que se prescriben para el hígado (agobilina, drenabilis, etc.) y hacer un tratamiento local de las placas de psoriasis.

e) *Localmente:* Buenos resultados da, en muchos casos, la aplicación local de ciertos corticosteroides, como el synalar, cubriendo a veces con polietileno u otra lámina delgada impermeable (vendaje oclusivo). En ciertos casos rebeldes o durante las exacerbaciones, a veces también el médico indica por cierto tiempo corticoides por ingestión. Están en estudio para casos intensos y rebeldes de psoriasis, cierto grupo de sustancias llamadas antimetabolitos, cuya indicación y vigilancia corresponde al médico especializado.

PENFIGO

Hay diversas formas de pénfigo, caracterizadas todas ellas por la formación de ampollas en la piel y a veces también en las mucosas.

Mencionaremos dos formas de pénfigo: el pénfigo vulgar y el pénfigo foliáceo.

El pénfigo vulgar se inicia con síntomas muy variables de un caso a otro. Lo típico son las ampollas que aparecen en la piel aparentemente normal, con mayor frecuencia en cara, cuello o genitales. A veces aparecen en la ingle o en mucosas, principalmente en la boca. Las ampollas varían mucho de tamaño de un paciente a otro y aun en el mismo paciente. Contienen un líquido transparente que luego se hace turbio o purulento, pudiendo enrojecer la piel que las rodea. Las ampollas pueden romperse o desecarse dejando en el primer caso una zona ulcerada y en el segundo caso una costra. Cuando la severidad de la enfermedad aumenta pueden aparecer síntomas generales y debilidad. La piel puede cubrirse en buena extensión de lesiones que producen una secreción maloliente. Las lesiones bucales pueden dificultar la ingestión de los alimentos.

El pénfigo foliáceo es una forma crónica que toma prácticamente toda la piel. Las vesículas son fláccidas y hay descamación generalizada. Se produce exudación de líquido maloliente. No hay habitualmente lesión de las mucosas en la forma de pénfigo foliáceo que se encuentra en algunas regiones de Brasil donde recibe el nombre de *"fogo selvagem"* (fuego salvaje).

El tratamiento habitual de las distintas formas de pénfigo consiste en el uso de prednisona, bajo vigilancia médica*.

---

*NOTA. En el Hospital Adventista do Pénfigo, de Campo Grande, Estado de Matto Grosso, Brasil, se trata el pénfigo foliáceo con un medicamento llamado Jamarsan, obteniendo la curación en un 35% de los casos.

CAPITULO 162

Enfermedades Comunes del Cuero Cabelludo. Parásitos de la Piel y del Cuero Cabelludo. Algunas Otras Afecciones de la Piel

ENFERMEDADES COMUNES DEL CUERO CABELLUDO

CASPA (pitiriasis simple y seborreica)

LA CASPA es una afección muy común, caracterizada por la producción de pequeñas escamas en el cuero cabelludo. Puede aparecer también en las cejas, los bigotes, la barba y otras regiones vellosas. Es frecuente en el niño grande y el adolescente, y tiene tendencia a persistir por años. Aunque esto no es aceptado por todos, se cree que el llamado pitirosporo, llamado también "bacilo botella" por su forma, es el causante de la *caspa común* o *seca,* caracterizada por pequeñas escamas que caen fácilmente sobre la ropa, y de la comezón en el cuero cabelludo.

Después de algunos años, esta caspa seca o pitiriasis simple se puede transformar (al parecer por la acción del llamado coco polimorfo), en *caspa grasosa* o *pitiriasis esteatoide.* En este caso las escamas son gruesas y grasosas; ya no se desprenden solas sobre la ropa y, puestas en contacto con un papel de seda, dejan una mancha grasosa en el mismo. Puede en algunos casos hacer ralear el cabello, pero no causa calvicie. Se puede manifestar también en el pecho y alrededor del cuero cabelludo.

Una tercera etapa, que se produce por acción del microbacilo de la seborrea (esto no es aceptado por todos), y que necesita la intervención de las glándulas sexuales masculinas, pues solamente ataca al hombre adulto, puede producir la verdadera seborrea del cuero cabelludo. Solamente algunos hombres pasan por esta tercera etapa, que causa la calvicie común del adulto, tanto más rápida en su evolución cuanto más temprano comenzó. Se pierden primero los cabellos del vértice del cráneo y de las entradas del cuero cabelludo situadas sobre las sienes. A veces comienza o predomina en la parte anterior del cuero cabelludo.

Tratamiento de la caspa seca

Cuando es poco intensa, suele bastar lavar la cabeza con un jabón suave (tipo Marsella) una vez por semana, aplicando luego al cuero cabelludo, con un algodón que se pasa por rayas hechas en el cabello con el peine, un poco de aceite de almendra o mejor aún la receta No. 35, de la página 849. También es beneficioso el masaje del cuero cabelludo, que se practicará con la extremidad de los dedos. Estos se aplican sobre el cuero cabelludo y no se desplazan sobre el mismo, sino que deben hacer mover el cuero cabelludo sobre el cráneo. En los casos más intensos y rebeldes se pueden hacer fricciones del cuero cabelludo, para el niño con la loción No. 32 y para el adulto con la No. 33.

Tratamiento de la caspa grasosa

El tratamiento general será parecido al del acné (véase la página 1591). El tratamiento local varía con los síntomas que predominan y su intensidad. Si hay mucha grasitud puede no ser conveniente el masaje del cuero cabelludo.

Se puede hacer cada noche una fricción del cuero cabelludo mojado con la loción de la receta No. 36, de la página 849. La manera fácil de recordar cómo aplicarlo es "20 rayas y 20 minutos", vale decir que se separa el cabello sucesivamente en 20 rayas y se dedica 1 minuto a friccionar el cuero cabelludo que queda al descubierto en cada raya.

Con buen resultado se están utilizando suspensiones de sulfuro de selenio (por ejemplo, el selsun) que se aplica una vez por semana al lavarse la cabeza. Sirve también para otras formas de caspa. También se obtienen buenos resultados en algunos casos con un champú que contenga una sal de zinc de pirinetone.

Tratamiento de la seborrea del cuero cabelludo (calvicie incipiente)

No se ha descubierto aún ningún procedimiento que sea capaz de detener por completo esta afección. Sin embargo puede hacerse algo para retardar su acción.

A) *TRATAMIENTO GENERAL.* —Conviene atender la salud general, mejorándola. La alimentación más aconsejable es la recomendada en la página 1591 para el acné. El complejo de vitamina B parece tener una acción favorable. El ejercicio al aire libre, el no usar sombrero o usar uno liviano y ventilado, que no ciña la cabeza, tienen una acción favorable. También son útiles los rayos ultravioletas aplicados al cuero cabelludo por una persona capacitada.

B) *TRATAMIENTO LOCAL.*— Manténgase el cabello relativamente corto. Puede aplicarse cada noche una loción como la de la receta No. 36 ó la No. 34. Para la manera de aplicarla ver más atrás, en el tratamiento de la caspa grasosa. Una vez por semana aplicar de noche al cuero cabelludo friccionando, una pequeña cantidad de la pomada de la receta No. 37, lavando a la mañana siguiente con un jabón suave. Si el cuero cabelludo es seco, se puede aplicar un poco de la brillantina líquida de la receta No. 35.

ALOPECIA
(pérdida del cabello)

Alopecia es la pérdida excesiva de cabello o pelos. Son muy diversas las causas de pérdida de cabello, habiéndose estudiado en las páginas anteriores la seborrea, causa común de la calvicie.

La alopecia puede afectar un punto determinado del cuero cabelludo, o afectarlo en forma general o difusa. No haremos sino mencionar la pérdida de cabello que pueden producir ciertas enfermedades graves del cuero cabelludo y en las cuales la alopecia es simplemente un síntoma más. Hay casos en los cuales el cabello cae por roce (niño pequeño siempre acostado en la misma posición, sombrero, etc.). Las tiñas (véase en esta misma página) causan pérdida parcial y temporaria del cabello, que en algunas formas puede ser permanente. Otras veces, una enfermedad general, ya sea infecciosa (tifoidea, escarlatina, erisipela, etc.), o una intoxicación, pueden ser causa de pérdida temporaria del cabello. También el hipotiroidismo puede ser la causa. La sífilis en su período secundario puede provocar caída del cabello en ciertas regiones del cráneo y en la parte externa de las cejas.

Un tipo bastante común es la llamada *pelada* (alopecia areata), que se manifiesta por placas en las cuales el cabello se puede quebrar a unos 2 mm de la superficie, o ser algo más largos, pero más gruesos en su extremidad que en su raíz. Luego queda sin cabellos la placa, siendo su superficie lisa y pálida. Las placas, de un tamaño que varía entre 1 y 10 cm de diámetro, pueden ser varias o una sola. Rarísima vez puede tomar todo el cuero cabelludo. Otras veces aparece en la barba. Tarde o temprano los cabellos vuelven a aparecer, a veces blancos en personas de cierta edad, aunque pueden volver a tomar su color original. Su causa no es aún bien conocida, aunque hay casos en los cuales parecen influir las glándulas de secreción interna, el cansancio y la nerviosidad, y otros de probable origen reflejo dentario, o por focos de infección. Menos frecuente, afortunadamente, es la llamada *pseudopelada de Brocq,* de placas atrofiadas (algo hundidas), más pequeñas, por lo general, que las de la pelada, que se tratarán como estas últimas, pero que son más rebeldes al tratamiento.

Tratamiento

Es conveniente que se busque y se trate la causa o las causas, mejorándose, si es necesario, también el estado general del paciente por medio de una vida higiénica. En la alopecia que sigue a una enfermedad general, pueden hacerse fricciones del cuero cabelludo cada noche, con una loción como la de la receta No. 38, de la página 849. En los hombres es mejor cortar el cabello en estos casos. Para las placas de pelada, tratar de eliminar las causas y aplicar sobre las placas un líquido como el de la receta No. 39. Se aplica cada noche con un pequeño hisopo. Los rayos ultravioleta aplicados por una persona experta, tienen con frecuencia un efecto favorable.

TIÑAS

Las tiñas son lesiones contagiosas del cuero cabelludo producidas por hongos. Pueden atacar también la barba. Son casi exclusivas del niño. Hay muy diversas clases de tiña. Lo común es que se manifiesten por placas en las cuales el cabello es quebradizo o cae. A veces hay inflamación, produciéndose puntos de supuración (kerión de Celso). Hay casos contagiados por algún animal doméstico. Hay que tener cuidado de que no se contagien otros niños. Proteger la lesión con un gorro (que se puede hacer con la parte superior de una media de mujer). Es siempre conveniente que en cada caso el médico indique el tratamiento. El tratamiento más efectivo actualmente es la ingestión de un antibiótico llamado griseofulvina. Si por alguna razón especial no se puede ir de inmediato al médico, se pueden tomar las siguientes medidas: depilar, sacando con una pinza los pelos enfermos y un par de hileras de cabellos sanos a su alrededor. Pintar la placa y su alrededor con alcohol yodado al 2%, y luego poner pomada de azufre (receta No. 21, de pág. 848). Este tratamiento provisorio puede

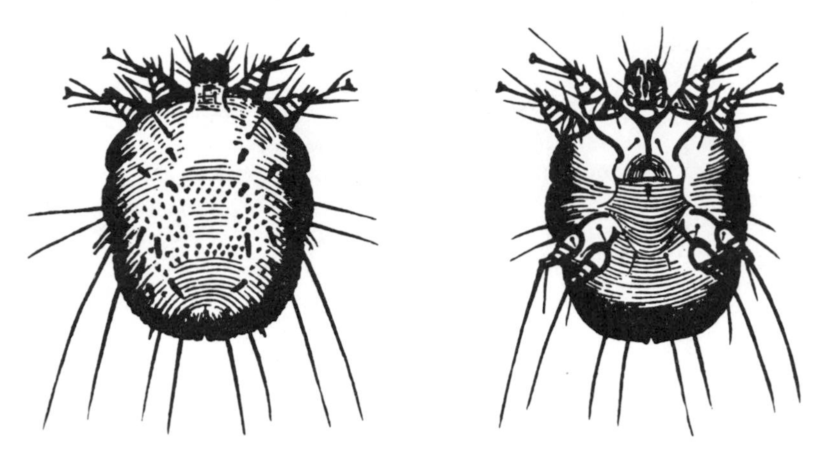

Fig. 656. **PARASITO QUE PRODUCE LA SARNA (Sarcoptes scabiei). Ejemplar hembra visto por el dorso (a la izquierda), y por su cara ventral (a la derecha).**

aplicarse 2 veces por día, salvo irritación marcada. Más enérgico es usar, en lugar de alcohol yodado, el líquido de la receta No. 20.

PARASITOS DE LA PIEL Y DEL CUERO CABELLUDO

SARNA

Esta enfermedad contagiosa de la piel es producida por un pequeño ácaro parásito, cuya hembra, que es la que produce los síntomas, tiene una forma globulosa y mide menos de medio milímetro de largo.

La hembra vive en surcos que excava debajo de la capa córnea de la piel y en los cuales deposita huevos, que 4 ó 5 días después de depositados se transforman en larvas que llegan a ser parásitos adultos a las 5 semanas. A las 6 semanas las hembras ya están en condiciones de poner huevos.

El contagio, generalmente directo, se hace más fácilmente de noche por contacto con personas infestadas por este parásito, o por sus ropas, especialmente ropa de cama, toallas, o los objetos que han tocado. Es más frecuente en invierno.

Síntomas

Las características principales de la sarna son: la localización de las lesiones, el tipo de prurito o comezón y la noción de contagio. Los lugares donde con mayor frecuencia se hallan las lesiones son: los lados de los dedos de las manos, la cara anterior de la muñeca y de los antebrazos, los codos, las axilas, las nalgas, la ingle y el pene. En la mujer, los senos y especialmente los pezones y la aréola. Otros lugares son: los miembros inferiores, el pecho, la cintura y el abdomen. En los niños pequeños, una localización característica es la planta y los dedos de los pies. No toma la cara y muy rara vez aparece en la espalda.

La comezón aumenta marcadamente de noche al acostarse. Es muy frecuente que haya otras personas contagiadas en la misma familia, especialmente si alguien comparte el mismo lecho. En los lugares de la piel atacados por sarna, pueden a veces verse pequeños surcos de unos 3 a 4 milímetros de longitud, en una de cuyas extremidades se halla un orificio o pequeña costra y en el otro una pequeña elevación, de donde se puede, con una aguja, extraer el parásito. Otras veces en lugar del surco se ve la llamada vesícula perlada. Hay casos, especialmente en personas muy cuidadosas de su higiene, en que es difícil encontrar lesión alguna. La sarna puede complicarse con eccema y especialmente con infección, apareciendo en este último caso ampollas con pus, costras, etc.

Tratamiento

Para tener éxito, el tratamiento debe cumplir algunos requisitos:

a) Debe tratarse a todos los miembros de la familia que estén contagiados, para evitar nuevos contagios.

b) Deben destruirse los parásitos y sus larvas que puedan estar en la ropa interior, ropa de cama, toallas, colchón, etc.

c) Deben, por supuesto, destruirse los parásitos que alberga la piel del enfermo.

d) Si hay infección, ésta debe tratarse como se explicó en la página 1598, para el tratamiento del impétigo.

Destrucción de los parásitos

A) *DESTRUCCION DEL PARASITO EN LAS LESIONES.*—Muy eficaz es el uso de las emulsiones de benzoato de bencilo y las que contienen, además del benzoato de bencilo, DDT. Tienen el inconveniente del precio relativamente elevado. Se pueden conseguir ya preparadas en el comercio lo que es preferible (limpil, detebencil, lociones de kwell o eurax, etc.). Si no se consiguiesen, una fórmula sin DDT es la receta No. 40, y con DDT, la de la receta No. 41, de la página 849. Actualmente se están ensayando con muy buen resultado pomadas o emulsiones con gammexane (hexacloruro de benceno gamma o hexaclorociclohexano) que ya pueden comprarse en el comercio. También se obtienen buenos resultados con el eurax.

Se aplica de noche. Se hace previamente un baño con agua tibia y jabón para tratar de ablandar y hacer caer las costras y la capa superficial de los surcos. Luego, con la piel aún húmeda, se frota todo el cuerpo (salvo la cabeza) con esa emulsión (se puede también colocar con un pincel o un pulverizador que deje pasar líquidos espesos). Colocar ropa que haya sido hervida o planchada recientemente. A la noche siguiente se repite la aplicación de la emulsión, sin el baño previo. A las 48 horas de iniciado el tratamiento se puede tomar una ducha. Creemos prudente repetir esta aplicación por lo menos 3 noches seguidas.

Método ruso. Tiene la ventaja de ser económico. Se hace preparar una solución con hiposulfito de sodio comercial (del usado para fijar las fotografías). Disolver en 1 litro de agua 200 g de hiposulfito de sodio (tiosulfato de sodio). A esta solución la llamaremos Nº 1. Se prepara la solución Nº 2, disolviendo 50 g de ácido clorhídrico en un litro de agua y añadiendo, si es posible, un colorante, por ejemplo tornasol, para no confundirla con la otra solución.

Manera de hacer el tratamiento. Hágase lo siguiente:

1) De noche, antes de acostarse: tomar un baño caliente prolongado con jabón. Secarse.

2) Friccionar todo el cuerpo salvo la cabeza, con el líquido Nº 1. Dejar secar, por lo que es conveniente estar en una habitación bien caldeada para no tomar frío.

3) Una vez seca la piel, después de la fricción anterior, friccionar otra vez todo el cuerpo con la loción Nº 2 (la de ácido clorhídrico) y dejar se-

car. Poner un piyama o camisón limpio para acostarse.

4) A la mañana siguiente, frotar todo el cuerpo con el líquido Nº 1 y dejar secar. Repetir este tratamiento 5 días seguidos mientras se toman las demás precauciones que mencionaremos más adelante para destruir los parásitos en las ropas.

Hay otros métodos, pero con cualquiera de los ya mencionados, bien aplicado, se pueden obtener buenos resultados.

B) *DESTRUCCION DE LOS PARASITOS EN LA ROPA.*—Se harán hervir la ropa interior, las sábanas y cualquier ropa que pueda hervirse. La ropa que no pueda hervirse y los colchones, etc., se expondrán al sol fuerte.

Si terminado el tratamiento aún hay comezón, puede tratarse de una irritación de la piel más bien que de persistencia de la sarna. Es más prudente dejar sin hacer tratamiento algunos días, aplicando, si es necesario, una pomada o crema suavizante a la piel (receta No. 22 de la página 848 o la No. 28).

PEDICULOSIS (piojos)

Pediculosis es la parasitación del ser humano por piojos. El *Pediculus capitis* es el piojo común de la cabeza y el *Pediculus vestimenti* es el piojo de cuerpo o de ropa, muy parecido al anterior. El *Pthyrius inguinalis* es bastante diferente y se localiza en los pelos del pubis, pero puede hallarse en los pelos de la axila, el tórax, los muslos y la barba. En los niños puede localizarse en las pestañas, las cejas y aun en los cabellos.

El piojo de la cabeza es más frecuente en los niños y en el sexo femenino. Deposita sus huevos o liendres en los cabellos. De 4 a 14 días después salen ninfas de los huevos, transformándose en adultos de 12 a 28 días después de depositados los huevos. El piojo del cuerpo o de la ropa, deposita habitualmente sus huevos en la ropa, especialmente en las costuras. Ataca mayormente a personas poco higiénicas, o cuando hay mucha aglomeración, como en los ejércitos en guerra, prisiones, etc.

Síntomas

El piojo del cuerpo o ropa es el principal transmisor del tifus exantemático, y puede transmitir otras afecciones. El piojo del cuerpo o ropa produce una irritación en el lugar donde pica, que provoca comezón. Es frecuente observar manchas en el cuerpo de las personas que tienen estos parásitos, y también la presencia de lesiones producidas por el rascado, en la piel de la espalda y otras partes del cuerpo. El piojo de cabeza produce comezón principalmente en la parte posterior de la cabeza (región occipital). Puede irritarse marcadamente el cuero cabelludo, tanto por la picadura de los piojos como por el rascado, formándose a veces costras amarillentas, infección o eccema, etc. Los ganglios de la nuca con frecuencia están aumentados de tamaño. El piojo inguinal o ladilla pica en las regiones donde vive. Con frecuencia se lo halla pegado a la piel. Puede provocar pequeñas manchas azuladas.

Tratamiento de la pediculosis de la cabeza

El método más sencillo actualmente consiste en hacer lavado de la cabeza con un champú que contenga hexacloruro de gamma benceno (lindane o gamexane), como el champú kwell o equivalente. Después de enjuagado y seco el cabello, pasar peine fino para sacar las liendres. Puede a veces ser necesario repetir el champú a la semana.

A la semana, se lava la cabeza examinándola para ver si hay nuevos piojos o liendres, en cuyo caso se repite el tratamiento.

OTROS METODOS.—Se puede aplicar al cuero cabelludo y cabello vaselina a la cual se haya añadido 1 gota de xilol por cada gramo; por ejemplo, 150 g de vaselina y 150 gotas de xilol. Se cubre la cabeza con una toalla y a la mañana siguiente se saca con algodón la mayor parte de la vaselina y luego se lava la cabeza. Usar el peine fino para sacar las liendres. Si cuesta sacarlas utilizar un poco de vinagre caliente. Repetir el xilol por 2 ó 3 días, si la infestación es intensa.

Si se estuviese en un lugar donde no se pudiera conseguir medicamento alguno, se podría utilizar, para matar los piojos, una mezcla por partes iguales de kerosene y de aceite común, empleándola como ya se indicó para la vaselina con el xilol.

Tratamiento para los piojos del cuerpo o ropa

Un buen tratamiento es espolvorear DDT al 10% (véase lo dicho anteriormente) debajo de las ropas del infestado desde la nuca, las mangas y de la cintura hacia abajo. Con este método se detuvo una epidemia de tifus exantemático que amenazó a Nápoles durante la segunda guerra mundial. Desinfectar la ropa hirviéndola, planchándola o con vapores de azufre. Si se la consigue, puede utilizarse la loción Kwell.

Tratamiento para las ladillas

Espolvorear con DDT al 10% todas las partes velludas del cuerpo. Se puede tomar un baño al día siguiente. Se repite a la semana y, a veces, en las siguientes, si es necesario. Se consiguen en el comercio lociones de benzoato de bencilo o de hexacloruro de gamma benceno (lindane o gammexane) como la loción kwell y DDT. A falta de otra cosa, se puede usar el xilol con vaselina (ver tratamiento de piojo del cabello). Es desaconsejable el uso de la pomada mercurial llamada "ungüento de soldado".

MIASIS

Son afecciones producidas por moscas o larvas de moscas que parasitan al hombre. Hay muy diversas especies de moscas capaces de depositar huevos o larvas en el ser humano vivo, desarrollándose en el mismo. Hay una forma caracterizada porque la larva recorre el espesor de la piel dejando una delgada línea de color rojizo, y en cuya extremidad se encuentra el parásito, al que puede destruirse congelándolo con cloruro de etilo, extirpándolo, lo cual es difícil, o mejor aún con pomadas que contengan sustancias destructoras de parásitos como el gammexane. El médico indica en algunos casos intensos tiabendazol por ingestión y en aplicación local.

Otra forma poco común en estas regiones es la llamada "tumores subcutáneos", por observarse levantamientos en diversas partes de la piel donde se hallan las larvas en desarrollo. Más frecuente es observar la llamada *miasis cavitaria* o *"abichamiento"*, y la *miasis forunculosa* o *"ura"*, que describiremos a continuación.

MIASIS CAVITARIA O "ABICHAMIENTO"

Consiste en el desarrollo de larvas de ciertas moscas en heridas o en diversas cavidades naturales. La mosca que deposita sus huevos en esos lugares es habitualmente la *Cochliomya americana,* aunque hay otras especies que también pueden hacerlo. Esta mosca es más frecuente durante el verano. Durante las horas de calor deposita sus huevos en animales, en cadáveres u, ocasionalmente, en el ser humano. Tiene aproximadamente un centímetro de largo, su tórax, de color azul verdoso y con brillo metálico, presenta tres bandas longitudinales de color negruzco.

Una hora después de depositados los huevos salen las larvas, cuyo tamaño aumenta rápidamente.

Cuando se localizan en una herida, el paciente siente el movimiento de las larvas y, al observar con cuidado, se ven asomar las larvas que salen a respirar. Cuando las larvas se localizan en la nariz, el oído o la órbita, además del movimiento doloroso de las larvas suele haber secreción maloliente y sanguinolenta. La localización en las heridas no reviste en general gravedad, pero sí puede tenerla cuando se desarrollan en la nariz, el oído o la órbita.

Prevención y tratamiento

El ser humano puede evitar la miasis si las heridas se mantienen limpias y cubiertas con un apósito adecuado. La miasis de las cavidades naturales se produce especialmente en personas con fetidez en dichas vías y que duermen de día al aire libre, especialmente si se trata de una persona embriagada. Para destruir las larvas de una herida, colóquese en la misma alcohol carburado (el alcohol común no surte efecto) o bien hojas machacadas de albahaca. El médico utiliza con frecuencia con el mismo fin una mezcla por partes iguales de cloroformo y vaselina líquida o aceite vegetal, extrayendo luego con una pinza las larvas.

Cuando las larvas se localizan en la nariz o el oído, puede también utilizarse la albahaca, colocándola machacada en los orificios. Es siempre conveniente que cuando estén las larvas en el oído, la nariz o el ojo, el paciente sea atendido por un médico.

MIASIS FORUNCULOSA (ura)

Recibe también los nombres de *verme macaco, gusano torcel, gusano del zancudo,* etc. En el territorio de Misiones, República Argentina, se lo conoce con el nombre de *ura.* La mosca cuya larva produce la ura es la *Dermatobia cyaniventris,* mosca de 1,5 a 2 cm de longitud, de cabeza amarilla y abdomen de color azul metálico. Es interesante notar que esta mosca deposita sus huevos sobre otras especies de moscas, mosquitos, etc. Cuando las larvas salen del huevo al cabo de una semana, esperan que el insecto que las lleva se pose sobre un animal de sangre caliente para quedar sobre la piel de éste, penetrando por el poro de la piel a lo largo de un pelo en el espesor de la epidermis, donde se desarrollan en unos 40 días, saliendo espontáneamente al cabo de ese tiempo. Luego penetran en el suelo, donde quedan como pupas varios meses, antes de emerger como moscas adultas.

La larva tiene al principio forma de pera, llamada en algunos lugares gusano macaco. Más tarde toma la forma de un barril (gusano torcel). Presenta la larva varias coronas de ganchos que extiende para dificultar su extracción cuando se pretende hacerlo.

Los lugares donde se localiza con más frecuencia la ura son las piernas, los brazos y el tórax. En el niño puede hallarse también en la cabeza. Se manifiesta por una saliente dolorosa que parece un forúnculo, pero que se diferencia del mismo por tener en su parte superior un orificio por el que la larva respira. El dolor aumenta cuando al tapar ese orificio la larva se agita.

Tratamiento

El tratamiento consiste en comprimir los lados de la tumoración, para que asome la larva, y extraerla con una pinza. Los que tienen experiencia en esto aconsejan que se comprima bruscamente, para que la larva asome antes que tenga tiempo de extender sus ganchos. Cuando no se puede extraer así, puede cubrirse el orificio con vaselina, "grasa consistente" o alguna sustancia semejante para que la larva trate de asomarse para respirar. Una vez extraída la larva, desinfectar y colocar gasa esterilizada. Un método ingenioso que da muy buen resultado cuando la larva no es aún muy grande, es el de cubrir el orificio de la piel con una tela adhesiva, dejándola colocada por 24 horas. La larva, en sus tentativas de asomarse a buscar aire, queda adherida a la tela adhesiva y muere por asfixia. Al sacar la tela a las 24 horas suele salir también la larva adherida y muerta ya.

PIQUE (nigua, chique)

El pique, llamada científicamente *Sarcopsylla penetrans,* es una pulga de un milímetro o aún menos de largo que se halla en toda América intertropical. Su hembra fecundada se hunde en la piel de los animales de sangre caliente. Allí aumenta mucho de tamaño su abdomen, a medida que se desarrollan los huevos, alcanzando a formar una masa redondeada de unos 3 mm de diámetro.

Las localizaciones más frecuentes son los dedos y las plantas de los pies, aunque pueden observarse en las manos, las rodillas, los codos y aun otras partes del cuerpo. Producen una molestia gradualmente creciente. Además existe la posibilidad de infecciones y otras complicaciones propias de las heridas.

Prevención y tratamiento

No debe andarse descalzo en los lugares donde existen estos parásitos. Los cerdos, frecuentemente parasitados por los piques, deben mantenerse alejados de las habitaciones humanas. Aplicando a los pies vaselina, a la que se haya mezclado jabón de creolina, se impide la infestación con piques.

Las personas que viven en lugares donde hay piques los extraen hábilmente dilatando con una aguja el orificio que comunica con el exterior al pique y haciendo luego salir con la misma aguja el parásito. Es prudente quemar o desinfectar la aguja antes de usarla y desinfectar la piel antes y después de la extracción. Con buen resultado se está utilizando también una pomada con lindane o gammexante (hexacloruro de gamma benceno) para matar los piques, facilitando su extracción.

ALGUNAS OTRAS AFECCIONES DE LA PIEL

LAS COMUNES VERRUGAS

Las verrugas son espesamientos localizados de la piel producidos por un virus filtrable, es decir un organismo pequeñísimo. Esto explica que las verrugas puedan multiplicarse en el que presenta alguna o contagiar a otras personas. Por ello hay que evitar lesionar las verrugas, pues el líquido que de ellas sale contagia. Además de la forma común de verruga, especialmente frecuente en las manos, hay otros tipos diferentes, como las verrugas planas, de la cara de los jóvenes, las verrugas largas y delgadas del cuello y los párpados, y la de los órganos genitales. En la planta de los pies la verruga puede parecer una callosidad.

Tratamiento

Las verrugas pueden desaparecer solas, pero es conveniente tratarlas por su tendencia a multiplicarse. El mejor tratamiento es su destrucción por electrofulguración (con un aparato de alta frecuencia), tratamiento que aplica el médico.

Un tratamiento aplicable en la casa es el siguiente: aplicar cada noche y cada mañana exactamente sobre la verruga (sin que toque la piel sana) y por medio de una pequeña varilla de vidrio, el líquido de la receta No. 42, de la página 850. Antes de volver a aplicar, sacar la capa puesta anteriormente. Si no sale fácilmente desprenderla con un algodón mojado en éter. Llega el momento en que se desprende la verruga.

Puede ayudar en algunos casos el tomar durante 15 días una pequeña cantidad de compuestos de magnesia (por ejemplo una cucharada grande de citrato de magnesia efervescente o media cucharadita de carbonato de magnesia).

LUNARES (nevus)
¿Cuáles son los más peligrosos?

Los nevus son alteraciones localizadas y benignas de la piel, en su mayor parte presentes ya al nacimiento, pero que pueden aparecer más tarde. Tienen tendencia a aumentar de tamaño a medida que el niño crece.

Tipos de nevus

Algunos nevus son vasculares, vale decir formados por dilataciones de los vasos sanguíneos o linfáticos de la piel. Los más comunes son los llamados vulgarmente "manchas de vino", lisos. Hay otros salientes. El tipo más común de nevus es el vulgarmente llamado lunar, que es coloreado *(nevus pigmentado)*. Algunos son lisos y otros salientes. Su color varía desde los muy claros, color café con leche, hasta los negruzcos (melanomas benignos). Otros están provistos de pelo, simulando, si son extensos y muy velludos, un trozo de cuero de animal. *Nevus verrucosos* son los que parecen verrugas. Algunos son duros y otros blandos.

Tratamiento

El médico elegirá, según el tipo y la localización del nevus, el tratamiento más adecuado. Como algunos de estos nevus, especialmente los pigmentados, pueden ocasionalmente hacerse malignos, debe consultarse al médico.

Es imprescindible hacerlo si el lunar asienta en un lugar donde se halla sometido a irritaciones, o si aumenta de tamaño o se hace más grueso o cambia de color.

Los medios que puede utilizar el médico para tratarlos varían según el caso: extirpación por medio de una pequeña operación, o electricidad: corriente galvánica (electrólisis) o alta frecuencia (electrodesecación, electrofulguración y electrocoagulación). También pueden extirparse con nieve carbónica, radio, rayos X, etc.

CALLOS Y CALLOSIDADES. MANERA DE EVITARLOS

Callosidad. Es un espesamiento de la capa córnea de la piel, que se forma en un lugar sometido a roces continuos. Suelen no doler.

Callo. Es un espesamiento de la capa córnea pero provisto de una parte profunda (el llamado "clavo"), que penetra en la dermis de la piel. Puede hacerse muy doloroso. Los callos son muy frecuentes en los pies. Los callos blandos que se forman entre los dedos de los pies reciben el nombre vulgar de "ojos de gallo". Pueden infectarse ocasionalmente.

Tratamiento

a) *CALLOSIDADES.*—Algunas callosidades son útiles, pues protegen la piel en los lugares sometidos a roce intenso, como las que se forman en la palma de las manos con ciertos trabajos. Si se desea hacer desaparecer una callosidad, lo mejor es suprimir la causa. Mientras tanto, puede aplicarse el tratamiento que indicaremos para los callos.

b) *CALLOS.*—Es importante suprimir su causa, para lo cual, el calzado debe ser adecuado. Para el callo en sí puede aplicarse cada mañana y cada noche, exactamente sobre la parte espesada y no sobre la piel sana, el líquido de la receta No. 43. Se aplicará 5 días seguidos, tratando de sacar la capa de colodión que ha quedado de la noche anterior. Si no sale fácilmente, sacarla con un algodón mojado en éter. Al sexto día, hacer un baño caliente de pies, durante 15 a 20 minutos, y tratar de sacar el callo ablandado. Desinfectar con alcohol u otro desinfectante una vez que se ha sacado. Si queda una parte del callo adherida, repetir el tratamiento.

Hay que suprimir el roce de la piel en la parte afectada si se quiere que no reaparezca el callo.

MANCHAS EN LA CARA

Son muy diversas las causas capaces de provocar manchas oscuras en la piel de la cara. Algunas de las más frecuentes son el embarazo, las afecciones del hígado, la enfermedad de Addison y otras de las glándulas de secreción interna (tiroides, ovario). Ciertas intoxicaciones (arsénico, plata) pueden también producirlas. Las pecas no podrán confundirse con el tipo de pigmentación que aquí estudiamos*. En algunos casos la pigmentación se debe al uso de alguna agua de colonia.

Debe descubrirse la causa de la pigmentación. Desaparecida ésta, es frecuente que disminuya o desaparezcan las manchas. El médico prescribe a veces pomadas que producen descamación de la piel para acelerar la curación de las manchas (por ejemplo la No. 27, de la página 848). En un buen porcentaje de casos da resultados satisfactorios la crema de hidroquinona al 2%. Hay que evitar exponerse al sol.

VITILIGO

El vitiligo es una afección de la piel caracterizada por manchas claras (no pigmentadas) rodeadas de zonas de color más oscuro que el de la piel normal. Estas manchas son de forma redondeada, ovalada, y a veces de contorno irregular. Sus localizaciones más frecuentes son en orden decreciente: la cara, el dorso de las manos, el cuello y los órganos genitales.

Parece intervenir en su producción el sistema nervioso vegetativo y a su vez creen algunos autores que sobre este último obrarían, causando esta afección, alteraciones de algunas secreciones de glándulas de secreción interna (hipófisis y otras).

Por último, creen algunos especialistas que los focos de infección, la heredosífilis y otras numerosas causas, pueden ser los causantes primitivos.

Las manchas suelen crecer lentamente, uniéndose a veces varias para formar manchas grandes.

Hay otras afecciones que pueden simular el vitiligo. Si las manchas no tienen la sensibilidad normal de la piel al tocarlas o más aún al pincharlas ligeramente con un alfiler, debe consultarse al médico de inmediato.

El vitiligo no afecta la salud, pero cuando ésta está afectada, a veces re-

---

* Para evitar el aumento de las pecas, exponerse lo menos posible al sol, o bien proteger la piel antes de hacerlo con una pomada o líquido de los que se obtienen con este fin en el mercado, o con la pomada de la receta No. 3. Para ayudar a disminuir su intensidad, puede colocarse sobre la piel afectada, de noche, la pomada de la receta No. 27. Como puede irritar, debe dejarse de ponerla cuando se note este efecto.

percute desfavorablemente sobre el vitiligo, empeorándolo.

Tratamiento

El médico busca y trata las diversas posibles causas, prescribiendo a veces ciertas hormonas. Para hacer menos notables las manchas, se puede recurrir al método de cubrirlas con un preparado que se consigue en el comercio bajo el nombre de "cover mark", o con preparaciones de dihidroxiacetona (man-tan).

También puede tratarse de darle color a las mismas con diversos medios (solución al 1 por mil de permanganato de potasio, tintura de yodo diluida y ¡hasta café negro!).

Se puede además tratar de hacer más claras las zonas excesivamente pigmentadas que rodean las manchas de vitiligo, usándose con las debidas precauciones la crema de la fórmula No. 27, de la página 848 o la crema de hidroquinona al 2% que mencionamos al final del tema "Manchas en la cara".

Algunos especialistas utilizan ciertas sustancias llamadas psoralenes (furo-coumarinas) o bien el methoxalen en aplicación local y por ingestión. Es seguido su uso por aplicaciones de luz solar o si no de rayos ultravioleta.

PARTE DECIMONOVENA

Enfermedades Comunes del Oído, la Nariz y la Garganta

CAPITULO 163

Enfermedades del Oído

GENERALIDADES

Breve resumen de la anatomía y fisiología del oído

EL OIDO es el órgano que nos permite percibir los sonidos, es decir, ciertas vibraciones de los cuerpos, que se transmiten por el aire, los líquidos y los cuerpos sólidos, hasta dicho órgano.

El oído está constituido esencialmente por 3 partes:

a) *El oído externo,* destinado a recibir los sonidos, formado por la oreja (pabellón auricular) y el conducto auditivo externo.

b) *El oído medio,* destinado a transmitir los sonidos al oído interno, y cuya parte principal es la caja del tímpano y su contenido.

c) *El oído interno,* destinado a percibir los sonidos, al cual llega el nervio auditivo.

El oído externo

Está formado por la oreja y el conducto auditivo externo, destinados ambos a captar o recibir las ondas sonoras. La *oreja o pabellón* auricular tiene una forma que se ha comparado a la de un embudo. Salvo en su parte inferior o *lóbulo,* está formada por cartílago recubierto de piel. Unos fuertes ligamentos lo unen al cráneo. Presenta salientes y depresiones cuyos nombres hallará el lector en las figuras 658 y 659.

El conducto auditivo externo es un tubo de 2½ a 3 cm de longitud, cuya extremidad externa se abre en la oreja. En su extremidad interna está cerrado por la membrana que recibe el nombre de *tímpano.* Se halla revestido por piel, que segrega una sustancia amarillenta llamada *cerumen* o cera de los oídos, que normalmente sale sola al exterior, pero que a veces se retiene en el conducto auditivo formando tapones que pueden causar diversas molestias. El objeto del cerumen es, al parecer, junto con los pelos que se hallan en algunas personas, impedir la entrada de insectos al conducto auditivo, pues su olor les

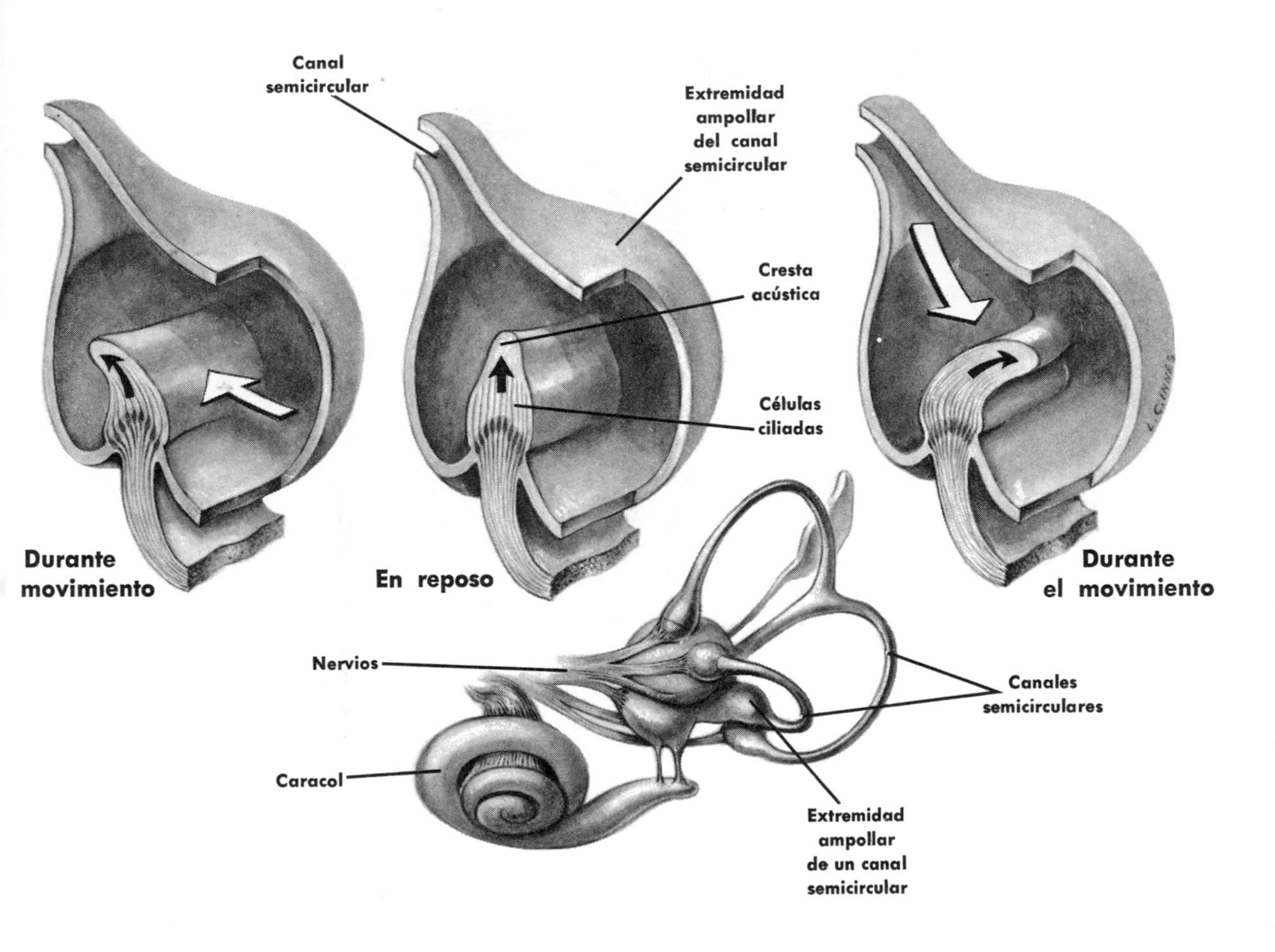

Fig. 657. **Diagrama que muestra cómo el líquido contenido en los canales semicirculares (la endolinfa), hace oscilar las terminaciones nerviosas, enviando así señales al cerebro que indican los movimientos de la cabeza.**

es desagradable. La base sobre la que se halla la piel del conducto auditivo es de cartílago en su parte externa, pero ósea en su parte interna. El calibre y la dirección del conducto auditivo son irregulares. Tiende a hacerse más recto cuando se tracciona el pabellón hacia arriba y hacia atrás.

El oído medio

El oído medio o *caja del tímpano* es una cavidad irregular excavada en el hueso temporal, cuya forma se ha comparado a la de un tambor. Su cara externa se halla formada por una membrana delgada y resistente, de color gris perla, que recibe el nombre

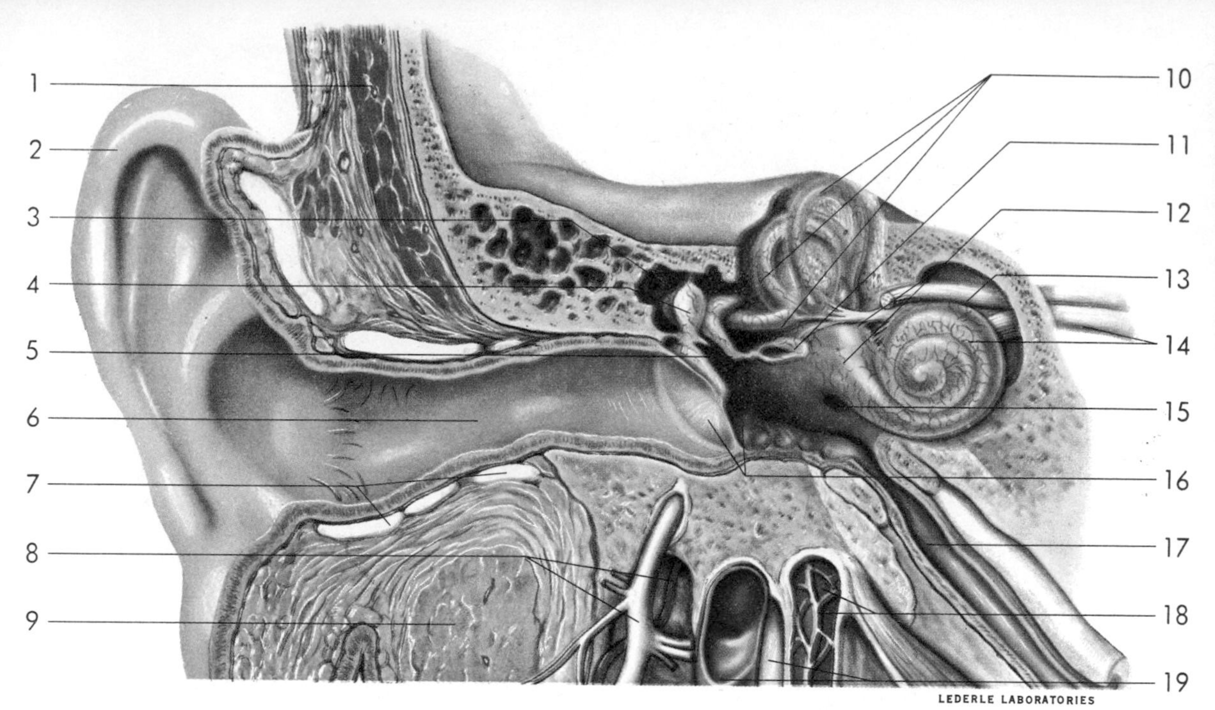

Fig. 658. Oídos externo, medio e interno seccionados transversalmente.

1) Músculo temporal
2) Hélix
3) Receso epitimpánico
4) Martillo
5) Yunque
6) Conducto auditivo externo
7) Parte cartilaginosa de dicho conducto
8) Nervio facial y arteria estilomastoidea
9) Glándula parótida
10) Canales semicirculares
11) Estribo
12) Vestíbulo y nervio vestibular
13) Nervio facial
14) Caracol y nervio coclear
15) Ventana redonda
16) Tímpano
17) Trompa de Eustaquio
18) Arteria carótida interna y plexo nervioso del simpático
19) Nervio glosofaríngeo y vena yugular interna

de *tímpano*. Esta membrana separa el conducto auditivo externo del oído medio. El tímpano transmite al oído interno sus vibraciones por medio de una cadena formada por 3 ó 4 huesecillos que, por la forma que tienen, reciben el nombre de *martillo, yunque, lenticular* y *estribo*. El mango del martillo forma una de las extremidades de la cadena de huesecillos y se halla incluido en el espesor del tímpano. La extremidad interna de dicha cadena está formada por el estribo, que se apoya contra la ventana oval. El martillo se articula con el yunque, éste con el lenticular y el lenticular con el estribo.

La cara interna presenta dos aberturas en el hueso, que reciben el nom-

Fig. 659. CARA EXTERNA DEL PABELLON DE LA OREJA. 1) Hélix. 2 Antehélix. 3) Canal del hélix. 4) Fosita del antehélix. 5) Trago. 6) Antitrago. 7) Lóbulo.

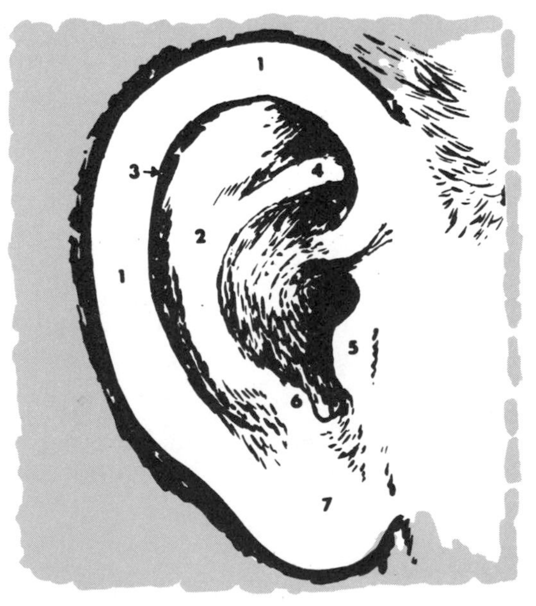

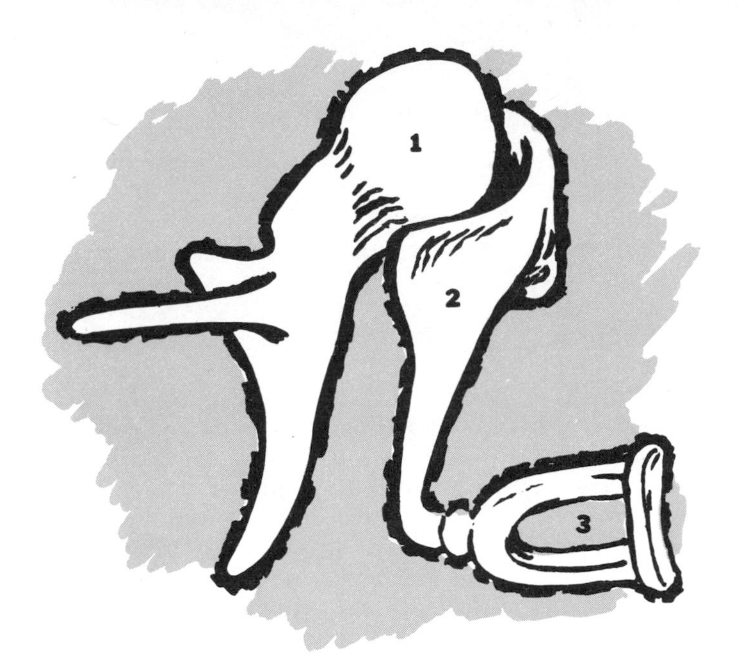

Fig. 660. **CADENA DE HUESECILLOS DEL OIDO MEDIO. 1) Martillo. 2) Yunque. 3) Estribo.**

bre de *ventanas,* y que comunican, a través de membranas, el oído medio con el oído interno. En una de ellas, llamada *ventana oval,* se apoya el estribo, encargado de transmitir las vibraciones que recibe el tímpano. La otra recibe el nombre de *ventana redonda,* y se cree que cumple con una doble función: la de recibir por vía aérea las vibraciones sonoras y la de

Fig. 661. **DIVERSOS ELEMENTOS QUE CONSTITUYEN EL OIDO INTERNO. Canales semicirculares y caracol: 1) Canal semicircular superior. 2) Canal semicircular externo. 3) Canal semicircular posterior. 4) Ventana oval. 5) Ventana redonda. 6) Caracol. 7) Ampolla.**

permitir que el líquido que contiene el oído interno pueda hallar dónde expandirse cuando es comprimida la ventana oval.

Hay dos pequeños músculos que llegan al oído medio, destinados a modificar la amplitud de los movimientos de la cadena de huesecillos, lo cual permite la percepción de distintos tipos de sonidos.

La caja del tímpano comunica con la llamada *trompa de Eustaquio* y con cavidades situadas en la *mastoides,* saliente ósea que se halla por detrás y debajo del pabellón del oído u oreja.

La trompa de Eustaquio es un conducto formado por hueso y cartílago revestidos de mucosa que, naciendo en la parte anterior de la caja del tímpano, se abre en el lado de la parte alta de la faringe o *rinofaringe.* Tiene unos 3 cm de largo y está destinada a mantener en ambos lados del tímpano la misma presión, es decir, la atmosférica. La trompa de Eustaquio se abre cuando deglutimos.

Las cavidades mastoideas son varias: una mayor, llamada *antro,* y numerosas cavidades pequeñas que reciben el nombre de *células* o *celdillas mastoideas.* El antro comunica con la caja del tímpano por un conducto especial.

El oído interno

Es la parte del oído destinada a percibir los sonidos. Se halla excavada en la parte del hueso temporal llamada el *peñasco.* Su estructura es muy compleja y no habría aquí lugar para describirla en detalle aunque es sumamente interesante su estudio.

Consta de tres partes llenas de líquido: el *vestíbulo,* los *canales semicirculares* y el *caracol.* El vestíbulo y los canales semicirculares son órganos destinados a darnos la noción de la posición que tenemos y a ayudarnos a mantener el equilibrio. El caracol contiene el llamado *órgano de Corti,* que recibe terminaciones nerviosas y es el receptor de las ondas sonoras.

Así pues, las vibraciones sonoras se transmiten por el pabellón auditivo y el conducto auditivo externo a través del aire. Hacen vibrar el tímpano, y estas vibraciones son transmitidas a la ventana oval por la cadena de huesecillos. La vibración del estribo se transmite a través de la ventana oval al líquido del oído interno, oscilaciones que actúan sobre las cilias vibrátiles del órgano de Corti, donde hay terminaciones del nervio auditivo. El *nervio coclear,* rama del nervio auditivo, es en realidad el que termina en el órgano de Corti. La parte de la corteza cerebral que percibe e interpreta los sonidos está situada en cada lado en la cara externa de los lóbulos temporales.

Manera de hacer un lavado de oídos (fig. 662)

Con cierta frecuencia el médico hace o indica un lavado de oídos (tapón de cerumen, cuerpos extraños, etc.). Salvo por indicación expresa del médico, no debe hacerse lavado de oído en una persona que tiene el tímpano perforado.

El material necesario es el siguiente:

a) Una jeringa o pera de goma, preferiblemente con punta de ebonita u otro material parecido (se pueden utilizar otros tipos también). La jeringa puede esterilizarse hirviéndola unos 10 minutos.

b) Una cubeta para recibir el agua que sale del oído. Es preferible que ésta tenga la forma de un riñón, pero puede servir una pequeña palangana común.

c) La solución que el médico haya indicado o, si no se ha especificado, agua hervida, y a una temperatura de unos 35° C (95° F).

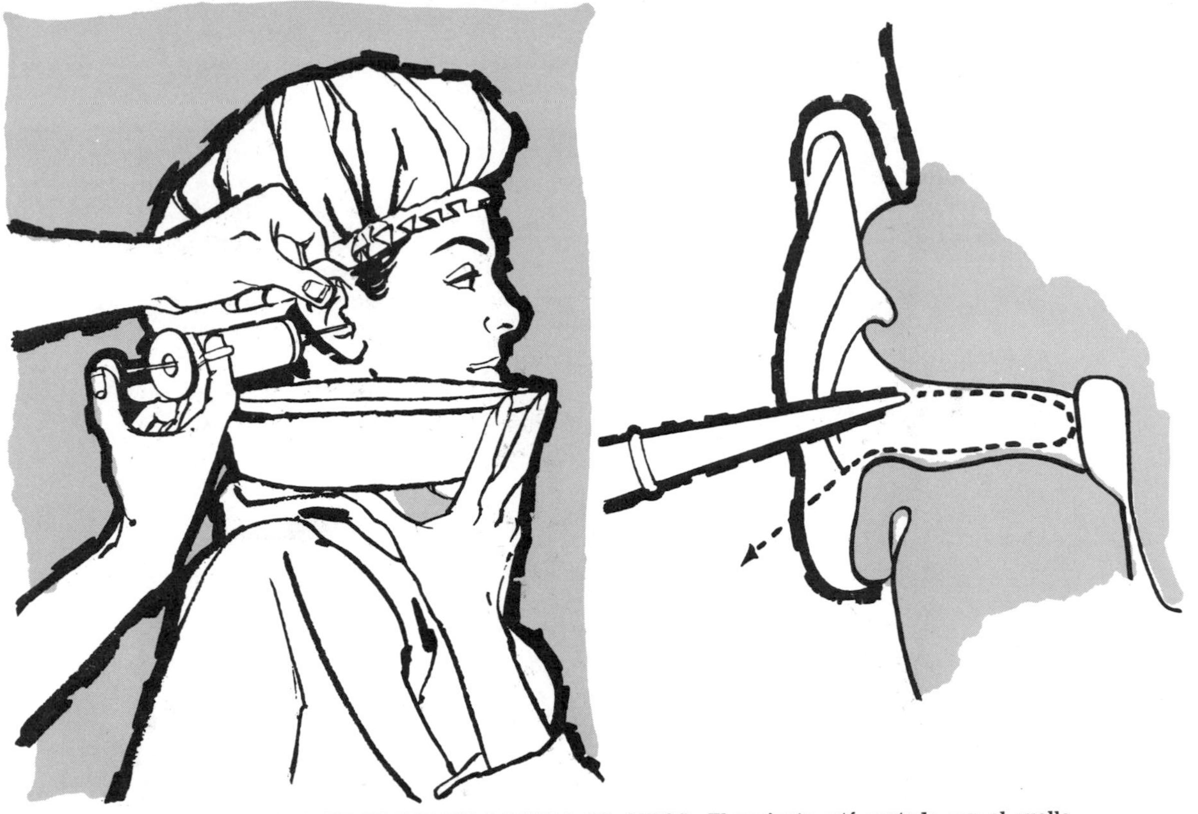

Fig. 662. **MANERA DE HACER UN LAVADO DE OIDOS.** El paciente está sentado con el cuello y los hombros protegidos y un recipiente a un par de dedos debajo del pabellón. Se tira ligeramente de la oreja hacia arriba y hacia atrás. El chorro de líquido debe dirigirse a la cara superior del conducto auditivo (véase el grabado de la derecha) para evitar que el líquido hiera directamente el tímpano.

TECNICA.—El enfermo estará sentado, con la cabeza ligeramente inclinada hacia el lado que no se irriga. Colocarle una toalla sobre el cuello y el hombro para que no se moje. Debajo de la oreja que va a irrigarse, colocar la cubeta para recoger el agua que salga del oído. Puede ser sostenida por el mismo enfermo. Se llena completamente la jeringa de goma con el líquido tibio (no debe quedar aire en la misma) y se dirige la punta de la misma hacia una de las paredes del conducto auditivo, preferiblemente la superior. Esto tiene como fin evitar que el chorro de líquido dé directamente sobre el tímpano.

No hay que introducir, en general, más que la punta de la jeringa en el conducto auditivo, dejando lugar para que salga el líquido. El chorro de líquido no será violento. Para facilitar el recorrido del líquido es conveniente hacer al conducto auditivo lo más recto posible, lo que se logra traccionando el pabellón hacia arriba y algo hacia atrás. Si se ha utilizado para el lavado una solución de bicarbonato de sodio o agua oxigenada, es conveniente enjuagar el conducto auditivo con agua hervida.

Después del lavado del oído puede el paciente inclinar la cabeza hacia el lado que se irrigó, traccionando el pabellón u oreja hacia arriba y hacia atrás para que salgan las gotas de líquido que pudieran haber quedado. Es prudente dejar un tapón de algodón en la entrada del conducto auditivo durante unas 24 horas. Será lo suficientemente grande como para que no vaya a quedar dentro del conducto auditivo.

Resumiendo: evitar los líquidos fríos o muy calientes, evitar el proyectar el líquido directamente contra el tímpano, o con mucha fuerza, y dejar lugar para que el líquido salga.

Manera de colocar gotas en el oído (instilaciones en el oído)

Para dejar caer las gotas, se utiliza un frasco cuentagotas o el cuentagotas que viene en la tapa del frasco. Si no hay otra cosa a mano, puede utilizarse una cucharita de las de café o té previamente hervida 10 minutos.

Las gotas deben entibiarse a la temperatura del cuerpo, colocando el frasco por unos instantes en agua caliente. Si se duda de la temperatura que ha tomado, se puede dejar caer una gota en el dorso de la mano. Hay

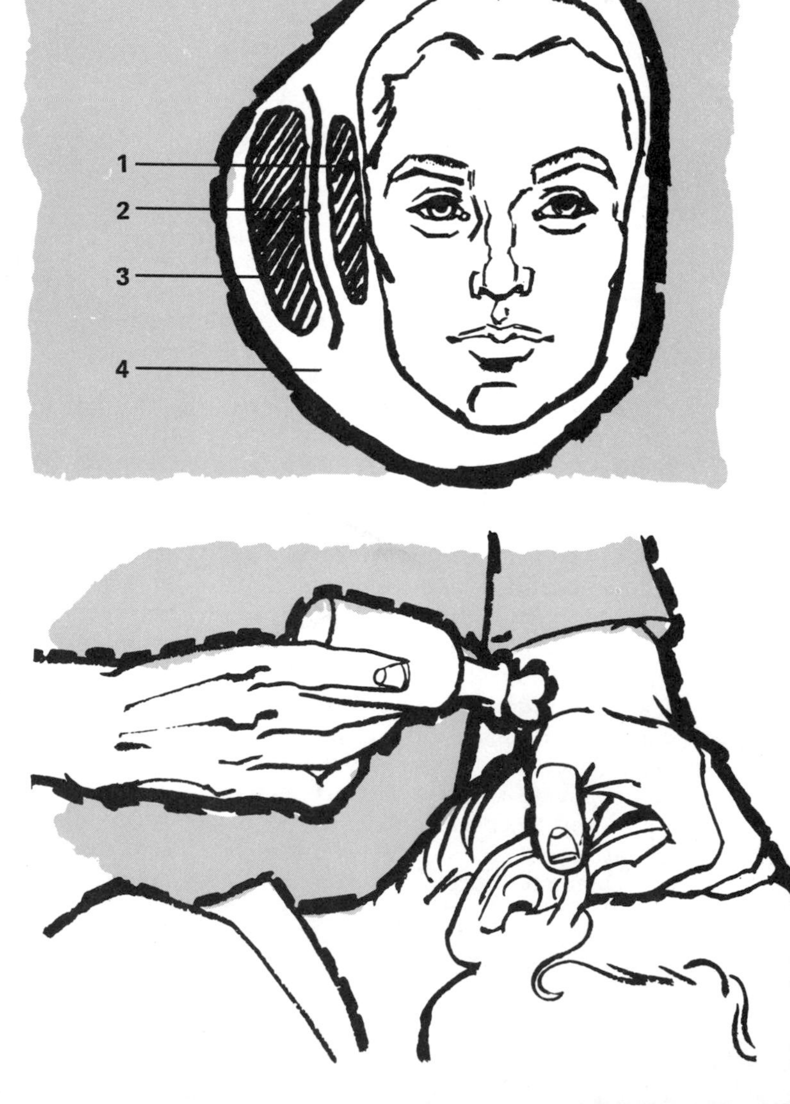

Fig. 663. MANERA DE APLICAR UNA COMPRESA HUMEDA CALIENTE SOBRE EL OIDO. 1) Compresa húmeda caliente. 2) Lámina impermeable. 3) Algodón. 4) Vendaje. (Para más detalles, véase el texto.)

Fig. 663a. MANERA DE COLOCAR GOTAS EN LOS OIDOS. La cabeza descansa horizontalmente sobre el lado sano. Se tira ligeramente el pabellón hacia arriba y hacia atrás, para enderezar el conducto auditivo, y se dejan caer las gotas, no directamente en el conducto, sino a su lado, de donde se deslizarán las gotas hasta el tímpano.

ciertas gotas a base de glicerina anhidra que pierden su efecto si se humedecen y que se aconseja no entibiar al baño de María para evitar que puedan absorber humedad. El médico indicará en cada caso si se entibiará o no el líquido para las gotas.

Una vez listas las gotas, el paciente debe acostar la cabeza horizontalmente sobre su lado sano (es práctico que lo haga sobre una mesa o escritorio, cuando no guarda cama). Se dejan caer las gotas, no directamente en la entrada del conducto auditivo, sino en la parte adyacente del pabellón, que le forma una especie de embudo natural. Esto se hace con el objeto de que el líquido vaya deslizándose por las paredes del conducto. Si se echan las gotas directamente sobre la entrada del conducto auditivo, éstas la obstruyen y se forman burbujas de aire que impiden la penetración normal del líquido. Se puede facilitar la penetración del líquido en el oído traccionando ligeramente el pabellón hacia arriba y hacia atrás.

Es en general aconsejable que el paciente se mantenga en esa posición durante unos 10 minutos. Si hay que colocar gotas en el otro oído, se lo puede hacer pasado este lapso y después de haber colocado un tapón de algodón en el lado donde se aplicó primero. El número de gotas lo indica el médico en cada caso. No suele tener mayor importancia que caigan algunas gotas de más o de menos. Cuando se desea actuar sobre el tímpano, bastan de 5 a 10 gotas. Cuando se desea que obre sobre el conducto auditivo, puede ser útil llenarlo. En ese caso debe luego absorberse el líquido en exceso con algodón hidrófilo para evitar que salga al exterior. El número de veces que se coloca depende de la clase de líquido y del tipo de enfermedad; en cada caso el médico hará la indicación correspondiente.

Fomentos (compresas húmedas calientes) al oído

Se utilizan para calmar el dolor y para desinflamar. Una manera sencilla de hacer fomentos al oído es la siguiente: se toman por un ángulo dos pañuelos de hombre doblados en la forma habitual y se sumergen en agua bien caliente. Se colocan o envuelven en otro pañuelo abierto cuyas extremidades se tuercen en sentido inverso para exprimir ligeramente los pañuelos mojados sin quemarse las manos. Se prueba la temperatura de los pañuelos mojados antes de colocarlos sobre el oído, poniéndolos en contacto con el dorso de la mano. Si se toleran bien pueden colocarse. Se recubren luego los pañuelos con una tela u hoja impermeable (polietileno, gutapercha, celofán grueso, etc.) de tamaño algo mayor que ellos, y por encima de la tela impermeable se coloca un buen espesor de algodón, preferiblemente no hidrófilo. Se mantienen esas 3 capas aplicadas sobre el oído por medio de una venda elástica o una bufanda o un pañuelo grande, cuidando de que no esté tan ceñido que impida abrir la boca (se puede evitar esto si el paciente mantiene la boca abierta ligeramente mientras se coloca el vendaje).

Estas compresas se renuevan habitualmente cada 2 horas, pero en casos de dolor muy agudo pueden renovarse cada hora. Hay que tener cuidado de no quemar la piel.

ENFERMEDADES DEL OIDO EXTERNO

No se estudiarán aquí, con excepción del forúnculo del conducto auditivo y el eccema del mismo, las enfermedades de la piel que afectan al pabellón y al conducto auditivo externo, cuyas características y tratamientos son semejantes a las de otras partes.

Los cuerpos extraños en el oído se estudiaron en la página 665.

TAPON DE CERUMEN (cera)

Es frecuente que el cerumen o cera que se produce en el conducto auditivo externo se retenga formando una masa de color castaño más o menos oscuro. En ciertos casos esta acumulación se debe a un exceso de producción de cerumen o a su unión con escamas de eccema seco del conducto auditivo y, en otros, a estrechez, en alguna parte del conducto, etc. Mientras el tapón no cierra por completo el conducto auditivo, no produce mayores síntomas, pero si esta obstrucción se produce por hincharse el cerumen después de entrar agua en el oído, o al introducirse algún objeto en el mismo para rascarlo o extraer el cerumen, etc., aparece una sordera parcial de ese lado y, con frecuencia, zumbidos de oído y aun vértigos (sensación de que el cuerpo o los objetos giran). El médico puede comprobar la existencia del tapón con instrumental adecuado.

Tratamiento

No hay que introducir ningún instrumento en el oído para extraer el tapón de cerumen, lo que podría ser peligroso o podría rechazar el tapón más adentro.

Lo que hay que hacer es un lavado de oídos en la forma que se explica en la página 1637. Hay que tener la certeza de que no hay alguna perforación del tímpano por una enfermedad anterior, pues en ese caso el lavado de oídos puede dañar. Cuando el tapón de cera es de consistencia blanda, suele salir fácilmente con un lavado con agua tibia. Si el tapón es muy duro, puede añadirse al agua una cucharadita de bicarbonato de sodio por cada vaso de agua tibia. Si no sale al lavar el oído con esa solución, se puede esperar unos 15 ó 20 minutos, para que se ablande, y luego repetirlo. A veces es necesario ablandar el cerumen con gotas especiales.

Cuando el tapón no sale con estos medios sencillos, debe consultarse al médico.

FORUNCULO DEL CONDUCTO AUDITIVO

El forúnculo del conducto auditivo tiene la misma significación que los forúnculos en general (véase la página 1593). Se produce en la mitad externa del conducto auditivo, y es más frecuente en las personas que tienen la costumbre de rascarse el oído. Produce un dolor bastante intenso, que aumenta al mover el maxilar inferior, cuando se presiona sobre el oído o se tracciona del pabellón. El dolor aumenta gradualmente hasta que, de 3 a 7 días después de su iniciación, se abre espontáneamente el forúnculo, saliendo pus, lo cual produce alivio. Es frecuente que haya fiebre ligera.

Tratamiento

El tratamiento general del forúnculo del oído es el mismo que el que se hace para forúnculos en otras partes del cuerpo (véase la página 1593).

El tratamiento local varía con la intensidad del dolor y el grado de inflamación. Hay algunos casos en los que el médico ve indispensable abrir el forúnculo para facilitar la salida del pus, además de administrar antibióticos.

En algunos casos leves, basta con el siguiente tratamiento local:

a) Llenar el conducto auditivo con gotas de glicerina anhidra con 5% de antipirina. Hay algunos preparados en el comercio que contienen además alguna sulfa o antibiótico y algún anestésico local, que son aún más beneficiosos: Otobione, bacymycín, furacín - HC (gotas óticas), cortisporín (gotas óticas). Esta instilación de gotas puede hacerse según el grado de dolor o inflamación cada 3 a 6 horas. Se ha utilizado también con buen éxito la nitrofurazona (furacin-oto-solución).

b) Aplicar calor seco al oído por medio de la bolsa de agua caliente protegida con un género para evitar que queme. Cuando se utilizan compuestos con glicerina anhidra no es conveniente aplicar calor húmedo, pues al absorber humedad esos compuestos pierden parte de su efecto beneficioso.

Para el dolor en sí, pueden ser más calmantes las compresas húmedas calientes (véase la manera de aplicarlas, en la página 1638).

Otros tratamientos locales

Los especialistas colocan a veces cada 24 horas mechas delgadas de gasa dentro del conducto auditivo, que el paciente embebe con gotas de diversos medicamentos: solución diluida de acetato de aluminio o gotas de metacresilacetato (metacresilato), soluciones de sulfas o antibióticos, alcohol de 90° o alcohol absoluto, solución de nitrato de plata al 2%, violeta de genciana, etc.

Las aplicaciones de ondas cortas y de rayos infrarrojos son beneficiosas.

El tratamiento de la otitis externa difusa, que es una inflamación de todo el conducto auditivo externo, es semejante al del forúnculo, y requiere un antibiótico.

ECCEMA DEL CONDUCTO AUDITIVO EXTERNO

Hay una forma aguda o húmeda y una forma crónica o seca de eccema del conducto auditivo externo. Además de las causas generales de eccema, en este caso semejantes a las estudiadas en la página 1611, puede haber algunas causas que predispongan, como las supuraciones crónicas del oído, el rascarse el conducto auditivo, etc.

En la forma aguda hay marcada comezón del conducto auditivo, y sale líquido abundante. A veces hay también algo de dolor. Cuando la piel del conducto está muy irritada, éste puede hallarse casi cerrado, produciendo sordera parcial. El eccema crónico puede seguir a la forma aguda, o ser crónico de primera intención.

Se caracteriza por comezón del conducto auditivo y producción de abundantes escamas blancas que pueden formar tapones blanquecinos.

Tratamiento

Además del tratamiento de las causas locales del eccema, así como de su tratamiento general, que se estudia en la página 1611, se hará el siguiente tratamiento local:

a) Evitar el rascado, que mantiene y agrava el eccema.

b) Localmente se pueden colocar en el conducto auditivo gotas de una suspensión de corticoides, preferiblemente con neomicina.

ENFERMEDADES DEL OIDO MEDIO

Las infecciones del oído medio reciben el nombre de *otitis medias.* Según que se produzca pus o no, reciben los nombres de supuradas y no supuradas. En ambos casos pueden dividirse en agudas y crónicas, según que su evolución sea rápida o prolongada. Hay una forma especial de otitis media crónica no supurada que recibe el nombre de *otoesclerosis* o de *otoesponjosis,* que también describiremos brevemente.

OTITIS AGUDAS Y SUS COMPLICACIONES

Causas que predisponen

Las enfermedades crónicas de la nariz y la rinofaringe (porción nasal de la faringe), tales como las vegetaciones adenoideas, las obstrucciones de la nariz de distinta índole (desviaciones del tabique, pólipos, hipertrofia de los cornetes, etc.) y las sinusitis, favorecen marcadamente la inflamación del oído medio. Son más frecuentes las otitis agudas en el niño, debido a que la trompa de Eustaquio es más horizontal y puede llevar más fácilmente la infección a la caja del tímpano, y debido también a que son frecuentes en la infancia las vegetaciones adenoideas, adenoiditis, corizas, amigdalitis, etc.

Puede causar otitis el zambullirse en pilctas de natación o en lugares donde hay aguas contaminadas. También puede deberse a una perforación del tímpano, o a la penetración de agua contaminada en el conducto auditivo o en la caja del tímpano a través de la nariz y la trompa de Eustaquio.

Causa provocadora

La otitis aguda aparece a veces como consecuencia de un resfrío; otras veces a raíz de una enfermedad infecciosa (sarampión, escarlatina, gripe); y aun otras, por inflamación de la faringe (adenoiditis, por ejemplo) o por obstrucción nasal. Los gérmenes son variados: estreptococo, neumococo, estafilococo, a veces virus, etc.

Síntomas

Hay una forma catarral producida habitualmente por una inflamación de la mucosa de la trompa de Eustaquio, que cierra esta última. Se reabsorbe el aire que contiene la caja del tímpano, se congestiona el tímpano y puede producirse un líquido sin pus en el oído medio. El paciente siente presión en el oído, a veces dolor de variable intensidad, oye menos con ese oído y su voz le resuena en la cabeza.

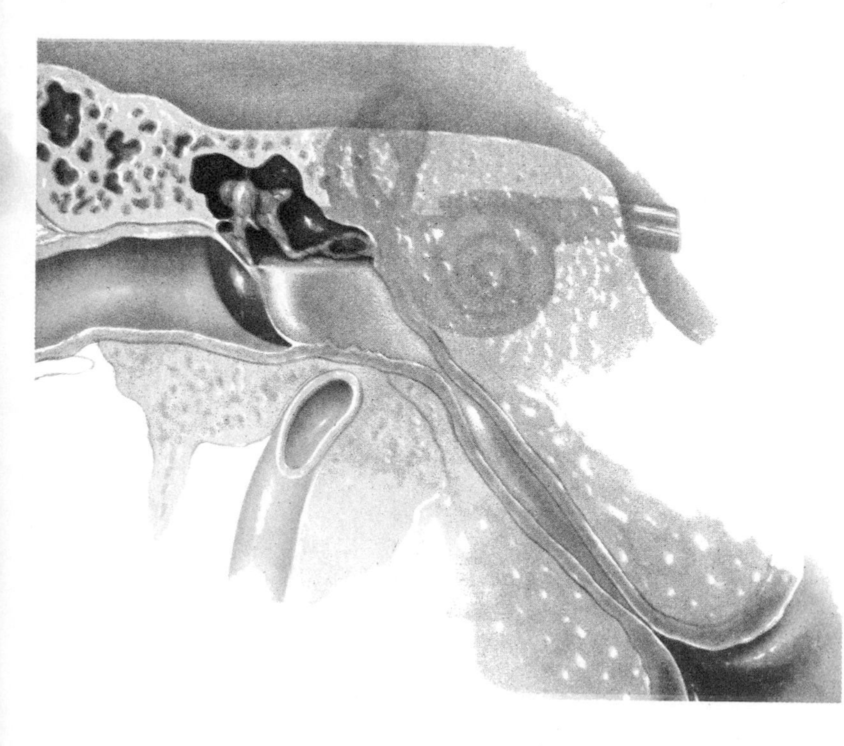

Fig. 664. OTITIS MEDIA. Obsérvese el enrojecimiento del tímpano y de la mucosa del oído medio y el pus en dicha cavidad y parte de la trompa de Eustaquio.

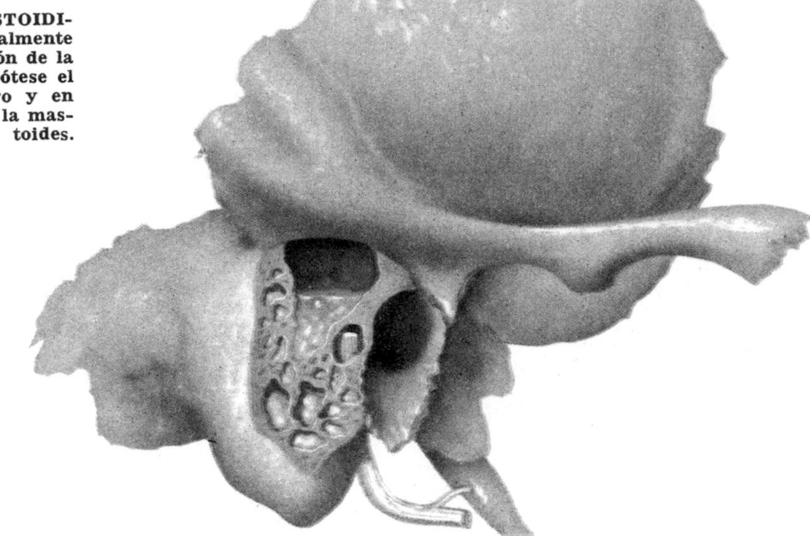

Fig. 665. MASTOIDITIS. Es habitualmente una complicación de la otitis media. Nótese el pus en el antro y en las celdillas de la mastoides.

El médico puede comprobar que el tímpano está congestionado y generalmente hundido. A veces puede percibir un nivel líquido a través del mismo. Puede transformarse en otitis supurada.

La forma supurada es mucho más intensa, llegando casi siempre los gérmenes a la caja del tímpano, a través de la trompa de Eustaquio. En un reducido número de casos los gérmenes pasan a través de un tímpano perforado desde el exterior o provienen de la sangre. Lo habitual es que el paciente se queje de *dolor intenso* de oído. Es un dolor agudo, profundo, que a veces aumenta con cada latido del corazón. Suele empeorar de noche, con los movimientos de la cabeza, la masticación o al presionar sobre el oído. Puede durar 4 ó 5 días, es decir, hasta que se perfora el tímpano. Hay además *fiebre,* especialmente en los niños, pudiendo la temperatura alcanzar a 40° C (104° F) o aún más, apareciendo *zumbidos* y *sordera* de ese lado. Especialmente en los niños pueden comprobarse signos generales de infección: palidez, inapetencia, decaimiento. Pueden observarse en el lactante vómitos, diarrea, pérdida de peso, etc. El médico comprueba por el examen que el tímpano está rojo y saliente. La inflamación toma en estos casos la mucosa de la cavidad llamada antro en la mastoides, sin que haya en realidad aún mastoiditis. Lo más frecuente es que la otitis media supurada provoque en 3 ó 4 días la perforación del tímpano (puede también tardar hasta una semana, o ceder con el tratamiento, sin perforarlo).

La duración total de la otitis oscila entre 1 y 4 semanas.

Cuando se perfora el tímpano sale pus al exterior y se produce un marcado alivio de los síntomas. Ocasionalmente el pus, en lugar de salir a través del tímpano, lo hace por la trompa de Eustaquio. Hay casos de otitis tan intensas, que pueden lesionar el hueso (otitis necrosantes).

Complicaciones (mastoiditis, etc.)

Las complicaciones posibles de una otitis media aguda supurada son las siguientes:

1) La infección de la mastoides o *mastoiditis,* debida a que el pus no puede salir. Se caracteriza por un aumento de la fiebre, dolor por detrás del oído, a veces hinchazón en la zona que corresponde a la mastoides, a cuyo nivel la presión con el dedo provoca franco dolor. Puede el pabellón separarse de la mastoides. Hay, sin embargo, mastoiditis con pocos síntomas.

2) Por propagación de la infección dentro del cráneo, pueden aparecer abscesos entre los huesos del cráneo y las meninges, o abscesos en el cerebro o cerebelo, meningitis, flebitis de gruesas venas en el cráneo, etc.

3) Septicemia (pasaje del germen a la sangre).

Puede haber parálisis facial. Hay que pensar en una complicación de la otitis cuando hay empeoramiento del enfermo, aumento del dolor, de la fiebre o aparición de síntomas nuevos. Debe consultarse nuevamente al médico a la menor sospecha de complicación por su especial gravedad.

¿Cómo evitar las otitis agudas?

Cuando hay alguna enfermedad infecciosa o una coriza (resfrío nasal), es conveniente desinfectar la nariz con gotas (soluciones o suspensiones de ciertos antibióticos o sulfas, soluciones de argirol, etc.), evitando sonarse fuertemente la nariz, lo que podría hacer penetrar secreciones infectantes en la trompa de Eustaquio y por ella en el oído medio. Al sonarse la nariz, hágaselo suavemente, no tapando la nariz o, a lo sumo, obstruyendo solamente un lado de la nariz a la vez, si parece indispensable hacerlo. Deben tratarse las vegetaciones adenoideas o afecciones de la nariz que predisponen a las otitis.

Tratamiento

Siempre que sea posible, el tratamiento debe ser indicado y dirigido por el médico, especialmente en las otitis intensas que van a dar supuración, pues existe la posibilidad de complicaciones.

Hay que hacer el tratamiento de la causa, combatir la infección del oído y calmar el dolor. El tratamiento de la causa es el indicado para la coriza o para cualquiera de las causas que haya producido la inflamación en ese caso dado. Para combatir la infección, el médico indica habitualmente antibióticos o sulfas.

El dolor, y hasta cierto punto también la infección, disminuyen con cualquiera de los siguientes medios: gotas especiales anestésicas y desinfectantes como ausalgán, neokolmoid, otisporin, en el conducto auditivo, calor seco o húmedo, bolsa de agua caliente, compresas húmedas calientes (véase la manera de aplicarlas en la página 824), ondas cortas. También puede ayudarse a descongestionar el oído medio aplicando calor a los miembros inferiores (fomentos, baños calientes de pies y piernas, o baño caliente de pies). El médico prescribe en cada caso el tipo de gotas que crea más aconsejable: glicerina anhidra con 5% de antipirina, u otras. Personalmente preferimos las gotas de glicerina anhidra con antipirina al 5%, que pueden conseguirse en el comercio bajo distintos nombres, y algunas de las cuales contienen además sulfas y otras sustancias (otalgan, auralit, ototiazil, otalex, neokalmoid, otosulf, etc.). Se colocan cada hora o cada dos horas, habitualmente sin entibiarlas (véase la manera de poner gotas en el oído en la figura 663a). Cuando el dolor es menos intenso, puede espaciarse su colocación. Cuando se utiliza este tipo de gotas no debe dejarse penetrar agua en el oído, pues pierden su efecto.

A falta de otra cosa, y como un primer auxilio, se puede colocar en el oído glicerina o aceite entibiado. Para estar seguro de que no está demasiado caliente, dejar caer una gota sobre el dorso de la mano.

Apertura del tímpano

Ocasionalmente el médico ve necesario abrir el tímpano para evitar complicaciones y producir además alivio con la salida del pus.

Tratamiento cuando hay supuración

Además del tratamiento contra la infección y la causa de la otitis, el médico puede practicar el excelente método de las curaciones secas para limpiar el pus, colocando una mecha seca en el conducto auditivo después de un lavado con una solución tibia que contenga un antibiótico y un corticoide. A veces cuando el paciente vive muy lejos del médico puede éste indicar curaciones húmedas que pueden practicar los familiares del enfermo. Consisten éstas en llenar el conducto auditivo con una mezcla por partes iguales de agua oxigenada y solución de borato de sodio, que se absorbe con algodón después de 3 minutos, repitiendo 2 ó 3 veces. El algodón debe ser esterilizado. La persona que va a hacer la curación debe previamente limpiarse bien las manos y limpiar bien la oreja del paciente, para evitar llevar otros gérmenes al oído.

Una vez terminada la curación, se colocará un tapón de algodón esterilizado y una gasa y vendaje. Si la supuración es abundante, puede ser útil, para evitar la irritación de la piel, poner vaselina alrededor del orificio del conducto auditivo externo. Si la supuración es poco abundante, puede ser suficiente hacer este tratamiento cada mañana y cada noche. Si es más abundante, puede ser necesario aplicarlo 3 ó 4 veces en las 24 horas. A las 2 ó 3 semanas la secreción se hace mucosa y escasa. A veces el médico indica en esta etapa de la enfermedad pulverizaciones, furacina o solución saturada de ácido bórico en alcohol.

Tratamiento de la mastoiditis y otras complicaciones de la otitis media supurada

Además de la aplicación local de hielo y los antibióticos, es a veces indispensable una operación cuando el tratamiento antes mencionado no es suficiente.

OTITIS MEDIAS CRONICAS

Otitis catarral crónica

Puede producirse después de repetidas otitis catarrales agudas. Casi siempre interviene en su producción la obstrucción de la trompa de Eustaquio, conducto que comunica la caja del tímpano con la parte alta de la garganta (rinofaringe). Esa obstrucción de la trompa se debe a vegetaciones adenoideas o a enfermedades de la nariz, tumores, etc. La obstrucción crónica de la trompa trae como consecuencia la diferencia constante en la presión que sufren las dos caras del tímpano, que se hunde al absorberse el aire que contenía el oído medio. La mucosa se congestiona y aparecen: cierto grado de sordera, zumbidos de oído, sensación de burbujas en el oído al sonarse la nariz, etc. El médico comprueba que el tímpano está hundido, con cambio en su color. Se agrava gradualmente si no se atiende, pudiendo causar sordera completa por esclerosis del oído medio.

Tratamiento

El especialista en oídos diagnostica la causa o las causas y las trata. Además trata de devolver a la trompa de Eustaquio su permeabilidad, por medio de gotas nasales, pulverizaciones, aerosoles, inhalaciones e insuflaciones de aire en la trompa, y hasta con dilataciones de la misma. A veces indica el especialista masaje del tímpano por medio de una bomba especial.

Otitis media supurada crónica (otorrea crónica)

Puede ser consecuencia de una otitis media supurada aguda, que no cura por haber lesión de los huesecillos del oído, o por debilidad general, o por haber una causa en la rinofaringe o la nariz que persiste, o por haber sido sometida la infección a un tratamiento insuficiente. Los síntomas son: salida de pus fétido por el conducto auditivo, a veces ligera sordera del oído afectado o zumbidos. El médico comprueba habitualmente una perforación del tímpano. De vez en cuando, con motivo de un resfrío o estado gripal, o por haber entrado agua en el oído, pueden aparecer dolores. Las complicaciones que puede producir son las mismas que en el caso de la otitis supurada aguda (véase la página 1642).

Tratamiento

El tratamiento de estos casos debe ser indicado por un especialista. No debe dejarse entrar agua en el oído (salvo por indicación del médico), de manera que se evitarán las zambullidas. Estos casos deben tratarse para evitar posibles complicaciones.

OTOESPONJOSIS U OTOESCLEROSIS

Esta enfermedad ataca principalmente a mujeres relativamente jóvenes. Hay tendencia hereditaria a esta enfermedad, que se caracteriza por lesiones del oído interno y soldadura del huesecillo llamado estribo a la ventana oval. La pubertad, el embarazo, la lactancia y la menopausia tienen una influencia desfavorable en ciertos casos. Los síntomas son: sordera progresiva en ambos lados y zumbidos de oído. Los pacientes suelen oír mejor donde hay ruido.

Tratamiento

Debe ser instituido por un médico especializado. Se han utilizado con suerte diversa, calcio, vitamina D, extractos de glándulas de secreción interna, medidas higiénicas, etc. Se utilizan con buen resultado ciertos aparatos eléctricos (audífonos) para ayudar a oír, cuyo tipo será escogido en cada caso por el especialista. Con buen resultado se utiliza una operación (efectuada por especialistas muy avezados en ella), que se llama *fenestración,* y que consiste en abrir una nueva ventana en el oído medio que comunique con el oído interno, utilizando un método especial para que no vuelva a cerrarse. Otras veces se recurre a la movilización del estribo.

SORDERA

Son muy diversas las causas de sordera. Cuando se trata de un niño de 1 ó 2 años que parece no oír, debe pensarse que se trata de una sordera congénita, es decir, presente al nacimiento, debida generalmente a una lesión del oído interno y que hará del niño un *sordomudo.* Son mudos porque no oyen, y no por defecto del aparato de la fonación. Con enseñanza especial, estas personas pueden aprender a leer en los labios del interlocutor lo que habla, y también aprenden a hablar. Si la sordera sobreviene a una edad más avanzada, pero antes que el niño sepa hablar bien, puede presentarse algo parecido a la sordomudez. Si la sordera afecta a un niño de más edad, se trata probablemente de una otitis media crónica provocada o causada por vegetaciones adenoideas u otra causa local. Son niños que parecen distraídos y tienen dificultad en los estudios. En una señorita puede tratarse de una otoesponjosis, pero también puede tratarse de cualquiera de las causas que mencionamos a continuación, las que atacan a cualquier edad.

a) Tapón de cerumen o cuerpo extraño. La sordera es de un solo lado y ha comenzado bruscamente.

b) Otitis catarral o supurada, aguda o crónica. A veces se debe a obstrucción de la trompa de Eustaquio.

c) La lesión puede hallarse en el oído interno (laberintitis), o en el nervio acústico (neuritis por infecciones o intoxicaciones), o en los centros nerviosos dañados por arteriosclerosis u otras lesiones.

Frente a cualquier caso de sordera es imprescindible consultar al médico, de preferencia a uno especializado en enfermedades del oído, para que haga un diagnóstico exacto e indique el tratamiento.

ZUMBIDOS DE OIDO

Es bastante frecuente hallar personas que tienen sensación de ruidos de diversa índole en los oídos: chorro de vapor, silbidos, ruidos de viento fuerte, de agua hirviendo, ruido de mar, campanas, latidos, zumbidos de insectos, etc.

Las causas pueden ser afecciones del oído (en realidad, cualquiera de las que hemos mencionado al hablar de sordera), o bien los zumbidos pueden deberse a causas generales: arteriosclerosis, exceso de tensión arterial, convalecencia o debilidad de cualquier origen, ciertos medicamentos (quinina, salicilatos, estreptomicina), anemia por hemorragia intensa, enfermedades del corazón, principalmente la insuficiencia de las válvulas sigmoideas aórticas. El examen médico suele hallar la causa y, basado en ella, el médico indicará el tratamiento adecuado.

SALIDA DE LIQUIDO POR EL OIDO

El líquido puede ser: a) Pus. Se debe a: otitis media supurada aguda o crónica, forúnculo o inflamación difusa del oído medio, mastoiditis; cuerpos extraños.

b) Líquido más claro. Es producido por: eccema agudo del conducto auditivo, o líquido cefalorraquídeo proveniente de una fractura de base de cráneo.

c) Sangre. Puede deberse a una fractura de base de cráneo, a ruptura del tímpano, pólipos, o lesiones del conducto auditivo, el oído medio o la mastoides.

DOLOR DE OIDOS

Las causas más comunes son: otitis media aguda, mastoiditis, forúnculo o inflamación difusa del conducto auditivo externo, insectos en dicho conducto y dolor irradiado al oído por inflamación de las amígdalas. Causas menos frecuentes son el herpes zóster del pabellón, las paperas (parotiditis epidémica), ciertas enfermedades de los dientes, lesiones de la lengua y artritis de la articulación del temporal con el maxilar inferior. El tratamiento será el de la causa (ver cada una de estas causas en el índice).

CAPITULO 164

Enfermedades de la Nariz y las Fosas Nasales

GENERALIDADES

Resumen de la anatomía de la nariz y las fosas nasales

COMO puede verse en las figuras 666 y 669, las cuales representan cortes de las fosas nasales, éstas son dos cavidades en forma de pirámide, relativamente estrechas y separadas la una de la otra por el tabique nasal. Cada fosa nasal presenta una parte anterior, cartilaginosa, que corresponde a la mitad inferior de la nariz, o vestíbulo nasal, que se abre al exterior por un orificio llamado *narina,* que en su parte interna está revestida de piel y que tiene una corona de pelos. Cada fosa nasal se abre hacia atrás en la faringe nasal (rinofaringe) por un amplio orificio llamado *coana.* El suelo o piso de la fosa nasal se dirige horizontalmente hacia atrás y está formado en su mayor parte por la *apófisis palatina del maxilar superior* y en su parte posterior por la *lámina horizontal del palatino.* El tabique nasal está formado por la lámina perpendicular del etmoides en su parte superior y por el vómer en su parte inferior y posterior. El resto del tabique nasal o parte anterior del mismo está formado por un cartílago, llamado *cuadrilátero* por su forma.

La cara externa es la más irregular, pues presenta tres láminas salientes que reciben el nombre de cornetes. El cornete superior y el cornete medio son proporcionados por el etmoides. El cornete inferior es un hueso especial. Entre los cornetes y la pared externa de las fosas nasales se delimitan tres espacios que reciben por su posición, así como los cornetes, los nombres de *meato inferior, meato medio* y *meato superior,* en los cuales se abren diversas cavidades.

En el meato inferior desemboca el *conducto lácrimonasal,* que trae las lágrimas desde los ojos.

En el meato medio se abren el *seno maxilar,* el *seno frontal* y algunos de los *senos etmoidales.* En el meato superior se abren el *seno esfenoidal* y algunos senos del etmoides. Estos senos son cavidades que presentan el maxilar superior, el frontal, el etmoides y el esfenoides, cuya forma, tamaño y posición pueden apreciarse en las figuras de las págs. 1665, 1666 y 1667.

Se hallan revestidas estas cavidades de una mucosa parecida a la de las fosas nasales. Estas cavidades pueden ser asiento de una inflamación llamada *sinusitis.*

Las fosas nasales están revestidas (salvo en el vestíbulo nasal, del que ya hablamos) por una mucosa que recibe el nombre de *pituitaria,* muy rica en vasos sanguíneos y en nervios. La parte inferior de la pituitaria es de color rojizo, mientras que el tercio superior, de color amarillento, presenta las terminaciones del nervio olfatorio, provistas de unas células especiales destinadas a captar los olores.

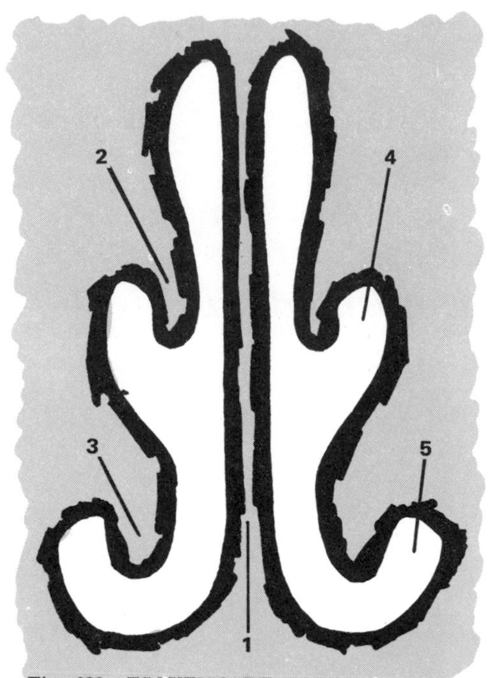

Fig. 666. **ESQUEMA DE CORTE VERTICAL DE LAS FOSAS NASALES. 1) Tabique nasal. 2) Cornete medio. 3) Cornete inferior. 4) Meato medio. 5) Meato inferior.**

Funciones de la nariz y las fosas nasales

Son tres las funciones de las fosas nasales: respiratoria, olfatoria y fonatoria. Su función respiratoria consiste en calentar, humedecer y filtrar el aire que se respira. Debido a sus irregularidades, que le dan una gran superficie, y a su humedad, cumplen las fosas nasales fácilmente las dos primeras funciones. El filtrado se hace a través de los pelos del vestíbulo nasal. Además, se adhieren al mucus de la pituitaria otras partículas más pequeñas. La función respiratoria se cumple mayormente en la parte baja de las fosas nasales, la función olfatoria se hace en la parte alta de las fosas nasales, que es la dotada de terminaciones nerviosas especiales. Por ello, para percibir bien un olor, se inspira en una forma distinta, para llevar las partículas que se desprenden de las sustancias olorosas a la parte alta de las fosas nasales. La función fonatoria es la de resonancia, con la que se refuerzan especialmente los sonidos agudos. Se puede comprobar esta función tapándose la nariz y observando el cambio que se produce en la voz.

Gotas nasales

Muy distintos son los tipos de gotas nasales que se prescriben para diversas afecciones. La tendencia actual es la de utilizar soluciones acuosas en lugar de las aceitosas. Se acusa a estas últimas de paralizar las cilias del epitelio de la pituitaria y de la posibilidad de que se acumulen las gotas en el pulmón, especialmente si se trata de vaselina líquida que no es absorbible. Muy útiles resultan, en ciertos casos, las pulverizaciones, aerosoles o instilaciones de soluciones acuosas de sustancias que retraen la mucosa nasal (efedrina, privina, tuamina, etc.), asociadas o no a antisépticos no irritantes o antibióticos.

Una de las mejores posiciones para instilar gotas en la nariz es la representada en la figura 670, llamada de Parkinson. Cuando se desea instilar en la fosa nasal derecha, invertir la posición. En esa posición las gotas llegan a la pared externa de la fosa nasal, la más irregular, donde se hallan los cornetes y los meatos, y se abren los orificios de los senos anexos

Fig. 667. **SECCION VERTICAL DE CARA Y CUELLO. La flecha de trazo lleno muestra cómo pasa el aire por las fosas nasales, la faringe, la laringe y la tráquea. La flecha de trazo discontinuo señala el trayecto de los alimentos a través de la boca, la faringe y el esófago. Ambas líneas se cruzan.**

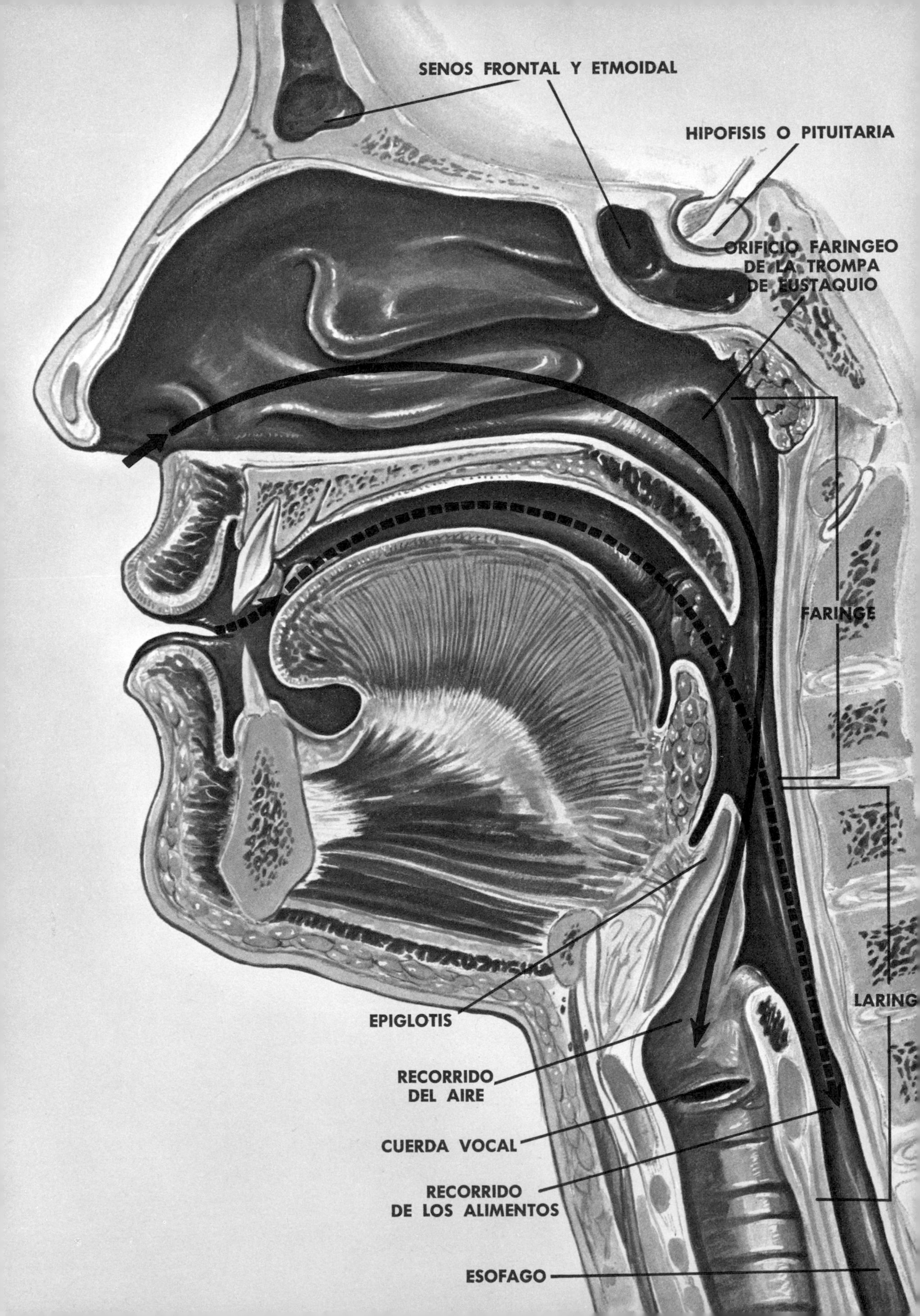
SENOS FRONTAL Y ETMOIDAL
HIPOFISIS O PITUITARIA
ORIFICIO FARINGEO
DE LA TROMPA
DE EUSTAQUIO
FARINGE
LARING
EPIGLOTIS
RECORRIDO
DEL AIRE
CUERDA VOCAL
RECORRIDO
DE LOS ALIMENTOS
ESOFAGO

a las fosas nasales. Según indique el médico, se colocarán 2, 3 ó más gotas en cada fosa nasal.

Inhalaciones

Hay inhaladores muy cómodos. A falta de ellos puede hacerse la inhalación en la forma siguiente: colocar agua hirviendo en una taza, preparar un cono con cartón o papel de diario o de revista que pueda adaptarse a la taza (véase la figura No. 672), y cuya extremidad se ha cortado. Se coloca en el agua la sustancia que haya prescrito el médico. Si la inhalación se hace para una afección del pecho o la garganta, el vapor se inhalará por la boca. Si en cambio se quiere actuar sobre la nariz, los senos anexos a las fosas nasales o sobre la rinofaringe, se inhalará por la nariz. Para evitar lesionar la delicada mucosa nasal, no mantener el agua hirviendo mientras se hace la inhalación por la nariz.

Lavajes nasales

Pueden hacerse con un irrigador o con pequeños aparatos especiales. Como su uso puede tener complicaciones en caso de resfríos agudos u otras afecciones agudas, no se indicará aquí la manera de hacerlos. Si el médico los indica para ciertas rinitis crónicas, explicará al paciente la manera de hacerlos.

ENFERMEDADES DE LA NARIZ Y FOSAS NASALES

FOLICULITIS Y FORUNCULOS DE LA NARIZ (parte interna del ala nasal)

Es bastante frecuente en algunas personas la inflamación de los folículos donde se implantan los pelos de las narinas. A veces la inflamación es bastante intensa como para poder recibir el nombre de forúnculo, enrojeciéndose la parte externa correspondiente de la nariz y apareciendo marcado dolor. El tratamiento consiste en abrir el forúnculo cuando ya está maduro, y colocar localmente una pomada con antibióticos (véase el tratamiento del impétigo en la página 1598) cada mañana y cada noche. Cuando la inflamación es menor, reduciéndose a una foliculitis, es mejor no tocar la parte inflamada, aplicando simplemente la pomada indicada. En los casos intensos puede ser necesario un tratamiento más enérgico. (Véase "forúnculos", en la página 1593.)

OBSTRUCCION NASAL (nariz tapada)

Este síntoma es muy frecuente y muy incómodo, salvo cuando es constante, en cuyo caso el paciente se acostumbra a la obstrucción, no siendo, sin embargo, menores sus inconvenientes.

Inconvenientes de la obstrucción de la nariz

Cuando están obstruidos ambos lados, el enfermo está obligado a respirar por la boca, lo que también sucede durante el sueño, a menudo con ronquido, aun cuando la obstrucción no sea completa. La respiración a través de la boca hace llegar a las vías respiratorias y los pulmones un aire seco, frío y no filtrado, lo cual produce sequedad e irritación de boca, faringe, laringe, tráquea y bronquios, que los predisponen a inflamaciones repetidas. Cuando la obstrucción nasal es persistente, puede contribuir a producir lesiones en el oído, además de pesadez de cabeza, hemicráneas (dolor en la mitad de la cabeza), pereza para trabajos intelectuales, falta de atención, etc. Cuando la obstrucción se produce en forma persistente en el niño, provoca defectos y deformaciones que se describen al tratar las vegetaciones

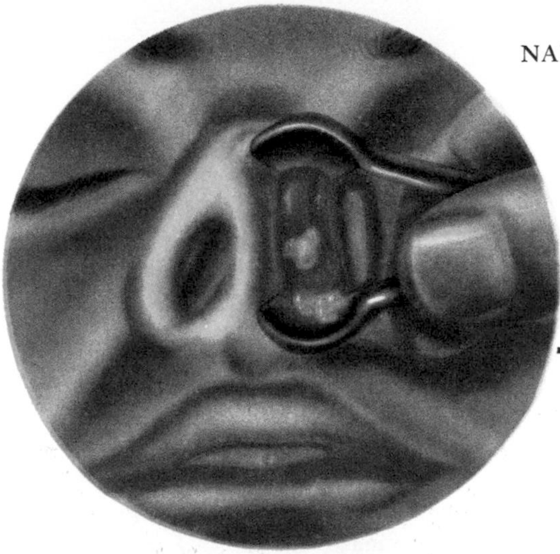

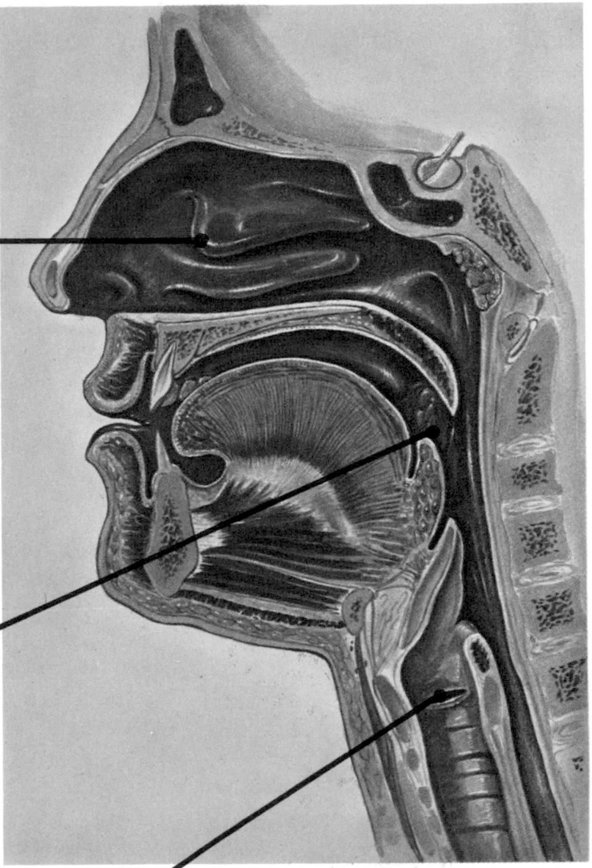

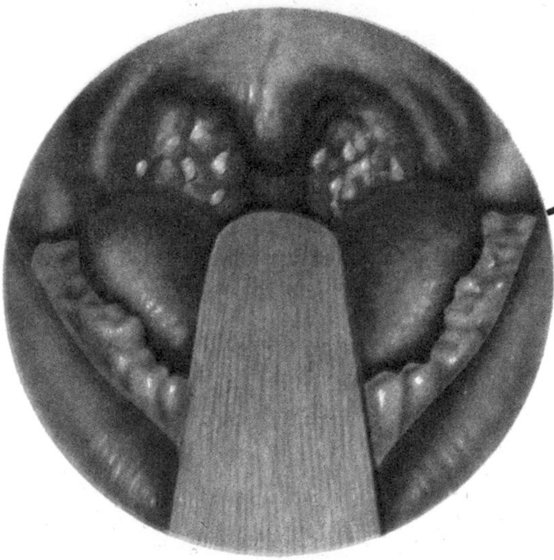

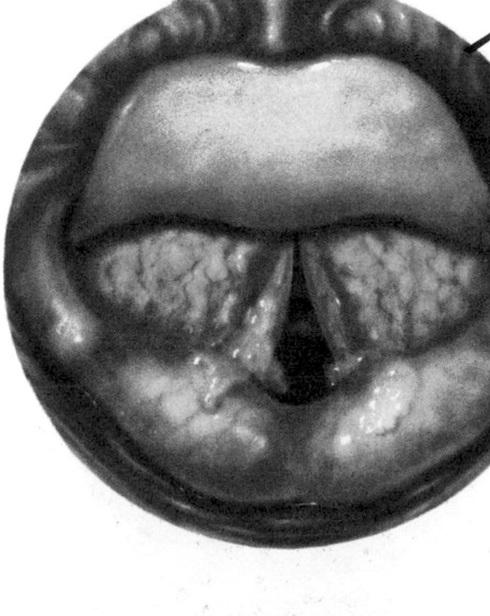

Fig. 668. **CATARRO RESPIRATORIO AGUDO:** Hay una infección catarral aguda, con inflamación que abarca fosas nasales, nasofaringe, amígdalas, orofaringe, laringe y tráquea.

RINITIS: Hinchazón y enrojecimiento de los cornetes, con secreción purulenta que sale del meato medio.

AMIGDALITIS: Se observa en las amígdalas, hinchazón, enrojecimiento y exudado de los folículos.

LARINGITIS: Congestión vascular, edema (hinchazón) y exudado purulento, pueden observarse en las cuerdas vocales falsas y verdaderas.

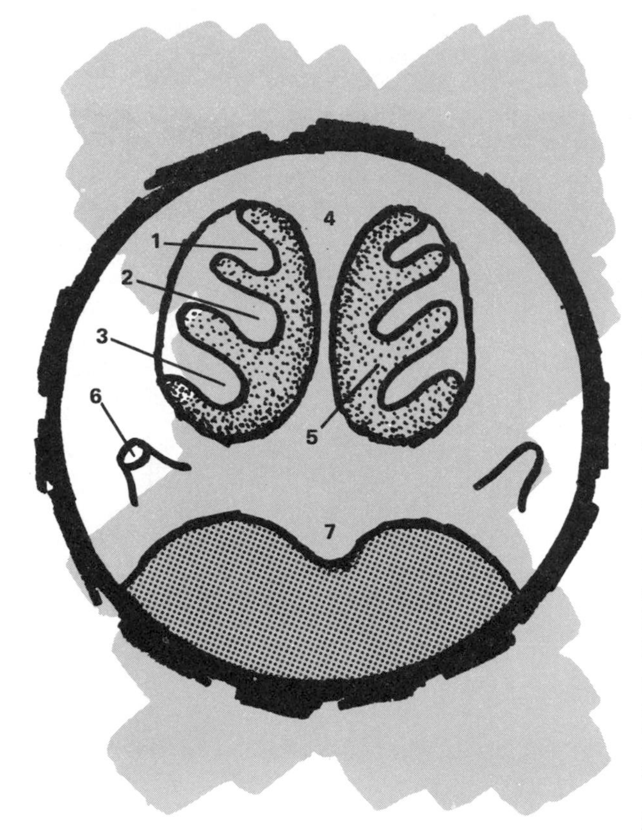

Fig. 669. **FOSAS NASALES VISTAS DESDE SU PARTE POSTERIOR** (desde la parte alta de la faringe). 1) Cornete superior. 2) Cornete medio. 3) Cornete inferior. 4) Borde posterior del tabique nasal. 5) Lugares por donde pasa el aire. 6) Orificio de la trompa de Eustaquio. 7) Uvula.

adenoideas (véase ese tema en la página 1677). Se observa voz gangosa en la obstrucción nasal.

Causas de obstrucción nasal

Mencionaremos las causas principales de obstrucción de una o de las dos fosas nasales. A veces es el tabique el causante, ya sea por desviación o por engrosamiento. En otros casos es la pared externa de la fosa nasal donde se halla el obstáculo: hipertrofia o sea aumento de tamaño del cornete inferior o del cornete medio, o pólipos que salen del meato medio. Otras veces es una coriza o resfrío nasal agudo, o una rinitis crónica de cualquier tipo, o una rinitis espasmódica (asma nasal o fiebre de heno). Otras veces se pueden hallar: cuerpo extraño, adherencias, tumores, sífilis terciaria de la nariz, etc. En el niño una causa frecuente de obstrucción nasal es la presencia de vegetaciones adenoideas. El examen del médico revelará la causa y se tratará la misma.

Epístaxis o hemorragia nasal

Tratamiento de urgencia

a) Mantenga al paciente sentado con la cabeza derecha y respirando a través de la boca.

Fig. 670. **UNA DE LAS BUENAS POSICIONES PARA COLOCAR GOTAS NASALES EN LA FOSA NASAL IZQUIERDA.** Para colocar las gotas en la fosa nasal derecha hay que apoyar sobre la almohada el hombro derecho.

Fig. 671. MANERA PRACTICA DE COLOCAR LAS GOTAS NASALES EN UN NIÑO. Véase el texto de la figura anterior.

b) Siéntese mirando hacia el paciente, y comprima el lado de la nariz que sangra con el dedo índice. La extremidad del índice estará debajo del hueso de la nariz, para poder comprimir toda la parte blanda contra el tabique nasal. La dirección del dedo será tal como si prolongara la nariz. La presión será firme, aunque no necesita ser muy intensa, y se mantendrá durante 10 minutos. En la mayor parte de los casos la hemorragia cesa con este tratamiento indoloro, tan sencillo y que puede repetirse tantas veces como sea necesario.

c) Cesada la presión sobre la nariz, hay que pedir al paciente que no se suene, y que evite tocarse la nariz y hacer esfuerzos grandes.

d) Si esto no basta, y no hay médico cerca, se puede probar colocar un tapón de gasa o género limpio bastante apretado pero sin hacer doler indebidamente. A dicha gasa se la puede humedecer con agua oxigenada o con una solución de antipirina al 10%, o con alguna sustancia coagulante (trombina, etc.).

e) Si la hemorragia es muy intensa, se puede hacer el tratamiento general indicado en las páginas 512 y 518.

Tratamiento que hace el médico

El médico suele aplicar un taponamiento bien hecho y con un líquido coagulante. En algunos casos, en hemorragias rebeldes, introduce en la nariz un globo especial alargado de goma delgada y provisto de un tubo a través del cual puede insuflarse aire. Se comprime así la zona que sangra.

Fig. 672. MANERA DE HACER INHALACION CON UN APARATO ESPECIAL. Se puede sustituir fácilmente por una taza que contenga agua caliente y esté rodeada de un cono de cartulina o papel, con su extremidad cortada. (No debe estar hirviendo el agua si se va a inhalar por la nariz.)

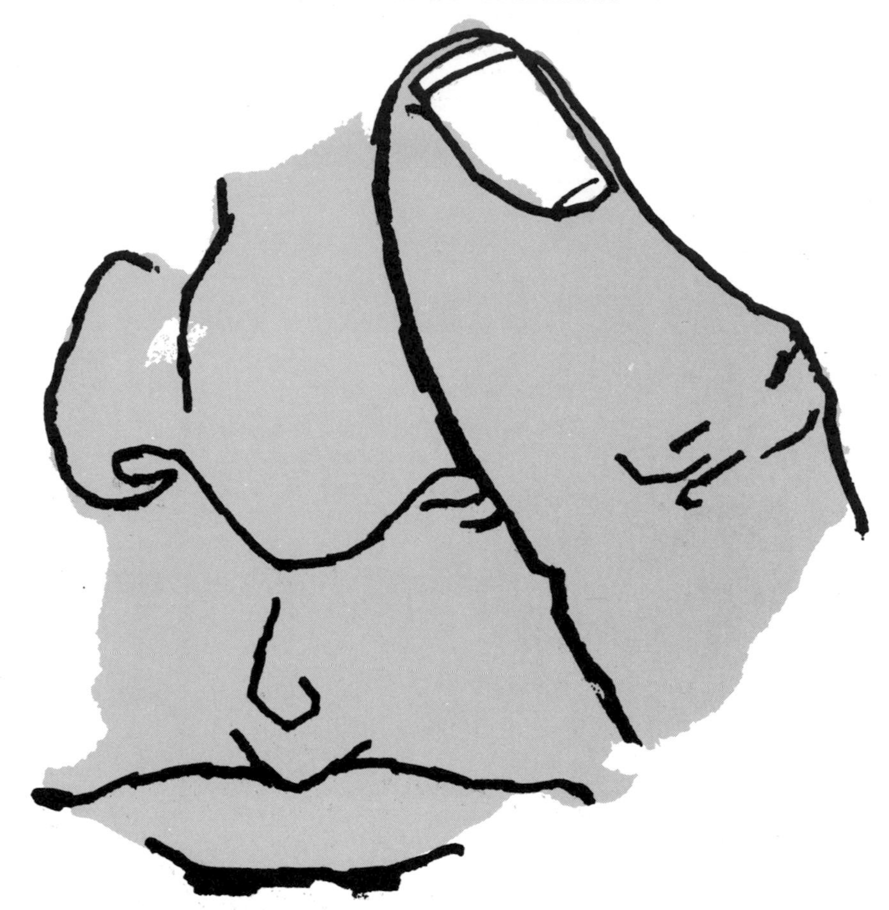

Fig. 673. MANERA DE DETENER UNA HEMORRAGIA NASAL. Método muy sencillo y efectivo que consiste simplemente en comprimir con un dedo el ala nasal y la parte cercana, contra el tabique nasal, durante unos 10 minutos.

Prestado el primer auxilio, el médico busca la causa de la hemorragia (párrafo siguiente) para tratarla. Cuando se trata, como en la mayor parte de los casos, de varicosidades frágiles en la parte anterior e inferior del tabique, cauteriza esa zona con galvanocauterio, con ácido crómico o nitrato de plata. Si se trata de un enfermo con tensión arterial muy elevada, puede el médico considerar prudente dejar sangrar la nariz por un tiempo. Si hay una enfermedad de las caracterizadas por hemorragias, se hará el tratamiento propio de la misma.

Causas de hemorragias

El 90% de las hemorragias nasales se produce cuando existen en la parte anterior e inferior del tabique nasal unos delgados vasos sanguíneos dilatados, de paredes frágiles, verdaderas várices. Estos vasos se rompen con facilidad cuando se introducen los dedos en la nariz, al estornudar o toser, al sonarse o hacer esfuerzos, cuando se congestiona la mucosa nasal por estar la persona con la cabeza descubierta al sol, o por cualquier otra razón.

Otras causas pueden ser traumatismos de la nariz, fracturas de la parte anterior de la base del cráneo, ulceraciones del tabique nasal, pólipos del mismo o tumores.

Además de estas causas locales de hemorragia nasal, hay causas generales capaces de provocarla, tales como hipertensión arterial (elevación excesiva de la presión sanguínea en las arterias), arteriosclerosis, ciertas enfermedades que dificultan el retorno de la sangre venosa al corazón, enfermedades productoras de hemorragias (púrpura, hemofilia, escorbuto, formas graves de enfermedades eruptivas), tifoidea, enfermedades hepáticas, gripe, difteria nasal, etc. Otra causa es la disminución de la presión atmosférica por ascensiones a las montañas (lo cual produce puna o soroche), por excesiva elevación en aviones, al salir de cámaras neumáticas de las que se utilizan para trabajar en el lecho de los ríos o del mar, etc.

Fig. 674. CAUSAS CAPACES DE OBSTRUIR LA NARIZ. Se ha representado en un corte esquemático de la nariz el tabique nasal en el centro y los cornetes a los lados. En 5 y 6 se representan las fosas nasales vistas desde atrás. 5) Vegetaciones adenoideas que obstruyen las coanas u orificios posteriores de las fosas nasales. 6) Hipertrofia de la cola del cornete inferior. 7) Cuerpo extraño de la fosa nasal derecha.

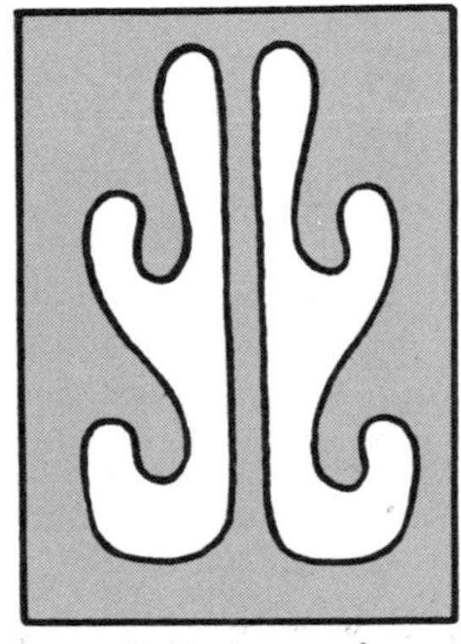

1. Nariz normal

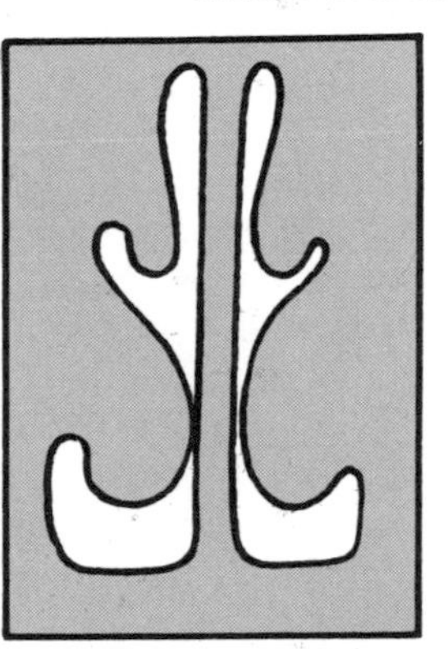

2. Rinitis hipertrófica

3. Desviación del tabique

4. Pólipos

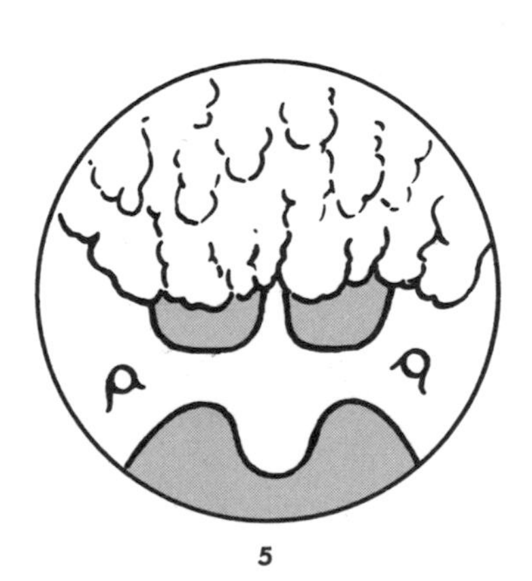

5

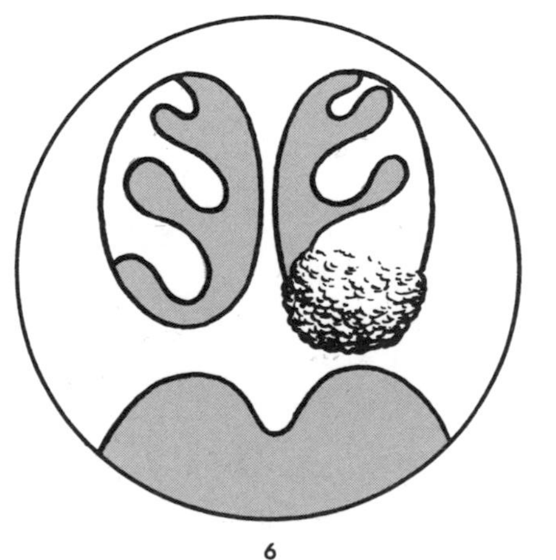

6

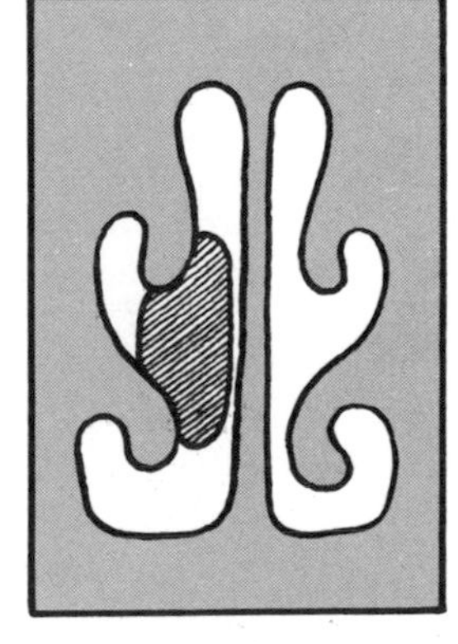

7

CORIZA AGUDA O RESFRIO NASAL (resfrío común)

Definición

Es una enfermedad contagiosa y muy frecuente que ataca principalmente la mucosa de la nariz y de las demás vías respiratorias superiores, causada por distintos virus capaces de producir coriza, a cuya acción se suma la de ciertos gérmenes que son comunes en las vías respiratorias.

Causas

CAUSAS PREDISPONENTES.— Aunque la coriza es una enfermedad contagiosa, se produce mucho más fácilmente si hay algún factor que disminuye la resistencia del organismo, como enfriamientos bruscos o prolongados, falta de adecuada reacción frente al frío (causada a veces por estar siempre en ambientes cerrados y con calefacción excesiva), tener el calzado mojado, falta de ventilación, alimentación incorrecta (comer con exceso, o alimentación no equilibrada, ingestión insuficiente de líquidos), cansancio excesivo, falta de sueño suficiente, temor o preocupaciones, etc. Otras causas que predisponen son los trastornos digestivos, el alcoholismo, las irritaciones de la nariz y la garganta por vapores irritantes o polvo, vegetaciones adenoideas, hipertrofia o infección de las amígdalas, defectos en las fosas nasales, etc. En las ciudades hay siempre casos de resfrío, pero se observan especialmente en el comienzo del invierno y en primavera, cuando se producen verdaderas epidemias.

CAUSAS PROVOCADORAS.—En la mayor parte de los resfríos el agente que causa esta enfermedad es un virus filtrable (germen tan pequeño que puede pasar a través de ciertos filtros especiales, que no dejan pasar los microbios comunes). La acción de este virus es seguida por la acción de otros gérmenes que se han llamado de infección secundaria y que se hallaban ya en la nariz o la garganta del atacado, o que le llegaron por contagio al mismo tiempo que el virus. Los más comunes de estos gérmenes son el neumococo, el neumobacilo de Friedländer *(Klebsiella pneumoniae),* el bacilo de Pfeiffer *(Haemophilus influenzae),* los estreptococos y los estafilococos. Hay casos en los cuales estos gérmenes pueden por sí solos, sin intervención previa del virus y merced a la acción debilitante de alguna de las causas predisponentes, causar síntomas semejantes a los del resfrío común. Algunos autores atribuyen a alergia ciertos síntomas de la coriza.

Síntomas

El período de incubación es muy variable, pudiendo variar desde unas pocas horas después de haberse expuesto al contagio, hasta 4 días.

Lo más común es que se anuncie el resfrío por sensación de ardor o irritación en la nariz, que puede acompañarse de estornudos y de secreción acuosa. Puede haber sensación de frío, fiebre ligera y decaimiento. Luego los síntomas se acentúan gradualmente. Los más frecuentes son: *secreción nasal* que, acuosa al principio, se hace luego más espesa, blanquecina o amarillenta. Cuando es muy abundante, puede irritar las narinas y el labio superior. *Obstrucción de la nariz:* la nariz está tapada, lo que obliga al paciente a respirar por la boca y da a la voz un sonido nasal. Es frecuente que haya *enrojecimiento de los ojos* (irritación de la conjuntiva), *dolor de cabeza,* dolores no muy intensos en la espalda y los miembros inferiores, decaimiento, lengua cargada y seca. Suele haber fiebre que, aun cuando en general es ligera, puede hacerse elevada en ciertos casos. Es frecuente la inapetencia, pudiendo aparecer otros síntomas digestivos. Está abolido el olfato, por lo que no se siente bien el sabor de los alimentos, siendo frecuente que no se oiga muy bien.

Aunque la infección puede quedar localizada en las fosas nasales, lo más frecuente es que se extienda a la faringe, las amígdalas, la laringe, y la tráquea, pudiendo en ese caso aparecer tos, ronquera, dolor de garganta, ardor en el pecho, etc. Puede afectar también los senos anexos a las fosas nasales y el oído medio, pero en ese caso ya se trata de una complicación.

La duración e intensidad del resfrío común son muy variables de una persona a otra y en las distintas epidemias. En la convalecencia es frecuente una sensación de debilidad.

Complicaciones

Las complicaciones no son producidas por el virus, sino por los gérmenes de infección secundaria, que pueden infectar los senos anexos de las fosas nasales (sinusitis frontal, maxilar, etc.), o el oído medio (otitis media). Ambas complicaciones se producen más fácilmente si se hacen lavados de la nariz o si el paciente se suena las narices en forma indebida (véase la página 1644). Otras posibles complicaciones son: amigdalitis, faringitis, traqueobronquitis, neumonía y bronconeumonía.

Profilaxis o prevención

a) Evitar las causas predisponentes que se mencionaron anteriormente, es decir, hay que llevar una vida ordenada y saludable, lo cual aumenta las defensas del organismo haciendo menos probable el resfrío. Una alimentación correcta, la ingestión de suficiente líquido, el tener bastante reposo, ánimo optimista, ropa adecuada, ventilación suficiente, el hacer ejercicio físico al aire libre, son todos factores muy útiles en la prevención del resfrío.

b) Hay personas que tienen resfríos muy frecuentes como consecuencia de alguna anormalidad en la nariz y la garganta, la que deberá corregirse para evitar su repetición frecuente.

c) Las personas que no reaccionan en forma normal al frío, se benefician con la hidroterapia tónica.

d) Para evitar el contagio debe evitarse la concurrencia a lugares donde hay mucho público y el contacto con personas resfriadas. Con buen resultado se usan las pulverizaciones o vapores de ciertas sustancias como el glicol de propileno, para impedir la pululación de gérmenes en el aire de los lugares donde se reúnen muchas personas. Los enfermos deben taparse la nariz y la boca al toser y estornudar.

e) En la prevención del resfrío es discutible la acción de gotas, pulverizaciones, inhalaciones y pastillas antisépticas así como la de vacunas por ingestión.

Tratamiento

Aunque no hay aún un tratamiento realmente específico para el resfrío común, el paciente puede obtener alivio ya sea con los antihistamínicos, u otros medicamentos, o con otros medios que se mencionan más adelante.

TRATAMIENTO HIGIENICO-DIETETICO.—El paciente debe quedar en la casa mientras dure su resfrío, lo que además de beneficiarlo a él, beneficiará también a los demás, pues no hay en realidad derecho de ir sembrando contagio para otros. Si hay fiebre, o si se trata de un niño o un anciano o persona debilitada, el paciente deberá guardar cama. Aun los adultos se sienten a menudo mejor en cama cuando tienen un resfrío fuerte. En los demás casos bastará con quedar en una habitación caldeada pero con aire puro no demasiado seco (puede humedecerse el aire si es necesario, haciendo hervir agua a la que se hayan añadido hojas de eucalipto). La alimentación será de fácil digestión: leche, cereales cocidos, frutas, purés de verduras, etc.

Hay que ingerir muchos líquidos, preferiblemente jugos de frutas cítricas, por ejemplo, limonadas. Muchas veces es beneficioso tomar líquidos calientes mientras hay resfrío. Durante las primeras 24 horas, se dará al paciente solamente líquidos. Por lo general, no hay necesidad de dar purgante, salvo por indicación del médico, pudiendo combatirse la constipación, si existe, con una enema de limpieza. Es bueno que el resfriado ocupe una habitación solo, para evitar contagios. Los demás miembros de la familia llevarán una vida saludable para tratar de evitar el contagio. El que atiende al paciente se lavará cuidadosamente las manos después de atenderlo. El paciente, si es posible, se sonará las narices en servilletas de papel, las que se recogerán en una bolsa de papel, para poder quemar todo.

HIDROTERAPIA.—Al comenzar el resfrío, es conveniente tomar un tratamiento que haga transpirar abundantemente, lo que llevará la sangre a la piel, descongestionando las mucosas. Esto puede obtenerse por diversos medios: baño caliente de inmersión, baño de vapor o de luz eléctrica, baño caliente de piernas con fomentos calientes sobre la columna vertebral e ingestión de líquidos calientes, etc. Describiremos aquí el baño caliente de inmersión, debiendo el lector ver en el capítulo 73, la forma de aplicar algunos de los otros.

El agua de la bañera tendrá una temperatura que variará de 37,8° a 41° C (100° a 105,8° F), según la tolerancia del paciente. Comenzar con el agua a 36,8° C (96,8° F) y aumentar gradualmente. Se mantendrá todo el tiempo sobre la frente un paño mojado en agua fresca. Se le dará a beber al enfermo dos o más vasos de limonada fría o caliente, como prefiera, mientras está en el baño, que durará, según su tolerancia, de 15 a 30 minutos.

Para evitar que el paciente tome frío después, se puede derramar al final del tratamiento un balde de agua fresca (no fría) sobre los hombros y miembros inferiores, secándolo luego rápidamente. En realidad, se puede prescindir de esta afusión. Se lo puede envolver en una frazada de lana y colocarlo en una cama bien abrigado para que transpire durante unos 30 a 60 minutos más. Luego se va desenvolviendo gradualmente al paciente de la frazada, se le pone un pijama seco de franela y guardará cama durante unas 12 horas por lo menos, evitando cuidadosamente los enfriamientos. Este tratamiento enérgico se aplicará una sola vez y al comienzo del resfrío. En los días siguientes se puede, si se quiere, hacer un corto baño caliente seguido de la afusión fresca.

Más corriente es aplicar el tratamiento hidroterápico que más convenga para combatir los síntomas que molesten al paciente, por ejemplo, para aliviar la congestión nasal, un baño de pies caliente con fomentos calientes sobre la cara y una compresa fría en la nuca. Si hay dolor de garganta o ardor en el pecho, o tos, se pueden poner también al mismo tiempo fomentos al cuello o al pecho. Estos tratamientos pueden hacerse hasta 2 ó 3 veces por día. Si hay inflamación de garganta o de tráquea y bronquios, hacer los tratamientos hidroterápicos aconsejados para amigdalitis y bronquitis, según lo explicado en las páginas 1675 y 1188, respectivamente.

OTROS TRATAMIENTOS.—Pueden ser beneficiosas las inhalaciones con tintura de eucalipto o tintura de benjuí o una mezcla de ambas (fórmula 48, de la pág. 850). (Véase la manera de hacer inhalaciones en la página 1652.) A menudo el médico indica aerosoles, gotas o pulverizaciones nasales con un medicamento que descongestione la mucosa nasal a la vez que la desinfecte ligeramente. Otras veces prescribe medicamentos para la fiebre, el dolor, la tos, o para prevenir una complicación que amenaza. Si hay irritación de las narinas o del labio por la secreción, se puede poner vaselina o crema.

Después de un resfrío fuerte, el retorno al trabajo será gradual.

OTRAS RINITIS AGUDAS

Además del resfrío común puede haber otras causas de congestión o inflamación de la mucosa nasal: enfermedades eruptivas como el sarampión, irritación por polvo, por vapores o gases irritantes, o rinitis espasmódica.

RINITIS CRONICAS

Definición

Son diversos tipos de congestión o inflamación crónica de la mucosa de las fosas nasales. Se presentan como resfríos nasales que parecen no terminar de curar.

Causas

Predisponen los defectos de las fosas nasales, como las desviaciones acentuadas del tabique, los pólipos, las vegetaciones adenoideas. Una causa frecuente es una sinusitis. También las irritaciones crónicas de la nariz por el tabaco, por mucho polvo o por sustancias irritantes, debilidad de cualquier origen, las lesiones del corazón o riñón, la constipación, etc.

Variedades

La forma más sencilla es la que produce simplemente congestión de la mucosa: *rinitis congestiva simple.* Cuando la infección o congestión persiste o aumenta, se produce secreción: *rinitis catarral.* Por último, la mucosa nasal puede aumentar en forma permanente de grosor: *rinitis hipertrófica.*

Síntomas

Difieren los síntomas según el paciente y según la variedad de rinitis crónica de que se trate. Los más frecuentes son:

OBSTRUCCION DE LA NARIZ. —En la forma hipertrófica es casi constante, siendo variable en los diversos momentos cuando es congestiva. Puede estar tapado un solo lado, o estar ambos lados obstruidos. A veces se tapa un lado y luego el otro alternadamente (rinitis en balanza). Generalmente se tapa el lado sobre el cual está acostado el paciente. Cuando hace calor seco, la nariz tiene tendencia a estar menos cerrada, aumentando en cambio la obstrucción cuando el tiempo es frío y húmedo.

SECRECION DE LA NARIZ.— Existe en la forma catarral. Muy frecuente es también que la secreción de la nariz se vuelque hacia atrás, a la faringe nasal, expulsándola por la boca el paciente cada mañana. La obstrucción de la nariz obliga a respirar por la boca, especialmente de noche, lo que causa sequedad de la misma y puede obligar a beber varias veces cada noche. Esa misma obstrucción de la nariz impide percibir bien los olores y los sabores. Es frecuente observar también cierto grado de inflamación de la trompa de Eustaquio, que dificulta el pasaje del aire al oído medio, con otitis catarral crónica y dificultad creciente para oír. La voz es gangosa. Se pueden observar además mareos, dolor en la frente o jaquecas (hemicráneas). Hay casos en que estas rinitis crónicas han causado tos y aun crisis de asma.

El especialista puede, por el examen, diferenciar los diversos tipos de rinitis crónica.

Tratamiento

Será indicado habitualmente en cada caso por el especialista en oídos, nariz y garganta. Si fuera posible, debe suprimirse la causa de la rinitis, lo que basta a veces, en los casos recientes o poco intensos, para hacer cesar la afección. No olvidar que el origen puede ser alérgico. Otras veces el médico indica además, ciertos medicamentos que se aplicarán en la nariz en forma de inhalaciones, pulverizaciones, nebulizaciones (aerosoles), lavados, mechas, etc. Otras veces el especialista se ve obligado a hacer la cauterización de los cornetes, para que se retraiga la mucosa de los mismos, o a efectuar ciertas operaciones. Son útiles las siguientes medidas higiénicas: Evitar alimentos irritantes o grasosos, frituras y condimentos. También las bebidas heladas. En algunos casos, una corta ducha fresca cada mañana, seguida de fricción con una toalla áspera, tiene un efecto favorable. Hay personas que no toleran bien este tratamiento.

OCENA (rinitis atrófica)

Es una enfermedad caracterizada por atrofia de los cornetes y de la mucosa nasal y por la formación de costras fétidas. Se ignora aún su causa. Comienza a una edad temprana, prácticamente siempre antes de los 20 años, aunque sólo puede manifestarse claramente muchos años después. Es más frecuente en la mujer que en el hombre.

El síntoma más llamativo es el olor muy fétido que despide la nariz del enfermo. Este no lo percibe, pues su olfato se ha perdido, pero los demás lo sienten. El paciente puede tener sequedad de la garganta. El médico comprueba, cuando la enfermedad está avanzada, la atrofia de la mucosa y de los cornetes, y la presencia de costras muy fétidas.

Las complicaciones que puede causar la ocena son: catarro crónico de la parte alta de la faringe (rinofaringe), frecuentes irritaciones de la laringe, la tráquea y los bronquios, debido a que por la atrofia de las fosas nasales, éstas no entibian y humedecen el aire que se inspira. Se ha observado en estos pacientes, que si duermen al aire libre, ciertas moscas pueden depositar sus huevos o larvas en la nariz por la fetidez propia de esta enfermedad.

Se han ensayado muy diversos tratamientos, sin que hasta ahora haya alguno realmente curativo. En la práctica se le hace al paciente aprender a mantener su nariz libre de costras por medio de pomadas nasales que las reblandezcan y de lavados de nariz que mantengan las fosas nasales limpias y sin olor desagradable. A veces se prescriben nebulizaciones (aerosoles) con ciertos antibióticos. Otras veces se indican vacunas. En cierto porcentaje de casos se obtiene buen resultado con pulverizaciones de solución de neostigmina al 1:2.000, 4 veces por día. En ciertos raros casos se ha utilizado la cirugía.

RINITIS ESPASMODICA (asma nasal, fiebre del heno)

La rinitis espasmódica es una afección caracterizada principalmente por crisis de estornudos, con lagrimeo y abundante secreción acuosa de la nariz.

Causas

Aunque hay algunos casos, al parecer no debidos a alergia sino a algún factor interno (nasal, hepático, intestinal, renal, etc.), la mayor parte de los casos se deben a alergia (véase el capítulo 136), ora se trate de sensibilidad a alguna sustancia que penetra en las fosas nasales con el aire, principalmente polen de plantas; ora de pelos, escamas o plumas de diversos animales; hongos, polvo de habitación o los que se producen en distintos trabajos; o una sensibilidad a ciertos microbios que asientan en la nariz, los senos paranasales, la garganta y los bronquios, o cualquier foco de infección.

CAUSAS PREDISPONENTES.– La herencia parece jugar un papel predisponente importante. También los defectos de las fosas nasales. Cuando la rinitis se debe a polen de diversas plantas, lo más frecuente es que se inicie en primavera o verano, casi siempre en la misma fecha para el mismo paciente. Hay una forma llamada *rinitis vasomotora* o *tipo perenne,* que se debe a sensibilidad al polvo, gérmenes microbianos o ciertos alimentos. No es estacional.

Síntomas

Los más notables y frecuentes son: sensación de comezón en los párpados o en el ángulo interno de la abertura de los mismos, con enrojecimiento de la conjuntiva y lagrimeo, estornudos intensos y repetidos con secreción nasal abundante y acuosa, y obstrucción de la nariz. Otros síntomas que pueden aparecer son: fotofobia (la luz molesta), dolor de cabeza, sensación de oídos tapados, dolor en los senos frontales o maxilares, tos, y síntomas de asma o de otras afecciones alérgicas como urticaria, edema angioneurótico, etc. Así como la iniciación de la crisis es habitualmente brusca, también lo puede ser su terminación.

Tratamiento

Aunque puede hallarse alivio colocando en cada narina unas 3 ó 4 gotas de privina o un equivalente como tuamine, glucofedrina, dazolín, etc., esto da solamente un alivio del síntoma.

Lo más lógico es tratar de descubrir cuál es la sustancia que produce los síntomas y luego tratar de evitarla o de desensibilizarse a la misma. Cuando aparece cada año en la misma fecha, se debe probablemente al polen de cierta planta que florece en esa región en esa época, lo que permite a menudo al médico de la localidad darse una idea de la causa, aplicando entonces una vacuna que desensibilice al individuo, además de usar otros medios de desensibilización, que se estudiaron bajo "asma". Cada año, desde 3 ó 4 meses antes de la aparición de la rinitis espasmódica, hay que comenzar la desensibilización. Las personas con medios, pueden a veces trasladarse a lugares donde no existe el polen causal, o vivir en casas con aire filtrado y acondicionado, o aun llevar máscaras especiales cuando salen de la casa. Hay casos en los cuales el diagnóstico de la causa no es tan fácil y que exigen que un médico especializado en alergia estudie cuidadosamente y determine la causa, por medio de pruebas a base de pequeñas inyecciones en el espesor de la piel o pequeñas escarificaciones que pongan en contacto con la misma una dilución de las posibles sustancias que causan el malestar. El médico puede indicar, además de vacunas desensibilizantes y retractores de la mucosa, antihistamínicos, como benadryl, antihistina, piribenzamina, antergán y neoantergán, etc., y las vitaminas C, A y D.

Higiene general del paciente de rinitis espasmódica

Además de evitar el enfermo ponerse en contacto con la sustancia que causa los síntomas, debe evitar estar en lugares con polvo, humo, vapores irritantes, viento fuerte, así como los enfriamientos, etc. La alimentación será en sus lineamientos generales, la adecuada a la dispepsia hepatobiliar crónica (véase la página 1154), afección ésta que en muchos casos favorece la aparición de la alergia.

Tratamiento nasal

Es muy importante corregir cualquier afección nasal o de las zonas vecinas. Los especialistas practican a veces con buenos resultados la cauterización de los cornetes, la ionización de la mucosa con sulfato de zinc o inyecciones esclerosantes.

DESVIACIONES Y CRESTAS DEL TABIQUE NASAL

La desviación puede deberse a un traumatismo de la nariz o a que el tabique crece más rápidamente que los lados de la fosa nasal, y se ve obligado a desviarse para caber. Puede la desviación hallarse en la parte anterior cartilaginosa, o en la parte posterior u ósea del tabique. Cuando la desviación es acentuada, produce obstrucción de uno de los lados de la nariz, y puede favorecer las rinitis crónicas, las sinusitis y otras afecciones. Otras veces hay, no una desviación de gran parte del tabique nasal, sino una cresta o saliente localizada en el mismo.

Tratamiento

Si la desviación es poco acentuada (lo que casi cada adulto tiene en mayor o menor grado), no se requiere ningún tratamiento especial. Si la desviación es acentuada y produce mar-

Fig. 675. DESVIACIONES DEL TABIQUE. A) Cresta del tabique. B) Desviación del tabique visible desde la abertura de la fosa nasal. C) Desviación de todo el tabique hacia la izquierda. POLIPOS NASALES. Los números 1, 2 y 3 señalan distintas localizaciones de los pólipos. Todos ellos nacen del llamado meato medio, situado debajo del cornete medio.

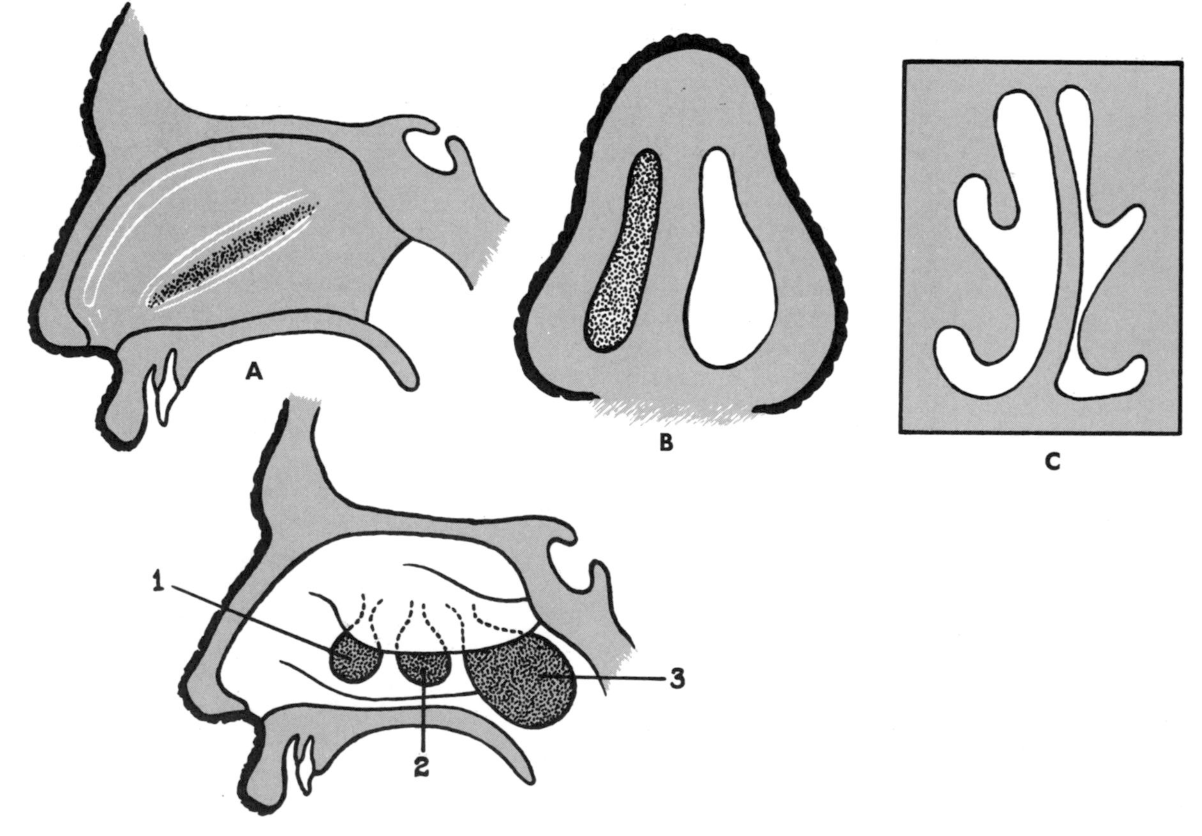

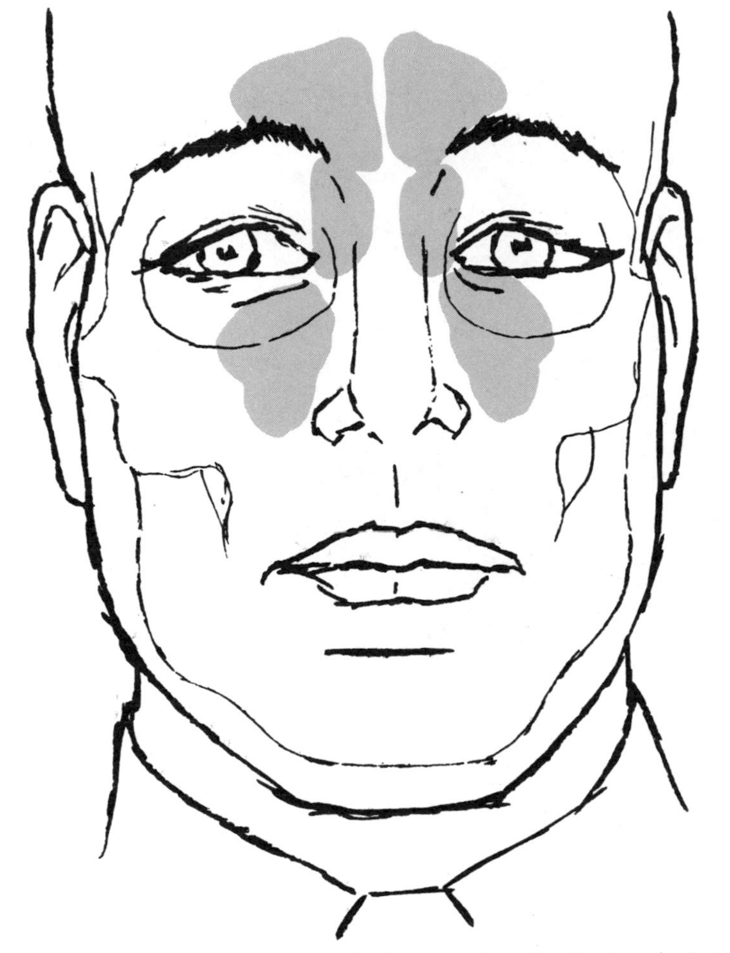

Fig. 676. Proyección sobre la cara de los senos frontales (parte superior) de los senos etmoidales (parte media) y de los senos maxilares (parte inferior).

cada obstrucción o complicaciones, puede ser necesaria una operación.

POLIPOS NASALES

Los pólipos mucosos de la nariz son unas salientes, con frecuencia muy numerosas, producidas por el crecimiento localizado de la mucosa nasal crónicamente irritada. El lugar donde se implantan con mayor frecuencia es a nivel del meato medio, es decir debajo del cornete medio. Ocasionalmente alcanza a verse alguno desde la narina, sin el espéculo nasal, instrumento que le permite al médico comprobar su existencia casi siempre. Tienen un color rosado grisáceo y son traslúcidos. Ocasionalmente se observan gruesos pólipos que obstruyen el orificio posterior de las fosas nasales. El síntoma predominante es la obstrucción de la nariz.

El tratamiento consiste en la extirpación de los pólipos y más importante aún, el tratamiento de su causa —frecuentemente una sinusitis crónica de origen alérgico—, para tratar de evitar que se reproduzcan.

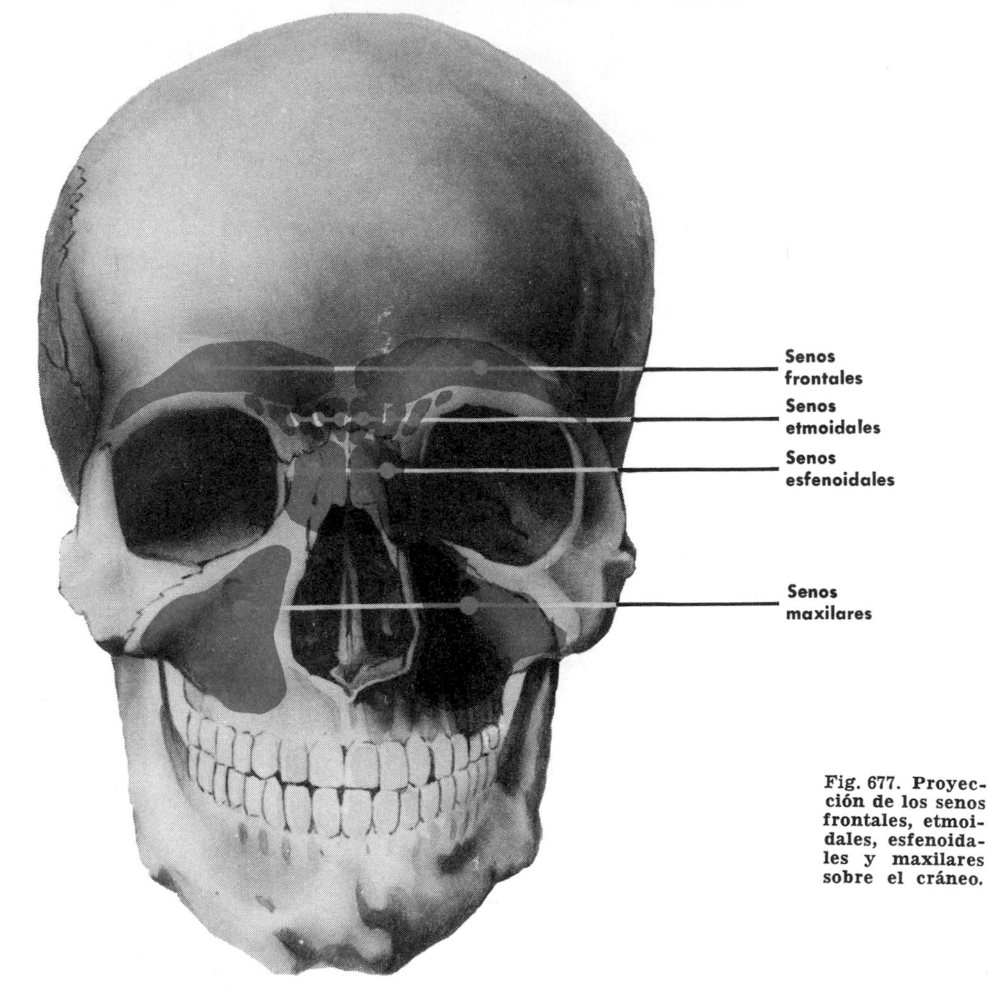

Fig. 677. Proyección de los senos frontales, etmoidales, esfenoidales y maxilares sobre el cráneo.

SINUSITIS AGUDAS Y CRONICAS

¿Qué es una sinusitis?

Es una inflamación de la mucosa que reviste los senos anexos a las fosas nasales. Las sinusitis pueden ser agudas o pasar a la cronicidad. Pueden también variar mucho en intensidad y en síntomas de un paciente a otro.

Los senos anexos a las fosas nasales

En la figura 676 se representan los senos frontales, maxilares y el esfenoidal. Conviene recordar que el etmoides presenta numerosas celdillas que pueden también infectarse. Estas cavidades están revestidas por un epitelio semejante al de la nariz y, como dijimos al describir las fosas nasales, comunican con dichas fosas por medio de orificios, que se abren en su mayor parte en el meato medio, vale decir en el espacio que queda entre la pared externa de la fosa nasal y el cornete medio. En ese espacio se abren, por ejemplo, los orificios de los senos frontales, maxilares y algunas de las celdillas o senos del etmoides. Las demás celdillas etmoidales y el seno esfenoidal se abren más arriba.

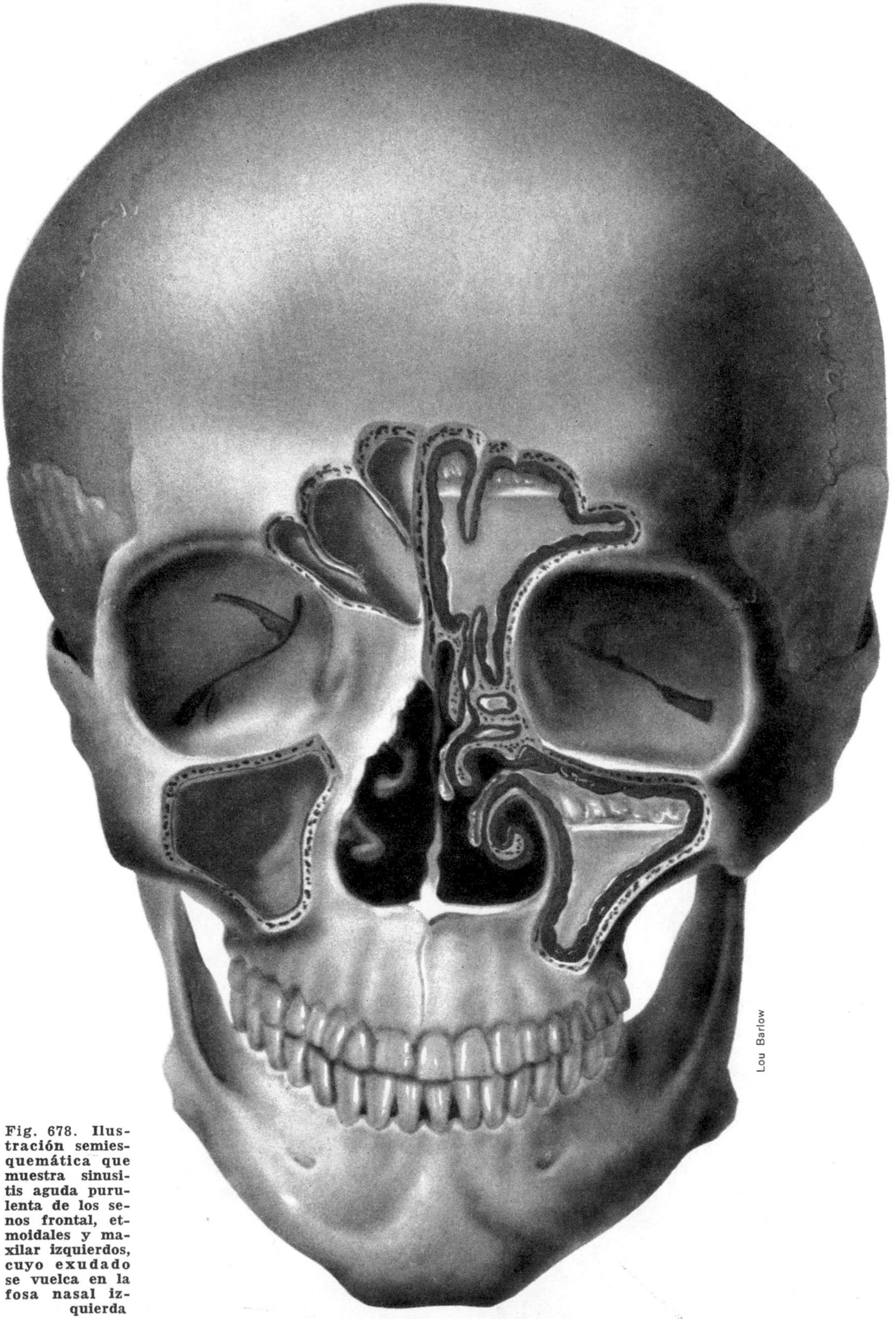

Lou Barlow

Fig. 678. Ilustración semiesquemática que muestra sinusitis aguda purulenta de los senos frontal, etmoidales y maxilar izquierdos, cuyo exudado se vuelca en la fosa nasal izquierda

¿Cómo se infectan los senos?

Con excepción de la sinusitis maxilar, que con relativa frecuencia puede producirse al abrirse en el mismo un absceso que se forma en el segundo premolar o el primer molar, cuya raíz está muy cercana a la pared inferior de dicho seno, la mayor parte de las sinusitis se producen por una infección o afección de la nariz, como resfríos nasales, gripe o estados gripales, alergia nasal, sarampión, escarlatina, etc.

Síntomas de las sinusitis

SINUSITIS AGUDA.—En el curso de un resfrío o de una gripe aparece *dolor* en la cara, ya sea por encima de la raíz de la nariz, en el caso de estar afectado un seno frontal, o ya sea a nivel de la mejilla, por debajo de la órbita, cuando el atacado es un seno maxilar. Puede este dolor irradiar a diversos lugares: dientes, ojo, etc. Aumenta en general cuando se agacha la cabeza y a veces con los movimientos bruscos. El hacer presión con un dedo sobre el seno afectado produce dolor. Además del dolor, es frecuente que haya una sensación desagradable de plenitud en la cabeza. Se observa además la salida de una *secreción amarillenta* por el lado afectado de la nariz, aunque puede no salir por la narina sino hacia la faringe. Cuando la sinusitis tiene tendencia a persistir, la secreción puede tomar mal olor. En cambio es frecuente observar que la misma viene mezclada con una pequeña cantidad de sangre cuando la enfermedad se acerca al final de su evolución. La secreción sale más fácilmente en la sinusitis frontal cuando el paciente tiene la cabeza vertical. En cambio en la sinusitis maxilar la salida de pus aumenta cuando el paciente agacha la cabeza o se acuesta del lado opuesto al enfermo. Es frecuente que haya también *fiebre.*

El médico puede comprobar la sinusitis no solamente por los síntomas arriba descritos, sino por el examen de la nariz, que le revela un enrojecimiento de la mucosa nasal y salida de secreción del meato medio; también diagnostica por la llamada transiluminación o diafanoscopía, que consiste en iluminar desde la boca los senos maxilares y desde la parte anterior e interna de la órbita de los senos frontales, para comprobar si están diáfanos u opacos. En este último caso, están por lo general afectados. La radiografía de los distintos senos puede aclarar también algunos casos dudosos. Por último, en el caso de sinusitis maxilar, el especialista en nariz puede recurrir a la punción de los senos maxilares cuando esto parece indispensable para el diagnóstico y el tratamiento. Además el médico puede determinar si hay algún defecto o afección de las fosas nasales que, dificultando el vaciamiento de los senos, puede tender a obstaculizar su curación.

Las sinusitis etmoidales o esfenoidales pueden dar otros síntomas distintos, pero no sería propio su estudio en este libro.

SINUSITIS CRONICA.—Los síntomas son parecidos a los de la sinusitis aguda, a la cual sigue, pero hay tendencia a la disminución del dolor, mientras que la secreción tiende a ser abundante y a hacerse fétida. Generalmente esta fetidez la percibe el enfermo y no los demás. Hay formas en las cuales los síntomas de sinusitis se deben a espesamientos de la mucosa.

Complicaciones

Las sinusitis pueden provocar muy diversas complicaciones, que dependen en parte de la localización del seno afectado. Muy rara vez sucede que la infección lesione los huesos vecinos o atraviese la pared de los senos para penetrar en el cráneo o en la órbita. Con mayor frecuencia puede infectar otros senos, o la faringe, los oídos, o ser un foco de infección que dañe el tubo digestivo, o tienda a producir artritis, etc. Es frecuente que la sinusitis crónica produzca pólipos nasales.

Tratamiento

Si desde el comienzo de la sinusitis se trata de mantener libre la salida de las secreciones que se forman en el seno, al mismo tiempo que se trata de desinflamarlo, lo frecuente es que rápidamente disminuyan los síntomas y la inflamación. Cuando la inflamación no cede con estos medios sencillos, el médico indica a menudo algún antibiótico en inyecciones o por boca y a veces también localmente, ya sea por punción o por una pequeña sonda, o ya sea por inhalación con un nebulizador (aerosol). Hay un aparato especial para nebulización destinado a aspirar las secreciones y también a insuflar en los senos afectados solución de penicilina. En los casos muy rebeldes o por una causa local que favorece la sinusitis, el especialista puede verse obligado a practicar una operación. En el caso de la sinusitis de causa dentaria, el tratamiento dental correspondiente es imprescindible. Un tratamiento sencillo que da buen resultado en las sinusitis poco intensas es el siguiente:

a) Mantener abiertos los orificios que permiten la salida de las secreciones que se forman en los senos infectados, por medio de pulverizaciones, o la colocación de 2 a 4 gotas de algún medicamento que retraiga la mucosa nasal hinchada (privina, otrivina, tuamine, dazolín, etc.). Estos medicamentos no deben ser utilizados en forma continuada por mucho tiempo. (Véase al pie de la página 1654 y en la figura 670, la manera correcta de colocar gotas nasales.)

b) Unos 5 minutos después de colocar este tipo de gotas, y cuando la mucosa está ya retraída, hacer una inhalación (ver la manera de hacerlo en la página 1652), colocando en el inhalador o en la taza con agua caliente unas 20 gotas de una solución alcohólica de mentol (véase la receta 45, de la pág. 850). Se inhalará por la nariz, teniendo cuidado de cerrar los ojos para evitar el ardor en ellos.

Aplicar calor al seno afectado por medio de una bolsa de agua caliente (véanse las precauciones en la página 747). Mejor aún es utilizar rayos infrarrojos o calor radiante. Este puede obtenerse por medio de hornos especiales, o más sencillamente por medio de un velador con un foco eléctrico de unos 60 vatios, que se aplicarán durante unos 20 minutos a una distancia prudente de la cara para evitar quemaduras. Se colocará un cartón sobre los ojos. Las aplicaciones de ondas cortas son muy beneficiosas en estos casos.

c) Colocarse en la posición más favorable para que la secreción que se forma en el seno infectado salga al exterior (véase "síntomas" en la página anterior).

Este tratamiento se puede aplicar unas 4 veces en las 24 horas, aunque en algunos casos el médico puede indicarlo con más frecuencia o más espaciado. El médico suele indicar antibióticos y aerosoles.

CAPITULO 165

Enfermedades de la Garganta (Amígdalas, Faringe y Laringe)

GENERALIDADES

Resumen de la anatomía y fisiología de la garganta

AMIGDALAS.—Las amígdalas palatinas son unas masas de tejido linfático, destinadas a defender al organismo contra las infecciones, situadas entre los pilares del velo del paladar y cuya forma y tamaño se han comparado a los de una almendra grande (véase la fig. 400). Su superficie es irregular y presentan unas cavidades o criptas en las cuales pueden acumularse pequeñas masas blanquecinas y fétidas.

FARINGE.—La faringe (véase la fig. 680) es una cavidad situada por delante de la columna vertebral cervical (del cuello) y por detrás de la nariz, la boca y la laringe, común a las vías respiratorias y digestivas, que se cruzan en ella en forma de una X (la vía respiratoria va desde la fosa nasal a la laringe, y la digestiva, de la boca al esófago, cruzándose ambas líneas). Hay en la faringe orificios de entrada y de salida. Los de entrada la comunican con las fosas nasales y con la boca, recibiendo el nombre de *coanas* los orificios posteriores de las fosas nasales, y de *istmo de las fauces* el que comunica la boca con la faringe. Los orificios de salida comunican la faringe con la laringe y con el esófago.

La faringe forma un tubo alargado de unos 13 cm de longitud, más angosto en sus extremos que en su parte media. Presenta 3 zonas distintas que, desde arriba hacia abajo, son:

a) *Faringe nasal* o *rinofaringe,* que es la porción que está en comunicación con las fosas nasales.

b) *Faringe bucal,* que está en comunicación con la boca.

c) *Faringe laríngea,* que comunica con la laringe y que termina en el esófago.

La faringe nasal presenta en su parte superior la llamada *amígdala faríngea o de Luschka,* semejante en su constitución a la amígdala palatina. Esta amígdala es de mayor tamaño en el niño que en el adulto, atrofiándose habitualmente en la pubertad, aunque pueda hallársela a veces en los adultos. Su aumento anormal de tamaño constituye las llamadas vegetaciones adenoideas, y su inflamación, la adenoiditis. También se hallan en los lados y en la parte superior de la faringe nasal los orificios de la trompa de Eustaquio, que comunica la faringe con la caja del tímpano u oído medio, permitiendo que la presión del aire

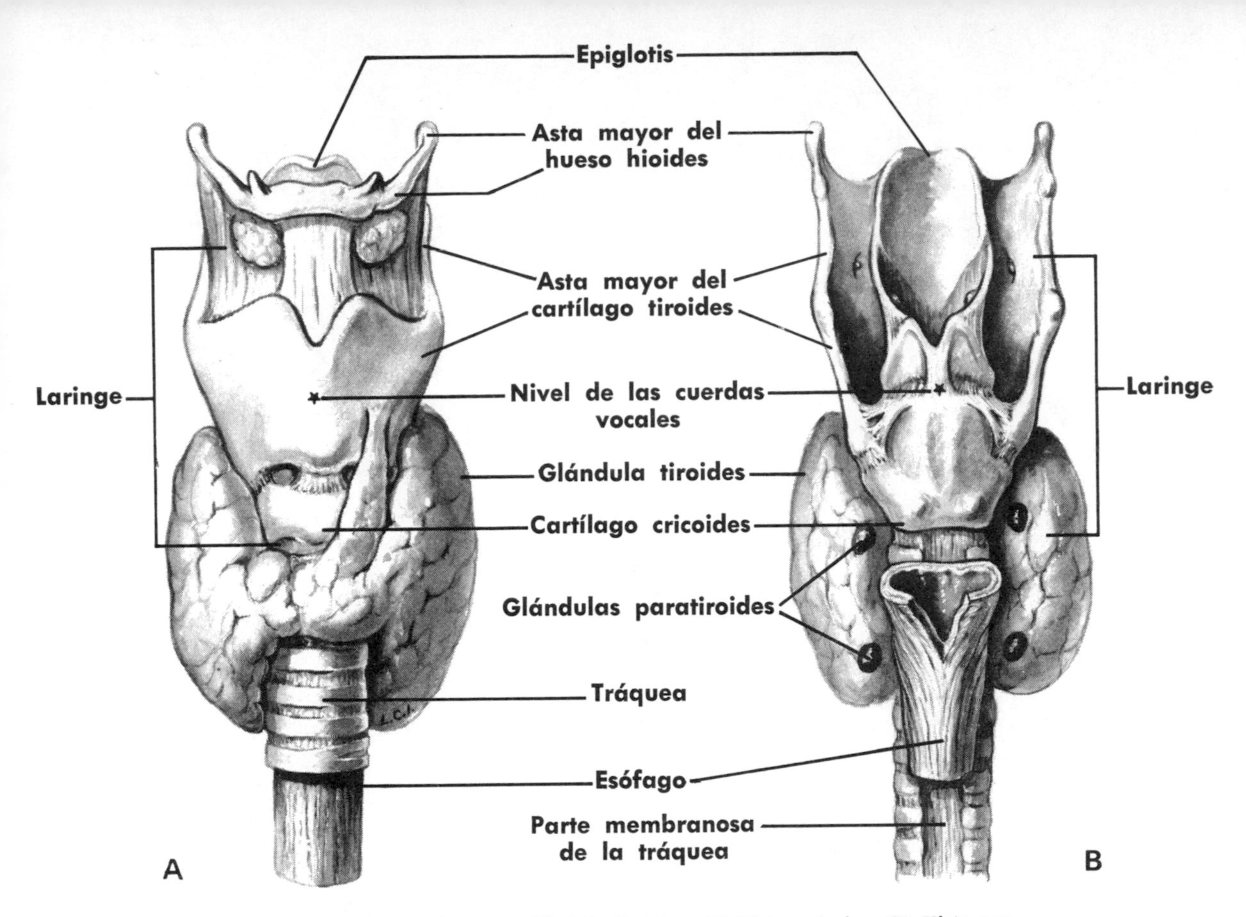

Fig. 679. Laringe, tráquea y glándula tiroides. A) Vista anterior. B) Vista posterior, que muestra las glándulas paratiroides situadas en la cara posterior de los lóbulos de la glándula tiroides, habitualmente dos de cada lado.

sobre ambas caras del tímpano sea igual, y desgraciadamente también que las infecciones de la nariz y la faringe puedan llegar al oído medio.

Además de su función como parte de las vías respiratorias, la faringe interviene activamente en la deglución, por la acción de sus músculos y del velo del paladar; y en la fonación, lo que se pone de manifiesto cuando se paraliza el velo del paladar o se obstruye la faringe nasal, defectos que traen como consecuencia marcadas modificaciones de la voz.

LA LARINGE.—Este importantísimo órgano es a la vez parte de las vías respiratorias y el órgano principal de la fonación, vale decir, de la voz. Está formada por:

a) *Cartílagos* (tiroides, cricoides, aritenoides, epiglotis, de Santorini, etc.), algunos de los cuales se articulan con los otros, permitiendo movimientos de las distintas partes.

b) *Músculos* que sirven para mover distintas partes de la laringe, actuar sobre las cuerdas vocales y abrir o cerrar la glotis, que es el orificio que dejan entre sí las cuerdas vocales.

c) *Las cuerdas vocales verdaderas,* en cuyo espesor se hallan fibras musculares y cuyo borde libre, que es el que vibra, tiene un color blanco nacarado. Por encima de las cuerdas vocales verdaderas o inferiores, hay unos repliegues de la mucosa, que forman las llamadas *cuerdas vocales superiores* o *falsas cuerdas vocales.*

d) Una mucosa que reviste el interior de la laringe.

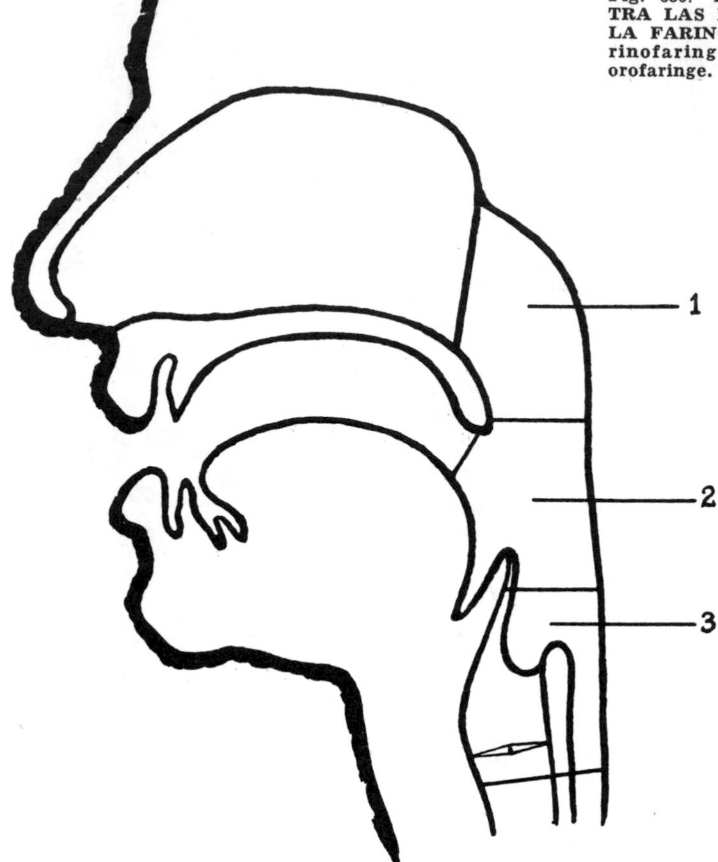

Fig. 680. ESQUEMA QUE MUESTRA LAS DIVERSAS PARTES DE LA FARINGE. 1) Faringe nasal o rinofaringe. 2) Faringe bucal u orofaringe. 3) Faringe laríngea.

ENFERMEDADES DE LAS AMIGDALAS

AMIGDALITIS AGUDAS. ANGINAS Y FARINGITIS AGUDAS

Las amigdalitis agudas son inflamaciones o infecciones de las amígdalas palatinas. Cuando hay también inflamación de la faringe y de la úvula, se la llama angina. Estas inflamaciones pueden ser producidas por muy diversos gérmenes, aunque es muy frecuente la infección por estreptococo, y aún más en otoño e invierno. Los resfríos intensos, la gripe y ciertas enfermedades eruptivas como el sarampión y la escarlatina, se acompañan de inflamación de las amígdalas. Predisponen también a las amigdalitis agudas la infección crónica de dichos órganos, las vegetaciones adenoideas, las enfermedades crónicas y agudas de la nariz, la respiración bucal, los enfriamientos y demás factores que predisponen a adquirir un resfrío común. Hay una forma epidémica bastante grave que es producida casi siempre por el estreptococo hemolítico.

Síntomas

Los más comunes son: a) Fiebre de grado variable, que puede llegar, en algunos casos, hasta 40° C (104° F). Se acompaña a veces de escalofríos, decaimiento, dolor de cabeza, malestar general, etc. b) *Dolor de garganta,* que aumenta al tragar y que cuando es intenso puede irradiar a los oídos. c) Puede haber *fetidez del aliento,* y los *ganglios del cuello* que se hallan a los lados del ángulo del maxilar inferior pueden estar aumentados de tamaño y dolorosos. Al examinar la garganta, con la ayuda de una luz y bajando la lengua con el mango de una cuchara, pueden verse las amígdalas y la faringe. Las amígdalas suelen estar aumentadas de tamaño, muy enrojecidas, observándose en ciertos casos puntos o placas de color blanco sobre las mismas. Las amigdalitis rojas son generalmente las llamadas catarrales, congestivas o eritematosas. En ciertos casos se ve salir de las criptas o cavidades que presentan las amígdalas, una sustancia blanca. Otras veces el color blanco se debe a mucosidades que cubren parte de las amígdalas.

En otros casos puede ser una difteria, cuyas características se hallan descritas en la página 880 o una angina de Vincent o úlceromembranosa, debida a la asociación fusoespirilar, que se describe en la página 1095 al estudiar la estomatitis. En raras ocasiones, la amígdala toma un aspecto blanquecino al hallarse destruida parte de la mucosa por una intoxicación (mercurio, bismuto, uremia, etc.), o debido a una grave enfermedad de la sangre (leucemia aguda, agranulocitosis, etc.).

Fig. 681. a) Forma que puede presentar la amigdalitis diftérica con falsas membranas blancas que se extienden. b) Amigdalitis roja o catarral.

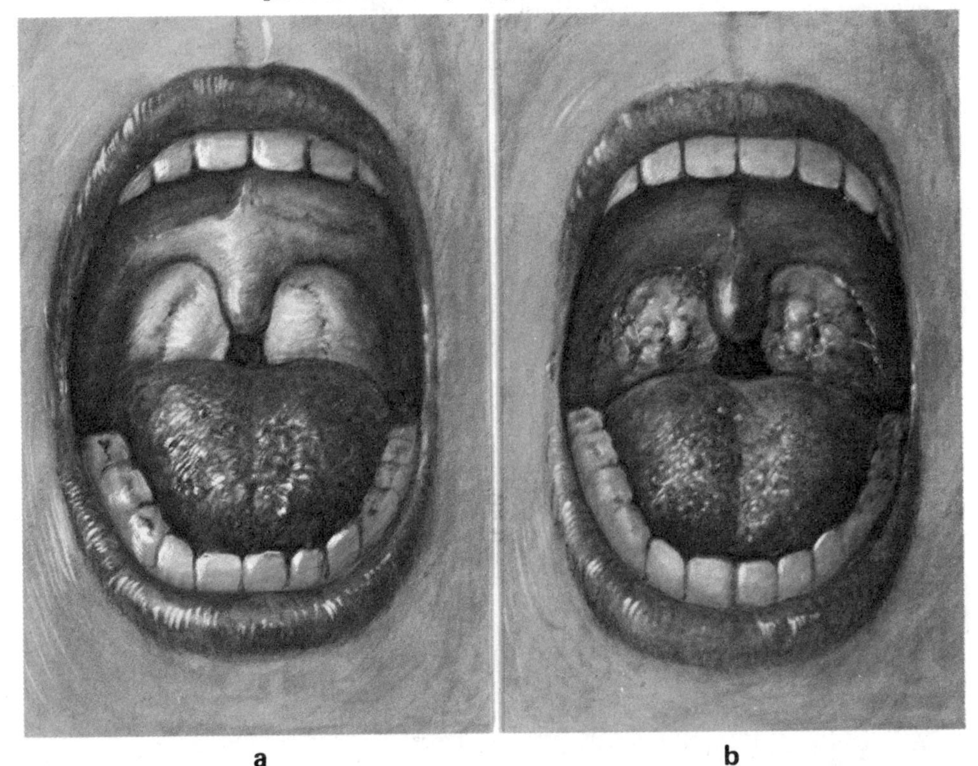

a b

Complicaciones

Las amigdalitis agudas intensas pueden rara vez provocar diversas complicaciones: nefritis agudas, flemones periamigdalinos, supuración de los ganglios del cuello, diversas formas de reumatismo, septicemia, etc.

Tratamiento

Salvo en las amigdalitis simples que siguen a un resfrío o alguna otra cosa semejante, y cuyo tratamiento indicaremos más adelante, es prudente consultar al médico. Si la angina es intensa, puede deberse a estreptococos, los que deben ser combatidos, pues son capaces de producir diversas complicaciones. En estos casos el médico indica algún antibiótico, como penicilina o eritromicina. Cuando hay partes blancas es imprescindible ver al médico, pues podría tratarse de difteria u otra enfermedad grave, y solamente el médico está en condiciones de diferenciar los distintos tipos de amigdalitis.

TRATAMIENTO PARA UNA AMIGDALITIS SIMPLE.

a) El paciente debe guardar cama por lo menos hasta pasar unas 48 horas sin fiebre.

b) La alimentación será líquida al principio y blanda después (limonada, infusiones calientes, leche, caldo de verduras, jugo de frutas, cereales cocidos, etc.). Deben beberse muchos líquidos calientes.

c) Aplicar fomentos calientes al cuello, 2 ó 3 veces por día. Luego, y hasta la siguiente vez que se hagan fomentos, aplicar una compresa calentadora al cuello (ver pág. 819).

d) Aplicar cada mañana y cada noche un tópico sobre las amígdalas*.

Puede usarse el líquido de la receta No. 46 (página 850), o un preparado sulfaminado de los que hay en el comercio (colutorio de cibazol, colubiazol, etc.).

En los niños muy pequeños y en las personas a quienes los tópicos les producen náuseas, puede tener más inconvenientes que ventajas el aplicar el tópico. Por lo tanto, no se aplique.

Los niños que ya saben hacer gárgaras y los adultos, pueden hacer gárgaras. Cuando el dolor es intenso se pueden hacer cada hora, espaciándose cada vez más a medida que mejora el paciente.

Se puede utilizar para las gárgaras el polvo de la receta No. 47, disolviendo una cucharadita de las de té en un vaso de agua bastante caliente. Se puede poner en el agua media cucharadita de bicarbonato de soda, o unas 10 gotas de tintura de yodo.

El médico puede indicar, en ciertos casos, sulfas, penicilina u otros antibióticos, supositorios, pulverizaciones

Fig. 682. ABSCESO PERIAMIGDALINO. Este absceso es anterior, la forma más común. Hay marcada hinchazón de un lado de la garganta, con desviación de la úvula o "campanilla" hacia el lado sano.

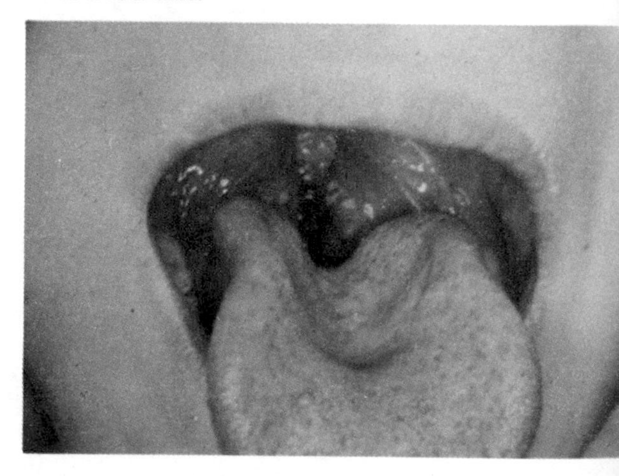

* Para aplicar un tópico sobre las amígdalas hágase un hisopo con un trozo de algodón enrollado en la extremidad de un palito. Después de mojarlo en el tópico, tóquense *suavemente* las amígdalas con el hisopo, tratando de no tocar la base de la lengua, lo que provocaría náuseas. Con frecuencia habrá que bajar la lengua con una cuchara para poder aplicar el tópico.

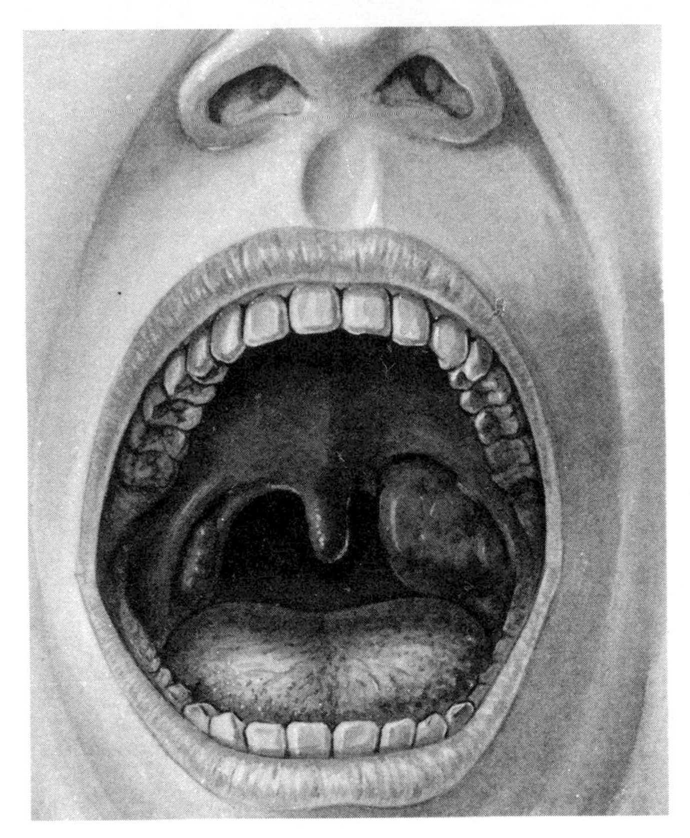

Fig. 683. Amigdalitis folicular o lacunar.

de la garganta, lavados de la misma con un irrigador, etc.

AMIGDALITIS CRONICAS

Las amígdalas tienen en estos pacientes la tendencia a inflamarse con mucha frecuencia. Al examinarlas se observa que fuera de toda inflamación aguda, las amígdalas son más rojas que lo habitual, y que los pilares anteriores del velo del paladar, en lugar de tener su color rosado normal, están enrojecidos.

Es muy frecuente que el paciente sienta un cierto malestar o leve dolor de las amígdalas, y que salgan de las mismas pequeños granos amarillentos o blanquecinos muy fétidos, formados por acumulación, en las criptas de la amígdala, de restos celulares, microbios, sales, etc. Esta retención de sustancias en las criptas es efecto, y a su vez puede ser causa, de la inflamación crónica de las mismas. Esta forma recibe el nombre de amigdalitis lacunar caseosa. No siempre la formación de esta sustancia caseosa es anormal.

Tratamiento

Su extirpación es aconsejable cuando las inflamaciones son muy frecuentes o cuando el médico confirme que hay peligro de que éstas afecten a otras partes del cuerpo.

HIPERTROFIA DE LAS AMIGDALAS
(amígdalas grandes)

Es el aumento de tamaño de las amígdalas. Con frecuencia se asocia a la infección de las mismas y es provocado por ella. Otras veces no hay infección, sino que el aumento de tamaño se debe a que todos los tejidos linfáticos del paciente (que frecuentemente es un niño) están aumentados de tamaño, en cuyo caso es habitual que haya al mismo tiempo vegetaciones adenoideas.

Tratamiento

Cuando las amígdalas están infectadas o se inflaman con mucha frecuencia, no hay duda acerca de la ventaja de extirparlas. Cuando no hay señal alguna de infección y no se inflaman casi nunca, se extirparán únicamente si el aumento de tamaño es muy grande, y produce cambios en la voz y aun dificulta a veces la respiración. En cada caso es conveniente tener la opinión del médico acerca de la conveniencia o no de extirparlas.

FLEMON DE AMIGDALAS (flemón periamigdalino)

Esta dolorosa infección de los tejidos que rodean a la amígdala, es más frecuente en el adulto que en el niño, y se debe a una infección de las amígdalas. Sus síntomas más frecuentes son: *fiebre* bastante elevada, con decaimiento y a veces escalofríos y dolor de cabeza. *Dolor de garganta,* que asienta en un solo lado o predomina en uno, y que aumenta gradualmente hasta hacerse intensísimo y llegar a impedir el sueño. Puede irradiar al oído del mismo lado. *Dificultad para tragar* (disfagia). Hay dolor al tragar que aumenta gradualmente. Puede haber trismus, es decir, contracción de los músculos masticadores que hagan difícil abrir la boca. *El aliento es fétido* y para no tragar la saliva, lo que resulta doloroso, el paciente saliva al exterior. La voz se hace gangosa. Al examinar la garganta se observa que uno de los lados del velo del paladar está muy saliente y enrojecido, la úvula edematosa (hinchada y traslúcida) y desplazada hacia el lado sano. La amígdala está desplazada hacia atrás y hacia adentro. Llama, pues, la atención la deformación de la garganta en uno de sus lados. La forma más común es la de absceso preamigdalino, o por delante de la amígdala, que es el que acabamos de describir. Otras veces el pus puede estar por detrás de la amígdala.

Tratamiento

No debe esperarse que se abra espontáneamente el absceso pues tarda de una semana a 10 días para hacerlo, causando mucho sufrimiento y haciendo posibles diversas complicaciones. Debe verse al médico, quien deducirá cuándo el pus está colectado y hará el tratamiento que crea más adecuado: incisión para dejar salir el pus, punción para extraer el pus e inyección por la misma aguja en la cavidad de una solución de penicilina, etc. En los comienzos del flemón el médico indica a menudo penicilina u otro antibiótico, con el fin de hacer abortar la infección. Más tarde lo indica para apresurar la curación. Para calmar el dolor, es conveniente aplicar cada 2 ó 3 horas fomentos calientes durante 20 minutos sobre el cuello. Se pueden darle al paciente pequeños trozos de hielo para chupar, con el mismo fin. Cuando hay mucha inflamación de los ganglios del cuello, puede estar indicado aplicar hielo sobre los mismos, después que se ha terminado de aplicar fomentos. Casi siempre se indica también algún medicamento que alivie el dolor.

Las gárgaras pueden aumentar el dolor, por lo que a veces el médico indica lavados bastante calientes de la garganta, con un irrigador y con una solución de bicarbonato de sodio, por ejemplo una cucharada grande por litro de agua. Los líquidos fríos parecen ser los más fáciles de tragar en estos casos. Si es imposible que el paciente reciba una cantidad suficiente de líquidos, puede estar indicado dar líquidos por el recto (véase "Enemas para retener", en la página 743).

Una vez evacuado el pus, se produce en general una marcada mejoría de los síntomas, pudiéndose hacer gárgaras y también seguir con los lavajes de la garganta. Las amígdalas que hacen flemones son generalmente amígdalas crónicamente infectadas que tienen tendencia a la repetición de los mismos. En la mayoría de los casos deben ser pues extirpadas un par de meses después de curado el flemón.

ENFERMEDADES DE LA FARINGE

VEGETACIONES ADENOIDEAS

Cuando la tercera amígdala o amígdala faríngea o de Luschka, que se halla en la parte superior o bóveda de la faringe, aumenta de tamaño más de lo normal, se dice que hay vegetaciones adenoideas. En raras ocasiones, están ya presentes al nacimiento. En general son más frecuentes los síntomas claros de vegetaciones adenoideas entre los 2 y los 10 años. Mientras que lo normal es que la amígdala faríngea se atrofie en la pubertad, cuando hay vegetaciones éstas pueden no atrofiarse y persistir en ciertos casos aun en adultos.

Causas

Hay familias con marcada predisposición a las vegetaciones. Las inflamaciones de la tercera amígdala, o adenoiditis, tienden a aumentarla de tamaño y, a su vez, su aumento de tamaño tiende a hacer frecuentes sus inflamaciones.

Síntomas

El desmesurado crecimiento de tejidos en la faringe nasal, obstruye total o parcialmente el orificio posterior de las fosas nasales o coanas (véase el No. 5 de la figura 674), además de obstruir el orificio faríngeo de la trompa de Eustaquio (que comunica el oído medio con la faringe), lo que explica la repercusión que puede tener sobre el oído. Además, estas vegetaciones, grandes o pequeñas, pueden ser un foco de infección, del cual partan infecciones a diversas partes: trompa de Eustaquio y oído medio, nariz, amígdalas, faringe, laringe (laringitis y falso crup), traqueítis, bronquitis, infecciones pulmonares, infecciones del tubo digestivo, etc. Según el grado de desarrollo de las vegetaciones, según su localización y grado de infección, predominarán unos u otros síntomas en el niño, ya sea los correspondientes a la obstrucción respiratoria, o los síntomas en los oídos, o los de infección.

SINTOMAS DE OBSTRUCCION RESPIRATORIA.—El niño tiende a respirar por la boca, especialmente de noche, ocasión en la cual se puede observar que el niño tiene la boca abierta, a veces ronca, y tiene un sueño intranquilo. El niño puede despertar como ahogado si ha cerrado la boca, o con terrores nocturnos, pesadillas, etc. Es frecuente que se orine en la cama. La voz del niño es gangosa, siéndole difícil pronunciar ciertas consonantes como la m y la n.

Puede observarse a veces una tos seca y rebelde, provocada por una inflamación crónica de la faringe, causada por las vegetaciones.

Cuando las vegetaciones no son extirpadas, se producen deformaciones en el niño, que pueden dar a la cara la llamada *facies adenoidea:* la nariz está estrechada, la boca abierta, el labio superior es corto y deja ver los incisivos, el paladar óseo es ojival en lugar de formar transversalmente una bóveda poco elevada y los dientes es-

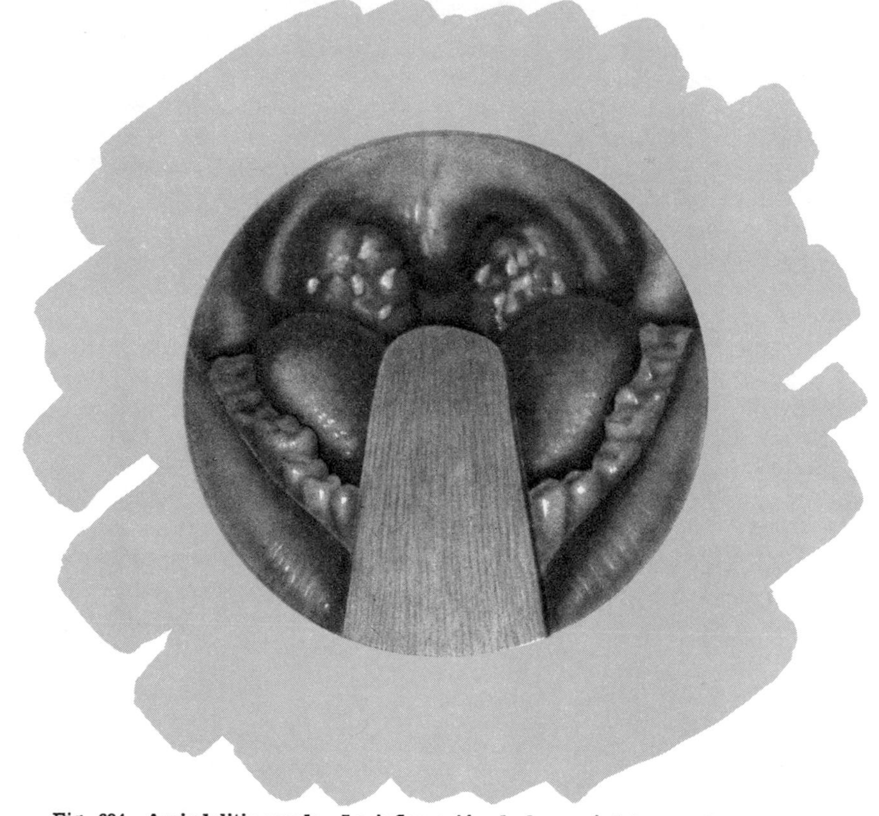

Fig. 684. Amigdalitis aguda. La inflamación de las amígdalas puede ser provocada por muy diversas causas. Una de las más frecuentes es causada por infección por estreptococos beta hemolíticos.

tán mal implantados. El tórax es chato y estrecho, y el niño se desarrolla mal. Aunque la inteligencia de estos niños suele ser normal, la cara y la falta de atención y de deseo de aprender, así como los dolores de cabeza que pueden acompañar a las vegetaciones, hacen que se los catalogue con frecuencia como retardados.

SINTOMAS EN LOS OIDOS.—Son a veces los que predominan: oyen mal, agravándose la sordera en ciertas temporadas, especialmente cuando hay resfríos, tan frecuentes en los niños con vegetaciones. También pueden presentarse zumbidos y dolores de oído causados por distintas formas de otitis media.

OTROS SINTOMAS.—Además de las infecciones que hemos mencionado anteriormente, se puede señalar que con cierta frecuencia las vegetaciones son acompañadas de amígdalas grandes y a veces infectadas. Casi siempre los ganglios del cuello están aumentados de tamaño, principalmente los de la nuca.

RESUMIENDO.—Diremos que hay que sospechar la existencia de vegetaciones adenoideas, cuando un niño presenta tendencia a respirar por la boca, o dificultad para oír, o frecuentes dolores de oído. El niño debe ser llevado a un especialista de oídos, nariz y garganta para que por medio del examen confirme o no la sospecha.

Tratamiento

El único tratamiento racional de las vegetaciones adenoideas es su extirpación. No hay que operar en el momento en que están inflamadas. No deben extirparse al mismo tiempo las amígdalas palatinas, salvo que éstas se presenten también enfermas.

ADENOIDITIS O RINOFARINGITIS AGUDA

Es muy frecuente observar en el niño pequeño que la fiebre elevada se debe a una inflamación de la tercera amígdala o amígdala faríngea, que se encuentra en la parte superior de la faringe, por detrás de la nariz y las fosas nasales.

Lo más corriente es observar lo siguiente: el niño está decaído e inapetente, y fiebre hasta de 39° ó aún 40° C (102,2° ó 104° F). Hay pocos síntomas además de la fiebre: ligera obstrucción de la nariz (con poca o ninguna secreción nasal) y voz un poco gangosa. Más tarde puede aparecer algo de tos, o inflamación de la laringe o la tráquea, y a veces dolor de oídos. Los ganglios del cuello pueden estar aumentados de tamaño. El examen de la garganta revela el síntoma más característico: se ven bajar mucosidades por la pared posterior de la faringe, que provienen de la amígdala faríngea inflamada. En el adulto puede producirse la rinofaringitis, pero da síntomas menos intensos.

Lo más corriente es que en pocos días todo pase.

Sin embargo, cuando las adenoiditis se repiten, es frecuente que la amígdala faríngea tenga tendencia a aumentar de tamaño más de lo normal, formándose vegetaciones adenoideas.

Tratamiento

Reposo en cama. Líquidos. Gotas en la nariz, por ejemplo unas dos o tres veces por día con una solución antiséptica y retractora de la mucosa (por ejemplo, soluciones de ciertas sales de plata, soluciones de bacitracina, etc.), 3 gotas en cada fosa nasal (con la cabeza bien baja para que lleguen hasta la parte inflamada). Para la fiebre, baños como se menciona en la página 606, bajo "Convulsiones en el niño".

RINOFARINGITIS CRONICA

Es prácticamente constante este catarro crónico de rinofaringe en el niño que tiene vegetaciones adenoideas. En el adulto puede aparecer con motivo de diversas circunstancias: coriza o sinusitis crónica, restos de vegetaciones adenoideas, fosas nasales demasiado amplias, pólipos, desviación del tabique nasal, vida malsana, etc.

Síntomas

El paciente siente una especie de ardor y sequedad en la cara superior del velo del paladar, o por detrás de la nariz, en la parte alta de la faringe. Cada mañana las secreciones de la rinofaringe que se han acumulado, se expulsan por la boca después de aspirarlas con un ruido especial. Con frecuencia esta difícil expulsión de mucosidades se acompaña de náuseas.

Puede causar irritación o inflamación del resto de la faringe, de la laringe o de los oídos. El examen puede revelar inflamación de la mucosa de la faringe y mucosidades que bajan por la pared posterior de dicho órgano.

Tratamiento

Un buen examen hecho por un especialista de oídos, nariz y garganta, puede revelar alguna causa o causas de esta afección, además de permitir confirmar el diagnóstico.

El médico especializado indicará, en

cada caso dado, el tratamiento que le parezca más conveniente, además de tratar de eliminar la causa local que pudiese existir. Tiene un efecto favorable el evitar el tabaco, el humo, el polvo y las bebidas alcohólicas.

FARINGITIS CRONICAS

Son las inflamaciones crónicas de la faringe. Se observan con mucho mayor frecuencia en el hombre que en la mujer. Algunas de sus causas más frecuentes son el alcohol, el tabaco, el tener que hablar mucho, la obstrucción nasal que obliga a respirar por la boca o, por el contrario, las fosas nasales demasiado amplias (ocena, ciertas operaciones y traumatismos nasales), que hacen que el aire llegue a la faringe sin haberse humedecido, entibiado y filtrado. Todas las causas de rinofaringitis crónica que hemos mencionado anteriormente, pueden también causar esta afección.

Síntomas

Son muy variables de una persona a otra. Puede, por ejemplo, no quejarse el paciente de malestar alguno, o bien presentar tos, cosquilleo o ardor en la garganta, sensación de necesidad de tragar. Pueden producirse frecuentes anginas o inflamaciones de la garganta, molestias en los oídos, como zumbidos y disminución de la agudeza de la audición. Es frecuente en estos pacientes, como en los que presentan rinofaringitis crónica, que haya cada mañana expulsión de mucosidades espesas por la boca, difíciles de despedir.

Al mirar la faringe (se puede ver la faringe bucal por detrás de las amígdalas), pueden observarse diversos aspectos según el tipo de faringitis que presente el paciente. Lo más frecuente es que se observen pequeñas salientes que están formadas por tejido linfoideo, engrosado por una inflamación crónica. Este tipo de faringitis crónica recibe el nombre de *granulosa*. En otros casos se observa una especie de estrechamiento de la faringe, debido al engrosamiento inflamatorio de su pared *(faringitis hipertrófica)*. En raras oportunidades se observa un ensanchamiento de la faringe por la atrofia o adelgazamiento de su pared, que se presenta seca y lisa, de color pálido y a veces con mucosidades desecadas, formando costras. Estas formas se llaman *atróficas*, y pueden hallarse especialmente en los que tienen ocena o diabetes. Cuando hay mucha secreción de mucus en la faringe, se dice que la faringitis es *catarral*.

Tratamiento

Es conveniente que un especialista en oídos, nariz y garganta practique un buen examen para tratar de determinar y corregir las diversas causas que hayan producido la faringitis crónica.

Una vida saludable, el dejar el alcohol, el tabaco y los condimentos, el reposo vocal, las inhalaciones, pulverizaciones, nebulizaciones (aerosoles), toques, lavados de faringe, fomentos y compresas calentadoras al cuello, son todos medios que suelen ayudar a combatir esta rebelde afección.

A veces el especialista ve necesario practicar cauterizaciones con una solución de nitrato de plata, o por medio de electricidad, cuando las granulaciones son muy grandes o rebeldes al tratamiento.

ABSCESO O FLEMON RETROFARINGEO

En el niño de pecho puede producirse una colección de pus por supuración de ciertos ganglios situados por detrás de la faringe. La inflamación de esos ganglios es producida por cualquier infección de la faringe nasal.

Síntomas

El niño se niega a mamar por dos razones: al hacerlo le duele la garganta y se ahoga, especialmente cuando se lo mantiene derecho. La voz cambia. Hay además fiebre y decaimiento. El examen comprueba que hay una saliente en la pared posterior de la faringe.

Tratamiento

El niño debe ser llevado cuanto antes al médico, pues esta grave afección requiere, una vez confirmado el diagnóstico, abrir el absceso cuanto antes con ciertas precauciones especiales que el médico conoce, además de administrar antibióticos.

ENFERMEDADES DE LA LARINGE

La ronquera o la afonía, los cambios en la voz, la tos y la dificultad para respirar son los síntomas más importantes que pueden aparecer en las enfermedades de la laringe. En las páginas 600 y 666 se han estudiado los cuerpos extraños en las vías respiratorias, y en la página 883 se estudió el crup verdadero o difteria laríngea.

LARINGITIS AGUDA SIMPLE

Es una inflamación aguda de la laringe. Es muy frecuente y puede ser producida por muy diversas causas: resfríos, sarampión u otras enfermedades eruptivas, enfriamientos, cambios bruscos de temperatura, haber tenido que respirar por la boca, el humo, el fumar, las bebidas alcohólicas. Todas éstas son posibles causas de laringitis aguda simple. Son una causa frecuente el hablar mucho y especialmente el gritar, como puede comprobarse en algunos aficionados muy entusiastas que concurren al estadio para presenciar un reñido partido de fútbol.

Síntomas

El paciente siente un cosquilleo o ardor en la garganta capaz de provocar tos cuando es intenso; hay ronquera y más tarde afonía, es decir pérdida de la voz. La tos puede hacer salir un poco de mucosidad.

Tratamiento

Para que la laringitis aguda no se transforme en crónica es conveniente seguir el siguiente tratamiento:

a) *Reposo vocal.* No hay que hablar y, si se está obligado a hacerlo, se hará con voz cuchicheada (como hablando al oído), para dejar descansar las cuerdas vocales inflamadas.

b) Aplicar *fomentos calientes al cuello* 3 ó 4 veces por día. Luego poner compresa calentadora al cuello hasta que toque volver a aplicar los fomentos (véase la página 818). Al mismo tiempo que los fomentos se puede hacer un baño de pies caliente.

c) Deben evitarse el frío, el aire frío (el paciente debe quedarse en la habitación) y la irritación de la laringe (humo, tabaco, polvo, alcohol, condimentos).

d) Es conveniente beber líquidos calientes.

e) Hacer inhalaciones unas 4 veces por día, colocando en la taza o inhalador una media cucharadita del líquido de la receta No. 48, o una cucharadita de partes iguales de tintura de eucalipto y de benjuí (receta Nº 44). Se inhalará por la boca.

En ciertos casos acompañados de tos intensa y persistente, el médico indica algunas sustancias para calmar el reflejo de la tos.

LARINGITIS CRONICA SIMPLE

Es una inflamación crónica benigna pero también bastante rebelde de la laringe. Puede seguir a una laringitis aguda o ser crónica de primera intención. Sus causas más frecuentes son: el abuso de la voz por parte del paciente, obligado generalmente por la profesión (maestros, predicadores, conferenciantes, corredores, etc.), las obstrucciones de la nariz que pueden obligar a respirar por la boca, el tabaco, el alcohol, el polvo, las irritaciones o inflamaciones de la faringe, etc.

Síntomas

Hay ronquera, especialmente de mañana, que puede disminuir después que la tos ha expulsado mucosidades. En ciertos momentos la ronquera es sustituida por afonía, es decir pérdida de la voz. Puede haber un cosquilleo en la laringe que provoca tos.

Tratamiento

Cuando hay una ronquera persistente es indispensable que la laringe sea examinada por un especialista, pues son muy diversas las causas que pueden provocar este síntoma. La eliminación de las causas de la laringitis es fundamental para obtener el restablecimiento. Las personas cuyo trabajo las obliga a usar mucho la voz, deben aprender a hacerlo sin cansar indebidamente sus cuerdas vocales. Evitar el alcohol, el tabaco, y los enfriamientos. El reposo vocal y las inhalaciones y compresas calentadoras que se mencionaron al estudiar el tratamiento de las laringitis agudas, son beneficiosos en estos casos.

FALSO CRUP O LARINGITIS ESTRIDULOSA

La laringitis estridulosa es un espasmo (contracción intensa y prolongada) de los músculos de las cuerdas vocales, que produce el cierre de la glotis, vale decir el espacio que normalmente queda entre ambas cuerdas vocales.

Causas

CAUSAS PREDISPONENTES.—Esta afección aparece preferentemente en niños entre los 2 y 6 años de edad que presentan vegetaciones adenoideas y amígdalas grandes. También predisponen el raquitismo, ciertas enfermedades de las glándulas paratiroides (espasmofilia o tetania), el temperamento nervioso (diátesis neuropática), los trastornos digestivos, la dentición, etc.

CAUSAS PROVOCADORAS.—Hay una inflamación de la laringe producida por estreptococos o algún otro germen. Esta inflamación pudo ser producida por un cambio brusco de temperatura, por un resfrío nasal poco intenso o una inflamación de las vegetaciones adenoideas. En el momento del ataque se produce por debajo de las cuerdas vocales una hinchazón que estrecha el lugar por donde pasa el aire así como un espasmo de las cuerdas vocales.

Síntomas

Lo corriente es que el niño que se había acostado bien o con un ligero resfrío, despierte bruscamente en plena noche con una tos ronca, ahogándose, pues le cuesta mucho respirar, especialmente la inspiración, la cual se acompaña de una especie de silbido. El niño está sentado, y en su rostro, que está congestionado y azulado, se ve una expresión de terror. Hay fiebre, pero pocas veces más de 38,5° C. (101,3° F). En el verdadero crup, la tos y la voz están apagadas, mientras que en el falso crup están conservadas, aunque roncas. Después de un período variable (de ½ hora a 3 horas), la respiración se hace más fácil, la fiebre baja y el niño se duerme. Es bastante frecuente que el ataque se repita por 2, 3 y hasta 4 noches seguidas.

Tratamiento

a) Aplicar fomentos bien calientes (pero revestidos de algún género para que no quemen) sobre la garganta.

b) Si hay suficiente agua caliente, hacer un baño de inmersión a unos 36° C (96,8° F) durante 15 a 20 minutos, colocando un paño mojado en agua fresca sobre la frente.

c) Mientras tanto, alguien habrá preparado la manera de proporcionar aire húmedo al niño, lo que se obtendrá haciendo hervir agua en un recipiente abierto. (Se pueden colocar en el agua hojas de eucalipto o esencia de ese árbol, si la hay.) Si la habitación es grande, para que llegue bastante cantidad de aire húmedo al niño habrá que hacer una especie de carpa o tienda sobre la cama, por ejemplo con 4 palos atados a los ángulos de la cama, que servirán para sostener sábanas, o bien poniendo sobre la cabecera de la cama o en uno de los ángulos superiores un paraguas o sombrilla abiertos, que servirán para sostén de la sábana.

Hay que tener cuidado de no quemar al niño ni las ropas. Se pone un calentador debajo del recipiente del agua, preferiblemente uno eléctrico, y la sábana se pondrá rodeando ese recipiente, pero a una distancia prudente para que no se incendie. Hay que vigilar para evitar que haya exceso de calor y de humedad.

d) El médico, que se habrá enviado a buscar con urgencia, puede indicar ciertas sustancias que combaten los espasmos de las cuerdas vocales. Además, diferenciará el falso crup de otras causas de síntomas parecidos, como los del crup diftérico. Puede también aplicar penicilina u otros antibióticos, y un tratamiento para evitar que repita el ataque en las noches siguientes. Una vez descubiertas todas las causas que parecen haber contribuido al ataque, éstas serán tratadas convenientemente.

TUBERCULOSIS LARINGEA

Es casi siempre secundaria a una tuberculosis pulmonar. Se caracteriza por modificaciones de la voz, que se hace velada. Luego, cuando la enfermedad avanza, aparece dolor al tragar y, a veces, dificultad para respirar. El diagnóstico y el tratamiento serán efectuados por médicos especializados.

CANCER DE LARINGE

Los síntomas varían con la localización del tumor maligno. Cuando asientan en el interior de la laringe producen al principio solamente cambios de la voz. Luego aparece tos seca y, mucho más tarde, dolor.

Cuando el cáncer se halla en la parte externa de la laringe, da mayormente dolor al tragar, aumento de tamaño de los ganglios del cuello y salivación. Esta afección ataca casi exclusivamente a hombres de más de 40 años y fumadores. Cualquier ronquera que persista más de un mes, debe ser motivo suficiente para hacer aconsejable un examen de la laringe por un especialista. Síntomas parecidos a los del cáncer de laringe, pueden ser producidos por tumores benignos y otras causas, como una inflamación crónica. Los cánceres que afectan la voz, son perfectamente curables, pues no invaden otros tejidos sino muy tardíamente.

PARTE VIGESIMA

Enfermedades de los Ojos

CAPITULO 166

Resumen de la Anatomía y Fisiología del Ojo. Presbicia. Algunos Tratamientos Oculares

BREVE RESUMEN DE LA ANATOMIA Y FISIOLOGIA DEL OJO

EL APARATO de la visión es el destinado a recibir las ondas luminosas, para que por medio de ellas podamos apreciar muchas de las características del mundo que nos rodea (forma, color, distancia, etc.). El aparato de la visión está formado por el globo ocular u ojo y los órganos anexos.

ORGANOS ANEXOS DE LA VISION

Son de tres clases distintas: los que protegen el globo ocular o *protectores,* los que lo mueven o *motores* y los *secretores.*

Partes protectoras

Son la órbita, los párpados con las pestañas y las cejas.

LA ORBITA.—La órbita es una cavidad en forma de pirámide formada por varios huesos y en cuya base se halla el globo ocular. La órbita está destinada a contener y proteger el ojo. En realidad, tan bien protegido está el ojo, que solamente puede herirlo un traumatismo directo e intenso o algún objeto aguzado. La órbita presenta en su vértice un orificio llamado agujero óptico, por el que penetra el nervio del mismo nombre. Contiene además la órbita los músculos que mueven el globo ocular, vasos sanguíneos y ciertos nervios. El resto está ocupado por una grasa blanda.

LOS PARPADOS.—Son dos repliegues de la piel, uno superior y otro inferior, destinados a proteger el ojo contra el polvo, la desecación, la luz, los insectos, etc. Su borde libre presenta las pestañas, también con función protectora. Su cara externa está revestida por una piel delgada y su cara interna por la conjuntiva (membrana transparente que describiremos más adelante). En su espesor, los párpados contienen una lámina cartilaginosa llamada *tarso,* destinada a darles más rigidez, y unas glándulas llamadas de *Meibomio,* que desembocan en el borde libre del párpado, donde vuelcan un líquido aceitoso. Hay además en los párpados dos músculos, uno destinado a cerrarlos, llamado *orbicular de los párpados,* y otro que levanta el párpado superior, llamado *elevador del párpado.*

LAS CEJAS.—Están destinadas a impedir que la transpiración de la frente caiga en el ojo.

Parte motora

Hay 6 músculos, 4 de ellos ocupan con respecto al ojo las partes superior, inferior, interna y externa, y reciben el nombre de recto superior, recto inferior, recto interno y recto externo, que mueven el globo ocular hacia el lado en que ellos están. Hay además 2 músculos llamados oblicuos: el *oblicuo mayor* y el *oblicuo menor,* que hacen girar el globo ocular hacia adentro y hacia afuera respectivamente.

Parte secretora

Es el aparato lagrimal, formado por la glándula lagrimal, situada en la parte superior y externa de la órbita, que segrega las lágrimas, que se vuelcan por unos 10 canales en el pliegue o fondo del saco superior de la conjuntiva. Las lágrimas, después de recorrer el ojo y la conjuntiva, pasan al ángulo interno del ojo, donde hay dos pequeños orificios *(puntos lagrimales),* que llevan las lágrimas al llamado *saco lagrimal,* y de allí por un canal van a desembocar en la fosa nasal, en el meato inferior, vale decir, en el espacio que limita el cornete inferior con la cara externa de las fosas nasales.

GLOBO OCULAR

Es un globo esférico de 2½ cm de diámetro. La mayor parte de su envoltura está formada por unas membranas que, desde afuera hacia adentro, son: *esclerótica, coroides,* y *retina.* Hay además los llamados *medios transparentes* y *refringentes,* que permiten

Fig. 685. **EL OJO Y SUS ANEXOS.**

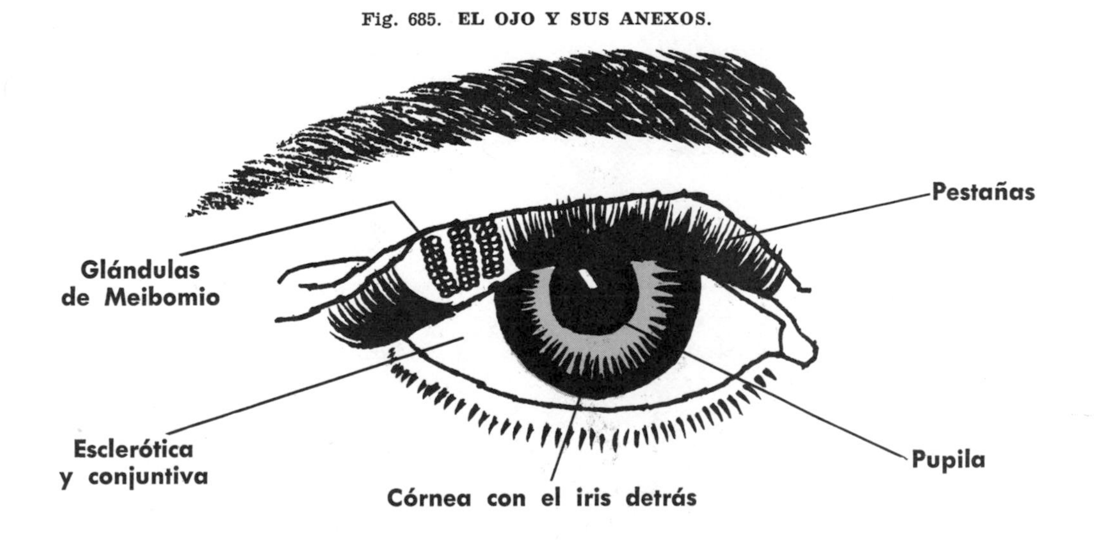

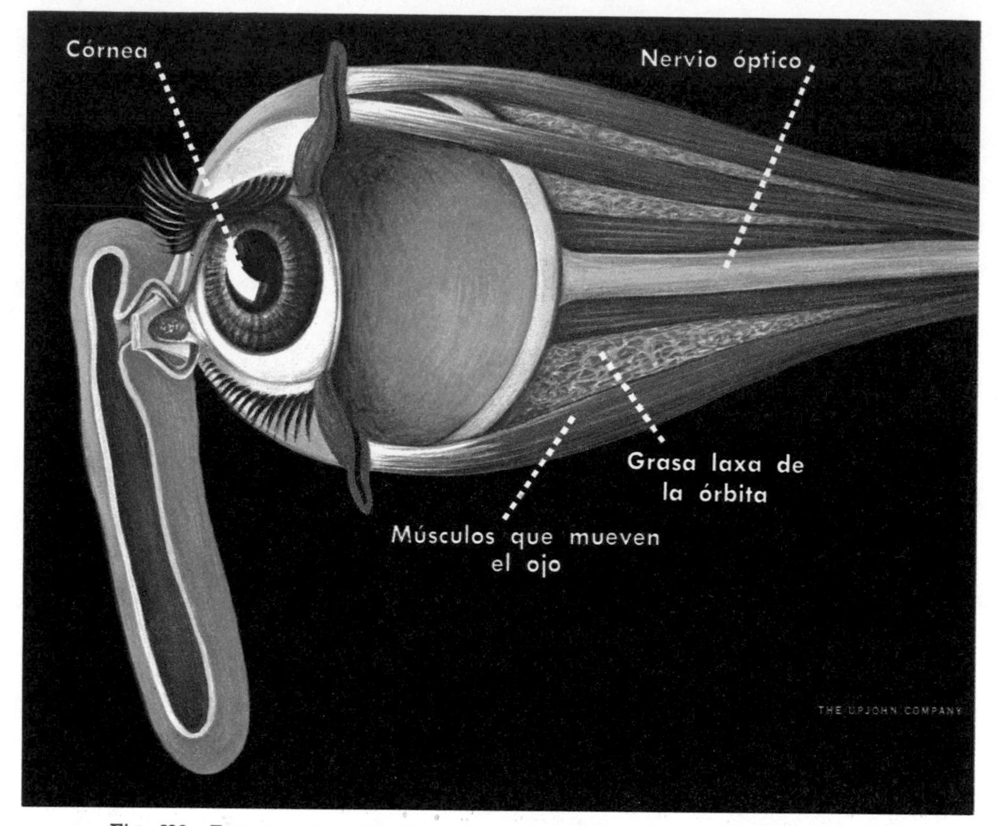

Fig. 686. Esquema que muestra el ojo, el nervio óptico y los músculos que imprimen diversos movimientos al ojo.

el paso de los rayos luminosos y que modifican su trayectoria. Estos son, de adelante hacia atrás: *córnea, humor acuoso, cristalino* y *humor vítreo.*

La esclerótica

Es el llamado "blanco del ojo" por su color, y forma la envoltura externa del ojo. En su parte anterior deja lugar a la córnea (membrana transparente) y en su parte posterior tiene un orificio que deja pasar el nervio óptico.

La coroides

Es una membrana provista de numerosos vasos sanguíneos y cuya cara interna adherida a la retina está revestida de un pigmento negruzco. Su parte anterior, cerca del cristalino, se espesa formando el *músculo ciliar* y los llamados *procesos ciliares.* La coroides se prolonga por delante del cristalino, formando un diafragma vertical llamado *iris,* que es la parte que se ve coloreada del ojo. Tiene en el centro una abertura llamada *pupila,* que se contrae o se dilata por medio de unas fibras musculares, circulares y radiadas.

La retina

Está formada por la expansión del nervio óptico, que reviste el interior del globo ocular. En el punto donde penetra el nervio óptico en el ojo hay una pequeña mancha redondeada llamada *papila óptica*. Esta zona se llama también *punto ciego*, pues no se puede ver en ese lugar. Cerca del punto ciego, hay un punto llamado *mancha amarilla*, que es el de la visión más aguda. Aunque es sumamente delgada, al examinar la retina al microscopio se observa que está formada por 10 capas distintas. No entraremos en los detalles de la constitución de la retina, pero es interesante notar que en su capa más profunda presenta dos tipos de elementos sensibles a la luz que, por su forma, reciben el nombre de *conos* y *bastoncitos*.

Hay en cada retina más de 100 millones de bastoncitos, que están destinados a ver la luz blanca, y unos 6 millones de conos, destinados a la percepción de los colores. Como habrá observado el lector, cuando pasamos de un lugar iluminado a uno bastante oscuro, al principio no podemos casi ver, pero después de algunos momentos se pueden percibir los objetos. Lo que ha sucedido en la retina en esos minutos, ha sido lo siguiente: en los bastoncitos se ha formado una sustancia llamada *púrpura retiniana* o *rodopsina*, que es más sensible a ciertos tipos de luz, lo que nos permite ver en un lugar poco iluminado. En la formación de la rodopsina, el organismo utiliza vitamina A, lo que nos explica por qué algunos casos de ceguera nocturna pueden producirse por falta en la alimentación

Fig. 687. CORTE DEL GLOBO OCULAR.

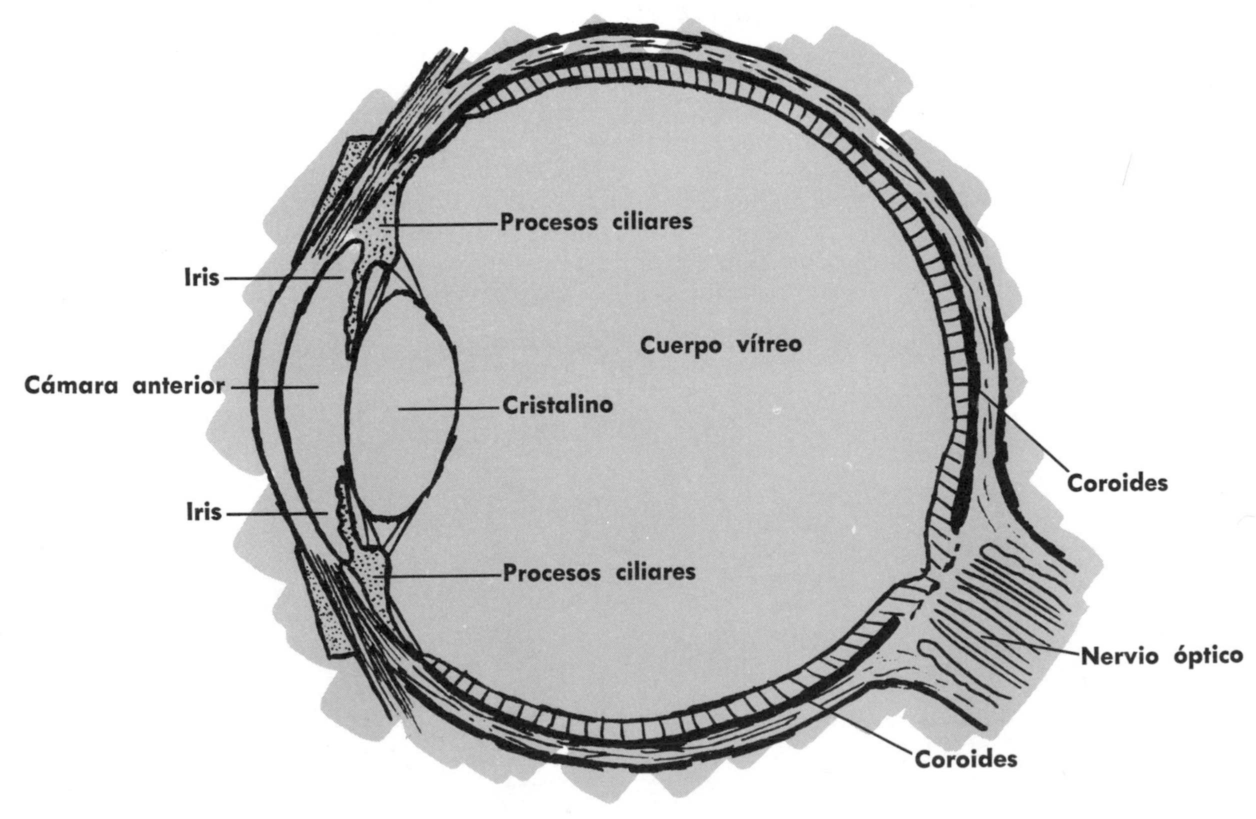

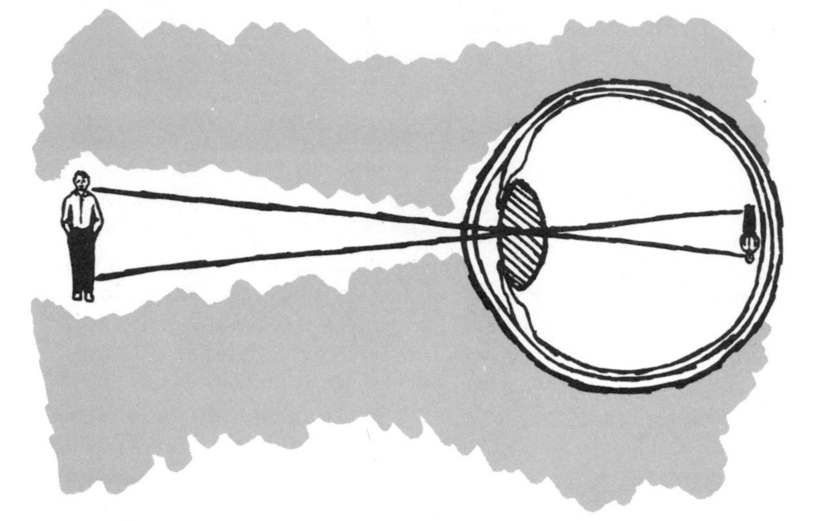

Fig. 688. Imagen invertida en la retina al pasar los rayos luminosos por los medios refringentes del ojo.

de una suficiente cantidad de esta sustancia. La reacción de la retina se hace alcalina, de ácida que era antes. Además, mientras se está en la oscuridad, la pupila se dilata marcadamente para permitir la entrada de la mayor cantidad posible de luz.

Cuando de nuevo se pasa a un lugar iluminado, aunque la pupila se contrae rápidamente, quedamos deslumbrados por cortos instantes, transformándose la rodopsina en un pigmento amarillo. Desde las retinas, las impresiones visuales ya transformadas van por los nervios ópticos hasta la corteza cerebral (parte posterior del lóbulo occipital), donde son interpretadas. Hay cruzamiento de parte de las fibras de cada nervio óptico a nivel del llamado *quiasma óptico* y, antes de llegar a la corteza cerebral, pasan por diversos centros, entre ellos el *tálamo óptico.*

Se estudiarán a continuación brevemente los medios transparentes y refringentes del ojo.

La córnea

Es la parte anterior y transparente de la envoltura externa del ojo. Está formada por varias capas delgadas y no recibe vasos.

Fig. 689. Puede muy bien compararse el ojo a una cámara fotográfica. El lente corresponde al cristalino, el diafragma al iris, los párpados al cierre completo del diafragma. La retina es comparable a la película fotográfica por su sensibilidad a la luz. La cara interna del ojo tiene un pigmento oscuro, así como el interior de la cámara fotográfica está pintado de negro, para evitar reflexiones de la luz.

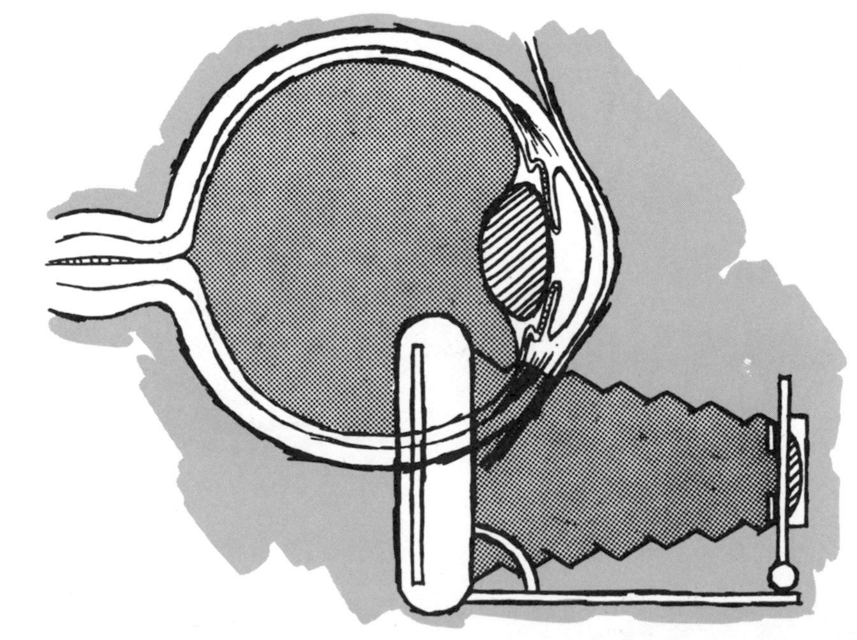

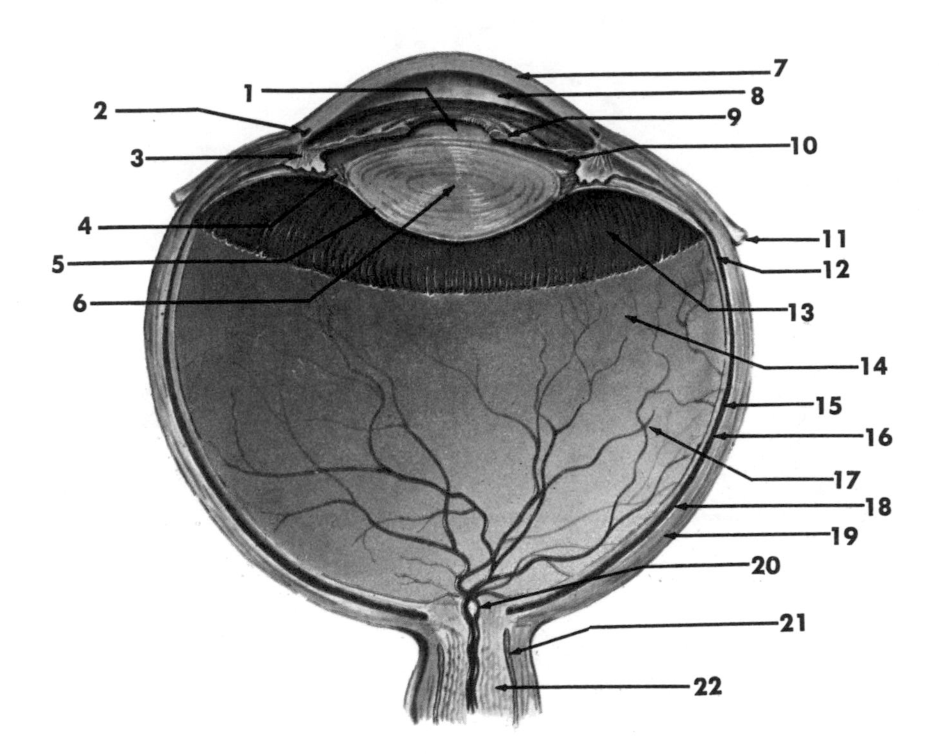

1) Pupila
2) Canal de Schlemm
3) Músculo ciliar
4) Procesos ciliares
5) Cápsula del cristalino
6) Cristalino
7) Córnea
8) Cámara anterior del ojo
9) Iris
10) Cámara posterior del ojo
11) Músculo recto interno
12) Ora serrata
13) Procesos ciliares
14) Cuerpo vítreo
15) Retina
16) Epitelio pigmentario de la coroides
17) Arterias y venas de la retina
18) Coroides
19) Esclerótica
20) Arteria y vena centrales de la retina
21) Aracnoides
22) Fibras nerviosas del nervio óptico

Fig. 690. **Algunos elementos del ojo normal (sección longitudinal).**

El humor acuoso

Es un líquido claro y transparente que ocupa el espacio comprendido entre la córnea y el iris, o sea la cámara anterior del ojo.

El cristalino

Es un lente biconvexo que, aunque de aspecto homogéneo, está formado por varias capas, lo que le sirve para corregir ciertos defectos. El cristalino

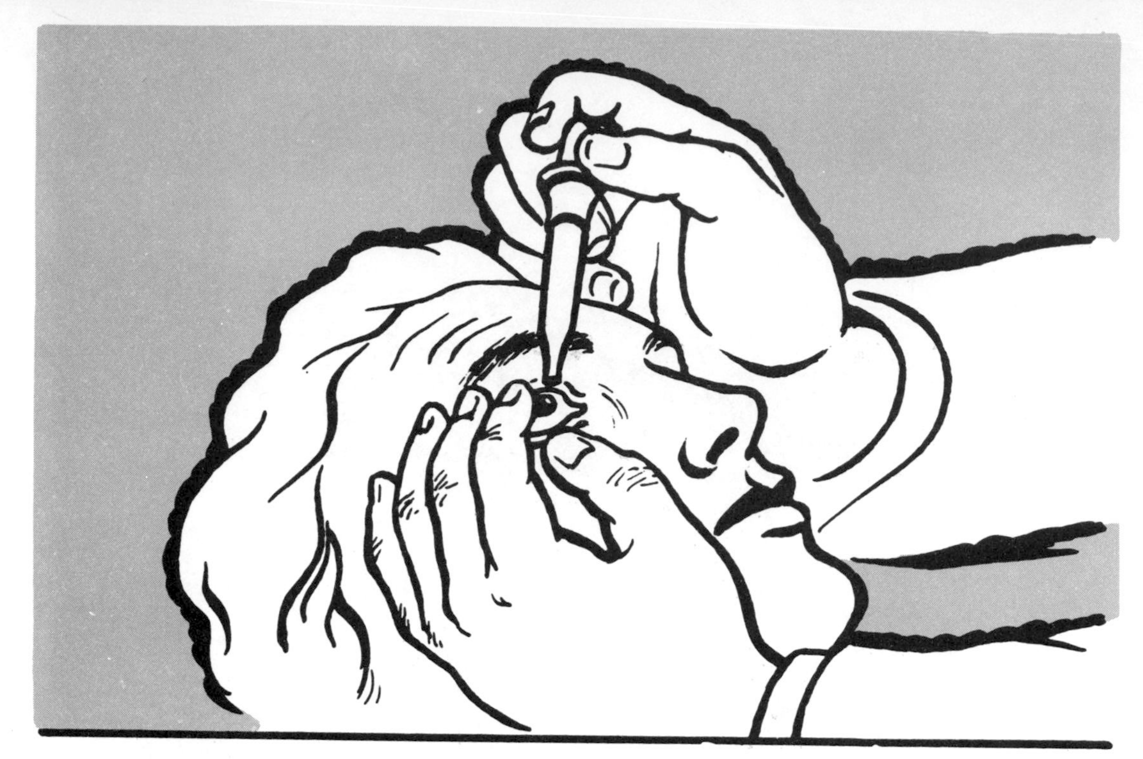

Fig. 692. Manera de colocar gotas en el ojo (véase el texto).

tiene la propiedad, por la acción del músculo ciliar, de poder variar ligeramente de forma. Así por ejemplo, cuando se mira un objeto cercano, el cristalino se hace más convexo, aplanándose, en cambio, un poco para la visión de lejos. Esta facultad del ojo de modificar la curvatura del cristalino para la visión de cerca recibe el nombre de *acomodación*.

El humor vítreo

La cámara posterior del ojo, vale decir el amplio espacio comprendido entre la retina y el cristalino, está ocupada por el llamado humor vítreo, líquido transparente de consistencia algo espesa, que está rodeado por una membrana transparente llamada *hialoides*.

COMO FUNCIONA EL OJO

Con justa razón el ojo ha sido comparado a una cámara fotográfica. Así como en esta última hay una cámara oscura, un lente o juego de lentes para enfocar la imagen sobre la placa, un diafragma para regular la cantidad de luz que penetra en la cámara, un obturador con el cual se deja o no entrar luz a voluntad, regulándose así la exposición, y una película sensible a la luz, tenemos en el ojo elementos semejantes, pero que se regulan automáticamente. Así por ejemplo, el globo ocular forma la cámara oscura; el cristalino forma el lente, que puede adaptarse a la visión cercana o lejana; el iris forma el diafragma, que regula automáticamente su calibre según la cantidad de luz; la retina, es sustituida en la cámara fotográfica por la película sensible a la luz. Por último los párpados forman el obturador, que permite o no la entrada de luz, cumpliendo además la misión de proteger el globo ocular de la desecación durante el sueño, y contra los cuerpos extraños que quieran penetrar en el ojo cuando estamos despiertos. Además, limpian y humedecen la superficie del ojo.

PRESBICIA

A medida que se avanza en edad, el cristalino va perdiendo su elasticidad, y le es cada vez menos posible acomodarse para la visión de cerca, lo que obliga a leer cada vez desde mayor distancia, salvo que se corrija con un lente apropiado. A este defecto que sobreviene aproximadamente a los 45 años se le llama *presbicia.*

ALGUNOS TRATAMIENTOS OCULARES

Manera de hacer los lavados de ojos y conjuntivas

A veces el médico indica lavar los ojos. Esto puede hacerse de muy diversas maneras, que el médico especificará. Hay unos frascos de vidrio con dos aberturas (frascos lavadores), que son muy prácticos para ese fin, pudiéndose regular la salida del líquido según se deje más o menos abierta una de las aberturas del frasco.

En realidad se puede obtener el mismo resultado con una pera de goma y en último caso con algodón esterilizado o hervido. La solución a usar será indicada por el médico: ácido bórico o borato de sodio al 4%, solución salina normal (2 cucharaditas de sal fina en un litro de agua) u otras sustancias. Lo importante es no llevar nuevos gérmenes al ojo que se está tratando, para lo cual habrá que tener las manos escrupulosamente limpias, y el aparato y el líquido que se utilicen serán esterilizados o hervidos. Se deja caer con poca presión el líquido sobre el ángulo interno de los párpados cerrados, para limpiarlos, y luego, si el médico así lo ha indicado, se entreabren los párpados y se deja correr suavemente el líquido desde el ángulo interno hacia afuera para que arrastre las secreciones. Se recibe el líquido en una "riñonera" o palangana que el mismo enfermo sostiene. Se puede hacer esto con el paciente acostado o sentado, pero con la cabeza echada hacia atrás. Protéjanse el cuello y las ropas con una toalla. En rigor, todo esto puede hacerse simplemente con algodones embebidos en la solución indicada y que se exprimen sobre el ojo.

Fig. 893. **LAVADO OCULAR.** La solución se deja caer suavemente sobre el ángulo interno del ojo.

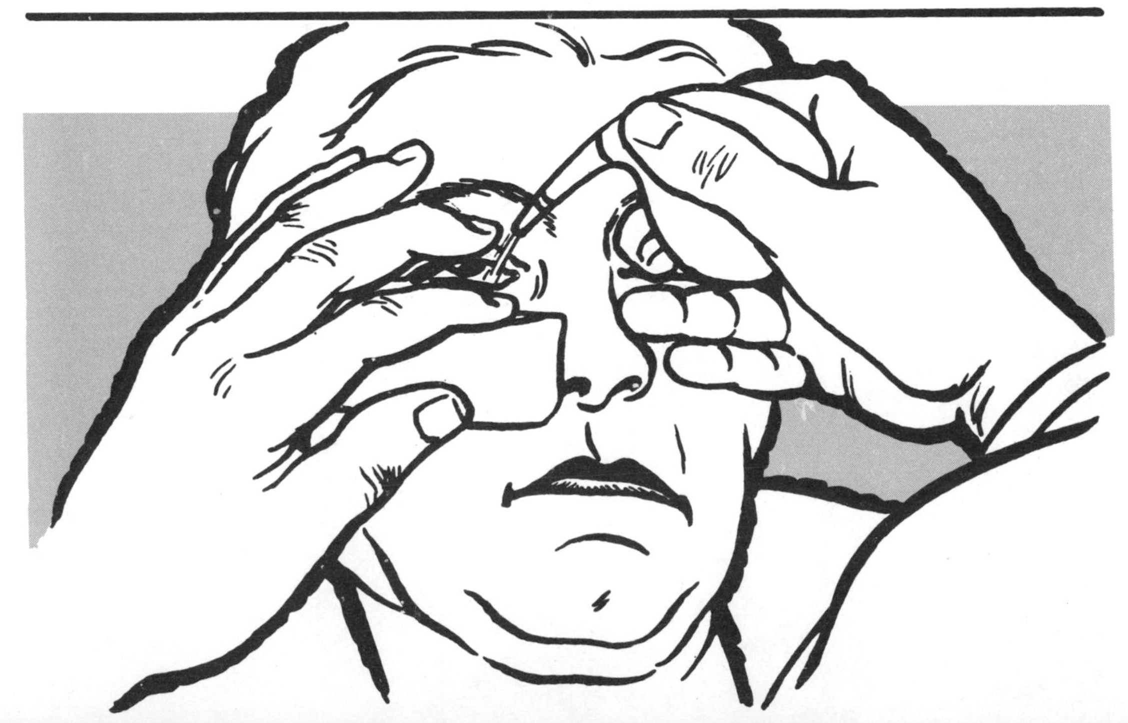

LAVADO CON COPITA LAVAOJOS.—Se hierve la copita, se llenan sus 2/3 partes con la solución indicada (se lavan los párpados previamente con la misma solución si el paciente ha estado donde hay polvo), y el paciente coloca horizontalmente su ojo contra la copa que se adapta al mismo. Luego se eleva la cabeza y se abre el ojo para que se bañe.

Manera de colocar gotas en los ojos

Se baja el párpado inferior (manteniendo arriba el superior al mismo tiempo), y se deja caer en la cara interna del mismo el número de gotas prescrito. El cuentagotas no tocará el párpado ni las pestañas.

Manera de poner las pomadas

Sosteniendo el párpado inferior en la misma forma que para las gotas, se coloca la pomada sobre la cara interna del mismo por medio de una varillita o espatulita de vidrio que suele venir con el medicamento y que estará previamente hervida o que se mantendrá esterilizada. A falta de la varillita se puede hacer un pequeño hisopo con algodón esterilizado en la extremidad de un mondadientes.

Vicios de Refracción
Enfermedades de los Párpados

VICIOS DE REFRACCION

EL OJO normal o *emétrope*, es aquel que en estado de reposo concentra en la retina los rayos paralelos que provienen de los objetos que distan más de 5 metros del sujeto. Es decir que el ojo normal está enfocado al infinito y puede ver sin acomodación o sea sin esfuerzo, los objetos situados a más de 5 metros.

HIPERMETROPIA

El ojo *hipermétrope* es un ojo generalmente más corto que el normal en el que, cuando está en reposo, las imágenes producidas por los rayos luminosos provenientes de los objetos situados a más de 5 m tienen su foco por detrás de la retina, y se ven por lo tanto turbios, o sea fuera de foco. Para poderlos ver con claridad, tiene que intervenir la acomodación. La hipermetropía es congénita, vale decir, es un defecto con el cual ya se nace. Verdad es que todo niño al nacer, tiene hipermetropía, pero con el desarrollo del globo ocular se hace emétrope, y aun a veces miope. Es muy frecuente este vicio de refracción.

Síntomas

Puede no haberlos, aunque para ver el paciente está obligado siempre al esfuerzo de la acomodación. Es bastante frecuente que cuando el hipermétrope se ve obligado a acentuar su constante acomodación para la visión de cerca (lectura, costura, trabajos delicados), sobrevengan síntomas de cansancio visual (astenopía acomodativa), tales como: dolor en los globos oculares, dolor de cabeza (habitualmente en la frente, pero a veces también en la región occipital u otras partes), enrojecimiento de la conjuntiva y de los bordes de los párpados, ardor en estos últimos, lagrimeo y enturbiamiento de la visión de los objetos cercanos. El tratamiento lo indica el oculista, quien después de un cuidadoso examen diagnostica si hay hipermetropía y su grado, prescribiendo, si la visión no es clara, lentes convexos de potencia que varía según el caso, de tal manera que los rayos que vienen de lejos se concentren en la retina. Hay que ser cuidadoso con la higiene ocular (véase la página 1708).

MIOPIA

El ojo miope es aquel que por ser más largo que lo normal (o por mayor refringencia de sus medios transparentes), forma la imagen o foco de los objetos lejanos antes de llegar a la retina.

Causas

Hay indudablemente en muchos casos de miopía una tendencia familiar a ese defecto. Sin embargo no existe este defecto al nacimiento, sino que aparece durante la segunda infancia, acentuándose habitualmente durante la edad escolar y la adolescencia. No suele aumentar después de los 20 años. En los que tienen tendencia a este defecto, son factores que pueden provocar la miopía: una higiene ocular defectuosa, como ser leer o escribir mucho con luz insuficiente o con letras muy pequeñas, la salud defectuosa, la falta de ejercicio físico al aire libre, una postura incorrecta, etc. Estos factores parecen contribuir a hacer más largo que lo debido el globo ocular.

Síntomas

Son variables, según la intensidad del defecto. Lo común a todos los casos es la disminución de la capacidad para ver los objetos distantes. Cuando la miopía es acentuada, aun la lectura y la escritura pueden ser difíciles sin corrección, pues para ver bien en estos casos el miope tiene que acercar mucho a los ojos lo que quiere ver claramente. En estos casos pueden aparecer síntomas de cansancio visual (ver astenopía en la página 1707). Pueden aparecer en la visión puntos oscuros o brillantes. La presbicia (véase la página 1691) aparece más tardíamente que en el ojo normal, y aun puede no aparecer si la miopía es acentuada.

Tratamiento

Además de una higiene ocular correcta (ver el final del capítulo 169) el oculista prescribe lentes bicóncavos, después que un examen completo le ha permitido medir el grado de miopía. Es conveniente elegir un trabajo que no exija mucho de la visión.

ASTIGMATISMO

En el astigmatismo los rayos de luz provenientes de un punto determinado no llegan a enfocarse en un punto de la retina, debido a la desigualdad de las curvas de la córnea en sus distintos meridianos.

Causas

Como ya dijimos, la mayor parte de los casos de astigmatismo se debe a que la córnea no presenta la misma curvatura en todos sus meridianos. En realidad, aun los ojos normales tienen un pequeño grado de astigmatismo, por ser habitualmente más curvo el meridiano vertical que el horizontal. En los casos en que el astigmatismo, por su acentuación, constituye una enfermedad, el defecto está generalmente ya presente al nacimiento, habiendo tendencia familiar a este defecto. Hay casos en que se adquiere el defecto más tarde si alguna lesión o inflamación de la córnea modifica su curvatura. A veces el astigmatismo se debe a cambios en las curvaturas del cristalino. Hay muy diversas formas de astigmatismo: simple o compuesto, según que haya solamente astigmatismo o también otro defecto de refracción, regular e irregular, según la regla, contra la regla, simple con hipermetropía o con miopía, etc. Omitimos la explicación de estas variantes, porque ello sería poco interesante para el lector.

Síntomas

Cuando es poco acentuado, no produce síntomas. En los casos más acentuados hay disminución de la agudeza visual para la visión de cerca y para la visión de lejos. Se observan más marcados síntomas de cansancio visual o astenopía (véase la página 1707) en el astigmatismo que en la hipermetropía, que aumenta cuando se lee, se escribe o se cose mucho, y si la salud general no es satisfactoria o se es de temperamento nervioso. Este cansancio visual se produce por los constantes esfuerzos de acomodación que efectúa el paciente para hacer más clara su visión.

Tratamiento

Determinado el tipo y grado de astigmatismo por el oculista, éste prescribe los lentes correctores, que deben ser llevados constantemente, tanto para visión de cerca como para visión de lejos. Los lentes prescritos son, según el caso, cilíndricos o esferocilíndricos. La corrección completa no puede a veces obtenerse de primera intención. Hay casos de astigmatismo irregular que se corrigen mejor con lentes de contacto, es decir los hechos de una sustancia plástica, y que se aplican sobre el ojo. Además hay que poner en práctica una buena higiene ocular.

ENFERMEDADES DE LOS PARPADOS

BLEFARITIS

Las blefaritis son inflamaciones del borde de los párpados, principalmente de las glándulas sebáceas de las pestañas. Predisponen a adquirir y mantener esta afección una alimentación incorrecta, debilidad general, descanso insuficiente, irritación del párpado por enfermedad de la piel, falta de limpieza, polvo, viento excesivo, humo, etc. Las enfermedades de la vista son otra causa frecuente: vicios de refracción no corregidos, conjuntivitis, trastornos en el aparato lagrimal que impiden el libre paso de las lágrimas desde el ojo a la fosa nasal. En muchos casos el germen causal es el estafilococo. En raras ocasiones hay cierta clase de piojos que causan blefaritis.

Síntomas

El borde de los párpados está rojo e hinchado. En la forma escamosa, se observan unas escamas blancas en la base de las pestañas. En la forma ulcerosa, que es más grave, hay costras amarillentas y se pegan las pestañas. Debajo de las costras hay ulceraciones. Las pestañas pueden ir cayendo y a veces no salir nuevamente.

Tratamiento

Hay que mejorar el estado general, por medio de una alimentación correcta, rica en vitaminas, ejercicio al aire libre, etc. El oculista buscará y tratará las distintas causas. Localmente, hacer lavado con solución salina normal (agua que contenga 2 cucharaditas de sal fina por litro de agua y que haya sido hervida para esterilizarla), hasta que salgan las escamas o costras. Este lavado se hará cada mañana y cada noche aplicando luego pomadas que contengan algún corticoide y algún antibiótico de acción local como la bacitracina o neomicina. Se pueden hacer cada noche fomentos calientes durante 1 hora con una gasa que se moja en la solución salina antes mencionada. Con buenos resultados se utilizan pomadas especialmente preparadas con vitaminas A y D y sulfas, y otras con algún antibiótico. En los casos rebeldes, el oculista aplica toques en las ulceraciones con ciertos medicamentos. En los casos de origen seborreico, acompañados de lesiones en la piel de la cabeza o la cara, éstas deben ser también tratadas. Hay casos de origen alérgico que requieren la eliminación o tratamiento de la causa.

ORZUELO

Es una inflamación de las glándulas sebáceas anexas a las pestañas, producida habitualmente por el germen llamado estafilococo. Predisponen a tener repetidamente orzuelos, los defectos no corregidos de la vista de refracción (astigmatismo, hipermetropía, etc.), debilidad general de cualquier origen, ciertas infecciones de la nariz y la garganta, irritaciones del párpado por blefaritis, por el viento o el polvo, etc. El síntoma característico es una hinchazón enrojecida, localizada en el borde del párpado y luego amarillenta en su extremidad cuando ya contiene pus. El dolor es muy variable de un caso a otro.

Tratamiento

A veces puede evitarse la evolución del orzuelo cuando se lo toma en su comienzo y se hace el siguiente tratamiento:

a) Aplicación por varias horas de compresas calientes de gasas embebidas en solución salina normal caliente (hervir 2 cucharaditas de sal en 1 litro de agua), o de solución de ácido bórico al 4%. Alivia el dolor y acorta la evolución cuando no la corta.

b) Sacar, si se puede hacerlo fácilmente, la pestaña que está en el centro del orzuelo.

c) Aplicar alguna de las pomadas que se mencionan luego. El uso de ciertos antibióticos, cuando se aplican al comienzo, pueden hacer abortar el orzuelo.

Cuando el orzuelo ya está avanzado, aplicar los fomentos calientes como se explicó anteriormente y una pomada de óxido amarillo de mercurio al 2% o mejor aún con ciertas sulfas o algún antibiótico a los cuales el estafilococo sea sensible. Cuando el orzuelo está maduro, el médico suele cortar su extremidad, lo que trae alivio. En caso de muchos orzuelos a la vez, o cuando la inflamación es muy acentuada, el médico indica a veces algún antibiótico adecuado, que es en realidad el mejor tratamiento de esta afección.

Para evitar que se repitan los orzuelos, hay que hacerse examinar por un oculista, quien determinará si hay alguna causa corregible (vicios de refracción u otras causas). Al mismo tiempo, contribuye a evitarlos una vida saludable (alimentación correcta, ejercicio al aire libre y descanso suficiente). Además, es conveniente la colocación, en el borde de los párpados, de alguna de las pomadas antes mencionadas. A veces el médico indica vacunación con toxoide (anatoxina) estafilocócico.

CHALAZION Y ORZUELO INTERNO

El chalazión es un quiste del párpado superior que se produce por la obstrucción del canal excretor de una de las glándulas de Meibomio, que se hallan en el espesor del cartílago tarso del párpado. Hay una leve inflamación de la glándula, que produce aumento de sus tejidos, hasta formar una saliente redondeada de tamaño variable, que no se adhiere a la piel. Cuando se da vuelta el párpado se observa una mancha roja en la zona donde se halla. El orzuelo interno es la infección aguda de una glándula de Meibomio. Es mucho más doloroso que el orzuelo común.

Tratamiento

Cuando es aún pequeño, puede a veces desaparecer con fomentos calientes (como explicamos al hablar del orzuelo) y masaje suave sobre el tumor. Se puede también colocar en el borde de los párpados la pomada de óxido amarillo de mercurio al 2%, o mejor aún una de las modernas pomadas antibacterianas de uso oftálmico. Cuando este tratamiento fracasa, o cuando el chalazión es grande, el oculista lo extirpa por medio de una pequeña operación. El orzuelo interno debe ser abierto por el médico.

ENTROPION, ECTROPION, TRIQUIASIS

Entropión

Es la inversión del párpado hacia adentro. Con frecuencia se complica con *triquiasis,* o sea que las pestañas se dirigen hacia el ojo pudiendo dañar la córnea. El entropión puede ser producido por un espasmo del músculo orbicular de los párpados y para producirse tienen que existir ciertos factores predisponentes. Otras veces se debe a una cicatriz que se retrae.

El tratamiento es el de la causa del espasmo y, en los casos de cicatriz o de espasmo rebelde, se practica una operación. La triquiasis se trata arrancando la pestaña o pestañas desviadas. El oculista puede destruir eléctricamente la raíz de dichas pestañas.

Ectropión

Es la eversión (desviación hacia afuera) del párpado, que se da vuelta mostrando su cara conjuntival. Puede deberse a cicatrices retráctiles, a inflamaciones crónicas del borde del párpado y de la conjuntiva, al continuo secado de las lágrimas en el caso de *epífora,* vale decir de la salida de las lágrimas al exterior por algún defecto del aparato lagrimal. A su vez el ectropión produce epífora. La debilidad del músculo orbicular de los párpados en los ancianos o su parálisis, en el caso de parálisis facial de tipo periférico, son también causa de esta afección. Por el contrario, en ciertas circunstancias también puede producirse el ectropión por espasmo del orbicular.

Tratamiento

El médico oculista indicará en cada caso el tratamiento. Hay casos incipientes que requieren solamente ciertos cuidados, y otros más avanzados que deben ser operados.

CAPITULO 168

Enfermedades del Aparato Lagrimal y de la Conjuntiva

LAGRIMEO O EPIFORA

LAS lágrimas pueden desbordar los párpados (fuera del llanto), por dos razones:

a) Exceso de producción de lágrimas.

b) Obstrucción de los canales que las conducen a la nariz.

Normalmente, siempre se produce una cantidad de lágrimas que tienen una acción lubricante y desinfectante (esta última acción se debe a una sustancia llamada *lisozima*) a la vez que de arrastre, que lleva hacia la nariz los gérmenes que pueden llegar a la conjuntiva.

Los cuerpos extraños en el ojo (debajo de los párpados, córnea, etc.), las conjuntivitis y las irritaciones de la vista, causan epífora, por un exceso en la producción de lágrimas.

Las obstrucciones del aparato lagrimal se producen de preferencia en dos zonas: los puntos y canalículos lagrimales y el canal lágrimonasal.

Tratamiento

Si hay un cuerpo extraño, conjuntivitis, etc., debe tratarse la causa. Si hay estrechez de los canales, el oculista indicará el tratamiento adecuado en cada caso. A veces es necesario hacer dilataciones de los canales, o tratar alguna enfermedad de las fosas nasales.

DACRIOCISTITIS

Cuando la obstrucción del canal lágrimonasal impide el paso de las lágrimas a la nariz, el saco lagrimal que se halla en el ángulo interno del ojo sufre una inflamación crónica que recibe el nombre de *dacriocistitis crónica.* Hay lagrimeo (epífora) y a veces tumefacción de la zona donde se halla el saco lagrimal. Al hacer presión sobre ese punto sale un líquido turbio. Cuando esta infección se hace intensa, con marcado enrojecimiento e hinchazón, la dacriocistitis recibe el nombre de aguda.

El tratamiento que hace el oculista en los casos crónicos consiste habitualmente en lavados del saco infectado y dilataciones del canal lágrimonasal; y si esto falla, una operación. En la forma aguda se aplican fomentos calientes y se dan antibióticos, pudiendo ser necesario que el médico oculista lo abra en cierto momento.

CONJUNTIVITIS

La conjuntiva es una delgada membrana transparente que reviste la cara interna de los párpados, y que después se da vuelta para revestir la cara anterior del globo ocular. La parte de conjuntiva que reviste los párpados recibe el nombre de *conjuntiva palpebral* y, la que reviste el ojo, el de *conjuntiva ocular* o *bulbar*. Entre ambas hay los llamados *fondos de saco conjuntivales*. Se puede ver la conjuntiva en el globo ocular donde deja transparentar el color blanco de la esclerótica y en la cara interna de los párpados, donde se la ve de color rosado.

Conjuntivitis es la infección o inflamación de la conjuntiva. Hay una gran variedad de conjuntivitis, pero aquí se mencionarán solamente las más frecuentes o importantes. Los oculistas prescriben con buenos resultados, ciertos antibióticos en aplicación local, asociados con hidrocortisona o sus derivados.*

CONJUNTIVITIS AGUDAS

CONJUNTIVITIS CATARRAL O SIMPLE

Es la más común de las conjuntivitis. Es producida por muy diversas causas que irritan la conjuntiva: polvo, viento, cuerpos extraños, humo, alcoholismo, alimentos irritantes, luz demasiado brillante, etc.

Otras veces acompaña a alguna enfermedad infecciosa: sarampión, escarlatina, coriza, etc.

Pueden hallarse en las secreciones diversos gérmenes: neumococo, estafilococo, estreptococo, bacilo de Morax-Axenfeld. Este último produce a veces la llamada blefaroconjuntivitis angular, afección en la cual la infección se localiza en los ángulos de los ojos y el borde libre de los párpados.

Síntomas

Hay enrojecimiento de la conjuntiva, lagrimeo y algo de secreción que se ve especialmente en el ángulo del ojo. La luz molesta.

Tratamiento

(Véase el último párrafo de generalidades sobre conjuntivitis.)

a) Si la causa es una irritación simple o por sarampión, etc., suele bastar colocar 3 veces por día 2 gotas del colirio de la receta No. 49 de la página 850. Cuando hay al parecer infección, puede ser útil el colirio de la receta No. 50, del cual se colocarán, cada mañana y cada noche, 2 gotas en cada ojo. Mejor aún es obtener en el comercio algún preparado de sulfacetamida sódica al 15% y colocar 1 gota cada hora durante el día. De noche, colocar pomada del mismo compuesto al 10%.

b) Además se puede aplicar una pomada de óxido amarillo de mercurio al 1% en los bordes del párpado y la conjuntiva.

c) Si se ensucian los bordes de los párpados pueden hacerse lavados oculares con una copita lavaojos que contenga una solución tibia de borato de sodio al 4%.

d) Es preferible tomar precauciones para evitar contagios, como se menciona para la conjuntivitis contagiosa aguda que se estudia más adelante.

e) Hay que tratar en lo posible de eliminar la causa de la conjuntivitis.

f) Si no hay una rápida mejoría o sale pus abundante, consultar al médico (preferiblemente un médico oculista).

CONJUNTIVITIS AGUDA CONTAGIOSA

Pueden producirse verdaderas epidemias de este tipo de conjuntivitis. Esta enfermedad la puede originar el llamado bacilo de Koch-Weeks o di-

---

* *Nota.* La hidrocortisona y sus derivados se evitarán si hay alguna lesión de la córnea (ulceración, etc.).

versos otros gérmenes. Puede también ser la causa el neumococo, el bacilo de Pfeiffer (*Hemophilus influenzae*) y los estafilococos.

Síntomas

Aparecen unas 36 horas después del contagio. Aunque al comienzo suele tomar un ojo, rápidamente se infecta el otro. El paciente se queja de comezón, ardor y sensación de cuerpo extraño en el ojo. La luz le molesta y hay lagrimeo. Los párpados están algo hinchados y, debajo de ellos, pueden encontrarse lágrimas con grumos de mucus. De mañana los párpados están pegados. La secreción, al principio mucosa, se hace luego purulenta (con pus). Los ojos están marcadamente enrojecidos.

Prevención

Esta conjuntivitis es muy contagiosa. Para evitar contagiar a otros, se aislará al enfermo, y éste tratará de no tocar objetos sin antes haberse lavado cuidadosamente las manos. Sus pañuelos, toallas y otras ropas están contaminados y se desinfectarán haciéndolos hervir.

Tratamiento

Es preferible que estos casos sean tratados por un médico oculista. En el caso de que no se pueda por alguna razón poderosa ir a consultarlo, se puede usar un colirio que contenga hidrocortisona* y un antibiótico de acción local como neomicina, etc.

Se pueden además hacer los lavados oculares mencionados para el caso de la conjuntivitis simple. Hay que evitar la luz.

Si no hay pronto franca mejoría o si hay pus abundante, consultar al oculista o al médico, aun cuando haya que hacer un viaje muy largo.

* Véase la nota anterior.

CONJUNTIVITIS BLENORRAGICA O PURULENTA

Esta gravísima infección de la conjuntiva es producida por el gonococo, el mismo microbio que causa la blenorragia. Si no se la trata rápida y enérgicamente es capaz de producir complicaciones graves que pueden traer como consecuencia la ceguera. En algunos países, más del 40% de los ciegos, lo son por esta infección. Afortunadamente las inyecciones de penicilina tienen un efecto muy favorable.

En la práctica, pueden observarse dos tipos de conjuntivitis blenorrágica: por una parte, la del recién nacido que se infecta por las secreciones del cuello uterino de la madre en el momento del parto o después del nacimiento por las manos contaminadas; por la otra, la del adulto que se contagia con los gérmenes de su propia blenorragia, o al utilizar una toalla o pañuelo contaminados por otra persona.

CONJUNTIVITIS BLENORRAGICA DEL RECIEN NACIDO (oftalmia purulenta)

Síntomas

Comienza al segundo o tercer día después del nacimiento con enrojecimiento de la conjuntiva y secreción rojiza no espesa. Los párpados se hinchan y también las conjuntivas. Más tarde el líquido que sale se hace turbio, luego amarillo y aun verdoso. Es muy abundante una vez que es pus franco. Los párpados pueden estar tan hinchados que cueste abrirlos y, cuando se lo logra, pueden proyectar un chorro de pus, del que hay que cuidarse.

Profilaxis

Fue estudiada en la página 336.

Tratamiento

El niño debe ser atendido lo más rápidamente posible por un médico, preferiblemente oculista, pues su vista corre peligro. Hay que tomar precauciones para no contagiarse. Cada vez que se toca algo contaminado con el pus hay que lavarse muy cuidadosamente las manos. Quemar o hacer hervir los algodones y piezas de ropa contaminados. Si hay que emprender un viaje largo para ver al oculista, hacer poner penicilina en inyección en el primer lugar donde haya quien pueda hacerlo.

CONJUNTIVITIS BLENORRAGICA DEL ADULTO

El contagio se hace como explicamos anteriormente. Los síntomas son semejantes a los del niño pero más intensos aún, y comienzan de 12 a 48 horas después de la contaminación del ojo. La prevención de esta conjuntivitis consiste en no tocarse los ojos con manos, toallas y pañuelos que puedan haber estado en contacto con pus blenorrágico.

Tratamiento

Debe ser aplicado por un médico lo antes posible, pues la córnea y la visión corren mucho peligro. Se puede inyectar penicilina si el llegar hasta el oculista puede tomar algunas horas.

CONJUNTIVITIS CRONICA SIMPLE O CATARRAL

Son muy diversas las causas capaces de provocar esta afección: exceso de luz, uso excesivo de la vista, viento, tierra, polvo, humo, vicios de refracción, alimentación inadecuada, falta de descanso, alcoholismo, anemia, etc.

Los síntomas son: vasos congestionados en la conjuntiva, principalmente en la del párpado, secreción no espesa y muy escasa, con frecuencia inflamación del borde del párpado (blefaritis). El paciente se queja de ardor y comezón y, a veces, siente como si hubiese penetrado alguna partícula de polvo en el ojo. La luz molesta.

Tratamiento

Hay que buscar y suprimir la causa o las causas. Pueden ser útiles los lentes oscuros de buena calidad. También el instilar 2 gotas cada mañana de solución de argirol patente al 5%. No debe usarse ese medicamento por mucho tiempo. Pueden colocarse gotas de preparados en el comercio para uso oftálmico que contienen 15% de sulfacetamida y de noche una pomada oftálmica con la misma sustancia. Otra medida útil son los lavados oculares cada mañana y cada noche con una copita lavaojos con una solución de ácido bórico al 4%. Se ha preconizado últimamente la colocación de gotas de colirio con hidrocortisona y bacitracina u otro antibiótico adecuado. Cada noche puede colocarse después del lavado del ojo, un poco de pomada de óxido amarillo de mercurio al 1% o mejor aún con los mismos ingredientes que el colirio. Si no cede rápidamente, consultar al médico oculista.

CONJUNTIVITIS GRANULOSA O TRACOMA

El tracoma es una enfermedad muy contagiosa producida al parecer por un microorganismo llamado *Chlamydia trachomatis,* que no tratada puede producir ulceraciones y opacidades de la córnea. El comienzo es generalmente lento. A veces el paciente se queja de sensación de cuerpo extraño debajo del párpado superior, o simplemente de picazón y ardor. La luz fuerte puede molestar, causando lagrimeo. Al examinar la cara interna de los párpados, pueden observarse granulaciones rojizas y a veces traslúcidas con un aspecto que se ha comparado al de granos de tapioca cocida. No todos los casos de conjuntivitis que presentan granulaciones son tracoma.

Prevención

El tracomatoso debe tener su propia toalla y objetos de tocador. Debe lavarse cuidadosamente las manos antes de tocar los objetos que los demás deben manejar. El tratarse lo más pronto posible podrá contribuir a evitar contagios. Ultimamente se ha preparado también una vacuna contra el tracoma.

Tratamiento

Esta afección debe ser tratada por un médico oculista o, de no haber oculista, por un médico general. Da muy buen resultado el tratamiento con ciertas sulfas y especialmente el uso local y por ingestión de algunos antibióticos, pero es el médico quien deberá indicar las dosis y vigilará los resultados, lo mismo que el tratamiento local.

OTROS TIPOS DE CONJUNTIVITIS

CONJUNTIVITIS ALERGICA

Acompaña generalmente a una rinitis espasmódica (asma nasal o fiebre del heno). El tratamiento es el de la alergia. Con buen resultado se han utilizado localmente los corticoides.

CONJUNTIVITIS FLICTENULAR

Se caracteriza por la aparición de una flictena o ampolla en el globo ocular, generalmente cerca de la córnea, pudiendo invadir esta última (queratoconjuntivitis flictenular). Es frecuente en los niños débiles, y se presenta especialmente en los infectados (no siempre enfermos) de tuberculosis. La luz molesta y hay lagrimeo.

Tratamiento

Es el tratamiento higienicodietético que indicamos en la página 927 para la tuberculosis. Además: a) Lentes oscuros para evitar molestias. b) Fomentos calientes con gasas embebidas con solución salina normal (2 cucharaditas de sal fina por litro de agua) durante 2 horas cada noche. c) Colocar también cada noche pomada con neomicina o bacitracina o colirio (varias veces por día) preparado con los mismos ingredientes. Es prudente consultar al oculista, y esto es imprescindible si afecta la córnea o si no mejora.

CONJUNTIVITIS PRIMAVERAL O VERNAL

Ataca principalmente a mujeres y niños debilitados, en primavera y verano. No contagia y se ignora su causa (¿alergia?). Aparecen los síntomas comunes de conjuntivitis (lagrimeo, enrojecimiento de la conjuntiva, comezón o ardor, la luz molesta, etc.). Al examinar la conjuntiva se ven granulaciones. Es bueno ver al oculista para que la diferencie de otras conjuntivitis con granulaciones.

PTERIGION

Esta afección consiste en un espesamiento triangular de la conjuntiva ocular que se dispone horizontalmente con su vértice sobre la córnea, que tiende a invadir, y su base hacia el ángulo interno del ojo. Puede hallarse a veces naciendo del ángulo externo del ojo. Aparece con mayor frecuencia en personas cuyos ojos están expuestos al viento y al polvo. Si invade la córnea, el paciente debe ser operado.

CAPITULO 169

Enfermedades de la Córnea, del Iris, del Cristalino y Otras Partes del Ojo - Higiene Ocular

QUERATITIS INTERSTICIAL

ES UNA inflamación de la córnea. Es frecuente en la sífilis congénita.

ULCERAS DE LA CORNEA

Es una pérdida de sustancia o ulceración de la córnea, que puede ser causada por traumatismos (rasguño, cuerpo extraño), o por conjuntivitis, especialmente blenorrágica, queratitis flictenular, lesiones del trigémino, viruela, herpes, etc. Hay personas debilitadas que están especialmente predispuestas a esta enfermedad. Los síntomas más característicos son: dolor y molestia por la luz (fotofobia), que causan un espasmo que cierra fuertemente los párpados (blefaroespasmo) y lagrimeo. Al mirar la córnea puede o no apreciarse una mancha grisácea o amarillenta. El oculista puede descubrirla fácilmente colocando unas gotas de fluoresceína al 2% que tiñe la úlcera de verde. La úlcera puede provocar diversas complicaciones: perforación, con adherencia o salida del iris, opacidad de la córnea, infección de la cámara anterior del ojo, o aun infección de todo el ojo (panoftalmitis). Urge hacer tratar por un médico oculista esta afección. No colocar gotas que contengan corticoides.

OPACIDADES DE LA CORNEA

Reciben distintos nombres según su densidad. Reciben el nombre de *nébula* cuando es apenas visible, *leucoma* cuando forma una mancha blanca y opaca, y *mácula* cuando aparece como una mancha grisácea, sin ser tan opaca y visible como el leucoma.

Estas opacidades pueden ser consecuencia de una úlcera o herida de la córnea o de una queratitis o inflamación corneal. Cuando se halla delante de la pupila puede impedir la visión. Cuando no cede con otros tratamientos se puede hacer un injerto de córnea. Son éstos los pacientes que recobran la vista con los injertos de córnea.

CUERPOS EXTRAÑOS EN LA CORNEA

En las personas que trabajan con esmeril y que no tienen la prudencia de utilizar las antiparras adecuadas, es frecuente que se enclaven partículas

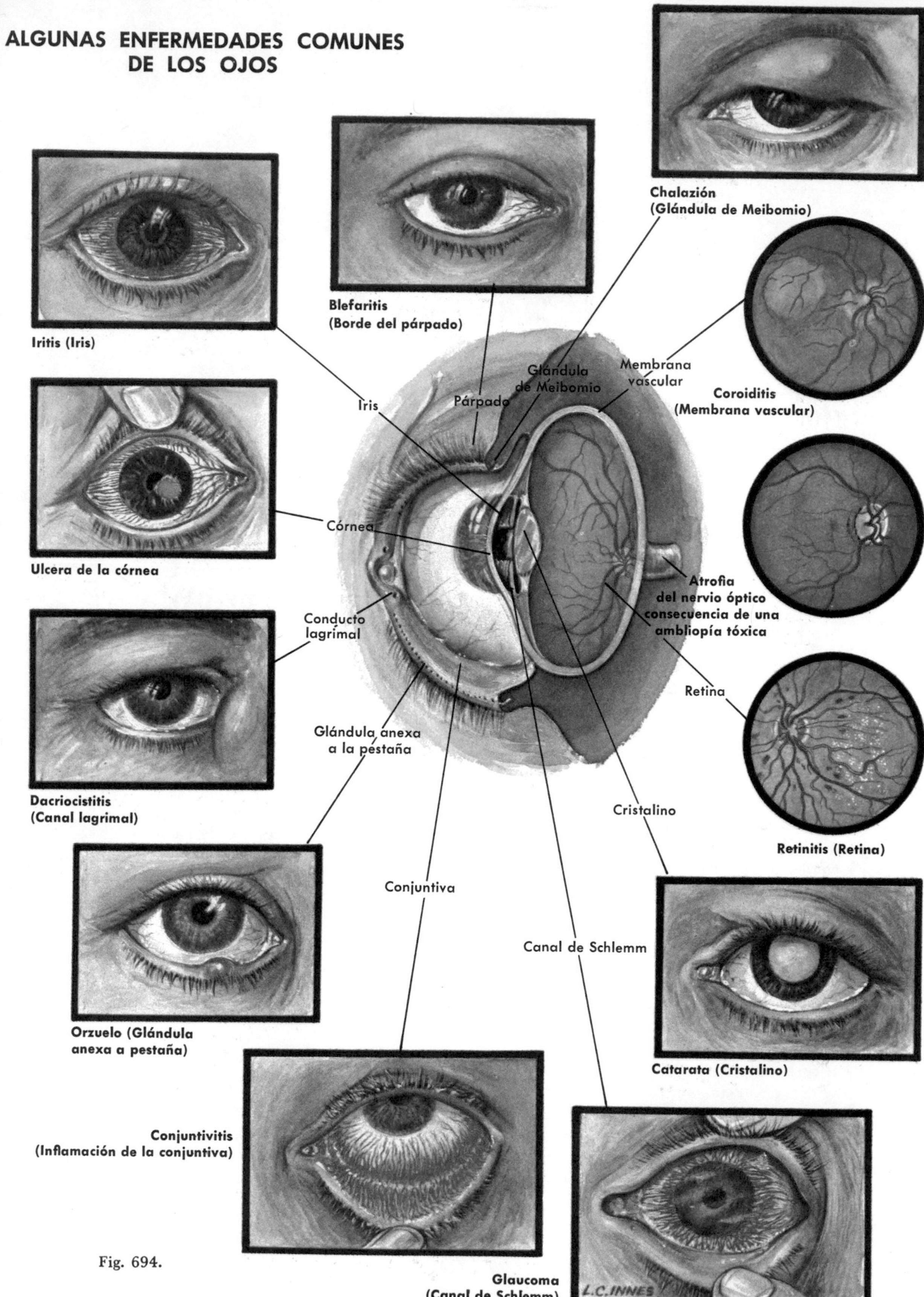
ALGUNAS ENFERMEDADES COMUNES DE LOS OJOS
Chalazión (Glándula de Meibomio)
Blefaritis (Borde del párpado)
Iritis (Iris)
Glándula de Meibomio
Membrana vascular
Coroiditis (Membrana vascular)
Iris
Párpado
Córnea
Ulcera de la córnea
Atrofia del nervio óptico consecuencia de una ambliopía tóxica
Conducto lagrimal
Retina
Dacriocistitis (Canal lagrimal)
Glándula anexa a la pestaña
Cristalino
Retinitis (Retina)
Conjuntiva
Canal de Schlemm
Orzuelo (Glándula anexa a pestaña)
Catarata (Cristalino)
Conjuntivitis (Inflamación de la conjuntiva)
Glaucoma (Canal de Schlemm)
L.C. INNES
Fig. 694.

metálicas en la córnea. Estas no salen espontáneamente y, después de algunas horas, provocan sensación de cuerpo extraño y aun inflamación de la conjuntiva.

El médico los extrae después de anestesiar la córnea y la conjuntiva con unas gotas de solución de pantocaína u otro anestésico local. Si se dejan pueden causar muchas molestias y dejar una mancha blanquecina en la córnea.

IRITIS

Iritis es la inflamación del iris. Se asocia muy a menudo a la inflamación del cuerpo ciliar (iridociclitis). Se manifiesta por dolor bastante intenso, que irradia a veces a la frente y las sienes, empeorando de noche. Puede haber lagrimeo y fotofobia (no se tolera la luz). Puede haber ligera fiebre, náuseas y otros síntomas generales. Al examen se ve un enrojecimiento del blanco del ojo, que disminuye a medida que se aleja de la córnea. El iris no tiene su color normal (difiere del iris del lado sano) y está algo borroso. La pupila está contraída. Los síntomas que acabamos de describir son los de la iritis aguda. Hay también formas crónicas. La iritis puede tener diversos orígenes: toxoplasmosis, histoplasmosis, sífilis, focos de infección, tuberculosis, traumatismos, reumatismo, gota, malaria, etc.

Tratamiento

Debe consultarse cuanto antes al oculista y al médico de la familia para que descubran la causa e indiquen el tratamiento local y general que corresponda.

CATARATA

Catarata es una opacidad del cristalino. Hay muy diversos tipos de catarata. Así por ejemplo, *catarata juvenil* o *del desarrollo* es la que aparece en el niño o en personas jóvenes (es generalmente de consistencia blanda). *Catarata senil* o *degenerativa* es la que ataca al final de la edad adulta y en la ancianidad; en este caso, es generalmente de consistencia dura.

Cuando se conoce su causa, se dice que una catarata es *secundaria,* llamándola en cambio *primitiva* cuando su causa se desconoce. Dentro de las secundarias hay las de distintas causas: diabética, por radiaciones, traumática, endocrina. Según su evolución, pueden ser estacionarias o progresivas; y según su extensión, parcial o completa. Hay aun otros tipos de catarata.

Aquí estudiaremos brevemente sólo la catarata senil, que es la más frecuente. Muchos de sus síntomas son comunes a las otras.

CATARATA SENIL

Aparece especialmente después de los 50 años. Tiene tendencia a afectar ambos ojos, aunque comienza primero en uno. El tiempo que puede tardar la catarata en madurar es muy variable, oscilando entre pocos meses y varios años. A veces se detiene en su desarrollo.

Síntomas

Al principio puede el paciente ver manchas, o ver doble. Luego disminuye gradualmente la visión en el ojo afectado. Cuando comienza puede producirse un cierto grado de miopía, que le permite al paciente, que usaba lentes para ver de cerca por la presbicia propia de su edad, dejar de usarlos. Al mirar la pupila, especialmente con una luz que venga lateralmente, se comprueba un color grisáceo o blanquecino. Más tarde la pupila se ve de color blanco. La catarata pasa por varias etapas en su desarrollo, pero en la tercera de ellas, o sea de madurez, es cuando está habitualmente indicada la operación.

No se conocen bien las verdaderas causas de la degeneración del cristalino que produce la catarata senil. Predisponen a ella la diabetes (esta afección puede producir también una catarata de tipo no senil), el haber estado sometidos los ojos a calor intenso por el tipo de trabajo del paciente, y ciertos trastornos de las glándulas paratiroides.

Tratamiento

A la menor sospecha de catarata el paciente debe ser visto por el oculista. Ha sucedido que se ha creído en una catarata en casos de glaucoma (que exige un tratamiento inmediato). También se ha confundido con catarata el simple cambio de color del cristalino que puede producirse por la edad, sin haber catarata. Hay un tratamiento para cada etapa de la catarata. Cuando está madura es conveniente operar (salvo que haya alguna contraindicación), sustituyéndose después de la operación el efecto del cristalino con un lente biconvexo de la misma potencia.

GLAUCOMA

El glaucoma es una grave enfermedad caracterizada por aumento de la presión dentro del ojo. Puede ser agudo o crónico, primitivo o secundario a otra enfermedad del ojo.

Síntomas

Son muy variables, según el tipo de glaucoma. Cuando el *glaucoma es agudo* y aumenta rápidamente la tensión en el ojo, aparecen marcados síntomas de inflamación de la conjuntiva, los párpados, el iris y la córnea, que está turbia. La pupila está dilatada y deformada. La visión del paciente disminuye rápidamente, hay dolor intenso en el ojo, acompañado de dolor de cabeza y a veces aun de vómitos. El paciente debe ser visto por un oculista antes de este período, es decir, cuando aparecen los siguientes síntomas que anuncian el ataque de glaucoma, desde semanas o meses antes: sensación de neblina, anillos coloreados como el arco iris rodeando las luces, pesadez o leve dolor del ojo y de la cabeza, pupila ovalada y algo dilatada. Le cuesta leer y escribir.

El glaucoma congestivo o *inflamatorio crónico* produce síntomas que debieran en cada caso impulsar al paciente a ver al oculista cuanto antes: dolor en el ojo, lagrimeo, cansancio visual, disminución de la agudeza visual, círculos con los colores del arco iris alrededor de las luces, o como si hubiese una neblina. Hay congestión de la conjuntiva del ojo, y la córnea puede estar menos clara que lo normal.

El glaucoma crónico simple no da síntomas de inflamación, sino que solapadamente va destruyendo la visión del paciente, el que cuando consulta al oculista presenta ya su afección muy avanzada. El paciente nota disminución de la agudeza visual, a la vez que se le estrecha el campo visual (extensión que puede ver el ojo cuando mira un punto fijo), especialmente hacia el lado de la nariz. El oculista puede comprobar diversos síntomas característicos.

Tratamiento

Hay que consultar cuanto antes a un oculista, pues la visión corre serio peligro.

ESTRABISMO
(ojos desviados)

Estrábica, bisoja o *bizca* es la persona que tiene una desviación del ojo. El estrabismo es *convergente* cuando la desviación del eje del ojo se hace hacia adentro, y es *divergente* cuando la desviación se hace hacia afuera. Rara vez se ven desviaciones hacia arriba y hacia abajo.

Hay muchas clases de estrabismo, pero se mencionará aquí la forma común. Comienza habitualmente entre el segundo y el cuarto año de la vida, aunque se ven casos en el primero y después del cuarto año. Ocasionalmente está presente al nacimiento. Antes de hacerse permanente, el estrabismo puede aparecer en ciertos momentos, por ejemplo cuando el niño mira un objeto cercano. En los niños de pocos meses, pueden observarse desviaciones momentáneas de la vista, aunque no tengan estrabismo, lo que generalmente desaparece a los 6 meses o a más tardar al año. Si después de esa edad el niño presenta desviación de la vista en ciertos momentos, debe ser examinado por un oculista, pues ello puede deberse a diversos defectos de la vista.

Luego la desviación se hace permanente y, para evitar una doble imagen, el cerebro desecha la del ojo desviado, que acaba por no ver (aunque se puede aprender a ver nuevamente con el ojo afectado).

Las causas son diversas: tendencia familiar, centros nerviosos que han sufrido por alguna enfermedad infecciosa (como sarampión, escarlatina, difteria, tos convulsa, etc.), en cuya convalecencia pueden aparecer bastante bruscamente estrabismo, hipermetropía acentuada, etc.

Tratamiento

Debe llevarse al niño al oculista cuanto antes. Los resultados del tratamiento son mejores cuando se comienza antes de los 6 años. El tratamiento que indica el oculista varía con el caso (lentes correctores, ejercicios de los músculos oculares, a veces operación).

ASTENOPIA (vista cansada, cansancio visual)

Síntomas

a) *Dolor en el ojo o alrededor del mismo o en la cabeza,* que aumenta cuando se usa la vista. Puede doler en el reborde de la órbita, en la frente (localización muy común) o en la parte posterior del cráneo (región occipital). Puede tener otras localizaciones también. En algunos casos, toma el aspecto de hemicránea o jaqueca (véase la página 1469), doliendo un lado de la cabeza.

b) Puede haber mareos y a veces vértigos (sensación de que lo que rodea al paciente o él mismo están rotando). El vértigo puede acompañarse de náuseas y vómitos en los casos intensos.

c) Hay cansancio y diversas molestias en la vista cuando se lee y escribe, o se hacen otros trabajos que exigen visión de cerca. Se confunden o se hacen borrosas las líneas, se ve menos, aparece ardor y lagrimeo en la vista.

d) Puede haber congestión crónica de la conjuntiva y del borde de los párpados.

e) Cabe hacer notar que el grado de cansancio visual depende en buena parte del estado general de salud del paciente, aumentando los malestares si la salud no es buena. Además, el cansancio visual puede poner de manifiesto la tendencia de un paciente a la epilepsia y otras afecciones del sistema nervioso.

Causas

Los síntomas son causados generalmente por el cansancio de los músculos que mueven el globo ocular o del músculo ciliar, que es el que interviene en la acomodación. Aunque a veces aparece el cansancio visual en una persona que no tiene ningún vicio de refracción, pero que debe usar mucho la vista o que no pone en práctica los preceptos de la higiene visual, lo corriente es que haya algún defecto: hipermetropía, astigmatismo, miopía, aniseikonía (defecto que consiste en que las imágenes de cada ojo difieren en tamaño y forma), o presbicia.

Predisponen al cansancio visual, además del excesivo uso de la vista para la visión de cerca, la iluminación insuficiente, excesiva u oscilante, la tendencia a la nerviosidad o alguna neurosis que tenga la persona.

Tratamiento

a) Consultar al oculista, quien prescribirá el lente corrector que pueda hacer falta. b) Correcta higiene visual.

LA CORRECTA HIGIENE VISUAL

En la página 664 se han indicado las precauciones a tomar para evitar en ciertos trabajos la penetración de cuerpos extraños en el ojo, y en la página 336 las precauciones que han de tomarse para evitar la oftalmía (conjuntivitis) purulenta del recién nacido.

1) Si hay señales de cansancio visual (ver vista cansada en el tema anterior), o le parece al paciente que no ve bien, es indispensable consultar al oculista para que determine la causa e indique el tratamiento.

2) Cuando use sus ojos para visión cercana, debe haber suficiente iluminación, sin llegar sin embargo a un exceso que deslumbre. No debe tener oscilaciones. Es preferible no leer en un vehículo en movimiento.

La luz debe dar sobre lo que se está haciendo o mirando y no sobre la vista, aunque la habitación debe estar iluminada. Hay que cuidar también de que no se proyecten sombras sobre la zona que se quiere bien iluminada. No es conveniente que esté más cerca que unos 35 cm lo que miramos de cerca.

3) Cuando se está haciendo un trabajo que exige mucha atención con la vista, es conveniente cerrar los ojos periódicamente durante unos instantes. Cuando hay señales de cansancio visual, más vale dejar.

4) Evitar el leer acostado, a menos que se pueda hacerlo en forma semejante a la utilizada cuando se lee sentado. Los libros deben tener un tipo de letra claro y el papel no debe ser brillante.

5) Hay que enseñar a los niños, y también a los adultos, que no hay que mirar directamente el sol ni las luces deslumbrantes (arco eléctrico, rayos ultravioleta, etc.). El haber mirado el sol durante un eclipse sin la debida protección ha causado en algunos casos graves lesiones de la retina. Protéjanse los ojos del bebé contra los rayos directos del sol.

6) Es prudente que se efectúen en el niño de edad escolar exámenes de capacidad de la vista usando carteles destinados a ese fin. Es conveniente repetirlos periódicamente. También es beneficioso el examen de la vista después de los 40 y hasta los 60 años, que es cuando puede aparecer y aumentar la presbicia.

7) Cuando hay síntomas de enfermedad de la vista, no hay que perder el tiempo con tratamientos caseros, sino ver al médico oculista.

8) Cuando se está enfermo o convaleciente, no es prudente abusar de la vista.

9) No deben usarse lentes que no hayan sido prescritos por un oculista, pues pueden no ser los que necesita la persona, aun en el caso de que faciliten la visión. Los lentes negros comunes tienen vidrios que deforman los objetos, que pueden traer los mismos trastornos que el tener astigmatismo. Deben ser recetados por el

oculista o ser de cristales de buena calidad, de tal manera que no deformen las imágenes. Los lentes serán limpiados con frecuencia y usados conforme a las indicaciones. Pueden necesitar cambios en ciertos casos.

10) Para evitar infecciones en la vista, no hay que tocarse los ojos con las manos. Si hubiese que hacerlo en otras circunstancias, es preferible hacerlo con el dorso de la mano, que con el lado palmar, pues está generalmente menos contaminado. Téngase cuidado de no usar toallas u otros objetos de tocador que hayan sido usados por otras personas. Estas precauciones deben redoblarse cuando hay una epidemia de conjuntivitis.

11) No dar a los niños juguetes que puedan lesionar los ojos.

12) Una alimentación correcta y una vida saludable, benefician a todo el organismo, inclusive a los ojos.

13) Deben tratarse las enfermedades generales que pueden repercutir sobre la visión: diabetes, enfermedades del riñón, de las arterias, tuberculosis, sífilis, enfermedades del sistema nervioso, reumatismo, gota, anemias, avitaminosis, enfermedades hemorrágicas, focos de infección, enfermedades de las glándulas de secreción interna, etc.

14) El alcohol, el tabaco y otros tóxicos, tienen una acción desfavorable sobre la vista.

Converse

ANATOMIA HUMANA

Trece láminas a todo color, incluidas cuatro transparencias hechas con el sistema "trans-vision",® que exponen los elementos anatómicos del tórax y el abdomen

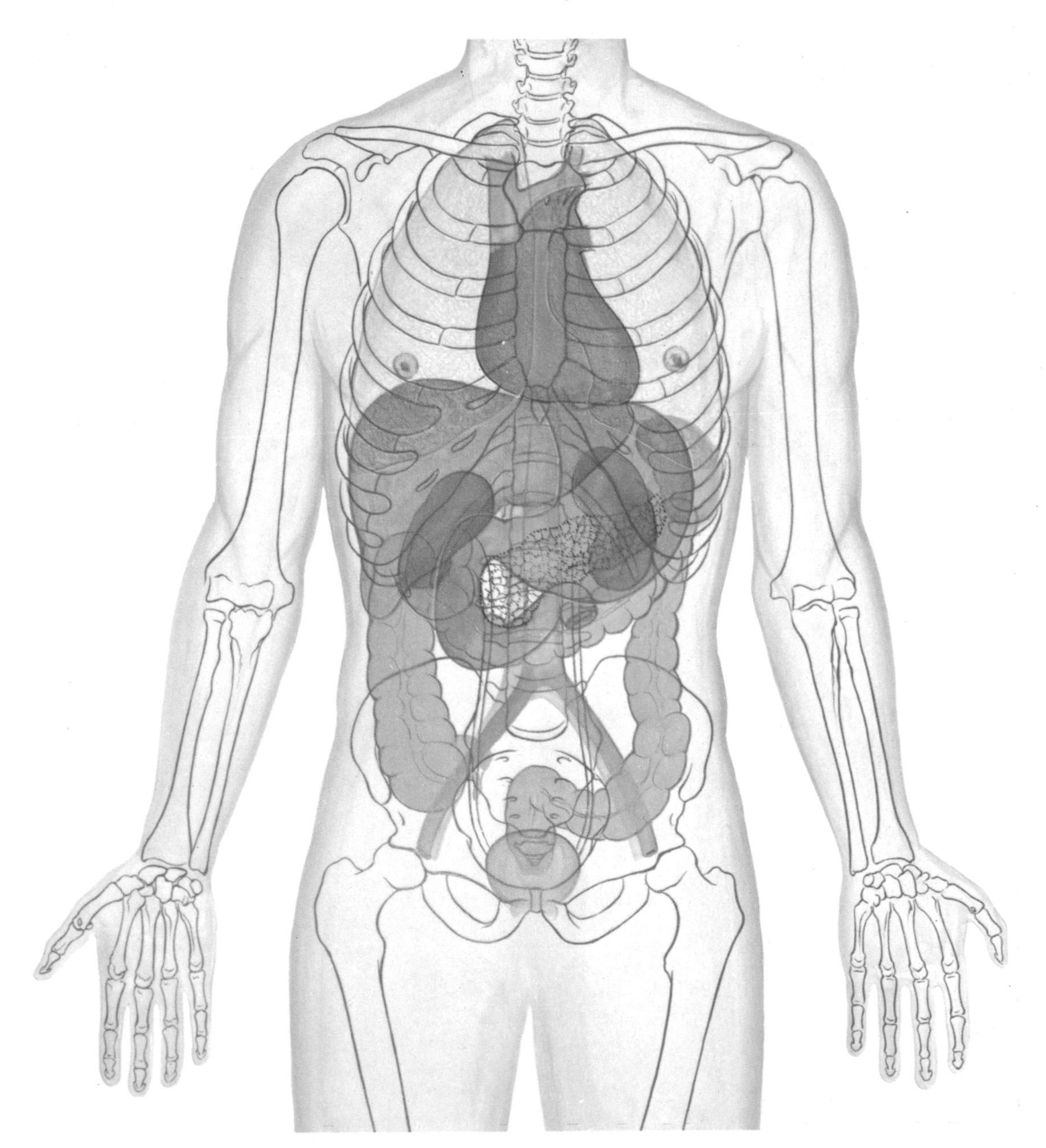

Lámina I

ERNEST W. BECK, ilustrador médico
en colaboración con el
Dr. **HARRY MONSEN**
Profesor de Anatomía de la Facultad de Medicina de la Universidad de Illinois

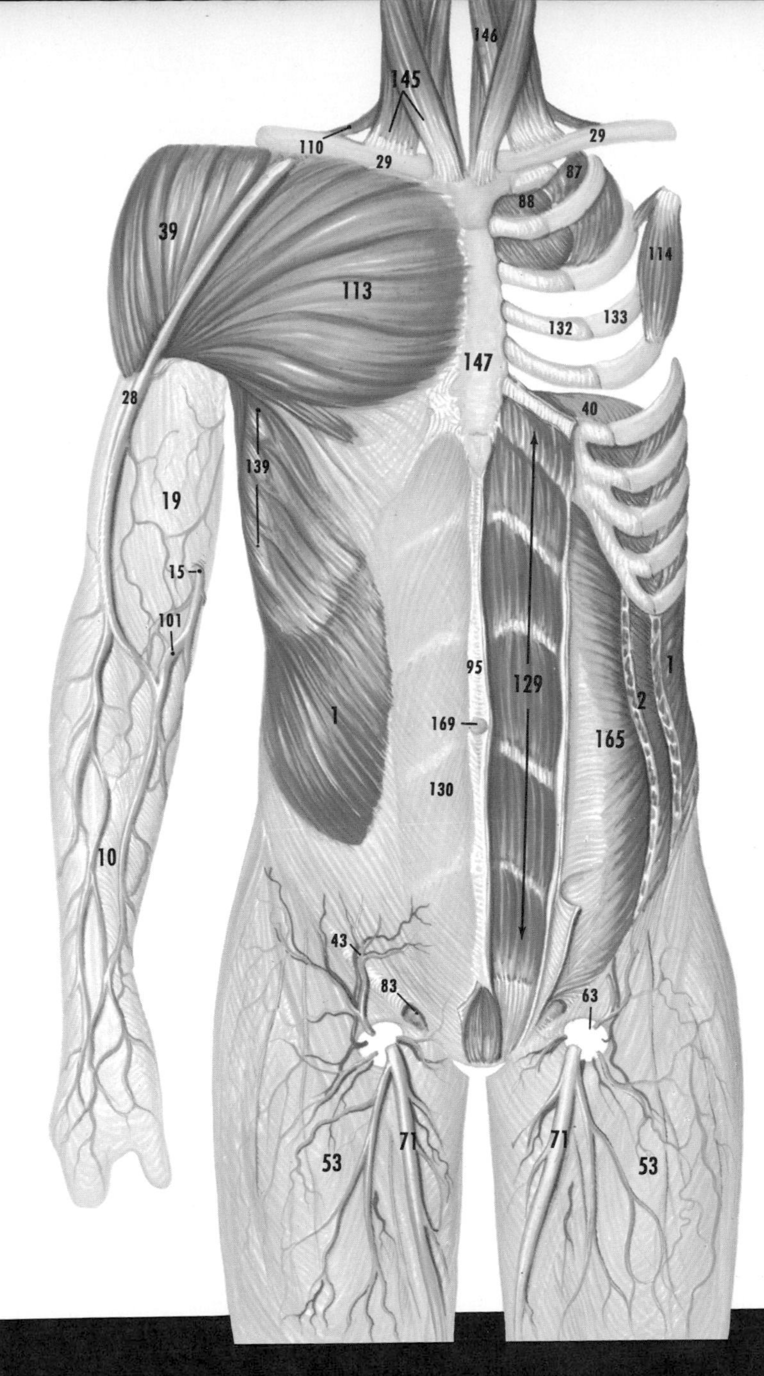

1. Músculo oblicuo mayor del abdomen
2. Músculo oblicuo menor del abdomen
10. Aponeurosis del antebrazo
15. Vena basílica
19. Aponeurosis del brazo
28. Vena cefálica
29. Clavícula
39. Músculo deltoides
40. Diafragma
43. Arteria y vena subcutáneas abdominales
53. Aponeurosis del muslo
63. Fosa oral
71. Vena safena interna
83. Anillo inguinal externo
87. Músculo intercostal externo
88. Músculo intercostal interno
95. Línea blanca
101. Vena mediana basílica
110. Músculo omohioideo
113. Músculo pectoral mayor
114. Músculo pectoral menor
129. Músculo recto anterior del abdomen
130. Vaina del recto anterior del abdomen
132. Cartílago costal
133. Costilla
139. Músculo serrato posterior inferior
145. Músculo esternocleidomastoideo
146. Músculo esternohioideo
147. Esternón
165. Músculo transverso del abdomen
169. Ombligo

Lámina III

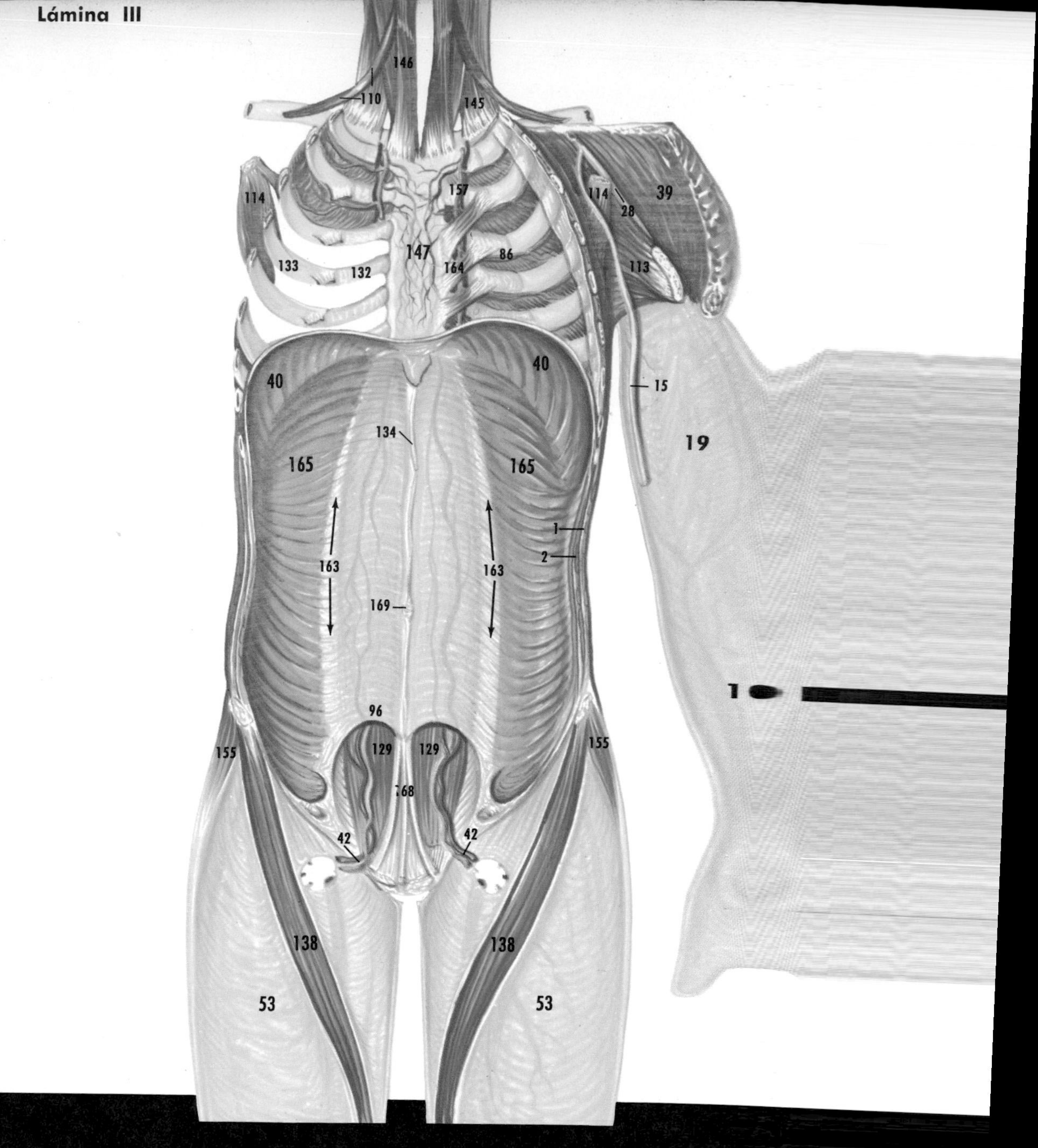

1. Músculo oblicuo mayor del abdomen
2. Músculo oblicuo menor del abdomen
10. Aponeurosis del antebrazo
15. Vena basílica
19. Aponeurosis del brazo
28. Vena cefálica
39. Músculo deltoides
40. Diafragma
42. Arteria y vena epigástricas inferiores profundas
53. Aponeurosis del muslo
86. Arteria y vena intercostales
96. Línea semicircular o de Douglas
110. Músculo omohioideo
113. Músculo pectoral mayor
114. Músculo pectoral menor
129. Músculo recto anterior del abdomen
132. Cartílago costal
133. Costilla
134. Ligamento redondo del hígado
138. Músculo sartorio
145. Músculo esternocleidomastoideo
146. Músculo ester
147. Esternón
155. Músculo tenso lata
157. Arteria y ven internas
163. Fascia transv
164. Músculo tran
165. Músculo tran abdomen
168. Cordones o li umbilicales
169. Ombligo

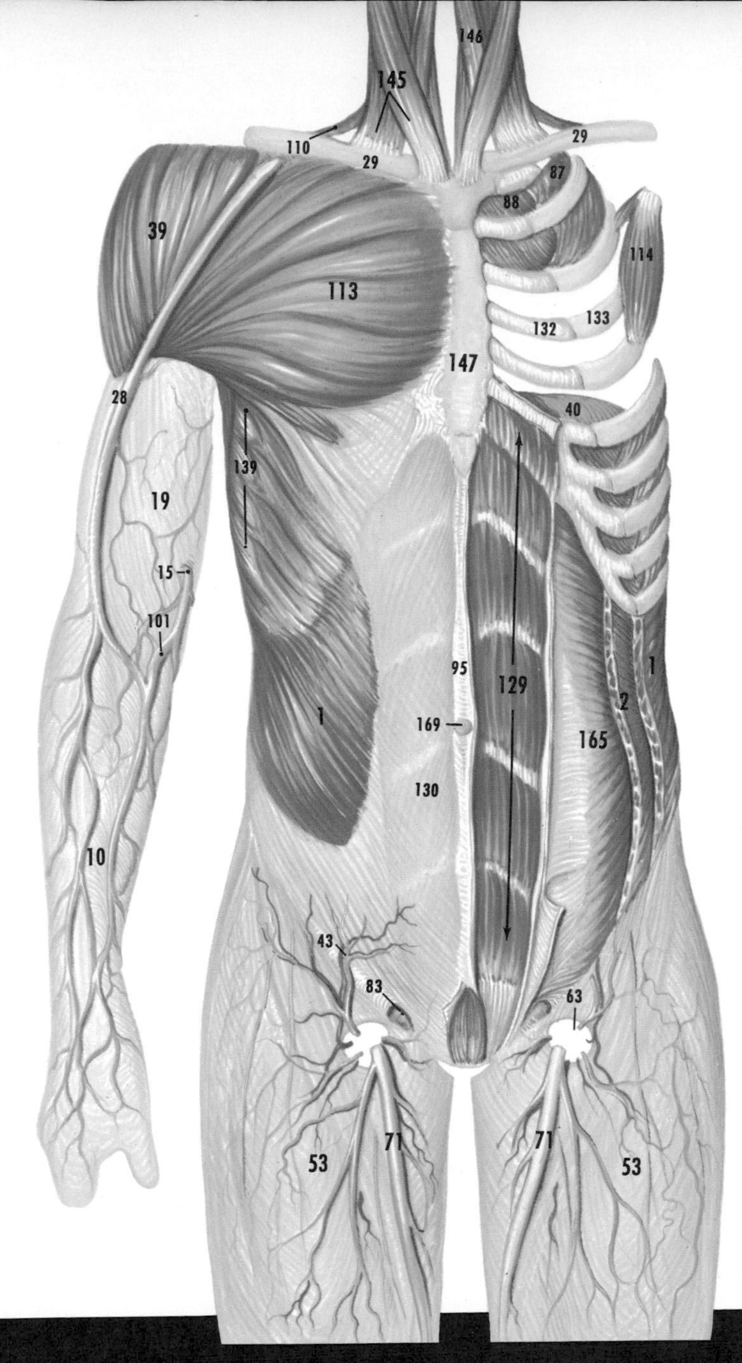

1. Músculo oblicuo mayor del abdomen
2. Músculo oblicuo menor del abdomen
10. Aponeurosis del antebrazo
15. Vena basílica
19. Aponeurosis del brazo
28. Vena cefálica
29. Clavícula
39. Músculo deltoides
40. Diafragma
43. Arteria y vena subcutáneas abdominales
53. Aponeurosis del muslo
63. Fosa oral
71. Vena safena interna
83. Anillo inguinal externo
87. Músculo intercostal externo
88. Músculo intercostal interno
95. Línea blanca
101. Vena mediana basílica
110. Músculo omohioideo
113. Músculo pectoral mayor
114. Músculo pectoral menor
129. Músculo recto anterior del abdomen
130. Vaina del recto anterior del abdomen
132. Cartílago costal
133. Costilla
139. Músculo serrato posterior inferior
145. Músculo esternocleidomastoideo
146. Músculo esternohioideo
147. Esternón
165. Músculo transverso del abdomen
169. Ombligo

Lámina III

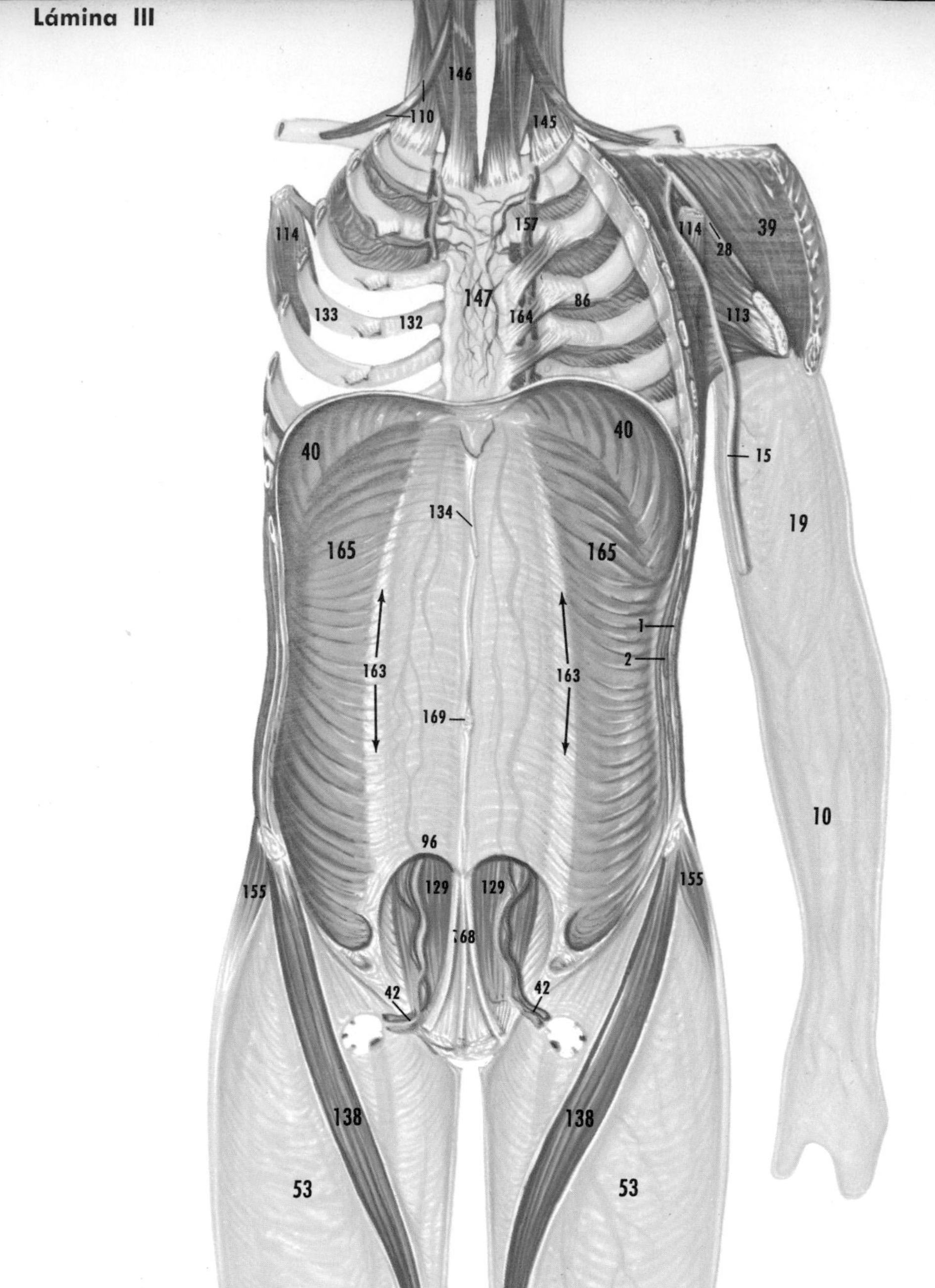

1. Músculo oblicuo mayor del abdomen
2. Músculo oblicuo menor del abdomen
10. Aponeurosis del antebrazo
15. Vena basílica
19. Aponeurosis del brazo
28. Vena cefálica
39. Músculo deltoides
40. Diafragma
42. Arteria y vena epigástricas inferiores profundas
53. Aponeurosis del muslo
86. Arteria y vena intercostales
96. Línea semicircular o de Douglas
110. Músculo omohioideo
113. Músculo pectoral mayor
114. Músculo pectoral menor
129. Músculo recto anterior del abdomen
132. Cartílago costal
133. Costilla
134. Ligamento redondo del hígado
138. Músculo sartorio
145. Músculo esternocleidomastoideo
146. Músculo esternohioideo
147. Esternón
155. Músculo tensor de la fascia lata
157. Arteria y vena mamarias internas
163. Fascia transversalis
164. Músculo transverso del tórax
165. Músculo transverso del abdomen
168. Cordones o ligamentos umbilicales
169. Ombligo

Lámina VIII

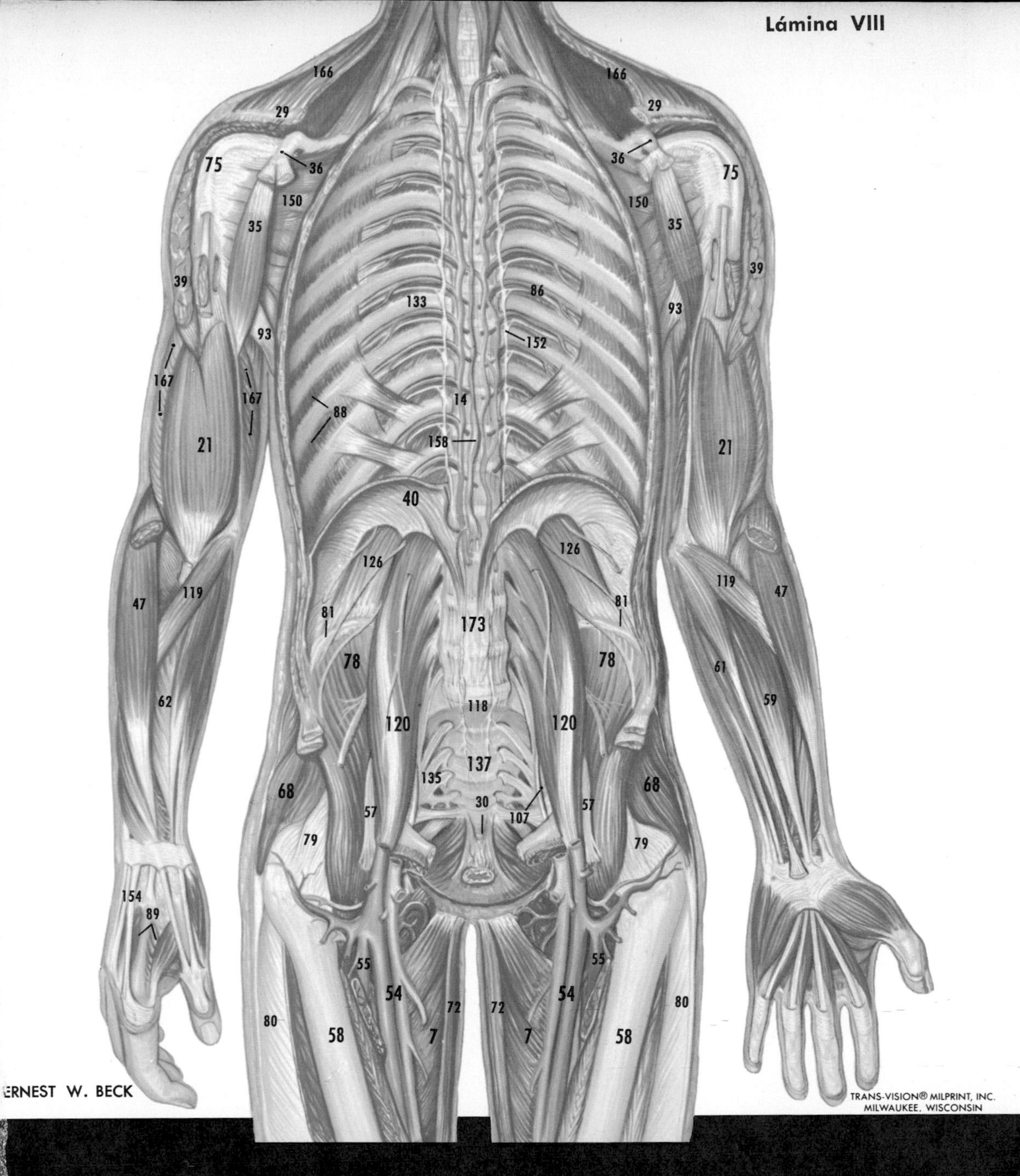

7. Músculo aductor mayor
14. Venas ácigos
21. Músculo braquial anterior
29. Clavícula
30. Coccix
35. Músculo coracobraquial
36. Apófisis coracoides del omoplato
39. Músculo deltoides
40. Diafragma
47. Músculo primer radial externo
54. Arteria y vena femorales
55. Arteria femoral profunda
57. Nervio femoral
58. Fémur
59. Músculo palmar mayor
61. Músculo flexor común profundo de los dedos
62. Músculo flexor común superficial de los dedos
68. Músculo glúteo mediano
75. Húmero
78. Músculo ilíaco
79. Ligamento iliofemoral
80. Aponeurosis externa del muslo
81. Ileon
86. Arteria, vena y nervio intercostales
88. Músculo intercostal interno
89. Primer músculo interóseo dorsal
93. Músculo dorsal ancho
107. Nervio obturador
118. Promontorio
119. Músculo pronador redondo
120. Músculos psoas (mayor y menor)
126. Músculo cuadrado lumbar
133. Costilla
135. Nervios sacros
137. Sacro
150. Músculo subescapular
152. Cadena del gran simpático (sistema nervioso autónomo)
154. Tendones de los músculos extensores de la mano
158. Canal torácico (linfático)
166. Músculo trapecio
167. Músculo tríceps braquial
173. Columna vertebral

Lámina IX

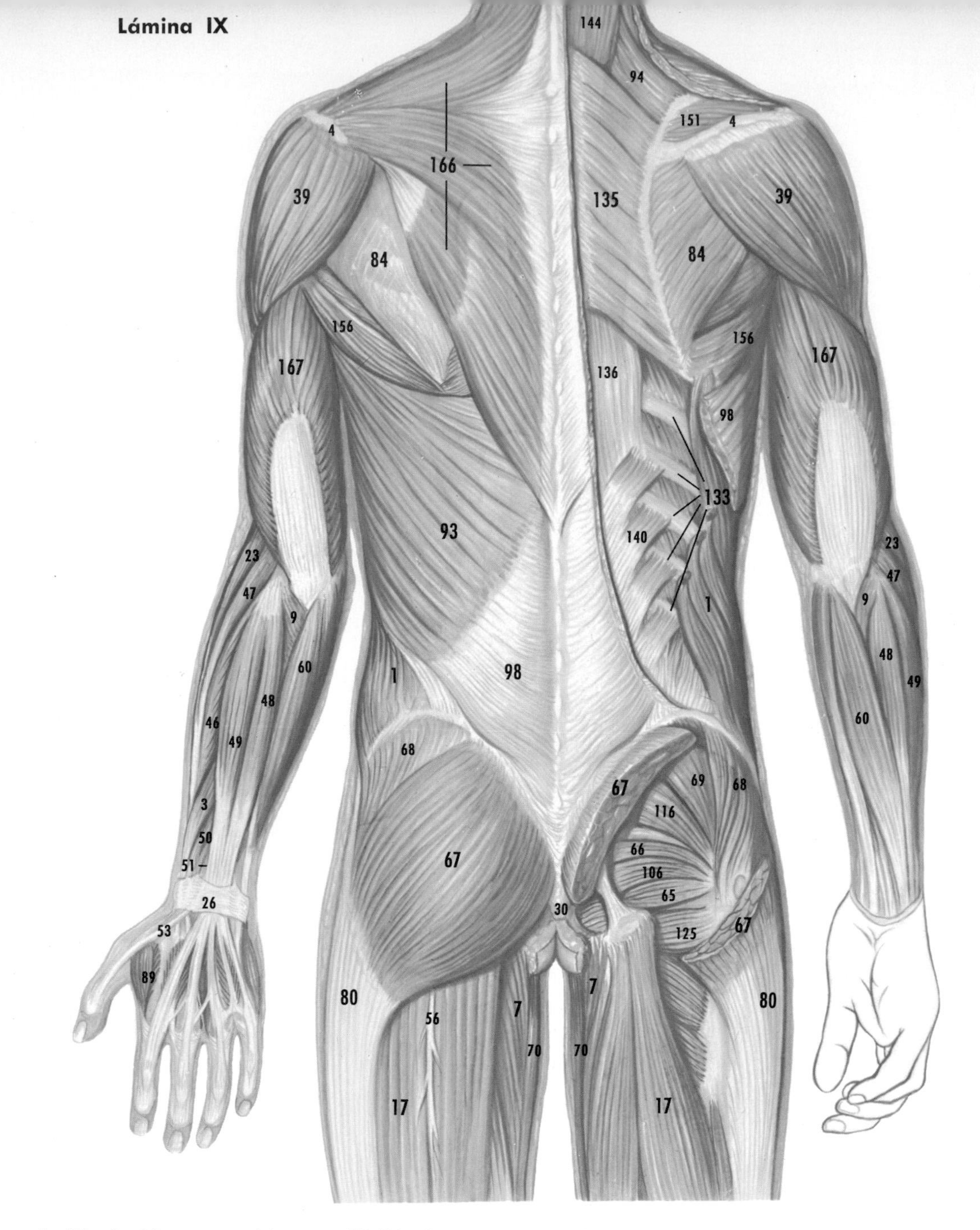

1. Músculo oblicuo mayor del abdomen
3. Abductor largo del pulgar
4. Espina del omoplato
7. Músculo aductor mayor
9. Músculo ancóneo
17. Bíceps crural
23. Músculo supinador largo
26. Ligamento anular posterior del carpo
30. Coccix
39. Músculo deltoides
46. Músculo segundo radial externo
47. Músculo primer radial externo
48. Músculo cubital anterior
49. Músculo extensor común de los dedos
50. Músculo extensor corto del pulgar
51. Músculo extensor largo del pulgar
56. Nervio ciático menor o femoral cutáneo posterior
60. Músculo cubital posterior
65. Músculo gemelo inferior
66. Músculo gemelo superior
67. Músculo glúteo mayor
68. Músculo glúteo mediano
69. Músculo glúteo menor
70. Músculo recto interno (gracilis)
80. Aponeurosis externa del muslo
84. Músculo infraespinoso
89. Primer músculo interóseo dorsal
93. Músculo dorsal ancho
94. Músculo angular del omoplato
98. Aponeurosis lumbodorsal
106. Músculo obturador interno
116. Músculo piramidal
125. Músculo cuadrado crural
135. Músculo romboides
133. Costillas
136. Músculos espinales
140. Músculo serrato posterior e inferior
144. Músculo esplenio
151. Músculo supraespinoso
156. Músculo redondo mayor
166. Músculo trapecio
167. Músculo tríceps braquial

HUESOS Y SENOS DEL CRANEO

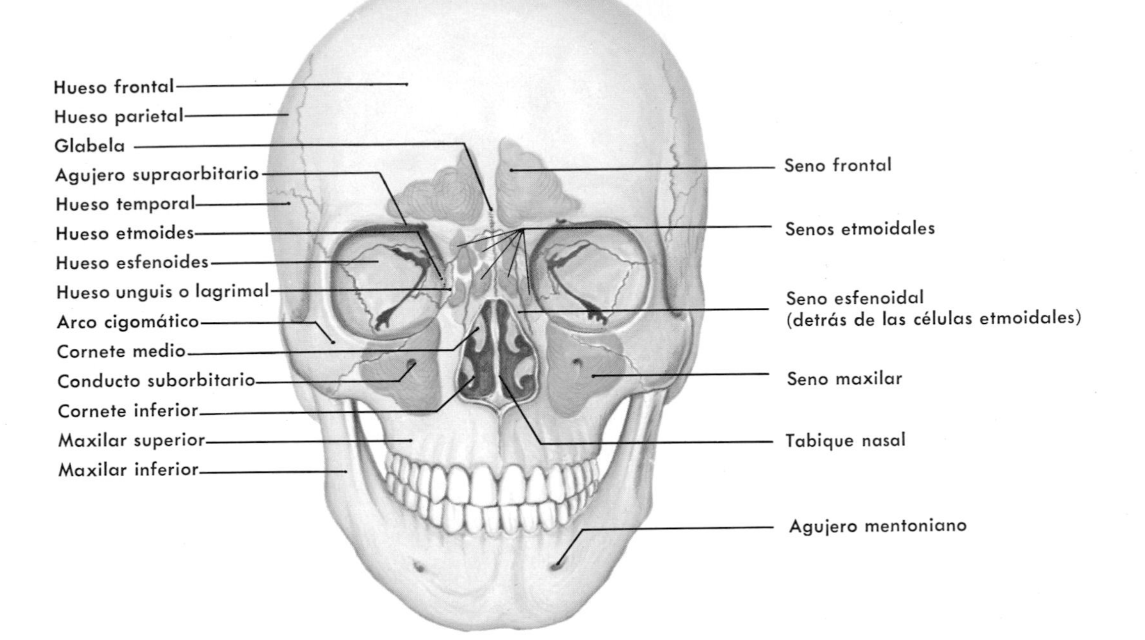

SECCION SAGITAL DE CABEZA Y CUELLO

Seno recto
Hueso frontal
Cerebro
Cuerpo calloso
Seno frontal
Protuberancia o istmo del encéfalo
Hipófisis o glándula pituitaria
Seno esfenoidal
Cerebelo
Cornetes
Bulbo raquídeo
Maxilar superior
Lengua
Uvula
Amígdala palatina
Músculo geniogloso
Maxilar inferior
Epiglotis
Cuerpo vertebral
Apófisis espinosa de vértebra cervical
Laringe
Médula espinal

Lámina XI

ANATOMIA DEL OIDO

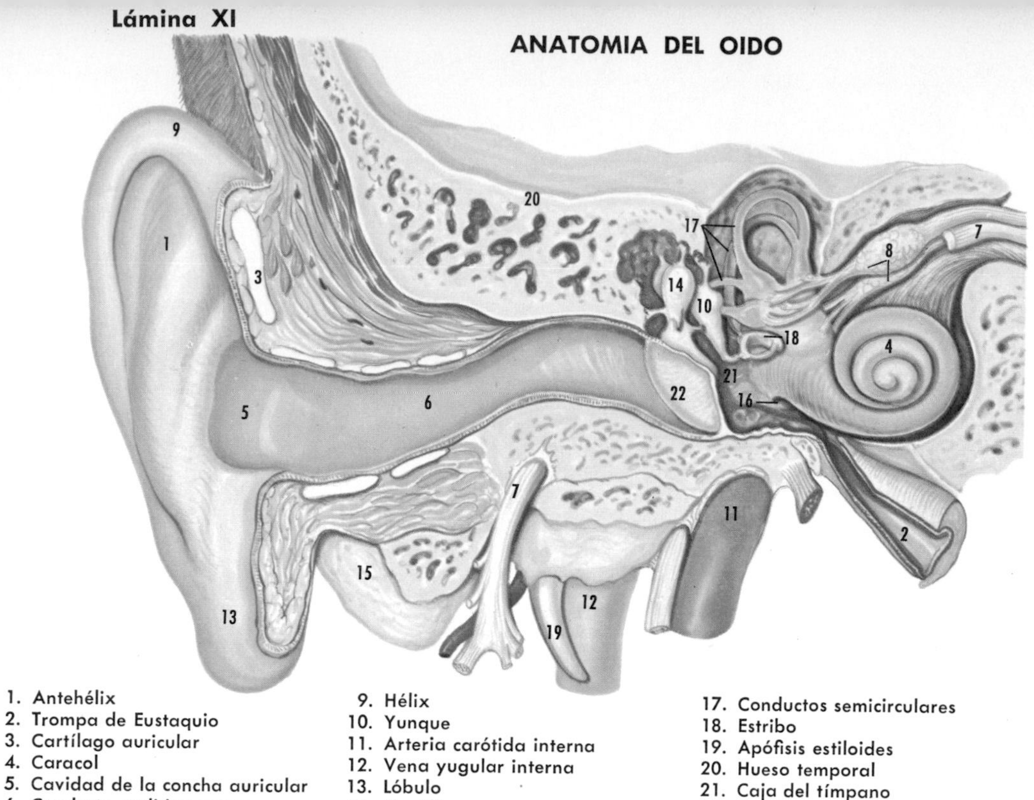

1. Antehélix
2. Trompa de Eustaquio
3. Cartílago auricular
4. Caracol
5. Cavidad de la concha auricular
6. Conducto auditivo externo
7. Nervio facial
8. Ganglios del nervio vestibular
9. Hélix
10. Yunque
11. Arteria carótida interna
12. Vena yugular interna
13. Lóbulo
14. Martillo
15. Apófisis mastoidea
16. Ventana redonda
17. Conductos semicirculares
18. Estribo
19. Apófisis estiloides
20. Hueso temporal
21. Caja del tímpano
22. Membrana del tímpano

ANATOMIA DEL OJO

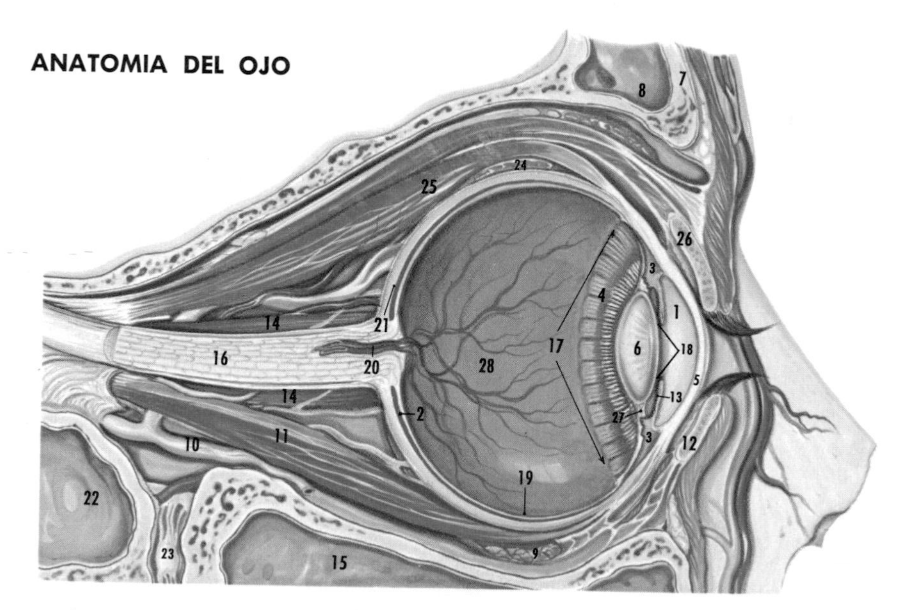

1. Cámara anterior
2. Coroides
3. Músculo ciliar
4. Procesos ciliares
5. Córnea
6. Cristalino
7. Hueso frontal
8. Seno frontal
9. Músculo oblicuo menor
10. Vena oftálmica inferior
11. Músculo recto inferior
12. Tarso palpebral inferior
13. Iris
14. Músculo recto interno
15. Seno maxilar
16. Nervio óptico
17. Ora serrata
18. Pupila del iris
19. Retina
20. Arteria control de la retina y su vena
21. Esclerótica
22. Seno esfenoidal
23. Ganglio esfenopalatino
24. Músculo oblicuo mayor
25. Músculo recto superior
26. Tendón del elevador del párpado
27. Ligamento suspensor
28. Cuerpo vítreo

CELULA HUMANA, ESQUEMATICA

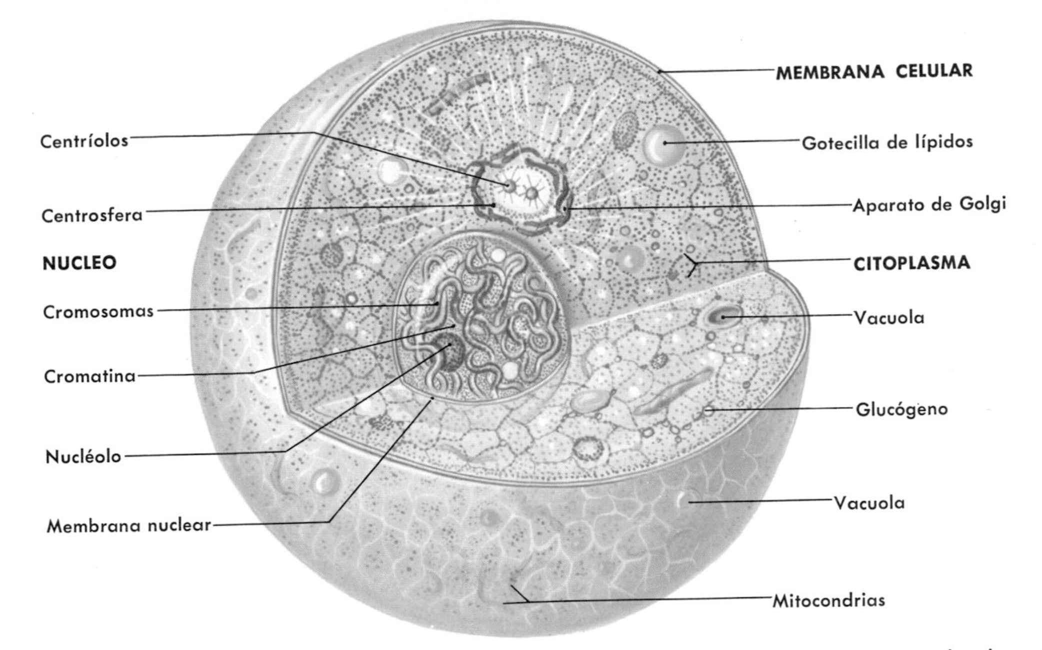

Cada célula viviente, con independencia de su forma o tamaño, consta de tres partes principales: la membrana, el citoplasma y el núcleo. Estos tres elementos reunidos constituyen el protoplasma. Miles de millones de células semejantes a ésta, forman los tejidos de nuestro cuerpo.

TIPOS DE CELULAS

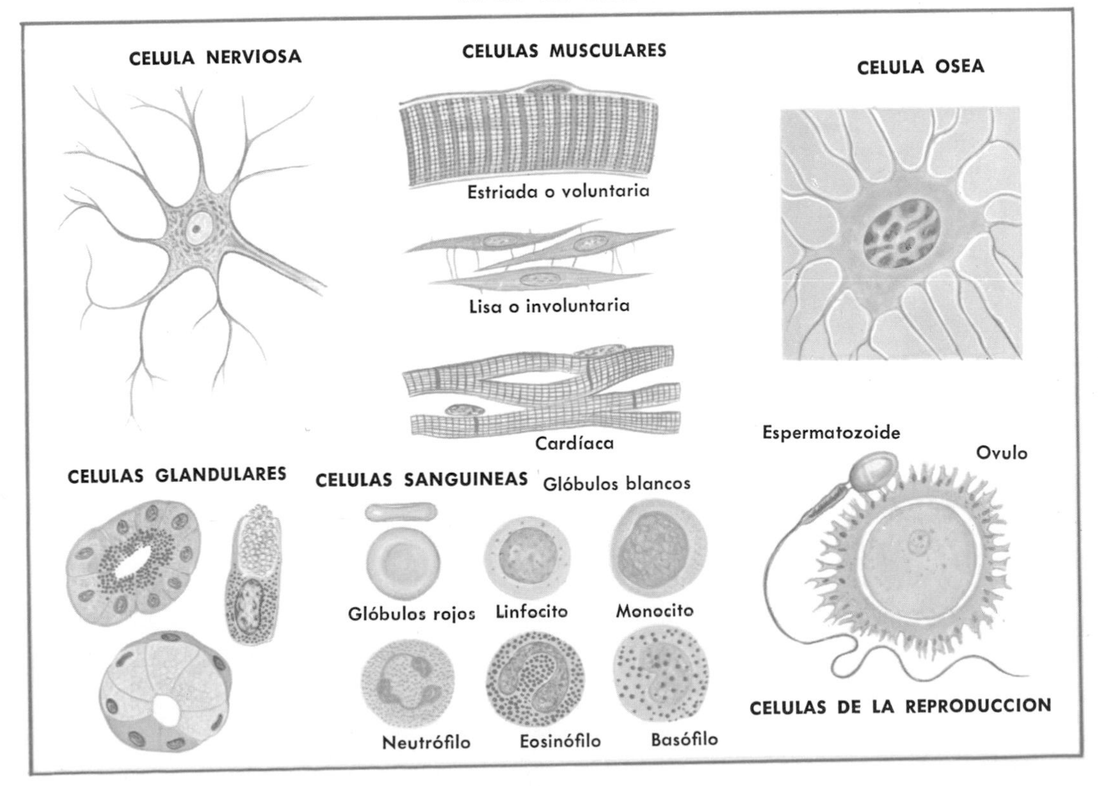

Lámina XIII

EL ESQUELETO

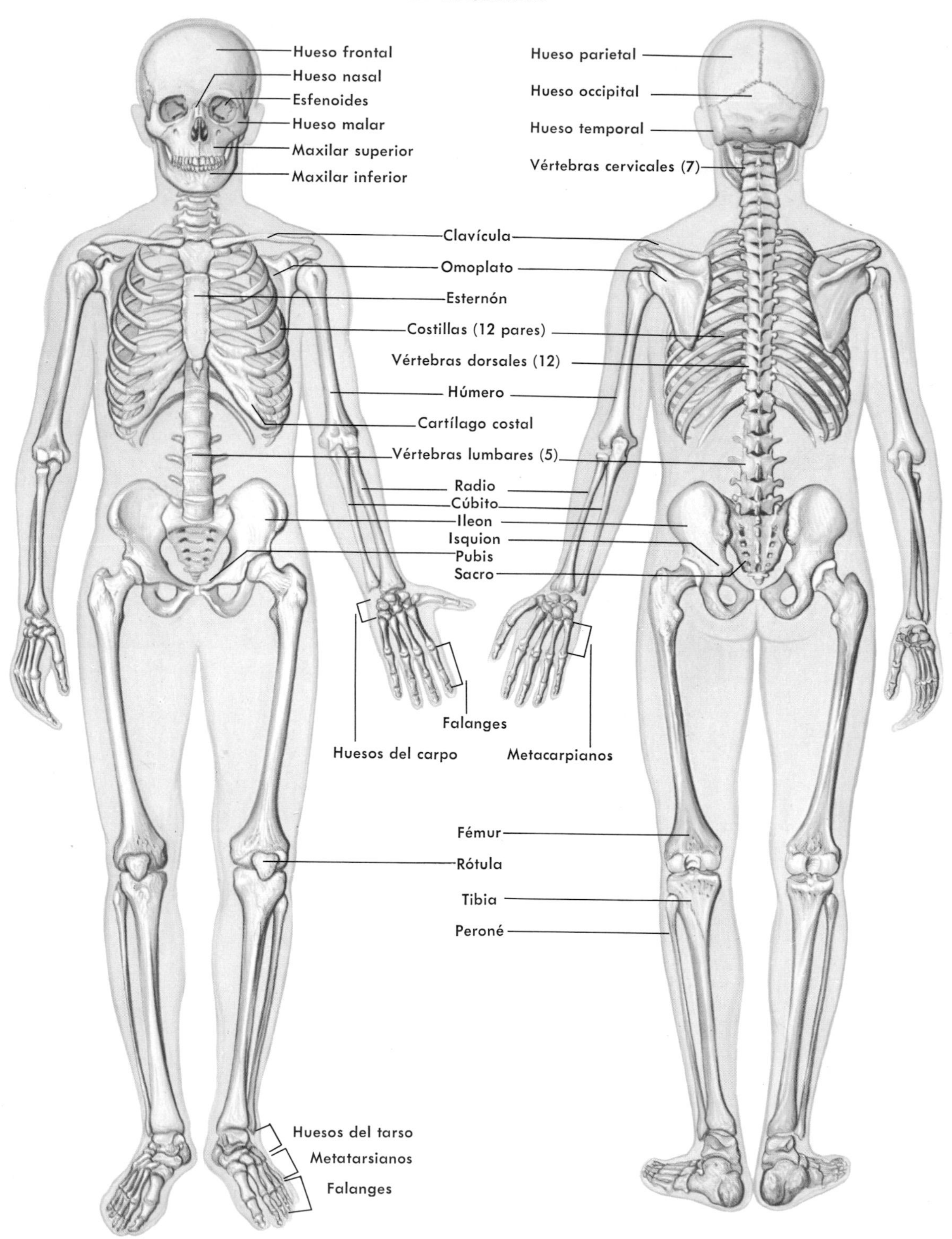

ORGANOS PELVICOS FEMENINOS

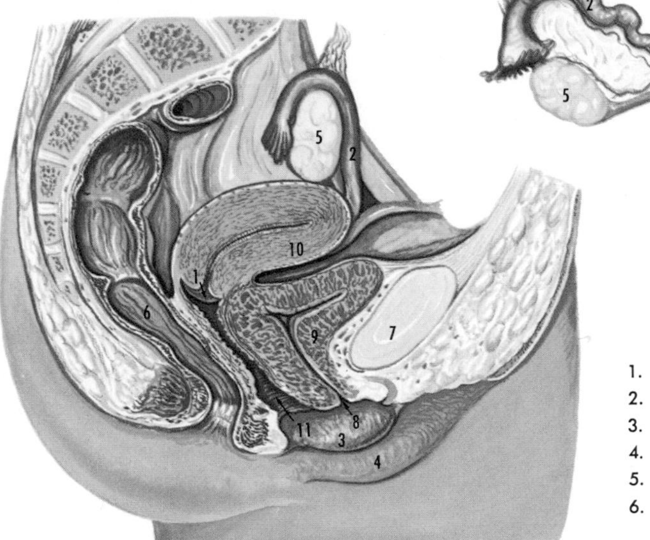

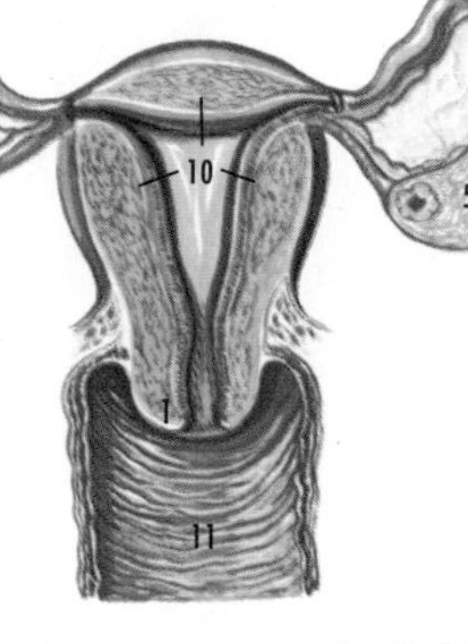

1. Cuello uterino
2. Trompa de Falopio
3. Labio menor
4. Labio mayor
5. Ovario
6. Recto
7. Sínfisis del pubis
8. Uretra
9. Vejiga
10. Utero
11. Vagina

ORGANOS PELVICOS MASCULINOS

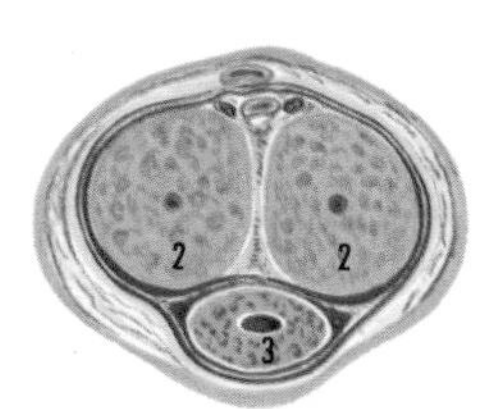

SECCION TRANSVERSAL DEL PENE

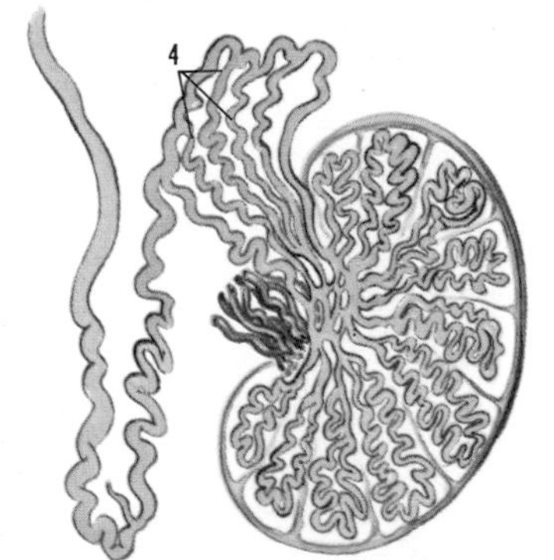

ESQUEMA DEL EPIDIDIMO Y DE LOS TUBOS SEMINIFEROS DEL TESTICULO

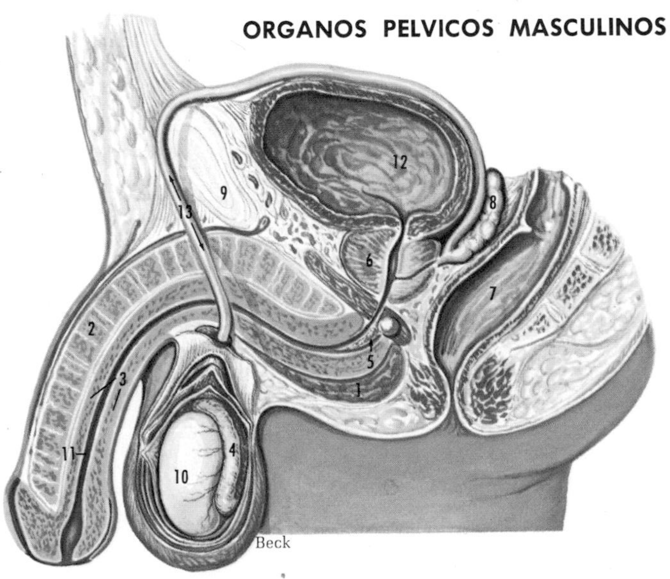

1. Bulbo de la uretra
2. Cuerpo cavernoso
3. Cuerpo esponjoso
4. Epidídimo
5. Conducto excretor de la glándula de Cowper
6. Glándula próstata
7. Recto
8. Vesícula seminal
9. Sínfisis del pubis
10. Testículo
11. Uretra
12. Vejiga
13. Conducto deferente

Lámina XV

ORGANOS LINFATICOS

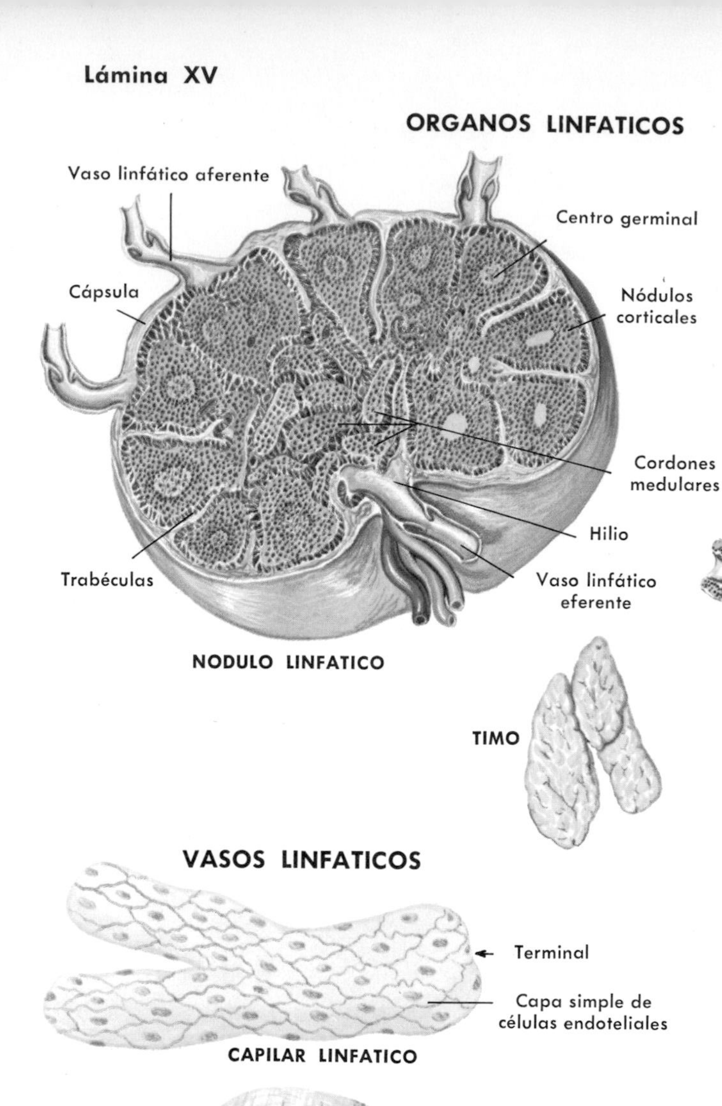

NODULO LINFATICO

VASOS LINFATICOS

CAPILAR LINFATICO

VASO LINFATICO GRANDE

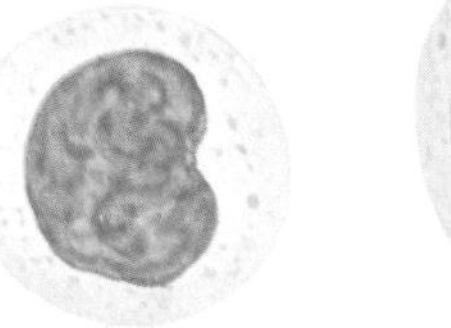

CELULAS LIBRES DEL SISTEMA LINFATICO

VASOS LINFATICOS DE LA MANO

Estudio Ilustrado de Tejidos Celulares Normales y Anormales

Con el fin de diagnosticar una enfermedad, el médico ordena con frecuencia exámenes de laboratorio, los cuales pueden incluir en ciertos casos el examen microscópico de células sanguíneas o de muestras de tejido que se han obtenido de órganos que se sospechan enfermos. Debido a que numerosas enfermedades que afectan a todo el organismo producen efectos inconfundibles en la sangre y los tejidos, dichas pruebas ofrecen claves que permiten reconocer posibles infecciones o estados incipientes de anormalidad, tales como el cáncer o las enfermedades degenerativas.

Las células anormales a menudo se parecen tanto a las normales, que se requiere el ojo de un especialista para descubrir la presencia de enfermedades o anormalidades. Se llama patólogo al médico que ha adquirido la capacidad de reconocer los cambios específicos que produce una enfermedad. El método de extraer un pequeño trozo de tejido para estudiarlo con detenimiento al microscopio, se llama biopsia.

Las microfotografías que se presentan a continuación muestran lo que ve el médico cuando mira a través del microscopio células y tejidos normales y anormales. No son dibujos, sino reproducciones fotográficas que muestran tejidos que han sido montados en placas de vidrio por medio de una técnica especial llamada microtomía.

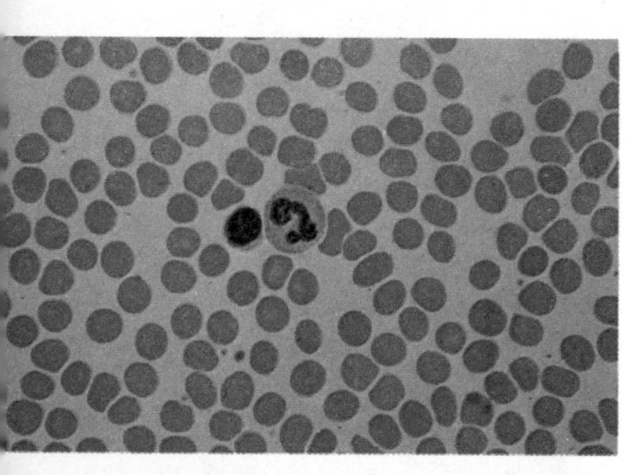

Fig. 695. Vista microscópica de una preparación de sangre normal, en la cual se distinguen escasos glóbulos blancos entre numerosos glóbulos rojos. Aparecen aquí un linfocito (célula oscura) y un granulocito neutrófilo.

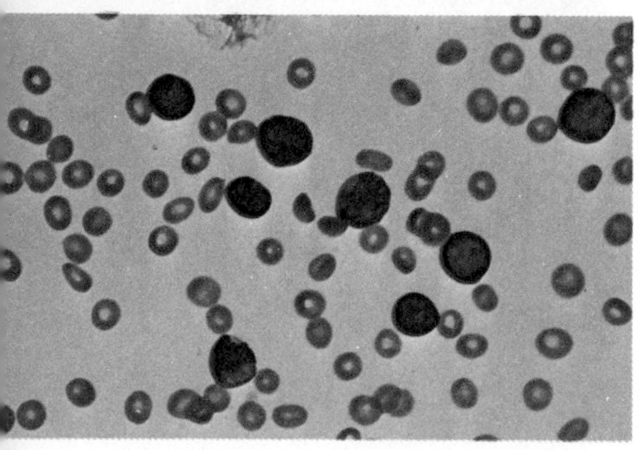

Fig. 696. Vista microscópica de una preparación que muestra un caso de leucemia linfocítica. En esta enfermedad, los linfocitos aumentan extraordinariamente en número.

Fig. 697. Vista microscópica que muestra el tejido glandular del seno normal durante la gestación.

Fig. 698. Vista microscópica de un pequeño trozo de tejido de seno femenino, en el cual aparecen agrupaciones de células pertenecientes a un tumor maligno (carcinoma).

Fig. 699. Vista microscópica de una pequeña porción de un carcinoma de seno (tumor maligno). Las células del tumor manifiestan tendencia a invadir el tejido adyacente.

Fig. 700. Vista microscópica de una arteriola normal que muestra su revestimiento festoneado y la capa de músculo liso que la rodea. En vida, la presión de la sangre dentro de la arteria alisa y empareja las ondulaciones del revestimiento. La flecha indica la capa de músculo liso que forma la mayor parte de la pared del vaso.

Fig. 701. Vista microscópica de una arteria coronaria en la cual la arteriosclerosis ha logrado cerrar casi por completo el pasaje de la sangre.

Fig. 702. Vista microscópica de una sección de la pared de una vena que contiene un trombo, material que consiste mayormente en sangre coagulada.

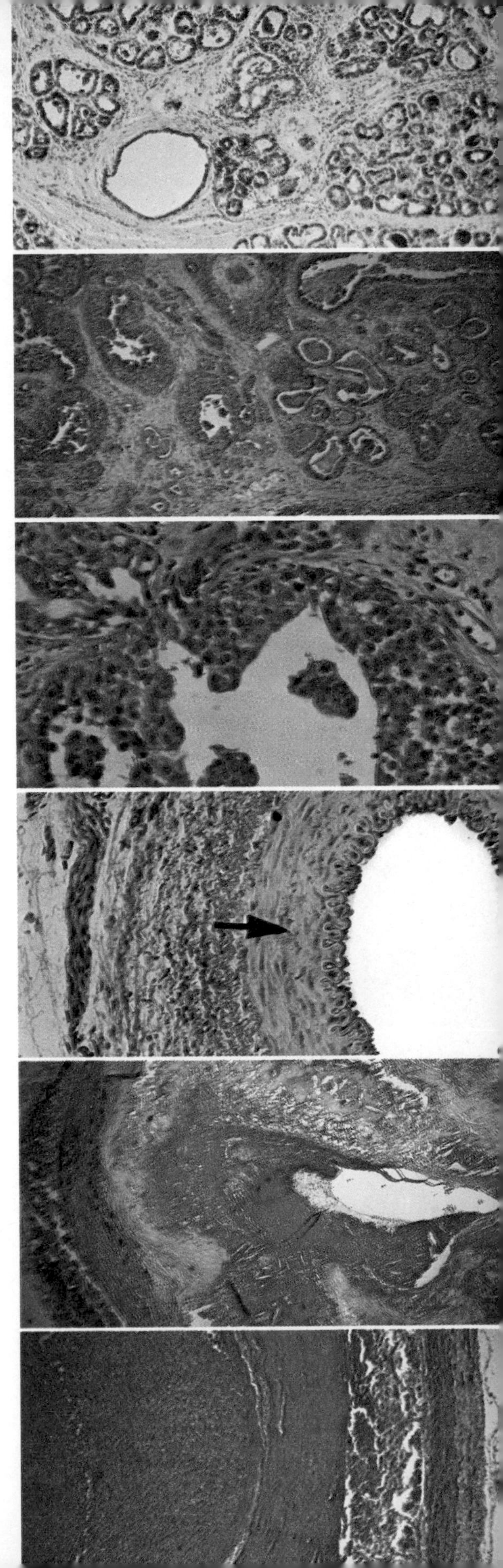

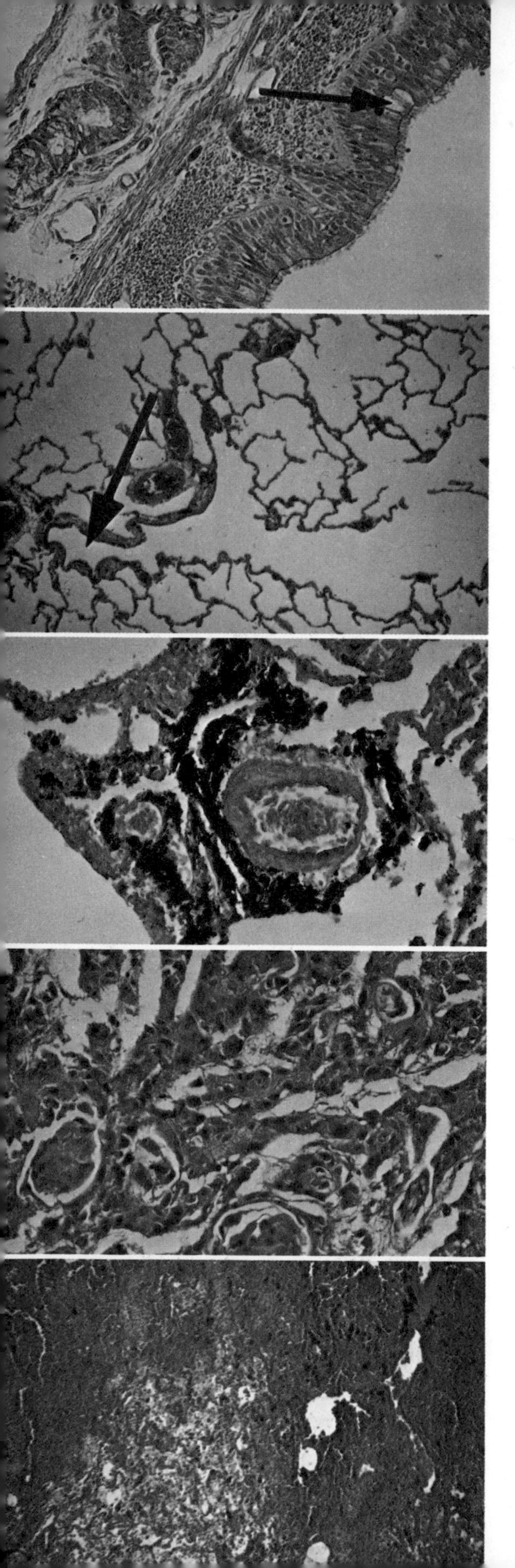

Fig. 703. Vista microscópica de una porción de la pared de una tráquea normal. El epitelio que reviste la tráquea está provisto con pequeñas cilias —estructuras semejantes a deditos que, por su acción oscilante, expulsan materias extrañas que han sido llevadas en el aire inhalado. La flecha indica dos células caliciformes mucíparas (que producen mucus). En las zonas más profundas se hallan situadas ciertas glándulas que también producen mucus.

Fig. 704. Vista microscópica de tejido pulmonar normal. La flecha señala un bronquiolo, el cual representa la ramificación final del sistema de tubos que llevan el aire a los pulmones.

Fig. 705. Vista microscópica de una zona reducida de tejido pulmonar que indica cómo el carbón que se inhala permanece en dicho tejido. Debido a que el carbón es insoluble e inerte, estos depósitos permanecen sin disolverse mientras dure la vida de la persona.

Fig. 706. Vista microscópica muy aumentada de una zona de pulmón que ha sido invadida por un carcinoma broncógeno —tumor altamente maligno que es causado comúnmente por el uso del cigarrillo.

Fig. 707. Vista microscópica de una zona de pulmón que ha sido afectada de bronconeumonía. Nótese cómo los alvéolos pulmonares se han llenado de células defensivas y restos de tejido.

Fig. 708. Vista microscópica de la piel normal de la palma de la mano. Las dos bandas oscuras de la izquierda constituyen la epidermis; la zona intermedia de tejido dispuesta a manera de red fibrosa es la dermis, y el tejido más suelto de la derecha constituye la zona subcutánea. La flecha indica el conducto de una glándula sudorípara que sube en espiral a la superficie.

Fig. 709. Vista microscópica de un trozo de piel delgada normal, como la que se encuentra en el brazo. La flecha señala el conducto de una glándula sudorípara. Hacia la extrema derecha se advierte la raíz de un pelo. A la izquierda de la raíz del pelo y continuando hacia la superficie se distingue una porción de un folículo piloso con su glándula sebácea asociada.

Fig. 710. Vista microscópica de un trozo de la pared de un corazón normal que muestra la superficie externa de la misma. La flecha indica una delicada capa de tejido adiposo, situada inmediatamente debajo de la hoja visceral del pericardio.

Fig. 711. Vista microscópica de un pequeño trozo de pared del corazón normal, que muestra su endocardio que penetra entre dos haces de tejido muscular.

Fig. 712. Vista microscópica del músculo que forma la pared de un corazón normal.

Fig. 713. Vista microscópica de una porción de la pared del corazón, en la cual ha ocurrido un proceso de cicatrización después de un típico "ataque cardíaco" (infarto de miocardio) causado por la oclusión de una rama de una arteria coronaria. Las zonas más claras corresponden al tejido cicatricial; las estructuras de color más oscuro son fibras musculares que aún subsisten.

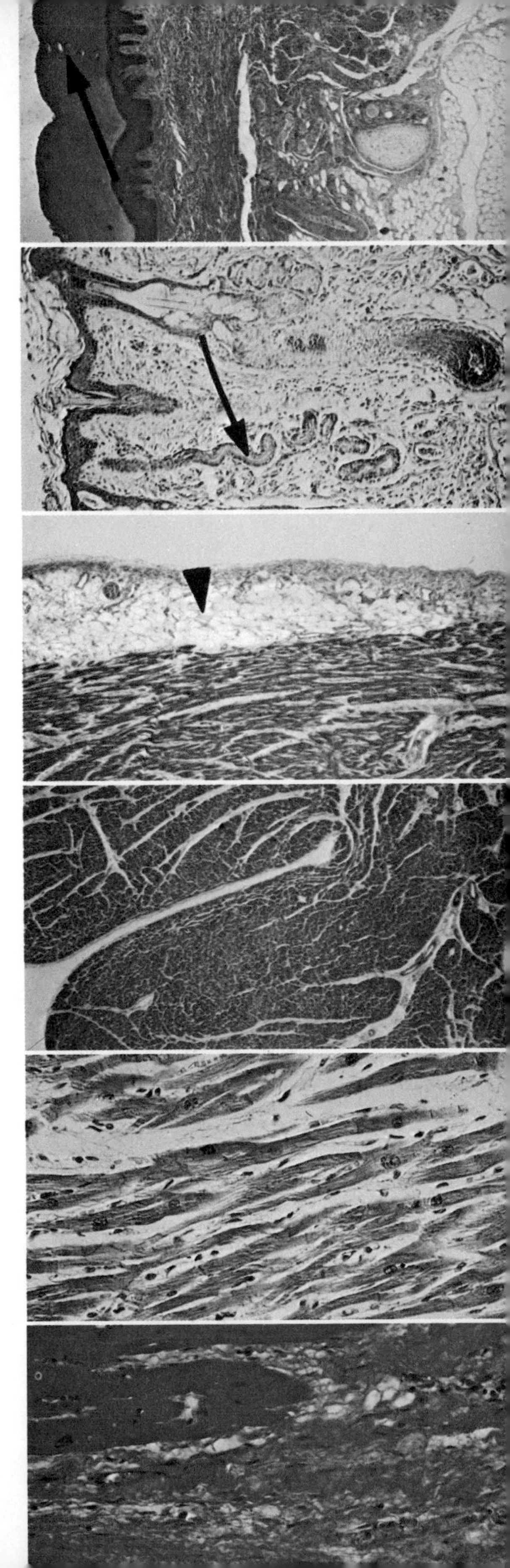

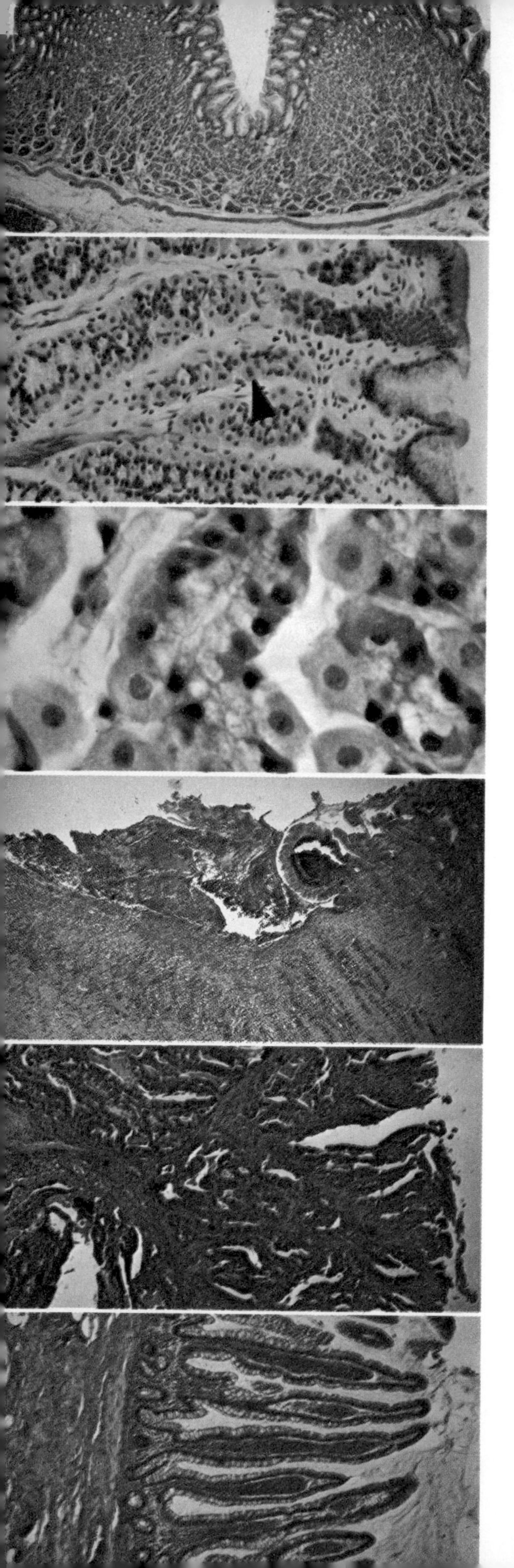

Fig. 714. Vista poco aumentada de la mucosa gástrica normal del estómago.

Fig. 715. Vista microscópica de la mucosa gástrica que reviste el estómago y produce jugo gástrico. La flecha señala una "célula parietal" que produce ácido clorhídrico.

Fig. 716. Vista muy aumentada de algunas de las células glandulares que se encuentran en el revestimiento interno del estómago. Las células grandes que se distinguen con facilidad son las células parietales que producen el ácido clorhídrico.

Fig. 717. Vista poco aumentada de la mucosa que recubre el estómago, que muestra una zona en la cual se ha desarrollado una úlcera.

Fig. 718. Vista microscópica de una porción del revestimiento glandular del estómago que ha sido invadida por un tumor maligno.

Fig. 719. Vista microscópica del complejo y delicado revestimiento mucoso del intestino delgado normal. Las extensiones a manera de dedos se llaman vellosidades intestinales.

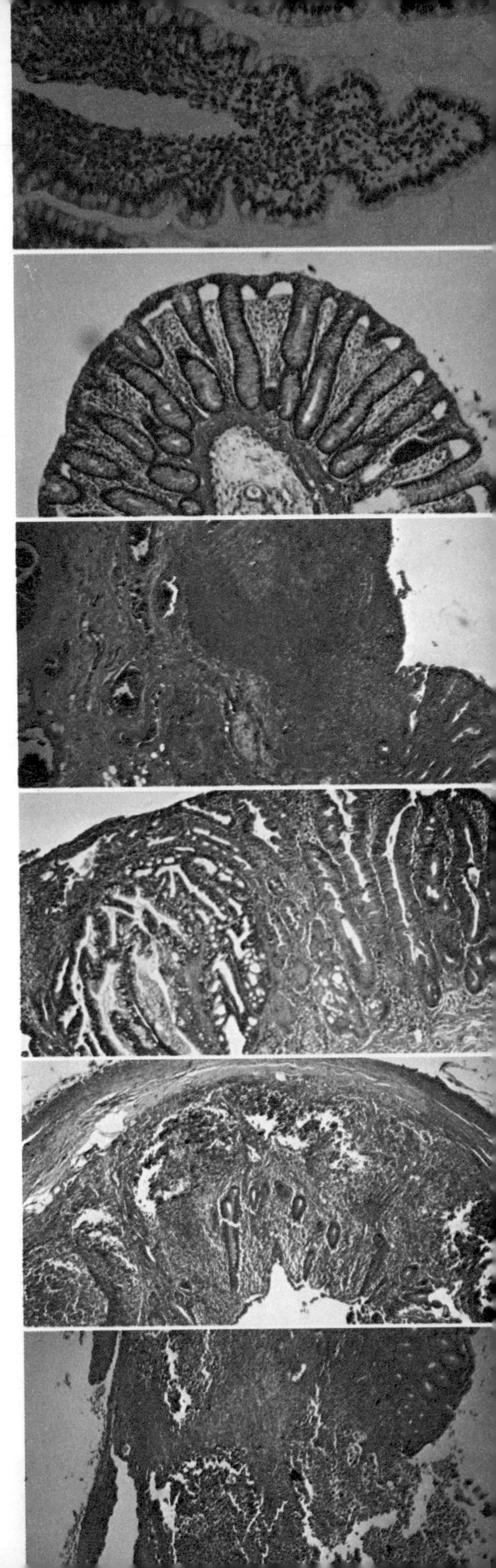

Fig. 720. Vista muy aumentada de las vellosidades que se encuentran en el revestimiento del intestino delgado. Muchas de las células que cubren una vellosidad segregan mucus. En el centro de cada vellosidad se halla un quilífero o capilar linfático, el cual transporta las sustancias grasas que se hayan absorbido del alimento.

Fig. 721. Vista poco aumentada de un repliegue de la mucosa que reviste el intestino grueso normal. Se advierte la presencia de numerosas glándulas en forma de tubo.

Fig. 722. Vista poco aumentada del intestino grueso atacado de colitis ulcerosa. Nótese que una porción del revestimiento glandular ha sido destruida.

Fig. 723. Vista microscópica del comienzo de un carcinoma (cáncer) del intestino grueso. Todavía el tumor maligno no ha invadido los tejidos más profundos adyacentes, por lo cual se lo llama "carcinoma incipiente" o "cáncer localizado".

Fig. 724. Vista microscópica poco aumentada de un sector de la pared de un apéndice normal.

Fig. 725. Vista microscópica de un trozo de la pared del apéndice en un caso de apendicitis aguda. El tejido está inflamado y es frágil.

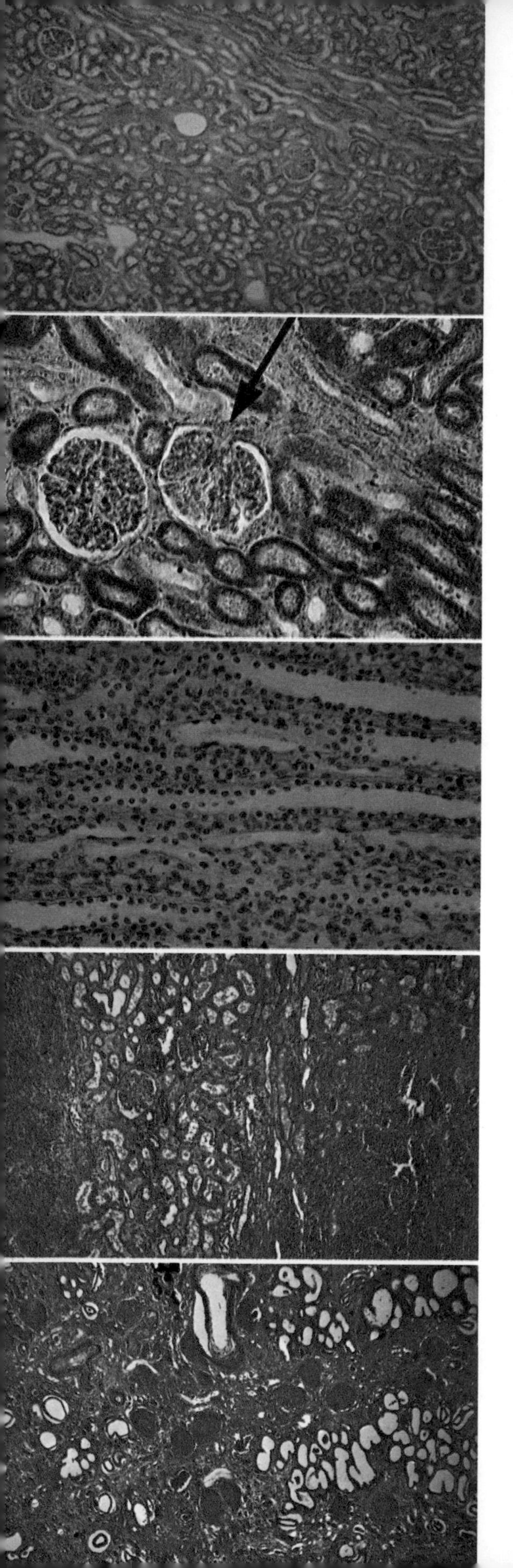

Fig. 726. Vista microscópica poco aumentada de la región cortical de un riñón normal, en la cual se distinguen glomérulos y túbulos.

Fig. 727. Vista muy aumentada de la región cortical del tejido de un riñón normal. La flecha señala la zona de un glomérulo por la cual entran y salen los pequeñísimos vasos sanguíneos.

Fig. 728. Vista microscópica de la región medular de un riñón normal que muestra los pequeñísimos túbulos paralelos entre sí.

Fig. 729. Vista microscópica de un tejido de riñón afectado de pielonefritis activa.

Fig. 730. Vista microscópica del tejido de un riñón afectado de glomerulonefritis crónica.

Fig. 731. Vista microscópica de un segmento de piel delgada en el cual se advierte el comienzo de un carcinoma basocelular (cáncer de la piel relativamente benigno) a la izquierda.

Fig. 732. Vista microscópica de un trozo de carcinoma baso-celular que muestra cómo los grupos de células de este tumor tienden a invadir los tejidos cutáneos más profundos.

Fig. 733. Vista microscópica de tejido hepático normal. En vida, la sangre que pasa normalmente a través del hígado baña los cordones de células de este órgano.

Fig. 734. Vista microscópica muy aumentada de tejido hepático normal que muestra las células individuales.

Fig. 735. Vista microscópica de tejido del hígado afectado de cirrosis. En esta enfermedad, grandes zonas de tejido normal son reemplazadas por tejido denso cicatricial.

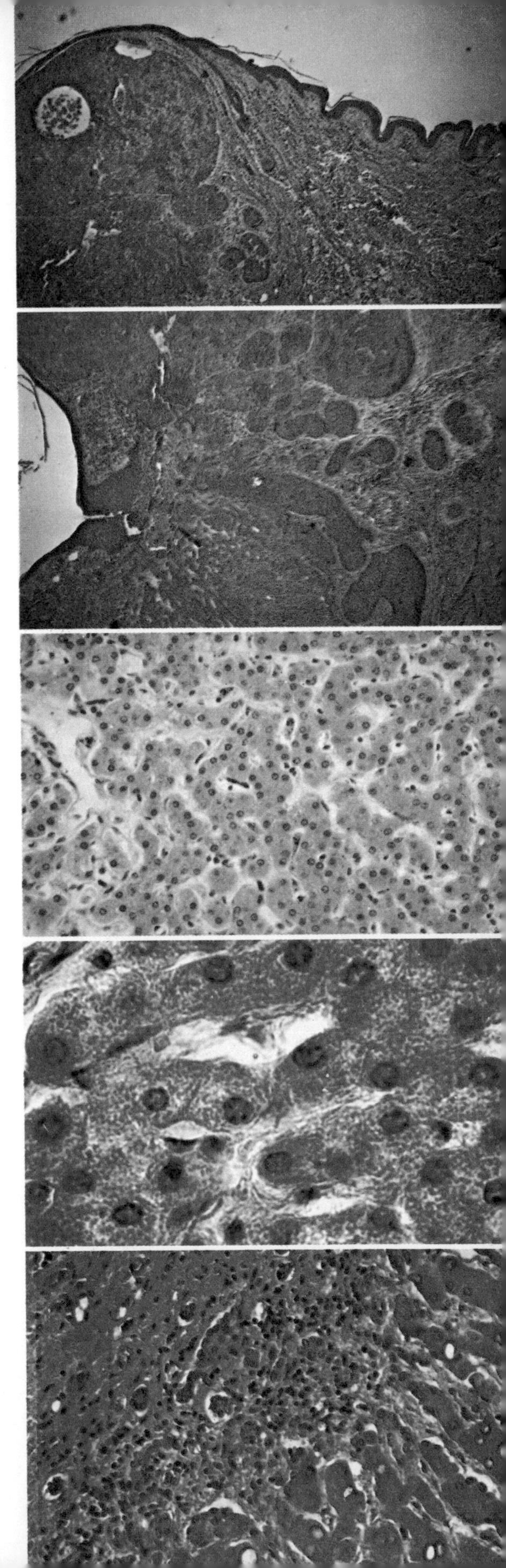

REGISTRO MEDICO FAMILIAR

Información biográfica útil para el médico u otras personas que deban actuar en caso de enfermedad de un miembro de la familia y de formular un programa de protección de la salud.

ESPOSO

NOMBRE ______________________ Fecha de nacimiento ______________________

REGISTRO DE ENFERMEDADES DE LA NIÑEZ

ENFERMEDAD	EDAD APROXIMADA AL TIEMPO DE LA ENFERMEDAD	EFECTOS SECUNDARIOS	MEDICO
Tos ferina (Tos convulsiva)			
Viruela loca (Varicela)			
Rubéola			
Sarampión			
Paperas			

REGISTRO DE INMUNIZACION

ENFERMEDAD	FECHA DE INMUNIZACION	FECHA DE REPETICION	FECHA DE REPETICION	FECHA DE REPETICION	MEDICO
Viruela					
Difteria					
Tétanos					
Poliomielitis (Parál. infantil)					

REGISTRO DE ENFERMEDADES Y ACCIDENTES

ENFERMEDAD O ACCIDENTE	FECHA	DURACION APROXIMADA	EFECTOS SECUNDARIOS	MEDICO	HOSPITAL

REGISTRO QUIRURGICO

TIPO DE OPERACION	FECHA	MEDICO	HOSPITAL	DURACION DE LA HOSPITALIZACION	RESULTADOS

EXAMENES MEDICOS PERIODICOS

FECHA	MEDICO	HALLAZGOS SIGNIFICATIVOS

Información biográfica útil para el médico u otras personas que deban actuar en caso de enfermedad de un miembro de la familia y de formular un programa de protección de la salud.

ESPOSA

NOMBRE ______________________ Fecha de nacimiento ______________________

REGISTRO DE ENFERMEDADES DE LA NIÑEZ

ENFERMEDAD	EDAD APROXIMADA AL TIEMPO DE LA ENFERMEDAD	EFECTOS SECUNDARIOS	MEDICO
Tos ferina (Tos convulsiva)			
Viruela loca (Varicela)			
Rubéola			
Sarampión			
Paperas			

REGISTRO DE INMUNIZACION

ENFERMEDAD	FECHA DE INMUNIZACION	FECHA DE REPETICION	FECHA DE REPETICION	FECHA DE REPETICION	MEDICO
Viruela					
Difteria					
Tétanos					
Poliomielitis (Parál. infantil)					

REGISTRO QUIRURGICO

TIPO DE OPERACION	FECHA	MEDICO	HOSPITAL	DURACION DE LA HOSPITALIZACION	RESULTADOS

REGISTRO DE ENFERMEDADES Y ACCIDENTES

ENFERMEDAD O ACCIDENTE	FECHA	DURACION APROXIMADA	EFECTOS SECUNDARIOS	MEDICO	HOSPITAL

EXAMENES MEDICOS PERIODICOS

FECHA	MEDICO	HALLAZGOS SIGNIFICATIVOS

REGISTRO DE EMBARAZOS

FECHA DEL COMIENZO	CUIDADO PRENATAL PERIODICO (SI o NO)	FECHA DE ALUMBRAMIENTO	CIRCUNSTANCIAS INUSITADAS	HOSPITAL	MEDICO

Los fundamentos de la salud se establecen durante la niñez. Un registro detallado de los acontecimientos importantes de la vida de los hijos permitirá a los padres controlar eficazmente los factores que contribuyen al desarrollo normal de sus vástagos.

HIJO

NOMBRE Fecha de nacimiento

REGISTRO DE INMUNIZACION

ENFERMEDAD	MEDICO	Fecha de la primera inoculación	Fecha de la segunda	Fecha de la tercera	Fecha de inyección de refuerzo	Fecha de repetición	Fecha de repetición
Difteria							
Tos ferina (Tos convulsiva)							
Tétanos							
Viruela							
Poliomielitis (Parál. infantil)							
Sarampión							
Paperas							

REGISTRO DE ENFERMEDADES Y ACCIDENTES

ENFERMEDAD O ACCIDENTE	FECHA	DURACION DE LA ENFERMEDAD	COMPLICACION O EFECTOS SECUNDARIOS	MEDICO	HOSPITAL

REGISTRO QUIRURGICO

TIPO DE OPERACION	FECHA	MEDICO	HOSPITAL	DURACION DE LA HOSPITALIZACION	RESULTADOS

EXAMENES MEDICOS Y DENTALES PERIODICOS

FECHA	MEDICO	HALLAZGOS SIGNIFICATIVOS

Los fundamentos de la salud se establecen durante la niñez. Un registro detallado de los acontecimientos importantes de la vida de los hijos permitirá a los padres controlar eficazmente los factores que contribuyen al desarrollo normal de sus vástagos.

HIJO

NOMBRE Fecha de nacimiento

REGISTRO DE INMUNIZACION

ENFERMEDAD	MEDICO	Fecha de la primera inoculación	Fecha de la segunda	Fecha de la tercera	Fecha de inyección de refuerzo	Fecha de repetición	Fecha de repetición
Difteria							
Tos ferina (Tos convulsiva)							
Tétanos							
Viruela							
Poliomielitis (Parál. infantil)							
Sarampión							
Paperas							

REGISTRO DE ENFERMEDADES Y ACCIDENTES

ENFERMEDAD O ACCIDENTE	FECHA	DURACION DE LA ENFERMEDAD	COMPLICACION O EFECTOS SECUNDARIOS	MEDICO	HOSPITAL

REGISTRO QUIRURGICO

TIPO DE OPERACION	FECHA	MEDICO	HOSPITAL	DURACION DE LA HOSPITALIZACION	RESULTADOS

EXAMENES MEDICOS Y DENTALES PERIODICOS

FECHA	MEDICO	HALLAZGOS SIGNIFICATIVOS

Los fundamentos de la salud se establecen durante la niñez. Un registro detallado de los acontecimientos importantes de la vida de los hijos permitirá a los padres controlar eficazmente los factores que contribuyen al desarrollo normal de sus vástagos.

HIJO

NOMBRE Fecha de nacimiento

REGISTRO DE INMUNIZACION

ENFERMEDAD	MEDICO	Fecha de la primera inoculación	Fecha de la segunda	Fecha de la tercera	Fecha de inyección de refuerzo	Fecha de repetición	Fecha de repetición
Difteria							
Tos ferina (Tos convulsiva)							
Tétanos							
Viruela							
Poliomielitis (Parál. infantil)							
Sarampión							
Paperas							

REGISTRO DE ENFERMEDADES Y ACCIDENTES

ENFERMEDAD O ACCIDENTE	FECHA	DURACION DE LA ENFERMEDAD	COMPLICACION O EFECTOS SECUNDARIOS	MEDICO	HOSPITAL

REGISTRO QUIRURGICO

TIPO DE OPERACION	FECHA	MEDICO	HOSPITAL	DURACION DE LA HOSPITALIZACION	RESULTADOS

EXAMENES MEDICOS Y DENTALES PERIODICOS

FECHA	MEDICO	HALLAZGOS SIGNIFICATIVOS

Los fundamentos de la salud se establecen durante la niñez. Un registro detallado de los acontecimientos importantes de la vida de los hijos permitirá a los padres controlar eficazmente los factores que contribuyen al desarrollo normal de sus vástagos.

HIJO

NOMBRE ______________________ Fecha de nacimiento ______________________

REGISTRO DE INMUNIZACION

ENFERMEDAD	MEDICO	Fecha de la primera inoculación	Fecha de la segunda	Fecha de la tercera	Fecha de inyección de refuerzo	Fecha de repetición	Fecha de repetición
Difteria							
Tos ferina (Tos convulsiva)							
Tétanos							
Viruela							
Poliomielitis (Parál. infantil)							
Sarampión							
Paperas							

REGISTRO DE ENFERMEDADES Y ACCIDENTES

ENFERMEDAD O ACCIDENTE	FECHA	DURACION DE LA ENFERMEDAD	COMPLICACION O EFECTOS SECUNDARIOS	MEDICO	HOSPITAL

REGISTRO QUIRURGICO

TIPO DE OPERACION	FECHA	MEDICO	HOSPITAL	DURACION DE LA HOSPITALIZACION	RESULTADOS

EXAMENES MEDICOS Y DENTALES PERIODICOS

FECHA	MEDICO	HALLAZGOS SIGNIFICATIVOS

Los fundamentos de la salud se establecen durante la niñez. Un registro detallado de los acontecimientos importantes de la vida de los hijos permitirá a los padres controlar eficazmente los factores que contribuyen al desarrollo normal de sus vástagos.

HIJO

NOMBRE Fecha de nacimiento

REGISTRO DE INMUNIZACION

ENFERMEDAD	MEDICO	Fecha de la primera inoculación	Fecha de la segunda	Fecha de la tercera	Fecha de inyección de refuerzo	Fecha de repetición	Fecha de repetición
Difteria							
Tos ferina (Tos convulsiva)							
Tétanos							
Viruela							
Poliomielitis (Parál. infantil)							
Sarampión							
Paperas							

REGISTRO DE ENFERMEDADES Y ACCIDENTES

ENFERMEDAD O ACCIDENTE	FECHA	DURACION DE LA ENFERMEDAD	COMPLICACION O EFECTOS SECUNDARIOS	MEDICO	HOSPITAL

REGISTRO QUIRURGICO

TIPO DE OPERACION	FECHA	MEDICO	HOSPITAL	DURACION DE LA HOSPITALIZACION	RESULTADOS

EXAMENES MEDICOS Y DENTALES PERIODICOS

FECHA	MEDICO	HALLAZGOS SIGNIFICATIVOS

Los fundamentos de la salud se establecen durante la niñez. Un registro detallado de los acontecimientos importantes de la vida de los hijos permitirá a los padres controlar eficazmente los factores que contribuyen al desarrollo normal de sus vástagos.

HIJO

NOMBRE ______________________ Fecha de nacimiento ______________________

REGISTRO DE INMUNIZACION

ENFERMEDAD	MEDICO	Fecha de la primera inoculación	Fecha de la segunda	Fecha de la tercera	Fecha de inyección de refuerzo	Fecha de repetición	Fecha de repetición
Difteria							
Tos ferina (Tos convulsiva)							
Tétanos							
Viruela							
Poliomielitis (Parál. infantil)							
Sarampión							
Paperas							

REGISTRO DE ENFERMEDADES Y ACCIDENTES

ENFERMEDAD O ACCIDENTE	FECHA	DURACION DE LA ENFERMEDAD	COMPLICACION O EFECTOS SECUNDARIOS	MEDICO	HOSPITAL

REGISTRO QUIRURGICO

TIPO DE OPERACION	FECHA	MEDICO	HOSPITAL	DURACION DE LA HOSPITALIZACION	RESULTADOS

EXAMENES MEDICOS Y DENTALES PERIODICOS

FECHA	MEDICO	HALLAZGOS SIGNIFICATIVOS

Los fundamentos de la salud se establecen durante la niñez. Un registro detallado de los acontecimientos importantes de la vida de los hijos permitirá a los padres controlar eficazmente los factores que contribuyen al desarrollo normal de sus vástagos.

HIJO

NOMBRE ______________________ Fecha de nacimiento ______________________

REGISTRO DE INMUNIZACION

ENFERMEDAD	MEDICO	Fecha de la primera inoculación	Fecha de la segunda	Fecha de la tercera	Fecha de inyección de refuerzo	Fecha de repetición	Fecha de repetición
Difteria							
Tos ferina (Tos convulsiva)							
Tétanos							
Viruela							
Poliomielitis (Parál. infantil)							
Sarampión							
Paperas							

REGISTRO DE ENFERMEDADES Y ACCIDENTES

ENFERMEDAD O ACCIDENTE	FECHA	DURACION DE LA ENFERMEDAD	COMPLICACION O EFECTOS SECUNDARIOS	MEDICO	HOSPITAL

REGISTRO QUIRURGICO

TIPO DE OPERACION	FECHA	MEDICO	HOSPITAL	DURACION DE LA HOSPITALIZACION	RESULTADOS

EXAMENES MEDICOS Y DENTALES PERIODICOS

FECHA	MEDICO	HALLAZGOS SIGNIFICATIVOS

Los fundamentos de la salud se establecen durante la niñez. Un registro detallado de los acontecimientos importantes de la vida de los hijos permitirá a los padres controlar eficazmente los factores que contribuyen al desarrollo normal de sus vástagos.

HIJO

NOMBRE ____________________ Fecha de nacimiento ____________________

REGISTRO DE INMUNIZACION

ENFERMEDAD	MEDICO	Fecha de la primera inoculación	Fecha de la segunda	Fecha de la tercera	Fecha de inyección de refuerzo	Fecha de repetición	Fecha de repetición
Difteria							
Tos ferina (Tos convulsiva)							
Tétanos							
Viruela							
Poliomielitis (Parál. infantil)							
Sarampión							
Paperas							

REGISTRO DE ENFERMEDADES Y ACCIDENTES

ENFERMEDAD O ACCIDENTE	FECHA	DURACION DE LA ENFERMEDAD	COMPLICACION O EFECTOS SECUNDARIOS	MEDICO	HOSPITAL

REGISTRO QUIRURGICO

TIPO DE OPERACION	FECHA	MEDICO	HOSPITAL	DURACION DE LA HOSPITALIZACION	RESULTADOS

EXAMENES MEDICOS Y DENTALES PERIODICOS

FECHA	MEDICO	HALLAZGOS SIGNIFICATIVOS

Los fundamentos de la salud se establecen durante la niñez. Un registro detallado de los acontecimientos importantes de la vida de los hijos permitirá a los padres controlar eficazmente los factores que contribuyen al desarrollo normal de sus vástagos.

HIJO

NOMBRE ______________________ Fecha de nacimiento ______________________

REGISTRO DE INMUNIZACION

ENFERMEDAD	MEDICO	Fecha de la primera inoculación	Fecha de la segunda	Fecha de la tercera	Fecha de inyección de refuerzo	Fecha de repetición	Fecha de repetición
Difteria							
Tos ferina (Tos convulsiva)							
Tétanos							
Viruela							
Poliomielitis (Parál. infantil)							
Sarampión							
Paperas							

REGISTRO DE ENFERMEDADES Y ACCIDENTES

ENFERMEDAD O ACCIDENTE	FECHA	DURACION DE LA ENFERMEDAD	COMPLICACION O EFECTOS SECUNDARIOS	MEDICO	HOSPITAL

REGISTRO QUIRURGICO

TIPO DE OPERACION	FECHA	MEDICO	HOSPITAL	DURACION DE LA HOSPITALIZACION	RESULTADOS

EXAMENES MEDICOS Y DENTALES PERIODICOS

FECHA	MEDICO	HALLAZGOS SIGNIFICATIVOS

Los fundamentos de la salud se establecen durante la niñez. Un registro detallado de los acontecimientos importantes de la vida de los hijos permitirá a los padres controlar eficazmente los factores que contribuyen al desarrollo normal de sus vástagos.

HIJO

NOMBRE ____________________ Fecha de nacimiento ____________________

REGISTRO DE INMUNIZACION

ENFERMEDAD	MEDICO	Fecha de la primera inoculación	Fecha de la segunda	Fecha de la tercera	Fecha de inyección de refuerzo	Fecha de repetición	Fecha de repetición
Difteria							
Tos ferina (Tos convulsiva)							
Tétanos							
Viruela							
Poliomielitis (Parál. infantil)							
Sarampión							
Paperas							

REGISTRO DE ENFERMEDADES Y ACCIDENTES

ENFERMEDAD O ACCIDENTE	FECHA	DURACION DE LA ENFERMEDAD	COMPLICACION O EFECTOS SECUNDARIOS	MEDICO	HOSPITAL

REGISTRO QUIRURGICO

TIPO DE OPERACION	FECHA	MEDICO	HOSPITAL	DURACION DE LA HOSPITALIZACION	RESULTADOS

EXAMENES MEDICOS Y DENTALES PERIODICOS

FECHA	MEDICO	HALLAZGOS SIGNIFICATIVOS

Indice General Alfabético

A

ABDOMEN, división del, en regiones, 1062
  puntos habituales de dolor en el, 1131
Abluciones, o esponjamientos, 831
Aborto, el, 306
Absceso, 525, 528
  amebiano, 985
  de origen dentario, 1090
  de pulmón, 1211
  isquiorrectal, 1538
  o flemón retrofaríngeo, 1680
  periamigdalino, 1676
  tratamiento de, 527
Accidente, relato de un, causado por alcoholismo, 112
Accidentes, por la electricidad, 603
  prevención de los, 678
Aceites vegetales, 201, 227
Acidez de estómago, 1074
Acido, ascórbico: véase vitamina C, 223, 224
  cevitámico: véase vitamina C, 223, 224
  fólico (ácido pteroilglutámico), 221
  nicotínico, véase niacina, 220
  pantoténico, 221
Acidos, aminados, 191
  grasos no saturados: véase vitamina F, 227
Acidosis, diabética, 1031
Acné, 1591
Acrocianosis, 1285
Acromegalia, 1381
ACTH, el, 789, 790
  en el tratamiento del alcoholismo, 124
  nota sobre el, 857
Actinomicosis, 1012
Addison, enfermedad de, 1367
Adelgazar, forma científica de, 1053-1057
Adenoiditis, aguda, 1679
Adenoma, prostático, 1557
  tóxico, 1377
Aerofagia, 1075
Aerosporina, 780
Afasia, 1459
Agentes, causales de enfermedades infecciosas, 859
Agranulocitosis, 1328
Agua, 168
  cantidad, para los enfermos, 58
    que debe beberse diariamente, 55-60
    que pierde el organismo, 57
  cómo beberla, 59
  condiciones del, para ser usada como bebida, 59
  ¿cuánto beber?, 58
  enfermedades que puede transmitir el, 59
  importancia del (anécdota), 55
  para beber en las comidas, 68
  perturbaciones producidas por el exceso de, 57, 58
  perturbaciones producidas por la falta de, 57
  potable, características del, 59
  pura, el, 55
  que se obtiene de ríos, arroyos y lagos, 59
  tratamientos por medio del, 814
  uso del, en el tratamiento de las enfermedades, 62
  y la higiene personal, 60
Ahogamiento, 594
Aire, influencia de la temperatura y humedad del, 49
  libre, ejercicio al, 50
  manera de enfriar el, o de hacer más tolerable el aire caliente, 53
  manera de impedir impurezas en el, 52
  puro, importancia del (relato de la prisión militar en Calcuta), 49
    manera de obtener el, 49
    ventajas del, 50
    y la luz solar, 49
Albuminuria, 1345
Alcohol, absorción y eliminación del, 113, 114
  acción del, sobre el sistema nervioso central, 114
  acción general de una dosis de, 114

acción local del, 114
bebidas destiladas, 120
bebidas fermentadas comunes, 119
efectos del, sobre el aparato circulatorio, 123
sobre el aparato digestivo, 123
sobre el aparato genitourinario, 123
sobre el aparato respiratorio, 123
sobre el sistema nervioso y los músculos, 122

Alcohol, el, 112
desde el punto de vista médico, 121
¿es un alimento?, 118
escala de síntomas tóxicos del, 117, 118
etílico, 113
¿facilita el trabajo?, 118
¿hace daño el uso moderado del?, 123
¿por qué se bebe?, 121
productor de coma, 116
productor de excitación, 115
productor de incoordinación, 116
propiedades físicas del, 114
tolerancia al, 118

Alcoholismo, causa de accidentes, 112
crónico, efectos del, 122
crónico, tratamiento del, 124
definición, 121
efectos del, sobre el aparato circulatorio, 123
sobre el aparato digestivo, 123
sobre el aparato respiratorio, 123
sobre el sistema nervioso y los músculos, 122
el, desde el punto de vista médico, 121
moderado, 123
prevención del, 124

Alegría, factor de salud mental, 103

Alergia, 1399

Alexis Carrel, párrafo de, sobre la oración, 101

Alfombrilla, 948

Alimentación, artificial, del niño, 369
correcta, 63
del enfermo, 737
del niño después de los tres años, 377
del niño, modo de prepararla, 376
en las enfermedades infecciosas, 865
equilibrio ácido básico en la, 230
higiene de la, 68
importancia de la (anécdota), 60, 61
incorrecta, 108
leyes de la, 168
mixta del niño, 368
natural del lactante, 351
para el niño mantenido a pecho, programa de, 357
por qué necesita ser seleccionada ahora con más cuidado que antes, 64, 65
requerimientos calóricos en la, 169
sin carne, preferible, 245

Alimentos, combinaciones de los, 231
buenas, 232
desaconsejables, 232
comunes, tabla de composición de los, 172 - 189
constitución de los, 167
energéticos o combustibles, 168
grupos de, 66, 67, 167
pesados o irritantes, 69
poder de saciedad de los, 230
que deben incluirse diariamente en el menú, 65 - 68
reguladores, 168
reparadores, energéticos, reguladores, 167, 168
reparadores, formadores de tejidos o plásticos, 167
ricos en grasas, 257
ricos en proteína, 67, 237

Almidón, 198

Alopecias, 1621

Alta presión sanguínea, 1268

Altruismo, factor de salud mental, 102, 103

Alucinaciones, 1484

Alumbramiento, 310

Amebiasis, 983

Amenorrea, 270

Amígdalas, enfermedades de las, 1672
flemón de las, 1676
hipertrofia de las, 1675

Amigdalitis, agudas, 1672
crónicas, 1675

Aminoácidos, 191

Amor, el, como factor de salud mental, 100, 102, 103

Anatomía y fisiología del aparato genital femenino, 263

Anciano, el, 437-447

Anemia, perniciosa, 1323

Anemias, 1321
hipercrómicas o macrocíticas, 1324
hipocrómicas o microcíticas, 1324

Aneurina, 216

Aneurismas, 1281

Anexitis, 282
aguda, 283
crónica, 284

Angina, 1672

Angina, agranulocítica, 1328
de pecho, 1242
de Vincent, o estomatitis úlceromembranosa, 1095

Anisosfigmia, o pulso desigual, 1260

Ano, y recto, afecciones del, 1538

Anquilostomiasis, 999
modo de transmisión de la, 1000
Antibióticos, los, 771
Clasificación:
de espectro microbiano reducido, 774
de espectro microbiano intermedio, 781
de amplio espectro microbiano, 782
que actúan sobre hongos, 780
Antídotos, o contravenenos, 611
Antídoto universal, 613
Antihistamínicos, los, 1405
Antrax, 1593
Anuria, 1341
Aparato, circulatorio, algunos síntomas de las enfermedades del, 1233
anatomía y fisiologia, 1221
enfermedades del, 1233
digestivo, anatomía y fisiología del, 1060, 1068
genital femenino, anatomía y fisiología del, 264
genital masculino, breves nociones de la anatomía y fisiología del, 1550
enfermedades del, 1550
otras enfermedades del, 1559
tuberculosis del, 1565
lagrimal, enfermedades del, 1698
respiratorio, resumen de la anatomía y fisiología del, 1171
fenómenos principales del, 1181
urinario, anatomía y fisiología del, 1333
cálculos y tumores del, 1362
enfermedades del, 1341
infecciones del, 1359
principales fenómenos de las enfermedades del, 1341
Apendicitis, 1133
Arterias, 1226
afecciones de las, 1268
coronarias, afecciones de las, 1240
Arterioesclerosis, 1276
Arteritis, obliterante, 1283
Articulaciones, 39
accidentes en las, 563
infecciones de las, 1518
sacroilíacas, 38
Articular, cápsula, 40
Artritis, gonocócica, 1520
reumatoide, 1387
supuradas, 1520
tuberculosas, 1518
Arrepentimiento y perdón, factores de salud mental, 103
Arriboflavinosis, 1024
Arritmia, 1259
completa, 1259
extrasistólica, 1259
respiratoria, 1259
Arroz, 252
Ascariasis, modo de contagio de la, 995
Ascaris lumbricoides, 993
Ascitis, 1166
Asfixia, 593
azul, 601
blanca, 601
del recién nacido, 600
tratamiento de la, 601
por ahogamiento, 594
por ahorcamiento, 599
por estrangulación, 599
por cuerpos extraños en la laringe, 599
por gases, cómo evitar la, 600
por sumersión, 594
Asfixias, tratamiento de las, 594
Asma, bronquial, 1194
cardíaca, 1263
nasal, 1662
Aspergilosis, 1014
Astenia, neurocirculatoria, 1235
Astenopía, 1707
Astigmatismo, 1694
Ataque, convulsivo en el niño, 606
convulsivo en el adulto, 609
al corazón,
con pérdida del conocimiento, véase síncope en pág. 588
con dolor intenso de corta duración, véase angina de pecho, en pág. 1242
con dolor intenso de larga duración, véase infarto de miocardio, 1244
con dolor leve, sensación de ahogo y signos de nerviosidad, véase distonía neurovegetativa, en págs. 1234, 1235
Ataques atómicos, y primeros auxilios en caso de, 674-677
Ataque, epiléptico, 1467
Ataxia, locomotriz, 1444
Atelectasia, pulmonar, 1213
Aterosclerosis, factores que intervienen, 1278
prevención y tratamiento, 1281
Atrofias y distrofias musculares, 1493
Aureomicina, o tetraciclinas, 774, 784
Automedicación, hábito pernicioso 109
Avena, 252
Avitaminosis, causas que pueden producirla, 211
Axeroftol: véase vitamina A, 214 - 216
Axilar, transpiración, 60, 61
vello, afeitarse el, 61

B

BABEURRE, 241
Bacilo, de Koch, 918
Bacitracina, 779
Bacterias, 860
Baile de San Vito
o corea, 1469
Balanopostitis, 1560
Balantidiosis, 987
Baño, alternado caliente y frío, 528
técnica de la aplicación del, 529
de almidón, 838
de asiento, 838
caliente, 839
frío, 840
de higiene, 60, 61
de inmersión, caliente, 836
frío, 837
neutro, 835
de pies, alternado, 841
caliente, 841
frío, 842
del bebé, 379
del recién nacido, 337
después del, 61
en cama, 719
forma de tomarlo, 60
frecuencia con que debe tomarse, 61
medio, 838
Baños, de inmersión o completos, 834
de piernas, 842
de pies, 841
de sol, 798
casos en los cuales están contraindicados los, 801
casos en que están indicados los, 800
manera de tomar los, 802
para bebés, 802
para el niño, 382
precauciones al tomar los, 803
de vapor, 832
medicamentosos, 837
Bartonelosis, o enfermedades de Carrión, 965
Barritos, 1591
Bebidas, alcohólicas, las, 119
fermentadas comunes, 119
las, 232
que contienen cafeína, 233
Behaviorismo, 1476
Beriberi, 1022
síntomas de, 63 - 65
Bichos colorados, 547
Bilharziosis, 1005
Biotina (vitamina H), 221
Blefaritis, 1695
Blenorragia, 1568
Blenorragia, femenina, 280
Boca, la, 1062
Boca a boca, respiración artificial, 584, 585
Bocio, 1370, 1371
Bocio, exoftálmico, 1375
Bolo fecal, 1085
Bolsa, de agua caliente, 747
precauciones a tomar al colocar la, 748
manera de llenar la, 747
sustitutos de la, 748
de hielo, 746
de hielo, casos en que se indica la, 747
conservación de la, y del hielo, 747
manera de colocar la, 746
manera de llenar la, 746
Bolsas, serosas, afecciones de las, 1500
Boqueras, 1094
Botiquín, familiar, 843
Botriocéfalo, 992
Botulismo, 626
Bradicardia, 1257
Bronconeumonía, 1207
Bronquiectasis, 1191
Bronquios, enfermedades de los, 1188
los, 1174
Bronquitis, 1188
aguda, 1188
crónica, 1190
Brucelosis, 899
Buba, 970
Bursitis, 1500
Buttermilk, 241

C

CABELLO, lavado del, 61
pérdida del, 1621
Cabestrillos o charpas, 643
Café, como productor de insomnio, 88
el, 233
introducción del, como bebida, 233
Cafeína, acción de la, 234
contenida en las bebidas, 234
efecto de la, sobre el corazón y los vasos, 235
sobre el riñón, 235
sobre los músculos voluntarios, 235
intoxicación con, 235
la, 234
efecto de la, sobre el tubo digestivo, 235
por qué es inconveniente el uso de bebidas con, 235

Caja, torácica, 37
Calambre, de los escribientes, etc., 1479
Calambres, musculares, 668
profesionales, o neurosis ocupacionales, 1479
Calciferol: Véase vitamina D, 225, 226
Calcio, el, 206
Cálculo, de la fecha del parto, 296
Cálculos biliares, 1144
y tumores del aparato urinario, 1362
Calefacción, la, 52
Calor, aplicación del, 805
efectos del, sobre el organismo, 814
radiante, 804
Calorías, en su relación con el ejercicio físico, 170
requeridas en la alimentación, 169
requerimiento de, en el niño y el adolescente, 171
Callos, y callosidades, 1629
Cama, del enfermo, 713
Cambiar, ropa de cama, manera de, 715
Camillas, improvisadas, 658
Canal, deferente, 1553
Canales, eyaculadores, 1553
Cáncer, de estómago, 1116
de la laringe, 1683
de la próstata, 1558
de la vejiga, 1364
de seno, 1511
del colon, 1135
del esófago, 1100
del labio, 1510
del pulmón, 1212
del recto, 1545
del riñón, 1364
del testículo, 1565
del útero, 277
el, 1501, 1505
estadísticas del, en los fumadores, 131
Cansancio, crónico, causas posibles del, 96
mental, 83
normal y anormal, 96
visual, 1707
Caña, la, 120
Capilares, los, 1227
Cápsula, articular, 41
Caquexia, hipofisiaria, 1379
Cara, la, 36
Carate, 972
Carbohidratos, 196
diversas clases de, 196
funciones y acumulación de los, en el organismo, 199
Carbunclo, 911
Cardioespasmo, 1098
Cardiopatías, valvulares, 1248
Caries, dentarias, 1088
Carne, composición y valor alimenticio de la, 243
¿es indispensable? 243
¿es preferible eliminarla de la alimentación? 244
la, 243
equivalentes de la, tabla de, 1038
objeciones al uso de la, 246
Caroteno, 215
Cartílagos, lesiones de los, 568
Carrel, Alexis, párrafo de, sobre la oración, 101
Caspa, 1620
Cataplasmas, 748
sinapismadas, 750
Catarata, 1705
senil, 1705
Catarros, estacionales, 955
Cefalalgias, 672
Celos, factor de enfermedad física y mental, 103
Célula, la, 31
Celulosa, 199
o residuos, 168
Cenas, tardías y de difícil digestión, 88
Centros, del lenguaje, 1459
Cera (en el oído), 1640
Cereales, de uso común, 252
integrales, 67
los, 249
Cerebelo, el, 1421
tumores del, 1465
Cerebro, afecciones del, 1455
el, 1417
tumores del, 1465
Cerumen, en el oído, 1640
Cerveza, la, 120
Cervicitis, 281
Cestodes, 991
Cianosis, 1234
Ciática, 1437
Cifosis, 1513
Circulación, cómo se efectúa la, 1228
Cirrosis, alcohólica de Laennec, 1158
hepática, 1158
hipertrófica de Hanot, 1160
Citostáticos, los, 1510

Cistitis, 1360
Citrina: Véase vitamina P, 224
Climaterio, el, 267
Cloramfenicol, el, 782
Clorhidrato, de piridoxina: Véase vitamina B6, 221
o cloruro de tiamina, 217
Cloro, el, 210
Clorosis, 1323
Clorofila, píldoras de, 61
Cloromicetina, la, 782
Clortetraciclina, 773, 783
Cloruro de tiamina, 216
Coca-cola, como productora de insomnio, 88
la, 233
Cocaína, la, 161
Colangitis, 1142
Colecistitis, 1141
Cólera, 906
infantil, 417
Colesterol, 203, 205
Cólico, hepático, 1146
renal o nefrítico, 1347
Cólicos intestinales, 668
en el niño, 394
Colina, 222
Colitis, 1124
causada por antibióticos, 1127
mucomembranosa, 1126
simple, 1125
ulcerosa, 1127
Colon, dilatación del, 1130
Columna, dorsal, 36
lumbar, 36
vertebral, 36
deformaciones y desviaciones de la, 1512
Coma, diabético, 590
diabético, tratamiento del, 1046
hepático, 591
por causa del alcohol, 116
por hemorragia cerebral, 1458. (Véase también tratamiento del Coma diabético, 590.)
urémico, 589
Comas, 589
tóxicos, 589
Combinaciones, alimenticias, 231
buenas de alimentos, 232
desaconsejables de alimentos, 232
Comedones, 1593
Comezón, de la piel, 1589
de la vulva, 274
del ano, 1547
Cómo aprender la técnica de la relajación muscular, 90 - 95
Complejo, vitamínico B, el, 216
Complejos, enfermedades que pueden producir, 104
Complicaciones: 856. Para estudiar las complicaciones de las distintas enfermedades, véase la página correspondiente a cada una de ellas
Composición, del cuerpo humano, tabla de, comparada con la corteza terrestre, 207
de los alimentos comunes, tabla de la, 172 - 189
Compresa, calentadora al tórax, 820
calentadora, lumboabdominal y abdominal, 822
calentadora, sobre las articulaciones, 823
seca al tórax, 821
Compresas, 816
a la garganta, 819
alternadas, calientes y frías, 529
calentadoras, 819
calientes húmedas, al oído, 1639
evaporantes, 818
frías, 817
Concepción, fecha más favorable para la, 286
Condimentos, los, 230
Confusión mental, 1486
Congelación, 578
Congestiones, pulmonares, 1200
Congoja, temor y preocupaciones, cómo evitarlos, 103
Conjuntivitis, 1698, 1699
aguda, 1699
blenorrágica, 1700
crónica, 1701
otros tipos de, 1702
Conmoción, contusión y compresión cerebrales, 499
Consejos, prácticos, para el bienestar del paciente, 721
Constipación, 1077
en el niño, 399
Contagio, cómo evitar el, en caso de enfermedad infecciosa, 866
modos de, 861
Contaminación, primitiva y secundaria, 523
Continencia, periódica, 286
Contracciones cardíacas, las, posibles irregularidades, 1253
Contusiones, 481

Convulsiones, 606
del adulto, 607
del niño, 606
Coñac (brandy), el, 120
Coqueluche, 888
Corazón, afecciones congénitas del, 1251
de soldado, 1235
el, 1221
insuficiencia del, 1261
Corbata, 635
del pie, 644
del tobillo, 645
Coriza, aguda, 1658
Corea, 1469
Córnea, cuerpos extraños en la, 1703
la, 1688
enfermedades de la, 1703
Coroides, la, 1686
Corriente, farádica, 792
galvánica, 791
sinusoidal, 792
Corrientes de alta frecuencia, 793
Corticoides, los, 788
Cortisona, la, 789
Cotiloidea, cavidad redondeada llamada, 38
Coxalgia, 1518
Cráneo, el, 36
Crema, de leche, 257
Cretinismo, 1373
Crioterapia, 805
Criptorquidia, 1562
Cristalino, el, 1689
Crup, falso o laringitis estridulosa, 1682
Cuarta, enfermedad, 954
Cuero, cabelludo, enfermedades, comunes del, 1620
parásitos del, 1623
Cuerpo, constitución y funcionamiento de nuestro, 29
Cuerpos extraños, en el estómago e intestino, 667
en el esófago, 666
en el tubo digestivo, 666
en la córnea, 1703
en la nariz, 666
en la piel, 663
en las vías respiratorias, 666
en los oídos, 665
en los ojos, 664
Cuidados, del recién nacido, 336
para la comodidad del paciente, 735
Culebrilla, 1607
Culpabilidad, sentimientos de, cómo librarse de los, 103
sentimientos de, factor de enfermedad física y mental, 103, 104
Curaciones, húmedas, técnica de la aplicación de las, 529
Curieterapia, 806

CH

CHAGAS, enfermedad de, 978
Chalazión, y orzuelo interno, 1696
Chancro, blando, 1571
sifilítico, 1572
Chancroide, 1571
Charpas o cabestrillos, 642
Chata, 736
Cheyne Stokes, respiración de, 590
Chique, 1629
Chocolate, el, 236
Choque, eléctrico, 603
traumático, 506
Chuchos, 671

D

DACRIOCISTITIS, 1698
Dedos, los, 37
Defectos, en los pies, manera correcta de caminar y calzar para corregir los, 1525
Defensas, del organismo, 857
Deficiencia, de riboflavina o vitamina B2, 1024
Deformaciones, y desviaciones de la columna vertebral, 1512
Deglución, 1069
Delirio, 1485
Delirium tremens, 1485
Delgadez, 1057
Demencia, 1483
paralítica, 1487
precoz, 1488
Demencias, 1481
Dengue, 962
Dentadura, cuidado de la, 61
Dentición, del niño, 428
trastornos de la, 428
Depresión, melancólica, 1490
Dermatitis, por contacto, 1615
Dermatomiositis, 1398

Dermis, 1587
Derrame, traumático de serosidad, 482
Descanso, 83
diversas formas de, 85
necesidad del, 109
Descenso, del recto, 1546
Deshidratación del lactante, 419
Desinfección, de las excreciones, 867
Desmayo, 587
Desnutrición, 1057
Destete, 367
Desviaciones, de la columna vertebral, 1513
y crestas del tabique nasal, 1664
Diabetes, azucarada, 1030
insípida, 1381
mellitus, 1030
sacarina, 1030
Diagnóstico, 855
el diagnóstico de las distintas enfermedades puede verse en las páginas correspondientes a cada una de ellas.
Diarrea, 1081
en el niño, 396, y capítulo 34
Diátesis, del niño, 422
exudativa, 422
neuropática, 428
Dieta, algunos tipos de, 737
blanda, o semisólida, 739
de selección de glúcidos, 1041
en diversas enfermedades: búsquese en el tratamiento de la enfermedad correspondiente.
hídrica, 738
líquida, 738
liviana o de convaleciente, 740
Desnutrición, 1057
Difteria, 880
Digestión, bucal, 1069
en el intestino delgado, 1070
en el intestino grueso, 1072
estomacal o gástrica, 1069
Dihidroestreptomicina, la, 777
Dilatación, brónquica, 1191
del colon, 1130
del esófago, 1100
del estómago, 1122
Disentería amebiana, 985
bacilar, 896
Disenterías, 896
Dislocación, 563
Dismenorrea, 271
Disnea, 1182
de Kussmaul, 590
Dispepsias, 1105, 1151
en el niño, 416
Distomatosis, 1007
Distonía neurovegetativa, 1235
Distracción, 84
Distrofias, del niño, 421
musculares, 1493
Divertículos, del esófago, 1100
intestinales, 1129
Dolicogastria, 1118
Dolor, de cabeza, 672
de muelas, 672
de oído, 1647
sobre el corazón, 1235
Dolores, de cintura, 1394
en la región del corazón, debidos a trastornos del sistema neurovegetativo, 1235
Drogas, el problema de las, 158
Duración, de la vida, y nuestros hábitos, 108

E

ECLAMPSIA, 304
Ectopia, testicular y criptorquidia, 1562
Entropión, 1696
de cuello uterino, 282
Eccema, 1611
agudo, 1611
crónico, 1612
del conducto auditivo externo, 1641
en el niño, 423, 425
marginado y eritrasma, 1603
varicoso, 1294
Edema, 1233
agudo del pulmón, 1213
angioneurótico, o de Quincke, 1617
Educación, sexual del niño, 1580
Egoísmo, factor de enfermedad física y mental, 102, 103
Ejercicio, al aire libre, 50
físico, beneficios del, 71, 72
en el mundo moderno, 71
falta de, 109
importancia del, 71
maneras diversas de hacerlo, 72
precauciones indispensables en el, 80
para corregir defectos en los pies, 1531
para el niño, 382
para obesos, 1053
Ejercicios, físicos, 70
cantidad conveniente, 79
Electrocardiograma, 1254

Electricidad, estática, 793
Electrocución, 603
Electroterapia, 791
Elefantiasis, 1006
Embarazo, anormal, 304
diagnóstico del, 292
diagnóstico del, por reacciones, 295
duración del, 296
efectos del tabaco sobre el, 131
extrauterino o ectópico, 305
el, 286
higiene del, 296
molestias que pueden aparecer durante el, 302
signos, de certeza, 295
de presunción, 292
de probabilidad, 292
tabla para calcular la duración del, 297
tubario, 305
Embolia, 1289
cerebral, 1290
pulmonar, 1289
Emisiones, seminales, 1566
Emociones, enfermedades que pueden producir, 103
influencia de las, sobre el cuerpo 103
Empiema, 1218
Encefalitis, 1464
letárgica, 1464
Encéfalo, el, 1418
tumores del, 1465
Encefalopatías, crónicas del niño, 1454
Endocardio, afecciones del, 1246
Endocarditis, 1246
aguda, simple, 1247
bacteriana aguda maligna, 1247
crónica, 1248
Enema, de limpieza, 741
Enemas, 741
de suero para retener, 743
para retener, 743
Enemigos, de la salud, 107
Enfermedad, causas de, 854
conceptos generales sobre la, 853
de Addison, 1367
de Barlow, 394
de Bouillaud, 891
de Bright, 1347
de Carrión, o bartonelosis, 964
de Chagas, 978
de Heine Medin, 1445
de Hirschsprung, 1130
de Hodgkin, 1329
de Leo Buerger, 1283
de Little, y encefalopatías crónicas del niño, 1454
de Nicolás y Favre, 1578
de Parkinson, 1462
de Raynaud, 1285
de Vaquez, 1325
de Werlhof, 1331
del colágeno o colagenosis, 1397
definición de la, 853
hemorrágica, del recién nacido, 403
infecciosa, períodos de la, 862
y síndrome de Cushing, 1369
Enfermedades, causadas por rickettsias, 968
comunes del cuero cabelludo, 1620
de la boca, 1088
de la córnea, el iris, el cristalino, la retina, y otras partes del ojo, 1703
de la faringe, 1677
de la garganta, 1670
de la glándula tiroides, 1370
de la hipófisis, 1378
de la laringe, 1681
de la médula espinal, 1441
de la mujer, 269
de la nariz, y las fosas nasales, 1649, 1652
de la nariz y la garganta, 1632
de la nutrición, 1027
de la piel, 1585
de la piel, causadas por hongos, 1601
de la piel, producidas por gérmenes microbianos, 1591
de la pleura, 1216
de la próstata, 1555
de la sangre, 1317, 1321
de las amígdalas, 1672
de las glándulas de secreción interna, 1365
de las glándulas paratiroides, 1384
de las meninges, 1471
de los bronquios, 1188
de los nervios periféricos, 1432
de los párpados, 1693
del aparato, circulatorio, 1221
digestivo, 1060
genital masculino, 1550
respiratorio, 1171
urinario, 1333
del cerebro, 1455
del colágeno, 1397
del esófago, 1098
del estómago, 1102
del hígado y las vías biliares, 1137
del intestino, 1124
del oído, externo, 1632, 1639
medio, 1633
generalidades, 1632
del páncreas, 1162
del pericardio, 1237
del peritoneo, 1165
del pulmón, 1199

del riñón, 1347
del sistema nervioso, 1408
generalidades sobre el tratamiento de las, 865
infecciosas, 859
la alimentación en las, 865
mentales (afecciones del cerebro), 1455
no cutáneas producidas por hongos, 1012
producidas por carencia de vitaminas, 1015
producidas probablemente por virus, 937
que tienden a producir hemorragias, 1330
quirúrgicas, 1495
venéreas, 1568

Enfisema, pulmonar, 1199
subcutáneo, 503

Enflaquecimiento, 1057

Enojo, factor de enfermedad física y mental, 103

Enterocolitis, 1124
en el niño, 417

Enterorragia, 1084

Entorsis, (esguince), 566

Ectropión, 1697

Enuresis, nocturna, 430

Envenenamientos, agudos, cuando no se conoce el veneno, 613
agudos, cuando se conoce el veneno, consúltese la lista alfabética de venenos de la hoja de color frente a la pág. 628
o intoxicaciones, 610
tratamiento general de los, 611

Envidia, factor de enfermedad física y mental, 103

Envoltura, de hielo machacado, 817
de sábana mojada, 829

Envolturas, 829

Epidermis, 1587

Epidermofitosis, de los pies, 1601

Epididimitis, 1563

Epífora, 1698

Epilepsia, 1465
convulsiva, 1466
jacksoniana, 1468
no convulsiva, (petit mal), 1468

Epistaxis, (hemorragia nasal), 1654

Equilibrio, ácido básico, 230

Equimosis, 481

Erisipela, 877
del recién nacido, 411

Eritema, del lactante, 403
del recién nacido, 335
nudoso, 1609
pernio, (sabañón), 1609
polimorfo o multiforme, 1608

Eritrasma, 1600

Eritremia, 1325

Eritroblastosis, fetal, en el niño, 402

Eritrodermias, 1608, 423

Eritromelalgia, 1286

Eritromicina, 781

Erosiones, 491

Eructos, 1075

Escalofríos, 671

Escarlatina, 930

Esclerodermia, 1398

Esclerosis, en placas o lateral, o amiotrófica, 1493

Esclerótica, la, 1686

Escoliosis, 1514

Escorbuto, 1016

Esguinces, 566
primeros auxilios para, 567

Esófago, 1064
cáncer del, 1100
divertículos del, 1100
espasmo del, 1098

Esparadrapo. (Véase Tela adhesiva)

Espasmo, del esófago, 1098
habitual, o tic, 1479

Espinillas, 1593

Esponjamientos, o abluciones, 831

Espundia, 982

Esqueleto, breve descripción del, 34
el, 33
vista anterior y posterior del, 35

Esquistosomiasis, 1005

Esquizofrenia, 1488

Estadísticas, de cáncer en los fumadores, 132

Esterilidad, conyugal, 284

Estómago, caído o ptosado, 1118
dilatación del, 1122
el, 1064
tumor del, 1117

Estomatitis, 1092
aftosa, 1094
angular, (boqueras), 1094
catarral aguda, 1093
gangrenosa, 1096
herpética o vesicular, 1094
parasitaria, 1094
ulceromembranosa, 1095

Estrabismo, 1706

Estrangulamiento, del glande, 1560
de una hernia, 1537

Estrecheces, del esófago, 1100
Estrechez, de la uretra, 1559
del píloro, en el niño, 429
del prepucio, 1560
Estreñimiento, 1077
Estreptomicina, la, 777
Estrongilosis o anguiluliasis, 998
Estupefacientes, los, 158
Etiología, o causas de enfermedad, 854
Eugenesia, 332
Excitación, por alcohol, 115
Excoriaciones, 491
Expectoración, 1184

F

FACTOR, liposoluble D: véase vitamina D, 225, 226
P. P., véase niacina, 220
Rh, 520
Factores, diversos de salud mental, otros, 103
Falopio, trompas de, 262
Falso crup, o laringitis estridulosa, 1682
Faringe, enfermedades de la, 1677
Faringitis, aguda, 1672
crónica, 1680
Fatiga, persistente, causas de la, 96
Fe, factor de salud mental, 101, 102
Fecundación, 288
Felicidad, cómo alcanzar la, 98, 99
Fibrilación auricular, 1259
Fiebre, amarilla, 937
de Malta, 899
de Oroya, 965
del heno, 1662
distintos tipos de, curva febril, 864
en qué casos debe combatirse la, 864
hemorrágica, 963
la, 863
manchada de las montañas rocosas, 968, 969
nivel que alcanza, la 864
ondulante, 899
reumática, 891
significado de la, en las enfermedades infecciosas, 863
tifoidea, 868
urliana, 959
Fibroma, del útero, 276
Fibromioma, del útero, 276
Fibrositis, 1393
algunas formas comunes de, 1394
Filaria, nocturna, 1004
Filariasis, 1003
Fimosis, 1560
Físicoterapia, 791
Fisiología, del aparato digestivo, 1068
Fístula, anal, diversos tipos de, 1540, 1541
anal y anorrectal, 1539
Fístulas, sacrococcígeas, 1497
Fisura, anal, 1543
Flebitis, 1291
como complicación de las várices, 1295
Flemón, circunscrito, 528
tratamiento del, 528
de amígdalas, 1676
difuso, 528
difuso, tratamiento de, 528
perinefrítico, 1359
retrofaríngeo, 1680
Flujo, el, 272
Focos, de infección, factor de salud deficiente, 110
Fólico, ácido, 221
Foliculitis, 1652
Fomento, cómo preparar el, 827
manera de colocar el, 827
Fomentos, 824
al oído, 1639
material necesario para los, 824
precauciones en la aplicación de los, 828
técnica para la aplicación de los, 825, 826
Forúnculo, de la nariz, 1652
del conducto auditivo, 1640
Forúnculos, 1593
Fosas, nasales, enfermedades de las, 1649
Fósforo, el, 208
Fractura, de clavícula, 554
de costilla, 562
de húmero, 555
de la columna vertebral, 558
de la muñeca, 556
de la pelvis, 557
de la pierna, 558
de los huesos del antebrazo, 556
de los huesos propios de la nariz, 562
de maxilar inferior, 562
del cráneo, 498
del fémur, 557
del tobillo, 558
Fracturado, tratamiento general del, 562
Fracturas, complicaciones de las, 552
de costillas, 502
de los dedos, 556
definición y tipos de, 550
del cráneo, 498
expuestas, abiertas o compuestas, 562

expuestas, o abiertas, tratamiento de urgencia para las, 563
simples o cerradas, tratamiento de urgencia de las, 553
simples o cerradas, tratamiento definitivo de las, 562
Framboesia, 970
Fricción, con alcohol, 834
con mano mojada, 834
fría, con guante, 833
con toalla, 834
Fricciones, tónicas, 832
Frío, aplicación del, 805
efectos del, sobre el organismo, 814
Frutas, cítricas, 66, 256
equivalentes de las, tabla de, 1040
las, 256
otras, 256
secas, oleosas, 247
Fumar, cómo dejar el vicio de, 133
Plan de los cinco días para dejar de fumar, 134 - 157

G

GALACTOSA, 197
Gangliones, de la muñeca, 1498
Ganglios, aumento de tamaño de los, véase "Ganglios, aumento de tamaño de los", en el Indice de Síntomas.
Gangrena, 531
diabética, 533
gaseosa, 533
pulmonar, 1211
senil, 533
Garganta, enfermedades de la, 1670
resumen de la anatomía y fisiología de la, 1670
Gas, en el estómago, 1075
Gases, intestinales, 1076
Gastritis, 1102
aguda, 1102
crónica, 1103
Gastrorragia, 1083
Gerontología y geriatría, 437-447
Giardiasis, 987
Gimnasia, 73-80
abdominal, 76-78
Ginebra, la, 120
Glande, y prepucio, inflamaciones del, 1560
Glándula, tiroides, enfermedades de la, 1370
Glándulas, anexas del aparato digestivo, 1067
de secreción interna, enfermedades de las, 1365
generalidades sobre, 1365
paratiroides, enfermedades de las, 1384
salivales, 1067
suprarrenales, 1366
anatomía y fisiología de las, 1366
Glaucoma, 1706
Globo ocular, 1685
Glóbulos blancos, disminución de los, 1328
rojos, disminuidos, 1321
rojos, en exceso, 1325
Glomérulonefritis difusa isquémica, 1347
Glúcidos: véase carbohidratos, 196
Glucógeno, 198
Glucosa, 196
Glutamato, monosódico, el, 231
Golpe, de calor, 582
Gonococcia, femenina, 281
Gonorrea, la, 1568
Gordura, 1047
Gota, 1027
Gotas, en el oído, manera de colocar las, 1638
en los ojos, 1692
nasales, 1650
Granos, en la cara, 1591
Granulia, o tuberculosis pulmonar aguda, 923
Granulocitopenia, 1328
Grappa, la, 120
Grasas, 200
animales, 257
equivalentes de las, tabla de, 1039
las sustancias, como alimento, 203
Grietas, del pezón, 361
Gripe, 955
Grupos, de alimentos, 66, 67
sanguíneos, 519
Guarana, la, 233
Gusanos, parásitos del intestino humano, 991
parásitos, que se localizan fuera del intestino, 1002

H

HABITACION, del enfermo, 711
ideal para un enfermo contagioso, 866
Habitaciones, ventilación en las, 51
Hábitos, antihigiénicos, 107
buenos, enseñanza de los, para el niño, 385
constitucionales, 1119

malos, en el niño, 386
nuestros, y la duración de la vida, 108
HACT o ACTH, el, 788
Halitosis, o mal aliento, 1088
Hallux valgus, 1532
Hashish, el, 162
Helioterapia, 798
Hematemesis, 1083
Hematoma, 481
Hematopoyesis, 1320
Hematuria, 1344
Hemicránea (jaqueca), 1469
Hemiplejía, 1455
Hemofilia, 1330
Hemoptisis, 1185
Hemorragia, cerebral, 1458
de la arteria meníngea media, 500
del estómago, 1083
en la evacuación intestinal, 1546
intestinal, 1084
intestinal, como complicación de la tifoidea, 871
meníngea, del recién nacido, 410
nasal, 1654
tratamiento general de la persona que ha sufrido una, 518
uterina, 270
Hemorragias, 510
del aparato digestivo, 1084
del aparato urinario, 1344
del miembro inferior, 518
del miembro superior, 517
efectos de las, 511
en la cabeza y el cuello, 517
enfermedades que tienden a producir, 1330.
externas, tratamiento de urgencia para las, 512
meníngeas, 1473
síntomas generales de las, 512
Hemorroides, 1543
cuando no mejoran, 1545
cuando salen al exterior, 1545
poco acentuadas, 1544
Hemostasia, definitiva, 518
Hepatitis, aguda infecciosa, 1139
Heridas, 483
cicatrización de las, 486
contusas del cuero cabelludo, 498
cortantes y contusas, tratamiento de las, 492
de cama, 723
de la cara, 500
del cuello, 500
del tórax, 502
grandes contusas, tratamiento definitivo de las, 495
graves, primeros auxilios de las, 498
infecciones de las, por gérmenes anaerobios, 531
infectadas, complicaciones de las, 530
por armas de fuego, 485
tratamiento de las, 494
punzantes, tratamiento de las, 491
tratamiento de las, 488
Hernia, crural, o femoral, 1536
del disco intervertebral, 568
diafragmática, 1536
epigástrica, 1536
estrangulada, 1537
inguinal, 1534
umbilical, 1535
Hernia, de la pared abdominal, 1534
del ombligo, en el niño, 413
Hernias, localización de las, 1535
Heroína, la, 159
un esclavo de la, 158
Heroinomanía, 159
Herpes, 1606
simple, 1606
zóster, o zona, 1607
Hidatidosis, 1008
profilaxis de la, 1009
Hidratos, de carbono, 196
de carbono: véase carbohidratos, 196
Hidrocefalia, en el niño, 433
Hidrocele, 1561
Hidrofobia, 540
Hidronefrosis, 1357
Hidropesía, 1166
Hidrosadenitis, 1593
Hidroterapia, 814
efectos que pueden lograrse por la, 815
para las distintas enfermedades, véase bajo cada una de ellas
Hidrotórax, 1219
Hierro, el, 208
Hígado, con pequeña insuficiencia crónica, 1151
el, 1067
enfermedades del, 1137
Higiene, baños de, 60, 61
de la alimentación, 68
de la primera infancia, 379
de los órganos genitales, 1584
del paciente, 711
diaria del paciente, 718
mental, 97
factores de la, 99
para prevenir neurosis y enajenación mental, 98
personal y el agua, 60

sexual, 1579
visual, 1708
Hiperclorhidria, 1074
Hipermetropía, 1693
Hiperparatiroidismo, 1386
Hipertensión, arterial, 1268
arterial esencial, 1271
Hipertiroidismo, 1375
Hipertrofia, de las amígdalas, 1675
Hipo, 667
Hipoalimentación, 359
Hipófisis, anatomía y fisiología de la, 1378
enfermedades de la, 1378
Hipotensión, arterial, 1275
Hipotiroidismo, 1371
Histerismo, 1477
ataques de, 591
Historia de la medicina, 449-464
Hobby, características del, 100
Hoja, clínica, 734
Hongos, enfermedades no cutáneas, producidas por, 1012
enfermedades de la piel producidas por, capítulo 160
venenosos, intoxicación con, 627
Hortalizas, grupos de, 253
o verduras, 253
Huesos, largos, planos y cortos, 34
y articulaciones, infecciones de los, 1518
Huevos, los, 242
Humedad, del aire, influencia de la, 49
Humor, acuoso, el, 1689
vítreo, el, 1690

I

ICTERICIA, 1137
catarral, 1139
del recién nacido, 335
hemolítica, 1140
Ictericias, hemolíticas, 1140
por obstrucción de las vías biliares, 1137
toxiinfecciosas, 1139
Idiotez, 1482
Ilíacos, huesos planos llamados, 38
Iloticín, o eritrocín, 781
Ilusiones, 1485
Impétigo, contagioso, 1598
Impotencia, la, 1565
Inapetencia, en el niño, 400
Incontinencia, de orina, 1343
Incoordinación, por alcohol, 116
Infarto, del miocardio, 1243
úrico, del recién nacido, 335
Infección, 525
local, tipos de, 525
puerperal, 327
Infecciones, de las heridas, por gérmenes anaerobios, 531
de los huesos y las articulaciones, 1518
del aparato genital femenino, 279
locales y generales, que complican las heridas, 523
localizadas de las heridas, tratamiento de las, 527
tratamiento local para algunas, 527
urinarias, producidas por gérmenes comunes, 1359
Inflamación, de bolsas serosas, 1500
de la vejiga, 1360
de la vesícula biliar, 1141
Inflamaciones, crónicas del cuello del útero, 281
de la piel, producidas por contacto con insectos, 548
de la próstata, 1555
de la trompa y el ovario, 282
de las articulaciones, 1519
del testículo y el epidídimo, 1562
o infecciones de las vías biliares, 1141
Influencia, del cuerpo sobre la mente, 106
de las emociones sobre el cuerpo, 104
Influenza, 955
Inhalaciones, 1652
Inmovilización, de urgencia para fracturas, 354
del tórax, 501
Inmunidad, 858
Insolación, 581
Insomnio, causas del, 86
definición de, 86
en el niño, 401
rebelde, 88, 89
tratamiento para el, 86 - 88
Instilaciones, en el oído, 1638
Insuficiencia, aórtica, 1250
cardíaca, 1261
cardíaca congestiva, 1264
cardíaca, propiamente dicha, 1262
de ambos ventrículos, 1264
hepato-biliar, crónica, 1151
mental, 1481
mitral, 1249
ventricular derecha, 1263
ventricular izquierda, 1263
Insulina, 1044

Intertrigo, 1611
del lactante, 403
Intestino, delgado, 1065
grueso, 1067
Intoxicación, períodos del proceso de, por la ingestión de alcohol, 115
Intoxicaciones, alimenticias, 625
alimenticias, precauciones para evitarlas, 628
o envenenamientos, 610, 611
por hongos venenosos, 627
Invaginación intestinal, en el niño, 429
Inyecciones, 755
intramusculares, 760
manera de aplicar las, 760
y siguientes subcutáneas, 759
Ira, influencia de la, sobre el cuerpo, 104
Iritis, 1705
Irrigaciones, vaginales, 743
Irritación, de los pliegues de la piel, 1611
Isótopos radiactivos, 806

J

JABON, uso del, en el baño de higiene, 61
Jaqueca, 1469
Juanetes, 1532
Jung, párrafo sobre perspectiva religiosa de la vida, 101

K

KALA-AZAR (leishmaniosis visceral), 981
Kenny, método, 1452
Kerion de Celso, 1622
Koch, bacilo de, 918
Kola, la, 233
Kussmaul, disnea de, 590
Kwashiorkor, 1015

L

LABIO, leporino, 363
Lactancia, alimentación para la mujer durante la, 364
dificultades para la, dependientes de la madre, 361
dificultades para la, dependientes del niño, 363
efectos del tabaco sobre la, 131
higiene de la, 364
materna, contraindicaciones de la, 361
por nodriza, 366
Lactante, alimentación artificial para el, 369
alimentación del, 349
alimentación mixta para el, 368
alimentación natural del, 351
anatomía y fisiología del, 339
crecimiento y desarrollo del, 343
dentición del, 344
deposiciones del, 350
desarrollo mental y habla del, 345
el, 339
programa de alimentación para el, 357
sueño del, 340
trastornos nutritivos y digestivos del, 416
Lactosa, 197
Ladillas, 1626
Lagrimeo, 1698
Lambliasis, 989
Laringe, enfermedades de la, 1681
Laringitis, aguda simple, 1681
crónica simple, 1681
estridulosa, 1682
Lavado, de estómago, 744
de oídos, 1636
Lavados, de ojos, y conjuntiva, 1691
de oídos, 1636
Lavajes, nasales, 1652
vaginales, 743
Lecitina, 204
Leche, cantidades de vitaminas por litro de, 238
composición y valor alimenticio de la, 237
condensada, 239
cruda, pasteurizada y hervida, 241
de manteca (buttermilk, babeurre), 241
de mujer, composición de la, 350
de vaca, sustitutos de la, para los niños, 377
derivados de la, 239
descremada, 239
en polvo, 239
equivalentes de la, tabla de, 1038
evaporada, 239
la, 237
materna, características en la producción de la, 353
y siguientes minerales de la, 238
productos provenientes de la, equivalentes a un litro, 239
suero de, 241
vitaminas de la, 238
y sus derivados, 67
Leches, ácidas, 240
Legumbres secas, 247

Leguminosas, las, 247
Leishmaniosis, 981
  cutáneo-mucosa, 982
Lengua, afecciones de la, 1091
  cáncer de la, 1091
  escrotal, 1091
  la, y las enfermedades, 1092
  roja e irritada, 1092
  saburral, significado de la, 1092
  seca, 1092
  sucia, 1092
  ulceraciones de la, 1091
Lenguaje, centros del, 1459
Lepra, 914
Lesiones, de la piel, 723
  de los cartílagos, 568
  producidas por el frío, 578
Leucemia, aguda, 1327
  linfoidea, 1327
  mieloidea, 1326
Leucemias, 1325
Leucorrea, 272
Levulosa, 196
Ligamentos, los 41
Linfangitis, aguda, tratamiento de la, 528
  reticular, 524
  troncular, 524
Linfoadenoma, 1329
Linfogranuloma, venéreo, 1578
Linfogranulomatosis, inguinal, 1578
  maligna, 1329
Lípidos, 200
Lipoides (lecitina y colesterol), 204
Lipotimia, 587
Liquen, 1589
Litiasis, biliar, 1144
  urinaria, 1362
Locura, la, 1484
Lordosis, 1514
L S D, 163
Lumbago, 1395
  propiamente dicho, 1395
Lunares, 1629
Lupus eritematoso, 1397
Luxación, congénita de la cadera, 1512
Luxaciones, 563
Luz, solar, 54

LL

LLAGAS de la matriz, 282
  en la boca, 1094
  en la piel, 1495
Llanto, del recién nacido, 334
  distintas clases de, 394
  el, 394

M

MAIZ, el, 252
Mal, de altura, 670
  de Pott, 1518
  de Pinto, 972
Magnamicina, 781
Malaria, 973
Maltosa, 198
Mamadera, la, 374
Mamas, autoexamen de las, 1509
Mamar, maneras de dar al niño a, 355
Manchas, en la cara, 1630
Manía, 1490
Manos, lavado de las, 61
Mantequilla, 67, 257
Mareos, 669
Marihuana, la, 162
Masaje, 810
Masaje cardíaco, 585
Mastitis, 362
Mastoiditis, como complicación de la otitis, 1644
Masturbación, la, 1582
Mate, como productor de insomnio, 88
Mate, el, 234
Matrimonio, el, y el factor sexual, 1582
Matriz, la, 264
Medicamentos, de origen animal, 769
  de origen mineral, 769
  de origen vegetal, 769
  manera de administrar los, 755
  modernos, 771
  origen de los 769
  preparados sintéticamente, 770
  vías de administración de los, 770
Medicina, psicosomática, 103
Médula, espinal, 1423
  espinal, enfermedades de la, 1441
Megaesófago, 1098
Megacolon, 1130
Melena, 1084
Meninges, enfermedades de las, 1471
  las, 1426
Meningitis, 1471
  supuradas, otras, 1472
  tuberculosa, 1472
Meniscos, lesión de los, 568
Menopausia, la, 267

Menstruación, anomalías de la, 269
dolorosa, 271
excesiva, 269
falta de, 270
la, 266
Menú, diario, alimentos que debe incluir el, 65 - 67
que proporciona proteínas necesarias diariamente para el organismo, 193
Mericismo, 1074
Metabolismo, basal, 169
Metacarpo, el, 37
Meteorismo, 1076
Método, de Ogino Knaus Smulders, 286
Kenny, para la parálisis infantil, 1452
Metrorragia, 270
Miasis, 1626
Micción, difícil, 1344
dolorosa, 1344
frecuente, 1343
trastornos de la, 1342
Micetoma, 1014
Micosis, de la parte superior de los muslos, 1603
de la piel, capítulo 160
profundas, otras 1014
Miedo, factor de enfermedad física y mental, 103
Mielitis, difusas, 1441
Mielitis, sistematizadas, 1444
Miembro, inferior, 37
superior, el, 37
Miembros, los, 37
Minerales, 168
los, 206
necesidad de los, 206
Miocardio, afecciones del, 1240
infarto del, 1243
Miocarditis, 1240
aguda, 1240
crónica, 1240, 1241
Miopatías, 1493
Miopía, 1693
Mixedema, 1371
Moderación, falta de, 108
Mongolismo, en el niño, 433
Mononucleosis infecciosa, 954
Morbilidad, y mortalidad infantiles, 391
Mordeduras, de gato, 540
de perro, 539
humanas, 540
y picaduras de animales, 539
y picaduras de serpientes venenosas, tratamiento de las, 540
Morfina, la, 159
un esclavo de la, 158
Morfinomanía, 159
Mortalidad, y morbilidad infantiles, 391
Moscas, cómo combatir las (nota), 110
Movilización, 810
Mucílago, de cereales, modo de preparar el, 375
Muguet, 1094
Murphy, suero a la, 743
Músculos, estriados, 41
los, 41.
propiedades y funcionamiento de los, 41

N

NARIZ, enfermedades de la, 1649
funciones, de la, 1650
gotas en la, 1650
obstrucción de la, 1652
resumen de la anatomía de la, 1649
tapada, 1652
Náuseas (véase Vómitos, 1073)
Nevus, 1629
Nefritis, 1347
Nefrolitiasis, 1362
Nefrón, el, 1335
Nefroptosis, 1356
Nefrosis, 1352
Nematodos, 993
Neomicina, la, 777, 778
Nervios, craneales, 1423
periféricos, enfermedades de los, 1432
Neumoconiosis, 1210
Neumonía, lobar o típica, 1203
estafilocócica, 1203
Neumonías, 1202
atípicas, 1202
Neumotórax, 1220
Neuralgias, 1436
Neurastenia, 1478
Neuritis, 1432
Neurona, la, 1410
Neurosis, 1474
compulsivo-obsesiva, 1478
de ansiedad o de angustia, 1476
principales formas de las, 1476
tratamiento de la, 1479
Niacina, cantidad óptima diaria, de, 220
características de la, 220
distribución de la, en los alimentos, 220
efectos de la falta de, 220

Niacinamida, véase niacina, 220
Nicotina, absorción y eliminación de la, 128
características de la, 127
la, 127
¿qué cantidad de, se absorbe al fumar?, 128
Nigua, 1628
Niño, alimentación del, después de los tres años, 377
aseo e higiene del, 379 y siguientes
constipación en el, 399
deshidratación del lactante, 419
en la segunda infancia, alimentación del, 349
llanto del, 394
mantenido a pecho, programa de alimentación para el, 357
programa diario para el, 387
ropa del, 383
síntomas de enfermedades del, 392
vómitos en el, 398
Niños, débiles congénitos, 406
prematuros, 406
Noma, o estomatitis gangrenosa, 1096
Nueces, véase Frutos secos oleosos, 247

O

OBESIDAD, 1047
Obstrucción, intestinal, 1085
nasal, 1652
Ocena (rinitis atrófica), 1662
Oclusión, intestinal, 1085
Oftalmía purulenta, 1700
Ogino, Knaus, Smulders, método de, 286
Oído, externo, enfermedades del, 1639
medio, enfermedades del, 1641
salida de líquido por el, 1648
Oídos, zumbidos de, 1647
dolor de, 1647
lavados de, 1636
Ojo, funcionamiento del, 1690
Ojos, desviados, 1706
higiene de los, 1708
lavados de los, 1691
manera de poner pomadas en los, 1692
resumen de la anatomía y fisiología de los, 1684
Oligoelementos, los, 210
Oligofrenia, 1481
Ombligo, enfermedades y anomalías del, 412
Onchocerca, volvulus, 1005
Opacidades, de la córnea, 1703
Opio, el, 159
Opiomanía, 159
Optimismo, factor de salud mental, 102, 103
Oración, la, como factor de salud mental, 101
Organos, genitales, higiene de los, 1584
Orina, cantidad normal, 58
color normal, 58
con sangre, 1344
falta de secreción de la, 1341
incontinencia de, 1343
la, 1339
pus en la, 1345
retención de la, 1342
Orinal, chato, 736
Orquitis, 1564
Orzuelo, 1695
Osteoartrosis, 1391
Osteomalacia, 1020
Osteomielitis, aguda, 1521
Otitis, agudas, y sus complicaciones, 1642
catarral crónica, 1645
media supurada crónica, 1646
Otoesponjosis, 1646
Ovario, inflamaciones del, 282
el, 261
quistes del, 279
Ovaritis, 282
Oxitetraciclina, 783
Oxiuriasis, modo de contagio de la (fig. 369), 997
Oxiuros, 995

P

PALPITACIONES, 1233
Paludismo, 973
Pan, equivalentes del, tabla de, 1039
Panadizos, 525, 528
tratamiento de los, 528
Páncreas, el, 1068
quistes del, 1163
tumores del, 1163
Pancreatitis, aguda, 1162
crónica, 1163
Pantoténico, ácido, 221
Papas, las, 255
y otras verduras, 66
Paperas, 959
Paradentosis, 1091
Parafimosis, 1560

Parafina, derretida, para aplicar calor, 750
Parálisis, agitante (enfermedad de Parkinson), 1462
  del recién nacido, 410
  facial, 1438
  facial periférica, causas de la, 1438
  general progresiva, 1487
  infantil, 1445
Paranoia, 1485
Parasimpático, el, 1430
Parásitos, de la piel y del cuero cabelludo, 1623
  intestinales, capítulos 92, 93 y 94
    cómo evitar los, 988
Paratifoideas, 875
Paratiroides, glándulas,
    enfermedades de las, 1384
Paro cardíaco, 584
Parotiditis, epidémica, 959
Párpados, enfermedades de los, 1693, 1695
Parto, el, 286, 309
  material para preparar el, 310
  natural, el, 311
  qué hacer si las circunstancias obligan a una persona no capacitada a atender un, 321
  sin temor y método psicoprofiláctico, 311
Patogenia, 855
Pavlov, teorías de, 1476
Pecas, 1630
Pediculosis, 1625
Pelagra, 1020
Pene, el, 1554
Penicilina, la, 774
Pénfigo, 1618
Pérdida, del cabello, 1621
  del conocimiento, 587
Pérdidas, o emisiones seminales, 1566
Perdón y arrepentimiento, factores de salud mental, 103
Perforación, intestinal, como complicación de la tifoidea, 872
  de úlcera gastroduodenal, 1109
Periarteritis nudosa, 1398
Pericardio, afecciones del, 1237
Pericarditis, 1237
  con derrame, 1238
  crónica adhesiva, 1239
  fibrinosa aguda, 1237
Perinefritis, 1359
Períodos, de una enfermedad infecciosa, 862
Peritoneo, afecciones del, 1165
  el, 1165
Peritonitis, aguda, 1169
  tuberculosa, 1168
Pesimismo, como hábito antihigiénico, 109
  factor de enfermedad física y mental, 102, 103
Peste, bubónica, 908
Pezón, grietas del, 361
Pian, 970
Picaduras, de abejas, avispas y hormigas, 547
  de arañas, 545
  de escorpión, 547
  de mosquitos, 548
  de polvorines, jejenes, y mbarigüís, 548
  y mordeduras de animales, 539
  y mordeduras de serpientes venenosas, 540
Picazón, del ano, 1547
  de la piel, 1589
  de los genitales externos, 274
Pie, bot, 1525
  de atleta, 1601
  plano, 1525
  zambo, 1525
Piel, afecciones de la, 1606
  comezón de la, 1589
  constitución de la, 1587
  enfermedades de la, 1585
  enfermedades de la, causadas por hongos, 1601
  enfermedades de la, producidas por gérmenes microbianos, 1591
  funciones de la, 1587
  lesiones elementales de la, 1589
  resumen de la anatomía y fisiología de la, 1585
Pielitis, 1360
Pielonefritis, 1360
Piemia, 530
Pies, afecciones de los, 1525
  defectuosos, cómo corregirlos, 1528-1532
  fríos, durante el sueño, cómo combatirlos, 87
Píldoras, de clarofila, 61
Píloro, estrechez del, en el niño, 429
Pinta, 972
Piojos, 1625
Pionefrosis, 1360
Piorrea, alveolar, 1091
Pique, 1628
Pirosis, 1074
Pitiriasis, simple y seborreica, 1620
  versicolor, 1602
Pituitaria, enfermedades de la, 1378
Piuria, 1345
Placenta, previa, 307
Pleura, enfermedades de la, 1216

Pleuresía, plástica o fibrinosa, 1219
purulenta, 1218
seca, 1219
serofribinosa, 1216

Polaquiuria, 1343

Policitemia (aumento de glóbulos rojos), 1325

Poliglobulias, 1325

Polineuritis, 1433
alcohólica, 1434
arsenical, 1434
diftérica, 1434
saturnina, 1434

Polimixina, 779

Poliomielitis, anterior aguda (parálisis infantil), 1445

Pólipos, nasales, 1665

Poliposis, del colon, 1135

Pomadas, en los ojos, 1692

Posición, correcta, para el niño, 382

Postura, correcta, 80-82

Postura, defectuosa, causas productoras de, 81

Pozos, condiciones de los, 59

Precordialgias, 1235

Preocupaciones, temor y congojas, evitarlos, 102

Presbicia, 1691

Presión, sanguínea, aumentada, 1268
sanguínea, baja 1275

Prevenir, tendencia actual de la medicina, 46

Primeros auxilios, índice de: véase la página de color frente a la página 478
principios generales sobre los, 475

Prisión, militar de Calcuta (anécdota), 49

Problema, sexual, del adolescente y el joven, 1580

Proctitis, 1538

Profilaxis, o prevención: para profilaxis de las distintas enfermedades, búsquese bajo el nombre de cada una de ellas

Prolapso, del recto, 1546
del útero, 274

Pronóstico, 856
para el pronóstico de las distintas enfermedades véase la página correspondiente a cada una de ellas

Próstata, adenoma de la, 1557
aumento de tamaño de la, 1557
cáncer de la, 1558
enfermedades de la, 1555
hipertrofia de la, 1557
la, 1554

Prostatismo, 1557

Prostatitis, agudas y crónicas, 1555

Proteínas, alimentos ricos en, 67, 195
cantidad necesaria de, 192
completas, 191, 192
composición de las, 191
importancia de las, 190
inconvenientes de su exceso en la alimentación, 194
inconvenientes de su insuficiente ingestión, 190
las, 190
menú que proporciona cantidad diaria de, 193
su acumulación en el cuerpo, 194
tabla de, 193

Protozoarios, parásitos, otros, 987

Prurito, anal, 1547
de la piel, 1589
vulvar, 274

Prurigo, 427

Psicastenia, 1478

Psicoanálisis, limitaciones del, 102

Psicología, del comportamiento, 1476

Psiconeurosis, 1474

Psicosis, afectiva, 1490
las, 1484
maniacodepresiva, 1491

Psicosomática, medicina, 103

Psilosis (Sprue), 1025

Psoriasis, 1617

Pterigión, 1702

Ptosis, del riñón, 1356

Puericultura, 332

Puerperio, el, 324
ejercicio durante el, 325

Pulmón, enfermedades del, 1199

Pulmones, los, 1175

Pulso, el, 729
cómo se toma, 731
desigual, 1260
irregular, o arritmia, 1259
lento, 1257
rápido, 1254

Puna, 670

Puntada, de costado, 1187

Puntos, negros, 1593

Purgaciones, 1568

Púrpura, 1331
hemorrágica o trombocitopénica, 1331
idiopática o anafilactoide, 1331
secundaria, 1332
simple, 1332
reumatoide, 1332
visceral, 1332

Q

QUEMADURAS, 570
cómo apagar las ropas incendiadas sobre una persona, 576
de sol, 804
grados de, y síntomas locales, 570
grandes, tratamiento de las, 574
gravedad de las, 572
medianas, tratamiento de las, 574
pequeñas, tratamiento de urgencia de las 573
producidas por sustancias varias, 576
síntomas generales y complicaciones, 573
Queratitis, intersticial, 1703
Quesillo, 241
Queso, 241
Quiste sebáceo, 1496
dermoide, 1497
hidatídico, 1008
Quistes, 1496
del ovario, 279
y fístulas sacrocoxígeas, 1497

R

RABIA (hidrofobia), 540
Radiaciones, 797
luminosas, 804
Radioterapia (curieterapia), 806
Raquitismo, 1017
Rayos, infrarrojos, 804
ultravioletas, 798
Recalcadura, 565
Recetas, lista de, 846 - 850
Recién nacido, afecciones del, 409
cuidados que requiere el, 336
el, 331
el, sano, 332
funciones del, 333
trastornos que pueden observarse en el, 334
Recreación, 84
como factor de salud mental, 100
necesidad de la, 84, 109
Recreaciones, aceptables, 84
Rectitis, 1538
Recto, descenso del, 1546
y ano, afecciones del, 1538
Reeducación, 810
Régimen, para obesos, 1053
Regularidad, falta de, 108
Regurgitación, 1074
Relajación muscular, 90
cómo aprender la técnica de la, 90 - 95
Relajamiento, de los músculos, para combatir el insomnio, 87
Religión, la, factor fundamental de la salud mental, 101
Remordimiento, factor de enfermedad física y mental, 103
Requesón (requeso), 241
Resfrío, nasal, 1658
común, 1658
Respiración, 1177
alteraciones de la, 1181
artificial, 594 y siguientes
de Cheyne Stokes, 590
de Kussmaul, 590
difícil, 1182
normal, 1181
Respiraciones, profundas, 50
Retención, de la orina, 1342
Retina, la, 1686
Retroversión uterina, 274
Reumatismo, articular, o poliarticular agudo, 891
Reumatismos, articulares y no articulares, 1387
crónicos, 1387
Rh, factor, 520
Riboflavina: véase vitamina B2, 219
Ricota, 241
Rickettsias, otras enfermedades causadas por, 968
Rinitis, agudas, otras, 1661
atrófica, 1662
crónicas, 1661
espasmódica, 1662
Rinofaringitis, aguda 1679
crónica, 1679
Riñón, caído, 1356
cáncer del, 1364
enfermedades del, 1347
flotante, 1356
Ritmo, del corazón, trastornos del, 1253
Roentgenterapia, 806
Ron, el, 120
Ronchas, 1615
Ropa, adecuada, 53
del niño, 383
Rubéola, 953
Rutina, véase vitamina P, 225

S

SABAÑONES, 1609
Sacarosa, 197
Sal, común, la, 210
la, 231

Sales minerales, 206
Salmonellas, alimentos contaminados con, 626
Salpingitis, 282
Salud, definición, 45
enemigos de la, 107
física, fundamento de salud mental, 103
mental, basada en la salud física, 103
mental, factores de la, 99
¿qué es la?, 45
Sangre, coagulación de la, 1319
composición de la, 1317
enfermedades de la, 1317, 1321
formación de la, 1320
y sus órganos productores, anatomía y fisiología de la, 1317
Sarampión, 948
alemán, 953
Sarna, 1623
Sculteto, de abdomen, 634
Seborrea, del cuero cabelludo, 1621
de la piel, 1591
Sed, la, 58
Sémola y fideos, 252
Sentimientos, de culpabilidad, cómo librarse de los, 102, 103
negativos, el hábito de albergar, 109
Septicemia, 530
Septicopiemia, 530
Serpientes, venenosas, cómo reconocerlas, 544
mordeduras, tratamiento, 540
Servicio, por los demás, causa de felicidad, 103
Sexo, problema del, en el adolescente y el joven, 1580
Shock, cómo evitar el, 509
insulínico, 1045
tratamiento de urgencia para el, 507
tratamiento definitivo del, 508
traumático, 506
Sicosis, de la barba, 1598
estafilocócica, 1600
Sicosis tricofítica, 1601
Sidra, la, 120
Sífilis, 1571
congénita, en el niño, 430
secundaria, 1572
Simpático, el, 1430
Sinapismos, 750
Síndrome de Cushing, 1369
Síncope, 588
Sínfisis, pubiana, 38
Sinovial, la, 41
Sinoviales, y bolsas serosas, afecciones de las, 1498
Síntomas, de las enfermedades del aparato urinario, 1341
Síntomas (generalidades), 855
principales, de las enfermedades del aparato digestivo, 1073
principales del aparato respiratorio, 1181
Véase también bajo "Indice de Síntomas" y "Enfermedades", los síntomas, las enfermedades de los demás aparatos, sistemas y órganos
Sintomatología, 855
Sinusitis, agudas y crónicas, 1666
Siringomielia, 1443
Sistema, autónomo, funciones del, 1430
nervioso, 1408 y siguientes
autónomo o vegetativo, 1427
cerebroespinal, o de la vida de relación, 1410
enfermedades del, 1408
objeto del, sus partes, 1408
resumen de la anatomía y fisiología del, 1408
Sodio, el, 210
Sol, baños de, 798
efectos de la luz del, sobre la piel, 800
quemaduras de, 804
Solar, la luz, 54
Sonambulismo, en el niño, 402
Sordera, 1646
Soroche, 670
Soya, la, 247
Sprue, 1025
Sueño, horas necesarias de, 85
medidas para conciliar el, 83 - 89
normal, 85
Sulfamidas, contraindicaciones para las, 787
Sulfas, 786
Sulfas, efectos desfavorables que pueden producir las, 788
Suprarrenales, anatomía y fisiología de las, 1366

T

TABACO, acción del, sobre el aparato digestivo, 130
acción del, sobre el aparato respiratorio, 130
¿cómo dejar de fumar?, 133, 134
como productor de cáncer, 126, 130
efectos del, sobre el corazón y las arterias, 129

el, 125
plan de cinco días para dejar de, 134 - 157
sobre el desarrollo y la capacidad física, 131
sobre el embarazo y la lactancia, 131
sobre el organismo, 129
sobre la duración de la vida, 132
sobre los órganos de los sentidos, 131
razones del uso del, 132
Tabes, dorsal, 1444
Tabique, nasal, desviaciones del, 1664
Tabla, de composición de los alimentos, comunes, 172 - 189
de composición del cuerpo humano comparada con la corteza terrestre, 207
de peso, talla del niño normal, 340
de peso y estatura de adultos, 1048
de presiones sanguíneas máximas y mínimas, 1271
de promedio de estaturas y pesos, 1048
Tapón, de cerumen, 1640
Taquicardia, 1254
paroxística, 1256
Té, el, 234
Tejido, epitelial, 32
muscular, 33
óseo, 33
Tejidos, descripción de algunos, 33
los, 32
Tela adhesiva, manera de aplicarla, 649
manera de sacarla, 649
Temor, influencia del, sobre el cuerpo, 104
preocupaciones y congojas, evitarlos, 102
Temperatura, causas que pueden modificar la, 729
horas en que se tomará la, 728
influencia de la, 49
la, 726
lugares donde puede tomarse la, 726 - 728
variaciones diarias de la, 728
Tenia, equinococus, 992
saginata, 991
solium, 992
Tenias, trastornos que producen las, 992
Tenosinovitis, 1500
Tensión arterial, aumentada, 1268
baja, 1275
Teobromina, la, 236
Termómetro, manera de leer el, 726
Termoterapia, 805
Terrores, nocturnos, en el niño, 401
Testículo, inflamaciones del, 1562
no descendido, 1562
Testículos, los, 1550
Tetania, 1384
Tétanos, 535
Tetraciclinas, 783
Tic, o espasmo habitual, 1479
Tifoidea, 868
Tifus, exantemático, 966
Timpanismo, 1076
Tiñas, 1622
Tipos, constitucionales, 1118
respiratorios, 1181
Tiroides, enfermedades de la, 1370
Tirotricina, la, 778
Tolerancia, al alcohol, 118
Tomate, el, 66, 254
Tonicidad, 41
Torácica, caja, 37
cintura, 37
Tórax, el, 1177
traumatismos del, 501
Torceduras, 563
Torniquete, 514
Tortícolis, agudo por fibrositis, 1394
congénito, 1512
Tos, convulsa, 888
ferina, 888
la, 1183
Toxicosis, 417
Trabajo, algunas ventajas del, 100
como factor de la salud mental, 100
Tracoma, 1701
Transfusión, de sangre, 519
métodos de, 521
Transpiración, axilar, 61
Transporte, de heridos, 652
Tráquea, la, 1173
Trastornos del ritmo de las contracciones del corazón, 1254
Trastornos nerviosos, causas de insomnio, 86
Tratamiento de las enfermedades, conceptos generales sobre el, 765
Tratamientos, con luz, 797
definición de distintas clases de, 766
oculares, 1691
Traumatismos, 481
complicaciones de los, 506
de los huesos y las articulaciones, 550
del abdomen, 504
del cráneo, 497
del tórax, 501
Treponemas, enfermedades causadas por, 970
Tricocéfalo, dispar, 998
Tricofitia, de la piel lampiña, 1603

Tricomoniasis, 989
Trigo, efectos de la molienda sobre el, 250
el, y sus derivados, 250
elementos alimenticios que se pierden en la harina blanca, 250
Tripanosomiasis, americana, 978
Triquiasis, 1696
Triquinosis, 1002
modo de contagio de la, (fig. 374), 1004
Tristeza, factor de enfermedad física y mental, 103
Tromboangiitis, obliterante, 1283
Tromboflebitis, 1291
Trombosis, 1288
cerebral, 1459
Trompa de Eustaquio, 1636
Trompa, inflamaciones de la, 282
Trompas, de Falopio, 262
Tronco, el, 36
Tubérculos y raíces, 255
Tuberculosis, 918
de la cadera, 1518
de la columna vertebral, 1518
del aparato genital masculino, 1565
del aparato urinario, 1361
laríngea, 1683
pulmonar aguda, o granulia, 923
pulmonar crónica, 923
Tubo, digestivo, 1060
Tumores, benignos y malignos, 1501
blancos, 1518
de la vejiga, 1364
del cerebelo, 1465
del cerebro, 1465
del encéfalo, 1465
del estómago, 1116
del intestino grueso, 1135
del seno, benignos y malignos, 1511

U

ULCERA, del esófago, 1100
de decúbito, 723
del cuello uterino, 282
duodenal, 1109
gástrica (de estómago), 1109
péptica, 1109
varicosa, 1294
Ulceras, 1495
de duodeno, 1109
de la córnea, 1703
Ultrasonidos, 795
Uñas, encarnadas, 1533
Uremia, 1352
Uréteres, los, 1337
Uretra, estrechez de la, 1559
la, 1337
Uronefrosis, 1357
Urticaria, 1615
Uta, 981
Utero, cáncer del, 277
desplazamientos del, 274
el, 264
inflamación crónica del cuello del, 281
Uva, la, 256

V

VACACIONES, 89
Vacuna, antitetánica, 537
antivariólica, 942
Vacunación, antivariólica, 47
Para otras vacunaciones búsquese la enfermedad correspondiente
Vagina, la, 265
Vahídos, 669
Válvulas, del corazón, afecciones crónicas de las, 1248
Varicela, 945
Várices, 1293
esofágicas, 1101
Varicocele, 1561
Vasos, del cerebro, trastornos de los, 1458
linfáticos, 1227
los, 1225
sanguíneos, otras afecciones de los, 1288
Vegetaciones, adenoideas, 1677
Vejiga, cáncer de la, 1364
inflamación de la, 1360
la, 1337
tumores de la, 1364
Venas, las, 1226
Venda, clase y tamaño, 634
T, 634
Vendaje, 633
circular, 635
condiciones que debe reunir un buen, 634
consejos prácticos sobre la forma de aplicarlos, 636
corbata, 635
cruzado o en ocho, 636
de axila y hombro, 642
de dedo, 640
de la cabeza y la cara, 646
de la ingle y la cadera, 645
de la mano, 640

de la muñeca, 640
de la pierna, 645
de la planta y el dorso del pie, 644
de la rodilla, 645
de extremidad superior, 638
de todo el pie, con triángulo, 644
de todos los dedos, 640
del abdomen, 648
del ano, periné y órganos genitales, 649, 634
del antebrazo, 641
del brazo, 641
del codo, 641
del cuello, 648
del dedo gordo del pie, 644
del maxilar inferior, 648
del miembro inferior, 644
del muslo, 645
del ojo, 648
del tórax, 648
espiral, 636
con inversos, 636
métodos improvisados de, 638
oblicuo, 636
para tobillo, con venda arrollada, 645
principios generales, para aplicación de, 635, 636
spica, o espiga, 636
triangular, cuadrado o de pañuelo, 635
Ventilación, en las habitaciones, 51
Ventosas, 752
Verduras, amarillas, 254
de hoja verde, 253, 254
verdes de hoja. Verduras amarillas o anaranjadas, 66
de otros colores, 254
u hortalizas, 253
Vértigos, 669
Verruga peruana, 966
Verrugas, 1628
Vesícula, biliar, inflamaciones de la, 1141
Vesículas seminales, 1553
Vicio, de fumar, cómo dejar el, 133 - 157
Vicios, de refracción, 1693
Vino, el, 119
Viomicina, 777
Viosterol: véase vitamina D, 225, 226
Viruela, 939
boba, 945
epidemias de, 47
loca, 945
Visceroptosis, 1118
Vista, cansada, 1707
Vitamina, 168, 211
A, efectos de la falta de, en la alimentación, 215
necesidad diaria de, 215
propiedades de la, 215
¿puede ser perjudicial el exceso de?, 215
su historia, 213
su relación con las provitaminas A, 214
antirraquítica: véase vitamina D, 225, 226
B, 216 - 219
B1, 216
absorción de la, 217
características de la, 217
contenido de, en los diversos alimentos, 218
efectos de la falta de la, 217
enfermedades en las cuales se utiliza la, 217
funciones de la, 217
requerimiento diario de, 218
B2, alimentos que contienen la, 219
características de la, 219
consecuencias de la falta de la, 219
funciones de la, 219
requerimiento diario de, 219
(riboflavina), 219
B6 (clorhidrato de piridoxina), 221
B12, 222
C, 222
alimentos ricos en, 224
características de la, 223
funciones de la, 223
requerimiento diario de, 224
síntomas que produce la deficiencia en, 223
D, 225
alimentos que contienen la, 225
características de la, 225
efecto del exceso de, 226
función de la, 225
requerimiento diario de, 226
síntomas que produce la falta de 225
usos médicos de la, 226
E, 227
alimentos que la contienen, 227
características de la, 226
función de la, en el ser humano, 226
usos médicos de la, 227
F, 227
H, (biotina), 221
K, 227
acción de la, 229
características de sus compuestos, 227
trastornos que produce su carencia, 229
usos médicos de la, 229
P, (citrina), 224
Vitaminas, 168
cómo reducir al mínimo la pérdida de las, en la preparación de los alimentos, 213
falta de (avitaminosis), causas que pueden producir, 211

la mejor manera de conseguirlas, 212
las, 212
Vitiligo, 1630
Vólvulo, 1085
Vómica, 1185
Vómito, de sangre, proveniente del pulmón, (hemóptisis), 1185
proveniente del estómago (hematemesis), 1083
negro, 937
Vómitos, 1073
en el niño, 398
Voz, modificaciones de la, 1184
Vulva, la, 265

W

WHISKY, el, 120
Wuchereria, bancrofti, 1004

Y

YAWS, 970
Yodo, el, 209
Yogurt, 240

Z

ZUMBIDOS, del oído, 1647

Léxico Médico

La numeración indica en cada caso la página de la obra donde el lector podrá encontrar usada la palabra respectiva o tratado el tema.

A

ABSCESO. Acumulación bien limitada de pus, 530.

—amebiano. El producido por las amebas (habitualmente en el hígado). 985.

—frío. El que se desarrolla con pocas señales de infección. Es habitualmente de naturaleza tuberculosa, 525.

—Subfrénico. El que se halla debajo del diafragma.

ABSTENSYL. Véase Antabus.

ACANTOSIS NIGRICANS. Enfermedad de la piel caracterizada por aumento de tamaño de las papilas y por pigmentación.

ACCIDENTES ANAFILACTICOS. Véase Anafilaxia.

ACETONEMIA. Aumento de la cantidad de acetona que hay en la sangre. 427.

ACIDOS AMINADOS. Véase Aminoácidos.

ACIDO ASCORBICO. Vitamina C. 222.

ACIDO CLOHIDRICO. Acido que segrega normalmente el estómago para facilitar la acción de la pepsina sobre las proteínas de los alimentos.

ACIDO FITICO. Acido fosforado que se halla en los cereales y en diversas plantas. 208.

ACIDO FOLICO. Sustancia que forma parte del complejo vitamínico B. 222.

ACIDO NICOTINICO. Véase Niacina. 220.

ACROCIANOSIS. Afección caracterizada por la aparición de manchas azuladas y rojas en los pies y las manos. 1285.

ACROMEGALIA. Enfermedad crónica del adulto, caracterizada por aumento de tamaño de los rasgos de la cara, de las manos y los pies. Se debe al exceso de funcionamiento de ciertas células de la hipófisis. 1381.

ADENOIDE. Véase Vegetaciones adenoideas.

ADENOIDITIS. Inflamación de las vegetaciones adenoideas o de la amígdala faríngea. 1679.

ADRENALINA. Sustancia muy activa producida por la parte medular de las glándulas suprarrenales. Se utiliza como medicamento. 1366.

AEROFAGIA. Deglución de una cantidad excesiva de aire junto con líquidos, alimentos o saliva. 1075.

AGRANULOCITOSIS. Enfermedad aguda caracterizada por la marcada disminución de ciertos glóbulos blancos de la sangre y que se acompaña habitualmente de lesiones en la garganta. 1328.

ALBUMINA. Una variedad de proteínas. A menudo se usa esta expresión en lugar de proteína.

ALBUMINURIA. Presencia de albúmina en la orina. 1345.

ALERGIA. Sensibilidad anormal a sustancias o factores habitualmente bien tolerados por las demás personas. 1399.

ALOPECIA. Caída total o parcial de los cabellos o pelos. 1621.

AMBLIOPIA. Disminución de la capacidad para ver por disminución de la sensibilidad de la retina.

—alcohólica. Ambliopía producida por el alcoholismo crónico.

—nicotínica. Ambliopía producida por la intoxicación con el tabaco.

AMEBA. Pequeño organismo animal formado por una sola célula y capaz de vivir como parásito en el ser humano. Produce la enfermedad llamada amebiasis. 983.

AMEBIASIS. Enfermedad producida por las amebas. 983.

AMENORREA. Falta de menstruación. 270.

AMIGDALITIS. Inflamación de las amígdalas. 1672.

AMIGDALITIS CATARRAL AGUDA. La que acompaña o inicia una inflamación de las vías respiratorias superiores. 1672.

AMIGDALITIS CRIPTICA O LAGUNAR. Amigdalitis en la cual las criptas de la amígdala se llenan de una sustancia blanquecina y maloliente. 1675.

AMINOACIDOS. Elementos más simples de los cuales están constituídas todas las proteínas. 191.

AMNESIA. Pérdida total o parcial de la memoria.

ANAFILAXIA. Reacción anormal del organismo cuando ingiere o se le inyecta una proteína a la cual se ha sensibilizado.

ANEMIA. Disminución del número de glóbulos rojos de la sangre, o de la hemoglobina de los mismos, o de ambas cosas. 1321.

—*hipercrómica.* Anemia en la cual la hemoglobina no ha disminuído tanto como los glóbulos rojos. 1324.

—*hipocrómica.* Anemia caracterizada por tener los glóbulos rojos menor cantidad de hemoglobina que lo normal. 1324.

—*perniciosa.* Forma de anemia hipercrómica con tendencia a persistir y agravarse. Cede bien con los tratamientos actuales. 1323.

ANEURISMA. Dilatación localizada de una arteria debida al debilitamiento de su capa media. 1281.

—*arteriovenoso.* Comunicación directa entre una arteria y una vena. 1282.

ANISOSFIGMIA. Desigualdad en la amplitud de las pulsaciones. 1260.

ANGINA. Inflamación de las amígdalas, el velo del paladar y la faringe. 1672.

ANGINA DE PECHO. Afección caracterizada por ataques bruscos de dolor detrás del esternón, acompañados de angustia. 1243.

ANGINA O AMIGDALITIS PULTACEA. La caracterizada por hallarse secreciones blandas de color blanquecino sobre las amígdalas.

ANGIONEUROTICO. Véase Edema angioneurótico.

ANQUILOSIS. Disminución pronunciada de la capacidad de mover una articulación que era móvil, o imposibilidad absoluta de hacerlo.

ANQUILOSTOMAS. Pequeños gusanos parásitos del intestino delgado del ser humano. Producen la enfermedad llamada anquilostomiasis. 999.

ANQUILOSTOMIASIS. Enfermedad producida por los anquilostomas. 999.

ANTABUS. Sustancia usada a veces en el tratamiento del alcoholismo crónico. 124.

ANTAGONISTA. En lo referente a tóxicos o medicamentos: sustancia que se administra con el objeto de combatir o neutralizar algún efecto desfavorable de aquéllos. Músculos cuya acción es contraria a la de otro.

ANTIBIOTICOS. Sustancias que se obtienen de diversos vegetales inferiores (hongos y bacterias), capaces de impedir la multiplicación de los gérmenes microbianos y aun de destruirlos. 490 y 771.

ANTIESPASMODICOS. Sustancias o tratamientos que combaten los espasmos (véase esta última palabra).

ANTIHISTAMINICOS. Sustancias que, introducidas en el organismo o aplicadas localmente, impiden ciertas manifestaciones alérgicas que se cree son producidas por la histamina. 1405.

ANTIPRURIGINOSO. Sustancia que alivia el prurito o comezón.

AORTITIS. Inflamación de la aorta.

APARATO DE ELLIOTT. Aparato destinado a tratar las inflamaciones de la pelvis introduciendo en la vagina una delgada bolsa de goma en la que circula agua caliente.

APONEUROSIS. Membrana blanca y resistente que cubre los músculos, o que se halla unida a la extremidad de algunos de ellos.

ARGIRIA. Coloración oscura de ciertas partes de la piel y mucosas y debida al uso demasiado prolongado de sales de plata.

ARRITMIA. Falta de regularidad de las contracciones del corazón. 1259.

—completa. Arritmia pronunciada debida a la fibrilación auricular. 1259.

—extrasistólica. Arritmia producida por la aparición de extrasístoles. 1259.

—respiratoria. Aceleración de los latidos del corazón durante la inspiración y disminución de los mismos durante la espiración. 1259.

ARTERIAS. Vasos sanguíneos que llevan la sangre desde el corazón a los diversos órganos del cuerpo. 1226.

ARTERITIS OBLITERANTE. Véase Tromboangitis obliterante. 1283.

ARTERIOESCLEROSIS. Afección que hace perder a las arterias su elasticidad debido al endurecimiento de sus paredes. A veces se producen engrosamientos de la pared arterial o depósitos anormales en su capa interna, con disminución de la luz arterial. 1276.

ARTRITIS. Nombre genérico dado a todas las inflamaciones de las articulaciones, sean agudas o crónicas.

—del climaterio. Forma de artritis que aparece en el climaterio, especialmente en las mujeres obesas.

—psoriástica. Forma de artritis que se acompaña de psoriasis. 1617.

—reumatoide. Enfermedad crónica de las articulaciones, con tendencia a tomar varias de ellas, a las que inflama marcadamente. 1387.

ASA SIGMOIDE. Parte inferior del colon o intestino grueso, que une el colon descendente con el recto. 1066.

ASCARIS. Gusanos cilíndricos de gran tamaño que parasitan el intestino. 993.

ASCITIS. Acumulación de líquido sin pus, en la cavidad peritoneal o sea en el abdomen. 1166.

ASFIXIA. Pérdida del conocimiento debida a la falta de oxígeno y al exceso de anhídrido carbónico en la sangre. Hay casos leves que no alcanzan a provocar la pérdida del conocimiento. Si es intensa y persistente causa la muerte. 593.

—azul. Forma asfíctica de la asfixia del recién nacido. 601.

—blanca. Forma sincopal de la asfixia del recién nacido. 601.

—del recién nacido. Estado de muerte aparente del recién nacido. 600.

ASTIGMATISMO. Defecto del ojo que hace imposible que converjan a un solo punto de la retina los rayos provenientes de un punto determinado. 1694.

ATAXIA. Incoordinación de los movimientos voluntarios.

—hereditaria. Véase Enfermedad de Friedreich. 1444.

—locomotriz. Véase Tabes.

ATELECTASIA PULMONAR. Aplastamiento de los alvéolos de alguna parte del pulmón, debido a la pérdida del aire que habitualmente contienen. Se debe a menudo a la obstrucción de un bronquio. 1213.

ATEROESCLEROSIS. Variedad de arterioesclerosis con lesiones que predominan en la íntima o capa interna de la arteria, cuya luz disminuye señaladamente, por los depósitos de colesterol que se producen en la misma. 1277.

ATROFIA. Disminución del tamaño de alguna parte del cuerpo u órgano, debida a enfermedad o a senilidad.

AURA. Sensación especial, variable según el enfermo, que suele preceder al ataque de epilepsia. Puede aparecer también en el ataque de histerismo. 1467.

AUREOMICINA. Antibiótico obtenido por el Dr. Duggar en 1948, del caldo de cultivo de un hongo llamado *Streptomyces aureofaciens*. 784.

AXON. Cilindroeje de una célula nerviosa. 1412.

B

BACILO. Nombre que se da a todos los gérmenes microbianos que tienen la forma de un pequeño bastón.

—acidófilos. Gérmenes de acción favora-

ble que pueden hallarse en el intestino humano.

BACITRACINA. Antibiótico obtenido de una cepa del bacilo subtilis. 779.

BACTERIEMIA. Pasaje momentáneo de gérmenes patógenos a la sangre sin que se multipliquen o permanezcan en la misma. 530.

BERIBERI. Enfermedad debida a la falta de ingestión o de aprovechamiento de cantidades suficientes de vitamina B1. 1022.

BILATERAL. De ambos lados.

BILIS. Líquido de acción digestiva segregado por el hígado. 1071.

BIRREFRINGENTES. Con doble refracción. (Véase esta última palabra.)

BLEFARITIS. Inflamación del borde de los párpados. 1695.

BLENORRAGIA. Enfermedad venérea producida por un germen llamado gonococo. 1568.

BOCIO. Aumento de tamaño de la glándula tiroides. 1371.

—*exoftálmico.* El acompañado de ojos salientes, pulso rápido y temblor de las manos. 1375.

BOLO FECAL. Acumulación de una gran masa de materia fecal (formando un bolo), en el intestino grueso. 1085.

BOTULISMO. Intoxicación aguda debida a la ingestión de alimentos en los que se ha desarrollado un bacilo llamado *Clostridium botulinum.* 626.

BRADICARDIA. Lentitud de las contracciones del corazón (menos de 60 por minuto). 1257.

BRADISFIGMIA. Disminución del número de pulsaciones arteriales. 1257.

BRONQUIECTACIA. Enfermedad caracterizada por la dilatación anormal de ciertos bronquios. 1191.

BOLIMIA. Apetito exagerado e insaciable debido a ciertas afecciones gástricas.

C

CALCULO. Concreción de consistencia dura que puede formarse en ciertas cavidades del cuerpo o sus canales excretores. Por ejemplo: cálculos del aparato urinario o de la vesícula biliar.

CALORIA. Gran caloría es la cantidad de calor necesaria para elevar la temperatura de 1 litro de agua de 15° a 16° centígrados. La pequeña caloría, unidad de calor, es mil veces menor. 169.

CALOSTRO. Líquido que segregan las glándulas mamarias en escasa cantidad durante el embarazo y en mayor cantidad en los primeros días que siguen al parto. 353.

CAPILARES. Vasos de muy pequeño calibre, que unen entre sí las arterias y las venas. 1227.

CARBOHIDRATOS. Sustancias formadas por carbono, hidrógeno y oxígeno, estos últimos en la misma proporción en que se encuentran en el agua. Comprenden los azúcares, los almidones, la celulosa y ciertas gomas. 196.

CARDIACO. Referente al corazón. Dícese también de la persona cuyo corazón está afectado.

CARDIACOS NEGROS. Así llamó Ayerza a los pacientes que por tener esclerosis de la arteria pulmonar, presentan una cianosis permanente muy oscura. 1235.

CARDIAS. Orificio superior del estómago, que lo comunica con el esófago. 1064.

CARDIOPATIA. Cualquier alteración o enfermedad del corazón.

—*válvular.* Afección crónica de las válvulas del corazón. 1248.

CAROTENOS. Sustancias de color anaranjado o rojizo que se hallan en verduras verdes de hoja y en hortalizas amarillas o anaranjadas (zanahoria, zapallo, batata amarilla, etc.). El hígado los transforma en vitamina A. 215.

CARUNCULA URETRAL. Pequeño crecimiento de color rojo que puede aparecer en el meato uretral de la mujer.

CELULITIS. Inflamación del tejido celular. Se aplica generalmente este término a la inflamación, purulenta o no, del tejido celular laxo que se halla debajo de la piel.

CELULOSA. Carbohidrato que forma la armazón de las diversas partes de las plantas y de sus células. 199.

CERUMEN. Secreción de color castaño, segregada por ciertas glándulas del conducto auditivo externo. Se lo llama comúnmente cera del oído. 1640.

CHOQUE TRAUMATICO. Marcada depresión de las funciones del organismo que puede producirse como consecuencia de traumatismos. 506.

CIANOSIS. Color azulado de la piel y las mucosas, habitualmente por oxigenación insuficiente de la sangre. 1234.

CIANOTICO. Que tiene cianosis.

CICATRIZ QUELOIDEA. Se da este nombre a cicatrices engrosadas, salientes y endurecidas.

CICATRIZANTE. Sustancia que estimula la cicatrización.

CICATRIZACION. Proceso de curación de una herida. Deja habitualmente cicatriz. 486.

CIFOSIS. Desviación de la columna vertebral con convexidad hacia atrás. 1513.

—*Dorsal.* Cifosis localizada en la parte dorsal de la columna vertebral. 1514.

CILINDROEJES. Prolongamientos de las células nerviosas que conducen el impulso nervioso desde esta última hacia otras células u órganos. 1412.

CIRCULACION MAYOR. Es la que transporta la sangre desde el ventrículo izquierdo a los diversos órganos a través de arterias y capilares y de vuelta al corazón desde los órganos por las venas a la aurícula derecha. 1228.

CIRCULACION MENOR. Es la que transporta la sangre desde el ventrículo derecho a través de los pulmones, por la arteria pulmonar y sus ramificaciones y de vuelta al corazón (por la aurícula izquierda). Tiene como fin oxigenar la sangre. 1228.

CIRROSIS. Enfermedad del hígado caracterizada por la formación de tejido fibroso en el mismo. 1158.

CISTITIS. Inflamación de la vejiga urinaria. 1360.

CITOSTATICOS. Sustancias que inhiben las células cancerosas. 1509.

CITRINA. Sustancia que actúa aumentando la resistencia de los capilares sanguíneos, que se halla en las frutas cítricas y otros vegetales. Ha recibido también el nombre de vitamina P. 224.

CLIMATERIO. Epoca de la vida de la mujer en que el ovario disminuye gradualmente su función. Comienza antes de la menopausia y se extiende después de la misma. (Véase Menopausia.) 268.

CLORAMFENICOL. *Cloromicetina* (véase esa palabra).

CLOROMICETINA. Antibiótico aislado en 1947 del caldo de cultivo de un hongo llamado *Streptomyces Venezuelae,* 782.

COLAPSO. Postracción de aparición rápida y acompañada de falla de la circulación.

—*cardiovascular.* Extremada postración y depresión causada por falla de la circulación.

COLAPSOTERAPIA. Uso del neumotórax o de ciertas operaciones para retraer el pulmón y permitir la cicatrización de sus lesiones. 928.

COLEDOCO. Conducto biliar principal formado por la unión del canal hepático y el canal cístico, y que conduce la bilis al duodeno. 1068.

COLECISTECTOMIA. Extirpación de la vesícula biliar. 1151.

COLECISTITIS. Inflamación de la vesícula biliar. 1141.

COLESTERINA. Véase Colesterol.

COLESTEROL. Sustancia lipoide (semejante a las grasas) que se halla en ciertos órganos del cuerpo y en ciertos alimentos. Con frecuencia forma parte de los cálculos biliares y de las placas de arterioesclerosis.

COLICO. Dolor abdominal agudo, habitualmente intermitente o con exacerbaciones.

—*biliar.* Véase Cólico hepático.

—*hepático.* Cólico producido habitualmente por el pasaje de cálculos por las vías biliares. 1146.

—*intestinal.* El producido por contracciones intestinales intensas.

—*renal o nefrítico.* El producido habitualmente por el paso de cálculos urinarios por el uréter. 1346.

—*saturnino.* El producido por intoxicación crónica con plomo.

COLINA. Sustancia que se ha llamado lipotrópica, por regular la cantidad de grasa del hígado. Forma parte del complejo vitamínico B. 222.

COLITIS. Inflamación o irritación del colon o intestino grueso. 1124.

—*mucomembranosa*. Colitis caracterizada por la expulsión de membranas formadas por mucosidades y por tendencia a constipación espasmódica. 1126.

—*simple*. Irritación del colon, que puede ser producida por muy diversas causas. 1125.

—*ulcerosa*. Colitis caracterizada por la presencia de ulceraciones en la mucosa del intestino grueso. 1127.

COMA. Pérdida del conocimiento, de la sensibilidad y de los movimientos, conservándose la circulación y la respiración. 589.

—*diabético*. El producido por acidosis diabética. 590 y 1031.

—*tóxico*. El producido por una intoxicación. 589.

—*urémico*. El producido por la uremia. 589 y 1336.

CONCOMITANTE. Que acompaña.

CONIZACION. Extirpación de un cono de tejidos enfermos en el cuello uterino por medio de corrientes de alta frecuencia.

CONJUNTIVITIS PURULENTA. Véase Oftalmía purulenta.

CONMOCION CEREBRAL. Lesiones mínimas del cerebro, producidas por un traumatismo del cráneo. 499.

CONSTIPACION. Insuficiente defecación, con acumulación de materias en el intestino grueso, generalmente endurecidas. 1077.

CONTUSION. Lesión que causa una violencia exterior sin llegar a producir herida de la piel. 481.

—*cerebral*. Grandes lesiones de la sustancia cerebral producidas por un traumatismo del cráneo. 499.

CORAMINA. Sustancia estimulante de la respiración y de la circulación que puede darse por boca o inyección. También se la conoce con otros nombres (niketamida, cardiotrat, etc.).

COREA. Enfermedad del sistema nervioso caracterizada por movimientos involuntarios y desordenados de los miembros. 1469.

CORIZA. Enfermedad aguda y contagiosa que ataca principalmente la mucosa de la nariz, probablemente causada por un virus. 1658.

CORNETES. Láminas salientes y arrolladas sobre sí mismas que se hallan en la pared externa de las fosas nasales. 1649.

COROIDITIS. Inflamación de la coroides (del ojo), que repercute a menudo sobre el iris.

CORRIENTES DE ALTA FRECUENCIA. Las ideadas por D'Arsonval para tratamientos médicos y quirúrgicos. Comprende la diatermia de onda larga, las ondas cortas, las ultracortas y las de tipo radar. 793.

CORRIENTE FARADICA. Corriente alternada inducida de elevado voltaje. Se utiliza en medicina con fines de diagnóstico y tratamiento. 792.

CORRIENTE GALVANICA. Corriente continua producida por pilas, baterías, dínamos o ciertos rectificadores. Se usa con fines diagnósticos y de tratamiento. 791.

CORRIENTE SINUSOIDAL. Corriente alternada que se utiliza para obtener contracciones musculares. 792.

COSTILLA CERVICAL. Costilla supernumeraria que aparece en el cuello, causando a veces trastornos.

CREPITACION. Sonido especial producido por el roce de los fragmentos de un hueso fracturado (crepitación ósea) o al comprimir los coágulos de un hematoma (crepitación sanguínea). Puede sentirse crepitación también al presionar la piel en los lugares donde hay enfisema subcutáneo o al moverse un tendón en su envoltura o sinovial inflamada.

CRIPTAS. Huecos que pueden hallarse en diversos órganos.

—*de las amígdalas*. Cavidades en las amígdalas que pueden contener gérmenes, células descamadas y a veces pus.

CRIPTOXANTINA. Sustancia idéntica en propiedades a los carotenos. Es transformada en el organismo en vitamina A. 214.

CRUP. Difteria de la laringe.

—falso. Laringitis estridulosa.

CURETAJE. Empleo de la cureta o cucharilla sobre algún órgano. A menudo se emplea este término para significar curetaje o legrado uterino.

CURIETERAPIA. Uso del radio para el tratamiento de las enfermedades. 806.

D

DALTONISMO. Incapacidad para percibir ciertos colores, generalmente el rojo.

DEBRIDAMIENTO. Ampliación de las partes estrechadas de una herida para su mejor examen y tratamiento. Va generalmente acompañada de la escisión, vale decir la extirpación de los tejidos contaminados y sin vitalidad. 496.

DERMATITIS EXFOLIATRIZ. Afección caracterizada por enrojecimiento de la piel y descamación abundante. Se la llama también eritrodermia descamativa. 423.

DESMAYO. Véase Lipotimia.

DIATERMIA. Corriente de alta frecuencia con longitud de onda que oscila entre 30 y 300 m. 792.

DIATESIS. Predisposición de algunas personas a presentar durante su vida ciertas enfermedades que, aunque de aspecto distinto, tienen en el fondo la misma naturaleza. 422.

—exudativa. Tendencia de ciertos niños a presentar eccema, irritaciones de la piel y las mucosas, trastornos digestivos y bronquitis rebeldes. 422.

—neuropática. Tendencia de algunos niños a nerviosidad, insomnio, inquietud y llanto. A menudo son inapetentes, y tienen tendencia a los vómitos, los cólicos intestinales y a la diarrea. 428.

DIHIDRO ESTREPTOMICINA. Véase Estreptomicina.

DISENTERIA. Afección intestinal caracterizada por deposiciones frecuentes y pequeñas, que contienen mucosidades y sangre. 896.

—amebiana. La producida por amebas. 985.

—bacilar. La producida por bacilos disentéricos. 896.

DISMENORREA. Menstruación dolorosa. 271.

DISTONIA NEUROVEGETATIVA. Falta del equilibrio normal entre los dos componentes del sistema nervioso autónomo (simpático y parasimpático), que puede traer como consecuencia síntomas anormales en diversas partes del cuerpo.

DISTROFIA. Trastornos de la nutrición. En el niño pequeño: peso y desarrollo notablemente inferiores a lo normal, sin enfermedad manifiesta. 421.

DISTROFIAS MUSCULARES. Afecciones de los músculos (no debidas a lesiones del sistema nervioso) caracterizadas por debilidad progresiva de los músculos y habitualmente también atrofia de los mismos.

DIVERTICULITIS. Inflamación de un divertículo. 1130.

DIVERTICULOSIS. Presencia de divertículos, principalmente en el intestino grueso. 1129.

DIVERTICULO. Bolsa o saco anormal que sale de un órgano y comunica con el mismo. 1129.

E

ECTIMA. Infección de la piel caracterizada por la formación de una costra dura en el centro y su tendencia a crecer en sus bordes.

EDEMA. Hinchazón habitualmente blanda de alguna parte del cuerpo por acumulación de líquido en los tejidos. 1233.

EDEMA AGUDO DEL PULMON. Enfermedad aguda y grave, caracterizada por trasudación brusca de serosidad de la sangre en los alvéolos pulmonares. 1213.

EDEMA ANGIONEUROTICO. Hinchazón brusca de alguna parte del cuerpo. Es un equivalente de la urticaria. 1617.

EDEMA INFLAMATORIO. El producido por una infección.

EDEMA MALIGNO. El producido por el carbunclo. 913.

ELEFANTIASIS. Aumento considerable del tamaño de un miembro u otra parte del cuerpo, causada por edema duro y crónico de la piel y tejido celular. 1006.

ELECTROCARDIOGRAMA. Registro gráfico de las débiles corrientes eléctricas que produce la contracción del corazón. 1254.

ELECTROTERAPIA. Uso de diversas formas de electricidad en el tratamiento de las enfermedades. 791.

EMBARAZO ECTOPICO. El desarrollado fuera del útero. 305.

EMBOLIA. Obstrucción de un vaso sanguíneo por un coágulo u otro cuerpo traído por la sangre. 1289.

ENANTEMA. Erupción en las mucosas.

ENCEFALITIS. Inflamación del cerebro. 1464.

ENCEFALITIS LETARGICA. Enfermedad causada por un virus, y que produce con frecuencia letargia, vale decir, un sueño profundo y continuo. 1464.

ENDOCARDIO. Delgada membrana que reviste el interior del corazón, 1225.

ENDOCARDITIS. Inflamación del endocardio. 1246.

ENDOCRINO. Relativo a las secreciones internas.

ENDOVENOSO. Dentro de la vena. Se dice también intravenoso.

ENFERMEDAD DE BARLOW. Forma infantil del escorbuto que aparece en niños cuyos alimentos carecen de vitamina C. 394, 1016.

ENFERMEDAD DE DUPUYTREN. Retracción de la aponeurosis de la palma de la mano. Produce flexión de algunos dedos de la mano.

ENFERMEDAD DE FRIEDREICH. Ataxia de origen hereditario, que se observa en personas jóvenes. Se la ha llamado también tabes hereditario. 1444.

ENFERMEDAD DE LEO BUERGER. Véase Tromboangitis obliterante.

ENFERMEDAD DE RAYNAUD. Afección que se caracteriza por la producción de palidez y adormecimiento de los dedos de la mano bajo la acción del frío. 1285.

ENFERMEDAD VENEREA. Cualquiera de las adquiridas habitualmente por relaciones sexuales.

ENFISEMA PULMONAR. Enfermedad crónica caracterizada por dilatación permanente de los alvéolos pulmonares. 1199.

ENFISEMA SUBCUTANEO. Distensión del tejido celular que se encuentra debajo de la piel, con aire u otro gas.

ENTERITIS. Inflamación del intestino.

ENTEROCOLITIS. Inflamación del intestino delgado y del colon.

—folicular disenteriforme. Infección del intestino, habitualmente por gérmenes del mismo grupo que los que producen la disentería y que ocasionan en el niño diarrea con mucosidades y sangre. 417.

—mucomembranosa. Se caracteriza por la expulsión de membranas mucosas.

ENZIMA, Sustancia de origen animal o vegetal capaz de actuar sin descomponerse sobre otras sustancias desdoblándolas o modificándolas en otra forma.

EPIDERMOFITOSIS. Enfermedades de la epidermis producidas por hongos. Se aplica principalmente a las causadas por los hongos del género Epidermophyton. 1601.

EPIDIDIMO. Organo ovalado que se halla por encima y por detrás del testículo. 1550.

EPIGASTRICO. Relativo o perteneciente al epigastrio.

EPIGASTRIO. Parte superior y media del abdomen llamada vulgarmente "boca del estómago".

EPIPLON. Repliegue del peritoneo que suele unir vísceras entre sí y que a veces contiene vasos y conductos. En general se aplica al epiplón mayor. 1165.

EPISTAXIS. Hemorragia de la nariz. 1654.

EQUIMOSIS. Manchas en la piel o mucosas, causadas por la extravasación de la sangre. 481.

ERITEMA. Enrojecimiento de la piel debido a congestión de los capilares de la misma.

ERITEMATOSAS. Se dice de las lesiones de piel, mucosas u órganos, de color rojo.

ERITREMIA. Enfermedad caracterizada por un aumento excesivo de los glóbulos rojos. 1325.

ERITROSEDIMENTACION. Velocidad de sedimentación de los glóbulos rojos de la sangre. Este análisis se utiliza comúnmente para ayudar en el diagnóstico o seguir la evolución de ciertas infecciones y tumores.

EROSION. Pérdida de sustancia superficial en la piel o las mucosas.

ERUPCION. Manifestaciones en la piel, de alguna enfermedad, observándose zonas enrojecidas o salientes.

—*dentaria.* Salida de los dientes a través de la encía.

ESCLERODERMIA. Enfermedad de la piel caracterizada por espesamiento y endurecimiento de ciertas zonas de la piel.

ESCLEROGOMOSAS. Lesiones terciarias de la sífilis en las que se observa a la vez esclerosis y gomas.

ESCLEROSIS. Induración (endurecimiento) de algún órgano o tejido. Este estado anormal es habitualmente consecuencia de una inflamación anterior.

ESCLEROSIS LATERAL AMIOTROFICA. Enfermedad del sistema nervioso producida por una degeneración del haz piramidal.

ESCLEROSIS EN PLACAS O MULTIPLE. Afección del sistema nervioso central caracterizada por la presencia de zonas de esclerosis irregularmente distribuidas.

ESCORBUTO. Enfermedad debida a una alimentación deficiente en vitamina C durante un tiempo prolongado. 1016.

ESFINTER. Músculo circular que permite cerrar el orificio que rodea.

ESGUINCE. Lesión traumática de una articulación, que no se acompaña del desplazamiento permanente de las superficies articulares. Se acompaña generalmente de arrancamiento o desgarro de ligamentos de la articulación. 566.

ESOFAGO. Conducto que une la faringe con el estómago. 1064.

ESPOROTRICOSIS. Enfermedad parasitaria debida a ciertos hongos. 1014.

ESPLENOMEGALIA. Aumento de tamaño del bazo.

ESPONDILITIS. Inflamación de una vértebra, de cualquier origen. Se aplica a veces el término a ciertas inflamaciones de origen reumático.

ESPONDILOSIS. Reumatismo crónico de la columna vertebral.

ESPASMO. Contracción involuntaria y exagerada, y a veces también brusca, de un músculo o grupo de músculos.

ESPERMATORREA. Pérdida frecuente e involuntaria de semen. 1566.

ESQUISTOSOMIASIS. Enfermedad producida por un gusano llamado Schistosoma. 1005.

ESQUIZOFRENIA. Afección mental que ataca habitualmente a personas jóvenes. Se la llama también, demencia precoz. 1488.

ESTASIS. Detención o lentitud pronunciada en la circulación o salida de algún líquido del organismo.

ESTREPTOCOCO. Género de microorganismos caracterizado por ser esféricos y disponerse en cadenas. Pueden producir erisipela, infecciones de garganta, fiebre puerperal y muchas otras infecciones.

—*hemolítico.* Cualquier estreptococo capaz de producir hemolisis en los medios de cultivo que contienen sangre. Muchas de las infecciones del organismo son causadas por este germen.

ESTREPTOMICINA. Antibiótico obtenido del caldo de cultivo de un hongo llamado *Streptomyces griseus.* Mejor tolerado es aún un derivado de este antibiótico llamado dihidroestreptomicina. 777.

ESTUPOR. Acentuada disminución de la sensibilidad y de los procesos mentales.

EXANTEMA. Véase Erupción.

EXPECTORACION. Expulsión de secreciones provenientes de las vías respiratorias o del pulmón. 1185.

EXTRASISTOLES. Contracciones prematuras del corazón que vienen a trastornar la sucesión regular de los latidos cardíacos o el pulso. 1259.

F

FARINGITIS. Inflamación de la faringe. 1672-1680.

FAVUS. Enfermedad contagiosa de la piel producida por un hongo parásito.

FERMENTOS. Véase Enzima.

FERMENTOS DIGESTIVOS. Fermentos o enzimas que actúan sobre los alimentos en el tubo digestivo para hacerlos asimilables. 1068-1072.

FERULA. Tablilla de cualquier material (madera, cartón, etc.) que se aplica para impedir el movimiento de un hueso fracturado o una articulación.

FETO. Nombre que recibe el producto de la concepción desde cumplidos los tres meses hasta el nacimiento. Antes recibe el de Embrión y después de *recién nacido.* 290.

FIBRILACION AURICULAR. Contracciones superficiales y parciales de las aurículas, en número de 450 a 600 por minuto. Causan la arritmia completa de los ventrículos. 1259.

FIBRILACION DE UN MUSCULO. Temblor de algunas fibras del mismo.

FIBRINA. Sustancia albuminosa que constituye la red que da forma o consistencia a los coágulos sanguíneos. 1320.

FIBROMA. Véase Fibromioma.

FIBROMIOMA. Tumor benigno formado por fibras musculares lisas y tejido fibroso que se desarrolla en las paredes del útero. Puede ocasionalmente desarrollarse en otros tejidos u órganos. 276.

FIBROSIS. Formación exagerada de tejido fibroso, vale decir, constituido habitualmente por fibras de consistencia dura.

FIBROSITIS. Inflamación de origen reumático de ciertos tejidos fibrosos, como ser el tejido fibroso que reviste los músculos, pero también otros tejidos, como ser músculos, tejido celular, etc. 1393.

FIEBRES ERUPTIVAS. Grupo de enfermedades contagiosas y epidémicas que se acompañan de erupción. Comprende el sarampión, la rubéola, la escarlatina, la varicela, y la viruela.

FIMOSIS. Estrechez de la abertura del prepucio que impide descubrir el glande. 1559.

FISICOTERAPIA. Es el uso de los medios físicos: electricidad, radiaciones (luz, sol, rayos infrarrojos o ultravioletas, rayos X, etc.), masaje, movilización, hidroterapia, reeducación, etc., en el tratamiento de las enfermedades. 791.

FISTULA. Conducto o trayecto anormal que comunica a menudo con una cavidad natural y del cual sale pus o alguna secreción normal desviada de su trayecto normal. 1539.

FISURA. Hendedura superficial, generalmente muy dolorosa. 1543.

FLACCIDO. Débil, laxo o blando por pérdida de su tono o turgencia normal.

FLATULENCIA. Exceso de gases en el estómago o los intestinos. 1075-1077.

FLEBITIS. Inflamación de una vena, principalmente en su revestimiento interno. 1291.

FLEBOTROMBOSIS. Formación de un coágulo en una vena, sin previa inflamación de la misma. 1288.

FLICTENAS. Ampollas grandes.

FLUORESCENTE. Se dice de las sustancias que tienen fluorescencia, vale decir, la propiedad de hacerse luminosas cuando actúan sobre ellas ciertas radiaciones (luz, rayos ultravioletas, rayos X, etc.).

FOLICULITIS. Inflamación de uno o varios folículos. Se aplica corrientemente a la inflamación de los folículos (hundimientos de la epidermis) que rodean el pelo.

FRACTURA. Ruptura de un hueso. 550.

FRACTURA EXPUESTA. Aquella en la cual un fragmento del hueso atraviesa la piel o en que el foco de la fractura comunica con el exterior. 562.

FUSOESPIRILAR. Infección causada por la asociación del bacilo de Vincent y un espirilo, como en el caso de ciertas inflamaciones de la boca o la garganta. 1095.

G

GANGRENA. Muerte de alguna parte del cuerpo, durante la vida del paciente. 531.

—*diabética.* La que se produce en los diabéticos. 533.

—*gaseosa.* Infección grave de alguna herida producida por gérmenes anaerobios, con formación de gases debajo de la piel. 533.

—*húmeda.* La caracterizada por hinchazón de los tejidos gangrenados y producción de una secreción de olor fétido. 532.

—*seca.* Gangrena caracterizada por una verdadera momificación o desecación de los tejidos muertos. 532.

—*senil.* Gangrena de tipo seco que se produce en los ancianos, habitualmente por obstrucción de sus arterias por arterioesclerosis. 533.

GASTRICO. Referente al estómago.

GASTRITIS. Inflamación de la mucosa del estómago. 1102.

GLAUCOMA. Enfermedad caracterizada por aumento de la tensión dentro del ojo, y que pone en peligro la visión. 1706.

GLICERINA. Líquido de consistencia espesa y sabor dulce. En combinación con ácidos grasos forma las grasas y aceites comunes.

GLOTIS. Espacio que queda entre las cuerdas vocales verdaderas. 1671.

GLUCIDOS. Nombre genérico que se da a los azúcares, almidones y otros hidratos de carbono y también a los glucósidos. 196.

GLUCOSA. Azúcar, llamada también dextrosa, que normalmente se halla en la sangre. Puede aparecer en la orina, lo cual es anormal.

GLUCOSURIA. Presencia de glucosa en la orina. 1031.

GOMA. Lesión terciaria de la sífilis, 1573.

GONOCOCCICO. Producido por el gonococo de Neisser.

GONOCOCO. Germen productor de la blenorragia. 1568.

GONORREA. Véase Blenorragia.

GOTA. Enfermedad que se manifiesta habitualmente por ataques de dolor intenso en ciertas articulaciones, debida a la incapacidad del organismo de eliminar en forma normal el ácido úrico. 1027.

GRANULIA. Forma aguda de la tuberculosis, caracterizada por la presencia de numerosas granulaciones tuberculosas en el pulmón y otros órganos. 923.

H

HELIOTERAPIA. Baños de sol. 798.

HEMATEMESIS. Vómito de sangre proveniente del estómago o del duodeno. 1083.

HEMATOMA. Abultamiento formado por sangre derramada. 481.

HEMICELULOSA. Variedad de celulosa, de más fácil digestión y solubilidad.

HEMIPLEJIAS. Parálisis de los músculos de un lado del cuerpo. 1455.

HEMOCULTIVO. Siembra de una pequeña cantidad de la sangre de un enfermo en medios de cultivo apropiados, para poder descubrir si hay en la misma gérmenes y su naturaleza. 531.

HEMOFILIA. Enfermedad hereditaria caracterizada por hemorragias prolongadas. 1330.

HEMOLISIS. Puesta en libertad de la hemoglobina contenida en los glóbulos rojos de la sangre.

HEMOLITICO. Que produce hemolisis.

HEMOPTISIS. Expulsión de sangre proveniente del pulmón o las vías respiratorias. 1185.

HEPATITIS. Inflamación del hígado.

—*epidémica o infecciosa o por virus.* Hepatitis causada por un virus. Se la llamaba ictericia catarral. 1139.

HERIDA. Solución de continuidad o rotura causada en la piel, las mucosas o en los órganos, producida por un agente traumático o traumatismo. 483.

HERIDA CONTUSA. Es la producida por un instrumento romo. Tiene a la vez características de herida y de contusión. 484.

HERIDA CORTANTE. La producida por un instrumento filoso. 484.

HERIDA PENETRANTE. La que penetra en una cavidad del organismo. 483.

HERIDA PUNZANTE. La producida por un instrumento agudo. 484.

HERPES. Lesión de la piel producida por un virus y caracterizada por la aparición de pequeñas ampollas. 1606.

HERPES ZOSTER. Afección dolorosa caracterizada por placas rojas con pequeñas ampollas en el trayecto de un nervio. 1607.

HIDRATOS DE CARBONO. Véase Carbohidratos.

HIDROTERAPIA. Uso del agua en el tratamiento de las enfermedades. 814.

HIOIDES. Hueso en forma de U, situado en el cuello.

HIPERCROMICA. Véase Anemia hipercrómica.

HIPERMETROPIA. Defecto del ojo debido al cual los rayos paralelos que llegan al mismo tienen su foco por detrás de la retina. 1693.

HIPERTENSION ARTERIAL. Aumento de la presión de la sangre en las arterias por encima de las cifras normales. 1268.

HIPERTONIA. Aumento del tono o tensión normales.

HIPNOTICO. Sustancia o medicamento que provoca sueño.

HIPOCONDRIO. Parte superior y lateral del abdomen. 1062.

HIPOCROMICA. Véase Anemia hipocrómica.

HIPOFISIS. Importantísima glándula de secreción interna situada debajo del cerebro. Se la ha llamado también glándula pituitaria. 1378.

HIPOGLUCEMIA. Disminución de la cantidad de glucosa en la sangre por debajo de su nivel normal. 1045.

HIPOPROTEINEMIA. Descenso de la cantidad de proteína de la sangre, por debajo de lo normal. 190.

HIPOTALAMO. Ciertos núcleos grises de la base del cerebro.

HIPOTENSION ARTERIAL. Presión sanguínea baja (por debajo de 10 centímetros de mercurio de máxima). 1275.

HIPOTENSO. Con menor tensión o presión que lo normal.

HIPOTERMIA. Descenso por debajo de lo normal, de la temperatura del cuerpo o de una parte del mismo.

HIPOTIROIDISMO. Insuficiente funcionamiento de la glándula tiroides. 1371.

HIPOVITAMINOSIS. Insuficiente ingestión o aprovechamiento de alguna vitamina. 1015.

HISTAMINA. Sustancia que se ha utilizado como dilatadora de los vasos y para estimular la formación de ácido clorhídrico. Se cree que es la causante de muchas de las manifestaciones de alergia. 1400-1406.

HORMONAS. Sustancias producidas por diversos órganos (principalmente las glándulas de secreción interna) y que, llevadas por la sangre, tienen un efecto sobre el funcionamiento de otros órganos.

I

ICTERICIA. Coloración amarilla de la piel y las mucosas debida a la bilis. 1137.

ICTERICIA CATARRAL. Véase Hepatitis epidémica o infecciosa o por virus.

ICTIOSIS. Enfermedad de la piel caracterizada por asperezas, sequedad y descamación de la misma.

IMPETIGO. Infección de la piel caracterizada por la presencia de ampollas con pus y costras. 1598.

INCIPIENTE. Que comienza.

INFARTO. Conjunto de cambios que se producen en un tejido cuya arteria se ha obstruido. 1288.

INFARTO DE MIOCARDIO. Grave afección causada por la obstrucción de una arteria coronaria o de sus ramas y que priva a parte del miocardio (o músculo cardíaco) de la sangre arterial que necesita. 1244.

INOSITOL. Sustancia que forma parte del complejo vitamínico B. 216.

INSUFICIENCIA CARDIACA. Incapacidad del corazón para hacer frente en determinado momento a las necesidades circulatorias de todo el organismo. 1261.

INTERSTICIAL. Situado en los intersticios de los tejidos.

INTRAMUSCULAR. En el espesor de un músculo.

IONIZACION. Iontoforesis.

IONTOFORESIS. Introducción de ciertos medicamentos en el organismo a través de la piel o mucosas por medio de la corriente galvánica. 792.

L

LECITINA. Lipoide fosforado que se halla en ciertos tejidos del organismo y en ciertos alimentos.

LEISHMANIOSIS. Enfermedades causadas por un parásito microscópico. 980.

LETARGICA. Véase Encefalitis letárgica.

LEUCEMIAS. Enfermedades caracterizadas por desarrollo y funcionamiento exagerado de los órganos productores de glóbulos blancos, habitualmente con marcado aumento de estos últimos en la sangre. 1325.

LEUCOPLASIA. Afección crónica de las mucosas, caracterizada por la aparición de placas blancas en las mismas. 1509.

LINFANGITIS. Inflamación de los vasos linfáticos. 524.

LINFATICOS. Vasos que llevan linfa desde los diversos órganos o tejidos a la sangre. 1227.

LINFOSARCOMA. Tumor maligno de origen linfático.

LIPIDOS. Grasas y sustancias con propiedades semejantes a las de la grasa. 200.

LIPOIDES. Sustancias semejantes a las grasas. Lípidos. 204.

LIPOTIMIA. Pérdida parcial o completa del conocimiento generalmente pasajera en la que de ordinario se conserva la respiración y la circulación. 587.

LIQUEN. Enfermedad de la piel con salientes lisas, comúnmente planas. 1589.

LITIASIS. Formación de cálculos en ciertas cavidades o conductos del organismo, por ejemplo en la vesícula biliar o el riñón.

LOBELINA. Alcaloide obtenido de una planta (lobelia) y que actúa como estimulante del centro respiratorio del bulbo raquídeo.

LUPUS VULGAR. Enfermedad de la piel, de origen tuberculoso.

LUXACION. Dislocación o desplazamiento permanente de las superficies que forman una articulación, que se encuentran así por completo separadas. 463.

M

MASAJE. Uso correcto de fricciones, amasamiento y otras maniobras manuales, aplicadas al organismo con fines de tratamiento. 810.

MASTOIDITIS. Infección de las cavidades de la apófisis mastoides del hueso temporal. 1644.

MEATO. Orificio de un conducto. Se aplica comúnmente a la desembocadura de los uréteres en la vejiga (meatos ureterales), y al orificio externo de la uretra (meato uretral).

MEDIASTINO. Espacio que se halla en el tórax, limitado a ambos lados por los pulmones, adelante por el esternón, y atrás por la columna vertebral dorsal. Por abajo está limitado por el diafragma.

MELANCOLIA INVOLUTIVA. Melancolía que se produce durante la involución senil. 1490.

MEMBRANA. Delgada capa de tejido que cubre una superficie o divide una cavidad u órgano.

—*serosa.* Membrana sin abertura que reviste las cavidades del cuerpo.

MENINGOCOCO. Germen productor de la meningitis cerebro espinal epidémica. 1471.

MENOPAUSIA. Cesación de la menstruación durante la época del climaterio. 267.

METABOLISMO. Transformaciones que sufren en el organismo las sustancias que llegan a él para suplir sus necesidades. 1027.

METABOLISMO BASAL. Calor mínimo producido por una persona en ayunas y en reposo. 169.

METROPATIA HEMORRAGICA. Afección del útero caracterizada por hemorragias intensas del mismo. Es habitualmente de causa ovárica. 270.

METRORRAGIA. Expulsión de sangre proveniente del útero fuera del período menstrual. A veces se llama también metrorragia a una menstruación excesiva. 270.

MIASTENIA GRAVE. Afección de los músculos (principalmente los de la cara y el cuello) caracterizada por el rápido cansancio de los mismos, con tendencia a la parálisis.

MICCION. Acto de orinar.

MICOSIS. Cualquier enfermedad producida por hongos parásitos.

MIELOMA. Tumor cuyas células son semejantes a las que se hallan en la médula de los huesos.

MILIARIA. Inflamación aguda de las glándulas de sudor que se manifiesta por la formación de pequeñas salientes y a veces vesículas, que producen ardor y comezón.

MIOCARDIO. Parte muscular o contráctil del corazón. 1240.

MIOCARDITIS. Inflamación o degeneración del músculo del corazón o miocardio. 1240.

MIOPATIAS. Enfermedades de los músculos. Se aplica este nombre a las distrofias musculares.

MIOPIA. Cortedad de la vista. En esta afección las imágenes provenientes de cierta distancia, forman foco antes de llegar a la retina. 1293.

MONONUCLEOSIS INFECCIOSA. Enfermedad infecciosa aguda, de comienzo brusco, caracterizada por aumento de tamaño de los ganglios del cuello, y por aumento de los glóbulos blancos llamados mononucleares.

MOTILIDAD. Movilidad.

MOVILIZACION. Movimiento de las articulaciones con fines de tratamiento. Es *activa* cuando es efectuada por el mismo paciente, y *pasiva* cuando es efectuada por otra persona. 810.

N

NARINA. Orificio externo de las fosas nasales.

NECROSIS. Pérdida de la vitalidad de un tejido por falta de su irrigación sanguínea.

NEFRITIS. Nombre genérico que se aplica a todas las inflamaciones del riñon. 1347.

NEFROSIS. Enfermedad del riñón debida a la degeneración de los túbulos renales caracterizada por pronunciada albuminuria y edemas. 1352.

NEOMICINA. Antibiótico aislado por Waksman y sus colaboradores. 777, 778.

NEUMOTORAX. Presencia de aire en la pleura. 1219.

NEUMOTORAX TERAPEUTICO. El que se provoca para tratar ciertas enfermedades del pulmón. 928.

NEURALGIA. Dolor en el trayecto de un nervio, sin lesión demostrable en el sistema nervioso. 1436.

NEURITIS. Inflamación aguda o crónica de un nervio. 1432.

NEUROFIBROMATOSIS. Afección caracterizada por la presencia de tumores salientes en la piel y pigmentación anormal de esta última.

NEUROSIS. Trastornos nerviosos que producen diversos síntomas mentales, y a veces también físicos, pero en los cuales está conservada la personalidad del afectado. Se las ha llamado también psiconeurosis. 1474.

NIACINA. Sustancia que forma parte del complejo vitamínico B. Se la ha llamado también ácido nicotínico. 220.

NIACINAMIDA. Derivado de la niacina. Tiene acción semejante a la de esta última. 220.

NINFOMANIA. Pronunciadísima exageración del deseo sexual en la mujer.

O

OCENA. Enfermedad de las fosas nasales caracterizada por la formación de secreción y costras fétidas y atrofia de la mucosa. 1662.

OBSTRUCCION INTESTINAL. Véase Oclusión intestinal.

OCLUSION INTESTINAL. Marcado impedimento al paso normal de las materias y gases. 1085.

OFTALMIA PURULENTA. Grave infección de la conjuntiva causada por el gonococo. Se la llama también conjuntivitis purulenta o blenorrágica. 1700.

OLECRANON. Apófisis gruesa y curva en la extremidad superior del cúbito. Forma la parte más saliente del codo.

OLIGOFRENIA. Insuficiente desarrollo mental. 1481.

ONDAS CORTAS. Corrientes de alta frecuencia cuya longitud de onda varía entre 3 y 30 metros. Las de menos de 12 metros han recibido el nombre de ultracortas. 791.

ONICOMICOSIS. Lesiones de las uñas producidas por hongos parásitos.

ORQUITIS. Inflamación del testículo. 1564.

OSTEOARTRITIS. Forma de reumatismo crónico. 1391.

OSTEOMALACIA. Enfermedad de la mujer adulta debida a una alimentación escasa en calcio y en vitamina D. Influyen también los embarazos frecuentes, las lactancias prolongadas y la falta de vida al aire libre. 1020.

OSTEOMIELITIS. Infección del hueso y de su médula, producida habitualmente por el estafilococo. 1521.

OSTEOPOROSIS. Formación de cavidades anormales en un hueso o rarefacción del mismo con disminución de su contenido en calcio.

OTITIS. Infección del oído.

OTOESPONJOSIS. Afección del oído que produce sordera, preferentemente en mujeres jóvenes. 1646.

P

PALPITACIONES. Percepción de los latidos del propio corazón, habitualmente con alguna modificación de los mismos (aumento de la intensidad o de la frecuencia o irregularidad). 1233.

PANADIZO. Infección aguda de los dedos. 525.

PANCUTAN. Pomada o emulsión a base de sulfanilamida y aceite de hígado de hipogloso, útil en el tratamiento de las quemaduras. 574.

PARALISIS. Abolición marcada o completa de los movimientos voluntarios o involuntarios.

PARANOIA. Enfermedad mental crónica que lleva a menudo a delirio de persecución o de grandeza. 1485.

PARAPLEGIA. Parálisis de los dos miembros inferiores. A veces se aplica este término también a la parálisis de los miembros superiores o de los cuatro miembros.

PARASIMPATICO. Parte del sistema nervioso autónomo que tiene una acción opuesta a la del simpático. 1430.

PARESIA. Parálisis no completa.

PARESTESIA. Cambios en la sensibilidad de la piel, sea con leve anestesia, u hormigueos, ardor, etc. 1589, 1610.

PEDICULOSIS. Infestación por cualquiera de las especies de piojos. 1625.

PELAGRA. Enfermedad caracterizada por lesiones de la piel, y trastornos gastrointestinales y nerviosos, debida a una alimentación carente de algunos elementos del complejo vitamínico B. 1020.

PENFIGO. Nombre genérico dado a las afecciones de la piel caracterizadas por la formación de ampollas.

—*del recién nacido.* Infección de la piel de los recién nacidos, con ampollas llenas de líquido turbio.

—*foliáceo.* Pénfigo cuyas vesículas se secan dejando costras amarillentas que se desprenden en forma de escamas grandes. La erupción toma habitualmente toda la piel.

—*palmar y plantar.* Una de las manifestaciones de la sífilis congénita florida. 431.

PENICILINA. Antibiótico obtenido del caldo de cultivo de una especie de hongo llamado *Penicillum notatum.* 774.

PEPSINA. Fermento digestivo que en el estómago transforma las proteínas en peptonas. 1070.

PERICARDIO. Membrana que rodea el corazón. 1225.

PERICARDITIS. Inflamación del pericardio. 1237.

PERIDUODENITIS. Inflamación de los tejidos que rodean el duodeno, consecuencia, habitualmente, de una úlcera duodenal. 1112.

PERIGASTRITIS. Inflamación del peritoneo que rodea el estómago. 1112.

PERITONITIS. Infección del peritoneo, sea aguda o crónica. 1169.

PHLEGMATIA ALBA DOLENS. Trombo-flebitis de una vena del muslo. 1291.

PIAÑ. Enfermedad contagiosa parecida a la sífilis pero no venérea. 970.

PICRATO DE BUTESIN. Pomada desinfectante y anestésica, útil en el tratamiento de pequeñas quemaduras.

PIELITIS. Infección de la pelvis del riñón. 429, 1360.

PILEFLEBITIS. Flebitis de la vena porta.

PILORO. Abertura inferior del estómago, que comunica a este órgano con el intestino delgado. 1064.

PIOSALPINX. Trompa de Falopio que se ha transformado en un saco lleno de pus. 283.

PIRIDOXINA (CLORHIDRATO DE). Sustancia que forma parte del complejo vitamínico B. Ha recibido también el nombre de vitamina B6. 221.

PITIRIASIS. Nombre que se aplica a distintas enfermedades de la piel o cuero cabelludo que tienen como caterística común la producción de escamas. 1620.

—*rosada.* Erupción que se inicia con una placa rosada única cubierta por escamas muy delgadas, la cual luego se extiende en forma de otras manchas, curando en 6 a ocho semanas.

—*simple.* Caspa seca. 1620.

—*seborreica.* Caspa grasosa. 1621.

—*versicolor.* Manchas de color amarillento o castaño, frecuentes en el tórax y causadas por un hongo parásito. 1602.

POLIGLOBULIA. Aumento exagerado del número de glóbulos rojos. Véase Eritremia. 1325.

POLINEURITIS. Inflamación simultánea de varios nervios. Se la llama también neuritis múltiple. 1433.

POLIPO. Crecimiento liso y provisto de un pedículo que lo une a la mucosa que le dio origen. Es habitualmente de naturaleza benigna.

PRECORDIAL. Situado delante del corazón.

PRECORDIALGIA. Dolor precordial. 1235.

PRESBICIA. Dificultad para ver con claridad y sin cansancio los objetos muy cercanos y que se debe a la pérdida de elasticidad del cristalino. 1691.

PRIAPISMO. Erección dolorosa y persistente, habitualmente no acompañada de deseo sexual.

PRIMERA INFANCIA. Período de la vida que se extiende desde el nacimiento hasta que se completa la primera dentición, vale decir, hasta los 2 ½ años. 331.

PRODROMOS. Síntomas o estado que anuncia la aproximación del comienzo de una enfermedad.

PROFILAXIS. Prevención de las enfermedades. 856.

PROGESTERONA. Hormona producida por el cuerpo amarillo del ovario. 262.

PROSTATA. Glándula que en el hombre rodea el cuello de la vejiga y la parte superior de la uretra. 1554.

PROSTATITIS. Inflamación aguda o crónica de la próstata. 1555.

PROTEINAS. Sustancias nitrogenadas que forman la parte más característica de los tejidos vegetales y animales. 190.

PROTROMBINA. Sustancia coagulante de la sangre formada por el hígado a partir de la vitamina K. 1320.

PRURIGO. Afección de la piel en la cual aparecen pequeñas salientes muy pruriginosas, vale decir, que producen mucha picazón o comezón. 427.

PRURITO. Picazón o comezón de la piel o de las mucosas. 1589.

PSICASTENIA. Neurosis caracterizada por períodos de temor o ansiedad anormales, obsesiones y otros síntomas desagradables. 1478.

PSICOANALISIS. Análisis o investigación de las emociones e historia anterior de un paciente, con el fin de hallar la causa de una neurosis. 1480.

PSICONEUROSIS. Véase Neurosis.

PSICOSIS. Trastornos mentales acentuados que afectan el ánimo y la conducta del enfermo, al punto de producir entre este último y el medio en que actúa, una marcada falta de adaptación. 1484.

PSICOTERAPIA .Uso de la persuación y la sugestión en el tratamiento de las enfermedades. 1480.

PSORIASIS. Afección de la piel caracterizada por la aparición de placas redondeadas, cubiertas de escamas brillantes y nacaradas. 1617.

PTOSIS. Desplazamiento de un órgano hacia abajo.

PURINAS. Sustancias nitrogenadas que forman parte del mismo grupo que el ácido úrico.

PUPA. Segundo período en el desarrollo de un insecto. Recibe también el nombre de ninfa.

PURPURA. Manchas de color rojizo o violáceo producidas en la piel por la extravasación de sangre. No se borran bajo la presión. Bajo este nombre se designan diversas enfermedades que tienen como característica principal, presentar este síntoma. 1331.

Q

QUERATITIS. Inflamación de la córnea. 1703.

flictenular. La que se caracteriza por la formación de flictenas o pequeñas ampollas.

R

RAQUITISMO. Enfermedad de la primera infancia producida por deficiencia en la alimentación de vitamina D. 1017.

RAYOS INFRARROJOS. Rayos de mayor longitud de onda que los de la luz visible. Producen calor y son utilizados en el tratamiento de ciertas enfermedades. 804.

—ultravioletas. Rayos de longitud menor que los de la luz visible. Se utilizan en el tratamiento y en la prevención de ciertas enfermedades. 798.

RECTITIS. Inflamación del recto. 1538.

RECTO. Ultima parte del intestino grueso, que se extiende desde el asa sigmoide hasta el ano. 1067.

REDUNDANCIA. Longitud y curvas excesivas. 1087.

REEDUCACION. Entrenamiento al que se somete a una persona con lesiones de su sistema nervioso u otros órganos, para devolverle alguna función o acto que había perdido. 810.

REFLEJO. Acto involuntario producido por la acción de nervios motores, bajo el estímulo de nervios sensitivos, que pasa por un centro nervioso. 1425.

REFLEJOS TENDINOSOS. Reflejos que se producen al golpear o percutir los tendones de ciertos músculos. 1425.

REFRACCION. Desviación que sufre un rayo de luz al pasar oblicuamente de un medio transparente a otro de diferente densidad.

RESPIRACION ESTERTOROSA. Respiración ruidosa (con ronquido).

RETINITIS. Nombre dado a las inflamaciones de la retina.

REVULSION. Provocación de congestión de la piel u otra parte del cuerpo con el fin de descongestionar o aliviar un órgano o región.

REVULSIVO-VA. Sustancia o tratamiento que provoca revulsión.

RIBOFLAVINA. Sustancia que forma parte del complejo vitamínico B. Ha recibido también los nombres de lactoflavina, vitamina B2 y vitamina G. 219.

RENITIS. Inflamación aguda o crónica de la mucosa de las fosas nasales. 1658-1665.

RENITIS ESPASMODICA. Afección habitualmente de origen alérgico que se caracteriza por estornudos y abundante secreción acuosa. Se inicia bruscamente y termina en la misma forma. Se la ha llamado también rinitis vasomomotora o fiebre del heno. 1662.

RINOFARINGE. Parte superior de la faringe, situada detrás de la nariz. Se le ha dado también el nombre de nasofaringe. 1670.

RIÑON POLIQUISTICO. El que presenta numerosos quistes, los que aumentan su tamaño y dificultan su funcionamiento.

ROENTGENTERAPIA. Uso de los rayos X en el tratamiento de las enfermedades. 806.

RUTIN O RUTINA. Sustancia obtenida del alforfón o trigo sarraceno, que aumenta la resistencia de los capilares sanguíneos.

S

SABURRAL. Término que se aplica a la lengua cuando está revestida de una sustancia blanca o amarillenta.

SALPINGITIS. Inflamación aguda o crónica de las trompas de Falopio. 282.

SATURNISMO. Intoxicación crónica con el plomo.

SEBORREA. Afección caracterizada por la excesiva secreción de las glándulas sebáceas de la piel o el cuero cabelludo. 1591, 1621.

SEGUNDA INFANCIA. Período de la vida que abarca desde que termina la primera dentición (2 ½ años) hasta el comienzo de la segunda dentición (6 ó 7 años), en caso de admitirse una tercera infancia que va de los 6 ó 7 años hasta la pubertad. Si se admiten solamente la primera y segunda infancias, esta última se extiende desde los 2 ½ años hasta la pubertad. 331.

SEMOLIN. Sémola en granos muy pequeños que se utiliza en la alimentación de niños pequeños y enfermos.

SEPTICEMIA. Grave afección caracterizada por hallarse y multiplicarse en la sangre gérmenes patógenos. 530.

SEPTICOPIEMIA. Septicemia que se acompaña de formación de focos supurados en diversas partes del cuerpo. 530.

SEROFIBRINOSO. Seroso y a la vez con fibrina.

SEROPURULENTO. Seroso, pero turbio por pus.

SEROSO. Semejante en aspecto al suero de la leche.

SHOCK. Véase Choque traumático.

SIMPATICO. Parte del sistema nervioso autónomo que facilita la defensa del organismo. 1430.

SINCOPE. Pérdida brusca y completamente del conocimiento, con latidos cardíacos muy débiles e irregulares o abolición de los mismos y cesación de la respiración o marcadísima disminución de la misma. 588.

SINDROME. Conjunto de síntomas que caracterizan alguna enfermedad.

SINOVIAL. Membrana que reviste el interior de las articulaciones y que rodea ciertos tendones. 41.

SINUSITIS. Inflamación de la mucosa de alguno de los senos anexos a las fosas nasales. 1666.

SOPLO. Ruido semejante a un soplo que se puede percibir al auscultar el corazón o los pulmones. 1249.

—*diastólico.* El que se produce durante la diástole o período de descanso del corazón. 1250.

—*sistólico.* El que se produce durante la sístole o contracción del corazón. 1250.

SPRUE. Enfermedad crónica caracterizada por irritación e inflamación de la boca, diarrea, adelgazamiento y anemia. 1024.

SUBINVOLUCION UTERINA. Insuficiente reducción del tamaño del útero en el puerperio, vale decir, en el período que sigue al parto.

SUDAMINA. Pequeñas vesículas blanquecinas que se producen por retención del sudor en las glándulas y conductos sudoríparos y que se puede observar después de una transpiración abundante o en ciertas enfermedades.

SULFAS. Nombre genérico dado a diversos compuestos derivados de la sulfanilamida, o semejantes a ella, capaces de impedir la multiplicación de ciertos gérmenes microbianos causantes de infecciones. 786.

T

TABES DORSAL. Enfermedad caracterizada por incoordinación de los movimientos y trastornos de la sensibilidad, producida por esclerosis de los cordones posteriores o sensitivos de la médula espinal. 1444.

TAQUICARDIA. Pulso rápido (más de 80 pulsaciones por minuto en un adulto en reposo). 1254.

—*paroxística.* Taquicardia de iniciación y terminación brusca (habitualmente entre 150 y 300 pulsaciones por minuto). 1256.

TERRAMICINA. Antibiótico obtenido del caldo de cultivo de un hongo llamado *Streptomyces rimosus.* 774.

TETANOS. Enfermedad aguda infecciosa producida por la contaminación de las heridas con el bacilo tetánico. 535.

TIROTRICINA. Antibiótico obtenido de un germen llamado *Bacilus brevis.* 779.

TISANA. Infusión o decocción muy diluida de una sustancia vegetal.

TORNIQUETE. Aparato especial o improvisado que se aplica a un miembro con el fin de detener el paso de la sangre arterial. 514.

TORUNDA. Tapón o bola de algodón utilizado al hacer curaciones.

TOXICIDAD. Grado de capacidad para intoxicar.

TOXICO-CA. Veneno. Cualquier sustancia que introducida en el organismo lo daña o pone en peligro su vida. 610.

TOXICOSIS. Afección intestinal grave del lactante. 417. Esta palabra tiene otras acepciones menos corrientes.

TRAUMATISMOS. Lesiones de variable intensidad producidas en el organismo por una violencia exterior. 481.

TRICOMONAS. Protozoarios flagelados que pueden parasitar el intestino, la vagina u otros órganos. 273, 989.

TROFICOS-AS. Referente a la nutrición de los tejidos.

TRASTORNOS TROFICOS. Significa habitualmente los trastornos que pueden observarse en la piel y otros tejidos por lesión de los nervios o centros nerviosos.

TROMBINA. Sustancia coagulante de la sangre. 1320.

TROMBOANGITIS OBLITERANTE. Enfermedad caracterizada por la obstrucción gradualmente creciente de las arterias y venas de los miembros inferiores. 1283.

TROMBOFLEBITIS. Formación de un coágulo en una vena, como consecuencia de una flebitis. 1291.

TROMBOSIS. Formación de un coágulo en el corazón o los vasos sanguíneos de un ser vivo. 1290.

TUMEFACCION. Hinchazón de alguna parte del cuerpo por inflamación, edema o tumor.

TUMOR. Nombre genérico que se aplica a cualquier crecimiento anormal de tejidos y que, una vez formado, persiste o tiene tendencia a crecer. Los hay de naturaleza benigna y maligna. A veces el médico aplica la palabra tumor o tumoración a cualquier bulto o hinchazón que se encuentra en el organismo. 1501.

TUMORACION. Tumor.

U

ULTRASONIDOS. Vibraciones de 250 mil a un millón por segundo, producidas por la acción de una corriente eléctrica sobre cristales de cuarzo. Se han utilizado en el tratamiento de ciertas enfermedades. 795.

ULTRAVIOLETAS. Véase Rayos ultravioletas.

UREMIA. Intoxicación de la sangre resultante de la incapacidad del riñón para eliminar ciertas sustancias tóxicas que se forman en el organismo. 1352.

URETERES. Conductos delgados que llevan la orina desde el riñón hasta la vejiga. 1337.

URETRA. Conducto que permite la salida de la orina desde la vejiga al exterior. 1337.

URETRITIS. Inflamación de la uretra.

UROBILINA. Sustancia derivada de los pigmentos de la bilis que se encuentra normalmente en las deposiciones y anormalmente en la orina.

V

VAGINISMO. Espasmo doloroso de la vagina.

VARICES. Dilataciones permanentes de las venas, habitualmente con alteraciones de sus paredes. 1293.

VASOCONSTRICCION. Disminución del calibre de los vasos sanguíneos.

VASOCONSTRICTOR. Sustancia o agente capaz de producir constricción de los vasos sanguíneos.

VASODILATACION. Dilatación de los vasos sanguíneos.

VASODILATADOR. Agente capaz de producir dilatación de los vasos sanguíneos.

VASOMOTOR. Que produce contracción o dilatación de los vasos sanguíneos.

VEGETACIONES ADENOIDEAS. Masa de tejido adenoideo que obstruye la parte superior de la faringe, formada a expensas de la amígdala faríngea o de Luschka.

VESICULITIS. Inflamación de las vesículas seminales.

VIRULENCIA. Capacidad de los gérmenes de desarrollarse en el organismo y de dañarlo. Su grado depende del mismo germen y a veces de la poca resistencia del organismo.

VIRULENTO. Dícese del germen dotado de marcada capacidad para dañar al organismo.

VOMITOS INCOERCIBLES. Vómitos muy rebeldes que pueden aparecer en ciertas embarazadas.

X

XANTELASMA. Manchas algo salientes de color amarillento, verdaderos depósitos de colesterol, que se observan especialmente en los párpados.

Y

YOGURT. Leche coagulada y acidificada por ciertos bacilos búlgaros. 240.

Indice de Síntomas

En este INDICE hallará el lector una lista de causas o afecciones capaces de provocar los diversos síntomas. Quien pretende diagnosticar valiéndose de este índice se expone, por falta de conocimientos médicos, a lamentables confusiones.

Las cifras que aparecen en este Indice corresponden a la página del libro donde se trata la afección, la enfermedad o el síntoma respectivo. Cualquiera de ellos que se mencione sin indicar página, puede buscarse en el Indice General Alfabético, y si allí no aparece, búsquese en el Léxico Médico.

A

ABATIMIENTO, véase Depresión mental o moral o Debilidad general (abatimiento físico).

ABDOMEN ABULTADO.

I. *Todo el abdomen abultado:*

A) Causas en ambos sexos y a cualquier edad.

1. Abultamiento permanente: Obesidad, 1047.

Ascitis (véanse sus causas bajo ese nombre), 1166.

Menos frecuentemente: megacolon, 1130.

Peritonitis tuberculosa, 1168.

Rara vez aumento considerable del tamaño del hígado o bazo (véanse sus causas bajo Hígado aumentado de tamaño y Bazo grande).

2. Abultamiento pasajero:

Distensión del intestino o del estómago por gases (véanse sus causas bajo Gas en el estómago y Gases en el intestino). También, Abdomen distendido por gases.

B) Causas propias de la mujer.

Embarazo, 286.

Gran quiste de ovario, 279.

Fibroma uterino muy grande, 276.

C) Causas propias del niño.

Raquitismo, 1017.

Infantilismo intestinal (véase Sprue, 1024.

Enfermedad de Hirschsprung, 1130.

Cretinismo o hipotiroidismo, 1371, 1373.

Mongolismo, 443.

Bazo muy grande por paludismo crónico u otras enfermedades parasitarias, 973.

II. *Abultamientos localizados* (de una parte del abdomen): pueden deberse a una afección de la pared del abdomen: eventraciones, hernias, debilidad de la pared, lipomas, fibromas, abscesos, etc. Las causas que mencionaremos serán mayormente las debidas al contenido abdominal. También se estudiarán aquí las tumoraciones o bultos que, sin deformar el abdomen, se pueden percibir al palpar el abdomen.

A) Abultamiento de la parte superior y media del abdomen (epigastrio o "boca del estómago").

Dilatación aguda del estómago, 1122.

Tumores del estómago, 1116.

y del páncreas, 1163.

Aumento de tamaño del hígado (véanse sus causas bajo Hígado aumentado de tamaño).

Aneurisma de la aorta abdominal, 1281.

Aumento de tamaño de los ganglios abdominales (véanse sus causas bajo Ganglios, aumento de tamaño de los).

B) Abultamiento de la parte superior

derecha del abdomen (hipocondrio derecho).
Hígado, aumentado de tamaño (véanse sus causas bajo este nombre).
Vesícula biliar aumentada de tamaño o inflamada (véase Colecistitis, 1141).
Riñón derecho aumentado de tamaño (véanse sus causas bajo Riñón).
Bolo fecal, 1085.
Tumoración del ángulo derecho del colon, 1135.
Ganglios aumentados de tamaño (véanse sus causas bajo ese título).
Absceso subfrénico.

C) Abultamiento de la parte superior izquierda del abdomen (hipocondrio izquierdo).
Bazo grande (véanse sus causas bajo ese nombre).
Bolo fecal, 1085.
Absceso subfrénico, o perinefrítico, 1359.
Tumoración del colon, 1135.
Riñón izquierdo aumentado de tamaño (véanse sus causas bajo Riñón).

D) Abultamiento de la región del ombligo.
Hernia umbilical, 1535.
Dilatación aguda del estómago, 1122.
Separación de los músculos rectos del abdomen (diastasis), Bolo fecal, 1085.
Inflamación del peritoneo por tuberculosis, 1168; por neumococos o irritación del mismo por tumor maligno.
Tumores del estómago, 1116.
Tumores malignos. Otras veces puede deberse a un quiste del páncreas, 1163; del mesenterio o del epiplón, o un engrosamiento de cualquier naturaleza de este último.
Ganglios aumentados de tamaño (véanse sus causas bajo ese nombre).
Aneurismas de aorta abdominal, 1283.
Tumor de colon transverso, 1135.
Invaginación intestinal, 429, 1085.

E) Abultamiento de la parte lateral del abdomen (flancos).
Riñón ptosado o caído, 1356.
Riñón aumentado de tamaño (véanse sus causas bajo ese nombre).
Vesícula biliar inflamada o aumentada de tamaño, 1141.
Tumores de colon, 1135.
Inflamación de divertículos del colon, 1129.
Invaginación intestinal, 429.
Bolo fecal, 1085.

F) Abultamiento de la parte inferior y lateral derecha del abdomen (fosa ilíaca derecha).
Absceso o plastrón que rodea una apendicitis, 1133.
Eventración (hernia) de cicatriz de antigua operación de apéndice.
Tumoración benigna o maligna del ciego, 1135.
Ciego distendido por gases, 1076.
Invaginación intestinal, 429, 1085.
Ganglios aumentados de tamaño, (véanse sus causas bajo ese nombre).
Riñón derecho ptosado o caído, 1356.
Abscesos fríos por Mal de Pott, 1518.
Vesícula biliar enferma y muy baja.
Tumores o inflamaciones de trompa u ovario, 282.
Bolo fecal, 1085.

G) Abultamiento de la parte inferior e izquierda del abdomen (fosa ilíaca izquierda), además de la mayor parte de las causas mencionadas más arriba (fosa ilíaca derecha):
Inflamación de los divertículos del colon, 1129.
Colon descendente espástico o contraído, 1077.

H) Abultamiento de la parte inferior y media del abdomen (hipogastrio).
1. En la mujer.
Embarazo, 286.
Fibroma u otros tumores benignos o malignos del útero, 276.
Quistes de ovario, 279.
Inflamaciones agudas o crónicas de las trompas, 282.
2. En ambos sexos.
Retención aguda o crónica de orina, 1342. Bolo fecal, 1085.

ABDOMEN DISTENDIDO POR GASES, véase también Gas en el estómago y Gas en el intestino.
Obstrucción intestinal crónica o aguda, 1085.
Peritonitis aguda generalizada, 1169.
Peritonitis tuberculosa, 1168.
Bolo fecal, 1085.
Fiebre tifoidea, 868.
Cólico renal o ureteral, 1346.
Fermentaciones intestinales, 1081.
Insuficiencia hepática, 1151.
Cirrosis hepática, 1158.
Pancreatitis agua o crónica, 1162, 1164.
Megacolon, 1130.
Neurosis, 1474.
Ciertas lesiones del sistema nervioso.

ABDOMEN, dolores en el.

I. *Dolor en todo el abdomen:*

A) Dolor muy violento de comienzo repentino, acompañado de shock (palidez, sudor frío, pulso débil y rápido, temperatura menor que la normal, etc.). Cualquier dolor abdominal aunque se inicie en un punto determinado, cuando es muy intenso, puede extenderse al resto del abdomen.

Perforación de úlcera de estómago o duodeno, o perforación de otra víscera hueca (vesícula biliar, intestino), 1112.
Ruptura de un quiste hidático en el abdomen, 1008.
Abertura en el peritoneo de un absceso de un órgano abdominal (peritonitis aguda generalizada), 1169.
Torsión de quiste de ovario, de una trompa de Falopio, intestino, epiplón, etc.
Oclusión intestinal aguda (volvulus, estrangulación intestinal en una hernia o en el interior del abdomen, invaginación intestinal aguda). 1085, 429.
Ruptura de embarazo extrauterino, 305.
Pancreatitis aguda, 1162.
Cólico renal o ureteral, 1346.
Crisis gástrica del tabes, 1444.
Cólicos saturninos (intoxicación crónica por plomo).
Embolia o trombosis de los vasos mesentéricos, 1288.
Flebitis de la vena porta (pileflebitis).
Infarto de bazo o riñón, 1290, 1292.

B) Dolor intermitente del abdomen (en forma de cólicos).

1. En ambos sexos y a cualquier edad.
Cólicos intestinales por indigestión, 1102; enterocolitis, 1102.
Colitis agudas: ulcerosa, 1127. mucomembranosa, 1126; disentería bacilar o amebiana, 896.
Intoxicaciones alimenticias, 625.
Diarreas de diversas causas, 1081.
Saturnismo.
Obstrucción intestinal, 1085.
Púrpura visceral o de Henoch, 1332.
Alergia intestinal.

II. *Dolores localizados del abdomen:*

A) Dolores en la parte superior y media del abdomen (epigastrio o "boca del estómago").

Apendicitis aguda en su comienzo, 1133.
Apendicitis crónica, 1135.
Colecistitis, 1141.
Cólicos hepáticos o biliares, 1144.
Diversas afecciones del hígado, 1137.
Ulcera del estómago o duodeno, 1109.
Tumores de estómago, 1117.
Indigestión (gastritis aguda), 1102.
Diversas formas de dispepsia y gastritis, 1105, 1102.
Perigastritis, 1112.
Dilatación aguda del estómago, 1122.
Aerofagia, 1075.
Pericarditis aguda, 1237.
Angina de pecho, 1243 e infarto de miocardio, 1244.
Intoxicación por nicotina, 128.
Esclerosis o aneurismas de arterias gástricas o de aorta abdominal, 1277, 1281.
Afecciones del esófago o del cardias, 1098.
Crisis gástricas del tabes, 1144.
Cólico del plomo.
Afecciones del páncreas, 1162.
Cólicos intestinales de diverso origen, 668.

Hernia epigástrica, 1536.
Hernias crurales, inguinales y diafragmáticas, 1534.
Ciertas enfermedades infecciosas agudas: Malaria, 973; gripe, 955; tifus exantemático, 967; tifoidea, 868; paperas, 959; septicemia, 530; etc.
Enfermedad de Addison, 1367.

B) Dolores en parte alta y derecha del abdomen (hipocondrio derecho). Aproximadamente en las 4/5 partes de casos de dolores en esta región, la causa principal es una afección de hígado, vesícula biliar o vías biliares. Si el dolor es muy intenso, puede tratarse de un cólico hepático o biliar, 1146. En otros casos se trata de diversos tipos de inflamaciones de la vesícula biliar (colecistitis, 1141), con o sin cálculos (véase litiasis biliar en pág. 1144); inflamaciones de las vías biliares (colangitis, 1142).

Congestiones o aumentos de tamaño del hígado de diversos orígenes: insuficiencia cardíaca, 1261; cirrosis, 1158; tumores, 1501; quiste hidatídico, 1008; paludismo, 973; sífilis hepática, 1571; etc.
Inflamaciones del hígado: hepatitis por virus, 1139.

Absceso amebiano, 985.
Otras afecciones del aparato digestivo que pueden provocar dolor en el hipocondrio derecho son:
Ulcera duodenal, 1109.
Inflamaciones que rodean el estómago o el duodeno: perigastritis y periduodenitis, 1112.
Enfermedades del páncreas, 1162.
Apendicitis alta o retrocecal, 1133.
Inflamaciones o tumores del ángulo derecho o hepático del colon.
A veces una angina de pecho 1243, o infarto de miocardio 1244, puede causar agudo dolor en el hipocondrio derecho.
El absceso subfrénico, las afecciones del riñón derecho 1347, las pleuresías diafragmáticas, 1216, la neumonía de la base del pulmón derecho 1202, el herpes zóster intercostal 1607, las neuralgias intercostales 1437 y otras causas de dolor en el tórax (véase bajo ese título), pueden ser causa de dolor en esta región.

C) Dolor en la parte superior e izquierda del abdomen (hipocondrio izquierdo).
Con cierta frecuencia aparece en dicho lugar una puntada al hacer un esfuerzo. En la mayor parte de los casos, sin embargo, se debe a distensión por gases del ángulo izquierdo o esplénico del colon (véase 1130) o del estómago (aerofagia, 1075).
Otras afecciones capaces de dar dolor en esta región son las afecciones del bazo: aumento de tamaño (véanse sus causas bajo Bazo grande), inflamación, infarto, ruptura, tumores o inflamaciones del ángulo izquierdo o esplénico del colon, 1135.
Véanse en Dolores en el hipocondrio derecho. Otras causas capaces de causar dolor en el lado izquierdo son: lesiones de riñón izquierdo, absceso subfrénico o perinefrítico, afecciones cardíacas, herpes zóster, etc.

D) Dolores en la región del ombligo. Pueden ser causados por hernia umbilical, 1535 y con mayor frecuencia por cólicos intestinales (véanse sus causas en la página 668). Otras causas pueden ser:
Comienzo de apendicitis aguda, 1133.
Ulcera de duodeno, 1109.
Colitis ulcerosa, 1127.
Tumores de intestino, 1135.
Aneurisma de aorta abdominal, 1281.
Inflamaciones o irritaciones del peritoneo de diverso origen (peritonitis neumocóccica y otras), 1169.
Tumores malignos sembrados en el peritoneo, 1168.
Ruptura de embarazo extrauterino, 305, o de un piosalpinx, 283.
Perforación de úlcera gástrica, 1109, etc.

E) Dolor en la parte inferior y derecha del abdomen (fosa ilíaca derecha).
Apendicitis aguda o crónica, 1133.
Inflamaciones de trompa u ovario derecho (anexitis), 282.
Cólico ureteral o renal, 1346.
Pielitis o pielonefritis, 1360.
Inflamación de vesícula biliar baja, 1141.
Inflamaciones, volvulus o tumores de ciego.
Torsión de quiste de ovario, o de trompa o de ovario, 279.
Ruptura de embarazo extrauterino, 305.
Vesícula biliar enferma (posición baja), 1141.
Hernia inguinal, 1534.
Inflamación de testículo o epidídimo, 1563.
Infecciones peritoneales (tuberculosis, pelviperitonitis, etc.), 1165.
Inflamación de ganglios.
Tifoidea, 868.
Lesiones de hueso ilíaco.
Herpes zóster, 1607.
En el niño puede ser además:
Neumonía de la base del pulmón derecho, 1202 y vómitos cíclicos con acetonemia, 399.

F) Dolor en la parte inferior e izquierda del abdomen (fosa ilíaca izquierda).
Son las mismas causas que para la fosa ilíaca derecha, con la excepción de apendicitis, afecciones del ciego, vesícula biliar y tifoidea. Son causas propias del lado izquierdo:
Diverticulitis, 1129.
Constipación espástica, 1077.
Inflamaciones o tumores de colon descendente o asa sigmoide, 1135.

G) Dolor en la parte media e inferior del abdomen (dolor en el hipogastrio y la pelvis).

1. En ambos sexos:
Inflamación de la vejiga (véase Cistitis, 1360).
Cálculo en la vejiga, 1362.
Tumores vesicales, 1364.
Retención de orina, 1341.
Inflamaciones de colon y asa sigmoide, 1125, 1138.
Lesiones de recto, 1538.
Apendicitis (apéndice en posición baja), 1133.

2. En la mujer:
Dolores menstruales (véase Dismenorrea, 271).
Dolores de parto o de aborto, o de expulsión de un pólipo por el cuello uterino.
Inflamaciones de trompa u ovario, 282.
Inflamaciones y tumores benignos o malignos de útero, 276-279.
Prolapso genital, 274.
Infecciones de los tejidos blandos o del peritoneo que rodea el útero, 283.
Utero que no se ha reducido a su tamaño normal después del parto.

3. En el hombre:
Enfermedades de la próstata (prostatitis, 1555; adenoma prostático, 1557 y cáncer de próstata, 1558).

ABORTO, véanse sus causas, 306.

ABSCESO, búsquese por la región donde aparece.

ABULTAMIENTO, búsquese por la región u órgano donde aparece.

ACEDIA, véase Acidez de estómago, 1074.

ACELERACION DEL PULSO, véase Taquicardia, 1254.

ACELERACION DE LA RESPIRACION, véase Disnea, 1182.

ACIDEZ DE ESTOMAGO, véanse sus causas, 1074.

ADELGAZAMIENTO.
Alimentación insuficiente o no aprovechada por trastornos digestivos (vómitos, diarrea, etc.).
Diabetes, 1030, 1381.
Hipertiroidismo, 1375.
Enfermedad de Addison, 1367.
Ciertas afecciones de la hipófisis (véase Caquexia hipofisiaria, 1379).
Tuberculosis pulmonar, 923.
Cáncer en cualquier parte del cuerpo (búsquense las páginas en el Indice General Alfabético).
Cualquier enfermedad febril prolongada o debilitante.
Disenterías, 896.
Colitis ulcerosa, 1127.
Sprue, 1024.
Artritis reumatoide, 1387.
Arterioesclerosis, 1276.
Alcoholismo, 121.
Trastornos dispépticos de origen nervioso, gástrico, pancreático, hepático o intestinal, 1104.

ADENOPATIAS, véase Ganglios, aumento de tamaño de los.

ADORMECIMIENTO, véase el lugar afectado y Sensación anormal en la piel.

AEROFAGIA, véanse sus causas, 1075.

AFONIA Y RONQUERA.

I. *Causas pasajeras de ronquera o afonía:*
Exceso de uso de la voz, 1681.
Laringitis aguda de diversos orígenes, 1681; coriza, 1658; catarros respiratorios agudos, 1658; sarampión, 948 u otras enfermedades eruptivas; gripe, 955; excesos alcohólicos, 123 o de fumar, 130, etc.
Difteria laringea o crup verdadero, 880.
Falso crup o laringitis estridulosa, 880.
Edema de la glotis.
Emociones.
Histerismo, 591, 1477.

II. *Causas crónicas de ronquera o afonía u otras modificaciones de la voz:*
Laringitis crónicas por abuso de la voz, 1681.
Infecciones crónicas de rinofaringe, 1679.
Laringitis sifilítica, 1572 o tuberculosa, 1683.
Tumores benignos o malignos de la laringe.
Parálisis de la laringe por compresión de los nervios recurrentes o laríngeos (lesiones de aorta, bocio, esófago, aumento de tamaño de los ganglios del tórax, etc.).

AGITACION. Para respiración agitada, véase: Disnea, 1182; Delirio, 1485; Fiebre elevada, 864; Excitación nerviosa; Manía e Hipomanía, 1490; Neurosis, 1474.

AGOTAMIENTO, véase Debilidad.

ALBUMINURIA, 1345.

ALIENTO, falta de, véase Disnea, 1182.

ALIENTO FETIDO, véase Halitosis, 1088.

ALIENTO CON OLOR A ACETONA.
Acidosis diabética, 1031 y de otros orígenes.
En los niños especialmente: las enfermedades febriles cuando hay vómitos o el niño no recibe alimento.
Vómitos cíclicos con acetonemia, 398.

ALIENTO CON OLOR A ORINA.
Uremia, 1352.

ALOPECIAS, véase Cabello, pérdida del, 1621.

AMENORREA, véanse sus causas, 270.

AMIGDALITIS, véase Garganta, dolor de, 1672.

AMIGDALAS GRANDES, véase Garganta hinchada.

AMPOLLAS EN LA BOCA, véase Estomatitis aftosa o herpética, 1094.

AMPOLLAS EN LA PIEL, véase Piel.

AMPOLLAS EN LOS LABIOS, véase Herpes, 1606.

ANEMIA, véanse sus causas, 1321.

ANGINA, véase Garganta, dolor de.

ANSIA DE AIRE, véase Disnea, 1182.

ANSIEDAD, véase Agitación.

ANO Y RECTO, dolor en el, véase Dolor en el recto y el ano.

ANO Y RECTO, hemorragia del, véase Hemorragia de ano y recto.

ANOREXIA, véase Apetito, falta de.

APETITO EXAGERADO.
Diabetes, 1030.
También diversas causas que disminuyen el azúcar (glucosa) en la sangre.
Bocio exoftálmico, 1375.
Ciertas afecciones del tubo digestivo, como ser: hiperclorhidria, 1074; úlcera gástrica o duodenal, 1109; tenia y otros parásitos intestinales, 991.
Algunas formas de enfermedades mentales, 1484.
Embarazo, 286.
Convalecencia de ciertas enfermedades.
Acromegalia, 1381.

APETITO, falta o pérdida del. (Para la inapetencia del niño véase la página 400).
Cualquier enfermedad infecciosa, o infección del organismo, sea aguda o crónica (entre ellas debe destacarse la tuberculosis pulmonar).
Ciertas enfermedades del aparato digestivo, como ser: gastritis aguda o crónica, falta de ácido clorhídrico o de fermentos en el jugo gástrico.
Entre las causas gástricas, merece especial mención el *cáncer de estómago.*
Otras causas: afecciones de hígado, vías biliares, páncreas, o intestino (constipación, tumores, colitis, etc.).
Intoxicaciones crónicas por alcohol, 615; tabaco, 623; uremia, 1352; etc.
Afecciones crónicas de riñón, 1352.
Anemias de distinto tipo, 1321.
Ciertas afecciones nerviosas y mentales, 1484.
Preocupaciones o emociones.
Algunas afecciones de las glándulas de secreción interna: hipotiroidismo, 1371; enfermedad de Addison, 1367.
Uremia.
Vejez.

APETITO EXAGERADO, véase Pica.
Anquilostomiasis, 999.
Alimentación carenciada, 108.
Embarazo, 286.
Idiotez, 1482.

ARDOR EN LA BOCA, véase Boca, 1088; dolor e inflamación de la.

ARDOR DE ESTOMAGO, véanse sus causas bajo Acidez de estómago, 1074.

ARDOR DE GARGANTA, véanse sus causas bajo Garganta, enrojecimiento de la, 1670.

ARDOR AL ORINAR, véase Micción dolorosa o con ardor, 1344.

ARDOR EN LA PIEL, véase Parestesia.

ARTICULACION HINCHADA.
Además de todas las causas mencionadas para las articulaciones dolorosas, hay causas traumáticas como ser: entorsis o esguince, luxaciones, fracturas, lesiones de meniscos o ligamentos, etc.

ARTICULACIONES DEFORMADAS, véase Articulaciones dolorosas y Articulación hinchada, 891, 1519.

ARTICULACIONES DOLOROSAS.
Fiebre reumática (reumatismo articular agudo), 891.
Osteoartritis, 1391.
Artritis reumatoide, 1387.
Artritis secundaria a alguna enfermedad infecciosa: brucelosis, escarlatina, tuberculosis, gripe, blenorragia, sífilis, viruela, etc.

Enfermedad del suero (reacción al suero antidiftérico, antitetánico u otros), 886.
Artritis supurada, 1520.
Gota, 1027.
Ciertas enfermedades de la sangre o de los vasos: hemofilia, 1330; púrpura, 1331; escorbuto, 1016.
Artritis del climaterio.
Artritis psoriásica.

ARTRITIS, véase Articulaciones dolorosas.

ASCITIS.
Cirrosis hepática, 1158.
Insuficiencia cardíaca acentuada, 1261.
Nefritis crónica, 1347.
Nefrosis, 1352.
Peritonitis tuberculosa, 1168.
Cánceres que afectan el peritoneo.
Ciertos tumores de ovario.
Flebitis de la vena porta (pileflebitis), 1291.

ASFIXIA, véanse sus causas, 593.

ASMA BRONQUIAL, véanse sus causas, 1194.

ASMA CARDIACA, 1263.
Insuficiencia del ventrículo izquierdo del corazón, 1264.

ASTENIA, véase Debilidad general.

ATROFIA DE LOS MUSCULOS DE LOS MIEMBROS.
Polineuritis o neuritis múltiple, 1433.
Neuritis de distinto origen (véanse sus causas, 1432.
Lesiones de la médula espinal o de sus raíces, 1441. Entre las primeras merece destacarse la poliomielitis o parálisis infantil, 1445.
Miopatías (afecciones primitivas de los músculos).
Artritis reumatoide, 1387.
Traumatismos de las articulaciones, 550.

AUMENTO DE LAS PULSACIONES, véase Taquicardia, 1254.

AXILA, HINCHAZON DE LA:
I. Con signos de infección (enrojecimiento y dolor):
Hidrosadenitis o "golondrino", ganglio supurado, 1593.
Absceso, 525, 528.

II. Sin cambio del color de la piel:
Ganglios aumentados de tamaño (ver sus causas bajo Ganglios).
Lipoma, quiste sebáceo, 1496.
Aneurisma de la arteria axilar, 1281.

B

BABEO, véase Boca, salivación excesiva.

BARRIGA, véase Abdomen.

BAZO GRANDE.
I. *Diversas infecciones:*
Paludismo, 973.
Tifoidea, 868.
Brucelosis, 899
Leishmaniosis, 980.
Septicemias o sépticopiemias, 530.
Endocarditis bacterianas, 1247; etc.

II. *Algunas enfermedades de la sangre o de sus órganos productores:*
Leucemias, 1325.
Linfogranulomatosis, 1578.
Ciertas anemias, 1321.
Eritremia, 1325.
Ciertas formas de púrpura, 1331.
Cirrosis hepática, 1158.
Infarto del bazo, 1288, 1290.
Trombosis de la vena esplénica o de la vena porta.
En el niño, además de las causas antes mencionadas, puede deberse a raquitismo, 1017, o a la sífilis congénita, 430.

BOCA ABIERTA.
Obstrucción de la nariz, que obliga a respirar por la boca (véase bajo Nariz obstruida, sus diversas causas).
Vegetaciones adenoideas, 1677.
Disnea o respiración difícil (véanse sus causas, 1182.
Idiotez o cretinismo, 1373.
Ciertas parálisis de los músculos de la cara, 1438.
No puede tampoco cerrarse la boca cuando hay una luxación del maxilar inferior, 566.

BOCA, ardor en la, (véase Boca, dolor e inflamación de la).

BOCA DESVIADA HACIA UN LADO.
Parálisis facial de origen periférico o de origen central, 1438.
Cicatriz.
Luxación de un cóndilo del maxilar inferior, 566.
Contracción exagerada de los músculos de un lado de la cara.

BOCA, dificultad para abrir la.
Tétanos, 535.
Inflamaciones de la boca o faringe: absceso periamigdalino o de faringe, 1680.
Abscesos de origen dentario, 1091.

Lesiones de la lengua o mejilla.
Accidentes de la erupción de las muelas de juicio.
Anquilosis o inflamación de las articulaciones del hueso temporal con los cóndilos del maxilar inferior.
Afecciones del oído y de la parótida.
Neurosis, 1474.
Convulsiones de diverso origen, 606.

BOCA, dolor e inflamación de la.
Estomatitis de diversas causas y tipos: catarral, 1093; vesicular, 1094; herpética, úlceromembranosa o de Vincent, 1095; Muguet, 1094, etc.
Anemia perniciosa, 1323.
Pelagra, 1020, y otras avitaminosis.
Escorbuto, 1016.
Sífilis secundaria (placas mucosas), 1573.
Abuso del tabaco, alcohol y condimentos.
Intoxicación mercurial crónica.
Intoxicaciones con ciertos venenos corrosivos: ácidos, soda cáustica, fenol, bicloruro de mercurio y otros compuestos mercuriales (véase el Indice en color frente a la página 611).
Cáncer bucal, 1509.
Abscesos de origen dentario, 1091.

BOCA, espuma que sale por la.
Epilepsia u otros ataques convulsivos, 1465.
Edema agudo de pulmón, 1213.
Ahogados, 594.
Ataque de hemiplejía, 1455.

BOCA, hemorragia por la.
La sangre que sale por la boca puede provenir del tubo digestivo (véase Hematemesis, 1083), del pulmón o vías respiratorias (véase Hemóptisis, 1185.
También puede provenir de la nariz (véase Epístaxis, 1654).
Otras veces proviene de la faringe o de la boca propiamente dicha (lesiones de la lengua, labio, mejillas o encías por traumatismo), extracción de dientes, inflamaciones de las encías o resto de la boca, ulceraciones en la boca.
Enfermedades productoras de hemorragia, capítulo 124.

BOCA, llagas y manchas blancas en la.
Estomatitis herpética, vesicular o aftosa, 1094.
Estomatitis catarral, 1093.
Muguet, 1094.
Estomatitis úlceromembranosa, 1095.
Placas mucosas de sífilis secundaria, 1573.
Goma sifilítico, 1575.
Intoxicación aguda con sustancias corrosivas (ácidos, soda, potasa, fenol, bicloruro de mercurio), 610.
Intoxicación crónica o aguda con mercurio, 622.
Leucoplasia, 1509.
Comienzo de ciertas enfermedades infecciosas: varicela, 945; viruela, 939; etc.
Tuberculosis, 918.
Cáncer, 1510.
Chancro sifilítico, 1571.

BOCA, manchas obscuras en la.
Enfermedad de Addison, 1367.
Intoxicación crónica con sales de plata (argiria), 623.
Ciertas afecciones de piel y mucosas (acantosis nigricans).

BOCA, sabor metálico en la.
Intoxicación mercurial, 622.

BOCA, salivación excesiva y babeo.
En el niño, además de otras causas que se citan más adelante, puede ser por erupción de los dientes, 428.
En la mujer, puede ser por embarazo, 286.
Causa frecuente son las inflamaciones de la boca o estomatitis (véase el capítulo 101), 1093.
Intoxicación mercurial, 622.
Enfermedades que hacen doloroso el tragar, por ejemplo: anginas, 1672; absceso periamigdalino, 1676.
Imbecilidad, idiotez y ciertas enfermedades mentales, 1373.
Fractura o luxación del maxilar inferior, 562.
Parálisis facial, 1438.
A veces la neuralgia de la cara (del trigémino), 1436.

BOCA SECA.
Diabetes sacarina, 1030 y otras causas de excesiva cantidad de orina (diabetes insípida), 1381.
Nefritis crónica en cierta etapa de su desarrollo, 1347.
Deshidratación (véanse sus causas bajo ese nombre), 417.
Boca abierta (véase más arriba).
Muguet, 1094.
Uso de medicamentos que contengan atropina, belladona, bantine, etc.

BOCIO, 1375.
La grasa del cuello puede hacer creer en un bocio que no existe. En las adolescentes, se trata habitualmente del bocio simple, propio de esa edad, 1371.
Otras causas: bocio de los adultos que vi-

ven en regiones donde no hay suficiente yodo.
Bocio exoftálmico, 1375.
Cretinismo, 1373.
Inflamación o congestión de la glándula tiroides, 1370.
Cáncer de tiroides.
Ocasionalmente puede el mixedema producir bocio, 1371.

BOCHORNO, véase Cara congestionada.

BRADICARDIA, véanse sus causas, 1257.

BRAZOS, adormecimiento u hormigueo de uno de los dos miembros superiores:
I. *Permanente:*
Neuritis de diverso origen, 1432.
Ciertas lesiones de la médula espinal, 1441 o cerebro.
II. *Pasajero:*
Presión sobre un nervio, 1432.
Distonía neurovegetativa, 1235.
Climaterio, 268.

BRAZOS, dolor en, véase Dolor en los brazos.

BRONQUITIS, véanse sus causas, 1188.

BUBONES, véanse Ganglios, aumento de tamaño de los.

BULIMIA, véase Apetito exagerado.

C

CABELLO ESCASO Y SECO.
Hipotiroidismo, 1371.

CABELLO GRASOSO.
Seborrea o pitiriasis, 1621.

CABELLO, pérdida del.
Después de enfermedades febriles (tifoidea, erisipela, etc.).
Pitiriasis, 1620.
Sífilis secundaria, 1573.
Caída del cabello en zonas relativamente pequeñas: alopecía areata, 1621.
Pseudo-pelada de Brocq, 1621.
Tiña, 1622.
Cicatrices, 486.
Depilación con rayos X.
En los niños pequeños es frecuente que el cabello sea escaso y muy corto en el lugar donde siempre roza la cabeza contra la almohada.

CABEZA, bultos en la.
I. *En el niño recién nacido:*
Bolsa serosanguínea, 409 y céfalo-hematoma externo, 481.
II. *En los demás:*
Hematoma de cuero cabelludo, 481.
Quistes sebáceos, 1496.
Quistes dermoides, 1497.
Flemones o abscesos, 528.
Sífilis de cráneo.
Nevus, 1629.
Tumores malignos de cuero cabelludo.

CABEZA, dolor de. (Véase primero en la pág. 672 el estudio de las principales causas de este síntoma.)
I. *Dolor en la parte media de la frente, por encima o a los lados de la nariz:*
Sinusitis frontal, 1666.
Neuralgia del nervio supraorbitario, 1436.
Obstrucción de la parte alta de la nariz, 1652.
Contacto anormal entre diversas partes de la mucosa nasal.
Desviación de la parte alta del tabique nasal, 1664.
II. *Dolor en la frente:*
Sinusitis frontal, 1666.
Resfrío nasal, 1658.
Vegetaciones adenoideas, 1677.
Constipación, 1077.
Fiebre, 863.
Anemia, 1321.
Trastornos hepáticos, 1137.
Trastornos de la vista:
Cansancio visual, 1707.
Vicios de refracción (astigmatismo, miopía, etc.), 1693-1695.
Iritis, 1705.
Glaucoma, 1706.
Neuralgia del nervio supraorbitario.
Además, las causas mencionadas bajo I.
III. *Dolor en la parte posterior de la cabeza* (véase también Dolores en la nuca): 673.
Hipertensión arterial, 1268.
Nefritis crónica y uremia, 1347, 1353.
Vegetaciones adenoideas, 1677.
Sinusitis esfenoidal, 1666.
Neuralgias, 1436.
Fibrositis, 1393.
Afecciones de la vista.
Inflamaciones de las meninges, 1471.
Tumores del cerebelo, 1465.
IV. *Dolores de un lado de la cabeza:*
Jaqueca o hemicránea, 1469.
Neuralgia del trigémino, 1436.
Irradiaciones de dolores de muelas o provenientes de afecciones del oído o de la mastoides.
V. *Dolor de la parte alta de la cabeza:*
Constipación, 1077.

Neurosis, 1475.
Anemia, 1321.
VI. *Dolores de toda la cabeza:*
Constipación, 1077.
Obstrucción de la nariz, 1552.
Alcoholismo, 112.
Trastornos de estómago o hígado.
Neurosis, 1475.
Sífilis, 1571.
Tumores y abscesos del cerebro, 1465.
Encefalitis, 1464.
Insolación, 581.

CABEZA ECHADA HACIA ATRAS.
Enfermedades de las meninges, capítulo 141.
Tétanos, 535.
Epilepsia, 1465 y otras causas de convulsiones.
Absceso retrofaríngeo, 1680.
Absceso del cerebelo, 1465.

CABEZA, sudores de la.
En el niño: Raquitismo, 1017.
En la mujer: Climaterio, 268.

CADERA, dolor en la articulación de la cadera o coxofemoral.
Traumatismo (contusión, luxación, fractura, etc.).
Osteoartritis de la cadera (*morbus coxae senilis*), 1391.
Artritis reumatoide, 1387.
Infección de la articulación (artritis supurada), 1520.
Fiebre reumática, 891.
Histerismo, 1477.

CAIDA BRUSCA AL SUELO CON PERDIDA DE CONOCIMIENTO.
Epilepsia, 1465 y otras causas de convulsiones.
Síncope cardíaco, 588.

CALAMBRES EN EL ABDOMEN, véase Cólicos intestinales, 668.

CALAMBRES EN LOS MUSCULOS, 668.
Exceso de ejercicio de los músculos.
Golpe de calor, 582.
Excesiva pérdida de líquido por el organismo.
Circulación deficiente, 1233; artritis, 1387, 1518-1524; várices, 1293; embarazo, 286; etc.
Tetania, 1384.
Neurosis, 1475.
Ciertas lesiones de la médula espinal.

CALAMBRES EN LAS PANTORRILLAS, véase Calambres en los músculos.

CALORES, véase Cara congestionada.

CALOR, pérdida de la sensibilidad al.
Neuritis, 1432.
Lepra, 914.
Siringomielia, 1443.

CANSANCIO, véase Debilidad.

CARA AZULADA, véase Cianosis, 1234.

CARA CONGESTIONADA.
I. *Cara congestionada momentáneamente:*
"Sofocos" o "calores" del climaterio, 267.
Nerviosidad o sensación de vergüenza.
Bocio exoftálmico, 1375.
Esfuerzos físicos.
Medicamentos que dilatan los vasos (nitrito de amilo, etc.).
II. *Cara congestionada en forma más prolongada:*
Fiebre, 863.
Alcoholismo, 112.
Acné rosácea, 1591.
Tuberculosis pulmonar, 923.
Insolación, 581.
Hemorragia cerebral, 1458.
Eritremia, 1325.
Intoxicación con monóxido de carbono, 624, o conatropina, 616.
Es frecuente encontrar esta característica en personas robustas.

CARA, dolor en la.
Dientes cariados e inflamaciones producidas por los mismos, 1088.
Sinusitis maxilar, 1666.
Neuralgia del trigémino, 1436.
Infecciones de la piel de la cara (forúnculo, 1593; erisipela, 877; etc.).
Herpes zóster, 1607; que afecta los nervios de la cara.
Lesiones del contenido del cráneo.

CARA ENROJECIDA, véase Cara congestionada.

CARA, espasmos o contracciones de la.
Corea (baile de san Vito), 1469.
Tic, 1479.
Neuralgias de la cara, 1436.
Nerviosidad.
Contracciones reflejas por causas dentales, nasales, etc.
Las diversas causas de convulsiones, 607.
Ciertas afecciones mentales.
Tétanos cefálico.

CARA HINCHADA.
I. *Hinchazón de toda la cara:*
Afecciones del riñón (nefritis, 1347; nefrosis, 1352; etc.) y otras capaces de producir edemas.
Sarampión, 948.

Tos convulsa, 888.
Viruela, 939.
Eccema agudo de la cara, 1611.
Enfisema subcutáneo, 503.
Compresión del metabolismo.
Quemaduras de sol, 804 o de otro origen, 570.
Infestación con triquinas, 1002.
Hipotiroidismo (mixedema y cretinismo), 1371.

II. *Hinchazón de parte de la cara:*
Infecciones producidas por caries dentarias, 1088.
Eccema agudo, 1611.
Forúnculos y otras infecciones de la piel de la cara, 1593.
Picaduras de insectos, 545.
Edema angioneurótico, 1617, o urticaria, 1615.
Sinusitis maxilar intensa, 1666.
Erisipela, 877.
Carbunclo, 911.
Parotiditis epidémica, 959.
Tumores de parótida o del maxilar.
Actinomicosis, 1012.
Enfermedad de Chagas, 978.
Dacriocistitis, 1698.

CARA, palidez de la.
I. *Palidez transitoria:*
Emociones, náuseas y vómitos, 1073.
Hipotermia.
Síncope, 588.
Hemorragia intensa, 513.
Ataque de asma, 1194.
Ataque epiléptico o equivalentes epilépticos, 1466.

II. *Palidez permanente:*
Puede observarse como característica familiar en ciertas personas sanas. También puede causarla la falta de vida al aire libre.
Anemias, 1321.
Hemorragias repetidas.
Clorosis, 1323.
Enfermedades febriles agudas o cualquier enfermedad debilitante: cáncer, tuberculosis, septicemia, etc.
Arterioesclerosis, 1276.
Insuficiencia aórtica, 1251.
Insuficiencia cardíaca, 1261.
Endocarditis bacteriana, 1247.
Nefritis, 1347.
Sífilis, 1571.
Linfogranulomatosis, 1328, 1578.
Nutrición deficiente.
Hipotiroidismo, 1371.
Pericarditis, 1237.
Pleuresía purulenta, 1218.
Anquilostomiasis, 999.

CARA, parálisis de la, véase parálisis facial, 1438.

"CARNE DE GALLINA".
Frío.
Emociones.
Avitaminosis, 211.
Algunas formas de ictiosis.

CASPA.
Pitiriasis, 1620.
Seborrea, 1620.

CATARRO DE BRONQUIOS, véase Expectoración, 1184 y tos, 1183.

CATARRO DE GARGANTA.
Rinofaringitis aguda, 1679, o crónica, o vegetaciones adenoideas, 1677.
Sinusitis crónica, 1666.
Obstrucción nasal, 1552.
Faringitis aguda o crónica, 1680.
Laringitis aguda o crónica, 1681.
Alcoholismo crónico, 122.

CATARRO DE NARIZ Y OJOS (óculonasal).
Sarampión, 948.
Alergia, 1399.

CATARRO DE PECHO, véase Expectoración, 1184, y tos, 1183.

CEGUERA PASAJERA O PERMANENTE, véase también Dificultad para ver.
Lesiones de la córnea (heridas; opacidades, 1703; queratitis intensas, 1703, etc.).
Catarata, 1705.
Glaucoma, 1706.
Retinitis.
Desprendimiento de la retina.
Hemorragia en el ojo o hemorragias muy intensas en otras partes del cuerpo.
Cambios en la circulación del cerebro (hemorragia, 1458; embolia, 1289; trombosis, 1459; etc.).
Atrofia del nervio óptico.
Intoxicación con alcohol metílico, quinina, u otras substancias.
Oftalmía purulenta del recién nacido, 1700.
Uremia, 1353.
Diabetes, 1030, 1381.
Intoxicación gravídica, 304.
Supuraciones del ojo.
Traumatismos del ojo, de la órbita o del cráneo, 497.
Tumores cerebrales o de la hipófisis, 1465.
Histerismo, 591.

CEJAS ESCASAS.
Puede ser una característica individual y

no causada por una enfermedad. Las cejas son escasas especialmente en su mitad externa, en el hipotiroidismo, 1371.
También caen a veces durante el período secundario de la sífilis, 1574.

CERUMEN EN EL OIDO, 1640.

CESACION DE LA MENSTRUACION, véase Amenorrea, 270.

CESACION DE LA RESPIRACION, véase Asfixia, 593.

CHUCHO, véase Escalofrío, 671.

CIANOSIS, 1234.

COJERA, véase Renguera.

COLAPSO, véase Shock, 506.

COLICOS DE ABDOMEN O INTESTINO, véase Abdomen, Dolor intermitente del abdomen.

COLICO HEPATICO O DE HIGADO, 1146.

COLICO RENAL, NEFRITICO O URETERAL, 1346.

COLOR AZULADO DE LA PIEL, véase Cianosis, 1234.

COLOR PALIDO DE LA PIEL, véase Cara, palidez de la.

COMA, 589.

COMER, véase Apetito.

COMER, dolor al.
Estomatitis, 1093.
Amigdalitis, 1672.
Búsquese también Disfagia en este Indice.

COMEZON, véase Prurito.

CONFUSION MENTAL, 1486.

CONGESTION DE LA CARA, véase Cara congestionada.

CONGESTION DE LA CONJUNTIVA U OJOS, véase Ojos enrojecidos.

CONGESTION DEL HIGADO.
Insuficiencia cardíaca, 1261.
Alcoholismo, 112.
Alimentación no saludable.
Afecciones de la vesícula biliar o vías biliares, 1141-1144.
Puede preceder a la cirrosis hepática, 1158.
Hepatitis, 1139.
Abscesos amebianos, 985.
Sífilis, 1571.
Paludismo, 973.

CONGESTION PULMONAR, véanse sus causas, 1200.

CONSTRICCION DEL TORAX, véase también Dolor precordial.
Asma bronquial, 1194.
Asma cardíaca, 1263.
Bronquitis, 1188.

CONTRACCION INVOLUNTARIA DE LA PARED DEL ABDOMEN.
Peritonitis aguda, 1169.

CONTRACCION DE LAS PUPILAS, véase Pupilas contraídas.

CONSTIPACION, véanse sus causas, 1077.

CONVULSIONES EN EL ADULTO, véanse sus causas, 607.

CONVULSIONES EN EL NIÑO, véanse sus causas, 606.

CORAZON, ANGUSTIA U OPRESION A NIVEL DEL CORAZON, véase Dolor precordial.

CORAZON, palpitaciones del, véase la descripción de este síntoma y algunas de sus causas, 1233.
Extrasístoles, 1259.
Distonía neurovegetativa, 1235.
Neurosis, 1474.
Bocio exoftálmico, 1375.
Diversas enfermedades del aparato circulatorio.
Insuficiencia cardíaca, 1261.
Taquicardia paroxística, 1256.
Diversas arritmias, 1259.
Endocarditis, 1246.
Anemias, 1321; etc.

CORIZA, 1658.

CRUJIDOS EN LAS ARTICULACIONES.
Leves irregularidades de las superficies articulares.
Osteoartrosis, 1391, y otras formas de reumatismo crónico, 1387.

CRUJIR DE DIENTES.
Puede verse este síntoma en niños nerviosos o que tienen alguna molestia digestiva.
En ciertos casos de vegetaciones adenoideas, 1677, y de parásitos intestinales, capítulos 92, 93.
También puede aparecer en ciertas enfermedades del sistema nervioso y en ciertas infecciones.

COSQUILLAS EN LA GARGANTA.
Laringitis o irritaciones de la laringe, 1681.
Traqueítis, 1188.
Faringitis, 1672, 1680.

COSTADO, puntada del, véase Dolor en el tórax.

CUELLO, abultamiento en el.
Ganglios hinchados. Véase más adelante, Cuello, ganglios palpables.
Bocio (tiroides aumentada de tamaño), 1375.
Quiste sebáceo, 1496.
Quistes braquiales.
Quistes del tracto tirogloso.
Antrax de la nuca, 1593.
Infecciones del cuello (celulitis).
Carbunclo, 911.
Infecciones y tumores de la parótida.
Actinomicosis, 1012.
Enfisema del cuello.
Divertículo esofágico, 1100.
Aneurismas de las arterias del cuello, 1281.

CUELLO, dolores y rigidez en el.
Traumatismos, 481.
Tortícolis, 1394.
Cansancio muscular excesivo.
Antrax, 1593, o forúnculos de la nuca, 1593, y otras infecciones de las partes blandas del cuello.
Afecciones de la columna vertebral en el cuello (diversas formas de reumatismo, fracturas, luxaciones, mal de Pott cervical, etc.).
Inflamaciones de ganglios.
Neuralgias, 1436.
Meningitis, 1471.
Tumores del encéfalo, 1465.
Costilla cervical.
Tétanos, 535.

CUELLO, fístulas del.
Ganglio supurado (tuberculoso y a veces con infección de otro tipo).
Fístulas congénitas.
Actinomicosis del cuello, 1012.

CUELLO, ganglios palpables en el. (Véase primero, Ganglios aumentados de tamaño.)
Infecciones de amígdalas y adenoides (amigdalitis agudas y crónicas de diverso tipo), 1672.
Difteria, 880.
Adenoiditis y vegetaciones adenoideas, 1677.
Absceso periamigdalino, 1678.
Infecciones de origen dentario, 1088.
Piorrea, 1091.
Escarlatina, 930.
Sarampión, 948.
Viruela, 939.
Rubéola, 953.
Erisipela, 877.
Faringitis, 1680 y anginas, 1672.
Estomatitis, 1093.
Sífilis en cualquiera de sus períodos, 1571.
Tuberculosis de los ganglios.
Piojos, 1625.
Eccema, 1611.
Impétigo, 1598 y otras infecciones de la cara o del cuero cabelludo.
Cáncer de la lengua, labio, mejilla, nariz, paladar, etc.
Cánceres de abdomen o de seno, 1510.
Mononucleosis infecciosa.
Enfermedad de Hodgkin, 1328.
Leucemias, 1325.

CUELLO, latidos en el.
Lo más corriente es que los latidos se deban a una exageración de los normales en las arterias carótidas por diversas causas: emociones, fiebre, insuficiencia de las válvulas sigmoideas aórticas, bocio exoftálmico, insuficiencia cardíaca, etc.
A veces se debe a un aneurisma de las arterias del cuello.
Otras veces, los latidos se producen en las venas yugulares, en una persona con insuficiencia cardíaca.

CUERO CABELLUDO, véase Cabeza y Cabello.

CUERPO, atrofia de los músculos del, véase Músculos, atrofia de los.

CUERPO, dolores en el, véase Dolores en todo el cuerpo.

CUERPO, erupciones en el, véase Piel.

CUERPO, espasmos convulsivos, véase Convulsiones.

CUERPO GORDO Y FOFO.
Hipotiroidismo, 1371.
Obesidad, 1047.
Edema generalizado, 1233.

CUERPO RIGIDO Y ARQUEADO HACIA ATRAS.
Tétanos, 535.
Meningitis, 1471.
Intoxicación con estricnina, 619.
Tetania, 1384.
Convulsiones, 606.

D

DEBILIDAD GENERAL, véase su estudio en general, 96.
I. *Para debilidad brusca,* provocada por desmayo, shock, etc., véanse las páginas 517, 506, respectivamente.
II. *Dan debilidad general* como síntoma destacado las siguientes afecciones:

Tuberculosis pulmonar, 923 y otras infecciones crónicas.
Brucelosis, 899.
Distonía neurovegetativa, 1235.
Neurosis, 1474, y preocupaciones.
Gripe, 955.
Anemia perniciosa, 1323, y anemias secundarias, 1321.
Insuficiencia cardíaca, 1261.
Leucemias, 1325.
Enfermedad de Hodgkin, 1328.
Hipoglucemia (disminución del azúcar en la sangre por debajo de lo normal), 1045.
Nefritis crónica, 1348.
Arterioesclerosis cerebral y general, 1276.
Enfermedad de Addison, 1367.
Hipotiroidismo, 1371.
Parásitos (anquilostomiasis y otras), capítulos 92, 93.
Miastenia grave.

DEBILIDAD DE LOS MIEMBROS INFERIORES.
Polineuritis o neuritis múltiple de diversos orígenes, 1433.
Beriberi y otras avitaminosis, 1022.
Anemia perniciosa, 1323.
Diabetes, 1027.
Debilidad general.
Cansancio excesivo, 97.
Enfermedad de Parkinson, 1462.
Además, las causas que se mencionan bajo Parálisis de los miembros inferiores y Atrofia de los músculos pueden en sus comienzos manifestarse por debilidad de los músculos inferiores.

DEBILIDAD MENTAL, 1481.

DEBILIDAD SEXUAL, véase Impotencia, 1565.

DEDOS ADORMECIDOS.
I. *En forma permanente:*
Neuritis, 1432, o lesión nerviosa.
II. *En ciertos momentos:*
A) Sin cambio de color.
Compresión de nervio o forma leve de neuritis, 1432.
Distonía neurovegetativa, 1235.
Climaterio, 267.
B) Con palidez o color azulado de la piel.
Enfermedad de Raynaud, 1285.

DEDOS DEFORMADOS, HINCHADOS, DOLORIDOS.
Traumatismos (fracturas, 550; luxaciones, 565; etc.).
Osteoartrosis, 1391.
Artritis reumatoide, 1387.
Reumatismo articular agudo, 891.
Gota, 1027.
Infecciones (panadizos), 525.
Afecciones de los huesos de los dedos.
Sabañones, 1609.
Edema, 1233.

DECAIMIENTO, véase Depresión o Debilidad (decaimiento físico).

DEFECACION DOLOROSA.
Fisura anal, 1543.
Hemorroides, 1543.
Absceso o fístula anorrectal, 1539.
Rectitis, 1538.
Otras posibles causas, véase Dolor en el recto y ano.

DEFECACIONES DE COLOR ANORMAL, véase Materia fecal.

DEFECACION LIQUIDA O MUY BLANDA, véase Diarrea, 1081.

DELIRIO, véase su estudio general, 1487.
Aparece con mucha frecuencia en enfermedades con fiebre alta (neumonía, tifoidea, etc.), especialmente en los niños y en los adultos alcoholistas.
La uremia, ciertas afecciones mentales y el alcoholismo pueden producirla (véase Delirium tremens, 1485.
También las meningitis, 1471; encefalitis, 1464, y la pelagra, 1020.
Las grandes hemorragias, 512, y la falta de líquidos para beber pueden producir este síntoma.

DENTICION, anomalías en la, 428.

DEPRESION MORAL Y MENTAL.
Aun en una persona sana puede haber períodos de cierta depresión alternando con otros de mayor actividad y optimismo. Las personas ciclotímicas, 1490, presentan una exageración de esta tendencia.
Pueden con mayor razón aún provocar depresión los acontecimientos tristes o desagradables, y las enfermedades agudas o crónicas pueden repercutir sobre la moral del paciente, deprimiéndolo y poniéndolo pesimista.
El climaterio, 267, es un período que trae a menudo este síntoma.
Otras causas son: preocupaciones excesivas, neurosis, arterioesclerosis de las arterias del cerebro, diversas afecciones del cerebro y de las meninges, enfermedad de Parkinson, pelagra y otras avitaminosis, intoxicaciones

crónicas, anemias, ciertos parásitos, mixedema, acromegalia, nefritis crónica, colitis, etc.

DESARREGLOS DIGESTIVOS, véase Digestión.

DESARREGLOS MENSTRUALES, véase Menstruación.

DESASOSIEGO, véase Inquietud.

DESEO IMPERIOSO Y FRECUENTE DE ORINAR, véase Micción.

DESEO IMPERIOSO DE EVACUAR EL INTESTINO, véase Diarrea.

DESEO SEXUAL AUMENTADO.
Menopausia, 267.
Comienzo del tabes dorsal, 1444.
Irritaciones de vejiga y uretra.
Alcoholismo, 121.
Ninfomanía.
Satiríasis.
Alimentación irritante.

DESHIDRATACION, véanse los síntomas de deshidratación en el niño, 417.
Ingestión de insuficiente cantidad de líquidos, especialmente si hay fiebre, u otras causas de pérdida de líquido.
Transpiración abundante.
Vómitos, 1073.
Diarrea, 1081.
Afecciones que producen exceso de orina, 1343.

DESMAYO, véase también Causas de lipotimia y síncope, 589.
Hay personas predispuestas (anémicos hipotensos, nerviosos, etc.), que con mucha facilidad sufren desmayos.
Vista de sangre.
Traumatismos, temor y otras emociones fuertes.
Incomodidad por ropas ceñidas, exceso de abrigo, permanencia en lugares con ventilación deficiente o excesivo calor.
Dolor.
Enfermedades debilitantes.
Alimentación insuficiente.
Reposo insuficiente.
Hemorragias, 510.
Hipertensión arterial, 1268.
Shock o colapso, 506.
Enfermedad de Addison, 1367.
Hipertensión arterial muy acentuada, 1268.
Arterioesclerosis cerebral, 1276.
El levantarse durante una enfermedad debilitante.
Afecciones del corazón.

DESPERTAR ASUSTADO.
Terrores nocturnos en el niño, 401.
Pesadillas.
Neurosis, 1475.

DIFICULTAD PARA DISTINGUIR COLORES.
Daltonismo.
Lesiones del nervio óptico.

DIFICULTAD PARA EVACUAR EL INTESTINO, véase Constipación, 1077.

DIFICULTAD PARA HABLAR, véase también Ronquera y Afonía.
Sordomudez.
Defectos en el desarrollo mental, 1481.
Tartamudeo. Afasia, 1459.
Disartria o dificultad para articular las palabras.
Alcoholismo.
Parálisis general, 1487.

DIFICULTAD PARA OIR, véase Sordera, 1647.

DIFICULTAD PARA ORINAR, véase también Micción y Retención de orina, 1342, 1344.
Blenorragia, 1568, y otras inflamaciones de uretra, 1568.
Irritaciones de vejiga, 1360 y de vulva.
Aumento de tamaño de la próstata o inflamaciones de la misma, 1555, 1557.
Estrechez de la uretra, 1559.
Cálculo vesical, 1144.
Tuberculosis urinaria, 1361.
Fimosis, 1560.
Carúncula uretral.
Aumento de tamaño del útero (fibromioma, 276; embarazo, 286; etc.).
Tabes dorsal y otras enfermedades del sistema nervioso, 1444.

DIFICULTAD PARA RESPIRAR, véase Disnea, 1182.

DIFICULTAD PARA TRAGAR, véase disfagia.

DIFICULTAD PARA VER.
Cansancio visual, 1707.
Presbicia, 1691.
Astigmatismo, 1694; miopía, 1693; conjuntivitis, 1699; queratitis, 1703; y opacidades de córnea, 1703.
Coroiditis.
Glaucoma, 1706.
Catarata, 1705.
Retinitis.
Desprendimiento de la retina.
Lesiones del nervio óptico (intoxicación por tabaco, alcohol y otros tóxicos,

enfermedades del sistema nervioso, etc).
Parálisis diftérica, 885.

DIFICULTAD PARA VER EN EL CREPUSCULO.
Arriboflavinosis, 1024.

DIFICULTAD PARA VER DE NOCHE.
Ceguera nocturna, a veces producida por falta de vitamina A, 215.

DIGESTION DIFICIL, véase también Dispepsia.
Alimentación inadecuada.
Dispepsia hiposténica, 1106.

DILATACION DEL ABDOMEN, véase Abdomen abultado.

DILATACION DEL ESTOMAGO, 1122, véase Dilatación aguda, 1122, y Dilatación crónica, 1122.

DILATACION DE LAS VENAS DEL CRANEO.
Raquitismo, 1017.
Hidrocefalia, 433.
Sífilis congénita, 430.
Compresión por tumores del cuello o mediastino.

DILATACION DE LAS VENAS DEL ESCROTO, véase Varicocele, 1561.

DILATACION DE LAS VENAS DE LAS PIERNAS, véase Várices, 1293.

DILATACION DE LAS VENAS DEL RECTO Y ANO, véase Hemorroides, 1543.

DISFAGIA.
I. *Con dolor:* véase Dolor al tragar.
II. *Sin dolor o con poco dolor:*
Espasmo del esófago, 1098.
Neurosis, 1474.
Cáncer del esófago, 1100.
Estrechez del esófago por cicatriz, 1100.
Cuerpo extraño en el esófago, 666.
Cardioespasmo, 1098.
Divertículo del esófago, 1100.
Parálisis del velo del paladar (post diftérica, por operación sobre la garganta, etc.).
Compresión del esófago por diversas causas (tumor de mediastino, pericarditis con derrame, etc.).

DISMINUCION DEL APETITO, véase Apetito, falta de.

DISMINUCION DEL PESO, véase Adelgazamiento.

DISMINUCION DE LA POTENCIA VISUAL, véase Dificultad para ver.

DISMINUCION DEL SUEÑO, véase Insomnio, 86.

DISNEA, véanse sus causas, 1182.

DISPEPSIA, véase para el estudio general de Dispepsias y Gastritis el capítulo 103.
Dispepsia hiposténica, 1106 e hiperesténica, 1105.
Modificaciones del jugo gástrico o del jugo pancreático.
Ulcera gástrica o duodenal, 1109.
Dilatación gástrica, 1122.
Dolicogastria ("estómago caído"), 1118.
Cáncer del estómago, 1116.
Alcoholismo crónico, 122.
Diversas afecciones del hígado: insuficiencia hepática, colecistitis, litiasis biliar, hepatitis por virus, cirrosis hepática.
Constipación, 1077.
Apendicitis, 1133.
Colitis, 1124.
Obstrucción intestinal, 1085.
Embarazo, 286.
Trastornos del corazón: insuficiencia cardíaca, angina de pecho, arterioesclerosis de las coronarias, infarto de miocardio, etc.
Uremia, 1352.
Cálculos en el aparato urinario, 1362.
Anemia perniciosa, 1323.
Saturnismo.
Tabes, 1444.
Sífilis gástrica, 1571.
Tuberculosis pulmonar, 923.

DOLOR ABDOMINAL, véase Abdomen, dolor en el.

DOLOR ANGINOSO, véase Dolor precordial.

DOLOR EN EL ANO, véase Dolor en el recto y ano.

DOLOR EN LAS ARTICULACIONES, véase Articulaciones dolorosas.

DOLOR DE BARRIGA, véase Abdomen, dolor de.

DOLOR EN LA BOCA, véase Boca, dolor en la.

DOLOR DE CABEZA, véase Cabeza, dolor en la.

DOLOR EN LA CADERA (articulación coxofemoral).
Traumatismos: contusión, fractura, 550; luxación.
Osteoartrosis de la cadera (*morbus coxae senilis*), 1391.

Otras formas de reumatismo de cadera.
Coxalgia, 1518 y otras infecciones de la cadera (osteomielitis, 1521, etc.).

DOLOR DE TIPO CALAMBRE, véase Calambres, 668.

DOLOR EN LA CARA, véase Cara, dolor en la.

DOLOR CARDIACO, véase Dolor precordial.

DOLOR EN LA CINTURA, véase Dolor lumbar, Dolor en el sacro y en el coxis.

DOLOR EN LA COLUMNA VERTEBRAL, véase también Dolor en la nuca y Dolor en la espalda.
Reumatismo crónico de la columna (espondilosis y espondilitis).
Neurosis, 1474.
Traumatismos.
Mal de Pott, 1518.
Inflamaciones de las meninges, 1471 o de la médula espinal.
Lesiones de estómago o duodeno (úlcera, por ejemplo).
Tumores de columna o de médula espinal.
Herpes zóster, 1607.
Tabes dorsal, 1444.

DOLOR AL COMER, véase Boca, dolor e inflamación de la.

DOLOR EN EL CORAZON, véase Dolor precordial.

DOLOR EN EL CUELLO, véase Cuello, dolor en el.

DOLOR EN LOS BRAZOS (en uno o ambos miembros superiores). Véase también: Dolor en el hombro; y Mano y dedos, dolor en la.
Traumatismos (contusiones, fracturas luxaciones). Quemaduras.
Neuritis, 1432 y neuralgias, 1436.
Fibrositis, 1393 y otras formas de reumatismo.
Periartritis o bursitis de hombro.
Neurosis ocupacionales, 1479 y otras. Distonía neurovegetativa, 1235.
Infecciones de la piel, tejido celular o del hueso o articulaciones.
Afecciones del corazón o de la aorta: Angina de pecho 1243.
Infarto de miocardio, 1244.
Aneurisma de la aorta, 1281.
Lesiones de las vértebras, de las meninges o de la médula espinal.
Costilla cervical.

DOLOR "EN TODO EL CUERPO".
Gripe, 955; estados gripales y catarros estacionales, 957 (el dolor predomina en la espalda y los miembros).
Dengue, 962.
Infestación del organismo con triquinas, 1002.
Viruela, 939.
Formas muy extendidas de reumatismo o fiebre reumática, 891, 1387.
Neurosis, 1474.
Exceso de ejercicio físico.
Traumatismos.

DOLOR EN LOS DEDOS, véase Manos y dedos, dolor en.

DOLOR EN LOS DIENTES Y MUELAS.
Caries dentarias y las diversas complicaciones de las mismas, abscesos, etc., 1090.
Exceso de sensibilidad de la dentina.
Piorrea alveolar, 1091.
Neuralgias, 1436.

DOLOR EN EL DORSO, véanse Dolor de espalda y Dolor lumbar.

DOLOR EN LA ESPALDA, véase también Dolores en la columna vertebral y Dolor lumbar.
Una causa muy corriente es el dolor proveniente de los músculos de la pared del tórax sea por cansancio, posición defectuosa, fibrositis, etc. También provenientes de esa pared son los dolores provocados por neuralgia intercostal, herpes zóster, lesiones de costillas, etc.
Afecciones de la pleura (pleuritis, pleuresía, neumotórax, adherencias, etc.).
Afecciones del pulmón (neumonía, congestiones pulmonares, tuberculosis pulmonar, absceso pulmonar, cáncer, etc.).
Afecciones del hígado, 1137.
Enfermedades infecciosas con aumento del tamaño del bazo.
Inflamaciones de la parte alta del abdomen (absceso subfrénico).
Peritonitis tuberculosa, 1168, o de otro origen localizada en la parte alta del abdomen.
Acumulación de gases en el estómago o el intestino, 1075-1077.
Inflamaciones del riñón y zonas vecinas (pielitis, pielonefritis, perinefritis, etc.).

DOLOR EN EL ESTERNON, véase Dolor precordial.

DOLOR EN EL ESTOMAGO, véase Abdomen, dolor en el epigastrio.

DOLOR AL EVACUAR EL INTESTINO, véase Dolor en el recto y el ano.

DOLOR EN LAS EXTREMIDADES, véase Dolor en el miembro inferior y Dolor en el miembro superior.

DOLOR EN LA FOSA ILIACA DERECHA O IZQUIERDA, véase Abdomen, dolor en.

DOLOR EN LA FRENTE, véase Cabeza, dolor de.

DOLOR DE GARGANTA, véase Garganta, dolor de.

DOLOR EN LA INGLE, véase Ingle, dolor en la.

DOLOR AL HABLAR, véanse Garganta y Voz.

DOLOR EN EL HOMBRO.
Traumatismos, 481 (contusiones, 481; luxación, 565; fractura, 550; etc.).
Afecciones reumáticas de la articulación del hombro (véanse sus causas en Articulaciones dolorosas).
Con más frecuencia el dolor se debe a inflamación o fibrositis de los tejidos que rodean la articulación (neuralgia del plexo braquial, artritis o Periartritis del hombro, bursitis subacromial, etc.).
El dolor del hombro puede ser reflejo.
En el hombro derecho, por afección del hígado o de las vías biliares (cálculos biliares, inflamación de la vesícula biliar, absceso hepático, etc.).
En el hombro izquierdo, por afecciones del bazo, distensión del estómago o del ángulo izquierdo del colon por gases, afecciones de las arterias coronarias.
Otras causas son:
Inflamación de la pleura que rodea el vértice del pulmón.
Ciertos cánceres del pulmón, 1212.

DOLOR EN EL HIGADO, véase Abdomen, dolor en el hipocondrio derecho.

DOLOR EN EL HIPOGASTRIO Y LA PELVIS, véase Abdomen.

DOLOR EN LOS HUESOS.
I. *Dolor en una sola parte:*
Traumatismos.
inflamación de un hueso por diversas causas:
Osteomielitis aguda o crónica, 1521.
Sífilis, 1571.
Tuberculosis.
Brucelosis, 899.
Tifoidea, 868, etc.
Reumatismos crónicos, 1387.
Gota, 1027.
Tumores benignos o malignos de los huesos.
II. *Dolores en muchos huesos:*
Infecciones agudas:
Gripe, 955.
Brucelosis, 899.
Paludismo, 973.
Dengue, 962.
Tifoidea, 868.
Septicemia, 530.
Escarlatina, etc., 930.
Eritema nudoso, 1609.
Brucelosis crónica, 891.
Acromegalia, 1381.
Osteomalacia, 1020.
Raquitismo tardío, 1017.
Osteoporosis.
Escorbuto, y enfermedad de Barlow, 1016.
Sífilis, 1571.
Tuberculosis, 918.
Tumores múltiples de los huesos (metástasis de cáncer, mielomas, etc.).

DOLOR EN LA LENGUA, véase Lengua dolorosa.

DOLOR LUMBAR, a los lados del dorso, debajo de las últimas costillas.
I. *Acompañado de fiebre:*
Gripe, 955.
Brucelosis aguda, 899.
Tifoidea, 868.
Poliomielitis anterior aguda, 1445.
y otras enfermedades de la médula espinal.
Dengue, 962.
Viruela, 939.
Meningitis, 1471.
Ciertas infecciones del riñón.
II. *Sin fiebre:*
Dolor que aparece bruscamente durante un movimiento o que aumenta con el mismo:
Lumbago agudo, 1395, (fibrositis de los músculos que se hallan a los lados de la columna vertebral).
Lumbago crónico, 1395.
Afecciones del riñón, 1347.
Cálculos renales, 1362.
Hidronefrosis, 1357.
Pielitis, 1360.
Pielonefritis, 1360.
Absceso perinefrítico, 1359.
Infarto, 1288.
Tuberculosis del riñón, 1361.

Tumores de riñón benignos o malignos, 1364.
Riñón móvil (ptosis renal), 1356.
Véase también Dolores en la columna vertebral.

DOLOR EN EL MAXILAR INFERIOR.
Caries dentarias, 1088, y sus complicaciones.
Muelas de juicio u otras piezas dentarias a las que les cuesta hacer erupción.
Neuralgia, 1436.
Necrosis.
Osteomielitis, 1521, o tumores del maxilar inferior.
Fractura o luxación del maxilar, 562.

DOLOR EN LA NARIZ.
Resfrío agudo intenso, 1658.
Sinusitis, 1666.
Forúnculo de la parte interna de las narinas, 1652.
Traumatismos, 481.
Obstrucción nasal, véanse sus causas bajo Nariz obstruida.
Cuerpo extraño en la fosa nasal, 666.
Sífilis, 1571.
Lupus.

DOLOR EN EL OMBLIGO, véase Abdomen, dolores en la región del.

DOLOR EN EL OMOPLATO, véase Dolor en el tórax.
DOLOR EN LA OREJA, véase Dolores de oído.

DOLOR AL ORINAR, véase, Dificultad para orinar, Micción frecuente y Micción dolorosa.
Blenorragia u otras inflamaciones de la uretra, 1568.
Carúncula de meato uretral (en la mujer).
Cistitis, 1360.
Prostatitis, 1555
Cálculo vesical o uretral, 1362.
Tumores de próstata, 1557 y 1558.

DOLOR EN LOS OVARIOS, véase Abdomen, dolor en el hipogastrio y la pelvis.

DOLOR COMO DE PARTO.
Aborto, 306.
Disminorrea, 271.

DOLOR EN EL PECHO, véase Dolor precordial y Senos dolorosos.

DOLOR EN LA PELVIS, véase Abdomen, Dolor en el hipogastrio y la pelvis.
DOLOR EN EL PENE.
Traumatismos.
Chancro blando, 1571, y otras ulceraciones.
Balanopostitis, 1560.
Blenorragia, 1568, y otras uretritis.
Cálculos, 1362, y otros cuerpos extraños en la uretra.
Trombosis de los cuerpos cavernosos.
Priapismo.

DOLOR EN EL PERINE (entre el ano y los genitales).
Prostatitis, 1555.
Absceso prostático, 1555.
Cálculo vesical, 1362.
Uretritis, blenorrágica o de otros orígenes, 1568.
Cistitis aguda, 1360.
Abscesos de diversos orígenes, 525.
Traumatismos, 481.

DOLOR EN EL PIE Y LOS DEDOS.
Traumatismos, 481.
Callos y callosidades, 1629.
Infecciones de la piel y el tejido celular subcutáneo.
Uña encarnada, 1533.
Panadizos, 525, 528.
Pie plano, 1525.
Juanete (hallux valgus), 1532.
Sabañones, 1609.
Dolor en el talón (talalgia).
Gota, 1027.
Osteoartrosis, 1391.
Artritis reumatoide, 1387.
Metatarsalgia (enfermedad de Morton).
Sinovitis del tendón de Aquiles u otros, 1500.
Afecciones de las arterias de la pierna: arterioesclerosis, 1281; tromboangitis, 1283.

DOLOR PRECORDIAL.
Dolor precordial producido por distonía neurovegetativa, 1235.
Angina de pecho, 1243.
Infarto de miocardio, 1244.
Dolor producido por gases en exceso en el estómago e intestino grueso, 1075, 1076.
Aneurisma de la aorta y aortitis, 1281.
Irritación de la tráquea y los bronquios (traqueítis, bronquitis, 1188, etc.).
Traumatismos.
Tumores del mediastino.
Afecciones del esófago, 1098.
Pericarditis, 1237.
Miocarditis, 1240.

DOLOR EN EL RECTO Y EL ANO.
Fisura anal, 1543.
Hemorroides, 1543.
Abscesos perianales.

Fístulas anales o anorrectales, 1539.
Traumatismos, 481 y cuerpos extraños.
Rectitis, 1538.
Ulceraciones rectales.
Linfogranuloma rectal y otras causas de estrechez rectal, 1578.
Pólipo rectal, 1135.
Cáncer de recto, 1546.
Papilitis y criptitis del recto.
Absceso prostático, 1555.
Disentería, 896.
Colitis, 1124.
Bolo fecal, 1085.
Inflamaciones de ovario o trompa, 282.
Tabes dorsal, 1444.
Intoxicaciones, 610.
Proctalgia fugax o ferox.

DOLOR EN LAS RELACIONES SEXUALES.
Primeras relaciones sexuales.
Marcada estrechez de los órganos genitales.
Vaginismo.
Inflamaciones de la vagina y la vulva, 273.
Traumatismos.
Ulceraciones de la vulva, el himen o la vagina.
Blenorragia, 1568.
Pólipo en el meato uretral.
Inflamaciones de trompa u ovario (anexitis), 282.
Ovario desplazado de su lugar normal.
Retroversión uterina, 274.
Cistitis, 1360.
Ocasionalmente afecciones dolorosas del recto.

DOLOR AL RESPIRAR HONDO, véase Dolor en el tórax.

DOLOR EN LOS RIÑONES, véase Dolores lumbares.

DOLOR EN EL SACRO, ARTICULACION SACROILIACA Y COCCIX.
Traumatismos, 481.
Afecciones de útero, 274-279.
Afecciones de ovario y trompa.
Dismenorrea, 271.
Desplazamientos uterinos, 274.
Cervicitis, 281.
Desgarros de cuello uterino.
Anexitis, 282.
Tumores benignos de útero, 276.
Cáncer de útero, 277.
Afecciones de la articulación sacroilíaca.
Coxigodinia.
Inflamaciones de quistes sacrocoxígeos, 1497.
Afecciones rectales, 1538.
Prostatitis, 1555.

DOLOR EN EL SENO, véase Senos doloridos e hinchados.

DOLOR EN EL TESTICULO, véase Testículo, dolor en el.

DOLOR EN EL TOBILLO, véase Dolor en el miembro inferior: Tobillo.

DOLOR EN EL TORAX. (Véase también Dolor precordial y Dolor en la espalda).
Fibrositis, 1393.
Cansancio excesivo.
Postura incorrecta, 81.
Neuralgia intercostal, 1437.
Neumonía, 1202.
Congestiones pulmonares, 1201.
Pleuresía, 1216.
Pleuresía seca, 1219.
Fractura u otras lesiones de costillas, 502.
Afecciones de la columna vertebral o médula.
Herpes zóster, 1607.
Infarto pulmonar (embolia), 1289.
Neumotórax agudo, 1220.
Tuberculosis pulmonar, 923.
Cáncer de pulmón, 1212.

DOLOR AL TRAGAR.
Véase también: Dificultad para tragar.
Amigdalitis y anginas agudas, 1672.
Absceso periamigdalino, 1676; Absceso retrofaríngeo, 1680.
Cuerpos extraños en la faringe o esófago, 666.
Quemaduras de garganta y esófago por líquidos calientes o tóxicos corrosivos (ácidos, lejía de soda o potasa, bicloruro de mercurio, etc.).
Parotiditis epidémica, 959.
Inflamaciones de la lengua, de la faringe, de la laringe o del esófago.
Laringitis tuberculosa, 1683.
Ulcera del esófago.
Cánceres de la lengua, 1091; de la laringe, 1683 o del esófago, 1100.
Hidrofobia, 540.

DOLOR EN EL TRAYECTO DE LOS NERVIOS.
Neuralgias, 1436.
Neuritis, 1432.
Herpes zóster, 1607.
Lesiones de la médula, de las meninges y raíces nerviosas (tabes, 1444; radiculitis, etc.).
Compresión o irritación del nervio en cualquier parte de su trayecto.

DOLOR EN EL UTERO.
Menstruación, 266.

Aborto, 306.
Parto, 286, 309.
Inflamaciones del cuerpo uterino (metritis) o del cuello uterino (cervicitis), 282.
Desplazamientos del útero, 274.
Tumores benignos o malignos de útero (fibromioma, 276; pólipos; cáncer, 277, etc.).

DOLOR EN EL VIENTRE, véase Abdomen, dolor en el.

DOLOR EN LA VULVA Y LA VAGINA.
Traumatismos.
Vulvitis y vaginitis de diversos orígenes, 279.
Muguet, 1094.
Flujo irritante, 272.
Bartholinitis.
Eccema, 1611.
Irritación simple de la piel.
Sífilis, 1571.
Ulceraciones (chancro blando, 1571; cáncer, 1501; herpes, 1607; etc.).

DOLORES EN LA MANO Y LOS DEDOS, véase Mano y Dedos, dolor en.

DOLORES DE LA MENSTRUACION, véase Dismenorrea, 271.

DOLORES EN MIEMBROS INFERIORES.
I. *Dolor en la cadera:* véase Cadera, dolor en la.
II. *Dolor en el muslo:*
Traumatismos, 481.
Neuralgias, 1436, o neuritis, 1432.
De la cara posterior del muslo: nervio ciático, 1437.
De la cara anterior: nervio crural.
Parte anteroexterna del muslo a la vez con adormecimiento y dolor: nervio femorocutáneo.
Lesiones del fémur (fractura, 557; osteomielitis, 1521, osteoperiostitis; tumores).
Flebitis, 1291.
Infecciones de la piel o del tejido celular.
Tabes dorsal, 1444, y otras afecciones de la médula espinal, 1441, o de las meninges, 1471.
Afecciones de la columna vertebral (artritis, mal de Pott, 1518, etc.).
Menstruación dolorosa, 271.
Diversas afecciones de órganos genitales.
III. *Dolor en la rodilla:*
Traumatismos, 481.
Lesiones de los meniscos, 568.
Cuerpos extraños en la articulación, 1392.
Artritis reumatoide, 1387, 1393.
Osteoartrosis, 1391.
Fiebre reumática, 891.
Coxalgia, 1518.
Infecciones de la rodilla (por gérmenes de supuración, 1523; tumor blanco, 1519).
Infecciones de la piel, o de las bolsas serosas cercanas a la rodilla.
Enfermedad de Barlow, 1016.
Heredosífilis, 430.
IV. *Dolores en las piernas* (entre la rodilla y el tobillo):
Traumatismos, 481.
Afecciones de los vasos sanguíneos (várices, 1293; flebitis, 1291; arterioesclerosis, 1276; tromboangitis obliterante, 1283; etc.).
Lesiones de los huesos de la pierna (osteomielitis, 1521; osteítis por tuberculosis o sífilis, 1519; osteoperiostitis; tumores).
Pie plano, 1525.
Ciática, 1437.
Neuritis, 1432, y polineuritis, 1433.
Tabes, 1444.
Diversas lesiones de la médula y las meninges.
Ruptura muscular.
Infecciones de la piel, el tejido celular y linfático.
V. *Dolor en los tobillos:*
Entorsis, 566.
Fracturas, 550, y otros traumatismos de tobillo.
Fiebre reumática, 891.
Artritis reumatoide, 1387.
Osteoartritis, 1391.
Gota, 1027.
Sinovitis, 1500.

DOLORES EN LAS MUELAS, véase Dolor en los dientes y las muelas.

DOLORES EN LOS MUSLOS, véase Dolores en el miembro inferior.

DOLORES MUSCULARES.
Cansancio excesivo.
Enfermedades infecciosas agudas:
Gripe, 955.
Paludismo, 973.
Brucelosis, 899.
Peste, 908.
Dengue, 962.
Parálisis infantil, 1445.
Septicemias, 530.
Tifoidea, 868.
Convalecencia de enfermedades infecciosas.
Brucelosis crónica, 899.

Calambres musculares, 668.
Neuritis, 1432 y polineuritis, 1433.
Várices, 1293.
Flebitis, 1291.
Reumatismo muscular: fibrositis, 1393; miositis; lumbago agudo, 1395; tortícolis, 1394; etc.
Gota, 1027.
Diversas formas de reumatismos, 891, 1387.
Neurosis, 1475.
Enfermedades de las suprarrenales, 1366, y tiroides, 1370.
Triquinosis, 1002.
Intoxicación con plomo, 624, arsénico, 615, y otros tóxicos.

DOLORES EN LOS NERVIOS.
Neuralgias y neuritis, 1436, 1432.

DOLORES EN LA NUCA. (Véase también Cabeza. Dolor en la parte posterior de la, y Cuello, dolores en el.)
Infecciones locales de la piel: forúnculo, 1593; ántrax, 1593; etc.
Fibrositis, 1393.
Tortícolis, 1394, y otras afecciones de los músculos del cuello, triquinosis, 1002.
Cansancio muscular excesivo por tensión muscular o nerviosa o posición inadecuada o mantenida por mucho tiempo.
Hipertensión arterial, 1268.
Neuralgias, 1436.
Afecciones de las meninges, 1471: reacciones meníngeas (véanse sus causas, 1473.
Meningitis, 1471.
Parálisis infantil, 1445, y otras afecciones de la médula espinal,
Afecciones de la columna vertebral, o del cuello (reumatismos crónicos, 1387; mal de Pott cervical, 1518; etc.).
Afecciones de los ganglios del cuello.

DOLORES DE OIDO.
Inflamación del oído medio, véase Otitis media, 1646.
Dolor reflejo por inflamación de la garganta o afecciones dentales o de la lengua.
Afecciones del conducto auditivo externo: forúnculo u otras infecciones, 1640.
Eccema, 1611.
Cuerpo extraño o insecto, 665. Herpes zóster, 1607.
Parotiditis epidémica (paperas), 959, u otras afecciones de la parótida.

DOLORES DE TIPO REUMATICO.
Se manifiestan especialmente en las articulaciones, los huesos y los músculos, aumentando a menudo con el tiempo tormentoso. Pueden ser producidos por diversas formas de reumatismo.
Artritis reumatoide, 1387.
Osteoartrosis, 1391, 1393.
Fibrositis, 1393.
Gota, 1027.
Fiebre reumática, 891.
Pueden ser producidos también por neuritis, neuralgias, várices, como secuela de flebitis, afecciones dolorosas de los huesos (véase Dolores en los huesos).
Pueden ser también reflejos de la afección de un órgano lejano (por ejemplo: dolor en el hombro derecho causado por una afección del hígado).

E

EDEMA, véanse sus causas, 1233.

ELEVACION DE LA TEMPERATURA, véase Fiebre, 863.

ELEVACION DEL PULSO, véase Taquicardia, 1254.

EMISIONES SEMINALES NOCTURNAS, 1566.

ENCIAS, cambios de color en las.
En ciertas razas las encías pueden tener un color azulado.
También en la piorrea pueden tomar un color purpúreo.
En la intoxicación crónica con bismuto, plomo y sales de plata se puede observar en el borde de las encías una línea azulada.
En la intoxicación crónica con cobre esa línea toma un color verdoso.

ENCIAS SANGRANTES, HINCHADAS O ULCERADAS.
Las diversas causas de estomatitis, 1093, producen a menudo también inflamación de encías. En el niño la erupción de los dientes puede producirla.
Predisponen a la inflamación de las encías la deficiente implantación de los dientes.
En el adulto, además de la piorrea y otras paradentosis, que son causas frecuentes, puede deberse a irritación de la encía por coronas, puentes, etc.
La sífilis, la intoxicación mercurial y el es-

corbuto u otras avitaminosis, son otras posibles causas.

La piorrea alveolar y la mayor parte de las inflamaciones de encías arriba mencionadas pueden producir hemorragia de las encías, pero estas hemorragias pueden aparecer también en personas afectadas de diversas enfermedades sanguíneas: hemofilia, púrpura, anemias graves, leucemias etc.

La hinchazón simple de una parte de la encía puede deberse a un absceso de origen dentario, o a tumores benignos o malignos.

ENFLAQUECIMIENTO, véase Adelgazamiento.

ENGORDE, véase Engrosamiento.

ENGROSAMIENTO.
De todo el cuerpo, véase Obesidad, 1047.
De alguna parte del cuerpo, búsquese el nombre del órgano o región engrosados.

ENURESIS NOCTURNA, véase sus causas, 430.

EPISTAXIS, véense sus causas, 1654.

EQUIMOSIS (moretón).
Traumatismos, 481.
Fragilidad de los capilares o enfermedades productoras de hemorragia (hemofilia, púrpura, escorbuto, etc.).

ERUCTOS.
Aerofagia, 1075.
Dispepsia, 1105.

ERUPCION, véase Piel.

ESCALOFRIO, 671.
Cualquier infección intensa.
Neumonías, 1202.
Infecciones de las vías biliares (colangitis, 1142; colecistitis, 1141; o del aparato urinario (pielitis, 1360; pielonefritis, 1360; cistitis, 1360; etc.).
Paludismo, 973.
Infección puerperal, 327.
Septicemia y sépticopiemia, 530.
Endocarditis bacteriana, 1247.
Osteomielitis aguda, 1521.
Erisipela, 877.

ESCALDADURA.
En el niño, véase Intertrigo, 403.
En el adulto, véase Intertrigo, 1611.
Véase también Piel roja y dolorosa.

ESPASMO DE LOS MUSCULOS, véase Convulsiones, 606 y Calambres, 668.

ESPLENOMEGALIA, véase Bazo grande.

ESPERMATORREA, véase Pérdidas seminales, 1566.

ESPUMA POR LA BOCA, véase Boca, espuma por la.

ESPUTO, véase Expectoración, 1185.

ESTORNUDOS.
Resfrío común, 1658.
Rinitis espasmódica, (alérgica, 1662).
Rinitis crónica, 1661.
Comienzo de sarampión, 948.
Tos convulsa, 888 o ataque asmático, 1194.
Irritación de la nariz por polvo, humo, tabaco, pimienta, polvillo de cereales, etc.
Yodismo (intoxicación con yodo), 625.
Vegetaciones adenoideas, 1677.
Gripe, 955.
Cuerpos extraños en la nariz, 666 o los oídos, 665.
Pólipos nasales, 1666.
Desviación del tabique, 1664.
Neurosis, 1474.

ESTREÑIMIENTO, véase Constipación, 1077.

ESTUPOR. (Véase también Comas, 589 y Somnolencia). Difiere del coma en que es menos intenso, pudiendo despertarse del sueño. Es más intenso que la somnolencia.

Encefalitis, 1464 y diversas afecciones cerebrales como ser:
Sífilis, 1571.
Contusión o conmoción, 499.
Arterioesclerosis, 1276.

Tumores y abscesos, 1465.

Puede seguir a una hemorragia muy intensa o preceder a las diversas causas de coma, 589.

Sigue a los ataques de epilepsia, 1465.

EVACUACION INTESTINAL CON MOCO, PUS Y SANGRE.

I. *En el niño:*
Enterocolitis folicular disenteriforme, 417.

II. *En el adulto y a veces también en el niño:*
Disentería amebiana, bacilar o de otros orígenes, 896.
Rectitis, 1538.
Colitis ulcerosa, 1127.
Tumores benignos o malignos del recto.
Linfogranulomatosis rectal, 1578.

EVACUACION INVOLUNTARIA DE ORINA, véase Incontinencia de orina, 1343.

EVACUACION INVOLUNTARIA DE MATERIA FECAL, véase Incontinencia de materia fecal.

EXCITACION, véase Agitación.

EXPECTORACION, véanse sus variedades y causas, 1185.

EXPULSION DE SANGRE, véase Hemorragia de los diversos órganos.

F

FALSA MEMBRANA EN UNA AMIGDALA, véase Garganta con membranas blancas.

FALTA DE MEMORIA, véase Pérdida de memoria.

FATIGA.
Por dificultad para respirar, véase Disnea, 1182.
Por cansancio general, véase Debilidad general.

FERMENTACION INTESTINAL, véase Gases intestinales, 1076.

FIEBRE. Se mencionarán sucesivamente las causas de: I. Fiebre de corta duración (menos de 10 días). II. Fiebre de larga duración (más de 10 días). III. Febrícula (fiebre ligera que no suele pasar de 38° C, 100,4° F). IV. Fiebre intermitente o recurrente (períodos de fiebre separados por períodos sin fiebre o con poca fiebre). V. Fiebre muy elevada (40,5°, C, 104,9° F o aún más en la axila).

I. *Fiebre de corta duración:*
Además de todas las enfermedades infecciosas (véase la parte segunda del Libro Octavo, 868-969), y de ciertas enfermedades parasitarias (paludismo, leishmaniosis, enfermedad de Chagas, esquistosomiasis, etc.), producen fiebre la mayor parte de las infecciones de los diversos órganos. Algunas de estas enfermedades parasitarias o infecciosas o infecciones de diversos órganos producen fiebre prolongada.
Pueden producir fiebre sin haber infección, ciertos traumatismos (contusiones, hematomas, heridas, luxaciones, fracturas), el cansancio excesivo, la insolación, la deshidratación, los calambres musculares, ciertas lesiones de los centros nerviosos, las neurosis, etc.

II. *Fiebre de larga duración:*
Tifoidea, 868; paratifoideas, 875.
Brucelosis, 899.
Tuberculosis (pulmonar, peritoneal, de aparato urinario, meninges, etc.), véase Tuberculosis en el Indice General Alfabético.
Abscesos hepáticos, 985; perinefríticos, 1359 o de otros órganos.
Septicemia y sépticopiemia, 530.
Endocarditis bacteriana, 1247.
Fiebre reumática, 891.
Paludismo, 973.
Leucemias, 1325.
Enfermedad de Hodgkin, 1328.
Tifus exantemático, 967.
Infecciones de las vías biliares, 1141.
Infecciones del aparato urinario, 1359.
Encefalitis, 1464; etc.

III. *Febrícula* (temperatura poco elevada, pero con tendencia a persistir).
Hay casos de personas que tienen temperatura mayor que la normal, sin que haya enfermedad.
Puede deberse a infecciones crónicas poco ruidosas (focos de infección) en las amígdalas, infecciones que rodean las raíces de los dientes, vegetaciones adenoideas, sinusitis crónica, infecciones crónicas en los huesos, ganglios, órganos genitales masculinos o femeninos, hígado y vías biliares, aparato urinario, etc.
Pueden también causar febrícula, la tuberculosis, sea pulmonar o en otros órganos (aparato genitourinario, ganglios, peritoneo, etc.).
Puede observarse durante la menstruación, por estreñimiento, en intoxicaciones crónicas, cirrosis hepática, parásitos intestinales, hemorragias internas, cánceres, sífilis, hipertiroidismo, bronquitis crónica, endocarditis, diversas formas de reumatismo, gota, paludismo, flebitis.
También en ciertas enfermedades de la sangre: leucemias, enfermedad de Hodgkin, etc.
En ciertos casos de neurosis se la ha observado también.

IV. *Fiebre intermitente, remitente o recurrente:*
Paludismo, 973.
Infección de las vías biliares (colangitis principalmente), 1142.
Endocarditis, 1246.
Septicemia, 530.
Sépticopiemia, 530.
Tuberculosis en cualquier órgano.

Infecciones del aparato urinario (cistitis, 1360; pielitis, 1360; pielonefritis, 1360.
V. *Fiebre muy elevada* (más de 40,5° C, 104,9° F).
Forma perniciosa del paludismo, 976.
Insolación, 581.
Tétanos, 535.
Forma cerebral de la fiebre reumática, 891.
Ciertos traumatismos del sistema nervioso o del cráneo.
Afecciones del sistema nervioso (tumor o absceso cerebral, 1465; reblandecimiento cerebral, hemorragia cerebral, 1458).
Delirium tremens, 1485.
Meningitis, 1471.
Escarlatina, 930.
Fiebre amarilla, 937.
Muchas otras infecciones pueden provocar en ciertos momentos y en ciertos pacientes fiebre muy elevada.

FLUJO GENITAL, véanse sus causas, 272.

FLUJO MENSTRUAL, véase Menstruación, 266.

FORUNCULOS, véanse sus causas, 1593.

FOTOFOBIA, véase Intolerancia a la luz.

FRECUENTE DESEO DE ORINAR, véase Micción frecuente, 1343.

G

GARGANTA, dolor de.
Amigdalitis, 1672.
Anginas, 1672 y Faringitis, 1680.
Abscesos periamigdalinos o retrofaríngeos, 1680.
Laringitis, 1681.
Intoxicaciones con sustancias corrosivas, véase la hoja de color frente a la pág. 628.
Espina de pescado u otros cuerpos extraños en la garganta, 666.
Tuberculosis o sífilis de la garganta.

GARGANTA, enrojecimiento de la.
Amigdalitis agudas y crónicas, 1672, 1675.
Anginas, 1672 y faringitis, 1680.
Enfermedades eruptivas: escarlatina, 930; sarampión, 948; rubéola, 953.
Comienzo de difteria, 880.
Gripe, 955.
Abscesos periamigdalinos, 1676.

GARGANTA HINCHADA.
I. *De un lado:*
Absceso periamigdalino, 1676.
Tumores de amígdala, 1676.
Amigdalitis unilateral, 1672.
II. *De ambos lados:*
Amigdalitis agudas y crónicas, 1672, 1675.
Hipertrofia de amígdalas, 1675.

GARGANTA CON MEMBRANAS BLANCAS (sobre las amígdalas).
Difteria, 880.
Amigdalitis pultácea.
Amigdalitis críptica, 1675.
Amigdalitis ulceromembranosa (angina de Vincent), 1095.
Ciertas formas de escarlatina, 930.
Intoxicación con sustancias corrosivas, véase la hoja de color frente a la pág. 628.
Placas mucosas de sífilis secundaria, 1573.

GANGLIOS, aumento de tamaño de los. Hay que distinguir entre los casos que afectan los ganglios en un solo lugar y que tienen habitualmente una causa local, de aquellos casos que afectan ganglios en diversas partes del cuerpo y que tienen una causa general. Por supuesto, estos últimos casos con frecuencia se inician en un lugar antes de extenderse a otras partes.
I. *Causas locales:*
Lo más frecuente es que se deban a alguna infección del territorio de piel o mucosas de donde reciben vasos linfáticos los ganglios afectados, como ser: aumento de tamaño, dolor y aun a veces enrojecimiento de los ganglios de la ingle, cuando hay una infección en el pie, la pierna, los órganos genitales externos, las cercanías del ano, etc.
Otro ejemplo es el de la tumefacción y dolor de los ganglios en la axila por infecciones de la mano, el antebrazo y el brazo, o de los ganglios del cuello, por infecciones de amígdalas, anginas, infecciones de las adenoides, de la boca, cuero cabelludo, piel de la cara, etc. Pasada ya la infección pueden quedar los ganglios aumentados de tamaño por mucho tiempo.
La sífilis, el chancro blando y la linfogranulomatosis producen también aumento de tamaño de los ganglios correspondientes a la lesión primitiva (habitualmente se hinchan los ganglios de la ingle). La sífilis produce

durante su período secundario numerosas tumefacciones ganglionares (codo, cuello, etc.).
También los cánceres pueden ser causa local de aumento de tamaño de ganglios palpables en la axila, en el cáncer de seno.
Por último, cualquiera de las causas generales de tumefacción ganglionar que mencionaremos más adelante, puede en realidad o en apariencia afectar solamente los ganglios de una parte del cuerpo, como ser el cuello u otra parte.
II. *Causas generales:*
En el niño se debe con frecuencia a diátesis linfática, 422; rubéola, 953, y a mononucleosis infecciosa.
Tuberculosis, 918.
Sífilis, 1571.
Enfermedad de Hodgkin, 1328.
Leucemia linfoide, 1327.
Leucemia aguda, 1327.
Linfosarcoma.
Artritis reumatoide, 1387, y enfermedad de Still, 1387.
Peste bubónica, 908.
Viruela, 939.

GAS EN EXCESO EN EL ESTOMAGO.
Aerofagia, 1075.
Dilatación aguda del estómago, 1122.

GASES EXCESIVOS EN EL INTESTINO. (Véase también la pág. 1076).
Fermentaciones intestinales, 1076, 1081.
Enterocolitis aguda, 1102.
Constipación, 1077.
Ingestión de alimentos que producen gases, 1076.
Tifoidea, 868.
Obstrucción intestinal, 1085.
Megacolon, 1130.
Pancreatitis, 1162.
Peritonitis de diversas causas, 1169.
Trastornos en la circulación del hígado: cirrosis hepática, 1158.
Insuficiencia cardíaca, 1261, etc.

GLANDULAS, véase Ganglios.

GLANDULA TIROIDES ENGROSADA, véase Bocio.

GLOBO OCULAR, véase Ojo.

GRAN CANSANCIO, véase Debilidad.

GRANDES CANTIDADES DE ORINA, véanse sus causas, 1339.

GRAN EXCITACION, véase agitación.

GUSTO ALTERADO.
Obstrucción de la nariz, véanse sus causas bajo Nariz obstruída.
Parálisis facial, 1438.
Lesiones del nervio trigémino o del glosofaríngeo.
Aura de ataque epiléptico, 1467.
Neurosis, 1474.
Para mal sabor en la boca, véase Halitosis, 1088.

H

HABLA DIFICULTOSA. (Véase Afonía y ronquera, y Voz gangosa.)
En el niño puede deberse a atraso mental, tartamudeo, sordera parcial o total, o defectos en la boca o el paladar.
Falta de piezas dentarias (principalmente los incisivos).
Hipertrofia de amígdalas, 1675.
Vegetaciones adenoideas, 1677.
Absceso periamigdalino, 1676.
Estomatitis, 1093.
Boca seca.
Parotiditis epidémica, 959.
Luxación de maxilar inferior, 561, etc.
Las causas más frecuentes son, sin embargo, las propias del sistema nervioso:
Afasia por diversas causas, 1459.
Hemorragia cerebral, 1458.
Reblandecimiento cerebral.
Embolia cerebral, 1289.
Tumores o abscesos cerebrales, 1465, etc.
También pueden causar dificultad en el habla otras enfermedades del sistema nervioso:
Parálisis general progresiva, 1487.
Las diversas formas de corea, 1469.
La enfermedad de Parkinson, 1462.
Esclerosis en placas, 1493.
Parálisis bulbar y pseudobulbar.
Parálisis diftérica, 885.
Parálisis facial, 1438.
Hipotiroidismo, 1371.
Imbecilidad, 1483.
Idiotez, 1482.
Demencias, 1481.
Heredo-ataxia cerebelosa.
Es frecuente que sea causada por alcoholismo agudo.
Afecciones de los músculos, como la miastenia grave y las miopatías, pueden también causarla.

HAMBRE EXCESIVA, véase Apetito exagerado.

HEMATEMESIS, 1083.

HEMATURIA, 1344.

HEMICRANEA, véanse sus causas, 1469

HEMOPTISIS, véanse sus causas, 1185:

HEMORRAGIAS, véase para generalidades sobre las causas de hemorragia, la pág. 510.

HEMORRAGIA DEL ANO Y RECTO.
Hemorroides, 1543.
Fisura anal, 1543.
Pólipos del recto, 1545.
Cáncer del recto, 1546.
Ulceraciones del recto de diverso origen: disentería amebiana o bacilar, 896, colitis ulcerosa, 1127, etc.
Enterocolitis.
Estrechez rectal.
Enfermedades hemorrágicas, capítulo 124.
Invaginación intestinal, 429.
Traumatismos, 481.

HEMORRAGIA DE LA BOCA, véase Boca, hemorragia por la.

HEMORRAGIA CEREBRAL, véanse sus causas, 1458.

HEMORRAGIA DEBAJO DE LA CONJUNTIVA.
Tos convulsa, 888.
Asfixia, 593.
Epilepsia, 1465.
Fractura de la base del cráneo, 498.
Esfuerzos físicos grandes en personas con arterioesclerosis o con enfermedades productoras de hemorragias (capítulo 124).
Uremia, 1352.

HEMORRAGIA CUTANEA (en el espesor de la piel).
Traumatismos equimosis por contusiones, 481; entorsis, 566; luxaciones, 566, o fracturas, 550.
Formas graves de diversas enfermedades infecciosas (viruela, sarampión, escarlatina, septicemia, meningitis cerebroespinal epidémica, tifus exantemático, etc.).
Ictericia y ciertas afecciones serias del hígado, 1137.
Púrpura, 1331.
Hemofilia, 1330.
Escorbuto, 1016.
Picadura de insectos, 547.

HEMORRAGIA EN EL EMBARAZO, véanse sus causas, 305, 308.

HEMORRAGIA DEL ESOFAGO.
Várices del esófago (en cirrosis del hígado).
Cuerpos extraños en el esófago, 666.
Ulcera o cáncer del esófago, 1100.

HEMORRAGIA DEL ESTOMAGO, véase Hematemesis, 1083.

HEMORRAGIA INTESTINAL, véase la pág. 1084, y Hemorragia del ano y el recto.

HEMORRAGIA DE LA MATRIZ, véase Hemorragia por la vagina.

HEMORRAGIA MENINGEA, véanse sus causas, 410, 1473.

HEMORRAGIA NASAL, véanse sus causas bajo Epístaxis, 1654.

HEMORRAGIA EN LA PIEL, véase Hemorragia cutánea.

HEMORRAGIA DEL OIDO.
Fractura de la base del cráneo, 498.
Ruptura del tímpano.
Heridas del conducto auditivo.

HEMORRAGIA ORAL, véase Boca, hemorragia por la.

HEMORRAGIA CON LA ORINA, véase Hematuria, 1344.

HEMORRAGIA POR LA VAGINA, véanse también Anomalías de la menstruación y Hemorragia uterina, 269, 270.
Menstruación excesiva, 269.
Aborto, 306.
Fibromioma uterino, 276.
Pólipos uterinos, 269, 270.
Placenta previa, 307.
Embarazo extrauterino, 305.
Subinvolución uterina.
Cáncer del cuello o del cuerpo del útero, 277.
Traumatismos, 481.
Enfermedades productoras de hemorragia, capítulo 124.
Climaterio, 267.

HEMORRAGIA DE LA VEJIGA, véase Hematuria, 1324.

HEMORRAGIA UTERINA, véase Metrorragia, 270 y Hemorragia por la vagina.

HEMORROIDES, véanse sus causas, 1543.

HIDROCELE, véanse sus causas, 1561.

HIDROPESIA, véase Ascitis, 1166 y también Anasarca, 1167.

HIDROTORAX, véanse sus causas, 1219.

HIGADO AUMENTADO DE TAMAÑO o duro.
Insuficiencia cardíaca congestiva, 1264.

Cirrosis hepática (comienzo de cirrosis atrófica, cirrosis biliar y otras), 1158.
Hepatitis de diversos orígenes, 1139.
Sífilis de hígado.
Quiste hidatídico de hígado, 1011.
Cáncer primitivo o secundario.
Véase también Abdomen abultado (abultamiento de la parte superior derecha).

HIGADO CONGESTIONADO, véase Congestión del hígado.

HIGADO DOLOROSO, véase Abdomen (dolor en el hipocondrio derecho).

HINCHAZON DEL ABDOMEN, véase Abdomen abultado.

HINCHAZON DE ARTICULACIONES, véase Articulaciones hinchadas.

HINCHAZON DE LA BOCA, véase Boca, Dolor e inflamación de la.

HINCHAZON DE LOS DEDOS, véase Mano y dedos hinchados.

HINCHAZON DE LA CARA, véase Cara hinchada.

HINCHAZON DE LAS ENCIAS, véase Encías sangrantes, hinchadas o ulceradas.

HINCHAZON EN LAS MANOS, véase Manos y dedos hinchados.

HINCHAZON DE AMBOS MIEMBROS INFERIORES.
Las causas más corrientes son todas las mencionadas en Edema, 1233, 1234.
Además pueden mencionarse las siguientes:
Embarazo, 286.
Tumores de abdomen.
Venas varicosas, 1293.
Anemias intensas, 1323.
Neuritis y polineuritis, 1432, 1435.
Anquilostomiasis, 999.
Triquinosis, 1002.
Mixedema, 1371.
Beriberi, 1022.
Alimentación escasa en proteína, 190.
Reumatismos, 1387.
Elefantiasis de diversos orígenes, 1006.
Puede observarse al final de diversas enfermedades graves.

HINCHAZON DE UN SOLO MIEMBRO INFERIOR.
Flebitis (Phlegmatia alba dolens) 1291.
Várices, 1293.
Inflamaciones de la piel (erisipela u otras infecciones), 411, 877.
Infecciones del tejido celular (celulitis).
Ulcera varicosa, 1294.
Eccema varicoso, 1294.
Elefantiasis y diversas causas de obstrucción de los vasos linfáticos, 1006, 1294.
Infecciones de hueso y de periostio (periostitis, osteomielitis), 1521.
Reumatismos, 1387.
Traumatismos (contusión, fractura, luxación, etc.), 550.
Tumores benignos o malignos, 1501.

HINCHAZON DE LAS OREJAS.
Traumatismos, 481.
Erisipela y otras infecciones, 411, 877.
Eccema agudo, 1611.
Sabañones, 1609.
Mastoiditis, 1644.
Urticaria o edema anginoneurótico, 1615, 1617.
Picaduras de insectos, 547.
Causas de hinchazón localizada:
Tofos gotosos, 1028.
Quistes sebáceos, 1496.
Hematomas, 481.

HINCHAZON DE LOS PARPADOS.
Traumatismos, 481.
Picaduras de insectos, 547.
A veces se debe a una inflamación causada por:
Orzuelo, 1695.
Chalazión, 1696.
Dacriocistitis, 1698.
Erisipela, 877.
Etmoiditis.
Sinusitis frontal o maxilar, 1666.
Conjuntivitis blenorrágica y otras, 1700-1702.
Es frecuente también en:
Urticaria, 1615.
Edema angioneurótico, 1617.
Eccema agudo, 1611.
Puede verse en nefritis agudas y crónicas y en nefrosis.
En el sarampión, la tos convulsa y en otras enfermedades infantiles, es frecuente.
El comienzo de la enfermedad de Chagas, se manifiesta a menudo por hinchazón de los párpados, 978.
Se observa precozmente en la triquinosis, 1002.
Otras causas son el mixedema, 1371 y la enfermedad de Barlow, 1016.

HINCHAZON DE LA PIEL (piel hinchada o espesada).
Puede deberse a Edema, 1233 o a infecciones o inflamaciones de la piel o vecinas a la misma.

Forúnculos, 1593.
Abscesos, 525, 528.
Celulitis.
Erisipela, 877.
Linfangitis, 528.
Quemaduras, etc., 570.
Edema angioneurótico o urticaria, 1617, 1615.
Otras causas importantes son:
Hipotiroidismo, 1371.
Liquen, 1589.
Esclerodermia.
Elefantiasis, 1006, 1295.
Lepra, 914.

HINCHAZON DE PIES O TOBILLOS.
Puede ser el comienzo de la hinchazón total de uno o de los dos miembros inferiores (véanse sus causas más arriba).
Con frecuencia puede deberse simplemente a leves trastornos de la circulación de los miembros inferiores en días calurosos y cuando se está mucho de pie.
También muchas de las causas de dolores en los tobillos y pies (véase Dolores en miembros inferiores, Dolor en tobillos y Dolor en pie y dedos), pueden provocar hinchazón de los mismos.

HINCHAZON DE LOS SENOS, véase Senos dolorosos e hinchados.

HEPATOMEGALIA, véase Hígado aumentado de tamaño.

HIPERACIDEZ, véanse sus causas bajo Acidez de estómago, 1074.

HIPO, véanse sus causas, 667.

HORMIGUEO, véase Parestesia.

HUESOS DEFORMADOS.
Raquitismo, 1017.
Osteomalacia, 1020.
Osteoporosis, 1513.
Infecciones de hueso (osteomielitis, tuberculosis, sífilis, etc.), 1521.
Traumatismos (contusiones, fracturas, etc.), 481.
Tumores de los huesos.

HUESOS DOLOROSOS, véase Dolor en los huesos.

I

ICTERICIA, véanse sus causas en el adulto y niño grande, 1137, y en el recién nacido, 335.

IDIOTEZ, véanse sus causas, 1482.

ILEO, véase Oclusión intestinal, 1085.

IMBECILIDAD, véanse sus causas, 1482.

IMPOTENCIA GENITAL, véanse sus causas, 1565.

INAPETENCIA, véase Apetito, pérdida del.

INCONSCIENCIA, véase Pérdida del conocimiento, 587.

INCONTINENCIA DE MATERIA FECAL.
Aun una persona normal puede llegar a presentar este síntoma en caso de diarrea.
En personas de mucha edad o que han tenido desgarros del periné, operaciones grandes por fístula anal u otras afecciones de ano y recto, puede observarse este síntoma.
Otro grupo de causas son las lesiones de la médula espinal, por traumatismo de columna, infecciones, tumores o degeneraciones de la médula (tabes, 1444, mielitis transversa, 1441, tumores, etc.).

INCONTINENCIA DE ORINA, véanse sus causas en el niño, 430, y en el adulto, 1343.
Hay una falsa incontinencia que se debe en realidad a retención crónica de orina, con la vejiga completamente llena, que deja rebosar gota a gota la orina.
Causas de verdadera incontinencia de orina son:
Pérdida del conocimiento por diversas causas:
Ataque de epilepsia, 1467.
Hemiplejía, 1455.
Coma, 589.
Las inflamaciones de la vejiga y del cuello de la vejiga pueden causar micción imperiosa y frecuente.
Puede observarse también en mujeres con fístulas que comunican la vejiga con la vagina, o que tiene la vejiga muy descendida, o los esfínteres que permiten retener la orina debilitados por la edad o desgarros en los partos.
Ocasionalmente se debe a una intervención sobre la próstata.
Las lesiones de la médula espinal pueden también provocarla.

INCOORDINACION DE LOS MOVIMIENTOS.
Tabes dorsal, 1444.
Esclerosis en placas, 1493.

Alcoholismo agudo, 112.
Ataxia hereditaria, o enfermedad de Friedreich.
Parálisis general, 1487.
Enfermedades del cerebelo.
Polineuritis, 1433.
Lesiones de la médula y de los nervios periféricos producidos por la anemia perniciosa, 1323.
Neurosis, 1474.

INDIGESTION, véase Dispepsia, 1105.

INFECCION, búsquese por el nombre de la región u órgano infectado.

INFLAMACION, búsquese el órgano o región inflamada.

INGLE, dolor en la.
Ganglios inflamados (véanse sus causas bajo Ingle, hinchazón en la).
Hernias, inguinal y crural, 1534, 1535.
Las causas de dolor en las fosas ilíacas (véase Abdomen, Dolor en las fosas ilíacas), pueden provocar también dolor en la región inguinal.

INGLE, hinchazón en la.
Ganglios aumentados de tamaño por:
Infecciones o tumores de miembro inferior, periné, nalgas, genitales, etc.
Chancro blando, 1571.
Linfogranuloma venéreo, 1578.
Tuberculosis, 918.
Hernias, inguinal, 1534, o crural, 1535.
Quiste del cordón espermático, 1562.
Testículo ectópico (no descendido), 1562.
Abscesos agudos o fríos, 525.
Várices, 1293.
Tumores benignos (lipomas, fibromas, etc.), 1501.

INQUIETUD, véase Agitación y Nerviosidad.

INSPIRACION DIFICIL, véase Disnea, 1182.

INSPIRACION DOLOROSA, véase Dolor en el tórax.

IRREGULARIDADES MENSTRUALES, véase Menstruación irregular.

IRREGULARIDAD DEL PULSO, véase Pulso irregular.

IRREGULARIDAD DE LAS PUPILAS, véase Pupilas desiguales o irregulares.

IRREGULARIDAD DE LA RESPIRACION, véase Disnea, 1182.

IRRITABILIDAD, véase Nerviosidad.

IRRITACION DE DIVERSOS ORGANOS. Búsquese por el órgano correspondiente.

INSOMNIO, véanse sus causas, 86.

INTERCOSTAL, dolor, véase Dolor en el tórax.

INTERCOSTAL, erupción.
Herpes zóster, 1607.

INTESTINO CONSTIPADO, véase Constipación, 1077.

INTESTINO DOLOROSO, véase Colitis, 1124.

INTOLERANCIA HACIA CIERTOS ALIMENTOS.
Alergia, 1399.
Afecciones del hígado y vías biliares, 1137.
Colitis, 1124.
Dispepsias, 1105, y gastritis, 1102.

INTOLERANCIA A LA LUZ (fotofobia).
Sarampión, 948.
Gripe, 955.
Conjuntivitis, 1699.
Queratitis, 1703.
Ulcera de la córnea, 1703.
Iritis, 1705.
Retinitis.
Hemicránea, 1469.
Meningitis, 1471.
Neurosis, 1474.
Encefalitis, 1464.
Falta de vitaminas (A, riboflavina), 215.

L

LABIOS, vesículas (ampollas pequeñas) en los.
Herpes, 1606.

LABIOS HINCHADOS.
Traumatismos, 481.
Urticaria, 1615.
Edema angioneurótico, 1617.
Picaduras de abeja u otros insectos, 547.
Inflamación local (forúnculo, abscesos), 1593.
Hipotiroidismo, 1371.

LABIOS INFLAMADOS O IRRITADOS.
Pueden ser sus causas alguna de las mencionadas anteriormente.
Además pueden causarlo las avitaminosis B y la secreción nasal irritante.
Eccema y otras enfermedades de la piel, 1611.

LABIOS SECOS Y PARTIDOS (con fisuras).
Fiebre, 863.
Deshidratación, véanse sus causas bajo ese nombre.
Irritación de los labios por diversas causas.

LABIOS CON ULCERACION.
Cáncer de labio, 1509.
Irritación crónica.
Sífilis (chancro o sífilis en otros períodos), 1571.

LAGRIMEO,
Irritación del ojo por un cuerpo extraño, 1698.
Conjuntivitis agudas y crónicas, 1699.
Cansancio visual, 1707.
Iritis, 1705.
Queratitis, 1703.
Blefaritis, 1695.
Ectropión, 1697.
Estrechez u obstrucción del conducto lacrimal, 1698.
Parálisis facial, 1438.
Rinitis espasmódica, 1662.
Rinitis aguda, 1661.
Sarampión, 948.
Gripe, 955.
Comienzo de tos convulsa, 888.
Alcoholismo crónico, 124.

LENGUA DOLOROSA, IRRITADA O MUY ROJA.
Anemia perniciosa, 1323.
Falta de vitaminas del complejo B (riboflavina, niacina y otras).
Pueden causar dolor en la lengua: los traumatismos, las ulceraciones de diverso origen (ver más adelante), las neuralgias y aun las neurosis.

LENGUA HINCHADA.
Lengua siempre aumentada de tamaño:
Cretinismo, 1373.
Acromegalia, 1381.
Mongolismo, 433.
Lengua transitoriamente hinchada:
Quemaduras, 570.
Intoxicación con sustancias corrosivas (véase la hoja de color frente a la pág. 628).
Inflamaciones de la lengua.

LENGUA SUCIA O SABURRAL, 1092.
Ayuno.
Alimentación líquida o blanda que no requiere masticación.
Constipación, 1077.
El fumar o tomar bebidas alcohólicas puede causarla.
El respirar por la boca (obstrucción de la nariz, "roncadores", etc.).
Amigdalitis aguda, 1672
Dispepsias, 1105, y gastritis, 1102.
Afecciones hepáticas, 1137.
Apendicitis, 1133.
Colitis, 1124.
Enfermedades infecciosas:
Tifoidea, 868.
Neumonía, 1202.
Tuberculosis, 918.
Sarampión, 948.
Escarlatina, 930, etc.

LENGUA CON ULCERACION.
Estomatitis herpética o vesicular, 1094.
Ulceración por contacto con diente cariado o irregular.
Cáncer, 1501, 1505.
Tuberculosis, 918.
Sífilis, 1571.
Tos convulsa, 888.
Aftosa.
Intoxicación mercurial, 622.

LINEA AZULADA EN LAS ENCIAS, véase Encías, cambios de color en las.

LIQUIDO EN EL ABDOMEN, véase Ascitis, 1166.

LIQUIDO EN LA PLEURA, véase Pleuresía, 1216, e Hidrotórax, 1219.

LIPOTIMIA, véase Desmayo, 587.

LLAGAS EN LA BOCA, véase Boca, llagas y manchas blancas en la.

LLANTO FACIL.
Climaterio, 267.
A menudo se observa después de afecciones del cerebro (hemorragia cerebral, 1458, reblandecimiento cerebral, demencia, 1481, etc.).
Senilidad.
Neurosis, 1474.
Falta de madurez de espíritu.

M

MANCHAS, véase Piel, 1606, 1631.

MALESTAR. Búsquese el órgano donde se siente el malestar.

MAL GUSTO EN LA BOCA, véase Halitosis, 1088.

MAMAS, véase Senos.

MANCHAS EN LA BOCA, véase Boca, llagas y manchas en la.

MANCHAS EN LA CARA, véanse sus causas,

MANCHAS EN LA LENGUA, véase Boca, llagas y manchas en la.

MANCHAS EN LA PIEL, véase Piel, 1606.

MANDIBULA APRETADA, véase Boca, dificultad para abrirla.

MANOS Y DEDOS, adormecimiento u hormigueo en las.
Distonía neurovegetativa, 1235.
Climaterio, 267.
Compresión de un nervio (al acostarse sobre el brazo o por costilla cervical).
Tumoraciones benignas o de otro origen, 1501.
Neuritis de diversos orígenes, 1432; Intoxicación arsenical, 615; o por alcohol, 615; o por plomo, 624.
Falta de vitamina B1, 1022.
Anemia perniciosa, 1323.
Afecciones de la médula espinal:
Tabes, 1444, esclerosis en placas, siringomielia, etc., 1441.
Afecciones del cerebro, como por ejemplo reblandecimiento cerebral.
Enfermedad de Raynaud, 1285.
Artritis reumatoide, 1387.
Uremia, 1352.

MANOS Y DEDOS DEFORMADOS.
I. *Dedos:*
Traumatismos, 481.
Artritis reumatoide, 1387.
Osteoartrosis, 1391.
Gota, 1027.
Enfermedad de Dupuytren (retracción de la aponeurosis palmar).
Tumores o inflamaciones de los huesos o de las partes blandas de los dedos.
II. *Dedos en palillo de tambor:*
Afecciones crónicas del pulmón, 1199.
Afecciones congénitas del corazón, 1251.
III. *Manos deformadas:*
Todas las causas antes mencionadas y además ciertas parálisis por lesiones de los nervios.
Afecciones de médula espinal o directamente de los músculos.
Hemiplejía, 1455.
Cretinismo, 1373.
Mongolismo, 433.

MANOS Y DEDOS, DOLOR EN.
Traumatismos, 481.
Quemaduras, 570.
Frío excesivo.
Infecciones (panadizos, 225, 528; abscesos, 525; sinovitis, 1500; etc.).
Sabañones, 1609.
Artritis reumatoide, 1387.
Osteoartrosis, 1391.
Gota, 1027.
Neuritis y Neuralgias, 1432, 1436.
Enfermedad de Raynaud, 1285.
Calambres profesionales, 1479.

MANOS Y DEDOS HINCHADOS.
Muchas de las causas ya mencionadas de dolor o deformación de las manos y dedos, pueden producir hinchazón.
Otras causas son capaces de producir edema o hinchazón en diversas partes del cuerpo, 1233.
También el eccema agudo, 1611.
La urticaria, 1615.
El edema angioneurótico, 1617.
Compresión del mediastino por ganglios u otras tumoraciones.
Tumores del seno, 1510.

MAREOS.
Por mareo en barco o vehículos, 669.
Puede el mareo ser del tipo vértigo (el paciente siente como que diesen vuelta los objetos que lo rodean o que él mismo da vueltas). Véanse las causas de vértigo, 669.
Otras veces el mareo es un malestar con predominio en la cabeza y oscurecimiento de la vista, pero con manifestaciones en el resto del cuerpo, como por ejemplo, inseguridad en los miembros inferiores. Sus causas son las que se mencionan en la pág. 589 para lipotimia y síncope y además la debilidad por cansancio excesivo, o falta de alimentos, las emociones, enfermedades debilitantes, hemorragias internas o externas, anemias, etc.
También puede observarse cuando la tensión arterial es muy elevada, 1268 o muy baja, 1275, o por deficiente circulación cerebral de otros orígenes (arterioesclerosis, 1278; sífilis, 1571; afecciones del corazón).
Uso de medicamentos que producen sueño.
También en afecciones de la vista.
Insolación, 581.
"Golpe de calor", 582.
Hipotiroidismo, 1371.
Climaterio, 267.
Neurosis, 1474.
Puede ser un equivalente del ataque epiléptico, 1467.

MATERIA FECAL COLOR MASILLA.
Ictericia por obstrucción, 1137.
Régimen a base de alimentos poco coloreados (leche, cereales refinados, etc.).
Infantilismo intestinal, 398.
Distrofia láctea, 421.

MATERIA FECAL DE COLOR NEGRO.
Puede ser causada por sangre, véase Melena, 1084.
También puede deberse al uso de ciertos

medicamentos (sales de hierro y de bismuto, carbón medicinal, etc.).

MATERIA FECAL DE COLOR ROJO, véase Hemorragia del ano y el recto.
Puede deberse al consumo de alimentos con ese color, como por ejemplo, remolachas.

MATERIA FECAL CON MUCUS.
Colitis, 1124.
Enterocolitis, 1124.
Abuso de enemas.

MATERIA FECAL MUY SECA, véase Constipación, 1077.

MELENA, véanse sus causas, 1084.

MENORRAGIA, véase Hemorragia uterina, 270.

MENSTRUACION ABUNDANTE Y EXCESIVA, véase Hemorragia uterina, 270; o Metrorragia, 270.
Además de las causas mencionadas allí, cabe señalar que hay personas que, sin enfermedad, presentan desde su desarrollo menstruaciones muy prolongadas o abundantes. Otras veces se debe a trastornos de origen ovárico.

MENSTRUACION DOLOROSA. Véanse sus causas, Disminorrea, 271.
A veces un aborto puede simular ser simplemente una menstruación dolorosa y excesiva.

MENSTRUACION, falta de. Véanse sus causas, Falta de menstruación o amenorrea, 270.

MENSTRUACION IRREGULAR.
Funcionamiento deficiente o irregular de los ovarios o del lóbulo anterior de la hipófisis.
Pueden causar irregularidad menstrual, la iniciación de la menstruación 266 y el climaterio, 267.

MENTALIDAD, cambios en la.
Neurosis, 1474.
Psiconeurosis, 1475.
Alcoholismo crónico, 122.
Tóxicomanías (capítulo 11) y otras intoxicaciones crónicas.
Demencias seniles, 1483.
Arterioesclerosis de los vasos cerebrales, 1278.
Psicosis, 1484.
Confusión mental en infecciones, 1486.
Tumores cerebrales, 1465.
Encefalitis, 1464.
Epilepsia, 1467.
Uremia, 1352.
Hipotiroidismo, 1375.

METEORISMO, véase Abdomen distendido por gases.

METRORRAGIA, véanse sus causas, 270.

MICCION DOLOROSA O CON ARDOR.
Blenorragia, 1568 y otras inflamaciones de la uretra.
Carúncula uretral.
Estrechez uretral, 1559.
Expulsión de cálculo o arenilla urinarios, 1362.
Cistitis, 1360.
Cálculo vesical (urinario), 1362.
Tuberculosis urinaria, 1361.
Presión sobre la vejiga por fibroma uterino u otras tumoraciones de pelvis, 276.
Vulvitis.

MICCION FRECUENTE.
Muchas de las causas de micción dolorosa, provocan al mismo tiempo micción frecuente.
Causas frecuentes son aquellas que provocan aumento de la cantidad de orina, 1339.
Las cistitis, 1360.
Cálculos vesicales (urinarios), 1362.
Tumores de vejiga, 1364, y próstata, 1557-1558.
La estrechez de la uretra es otra causa importante, 1559.
Las inflamaciones de trompa u ovario (véase Anexitis, 282), y los aumentos de tamaño del útero de diverso origen (embarazo, 286, fibroma, 276 etc.) pueden ser su causa.
El aumento de tamaño de la próstata provoca micción frecuente de noche.

MICCION IMPOSIBLE, véase Retención de orina, 1342.

MOLESTIA DEL ESTOMAGO Y ABDOMEN, véase Gastritis, 1102, y Dispepsias, 1105.

MORDEDURA DE LA LENGUA.
Epilepsia, 1465, y otras causas de convulsiones.

MORETONES, véase Equimosis, 481.

MUECAS INVOLUNTARIAS.
Tic, 1479.
Corea, 1469.

MUÑECAS DOLOROSAS E HINCHADAS, véase Articulaciones dolorosas, y Articulaciones hinchadas.

MUSCULOS, atrofia de los.
Neuritis, 1432, y polineuritis, 1433.
Lesiones traumáticas de los nervios, 1432.

Parálisis infantil (poliomielitis anterior aguda, 1445) y otras enfermedades de la médula espinal (esclerosis medulares, siringomielia, 1443, etc.).
Falta de ejercicio, 70.
Inflamación de las articulaciones vecinas.
Distrofias musculares o miopáticas.

MUSCULOS, dolores en los, véase Dolores musculares.

N

NARIZ, dolor en la, véase Dolor en la nariz.

NARIZ ENROJECIDA.
Acné rosáceo, 1591.
Erisipela, 877.
Forúnculo, 1593.
Rinitis agudas y crónicas, 1661.
Alcoholismo, 112.
Trastornos digestivos.

NARIZ, hemorragia por la, véase Epístaxis, 1654.

NARIZ OBSTRUIDA O TAPADA.
Resfrío común, 1658, u otras rinitis agudas o crónicas, 1661.
Vegetaciones adenoideas, 1677.
Desviaciones del tabique nasal, 1664.
Hipertrofia de los cornetes, 1654.
Rinitis espasmódica, 1663.
Pólipos nasales, 1666.
Sífilis, 1571.
Difteria nasal, 883.
Cuerpos extraños en la nariz, 666.
Tumores de la nariz.

NARIZ, secreción acuosa de la.
Coriza o resfrío nasal, 1658.
Rinitis espasmódica, 1663.
Hidrorrea nasal.
Intoxicación con yodo, 625.
Fractura de base de cráneo, 498.
Algunas personas presentan este síntoma cuando ingieren líquidos calientes.

NARIZ, secreción espesa (purulenta).
Coriza o resfrío común, 1658.
Rinitis crónica, 1661.
Sinusitis, 1666.
Cuerpo extraño nasal, 666.
Sífilis nasal.
Tumores nasales.

NAUSEAS, véase Vómitos, 1073.

NERVIOSIDAD.
I. *Manifestada por la tendencia a estar siempre inquieto y en movimiento* (casi normal en los niños).
En el adulto puede deberse a una constitución emotiva o nerviosa.
Hipertiroidismo, 1375, u otras afecciones de las glándulas de secreción interna:
Climaterio, 267.
Secreción ovárica, insuficiente o excesiva.
"Climaterio" masculino.
Hipertrofia del timo.
Hipocalcemia por afecciones de las paratiroides u otras causas por ejemplo: insuficiente ingestión de calcio o falta de vitamina D.
Puede deberse a alcoholismo, 121.
Toxicomanías (véase el capítulo 11).
Otras intoxicaciones, 611.
Muy frecuentemente se debe a causas psíquicas:
Emociones intensas.
Exceso de trabajo y preocupaciones.
Higiene mental defectuosa (véase el capítulo 7).
II. *Manifestaciones mayormente en lo mental o psíquico:*
Emotividad exagerada.
Falta de dominio propio o bien constitución emotiva que se manifiesta a menudo por irritabilidad, cólera, a veces entusiasmo exagerado, que puede alternar con períodos de depresión (pesimismo, tristeza, temor, falta de voluntad, etc.).
Sus causas pueden ser además de la constitución emotiva, el no haber aprendido a dominarse, preocupaciones, decepciones, conflictos morales, etc. Otras veces hay alguna enfermedad del sistema nervioso o de las glándulas de secreción interna, alguna intoxicación crónica, o una vida no saludable, falta de vitamina B, etc.
III. *Síntomas en diversos órganos:*
Trastornos digestivos.
Molestias a nivel del corazón, etc. Véase Distonía neurovegetativa, 1235, y Neurosis, 1474.

NEURALGIAS, véanse sus causas, 1436.

NEUROSIS, véanse sus causas, 1474.

O

OBESIDAD, véanse sus causas, 1047.

OBSTRUCCION (OCLUSION) INTESTINAL, 1085.

OIDO, comenzón o prurito en el.
Eccema del conducto auditivo, 1641.
Sabañones, 1609.

OIDO, dolor de, véase Dolor de oído.

OIDO, DUREZA de OIDO o SORDERA, véanse sus causas, 1647.

OIDO, hemorragia del, véase Hemorragia del oído.

OIDO, ruidos o zumbidos en el, 1647.
Otitis catarral aguda o crónica, 1646.
Otitis purulenta crónica, 1646.
Otoesclerosis, 1646.
Tapón de cerumen, 1640.
Obstrucción de la nariz, 1652.
Hipertensión arterial, 1268.
Anemia aguda, 1321.
Neurosis, 1474.
Enfermedad del oído interno (vértigo de Meniere, laberintitis, etc.).
Nefritis crónica, 1348.
Uremia, 1352.
Mal de montaña, 670.
Intoxicación con salicilatos,
quinina,
estreptomicina, etc.
Alcoholismo crónico, 122.
Acromegalia, 1381.

OIDO SORDO, 1647.

OIDO, supuración del, 1648.

OIDO TAPADO.
Tapón de cera, 1640.
Otitis medias, 1646, agudas, 1642, y crónicas, 1646.
Catarro u obstrucción de la trompa de Eustaquio, 1648.

OJO CERRADO, véase Párpados hinchados, 1695, 1696.

OJO, dolor en el.
Cansancio de la vista, 1707.
Conjuntivitis, 1698.
Queratitis, 1703.
Ulcera de la córnea, 1703.
Cuerpo extraño, 1703.
Traumatismos, 481.
Glaucoma, 1706.
Neuritis del nervio óptico.
Neuralgia, 1436.
Hemicránea, 1469.

OJOS DESVIADOS, véase Estrabismo, 1706.

OJOS ENROJECIDOS.
Blefaritis, 1695.
Conjuntivitis, 1698.
Cansancio visual, 1707.
Dacriocistitis, 1698.
Diversas infecciones:
Sarampión, 948.
Resfrío, 1658.
Gripe, 955.
Tos convulsa, 888.
Glaucoma, 1706.
Rinitis espasmódica, 1662.

OJOS HINCHADOS, véase Párpados hinchados.

OJOS INFLAMADOS, véase Ojos enrojecidos.

OJOS IRRITADOS, véase Ojos enrojecidos.

OJOS QUE LAGRIMEAN, véase Lagrimeo.

OJOS QUE NO TOLERAN LA LUZ (fotofobia).
Defectos no corregidos de la vista.
Cansancio visual, 1707.
Conjuntivitis, 1698.
Queratisis, 1703.
Ulcera de la córnea, 1703.
Iritis, 1705.
Retinitis.
Ciertas infecciones como ser:
Sarampión, 948.
Gripe, 955.
Coriza o resfrío común, 1658, etc.
Hemicránea, 1469.
Meningitis, 1471.
Encefalitis, 1464.
Neurosis, 1474.
Neuralgia del trigémino, 1436.
Intoxicación con atropina o quinina, 616.

OJO QUE NO PUEDE CERRARSE, véase Párpados abiertos.

OJO NEGRO, véase Párpado con equimosis, 481.

OJO CON SECRECION PURULENTA (pus).
Conjuntivitis, 1698.

OJOS SALIENTES.
Puede ser una característica familiar.
Bocio exoftálmico, 1375.
Miopía acentuada, 1693.
Lesiones, infecciones o tumores de la órbita.
Sinusitis frontal intensa, 1666.
Etmoiditis, 1666.
Excitación del simpático.

ORINA ESCASA, 1342.

ORINA EXCESIVA, 1343.

ORINAR, trastornos al, véase Micción.

OVARIOS, dolor de, véase Abdomen, dolor en el hipogastrio y la pelvis.

P

PALADAR INFLAMADO, véase Boca, dolor e inflamación de la.

PALADAR, parálisis del velo del.

Parálisis postdiftérica, 885.
Inflamaciones intensas de la garganta, 1670.
Operaciones sobre la garganta.

PALADAR PERFORADO.
Defecto congénito (véase Labio leporino, 363.
Heridas.
Sífilis hereditaria o sífilis adquirida en su período terciario, 430, 1574.

PALIDEZ, véase Cara, palidez de la.

PALPITACIONES, véanse sus causas, 1233, y además Corazón, palpitaciones del.

PAPULAS, véase Piel.

PARALISIS DE LA CARA, véase Parálisis facial, 1438.

PARALISIS DE UN BRAZO O MIEMBRO SUPERIOR.
Cualquiera de las causas que mencionamos como posibles productoras de hemiplejía, 1455, puede producir parálisis completa o parcial, o disminución de fuerzas de uno de los miembros superiores.
Otras causas posibles son:
Poliomielitis anterior aguda (parálisis infantil), 1445 y otras enfermedades de la médula espinal como ser:
Esclerosis en placas, 1493.
Siringomielia, 1443.
Hemorragias o tumores.
Las lesiones del plexo braquial o de sus ramas (nervio circunflejo, radial, cubital o mediano, etc.). Estos nervios pueden presentar neuritis de diverso origen, 1432.
Otras causas son:
Costilla cervical.
Enfermedad de Parkinson, 1462.
Corea, 1469.
Retracción isquímica de Volkman, 553.
Uremia, 1352.
Meningitis tuberculosa, 1472.
Histerismo, 1477.

PARALISIS DE UN LADO DEL CUERPO, véase Hemiplejía, 1455.

PARALISIS DEL VELO DEL PALADAR, véase Paladar, parálisis del velo del.

PARALISIS DE UN MIEMBRO INFERIOR.
Rara vez la causa es de las que producen hemiplejía (véase ese nombre).
Más frecuente es que las lesiones que producen la parálisis afecten la médula espinal o los nervios periféricos como ser:
Parálisis infantil poliomielitis anterior aguda), 1445.
Sífilis, 1571.
Esclerosis en placas, 1493.
Lesiones de la columna vertebral.
Tumores de la médula espinal.
También puede ser causada por:
Neuritis, 1432.
Lesiones graves de un nervio ciático e histerismo.

PARALISIS DE AMBOS MIEMBROS INFERIORES (paraplejía).
Lesiones de la médula por:
Sífilis u otras infecciones, 1571.
Fracturas o luxaciones de la columna.
Mal de Pott, 1518.
Esclerosis en placas, 1493.
Enfermedad de Little, 1454.
Anemia perniciosa, 1323.
Poliomielitis anterior aguda (Parálisis infantil), 1445.
Tumores benignos y malignos, etc.
Otras veces se debe a parálisis postdiftérica.
Polineuritis de diverso origen, 1433.
Histerismo, 1477.

PARALISIS de los MUSCULOS OCULARES, véase Estrabismo, 1706.

PARALISIS DEL VELO DEL PALADAR, véase Paladar, parálisis del velo del.

PARESIA, véase Parálisis.

PARESTESIA O SENSACION ANORMAL DE LA PIEL, (hormigueo, frío, calor, ardor, prurito, etc.).
Neuritis, 1432.
Polineuritis, 1433.
Distonía neurovegetativa, 1235.
Lesiones del cerebro o de la médula.
Anemia perniciosa, 1323.
Enfermedad de Raynaud, 1285.
Eritromelalgia, 1286.
Tromboangitis obliterante, 1283.
Cocainomanía, 162.
Alcoholismo crónico, 1434.
Acromegalia, 1381.
Neurosis, 1474.

PARPADOS ABIERTOS O ENTREABIERTOS.
Parálisis facial, 1438.
Retracción de párpados por cicatriz.
Bocio exoftálmico, 1375.
Fractura de la base del cráneo, 498.
Tumores de la órbita.

PARPADOS CON EQUIMOSIS.
Traumatismo.
Fractura de la base del cráneo, 498.
Tos convulsa, 888.
Epilepsia, 1465.
Enfermedades hemorragíparas (púrpura, hemofilia, escorbuto), capítulo 124.

PARPADOS HINCHADOS, (véase también Cara hinchada.)
Traumatismos.
Picaduras de insectos.
Inflamaciones del ojo (conjuntiva y párpado).
Afección del riñón, (nefritis y nefrosis), 1347.
Sarampión, 948.
Tos convulsa, 888.
Etmoiditis, 1666.
Sinusitis, 1666.
Erisipela, 877.
Urticaria y edema angioneurótico, 1615, 1617.
Eccema agudo, 1611.

PARPADOS IRRITADOS O INFLAMADOS, véase Ojos enrojecidos.

PARPADO SUPERIOR CAIDO.
Lesión del sistema nervioso por sífilis u otro origen.
Tabes, 1444.
Meningitis tuberculosa, 1472.
Encefalitis, 1464.
Ciertas formas de hemicránea, 1469.
Miastenia grave.
Atrofias musculares.
Parálisis bulbares.
Histeria u otras neurosis, 1474.

PECHO, dolor en el, véase Dolor en el tórax.

PELO, véase Cabello.

PELVIS, dolor en la, véase Abdomen, dolor en el hipogastrio y pelvis.

PERDIDA DE APETITO, véase Apetito, falta o pérdida del.

PERDIDA DEL CABELLO, véase Cabello, pérdida del.

PERDIDA DEL CONOCIMIENTO, véanse sus causas, 587.

PERDIDA DE FUERZA, véase Debilidad.

PERDIDA DE MEMORIA.
Atención o concentración deficientes.
Nerviosidad, preocupaciones o neurosis.
Es prácticamente normal un cierto grado de pérdida de memoria con el envejecimiento. Si esa pérdida de memoria es muy acentuada, puede deberse a arterioesclerosis cerebral.
Otras causas posibles son:
Alcoholismo y otras intoxicaciones.
Secuelas de ciertas enfermedades infecciosas.
Hipotiroidismo, 1371.
Demencias, 1481.
Parálisis general, 1487.
Pelagra, 1020.
Epilepsia, 1465.
Traumatismos del cráneo, 497.
Lesiones cerebrales (hemorragia, reblandecimiento, etc.), 1458, 1459.

PERDIDA DE MOVIMIENTO, véase Parálisis.

PERDIDA DE PESO, véase Adelgazamiento.

PERDIDAS SEMINALES, véanse sus causas, 1566.

PERDIDA DE SANGRE, véase Hemorragia.

PERDIDA DE LA VOZ, véase Afonía y ronquera.

PERINE, dolor o pesadez en el.
Traumatismos.
Afecciones de la próstata, vulva o vagina, o vejiga.
Abscesos isquiorrectales o periuretrales o prostáticos.
Infiltración de orina (flemón periuretral).

PERITONITIS, véanse sus causas en la pág. 1169.

PESADEZ DE ESTOMAGO, véase Dispepsia, 1105.

PESO AUMENTADO, véase Obesidad, 1047.
Otras causas pueden ser:
Gravidez, 292.
Edemas, 1233.
Ascitis, 1166.
Hipertrofia o tumor de algún órgano.

PESO DISMINUIDO, véase Delgadez, 1057, y Apetito, pérdida del.
Además de las causas allí mencionadas, puede deberse a:
Diabetes, 1030.
Bocio exoftálmico, 1375.
Diarreas crónicas de diverso origen, 1081.
Artritis reumatoide, 1387.
En el niño: Distrofias, 421.

PEZON DOLOROSO.
Grieta del pezón, 361.
Hiperestesia del pezón, 361.
Congestión del seno (pubertad, gravidez, tensión premenstrual de senos).

PEZON HUNDIDO O RETRAIDO.
Puede ser una particularidad de la persona.
Cuando aparece en una persona que tenía pezón normal, puede deberse a cáncer de seno o a cicatrices fibrosas.

PEZON, sangre que sale del.
Grieta del pezón, 361.
A veces cáncer, 1510.

PICA, véase Apetito exagerado.

PICAZON, véase Prurito.

PIEL AZULADA, 396, 1234.

PIEL CALIENTE.

I. *Todo el cuerpo:*
Fiebre, 863.

II. *Piel caliente roja y dolorosa en alguna parte del cuerpo:*
Intertrigo y otras irritaciones de la piel, 403, 1611.
Linfangitis y otras formas de infección, 524.
Erisipela, 877.
Flebitis, 1291.
Escarlatina, 930.
Quemaduras producidas por el sol u otras causas, 804, 570.
Eccema agudo, 1611.
Pelagra, 1020.

PIEL, escamas en la.
Terminación de ciertas enfermedades como ser:
Escarlatina, 930.
Sarampión, 948.
Erisipela, 877
Varicela, 945
Viruela, 939.
También puede ser consecuencia de:
Eccema, 1611.
Caspa, 1620.
Pitiriasis rosada.
Psoriasis, 1617.
Tiña, 1622.
Sífilis, 1571.
Dermatitis seborreica, 1620.
Arriboflavinosis, 1025.
Eritrodermia descamativa, 423.
"Pie de atleta", 1601.
Ictiosis.
Pénfigo foliáceo.

PIEL, ampollas en la, (vesículas o pequeñas ampollas).
Herpes simple, 1606.
Herpes zóster, 1607.
Varicela, 945.
Viruela, 939.
Eccema, 1611.
Sudamina.
Miliaria.
Impétigo, 1598.
Pénfigo simple del recién nacido, 431.
Sífilis hereditaria del recién nacido (pénfigo palmar y plantar), 431.
Pénfigo foliáceo, 1618.

Erisipela, 877.
Quemaduras de 2º grado, 570.

PIEL, comezón en la, véase Prurito en la piel.

PIEL, costras en la.
Impétigo, 1598.
Varicela, 945.
Viruela, 939.
Herpes simple, 1606.
Herpes zóster, 1607.
Eccema, 1611.
Sicosis, 1598, 1600.
Sífilis, 1571.
Cánceres de la piel.
Seborrea del cuero cabelludo y zonas adyacentes, 1621.
Keratosis senil.
Ectima.
Favus.
Sarna, 1623.

PIEL HINCHADA, véase Edema.

PIEL, máculas, véase Piel, manchas en la.

PIEL, manchas en la.

I. *Manchas blancas:*
Vitiligo, 1630.
Algunas formas de pitiriasis versicolor, 1602.
Los niños que van mucho al sol es frecuente que presenten en la cara manchas blanquecinas sin importancia.
Pinta, 972.
Lepra, 914.

II. *Manchas color sangre o violáceas:*
Equimosis, 481.
Púrpura, 1331.

III. *Manchas obscuras o color castaño:*
Nevus, 1629.
Pecas, 1630.
Enfermedad de Addison, 1367.
Vitiligo, 1630.
Cloasma, 1630.
Pitiriasis versicolor, 1602.
Sífilis, 1571.
Véase por manchas en la cara, la pág. 1630.

IV. *Manchas rosadas o rojizas* (no muy grandes): Para las grandes, véase Piel caliente.
Sarampión, 948.
Rubéola, 953.
Comienzo de viruela (939) y Varicela 945.
Pitiriasis versicolor, 1602.
Tifoidea, 868.
Tifus exantemático, 967.
Reacción por sueros, 886.
Intoxicaciones, 611.

PIEL, pápulas en la.
Varicela y viruela, antes de aparecer las vesículas, 945, 939.
Sarampión, 948.

Acné (antes de aparecer pus), 1591.
Sífilis secundaria, 1573.
Ciertas formas de eccema, 1611.
Verrugas, 1628.
Nevus (lunares), 1629.
Urticaria, 1615.
Liquen plano, 1589.
Intoxicaciones medicamentosas.
Eritema nudoso, 1609.
Eritema polimorfo (multiforme), 1608.
Sabañones, 1609.
Lepra, 914.

PIEL, picazón o prurito, véase Prurito en la piel.

PIEL, pústulas en la.
Impétigo, 1598.
Acné, 1591.
Forúnculos, 1593.
Eccema infectado.
Sicosis, 1598, 1600.
Ectima.

PIEL, ronchas en la, véase Ronchas.

PIEL SECA.
Las mismas causas que producen deshidratación (véase ese síntoma).
Hipotiroidismo, 1371.
Fiebre, 863.
Desnutrición marcada.
Ictiosis y otras enfermedades de la piel.
Vejez.
Intoxicación con belladona o atropina, 613.

PIEL, úlceras en la.
Ulcera por traumatismo.
Ulceras varicosas, 1294.
Ulcera de decúbito, 723.
Chancro sifilítico, 1572.
Chancro blando, 1571.
Linfogranuloma inguinal, 1578.
Herpes genital, 1606.
Sífilis terciaria, 1574.
Cáncer de piel.
Lupus, 1397.
Lepra, 914.

PIGMENTACION DE LA CARA, 1630.

PIROSIS, véase Acidez de estómago, 1074.

PLEURA, dolor en la, véase Dolor en el tórax.

PLEURA, líquido en la. Véase Pleuresías, 1216. Hidrotórax, 1219.

POLIDIPSIA, véase Sed excesiva.

POLIFAGIA, véase Apetito exagerado.

POLIURIA, 1339.

POSTRACION, ver Debilidad general.

PRURITO EN EL ANO, véanse sus causas, 1548.

PRURITO EN LA PIEL.
I. *Por parásitos:*
Sarna, 1623.
Pediculosis de cabeza, ropa, o inguinal, 1625.
Picaduras de insectos (mosquitos, jejenes, etc.), 547, 548.
II. *Enfermedades de la piel:*
Eccema, 1611.
Urticaria, 1615.
Prurigo, 427.
Liquen, 1589.
Micosis, 1603.
Sudamina.
Miliaria.
III. *Otras causas:* A veces el prurito aparece al sacarse la ropa, o después de baños calientes, o se debe a una causa general, como ser:
Alergia, 1399.
Diabetes, 1030.
Senilidad.
Afecciones del hígado, 1137.
Ictericia, 1137
Enfermedad de Hodgkin, 1328.
Leucemias, 1325.
Nefritis crónica, 1347.
Uremia, 1352.

PRURITO EN LA VULVA O LA VAGINA, véanse sus causas, 274.

PULSO DEBIL.
Lipotimia, 587.
Síncope 588.
Colapso cardiovascular y shock, 506.
Debilitamiento del corazón.
Debilidad general extremada.
Anemia intensa, 1321.
Lesión de ciertas válvulas del corazón, 1248.

PULSO DESIGUAL EN AMBAS ARTERIAS RADIALES.
Aneurisma de la aorta, 1281.
Compresión de una de las arterias subclavias por diversas causas (costilla cervical, ganglios, tumores, etc.).

PULSO IRREGULAR, véanse sus causas bajo Arritmia, 1259.

PULSO LENTO, véanse sus causas bajo Bradicardia, 1257.

PULSO RAPIDO, véanse sus causas bajo Taquicardia, 1254.

PUNTADA, véase Dolor.

PUPILAS CONTRAIDAS
I. *Causas normales:*
Las pupilas se contraen normalmente cuando hay mucha luz, cuando se mira de cerca y durante el sueño.

II. *Causas medicamentosas:*
La morfina, el opio, la eserina y otras sustancias contraen la pupila.
III. *Por enfermedad:*
Fotofobia, véase Intolerancia hacia la luz.
Hipermetropía, 1693.
Iritis, 1705.

PUPILAS DILATADAS.
I. *Causas normales:*
Poca luz u obscuridad.
Emociones.
Excitación del simpático.
II. *Causas medicamentosas:*
Atropina.
Adrenalina.
Cocaína, etc.
III. *Por enfermedad:*
Dolor.
Ciertos comas tóxicos, 589.
Síncope, 588.
Ataque epiléptico, 1467.
Asfixia, 593.
Debilidad.
Anemia, 1321.
Glaucoma, 1706.
Miopía intensa, 1693.

PUPILAS DE CONTORNO IRREGULAR O DESIGUALES.
Diferencias en la refracción de ambos ojos.
Sífilis del sistema nervioso.
Traumatismos del cráneo, 497.
Inflamaciones de las meninges, 1471.
Tumores y abscesos cerebrales, 1465.
Lesión del simpático de un lado del cuello.

PUS, búsquese el órgano de donde proviene el pus.

PUSTULAS, véase Piel, pústulas en la.

R

RAPIDEZ DEL PULSO, véase Taquicardia, 1254.

RASCADO, véase Prurito.

RECTO, molestias en el, véase Ano y Recto.

RECHINAR DE DIENTES.
Vegetaciones adenoideas, 1677.
Parásitos intestinales, capítulos 92-94.
Autointoxicaciones.
Convulsiones. 606.
En los niños se ve con frecuencia si son nerviosos o si tienen trastornos del tubo digestivo.

REGURGITACION.
En el niño, 398.
En el adulto, 1074.

RENGUERA Y MODIFICACIONES DE LA MARCHA.
Afecciones del sistema nervioso, huesos, articulaciones, músculos y vasos sanguíneos.
Otras posibles causas:
Afecciones dolorosas de un miembro inferior.
Parálisis infantil, 1445.
Acortamiento de uno de los miembros inferiores.
Coxalgia, 1518.
Polineuritis, 1433.
Ciática, 1437.
Enfermedad de Little, 1454.
Hemiplejía, 1455.
Tabes, 1444.
Luxación congénita de la cadera, 1512.

REPUGNANCIA POR LOS ALIMENTOS.
Son las mismas causas presentadas bajo Apetito, falta o pérdida del.
Además el embarazo.

RESPIRACION ACELERADA O DIFICIL, véase Disnea, 1182.

RESPIRACION BUCAL, véase Boca abierta.

RETARDO MENTAL, véase Oligofrenia, 1481.

RETENCION DE MATERIA FECAL, véase Constipación, 1077 y Bolo fecal, 1085.

RETENCION DE ORINA, 1342.

REUMATISMO, véase Articulaciones dolorosas y Dolores musculares.

RINITIS, véase Nariz.

RIGIDEZ DEL ABDOMEN.
Algunas personas, sin tener afección alguna, pueden presentar la pared anterior del abdomen contraída. Algunas causas de verdadera contracción involuntaria del abdomen son:
Peritonitis aguda generalizada, 1169.
Apendicitis aguda, 1133.
Perforación de úlcera gástrica, 1112 o de cualquier víscera hueca del abdomen, 872.
Inflamación intensa de diversos órganos del abdomen o la pelvis: vesícula biliar, 1141; páncreas, 1164; trompa, 282; colon, etc.
Contusión de la pared abdominal.

RIGIDEZ DE LA COLUMNA VERTEBRAL, véase Dolor en la columna vertebral.

RIGIDEZ DE TODO EL CUERPO.
Convulsiones, 606.
Enfermedad de Parkinson, 1462.
Síntomas parkinsonianos por encefalitis, 1464.
Afecciones de las meninges, capítulo 141.
Hidrocefalia, 433.
Otras afecciones del sistema nervioso central.

RIGIDEZ DE LOS MIEMBROS INFERIORES, véase Parálisis de ambos miembros inferiores.

RIGIDEZ DE UNA MITAD DEL CUERPO, véase Hemiplejía, 1455.

RIÑON "CAIDO" O PTOSADO, 1556.

RIÑON DOLOROSO, véase Dolor lumbar.

RIÑON AUMENTADO DE TAMAÑO.
Hidronefrosis, 1357.
Pionefrosis, 1360.
Tumores benignos y malignos del riñón.
Tuberculosis renal, 1361.
Riñón poliquístico.
Quiste hidatídico del riñón.

RONQUERA, véase Afonía y Voz ronca.

RONQUIDOS.
Respiración bucal (véase Boca abierta).
Enfermedades que se acompañan de sopor o coma, 589.
Parálisis del velo del paladar (véase bajo ese nombre).
Absceso periamigdalino o retrofaríngeo, 1676, 1680.

RONQUIDOS EN EL PECHO Y OTROS RUIDOS ANORMALES.
Bronquitis aguda o crónica, 1188.
Bronconeumonía, 1207.
Gripe, 955.
Enfisema pulmonar, 1199.
Asma bronquial, 1194.
Dilatación brónquica, 1191.
Cuerpo extraño en la tráquea, 666.
Tuberculosis, 918.
Infarto pulmonar, etc., 1289.

ROTACION DE LA CABEZA Y DE LOS OJOS HACIA UN LADO.
Hemorragia cerebral, 1458.
Epilepsia, 1465.
Encefalitis, 1464.
Tumores cerebrales, 1465.

ROTACION DE LOS OJOS.
Son las mismas causas presentadas bajo Convulsiones.

RUIDOS ANORMALES EN EL ABDOMEN, véase Gases excesivos en el intestino.

RUIDOS ANORMALES EN EL PECHO, véase Ronquidos y otros ruidos anormales en el pecho.

S

SACRO, dolor en el, véase Dolor en el sacro.

SACRO, tumoración o supuración a nivel del, véase Quistes sacrocoxígeos, 1497.

SACUDIDAS INVOLUNTARIAS.
I. *De la boca y la cara:*
Tic, 1479.
II. *Del miembro superior u otras partes del cuerpo:*
Corea, 1439.
III. *De todo el cuerpo:*
Convulsiones (véanse sus causas en el niño, 606, y en el adulto, 607).
IV. *Del párpado u otros músculos de la cara:*
Tensión nerviosa.
Deficiente higiene mental.
Exceso de preocupaciones.

SALIVA ESCASA, véase Boca seca.

SALIVA EXCESIVA, véase Boca, salivación excesiva y babeo.

SANGRE EN LA EXPECTORACION, véase Hemóptisis, 1185.

SANGRE EN LA ORINA, véase Hematuria, 1344.

SANGRE PROVENIENTE DE DIVERSOS ORGANOS, véase Hemorragia.

SEBORREA, véanse sus causas, 1621.

SECRECION, véase el órgano del que procede.

SED EXCESIVA.
Fiebre, 863.
Transpiración abundante.
Diarrea, 1081.
Hemorragia, 511.
Diabetes sacarina, 1030.
Diabetes insípida y cualquier enfermedad que causa exceso de orina (véanse las págs. 1381, 1344).
Trastornos digestivos.

SEDIMENTO EN LA ORINA, véanse sus causas, 1340.

SENSACION ANORMAL EN LA PIEL (anestesia, disminución de la sensibilidad, ardor, hormigueo, frío, calor, etc.), véase Parestesia.

SENSACION DE AHOGO, véase Disnea,

1182, y Distonía neurovegetativa, 1235.

SENSACION DE ARDOR, véase el órgano afectado.

SENSACION DE ARENA EN LOS OJOS.
Cuerpo extraño, 664, 1703.
Tracoma, 1701.
Conjuntivitis, 1699.

SENSACION DE BOLA QUE SUBE DEL ESTOMAGO A LA GARGANTA.
Neurosis, 1474.
Distonía neurovegetativa, 1235.

SENSACION DE CALOR EN LA MITAD SUPERIOR DEL CUERPO.
Climaterio, 267.
Bocio exoftálmico, 1375.
Fiebre, 863.

SENSACION DE CUERPO EXTRAÑO EN LA GARGANTA.
Faringitis, 1677.
Lesión por espina.

SENSACION DE DOLOR, véase Dolor.

SENSACION ANORMAL DE FRIO.
Hipotiroidismo, 1371.
Escalofríos, 671.

SENSACION DE LATIDOS EN DIVERSAS PARTES DEL CUERPO, véase Palpitaciones, 1233.

SENSACION DE MUERTE INMINENTE.
Angina de pecho, 1243.
Infarto de miocardio, 1244.
Distonía neurovegetativa, 1235.
Neurosis, 1474.

SENSACION DE PESO EN EL ESTOMAGO, véanse sus causas bajo Dispepsia, 1105.

SENSACION DE PESO EN EL HIGADO, véase Hígado congestionado.

SENSACION DE PESO EN LOS GENITALES.
En la mujer: tendencia a prolapso genital, o sea a descenso de paredes vaginales y útero (véase la pág. 274).

SENSACION DE PESO EN EL RECTO.
Hemorroides, 1543.
Rectitis, 1538.
Prostatitis, 1555.
Véase también, Dolor en ano y recto.

SENOS DOLORIDOS E HINCHADOS.
Traumatismo.
Tensión premenstrual de los senos.
Embarazo, 296.
Mastodinia o neuralgia del seno.
Mastitis agua o crónica, 362.
Grietas del pezón, 361.
Absceso, 263.
Tumores benignos del seno, 1510.
Cáncer del seno, 1510.

SINCOPE, véase Desmayo y Causas de lipotimia y síncope, 598.

SENSIBILIDAD EXCESIVA A LA LUZ, véase Ojos que no toleran la luz.

SENSIBILIDAD EXCESIVA DE LA PIEL, véase Parestesia.

SENSIBILIDAD EXCESIVA A LOS RUIDOS.
Ciertas formas de otitis media crónica, 1646, 1648.
Nerviosidad.
Neurosis, 1474.
Intoxicación del nervio auditivo por alcohol, tabaco, estreptomicina, salicilatos y quinina.
Hemicránea, 1469.
Neuralgia del trigémino, 1436.

SENSIBILIDAD A LA PRESION DE ALGUNA PARTE DEL CUERPO, véase Dolor.

SHOCK, véanse sus causas, 507.

SIALORREA, véase Boca, Saliva excesiva y Babeo.

SINCOPE, véanse sus causas, 588.

SINUSITIS, véanse sus causas, 1666.

SOMNOLENCIA, véase también Estupor y Coma, 589.
Puede deberse a:
Cansancio.
Debilidad.
Insomnio nocturno.
Obesidad, 1047.
Vejez.
Trastornos digestivos (en este caso se produce especialmente después de las comidas).
Otras causas.
El estar sometido a un frío extremo, 578.
Uso de antihistamínicos y barbitúricos.
Puede ser una característica individual normal.

SORDERA, véanse sus causas, 1647.

SUDORACION AUMENTADA.
I. *En la cabeza:*
Raquitismo en el niño, 1017.
II. *En la parte alta del cuerpo:*
Climaterio en la mujer, 267.
III. *En todo el cuerpo:*
Debilidad.

Shock o colapso de cualquier origen, 506.
Dolor agudo.
Emociones.
Neurosis, 1475.
Terminación de ciertas enfermedades febriles.
Se ve especialmente en el curso de ciertas enfermedades infecciosas como:
Tuberculosis, 918.
Paludismo, 973.
Fiebre reumática, 891.
Brucelosis, 899.
Septicemia, 530.
En general cualquier infección.
Uso de ciertos medicamentos que bajan la fiebre.
IV. *Sudores nocturnos:*
Tuberculosis, 918.
Bronquiectasis, 1191.
Pueden producirlos también las otras causas mencionadas anteriormente.

SUDORACION DISMINUIDA, véase Piel seca.

SUEÑO EXCESIVO, véase Somnolencia.

SUEÑOS DESAGRADABLES (pesadillas). (Véanse las causas de Terrores nocturnos, 401.)
En el adulto pueden además deberse a:
Cenas de difícil digestión.
Trastornos digestivos.
Incomodidad durante el sueño (manos apoyadas sobre el abdomen, etc.).
Nerviosidad y preocupaciones.

SUPURACION, véase el órgano o la región afectados.

T

TACTO ABOLIDO.
Traumatismos de nervios, 1432.
Neuritis de diverso origen, 1432.
Mielitis transversa, 1441.
Tabes dorsal, 1444.
Siringomielia, 1443.
Tumores de médula y encéfalo, 1441, 1465.
Esclerosis múltiple, 1441.
Lepra, 914.
Histerismo, 1477.

TAQUICARDIA, véanse sus causas, 1254.

TEMBLOR.
Frío.
Cansancio.
Escalofrío, 671.
Emociones.
Senilidad.
Uso de bebidas que contienen cafeína, 235.
Intoxicación crónica con alcohol y tabaco, 122, 128, 615.
Enfermedad de Parkinson, 1462.
Bocio exoftálmico, 1375.
Parálisis general, 1487.
Neurosis, 1475.
Esclerosis en placas, 1441.
Tumores cerebrales o de cerebelo, 1465.

TEMBLOR DE LA LENGUA.
Parálisis general, 1487.
Delirium tremens, 1485.
Senilidad.
Tabes dorsal, 1444.
Esclerosis en placas, 1441.
Neurosis, 1474.
Intoxicación crónica por alcohol o tabaco, 122, 128, 623.

TEMPERATURA AUMENTADA, véase Fiebre, 863.

TEMPERATURA DISMINUIDA.
Puede ser normal en algunas personas.
Puede verse en el curso de enfermedades debilitantes o después de enfermedades infecciosas.
También por frío, alimentación insuficiente.
Al comienzo de hemorragias.
Hipotiroidismo, 1371.
Diabetes, 1030.
Alcoholismo agudo y otras intoxicaciones, 115.
Shock o colapso cardiovascular, 506.
Pérdida del conocimiento, 587.

TENDENCIA A DESMAYO, 587.

TERRORES NOCTURNOS, 401.

TESTICULO, atrofia del.
Puede ser consecuencia de una orquitis o epididimitis, 1563, 1564.
Otras veces se produce por hallarse el testículo fuera de su lugar normal, 1562, o por traumatismo del testículo o cordón espermático.
La falta de desarrollo del testículo o su atrofia pueden deberse a afecciones de las glándulas de secreción interna.
Síndrome adiposo genital de Fröhlich, 1381.
Eunuquismo, 1381.
Cretinismo, 1373.
Enfermedad de Addison, 1367.
En la vejez puede producirse también este síntoma.

TESTICULO, dolor en el.
Orquitis, 1564.

Epididimitis, 1563.
Varicocele, 1561.
Neuralgia.
Torsión del testículo o de la hidátide pediculada.
Irradiación de dolor causado por cálculo urinario, 1362.
Tuberculosis del aparato genital, 1565.
Tumores malignos del testículo, 1565.

TESTICULO, hinchazón del.
Las causas mencionadas bajo Dolor en el testículo.
Además:
Sífilis, 1571.
Hidrocele, 1561.
Quistes del epidídimo.
Brucelosis, 899.

TIC, véanse sus causas, 1479.

TIFICO, estado.
Tifoidea, 868.
Tifus exantemático, 967.
Septicemia y sépticopiemias, 530.
Forma perniciosa del paludismo, 977.

TIMPANISMO, véase Abdomen, distensión gaseosa del.

TINTE AMARILLO DE LA PIEL, véase Ictericia.

TIRITAR, véase Escalofrío.

TIROIDES AUMENTADA DE TAMAÑO, véase Bocio.

TOBILLOS, Dolor en. Véanse Dolor en el miembro inferior y Tobillo.
Tobillos hinchados. Véase Hinchazón de pies y tobillos.

TONSILITIS, véase Garganta, dolor de.

TORAX DEFORMADO.
Es relativamente frecuente que sin verdadera enfermedad haya un hundimiento de la parte anterior y media del pecho, a nivel del esternón.
Pueden producir deformación del tórax, además de los traumatismos:
Diversas deformaciones de la calumna vertebral (cifosis, escoliosis), 1514-1517.
Raquitismo, 1017.
Vegetaciones adenoideas, 1677.
Tuberculosis pulmonar crónica, 923.
Enfisema, 1199.
Bronquiectasia, 1191.
Fibrosis pulmonar de diversos orígenes.
Tumoraciones del mediastino.
Aumento marcado del tamaño del abdomen.

TORAX, dolor en el, véase Dolor en el tórax.

TORTICOLIS, véanse sus causas, 1394.

TRANSPIRACION, véase Sudoración.

TRISMUS, véase Boca, dificultad para abrir la.

TOS, véanse sus causas, 1183.

TUBERCULOS O NODULOS SALIENTES EN LA PIEL.
Quistes sebáceos, 1496.
Lipomas, 1503.
Verrugas, 1628.
Nevus (lunares), 1629.
Lupus, 1397.
Sífilis, 1571.
Xantelasma de los párpados.
Eritema nudoso, 1609.
Neurofibromatosis.
Lepra, 914.
Yaws, 970.
Leucemia, 1325.
Cicatriz queloidea.
Verruga peruana.

TUMORACION, véase Hinchazón.

U

ULCERA DE LA BOCA, véase Boca, llagas y manchas blancas en la.

ULCERA DE LA CORNEA, véanse sus causas, 1703.

ULCERAS DE LA PIEL, véase Piel, úlceras de la, 1495.

ULCERA DE LA PIERNA.
Ulcera varicosa, 1294.
Infecciones de la piel.
Sífilis terciaria, 1574.
Leishmaniosis, 980.
Tuberculosis.
Cáncer.
Lepra, 914.

ULCERAS EN OTROS LUGARES. Búsquese el lugar donde se halla la úlcera.

UÑA ENCARNADA, 1533.

UTERO AUMENTADO DE TAMAÑO.
Embarazo, 251.
Fibromioma, 276.
Tumores benignos y malignos del útero, 276-279.

UTERO, dolor en el, véase Abdomen. Dolor en la pelvis y el hipogastrio.

UTERO DESVIADO, 274.

UTERO, hemorragia del, véase Hemorragia del útero, 270.

UVULA HINCHADA.
Inflamaciones de amígdalas o faringe, 1672.
Edema angioneurótico, 1617.

V

VAGINA Y VULVA DE COLOR VIOLACEO.
Embarazo, 251.

VAGINA Y VULVA, secreción anormal, véase Flujo, 272.

VEJIGA AUMENTADA DE TAMAÑO.
Retención de orina aguda o crónica, 1341.

VEJIGA DOLOROSA, véase Micción frecuente y dolorosa, 1343, 1344.

VENAS DILATADAS EN LA CABEZA.
En el niño:
Raquitismo, 1017.
Hidrocefalia, 433.
Sífilis congénita, 431.

VENAS DILATADAS EN EL CUELLO.
Insuficiencia cardíaca, 1261.
Esfuerzos físicos.
Compresión del mediastino de diversos orígenes.

VENAS DILATADAS EN EL TORAX Y MIEMBRO SUPERIOR.
Tumores de mediastino.
Aneurisma de aorta, 1281.
Cirrosis hepática, 1158.
Insuficiencia cardíaca, 1261.
Cáncer de pulmón, 1212.

VENAS DILATADAS EN LA PARED ABDOMINAL.
Cirrosis hepática, 1158.
Tumoraciones benignas o malignas del abdomen.
Ascitis, 1166.
Algunos tumores del mediastino.
Trombosis de la vena cava inferior.

VENAS DILATADAS E IRREGULARES EN EL MIEMBRO INFERIOR, véase Várices, 1293.

VISION, falta de, véase Ceguera.

VISION DEFECTUOSA, véase Dificultad para ver.

VOMITOS, véase para vómitos del niño pág. 398, y por sus causas en el adulto la pág. 1083.

VOZ APAGADA, véase Afonía, en el Indice de Síntomas.

VOZ GANGOSA.
Resfrío común y en general todas las causas mencionadas bajo Nariz obstruida, 1654, 1658.
Vegetaciones adenoideas, 1677.
Fisura del paladar, 363.
Parálisis del velo del paladar (véase ese síntoma).
Absceso periamigdalino, 1676.

VOZ RONCA, véase Afonía y Ronquera.